HISTOIRE
DE L'AMÉRIQUE FRANÇAISE

Des mêmes auteurs

Gilles Havard

L'Amérique fantôme. Les aventuriers francophones du Nouveau Monde, Flammarion, 2019.

Histoire des coureurs.de bois. Amérique du Nord, 1600-1840, Les Indes Savantes, 2016.

Empire et métissages : Indiens et Français dans le Pays d'en Haut, 1660-1715, Septentrion/Presses de l'université Paris-Sorbonne, 2003

Cécile Vidal

Caribbean New Orleans : Empire, Race, and the Making of a Slave Society, Chapel Hill, Omohundro Institute of Early American History and Culture/University of North Carolina Press, 2019.

Français ? La nation en débat entre colonies et métropole, XVIe-XIXe siècle, EHESS, 2014 (dir.).

Louisiana : Crossroads of the Atlantic World, University of Pennsylvania Press, 2013 (dir.).

Gilles Havard
Cécile Vidal

HISTOIRE
DE L'AMÉRIQUE
FRANÇAISE

Édition revue (2019)

Champs histoire

Philippe Jacquin, auteur de nombreux travaux sur les Indiens d'Amérique du Nord et la conquête de l'Ouest, avait depuis plusieurs années l'idée d'un ouvrage sur l'histoire de l'Amérique française. Homme passionné, un brin iconoclaste, Philippe avait été l'un des rares chercheurs français à s'intéresser de près à ce sujet, grâce notamment à des recherches sur les coureurs de bois (*Les Indiens blancs*, Payot, 1987). Le domaine étant méconnu en France, il avait su convaincre Hélène Fiamma, notre éditrice, de l'intérêt de ce projet, et nous avait proposé d'y collaborer, quand il nous quitta brutalement à la fin de l'été 2002. Sans lui, ce travail dont il devait rédiger certains chapitres n'aurait pas vu le jour. Nous voudrions lui rendre hommage en lui dédiant notre travail.

G. H. et C. V. (2003)

Avertissement

Cet ouvrage est le fruit d'un travail de réflexion et d'élaboration commun. Cependant, Gilles Havard a rédigé les chapitres I, II, V, VI, XII, XIII, la première partie du chapitre IV (« des terres veuves : la dépopulation amérindienne ») et l'épilogue, et Cécile Vidal les chapitres IV, VII, VIII, IX, X, XI. Quant à l'introduction et au chapitre III, ils ont été rédigés conjointement par les deux auteurs.

Tous deux ont, à l'occasion de la réédition de ce livre en 2006 dans la collection Champs, substantiellement revu le texte original de 2003. Des révisions mineures ont aussi été effectuées pour cette 5ᵉ édition, enrichie en outre d'une bibliographie complémentaire.

Introduction

Les Français d'aujourd'hui, plus ou moins confusément, savent que l'Amérique du Nord a une histoire française. La langue de Molière n'est-elle pas parlée dans certaines provinces canadiennes, en particulier au Québec ? Des noms célèbres, patronymes (Jacques Cartier, Samuel de Champlain, Cavelier de La Salle…) ou toponymes actuels (l'État de Louisiane, New Orleans et son *French Quarter*, Baton Rouge, Saint Louis…) n'évoquent-ils pas un passé colonial lointain ? Doit-on citer aussi la musique populaire des Cadiens (Cajuns) ou certaines œuvres de la littérature classique – *Manon Lescaut* de l'abbé Prévost, *Atala*, *René*, et *Les Natchez* de Chateaubriand –, qui rappellent la présence, jadis, des Français en Louisiane ? Mais notre mémoire collective semble se résigner à n'entrevoir l'histoire des colonies françaises d'Amérique du Nord qu'à travers ces images, fugaces et évanescentes. Par comparaison avec celle des îles à sucre, cette histoire, en effet, occupe une faible place dans les programmes scolaires du primaire et du secondaire et elle reste peu enseignée à l'université. Le contraste est encore plus marqué avec le second Empire colonial français, formé après la période révolutionnaire et napoléonienne autour du Maghreb, de l'Afrique de l'Ouest et de l'Indochine, qui demeure relativement mieux connu et étudié en France que son prédécesseur de la période moderne [1].

Pour expliquer le faible intérêt porté au premier Empire colonial français, celui des XVIIe et XVIIIe siècles, une première réponse, d'ordre général, paraît s'imposer, et nous reprenons ici une observation de l'historien franco-américain Joseph Zitomersky [2] : si l'on excepte les Antilles (mais aussi les Mascareignes, les comptoirs de l'Inde et du littoral africain, etc.), cet empire a disparu dans les dernières décennies de l'Ancien Régime, en 1763, c'est-à-dire avant la Révolution, événement fondateur de l'histoire et de l'identité nationale contemporaines. À cet égard, il n'est pas étonnant que le grand public français, s'agissant des rapports entre la France et l'Amérique du Nord, connaisse bien la figure du marquis de La Fayette tout en n'ayant jamais entendu parler de personnages comme Jean Talon, Louis Buade de Frontenac, Pierre Le Moyne d'Iberville ou bien Antoine Laumet Lamothe Cadillac, autant d'individus français qui, chacun à leur manière, ont pourtant marqué l'histoire du « Nouveau Monde ». L'on sait d'autant mieux, en effet, que La Fayette se rendit outre-Atlantique pour soutenir les *Insurgents* américains, qu'il devint ensuite un personnage incontournable de la Révolution.

Sous la IIIe République, soit à l'apogée du second Empire colonial français, il était de bon ton, dans une perspective nationaliste, de narrer la geste coloniale française sous la bannière de l'épopée. Cette attitude concernait les territoires nouvellement conquis, mais aussi le premier Empire colonial : l'histoire de la défunte Nouvelle-France, comme celle du Maghreb ou de l'Afrique subsaharienne, était traversée de jugements de valeur sur les bienfaits supposés de la colonisation française. Émile Lauvrière, dans son *Histoire de la Louisiane française*, datée de 1940, écrivait par exemple : « Il se trouve ici des pages assurément pénibles pour notre amour-propre national – quelle autre histoire, après tout, n'en comprend pas ? – ; mais il en résulte aussi d'utiles leçons à dégager, afin que pareilles fautes ne recommencent pas en notre œuvre coloniale. Par contre, il est ici des pages excellentes : car elles montrent de quelle force de redressement la France est capable, lorsque des hommes de cœur ont pu et su affirmer leur énergie, leur audace, leur savoir-faire [3]. » « Des pages assurément pénibles pour notre amour-propre national »... Le désamour pour l'histoire coloniale tiendrait-il aussi, insidieusement, à l'« échec » ultime de la colonisation française en Amérique du Nord, échec dont les symptômes seraient le faible développement démographique et économique des colonies et les défaites militaires finales ? Les chercheurs de notre pays auraient-ils peur d'écrire une histoire dans laquelle les Français apparaissent, en définitive, comme des « vaincus » ?

Le discours de Lauvrière permet pour le moins de comprendre pourquoi, après la Seconde Guerre mondiale, les historiens de l'école des *Annales* ne se sont guère intéressés au passé colonial de la France. L'histoire des possessions d'outre-mer semblait entachée d'un double péché : idéologique d'abord, parce que le colonialisme qui transparaît sous la plume d'un Lauvrière semblait désormais obsolète dans le contexte de la décolonisation ; épistémologique, ensuite, car les tenants de la Nouvelle Histoire mettaient l'accent sur les réalités économiques, sociales et culturelles et rejetaient l'étude des événements politiques, militaires et diplomatiques à laquelle s'attachait alors l'histoire coloniale.

On a certes assisté, depuis les années 1990, à un regain d'intérêt pour le système escalavagiste et le second Empire colonial. La question de l'intégration des populations issues d'Afrique ou d'Asie, ainsi que la situation dans les DOM et les TOM, ont contribué à faire resurgir dans notre mémoire collective le phénomène colonial et esclavagiste. Trente ans plus tard, il ne s'agit plus de dénoncer le silence ou même l'aphasie [4], c'est-à-dire la difficulté à parler de ces questions, même si les polémiques demeurent vives et si le rapport à ce passé douloureux est loin de faire consensus dans le débat public

Dans le champ universitaire, histoire nationale et histoire coloniale sont encore loin d'être complètement intégrées. Les chercheurs travaillant sur l'Empire français n'ont pas non plus réussi à rattraper leur retard par rapport à leurs collègues spécialistes de l'impérialisme britannique. Reste que les études coloniales et impériales et l'histoire de la traite et de l'esclavage ont acquis, en France, une légitimité qu'elles n'avaient pas il y a peu [5].

Malgré le vif intérêt que l'histoire de la traite transatlantique et de l'esclavage colonial suscitent actuellement [6], la période moderne demeure le parent pauvre des recherches sur l'Empire français. Surtout, la coupure faite après les Indépendances entre l'histoire coloniale des XVIIe-XVIIIe siècles et celle des XIXe-XXe siècles persiste. Dans les années 1880-1930, au moment de l'émergence de l'histoire coloniale en France, ces deux périodes, en revanche, étaient souvent étudiées par les mêmes chercheurs [7]. Certes, dans les années 1980, tandis que fleurissaient les ouvrages de synthèse consacrés à la France dans ses différentes dimensions (rurale, urbaine, religieuse…), sont aussi parues plusieurs séries de livres sur l'histoire coloniale française des origines à la décolonisation, études attachées à la mise en évidence des permanences structurelles du phénomène colonial [8]. De nos jours, néanmoins, la collaboration ne semble plus de mise : modernistes et contemporanéistes spécialistes du fait colonial continuent à s'ignorer et à considérer que les colonisations républicaine et d'Ancien Régime n'ont rien à voir alors qu'il faudrait au contraire insister sur les continuités, comme le propose Saliha Belmessous [9].

Les historiens modernistes font, en outre, toujours preuve de moins de curiosité pour la colonisation française en Amérique du Nord au temps de la monarchie absolue, comme s'il s'agissait d'un phénomène anecdotique. Pourquoi en effet se pencher sur des colonies qui ne bénéficièrent jamais longtemps de la faveur royale, qui souffraient d'une très mauvaise réputation auprès des Français de l'époque et qui eurent finalement peu d'incidence sur la démographie et l'économie métropolitaines ? Pourquoi étudier ce Canada, cédé sans regret à la Grande-Bretagne en 1763 en vue de récupérer les riches îles à sucre des Antilles, et dont le souvenir semble se résumer à la formule dédaigneuse de Voltaire (« pays couvert de glaces huit mois de l'année, habité par des barbares, des ours et des castors [10] ») ; et que dire de la Louisiane, que le Premier Consul Bonaparte aurait bradée de la même façon aux jeunes États-Unis quarante années plus tard ?

Il est pourtant possible, à condition de refuser la seule perspective métropolitaine, d'écrire une autre histoire de l'Amérique française. Cet ouvrage, qui se veut à la fois synthétique et « global », s'efforce ainsi de réconcilier deux tendances jugées antagonistes de l'histoire coloniale : l'histoire diplomatique, militaire et économique, présentée traditionnellement selon le point de vue européen, et l'histoire socioculturelle attachée à l'étude des populations allochtones et autochtones [11] du Nouveau Monde. Dans la même optique, nous nous interrogeons sur le rôle de tous les acteurs de la scène coloniale : l'État, l'Église, les compagnies de commerce, les colons d'origine européenne, ainsi que les Amérindiens et les Africains, libres ou esclaves.

Ces interrogations permettent de redéfinir les concepts souvent galvaudés de colonisation et d'impérialisme. L'importance du peuplement allochtone, comme le signalent les dictionnaires des XVIIe et XVIIIe siècles, constitue évidemment un critère majeur pour jauger une entreprise coloniale, mais des formes de colonisation

peuvent s'établir alors même que l'immigration européenne se révèle dérisoire. Il convient également de dire
qu'un processus de colonisation ne s'accompagne pas par
définition de la soumission des peuples autochtones
(assujettissement, déculturation, etc.), ni de la domination, en tous lieux, et à toute période, des colons (lesquels sont soumis, pour le moins, à des formes
d'adaptation au nouveau territoire et à leurs habitants) ;
ce processus n'a pas non plus nécessairement pour conséquence la confrontation entre autochtones et colons. Le
cas de la Nouvelle-France est ici éclairant. La colonisation, en effet, y a pris la forme d'une alliance interculturelle entre Français et Amérindiens, placés dans une
situation d'interdépendance ; de la même façon, dans la
société louisianaise, les esclaves d'origine africaine
n'étaient pas totalement impuissants et cherchaient à
préserver des espaces d'autonomie.

Si nous parlons d'« Empire » à propos de la Nouvelle-
France, c'est bien parce que l'espace concerné, d'une
manière ou d'une autre, subit l'impérialisme français. On
ne saurait définir nécessairement un « empire » comme
un territoire placé sous le joug d'une autorité politique.
Il s'agit avant tout d'un espace dont l'unité, si relative
soit-elle, est dictée par l'action d'un « centre » impérial,
en l'occurrence la monarchie française, et de tous les
acteurs qui agissent plus ou moins en son nom. Que les
peuples qui l'habitent – régnicoles français, autochtones,
esclaves, etc. – le veuillent ou non, et qu'ils en aient
conscience ou non, cet espace est soumis objectivement à
une entreprise de domination et d'unification. L'Empire
français en Amérique du Nord n'existait pas, au sens
strict, comme espace de souveraineté unifiée, mais en
tant que s'exerçaient en son sein des formes de pouvoir
qu'il avait suscitées. Loin d'être une entité juridique
reconnue comme telle par toutes ses composantes, il
constituait plutôt une réalité territoriale et sociale qui

s'élaborait tant localement, à travers l'interaction des peuples et des individus, que par l'entremise des directives coloniales venues de Versailles. La Nouvelle-France, dans ses marges, n'était qu'une zone d'influence française et, de façon générale, tous les groupes ethniques présents au sein de l'Empire ont joué un rôle actif dans le processus de colonisation et dans la construction de sociétés nouvelles.

Refuser la perspective métropolitaine traditionnelle ne signifie pas faire fi de la métropole. Cet ouvrage obéit en effet à deux autres objectifs qui s'entrecroisent : d'une part éclairer l'histoire des colonies en tenant compte de ce que fut la société d'Ancien Régime, mais aussi, de l'autre, mieux saisir les nuances de cette société en l'inscrivant dans son contexte expansionniste. Entreprendre l'étude des colonies, en effet, et contrairement à l'idée véhiculée depuis plus d'un demi-siècle par la *doxa* universitaire, c'est aussi faire l'histoire de la France. En nous penchant sur la colonisation française en Amérique du Nord, nous n'entendons pas produire une histoire à part, un récit *extérieur* qui se résumerait à quelques aventures exotiques ou à quelques actes héroïques. L'histoire coloniale, bien plus, a même beaucoup à nous apprendre sur l'histoire des Français.

En raison de leur caractère multiethnique et esclavagiste, les sociétés coloniales américaines sont certes souvent considérées comme distinctes des sociétés européennes dont provenaient pourtant les colons. Sans nier ces différences, nées des processus d'adaptation et de créolisation, il faut souligner à quel point ces sociétés coloniales restaient proches de leurs sociétés-mères. C'est pourquoi il paraît opportun d'étendre à la Nouvelle-France les remarques formulées par Tamar Herzog sur les colonies ibériques : « La lecture de l'histoire espagnole depuis l'Amérique espagnole et vice versa démontre que l'une ne peut être comprise sans l'autre.

La Castille exporta au Nouveau Monde nombre de ses pratiques. Implantées aux Amériques, ces pratiques subirent d'importantes modifications. Ces modifications reflétaient autant la réalité américaine qu'elles révélaient les potentialités inhérentes aux pratiques elles-mêmes [12]. » L'étude de la transformation des valeurs, idées, pratiques et institutions d'Ancien Régime qui ont été transférées au Nouveau Monde et y ont été modifiées permet donc de repenser la manière dont elles fonctionnaient en métropole.

Il convient également de s'interroger sur la manière dont l'expérience de la colonisation a influencé et transformé en retour ces valeurs, idées, pratiques et institutions d'Ancien Régime. L'Amérique française apparaît en effet comme un théâtre spectaculaire de la relation à l'Autre, l'Autre dans ce qu'il a de plus radical : non le Breton ou le Provençal, mais le « Sauvage » (l'Amérindien), le « nègre » (l'Africain), le « métis », le « mulâtre » – sans oublier, même secondairement, le « créole » (le Canadien, le Louisianais…). Cette découverte de l'altérité, réelle ou fantasmée, qu'incarnent notamment les autochtones, invite à une réflexion sur soi-même et sur sa propre société, comme l'illustrent bien sûr les écrits de Montaigne et de Rousseau, l'un et l'autre influencés par la littérature de voyage (Jean de Léry et André Thevet pour le premier, Lahontan ou le père Charlevoix pour le second). Si le philosophe, dans une posture différentialiste, cherche à critiquer la société occidentale en s'appuyant sur la figure du Bon Sauvage, l'administrateur et le missionnaire, dans leur tentative universaliste d'assimiler les Indiens, sont amenés quant à eux à mieux définir l'identité française et du moins à tracer indirectement le portrait normatif du bon « citoyen » [13]. Le contact avec les Indiens (et les esclaves africains) conduit à s'interroger sur la place de l'Autre par rapport à soi (inclusion ou exclusion ? assimilation ou rejet ?), mais aussi, compte tenu des rapports de force, et dans une Amérique qui n'est souvent « française » que de nom, sur la manière d'établir une relation avec des sociétés perçues comme exotiques (s'allier ou soumettre ? s'adapter sans s'acculturer ?). La Nouvelle-France apparaît ainsi comme un formidable et immense terrain d'expérimentation de l'absolutisme.

Cette Amérique française se caractérisait en effet par son gigantisme géographique. « La France possédait autrefois, dans l'Amérique septentrionale, un vaste empire qui s'étendait depuis le Labrador jusqu'aux Florides, et depuis les rivages de l'Atlantique jusqu'aux lacs les plus reculés du haut Canada », écrivait Chateaubriand dans la préface d'*Atala*[14]. Ce territoire, au XVIIIᵉ siècle, prenait la forme d'un arc de cercle joignant Terre-Neuve au golfe du Mexique et s'articulait principalement autour des deux vallées fluviales du Saint-Laurent et du Mississippi, reliées par l'immense bassin des Grands Lacs. Trois entités territoriales le constituaient : d'abord les côtes de l'Atlantique Nord et les îles du golfe du Saint-Laurent, ensuite le Canada et enfin la Louisiane. Le terme de « Nouvelle-France », qui apparaît pour la première fois – sous sa forme latine (*Nova Gallia*) – sur une carte en 1529, et qui ne correspondait jusqu'à la fin du XVIᵉ siècle qu'à une simple réalité toponymique, en arriva à désigner au XVIIIᵉ siècle l'ensemble de ces « possessions » françaises d'Amérique du Nord.

Leur histoire est encadrée par deux dates : 1603, la « tabagie » de Tadoussac ; 1803, la vente de la Louisiane par Bonaparte. 1603 marque le véritable début de la colonisation française en Amérique du Nord. Au siècle précédent, les Français avaient bien manifesté leur présence dans le Nouveau Monde à travers les voyages d'exploration de Giovanni da Verrazano et de Jacques Cartier, ainsi que par les campagnes de pêche des marins normands, basques et bretons sur les bancs de Terre-Neuve, mais toutes les tentatives de colonisation avaient échoué. En 1603, lors de son premier voyage au Canada, Samuel de Champlain, traditionnellement célébré comme le « père de la Nouvelle-France », séjourna à Tadoussac, à la confluence du Saguenay et du Saint-Laurent, où Pierre de Chauvin avait fondé en 1600 le premier poste de traite d'Amérique du Nord. Il y fuma du « pétun » (tabac) avec des Montagnais, Algonquins et Malécites qui célébraient une victoire contre leurs enne-mis iroquois, scellant par cette cérémonie l'alliance franco-amérindienne qui permit aux Français de se maintenir durablement dans la région. Cinq ans plus tard, en 1608, l'explorateur fonda Québec.

Dans la région des côtes de l'Atlantique Nord et du golfe du Saint-Laurent, les premiers établissements per-manents furent établis dans le second quart du XVIIᵉ siècle : Plaisance, à Terre-Neuve, dans les années 1620, et Port-Royal en Acadie continentale (actuelles régions de Nouvelle-Écosse et du Nouveau-Brunswick), dans les années 1630. L'Acadie occupait une position stratégique de frontière entre la Nouvelle-France et la Nouvelle-Angleterre. Après différentes périodes d'occu-pation temporaire par les Britanniques au cours du XVIIᵉ siècle, elle fut cédée à la Grande-Bretagne, de même que Terre-Neuve et que la baie d'Hudson, en vertu du traité d'Utrecht de 1713. Afin de protéger l'estuaire du Saint-Laurent, le pouvoir fit alors édifier sur l'île Royale (actuelle île du Cap-Breton) la forteresse de Louisbourg. À partir de 1720, dans le but d'approvision-ner les pêcheurs et les soldats de cette forteresse, les Fran-çais mirent aussi en valeur l'île voisine appelée île Saint-Jean (actuelle île du Prince-Édouard).

La principale zone de peuplement de la Nouvelle-France était localisée dans la vallée du Saint-Laurent, laquelle se structurait autour de trois villes : Québec,

Trois-Rivières (établie en 1634) et Montréal (fondée en 1642). En amont de Montréal, à l'ouest, s'étendait la région des Pays d'en Haut, explorée progressivement au cours de la seconde moitié du XVIIᵉ siècle, et où le peuplement européen se réduisit, tout au long du Régime français, à quelques missions, comptoirs et forts situés sur les rives des Grands Lacs. L'ensemble formé par la vallée du Saint-Laurent et les Pays d'en Haut était appelé à l'époque « Canada », terme que nous utiliserons dans cette acception au sein de l'ouvrage. Dans le dernier quart du XVIIᵉ siècle, à partir des Grands Lacs, les Franco-Canadiens commencèrent à explorer la vallée du Mississippi. Les premiers établissements qu'ils y édifièrent de manière permanente étaient localisés sur le territoire des Indiens illinois, d'où le nom de « Pays des Illinois » donné à cette région. Entre 1699 et la fin des années 1740, six villages furent fondés à proximité du Mississippi, entre le Missouri et l'Ohio.

C'est aussi en 1699 que les Français s'installèrent sur les bords du golfe du Mexique, non par la voie fluviale depuis le Canada, mais par la mer à partir de la France. En 1718 fut créée La Nouvelle-Orléans, qui servit par la suite de capitale à la Louisiane. La même année, le Pays des Illinois fut rattaché administrativement à cette colonie, alors qu'il dépendait auparavant du Canada. La « Grande Louisiane française », selon l'expression forgée par Joseph Zitomersky, ne correspondait donc pas au seul État actuel de Louisiane, mais s'étendait des Grands Lacs au golfe du Mexique et des Appalaches aux Rocheuses. Cette région peut être divisée en deux sous-entités géographiques, administratives et économiques, qui ne correspondent certes pas à des appellations d'époque : la Haute-Louisiane, qui incluait le Pays des Illinois et faisait la jonction entre le Canada et la basse vallée du Mississippi ; et la Basse-Louisiane dont la limite

L'Amérique française au XVIIIe siècle

Carte : Edigraphie, Rouen

Nord

600 km

Légende :
- Zone d'influence française
- Territoires français devenus britanniques en 1713
- Territoires britanniques
- Territoires espagnols
- Établissements français et espagnols
- Établissements anglais et espagnols

OCÉAN ATLANTIQUE

TERRE-NEUVE
St-John's
ÎLE ROYALE
Louisbourg
ACADIE
Halifax
Port Royal
Baie d'Hudson
Québec
Saint-Laurent
Montréal
Boston
Michillimakinac
Niagara
New York
Philadelphie
Détroit
Williamsburg
Ohio
Charleston
Savannah
St-Augustine
Mississippi
Missouri
Fort de Chartres
Natchez
La Mobile
Pensacola
Rivière Rouge
La Nouvelle-Orléans
Golfe du Mexique
La Havane
CUBA
Mer des Caraïbes
Cap français
SAINT-DOMINGUE
Rio Grande
MEXIQUE

septentrionale était située à l'embouchure de la rivière des Arkansas.

La Nouvelle-France ne se réduisait donc pas à la seule vallée du Saint-Laurent. Les synthèses de qualité écrites dans le dernier quart du XXe siècle par des historiens canadiens francophones ou anglophones – synthèses s'appuyant sur les travaux innovants produits depuis les années 1960 par la communauté historique canadienne dans le contexte de l'essor de la nouvelle histoire sociale et de l'ethnohistoire étaient pourtant généralement centrées sur le Canada et n'accordaient pas une aussi grande importance aux autres zones de la colonisation : l'Acadie, les Pays d'en Haut, le Pays des Illinois et la Basse-Louisiane. Comme l'histoire hexagonale, en effet, l'histoire canadienne s'est longtemps développée dans une optique nationale, et souvent québécoise, en se cantonnant aux limites des frontières actuelles. Sous l'effet des revendications des minorités francophones vivant hors du Québec, les géographes canadiens ont cependant forgé dans les années 1980 les concepts de Franco-Amérique ou d'Amérique française [15] dont se servent de plus en plus les historiens attachés à l'étude combinée de l'ensemble des colonies françaises d'Amérique, Antilles comprises [16].

De leur côté, les historiens états-uniens ne se sont penchés sur l'histoire de la Louisiane française que depuis le début des années 1990, car le schéma de développement de cette colonie ne correspondait pas aux modèles anglo-américains dominants de développement des colonies britanniques d'Amérique du Nord, incarnés par la Virginie et la Nouvelle-Angleterre. Ils accusent donc un certain retard par rapport à leurs collègues canadiens. Il reste qu'une comparaison approfondie de ces différentes colonies françaises d'Amérique du Nord, qui entretenaient entre elles des relations étroites d'ordre géopolitique, administratif, démographique, économique et socioculturel, permet de s'interroger sur la spécificité

d'un modèle colonial français propre au continent nord-
américain, en comparaison avec les Antilles françaises et
avec les colonies des autres puissances européennes en
Amérique, en particulier de l'Espagne et de l'Angleterre.
De fait, il ne sera ici question qu'indirectement des Îles
du Vent. Il est évident que Saint-Domingue, la Guadeloupe, la Martinique, Saint-Christophe, etc. – mais aussi
la Guyane – font partie intégrante de l'Empire colonial
français d'Amérique, le Canada, l'Acadie et la Louisiane,
comme on l'a suggéré, apparaissant même du point de
vue métropolitain comme des colonies secondaires ;
l'histoire de la Nouvelle-France s'éclaire donc assurément
si l'on prend en compte l'ensemble des possessions américaines de la France. À bien des égards, par ailleurs, l'histoire de la Louisiane est étroitement liée à celle de la
Caraïbe, la société coloniale du Bas-Mississippi partageant avec les « Isles » une forte orientation esclavagiste [17]. Mais l'étude de l'« Amérique française » au sens
large dépasse le cadre d'un projet qui consiste justement
à cerner l'originalité du modèle colonial français d'Amérique du Nord : un modèle marqué par le caractère
continental de l'expansion ; par la dimension fluviale de
la colonisation ; et par une très forte proximité entre
colons et Amérindiens, une caractéristique qui nous
conduit à parler d'Amérique « franco-indienne » plutôt
que d'« Amérique française » – les autochtones, dans les
Antilles, ayant au contraire rapidement disparu, sauf à la
Dominique et à Saint-Vincent. Précisons en outre que
nous ne traiterons pas du destin des quelque trois mille
huguenots qui, dans les années suivant la Révocation de
l'édit de Nantes (1685), traversent l'Atlantique pour se
réfugier dans les colonies britanniques (Massachusetts,
Rhode Island, New York, Virginie et Caroline du
Sud) [18]. Cette migration donne naissance à ce qu'on
pourrait appeler une Amérique française « seconde »
(dont il subsiste aujourd'hui des toponymes évocateurs :

New Rochelle, dans l'État de New York ou Port Royal en Caroline du Sud), mais elle ne relève pas directement de l'histoire de la Nouvelle-France.

En 1763, le traité de Paris sonnait le glas de la souveraineté française en Amérique du Nord (les îles de Saint-Pierre et de Miquelon exceptées) : le Canada et la partie orientale de la Louisiane furent cédés aux Britanniques, les Espagnols ayant hérité dès l'année précédente de La Nouvelle-Orléans et de la rive droite du Mississippi. Lorsque Bonaparte vendit la Louisiane aux États-Unis en 1803, la France n'en avait en fait repris possession, officiellement, que depuis trois semaines. Si nous nous intéresserons de près à la disparition de la Nouvelle-France, nous ne chercherons pourtant pas à débusquer de façon obsédante les « vices » ou le « talon d'Achille » de la colonisation française qui pourraient l'expliquer [19]. La focalisation de l'historiographie traditionnelle sur la chute de l'Amérique française relève en effet d'une perspective téléologique qui n'est pas la nôtre. Les acteurs de l'époque ne connaissaient pas l'issue finale de la guerre de Sept Ans, même s'ils purent parfois la pressentir au cours des derniers mois. En 1756-1757, lorsque les Français et leurs alliés indiens multipliaient les victoires contre les troupes britanniques, le destin de la Nouvelle-France n'était pas scellé, loin s'en faut. Entre 1800 et 1803, par ailleurs, le Premier Consul avait fait le choix du développement d'un nouvel Empire français outre-Atlantique, en s'appuyant sur ce qui restait de l'ancien, preuve que la colonisation française en Amérique du Nord n'était pas vouée à l'échec, autrement dit à la disparition.

On aurait tort, en outre, de juger uniquement une expérience coloniale à l'aune des joutes d'empire, des réflexions ministérielles et du devenir de l'État. Si le gouvernement français a dû abandonner l'Amérique du

Nord, des populations « françaises » sont demeurées sur place sous souveraineté anglaise, espagnole ou américaine. Ces populations avaient construit des sociétés nouvelles, proches et néanmoins distinctes de leur société mère. C'est la genèse de ces sociétés coloniales qu'il nous importe ici de retracer. Il s'agira de mettre en évidence à la fois l'importance du bagage culturel des migrants et le poids des innovations introduites localement pour s'adapter aux milieux de vie américains. Les Québécois, les Acadiens, les Cadiens, les Franco-Ontariens, les « Francos » de l'Ouest canadien, les Métis du Manitoba, tous ces groupes qui revendiquent aujourd'hui leur particularité au sein de l'Amérique du Nord contemporaine, majoritairement anglophone, trouvent leurs racines dans la période coloniale française.

1

LE XVIᵉ SIÈCLE :
LE TEMPS DES TÂTONNEMENTS

« Faux comme les diamants du Canada [1] »... Le proverbe, né des déboires du navigateur malouin Jacques Cartier, exprime les affres de l'expansion française dans le Nouveau Monde au cours du XVIᵉ siècle. À la différence des Espagnols en effet, les Français ne mirent pas la main outre-Atlantique sur de fabuleux trésors, qu'ils soient aztèques ou incas, ni sur des mines d'or et d'argent ; ils ne parvinrent pas non plus, en dépit de quelques tentatives, à établir durablement des colonies. Mais ils surent pourtant se montrer actifs. Cartier, Verrazano, Roberval, Coligny, Ribault, Laudonnière ou bien La Roche : tous ces hommes, parmi d'autres, se sont trouvés au premier plan de l'expansion française en Amérique durant le XVIᵉ siècle. Leurs entreprises officielles se superposèrent aux activités plus souterraines d'un commerce maritime particulièrement fécond entre des ports comme Dieppe et La Rochelle et les rivages américains de l'Atlantique : soit le littoral brésilien, la « côte de la Floride » – expression pouvant désigner la péninsule floridienne comme l'actuelle Nouvelle-Angleterre [2] – et les « terres neuves », qui correspondaient alors à Terre-Neuve proprement dite, mais aussi aux côtes du Labrador, du golfe du Saint-Laurent, de la Nouvelle-Écosse et du golfe du Maine.

Ces « terres neuves », moins attractives de prime abord, en dépit de leurs ressources morutières, que les îles et contrées tropicales, avaient déjà été fréquentées vers l'an mille par des marins vikings, comme l'attestent des sagas scandinaves et surtout des vestiges archéologiques retrouvés en 1960 à l'Anse-aux-Meadows (au nord-ouest de l'île de Terre-Neuve). La (re)« découverte » officielle du Canada est attribuée au Génois Jean Cabot (Giovanni Caboto), qui longea la côte est de Terre-Neuve en 1497, au service d'armateurs de Bristol. Cabot, à vrai dire, n'est reconnu comme le « découvreur » du Canada que depuis 1949, date d'entrée de Terre-Neuve au sein de la Confédération canadienne… Ce titre était auparavant décerné à Jacques Cartier, qui, lors de son voyage de 1534, fut le premier Européen à explorer le golfe du Saint-Laurent. Le bilan des activités françaises en Amérique au XVIe siècle a longtemps été jugé insignifiant par l'historiographie. Fernand Braudel parle de la « faillite coloniale de la France au XVIe siècle », Pierre Chaunu estime que le pays a collectionné « les tours de force, les velléités et les échecs », et Marcel Trudel, pour les années 1524-1603, évoque de « vaines tentatives [3] ». Des historiens, plus récemment – tels Laurier Turgeon et Bernard Allaire –, en mettant en lumière le rôle des pêcheurs ou des pelletiers français dans le processus d'expansion océanique, ont toutefois œuvré pour que soit redécouvert le XVIe siècle nord-américain. Sans doute convient-il d'accepter le constat d'échec – à l'aune des entreprises ibériques et compte tenu de l'absence d'enracinement colonial français au cours de cette période –, mais il faudrait plus justement parler de tâtonnements. Il paraît utile, à cet égard, de s'interroger sur le legs de ce premier siècle de l'expansion française : pour ce qui est du modèle d'exploitation ou de colonisation à mettre en place, du type de richesses à exploiter, des rapports à établir avec les autochtones, ou encore de la façon dont l'État devait s'impliquer.

Les explorations sous patronage royal

La monarchie française s'est-elle désintéressée des « grandes découvertes » ? En 1490, Bartolomé Colomb, le frère de Christophe – dont le projet était de rejoindre les Indes par la route du Ponant –, s'était rendu en France pour solliciter l'appui financier de la Couronne : il essuya le refus de la régente Anne de Beaujeu et de ses conseillers. Gaspard de Saulx, seigneur de Tavannes, notait dans son journal en 1536 : « Cest conqueste du Monde Neuf, proposée aux François et mesprisée d'eux, tesmoigne le peu d'affection des conseillers, qui ayment mieux perdre les royaumes pour leur maistre, que si leurs ennemis avoient la charge de les conquérir[4]. »

Il serait pourtant sévère de conclure au total désintérêt de l'État, comme l'atteste cette célèbre boutade de François Ier, adressée en 1541 à un ambassadeur espagnol dans le contexte des rivalités avec les Habsbourg : « Le soleil luit pour moi comme pour les autres. Je voudrais bien voir la clause du testament d'Adam qui m'exclut du partage du monde[5]. » Le roi remettait en cause le traité de Tordesillas, conclu en 1494 entre les rois du Portugal et de Castille avec l'accord du pape – dont les bulles de 1493 avaient esquissé un premier partage : les deux puissances ibériques avaient fixé une ligne de démarcation entre leurs deux domaines d'expansion, l'Espagne se réservant les terres situées à 370 lieues à l'ouest du Cap-Vert et le Portugal se voyant nanti du reste. Il put en particulier établir par la suite sa souveraineté sur le Brésil, « découvert » en 1500. Le cosmographe des rois de France André Thevet s'est aussi fait l'écho de cette polémique franco-ibérique qui alimenta durant tout le siècle la chronique des aventures coloniales : « Je ne puis croire que le Pape ait accordé toute ceste longue terre depuis Pole jusque à l'autre, veu qu'elle suffiroit à une cinquantaine de Roys Chrestiens [6]. »

La monarchie française, dans l'ensemble, ne s'est guère engagée dans l'expansion outre-mer et elle ne l'a fait que de façon épisodique. Cette absence de volonté et de constance était liée aux ambitions « continentales » ou européennes de la France – une priorité qui ne s'évanouira d'ailleurs nullement durant les deux siècles suivants. Charles VIII, Louis XII, puis François Ier regardaient d'autant moins vers l'océan que leur politique extérieure était aimantée par la péninsule italienne. Les guerres d'Italie, qui se prolongèrent après 1519 à travers le conflit contre l'Empire de Charles Quint, accaparèrent la royauté française pendant un demi-siècle. À peine sortie, par la paix de 1559, de la guerre contre les Habsbourg, la France bascula dans le tourbillon des guerres de Religion.

Verrazano : en quête d'un passage vers la Chine

L'intérêt de la Couronne pour l'outre-mer fut particulièrement mis en éveil par le tour du monde de Magellan – achevé en 1522 par El Cano. Le succès de cette première circumnavigation incita des banquiers italiens de Lyon – qui s'associèrent à des banquiers et marchands de Rouen et de Dieppe, dont le puissant armateur Jean Ango – à financer un voyage de découverte dont l'objectif était d'atteindre l'Asie et ses trésors non pas en empruntant la route méridionale de Magellan mais en passant par le nord-ouest. Or l'expédition, confiée au navigateur florentin Giovanni da Verrazano, ne fut pas simplement une entreprise privée : elle fut soutenue par François Ier. La flotte, qui devait être composée de quatre navires, fut réduite à la seule *Dauphine* suite à un faux départ. Verrazano quitta finalement Madère le 17 janvier 1524 et atteignit l'actuelle Caroline du Nord (Cap Fear) à l'issue d'un voyage de cinquante jours. Après avoir effectué une petite reconnaissance en direction du sud, il fit demi-tour et, sur plusieurs centaines de kilomètres, remonta méthodiquement le littoral des actuels États-Unis, explorant chaque estuaire à la recherche d'un passage. Il reconnut, entre autres, le site de la future New York, qu'il nomma « la Nouvelle Angoulême » et, à la hauteur de l'île du Cap Breton, il cingla en « droiture » vers l'est, pour débarquer à Dieppe le 8 juillet 1524.

Verrazano avait accompli un exploit maritime mais, dans son rapport fait à François Iᵉʳ et à ses commanditaires lyonnais, il dut admettre son échec. Entre la Floride et Terre-Neuve, soit un intervalle jusqu'alors inexploré par les Européens, c'est un continent qui s'était dressé devant lui, l'empêchant de déboucher sur la mer d'Asie :

> « Je ne pensais pas rencontrer un tel obstacle du côté de la terre que j'ai découverte. Si j'estimais en effet, pour certains motifs, devoir trouver cette terre, je pensais qu'elle offrait un détroit permettant de passer dans l'Océan oriental [7]. »

Verrazano périt en 1528 dans les Antilles, tué par des Indiens caraïbes à l'occasion d'un autre voyage d'exploration et de commerce.

La première expédition de Cartier

L'idée de trouver un nouveau passage vers la Chine ne fut toutefois pas abandonnée. Jean Le Veneur, le Grand Aumônier de France, la fit sienne et s'en ouvrit à François Iᵉʳ, qui effectuait un pèlerinage au Mont-Saint-Michel, dont il était l'abbé. Il convainquit le roi de son projet et lui présenta l'un de ses parents, Jacques Cartier, un pilote malouin très expérimenté, qui était selon lui le

plus apte à le mener à bien. Né en 1491, Cartier, qui
avait déjà fréquenté les côtes brésiliennes et Terre-Neuve,
était sans doute l'un des meilleurs marins de son temps.
Restait, pour François Ier et Jean Le Veneur, à ne pas se
brouiller avec le pape. Lors d'une rencontre à Marseille
en octobre 1533, celui-ci n'annula pas les bulles contro-
versées de 1493 mais soutint que le partage entre les
Couronnes d'Espagne et du Portugal ne concernait que
les terres découvertes, à l'exclusion des territoires incon-
nus. Le roi avait désormais les coudées franches pour
relancer le projet de Verrazano et il finança directement
l'expédition de Cartier de 1534. Il enjoignait au navigateur de « faire le voyage de ce royaume es terres Neufves
pour descouvrir certaines ysles où l'on dit qu'il se doibt
trouver grant quantité d'or et autres riches choses [8] ».

Cartier, à la tête de deux petits navires et d'une soixantaine d'hommes, partit de Saint-Malo le 20 avril 1534.
Vingt jours plus tard, soit en un temps record, il parvenait à Terre-Neuve. Il pénétra dans le détroit de Belle-
Île, puis, après avoir longé la façade occidentale de Terre-
Neuve, il explora le golfe du Saint-Laurent. Inspectant
la baie des Chaleurs, il crut pendant quelques jours avoir
découvert un passage vers l'Asie, mais dut finalement
déchanter. C'est aussi là qu'il noua ses premiers contacts
avec les autochtones, des Micmacs qui, rapporte-t-il,
« nous fessoint plusieurs signes que nous allissions à terre
nous montrant des peaulx sur des bastons ». Cartier se
retira de crainte d'être attaqué, mais les Indiens se pré-
sentèrent à nouveau le lendemain et, la méfiance des
Français se dissipant, on improvisa une séance de troc.
Les Micmacs, en échange de couteaux, de chaudrons, de
perles de verre et de colifichets, donnèrent tout ce qu'ils
possédaient et « s'en retournerent touz nus sans aulcune
chose avoir sur eulx ». Cet épisode semble indiquer que
ces Indiens avaient l'habitude de troquer leurs fourrures,
mais il révèle aussi chez Cartier, qui parle de « peaulx de

peu de valeur [9] », un certain désintérêt pour la traite. Il est vrai que quelques pelleteries ne pouvaient trouver grâce aux yeux d'un explorateur dont l'ambition était de rejoindre l'Asie et de trouver des gisements d'or.

Cartier remonta ensuite le rivage vers le nord et, dans la baie de Gaspé, il rencontra à nouveau des autochtones. Il s'agissait cette fois de deux cents Iroquoiens du Saint-Laurent, de Stadaconé précisément (à l'emplacement de l'actuelle ville de Québec), venus pour pêcher le maquereau. Cartier, sans doute parce qu'il espérait rencontrer des Indiens parés de bouquets de plumes et de pierres précieuses, comme à Mexico, eut une piètre opinion de ces Iroquoiens : « Cette gent se peult nommer Sauvages, écrivait-il, car c'est la plus pouvre gence qu'il puisse estre au monde [10]. » Le 24 juillet, l'explorateur malouin fit ériger une grande croix ornée d'un écusson en bosse à fleurs de lys. Le chef iroquoien, nommé Donnacona, s'en trouva-t-il offensé ? Accompagné de son frère et de trois de ses fils, il s'approcha en canot du bâtiment de Cartier et s'adressa aux Français tout en agitant les bras, « comme s'il eust voullu dire que toute la terre estoit à luy et que nous ne devyons pas planter ladite croix sans son congé [11] ». Cartier tendit alors un piège à Donnacona. Il lui fit signe de venir le retrouver sur le bateau en lui montrant une hache pour lui faire croire à un cadeau, et il parvint de la sorte à s'emparer des Indiens et à les faire monter à bord. Il chercha ensuite à les rassurer, en leur distribuant du vin et de la nourriture, tâchant de les convaincre que la croix n'était qu'une balise destinée aux marins. Il décida de retenir avec lui, pour les emmener en France, deux des fils de Donnacona, Domagaya et Taignoagny, à qui il offrit des chemises, des bonnets rouges et une chaînette en laiton. Cartier expliqua au chef qu'ils seraient bientôt de retour. Donnacona, on peut le supposer, fut choqué de ce que les Français ne lui donnent aucun individu en échange selon la coutume autochtone.

Le pilote breton reprenait à son compte une politique européenne de kidnapping qui avait été inaugurée en 1492 par Christophe Colomb. Il convenait, selon les explorateurs, de ramener au roi des « curiosités » – les Indiens en faisaient partie à l'instar des objets ou des animaux –, mais plus encore de former des interprètes capables de les guider vers leur pays l'année suivante. En l'occurrence, la motivation missionnaire était nulle. Certes, Cartier avait noté à propos des Micmacs qu'ils semblaient « faciles à convertir à notre saincte foy[12] », mais Domagaya et Taignoagny, lors de leur séjour en France, ne furent pas baptisés… Dans ses rapports avec les Indiens, Cartier, peut-être grâce à son expérience acquise au Brésil, fit preuve d'un certain savoir-faire lorsqu'il s'agissait de distribuer des cadeaux. Il n'évita cependant pas les maladresses, et la pratique du kidnapping, qu'il reprit l'année suivante, explique en partie son échec final.

L'explorateur quitta la baie de Gaspé avec ses deux otages et, parvenu au nord de l'île d'Anticosti, il découvrit une ouverture vers l'ouest – qui s'avérera être le Saint-Laurent. Mais le mauvais temps et la saison avancée le contraignirent à reprendre la route de Saint-Malo, où il débarqua le 5 septembre. Les résultats étaient relativement décevants : Cartier n'avait rien découvert d'important, ni or ni passage vers l'Asie. Le pays, du moins au nord du golfe, était si rebutant que Cartier en parla comme de « la terre que Dieu donna à Cayn[13] ». Mais le bilan fut jugé suffisamment encourageant pour que le roi finance une deuxième expédition, pour « parachèvement de la navigation des terres par vous jà commancées à descouvrir oultre les Terres Neusve[14] ». Domagaya et Taignoagny, qui furent présentés au roi, lui parlèrent en effet d'un « Royaume du Saguenay » aux richesses fabuleuses. Les deux fils du chef Donnacona avaient aussi promis à Cartier de l'emmener jusqu'à Hochelaga, au-delà de Stadaconé.

À la recherche du royaume du Saguenay

Les moyens mis en œuvre par François Iᵉʳ lors du deuxième voyage étaient plus importants : Cartier disposait cette fois de trois navires, d'une centaine de personnes et de vivres pour quinze mois. Il quitta Saint-Malo le 19 mai 1535 et, après une navigation difficile, arriva en août à l'île d'Anticosti. Domagaya et Taignoagny, qui avaient appris des rudiments de français, lui indiquèrent alors le chemin du « Canada », terme qui signifiait vraisemblablement « village » en iroquoien, et qui désignait alors pour les Français les alentours immédiats de Stadaconé. Zigzaguant d'une rive à l'autre, Cartier remonta l'estuaire du Saint-Laurent, mais s'aperçut assez vite qu'il ne s'agissait que d'un simple fleuve et non du bras d'un océan. Il gardait pourtant l'espoir que ce fleuve le rapprocherait de l'Orient. Le 13 septembre, l'expédition atteignit Stadaconé, et Donnacona eut le plaisir de retrouver ses fils.

Si les relations entre Indiens et Français furent d'abord très amicales, les maladresses de Cartier firent naître certaines tensions. Pour commencer, il installa son camp à deux kilomètres de Stadaconé sans avoir requis l'autorisation des autochtones qui, jusqu'à preuve du contraire, étaient les maîtres de ce territoire. Plus grave, Cartier ne voulut pas écouter les requêtes de Donnacona, qui lui enjoignait de ne pas se rendre à Hochelaga, soucieux qu'il était, semble-t-il, d'empêcher des Indiens rivaux de bénéficier du soutien français. Le chef iroquoien, pour parvenir à ses fins, offrit à Cartier une fillette et deux jeunes garçons. Le navigateur breton accepta ces cadeaux, mais son intention d'explorer le fleuve n'en fut nullement affectée. Un climat de suspicion s'installait, et Domagaya et Taignoagny, qui n'avaient sans doute guère apprécié leur séjour forcé en France, n'y furent pas étrangers.

Méfiant, Cartier décida d'explorer l'amont du Saint-Laurent sans interprète. Parti le 19 septembre, il traversa un « aussi beau pays, et terres aussi unyes que l'on sauroit desirer », et parvint le 3 octobre à Hochelaga, grosse bourgade fortifiée située sur l'île de Montréal. Cartier fut bien accueilli par les Iroquoiens, qui « nous apporterent force poisson et de leur pain faict de groz mil qu'iz gectoient dedans noz barques en sorte qu'il sembloyt qu'il tombast de l'ayr ». Il distribua de son côté de nombreux petits cadeaux et, depuis le sommet du Mont-Royal, il aperçut « ung sault d'eaue le plus impétueulx qu'il soit possible de veoir [15] » : il s'agissait des rapides de Lachine, qui bloquaient la circulation des navires. Il crut comprendre qu'au-delà de ce saut s'en trouvaient trois autres et qu'ensuite il était loisible de naviguer pendant trois mois. Il faudra attendre l'époque de Champlain, plus de soixante-dix ans plus tard, pour que des Européens se rendent au-delà de ces rapides tumultueux.

Satisfait des renseignements obtenus, Cartier reprit dès le lendemain le chemin de Stadaconé, où l'hivernement fut calamiteux. Donnacona avait été soulagé de voir les Français revenir d'Hochelaga, mais les relations avec les Indiens s'étaient détériorées. Cartier et ses hommes se barricadèrent dans leur fort, qu'ils encerclèrent de larges fossés. À ce climat tendu s'ajoutaient le froid et, pire, le scorbut, qui fit des ravages parmi les Français. Sur 110 hommes, 10 seulement se trouvaient toujours valides en février. Cartier, qui craignait un assaut, prit soin de cacher ses malheurs aux Indiens. Mais il parvint à obtenir de Domagaya un remède salvateur : la tisane d'*annedda*, faite avec les feuilles et l'écorce pilée du cèdre blanc, riche en vitamine C. Entre-temps, toutefois, 25 Français avaient péri.

Cartier était fasciné par le « royaume du Saguenay », situé quelque part plus à l'ouest. Au dire des Indiens, il regorgeait d'or, d'argent et de pierres précieuses et était habité par des « hommes blancs comme en France et acoustrez de draps de laine [16] ». L'espoir de découvrir un nouveau Pérou, et d'en faire miroiter les richesses au roi, l'incita à ramener Donnacona en France. Le 3 mai 1536, à l'occasion d'une fête offerte par les Français, il parvint à déjouer la méfiance des Indiens et à kidnapper le chef iroquoien ainsi que ses deux fils. Deux jours plus tard, il levait l'ancre à destination de la France, avec à son bord dix Indiens au total. Aucun ne devait revoir l'Amérique… Le bilan commercial de ce second voyage était à nouveau décevant. Cartier avait néanmoins « découvert » un territoire qui semblait propice à l'établissement d'une colonie, et plus encore une voie d'accès qui devait s'avérer exceptionnelle pour pénétrer au cœur du continent américain… à défaut d'atteindre la Chine.

L'échec des premières tentatives de colonisation

Sur le Saint-Laurent : Cartier et Roberval (1541-1543)

Cartier rentra en France en juillet 1536 dans une conjoncture défavorable, François Iᵉʳ ayant alors pour principale préoccupation la guerre contre Charles Quint. La trêve de Nice, en juin 1538, ouvrit toutefois de nouvelles perspectives. Donnacona – qui mourut en France vers 1539 – rencontra le roi par l'intermédiaire de Cartier et évoqua devant lui les métaux précieux et les épices du « royaume du Saguenay ». Séduit par le chef indien, et toujours désireux de trouver une route vers l'Asie,

François Ier projeta une troisième expédition à partir de
1538. À l'automne, on lui remit un mémoire – dont
l'auteur nous est resté inconnu – qui énonçait un véritable programme de colonisation, le premier du genre
dans l'histoire de l'Amérique française. Ce mémoire prévoyait d'envoyer au Canada 400 personnes issues de différents métiers et munies de semences, d'animaux
domestiques et de vivres pour deux années. L'objectif
était d'établir une colonie à Stadaconé. Les ambitions
de François Ier, en 1540, furent néanmoins revues à
la baisse : en octobre, Cartier hérita en effet d'une commission qui consistait simplement à poursuivre les explorations entamées en 1534-1535. Mais une nouvelle
volte-face conduisit finalement le roi à revenir au dessein
colonial de 1538.

Le 15 janvier 1541, Jean-François de La Roque, seigneur de Roberval, fut nommé lieutenant-général du
Canada. Gentilhomme languedocien, Roberval était un
courtisan, intime de François Ier. Sa commission lui attribuait des pouvoirs très étendus : faire des lois et des
ordonnances, punir de mort, distribuer des terres en fief
et seigneurie – première allusion à l'idée d'établir un
régime seigneurial au Canada –, mais aussi commercer,
lui et ses associés, en vertu du monopole qui leur était
octroyé. Contrairement à l'objet des voyages précédents,
il s'agissait cette fois, selon le bon plaisir du roi, d'édifier
une véritable colonie de peuplement. Roberval devait se
rendre aux « pays de Canada et Ochelaga » avec « bon
nombre de gentilz hommes », « tant gens de guerre que
popullaire, de chacun sexe et artz libéraulx et meca-
niques », en vue de « converser avec lesdits peuples
estranges, si faire se peult, et habiter esdites terres et pays,
y construyre et ediffier villes et fortz, temples et eglises
pour la communication de notre saincte foy catholique

et doctrine crestienne [17] ». Ce programme d'évangélisation paraît avoir eu une fonction éminemment diplomatique : c'était surtout le moyen, pour le Roi Très-
Chrétien, d'amadouer le pape et de concurrencer
l'Espagne en s'affirmant comme la principale puissance
catholique. Aucun missionnaire n'accompagna en effet
Roberval, et ce dernier était… protestant. François Ier
fut peut-être sensible à l'idée de convertir des Indiens,
mais il espérait davantage profiter des richesses du
« Saguenay ».

Cartier, de son côté, devait prendre part à l'expédition
comme maître pilote. Trois cents personnes étaient censées s'embarquer dans dix navires, mais Roberval fut
retardé par des problèmes de ravitaillement, et Cartier
leva l'ancre le 23 mai 1541 à la tête de cinq vaisseaux. Il
attendit quelque temps Roberval à Terre-Neuve et, celui-
ci n'apparaissant pas, il poursuivit sa route en direction
de l'estuaire du Saint-Laurent.

Le 23 août il fut accueilli à Stadaconé par le chef
Agona, qui s'enquit du sort de Donnacona et des autres
Indiens transportés en France cinq années plus tôt. Cartier « lui répondit que Donnacona était mort en France
[…] et que les autres, devenus de grands seigneurs,
étaient restés là-bas et que, s'étant mariés, ils ne souhaitaient plus revenir dans leur pays ». Ils étaient à la vérité
tous morts de maladies, à l'exception d'une jeune fille
que le pilote breton avait préféré ne pas ramener.
Comme en 1535, Cartier ne prit pas la peine de conclure
une alliance en bonne et due forme avec les Indiens de
Stadaconé. Un premier malentendu se fit jour lorsque
Agona ceignit la tête du Malouin d'un « morceau de
cuir » décoré de coquillages : plutôt que de l'accepter en
guise de présent et en signe d'alliance, Cartier le remit
sur le crâne du chef indien, croyant peut-être, par ce
geste symbolique, en faire son vassal [18]. En outre, sans
demander l'autorisation de ses hôtes, il fit ériger une

« habitation » – terme désignant alors un bâtiment fortifié abritant plusieurs colons – à quatorze kilomètres
en amont de Stadaconé, dans un lieu qu'il baptisa
Charlesbourg-Royal. Les Français y semèrent quelques
grains et, surtout, crurent trouver « des pierres comme
des diamants, les plus beaux, les mieux polis et les mieux
taillés qu'on puisse voir [19] ». De retour en France, Cartier
découvrira qu'il ne s'agissait que de quartz et de pyrite
de fer…

En septembre, Cartier navigua jusqu'à Hochelaga dans
l'espoir de trouver enfin la route du « royaume du Saguenay ». Il se rendit directement au pied des rapides de
Lachine, mais sans découvrir rien de plus. L'hivernement, à Charlesbourg-Royal, fut particulièrement difficile, surtout à cause des tensions avec les autochtones,
tensions qui pour la première fois dégénérèrent en conflit
ouvert. Les Indiens n'attaquèrent pas l'habitation de Cartier, mais ils la « harcelaient tous les jours [20] », tuant les
Français qui s'aventuraient au-dehors, de sorte que le
Malouin n'eut d'autre option, en juin 1542, que d'appa-
reiller en direction de la France, soucieux qu'il était en
outre de parader devant le roi avec ses « diamants ».
Roberval, de son côté, avait renoncé à partir en 1541,
mais il quitta finalement La Rochelle en avril 1542 avec
trois navires et 200 hommes et femmes. Parvenu à Saint-
Jean de Terre-Neuve le 7 juin, il vit arriver Cartier et lui
demanda de l'accompagner sur le Saint-Laurent. Mais le
pilote malouin déserta pendant la nuit en direction de la
Bretagne.

Cette défection ne facilita pas la tâche de Roberval,
qui ne connaissait pas le pays. Le Languedocien construi-
sit un fort à l'emplacement abandonné par Cartier et
le baptisa « France-Roy ». S'il n'eut apparemment pas à
affronter l'hostilité des autochtones, l'hiver fut très rigoureux, et le scorbut emporta une cinquantaine de personnes. Au printemps 1543, Roberval prit la décision de

rapatrier sa petite colonie. Il tenta toutefois, en juin, de trouver le « Saguenay », en se rendant vraisemblablement jusqu'à Hochelaga, mais l'expédition tourna court. Le 11 septembre suivant, Roberval jetait l'ancre à La Rochelle.

Ainsi s'achevait la première tentative de colonisation des Français en Amérique. Il fallut dresser un constat d'échec, car on n'avait pas alors trouvé de richesses susceptibles d'être exploitées et de financer un établissement permanent. La monarchie, certes, aurait pu accomplir un effort supplémentaire pour que le projet de colonisation aboutisse, mais François Iᵉʳ et les nobles qui avaient soutenu Cartier et Roberval furent certainement déçus par les résultats de la prospection. La relance de la guerre contre Charles Quint, à l'été 1542, signalait de toute façon la fin provisoire des ambitions canadiennes de la royauté. L'inscription qui accompagne une carte dressée en 1550 exprime les atermoiements de l'expansion française en Amérique : à cause de l'« austérité » des Indiens et du « petit profit », les colons « sont retournés en France esperant y retourner quand il plaira au Roy [21] ». La même année, Henri II et Catherine de Médicis, lors de leur entrée à Rouen, sont conviés à une fête spectaculaire : dans un décor luxuriant fait d'arbres peints en rouge, de huttes, de hamacs, de guenons et de perroquets, se produisent, comme s'il s'agissait de tableaux vivants, une cinquantaine d'Indiens tupinambas et 250 matelots accoutrés à l'indienne, « tous nudz, hallez et herisonnez, sans aucunement couvrir la partie que nature commande [22] ». Cette flamboyante mise en scène illustrait l'ancienneté des contacts franco-brésiliens, mais annonçait également, pour la monarchie, des tentatives de colonisation plus tropicales.

Le rêve huguenot de la « France Antarctique »

Il n'y eut plus d'entreprises coloniales sur le Saint-Laurent avant le début du XVIIᵉ siècle. Deux autres

régions du Nouveau Monde, au climat *a priori* plus ave-
nant et aux paysages plus souriants, servirent de cadre à
une relance de l'idée coloniale française au cours de la
décennie 1555-1565 : le Brésil et la Floride. Un personnage influent de l'entourage royal a joué à cet égard un
rôle déterminant : il s'agit de Gaspard de Coligny, neveu
du connétable Anne de Montmorency, devenu amiral de
France en 1552. Coligny, converti à la religion réformée
en 1557, souhaitait unir les protestants et les catholiques
de France dans une lutte commune contre l'ennemi
espagnol et, à ce dessein, il entendait favoriser les tentatives d'implantation en Amérique.

Comme le remarque Bertrand Van Ruymbeke, « les
huguenots participent pleinement à l'élaboration et à
l'exécution de multiples projets coloniaux français outre-
Atlantique [23] ». Assassiné en 1572 lors du massacre de la
Saint-Barthélemy, Coligny est resté le symbole de cette
aventure protestante dans le Nouveau Monde. Mais derrière les entreprises officielles parrainées par les cercles du
pouvoir, il faut aussi mentionner l'activité souterraine des
marins et des marchands de Normandie ou de Saintonge,
en particulier sur la côte brésilienne. Depuis le début du
XVIe siècle, des navires normands allaient commercer au
Brésil et de jeunes matelots étaient confiés à des groupes
autochtones pour servir ensuite de « truchements », c'est-
à-dire d'interprètes. Ces intermédiaires, que Cartier n'avait
pas su former au Canada, expliquent le succès des relations franco-indiennes au « pays des perroquets ».

Pour Frank Lestringant, c'est « au Brésil, et nulle part
ailleurs, qu'au XVIe siècle la Nouvelle-France d'Amérique
aurait pu réussir. C'est au Brésil, et non au Canada, que
la permanence française doit être recherchée durant tout
le siècle ». En plus d'être connu des équipages normands,
il s'agissait pour la monarchie des Valois d'une sorte
d'« oasis géopolitique » au sens où les Portugais n'occupaient le littoral brésilien que de façon discontinue et, qui

plus est, n'avaient pas la même capacité militaire que les Espagnols [24]. Nicolas Durand de Villegagnon, vice-amiral de Bretagne et chevalier de Malte, proposa d'installer une colonie à l'entrée de la baie de Guanabara (Rio de Janeiro). Soutenu par Coligny et par le roi Henri II, qui lui fournit deux navires, il jeta les bases en novembre 1555 de la « France Antarctique [25] ». Il fit construire dans un îlot de la baie, à proximité du pain de Sucre – que les marins normands désignaient sous le nom de « Pot au Beurre » –, un fort qu'il baptisa Coligny. André Thevet, le futur auteur des *Singularités de la France Antarctique* (1557), faisait partie de l'aventure, mais, tombé malade, il dut être rapatrié en France dès janvier 1556.

Des divisions affectèrent bientôt la communauté française. D'abord quant aux relations à établir avec les autochtones : Villegagnon, retranché sur son îlot, soumettait ses hommes à une discipline de fer et leur interdisait tout rapport sexuel avec les Indiennes en dehors du mariage : « Villegagnon, par l'advis du conseil fit deffense à peine de la vie, que nul ayant titre de Chrestien n'habitast avec les femmes des Sauvages », écrit le cordonnier calviniste Jean de Léry, qui rejoignit la colonie en 1557 et publia le récit de son séjour (*Histoire d'un Voyage faict en la terre de Brésil*) en 1578. Cette politique de ségrégation ne seyait évidemment pas aux truchements qui, selon Léry, vivaient « sans crainte de dieu » et « paillardoyent avec les femmes et filles » des autochtones. Ils entrèrent en rébellion en février 1556 mais leur complot fut déjoué et ils rallièrent alors la terre ferme, privant Villegagnon de l'alliance des Indiens [26]. À cette querelle sur les unions mixtes s'ajouta une controverse religieuse qui, tout en annonçant les guerres de Religion dans le royaume, explique en grande partie la chute de la « France Antarctique ». Villegagnon, converti au protestantisme, revint en effet progressivement au catholicisme, et il se heurta aux calvinistes qui avaient rejoint la colonie en mars 1557. Le conflit éclata le jour de la Pentecôte à propos de l'Eucharistie, que l'on célébrait pour la seconde fois : à l'opposé de la vision symboliste du sacrement des ministres protestants, Villegagnon estima que le pain et le vin contenaient réellement le corps et le sang du Christ. Ce qui est piquant, c'est que ce débat d'anthropophagie symbolique se déroulait sur un fond de cannibalisme réel : leurs voisins tupinambas, en effet, mangeaient leurs ennemis. Pour les calvinistes, les cannibales indiens étaient d'ailleurs jugés moins répréhensibles que les catholiques qui, comble de l'horreur, mangeaient le Christ. Montaigne, de son côté, s'inspirant des écrits de Thevet et de Léry, mais aussi de sa rencontre avec trois Indiens à Rouen en 1562, qu'il interrogea par le biais d'un truchement, relativisa dans ses *Essais* (1580) la barbarie des cannibales tupinambas pour mieux dénoncer les travers de sa propre société : « Les sauvages, écrit-il, ne m'offensent pas tant de rostir et manger les corps des trespassez que ceux qui les tourmentent et persecutent vivans » ; « Il n'y a rien de barbare et de sauvage en cette nation […] sinon que chacun appelle barbarie ce qui n'est pas de son usage [27]. »

Les huguenots du fort Coligny, entrés en dissidence, trouvèrent refuge sur la terre ferme, mais trois d'entre eux, qui tentèrent en janvier 1558 de revenir dans l'île, furent exécutés par noyade sur ordre de Villegagnon. Finalement, alors que ce dernier était reparti en France en 1559 pour chercher des renforts et justifier sa politique auprès du roi, une armada portugaise s'empara en mars 1560 de l'établissement français.

« *Qui veut aller à la Floride, qu'il y aille j'y ay esté* »

Si la très grande majorité des Français qui s'établirent en Floride au début des années 1560 étaient protestants, cette aventure coloniale ne s'apparente pas aux migrations du Refuge religieux dans l'Atlantique nord-américain au XVIIe siècle. C'est essentiellement « l'appât du gain », expliquent Mickaël Augeron et Laurent Vidal, qui sous-tend l'expansion océanique des protestants au XVIe siècle, y compris lors des expéditions floridiennes. L'idée d'un Refuge outre-Atlantique n'a en fait commencé à effleurer les huguenots qu'après le massacre de la Saint-Barthélemy (1572) [28].

La paix de Cateau-Cambrésis, en 1559, qui mettait fin au conflit avec l'Espagne, laissait dans l'inaction beaucoup d'hommes de guerre, et Coligny était désireux d'utiliser ces forces vives pour une entreprise coloniale. L'amiral de France entendait par ailleurs attaquer les Espagnols dans une zone relativement vulnérable : ces derniers revendiquaient en effet la « Floride » – terme qui correspond ici à un espace comprenant la péninsule floridienne, la Géorgie et les Carolines – mais ne l'avaient toujours pas occupée. Le cosmographe François de Belleforest en parlait d'ailleurs comme de leur « cimetière [29] », car ils avaient toujours eu des rapports conflictuels avec les divers groupes indiens de l'ensemble culturel timucua. Pour Coligny, l'objectif était de harceler les galions espagnols dans la mer des Caraïbes par des activités de course ou de piraterie à partir de la Floride, tout en institutionnalisant une présence française en Amérique.

Jean Ribault, un éminent marin huguenot de Dieppe, corsaire et homme de guerre, accompagné du gentilhomme poitevin Goulaine de Laudonnière, dirigea une première expédition de reconnaissance en 1562. Deux galéasses quittèrent Le Havre le 18 février, soit quelques jours avant le massacre de Wassy (1er mars), véritable coup d'envoi des guerres de Religion. Le 1er mai, Ribault entra dans une rivière qu'il nomma Rivière de Mai (l'actuel fleuve St-Johns, au nord-est de la Floride) et noua ses premiers contacts avec un groupe timucua dont le chef, ou « roi », s'appelait Saturiwa. « Nous congratulâmes le roi, écrit Ribault, fîmes alliance et nouâmes

amitié avec lui et fîmes présent, à lui et à ses frères, de
robes d'étoffe bleue garnie de fleurs de lis jaune [30]. »
L'espoir des Français, au vrai, était de découvrir le
royaume de Cibola des Espagnols, pays aux Sept Cités
fabuleuses regorgeant de trésors. « Ceux qui ont parlé de
ce royaume et de cette ville de Sevola [Cibola], et des
autres villes et royaumes avoisinants, disent qu'il y a
grande abondance d'or et d'argent, de pierres précieuses
et d'autres grandes richesses ; les gens, dit-on, arment
leurs flèches non de fer mais de turquoises aiguisées [31] »,
s'enthousiasmait Ribault.

Celui-ci fit planter une colonne aux armes du roi, puis
poursuivit l'exploration de la côte par le nord. Le 22 mai,
parvenu dans une baie qu'il baptisa Port Royal, en territoire cusabo, Ribault érigea une deuxième colonne en
signe de prise de possession et fit construire une « habitation et forteresse [32] » nommée Charlesfort en l'honneur
du roi Charles IX (Parris Island, Caroline du Sud). Le
11 juin, il quitta enfin le littoral « floridien » en laissant
derrière lui 26 hommes sous la direction du capitaine de
La Pierria. « C'est, en effet, chose essentielle au cours de
toute nouvelle découverte, que de se fortifier et de peupler le pays dès le début [33] » L'objectif de Ribault était
de revenir dans les six mois pour établir une colonie.

Mais les circonstances ne furent pas favorables. « A
nostre arrivée à Diepe, qui fut le vingtiesme Juillet, mil
cinq cens soixante deux, nous trouvasmes les guerres
civiles [34] », remarque Laudonnière. Ribault dut se réfugier en Angleterre, où il fut retenu jusqu'en 1565. Quant
aux hommes laissés en Floride, ils s'entre-déchirèrent et
ne surent pas subvenir à leurs besoins. On leur a souvent
reproché de ne pas avoir cultivé la terre, mais comme le
souligne Suzanne Lussagnet, il s'agissait d'hommes de
guerre, non de paysans. En outre la saison se prêtait mal
à la culture du maïs. De sorte qu'ils avaient fait le choix

de dépendre de la libéralité des Indiens, tout en attendant les renforts promis par Ribault. Touchés par la
disette, les Français se révoltèrent contre leur capitaine,
qui fut exécuté. Ils décidèrent de repartir en France sur
un brigantin de fortune, où le manque de nourriture
devint vite criant, comme le rapporte Laudonnière : « ils
arresterent donc ques l'un mourroit pour substanter les
autres. Ce qui fut executé en la personne de Lachere
[...], la chair duquel fut partie également à ses compagnons : chose si pitoyable à réciter que ma plume mesme
diferé de l'escrire [35]. » Les rescapés furent heureusement
secourus par un navire anglais qui les mena à la Cour
d'Élisabeth.

Coligny, profitant de la paix d'Amboise (15 mars
1563) qui mettait fin à la première guerre de Religion,
gardait l'espoir d'édifier une colonie en Floride et, avec
le soutien de Catherine de Médicis, il fit affréter trois
navires dans lesquels prirent place 300 soldats et gens de
métiers – il n'y avait qu'une seule femme à bord – placés
sous le commandement de Laudonnière. Parmi les compagnons du capitaine protestant se trouvait le peintre
dieppois Jacques Le Moyne de Morgues dont les dessins
et les aquarelles, effectuées en Floride, servirent de
modèles aux quarante-deux planches en couleur du
deuxième volume de la collection des Grands et Petits
Voyages, chronique illustrée de la « découverte » de
l'Amérique publiée à Francfort à partir de 1590 par le
graveur-éditeur protestant Théodore de Bry. L'aventure
française en Floride fut ainsi à l'origine de l'une des plus
célèbres séries iconographiques consacrées aux Indiens
d'Amérique (en l'occurrence les Timucuas) jusqu'aux
peintures de l'Américain George Catlin dans les années
1830.

Partie du Havre le 22 avril 1564, l'expédition atteignit
la « nouvelle France [36] » deux mois plus tard. Laudonnière ne s'installa pas à Charlesfort – que les Espagnols

avaient rasé quinze jours auparavant – mais sur la Rivière de Mai, où fut renouée l'alliance avec Saturiwa et où, le 30 juin, fut édifié le fort Caroline. Mais le capitaine poitevin se montra bien imprudent lorsqu'il promit à Saturiwa de l'aider dans sa guerre contre d'autres Timucuas, dirigés par un chef appelé Outina. Laudonnière escomptait en échange découvrir des métaux précieux. Pour la première fois – bien avant Champlain au début du XVIIᵉ siècle –, des Français mandatés par la royauté s'engageaient en Amérique du Nord dans les conflits inter-indiens. Laudonnière, cependant, contrairement à Champlain, ne tint pas ses promesses. Sa position était d'autant plus délicate qu'il avait en face de lui de puissantes chefferies, aux fortes populations et au pouvoir relativement centralisé. Sacrifiant l'alliance de Saturiwa, il jeta son dévolu sur Outina, qui lui offrait en apparence de meilleures garanties pour étancher sa soif d'or. Aux errements de sa politique indienne, qui eurent pour effet de lui aliéner le secours des autochtones, s'ajoutèrent des querelles intestines. À défaut d'eldorado floridien, certains hommes se lancèrent dans les activités de course contre les Espagnols des Grandes Antilles, mais ils le firent en défiant l'autorité de Laudonnière, tombé gravement malade. Lorsque les mutins revinrent au fort en mars 1565, le capitaine français fit exécuter les quatre meneurs.

Au cours du printemps, la colonie fut accablée par la disette. Les Indiens, lassés par la politique de Laudonnière et par la brutalité occasionnelle de ses hommes, répugnaient de plus en plus à secourir le fort Caroline. Les Français capturèrent Outina pour obliger son peuple à les nourrir. Il s'ensuivit un état de guerre qui rendait leur situation de plus en plus précaire. Laudonnière reconnaissait implicitement le gâchis de sa politique quand il évoquait sa dépendance vis-à-vis des Indiens : « Aussi estoit-ce le principal but de tous mes desseins, que de les gaigner et entretenir, sçachant combien leur amitié importoit à nostre entreprise [37]. »

Le 27 août 1565, alors que les Français se préparaient au départ, une flotte de sept navires se présenta : elle était commandée par Jean Ribault, à qui Coligny avait demandé d'enraciner la colonie. Cette fois, il n'y avait pas moins de 600 colons, parmi lesquels se côtoyaient des artisans, des laboureurs, tous accompagnés de leurs femmes et de leurs enfants, mais aussi quatre compagnies d'arquebusiers. « La Floride promettoit le suffisant contentement de tout ce que l'homme pourroit desirer en la terre [38] », écrivait, enthousiaste, le charpentier dieppois Nicolas Le Challeux, prêt à élire domicile dans le Nouveau Monde. À la volonté de colonisation se joignait pour Coligny l'espoir de faire vaciller la puissance espagnole dans l'espace antillais.

Or le roi des Espagnes Philippe II était de son côté déterminé à déloger les Français de la Floride. Ses motifs étaient géopolitiques, mais également religieux. Les Espagnols s'indignaient en effet de la présence de protestants sur le sol américain : il fallait se débarrasser de ces hérétiques qui refusaient les croix et les images saintes ! Pedro Menéndez de Avilés, un militaire et officier de marine expérimenté, fut chargé de cette mission. Parti de Cadix à la tête d'une armada de dix navires, il atteignit la côte floridienne le 28 août 1565, à environ 70 kilomètres au sud du fort Caroline, où il jeta les bases de l'établissement de San Agustín (Saint Augustine). Ribault prit l'initiative de l'attaquer, mais sa flotte fut rejetée sur la côte par une tempête tropicale (peut-être un ouragan). Dans la nuit du 20 au 21 septembre, Menéndez, après avoir marché par les terres, s'empara par surprise du fort Caroline : si plusieurs dizaines de Français, dont Laudonnière, Le Moyne de Morgues, Le Challeux et Jacques Ribault, le fils de Jean, parvinrent à s'enfuir – puis à regagner l'Europe –, 142 hommes furent passés au fil de l'épée (les femmes et les enfants furent épargnés). La campagne espagnole se solda par deux autres massacres, perpétrés sur deux petites îles situées à proximité de San Agustín. Le 29 septembre, 111 autres Français qui avaient survécu au naufrage de leurs navires, dont Jean Ribault, furent méthodiquement poignardés (une quinzaine d'hommes, des catholiques, réchappèrent à la tuerie) ; enfin, à la mi-novembre, ce sont encore 70 à 80 hommes qui furent à leur tour exécutés dans la région du Cap Canaveral. Au total, selon Mickaël Augeron, au moins 380 Français ont ainsi été massacrés par les Espagnols.

Avec cette « Saint-Barthélemy américaine [39] » s'achevait l'aventure coloniale des Français de Floride. Selon un témoin espagnol, Ribault, avant d'être égorgé, entonna un psaume pour affirmer qu'il était de « la nouvelle religion [40] ». La campagne espagnole visait bien à extirper l'hérésie. Un autre témoignage précise que Menéndez aurait laissé un écriteau qui indiquait : « Je ne fay cecy comme à François, mais comme à Luthériens [41]. » Les « Bibles » protestantes du fort avaient aussi été brûlées comme s'il s'agissait d'un « rite de purification [42] » et des croix furent érigées pour signifier la restauration du dogme catholique.

Quand la nouvelle de ces massacres se répandit en France en 1566, la Cour fut très affectée, mais ce sont les milieux réformés qui manifestèrent le plus leur indignation. Dominique de Gourgues, un gentilhomme gascon qui était alors, peut-être, de confession protestante (même si l'on sait qu'il est mort catholique), soucieux « de relever l'honneur de la nation » et « poussé d'un désir de vengeance [43] », décida d'agir à titre privé pour châtier les Espagnols. Son expédition, forte de 180 hommes, parvint sur le littoral floridien en avril 1568, où elle fut accueillie par Saturiwa, le chef timucua. Celui-ci, par l'intermédiaire du jeune truchement Pierre

Debré – l'un des nombreux Français qui s'étaient réfugiés chez les Indiens pour échapper aux griffes de Menéndez –, voulut s'assurer que Gourgues et ses hommes étaient bien des Français, et non des Espagnols, qu'il abhorrait : il leur demanda de chanter trois psaumes, « lesquels Psalmes chantés par les François asseurarent les Sauvages d'estre vrais François [44] ». L'alliance renouée, à la faveur d'un échange de présents, Gourgues et les Timucuas s'emparèrent dans les jours suivants des trois forts que les Espagnols avaient édifiés. Les garnisons furent capturées et tous les soldats pendus. Gourgues aurait noté sur un écriteau : « je ne fay cecy comme à Espagnols, ny comme à marannes, mais comme à traistres, voleurs et meurdriers [45] ». Coligny ne cacha pas sa joie à l'annonce de cette vendetta (Gourgues avait rejoint La Rochelle dès juin 1568), mais son rêve d'une colonie française en Amérique avait vécu. Le Challeux, qui avait échappé aux massacres de 1565, en rend compte de façon lapidaire :

« Qui veut aller à la Floride, Qu'il y aille j'y ay esté [46]. »

De la morue au chapeau de castor

L'expansion vers les « terres neuves »

N'évoquer, sur le thème de l'expansion française en Amérique au cours du XVIᵉ siècle, que les voyages d'exploration officiels et les tentatives de colonisation, c'est se limiter à la partie émergée de l'iceberg. Les entreprises parrainées ou encouragées par la monarchie bénéficièrent d'une publicité supérieure, mais n'eurent pas la continuité ni l'importance des activités de pêche et de commerce des cités maritimes, animatrices de plusieurs trafics transatlantiques [47]. Jean Ango, qui avait participé

à l'armement des navires de Verrazano en 1524 et s'inté-
ressait aussi bien au commerce des épices en Afrique et
dans les Indes qu'à la traite sur les côtes brésiliennes,
demeure un personnage clé de l'expansion maritime
française dans la première moitié du XVIe siècle. Il était
entouré de pilotes tout à la fois savants et corsaires, et
favorisa le développement d'une école de cartographie
dont le chef-d'œuvre est l'atlas intitulé *Cosmographie uni-
verselle selon les navigateurs, tant anciens que modernes*,
exécuté en 1555 par Guillaume Le Testu à la demande
de Coligny. Ango, qui fit pression sur François Ier pour
qu'il soutienne les initiatives françaises contre le monopole ibérique, s'efforça d'intéresser la monarchie aux
entreprises privées des cités portuaires.

Les métaux précieux et les épices ne furent pas les
seules richesses d'outre-mer à stimuler l'intérêt des Européens au sortir du Moyen Âge. Le commerce du bois
appelé *pau brasil* (ou bois de braise), suite à la première
liaison Honfleur-Brésil du Normand Paulmier de Gonneville en 1504 [48], prit son essor à partir de 1525-1530.
Ce bois de teinture rouge servait à l'industrie lainière et
à la construction de bateaux de haute mer. Quant à la
morue, elle suscita elle aussi un grand mouvement
d'expansion dans l'Atlantique Nord que les historiens
ont longtemps occulté. Les recherches de David B.
Quinn et, plus récemment, de Laurier Turgeon, ont
permis de réévaluer à la hausse la part prise par les
pêcheurs français, anglais, portugais ou espagnols dans le
processus de « découverte » de l'Amérique du Nord.

La morue, abondante et facile à capturer, n'était pas
un produit alimentaire de luxe comme le sucre, le poivre
ou le girofle, mais elle offrait à l'Europe les protéines
animales dont elle avait besoin. L'augmentation de la
population, le développement des villes et l'essor du
commerce expliquent en partie l'importance accrue de
ces pêcheries au XVIe siècle. Faut-il évoquer aussi les 153

jours maigres du calendrier qui interdisaient aux catholiques de consommer de la viande ? Cela ne demeure qu'une hypothèse selon Laurier Turgeon, qui remarque que l'Église n'imposa jamais le poisson comme substitut. Plus prosaïquement, il faut peut-être évoquer le goût des populations européennes – les aristocraties comme les masses populaires – pour un poisson de qualité que l'on savait apprêter de diverses façons. Les « terres neuves », en plus des morutiers, attiraient aussi des navires spécialisés dans la chasse aux baleines et autres animaux marins (phoques, morses, éléphants de mer, etc.) dont les graisses et les huiles servaient à la fabrication des chandelles et du savon ou bien à la teinture des draps.

Les pêcheries « terre-neuviennes » étaient animées par des entrepreneurs privés, essentiellement des Normands, des Bretons et des Basques. Leurs morutiers fréquentaient les parages de Terre-Neuve depuis le tout début du XVIᵉ siècle. Comme l'ont suggéré certains chercheurs [49], ils avaient vraisemblablement été précédés : il est probable en effet que des pêcheurs de Bristol avaient atteint les bancs de Terre-Neuve dès les années 1480, donc avant la « découverte » des Antilles par Christophe Colomb en 1492, mais aussi avant l'expédition de Jean Cabot en 1497. Il faut toutefois attendre la décennie 1540 pour voir le trafic augmenter considérablement. Très rentable, l'activité se maintint à un haut niveau jusqu'aux années 1580. Une cinquantaine de ports français y participaient activement, parmi lesquels Saint-Jean-de-Luz, Ciboure, Saint-Malo, Dieppe, Rouen, La Rochelle et Bordeaux. Chaque année, au cours de la période 1550-1580, plusieurs centaines de bâtiments français et quelque 10 000 matelots traversaient l'Atlantique Nord dans les deux sens. Vers 1580 par exemple, environ 500 navires, pour moitié français – les autres étant espagnols, portugais et anglais –, pêchaient dans les « terres neuves ». De sorte qu'au XVIᵉ siècle, la route la plus empruntée par les navires européens n'était pas celle, prestigieuse, des galions espagnols, mais celle des morutiers. Terre-Neuve et le golfe du Saint-Laurent n'étaient donc pas un espace marginal dans le processus d'expansion européenne, ils constituaient même un pôle d'attraction au moins comparable à celui du golfe du Mexique et des Caraïbes.

On assiste toutefois, à partir des années 1580, à un déclin très sensible des pêcheries « terres neuviennes ». Ce tassement fut le produit des difficultés économiques de l'Europe et des guerres de Religion qui déchiraient la France, mais aussi la conséquence d'un refroidissement climatique qui aurait entraîné une certaine raréfaction des ressources animales. Après 1580, de fait, chaque navire eut tendance à diversifier ses activités : la pêche à la morue, pratiquée surtout en haute mer, sur les Grands Bancs, la chasse à la baleine, et, de plus en plus, la traite des pelleteries.

L'acquisition des pelleteries (ce terme désignait l'ensemble des peaux animales faisant l'objet de la traite) procède à l'origine des contacts noués entre les autochtones et les pêcheurs européens. Il existait en effet deux systèmes de production de la morue : celui de la morue verte et celui de la morue séchée. Dans le premier, adopté par la plupart des pêcheurs français à partir de la seconde moitié du siècle, la capture du poisson s'effectuait depuis le navire, sur les bancs de Terre-Neuve, et la conservation était assurée grâce au salage. Le second, « sédentaire », se pratiquait à terre, ce qui était la solution la plus commode. Pour sécher la morue – ou pour extraire l'huile de la baleine –, on installait ainsi des campements dans les havres, contexte qui favorisa le développement de relations avec les Indiens. Pour rentabiliser leurs voyages, mais aussi, on peut le supposer, pour éviter les heurts et créer un climat de confiance avec les autochtones – qui passait par des rituels d'échange –, les pêcheurs se procuraient divers types de peaux – de morse, de phoque, de caribou, d'orignal, de rat musqué, de loutre, de martre, d'ours, etc. –, vendus ensuite comme vêtements sur les marchés européens. Ce phénomène s'observe surtout à partir des années 1550. Il s'agissait des balbutiements d'un commerce qui contribuera au XVIIe siècle au développement de la colonisation.

La vogue des pelleteries

Dans le dernier quart du XVIe siècle, suite aux échecs de la colonisation au Brésil et en Floride, et à la faveur de l'essor de la traite des pelleteries, les entreprises françaises se tournent plutôt vers le golfe du Saint-Laurent. À partir des années 1570, les fourrures nord-américaines, en quantités importantes, commencent à trouver place sur les étals des pelletiers parisiens. Bernard Allaire a montré que le développement soudain de la traite pelletière nord-américaine était lié à la fois à la disponibilité de l'offre canadienne et à l'augmentation de la demande du marché français et européen, en particulier sous l'impulsion des chapeliers et des fourreurs parisiens [50]. La vogue des chapeaux de feutre de castor, dans la noblesse comme dans la bourgeoisie, explique au premier chef cette hausse spectaculaire du commerce pelletier.

Il s'agissait au vrai de la remise au goût du jour d'une mode qui existait déjà au XIVe siècle. Le XVIe siècle, quant à lui, vit s'accroître la popularité du chapeau de feutre de laine d'agneau, et cette popularité a contribué au succès du castor nord-américain à partir des années 1570-1580. Le duvet de cet animal produisait un feutre de qualité supérieure particulièrement prisé par les chapeliers. Le fait que les robes de castor aient été préalablement portées par les Indiens sur une période de deux années était également apprécié. On parlait alors de castor gras, par opposition au castor sec : le contact avec la peau humaine, en effet, assouplissait les fourrures et faisait tomber les longs poils extérieurs, ce qui facilitait le feutrage.

Au troc occasionnel et informel se substitua donc dans les années 1580-1590 un véritable réseau, avec ses lieux de rendez-vous : le détroit de Belle-Île avait longtemps été le centre principal du commerce, mais les entrepreneurs se dirigèrent de plus en plus vers le Saint-Laurent. Les Français avaient constaté que Tadoussac, à l'embouchure du Saguenay [51], était un lieu de rassemblement estival pour les Indiens montagnais, et c'est là, désormais, qu'ils se rendaient le plus souvent pour acquérir des fourrures. Ce site était aussi la zone d'activité privilégiée des baleiniers basques. Il faut d'ailleurs remarquer que les bâtiments affrétés spécialement pour la traite n'abandonnaient pas complètement la pêche : celle-ci, jusqu'au début du XVIIe siècle, servit à financer de nombreuses entreprises de commerce ou de colonisation.

La traite des pelleteries devint toutefois si rentable qu'elle se structura progressivement en activité autonome. La première mention d'un navire équipé pour ce type de commerce date de 1581. Les marchands bretons à l'origine de cette expédition, et visiblement satisfaits de son résultat, envoyèrent l'année suivante un plus gros bateau : sa cargaison, vendue à un pelletier parisien, permit de faire un bénéfice de 14 pour 1. La traite connut alors un essor rapide au cours de la décennie, favorisé par l'affaiblissement des réseaux traditionnels d'approvisionnement en Europe : la guerre entre la Suède et la Russie en mer Baltique mais aussi les troubles, suscités par la révolte des Pays-Bas contre les Espagnols, qui affectèrent le pôle commercial d'Anvers, entraînèrent la chute provisoire de l'offre russe et stimulèrent en retour la demande en fourrures nord-américaines. À partir de 1581, ces fourrures arrivent dans la capitale en très grande quantité. Les Bretons, les Normands et les

Basques inondent alors le marché parisien au point de le saturer à l'automne 1582. Dans le golfe du Saint-Laurent, la concurrence devint vite terrible. Deux ou trois navires étaient en effet suffisants pour répondre à la demande des chapeliers. En 1587, le neveu de Jacques Cartier, Jacques Noël, perdit quatre navires, dont trois furent incendiés...

Du monopole à la colonie ?

Il y avait une manière moins brutale d'éliminer la concurrence : en obtenant un monopole de traite. C'est ce qui explique en partie la réactivation de l'idée de colonisation de peuplement. La monarchie obligea en effet les détenteurs de privilèges commerciaux à créer des établissements permanents. Dès 1578, reprenant à son compte la politique de François Iᵉʳ, Henri III avait marqué son intérêt pour la colonisation du Canada. Il nomma Troïlus de Mesgouez, sieur de La Roche, un gentilhomme de Morlaix qui avait été le page de Catherine de Médicis, « Viceroy esdites Terres neuves et pays qu'il prendra et conquestra sur lesdits barbares [52] ». Mais La Roche, malchanceux, échoua à deux reprises. Lors de sa première expédition, l'un de ses deux navires fut capturé par des Anglais ; et en 1584, alors qu'il avait regroupé 300 colons, son principal vaisseau fit naufrage au large de Brouage.

À cette époque, peut-être en 1585, Jacques Noël avait remonté le Saint-Laurent jusqu'à l'île de Montréal, comme l'avait fait son oncle un demi-siècle plus tôt. Il se posait d'ailleurs comme son héritier. Ses ambitions commerciales, contrariées par sa mésaventure de 1587, le conduisirent à solliciter un monopole exclusif des mines et des fourrures du Saint-Laurent. Le 12 janvier 1588, Henri III le lui concéda – ainsi qu'à son partenaire Étienne Chaton de La Jannaye – pour une période de douze années. En retour, il s'engageait à bâtir et construire « quelques forteresses pour l'assurance et retraite de leurs personnes et vaisseaux ». Il obtenait du roi le droit de recruter « soixante personnes tant hommes que femmes par chaque an de nos prisons [53] ». Mais à la suite des protestations des marchands malouins, qui en référèrent aux États de Bretagne, Henri III, le 9 juillet, annula le monopole de Noël. La traite, en conséquence, demeurait libre.

Il fallut attendre 1598 pour assister, grâce à Henri IV, à « un regain de l'expansion française en Amérique [54] ». La fin des guerres de Religion et la paix de Vervins avec l'Espagne firent renaître en effet les ambitions coloniales de la Couronne française. Henri IV souhaitait alors « affirmer son entière souveraineté royale en contestant ouvertement le monopole ibérique de l'Amérique par l'essai de colonisation du Maranhão [au Brésil], mais aussi en reconstituant l'intégrité du royaume par la récupération des terres canadiennes sur lesquelles avait déjà flotté la bannière fleurdelisée. Une loi fondamentale obligeait le roi de France à ne pas laisser à son successeur un territoire diminué, étant donné qu'il n'était que l'usufruitier et non le propriétaire de la Couronne [55] ». Dès le 12 janvier, Henri IV avait cautionné le nouveau projet du sieur de La Roche, qui souhaitait coloniser l'île de Sable, située au large de l'actuelle Nouvelle-Écosse. Il lui confia « les mêmes pouvoirs, authoritez, prérogatives et prééminences qui estoient accordées audit feu sieur de Roberval par lesdites lettres patentes dudit feu roy François premier [56] ». La Roche ne fut pas gratifié du titre de vice-roi comme en 1578, mais fut nommé lieutenant-général du roi pour les pays de « Canada, Hochelaga, Terre-neuves, Labrador, rivière de la Grand Baye, de Norembergue et terres adjacentes [57] ». Au printemps 1598, il se rendit sur l'île de Sable où il laissa une cinquantaine de colons. Ces derniers furent ravitaillés chaque année, sauf en 1602, ce qui provoqua une rébellion. Le convoi de 1603 ne récupéra que onze survivants, qui furent présentés à la Cour du roi vêtus de peaux de loups marins.

En novembre 1599, Henri IV avait rogné le domaine de La Roche en octroyant pour dix ans le monopole de la traite des fourrures au Canada et en Acadie à Pierre de Chauvin de Tonnetuit, un marchand protestant de Honfleur. Celui-ci, en contrepartie, s'engageait à « abituer le païs et bastir forteresse [58] » et à transporter 500 hommes. Mais en janvier 1600, suite aux protestations de La Roche, le territoire de Chauvin fut réduit à cent lieues le long du Saint-Laurent. Durant l'été, accompagné du marchand malouin François Gravé du Pont et de Pierre Du Gua de Monts, un gentilhomme saintongeais de confession protestante, Chauvin se rendit à Tadoussac. C'est là, avec l'accord des Montagnais, qu'une petite habitation fut construite, même si Gravé du Pont fit observer qu'il eût été préférable de s'installer plus en amont. À la fin de la saison de traite, Chauvin repartit en France, mais laissa seize hommes sur place. Leur hivernement fut catastrophique à cause de maladies et de la disette. Le vaisseau envoyé au printemps suivant ne trouva que quelques survivants, qui avaient été recueillis par les Montagnais. Deux autres navires furent affrétés en 1602, mais Chauvin avait abandonné depuis longtemps toute idée de colonisation.

Comme La Roche à l'île de Sable, Chauvin ne parvint donc pas à ériger une colonie. Le monopole dont il était nanti l'y obligeait pourtant. Mais comme le remarque John Dickinson, un négociant à qui le roi accordait des privilèges commerciaux n'épousait pas pour autant le profil du parfait colonisateur : « Les marchands visaient une rentabilité accrue et la traite n'exigeait qu'un petit nombre de facteurs pour entretenir de bonnes relations avec les tribus amérindiennes qui produisaient les pelleteries et les transportaient au comptoir. À la rigueur, quelques gens d'armes pouvaient être utiles pour éloigner les concurrents, mais toute dépense supplémentaire réduisait d'autant les profits. Qui plus est, l'instabilité des monopoles, souvent révoqués avant leur échéance, incitait les détenteurs à faire un maximum de profits pendant les premières années de leur privilège. Dans ces conditions, il serait illusoire de croire que des marchands s'empresseraient de promouvoir la colonisation sans y être poussés par une volonté politique ferme et efficace [59]. »

Les marchands de Saint-Malo, en particulier, ne souhaitaient nullement supporter les frais d'une entreprise de colonisation. En 1600, ils s'étaient plaints du monopole accordé à Chauvin, en se posant comme les pionniers de l'expansion française au Canada : « la découverte dudit pays de Canada a été faite par le capitaine Jacques Cartier habitant de Saint-Malo [...], depuis lesdits habitants de Saint-Malo et autres dudit pays de Bretagne ont toujours continué cette navigation et négoce avec les Sauvages habitants dudit pays et fait en sorte que, par leur industrie, ils ont rendu lesdits Sauvages traitables, doux et familiers de telle façon que par la longue connaissance qu'ils ont de ceux avec lesquels ils fréquentent à chaque an par le moyen du commerce, il se peut faire quelque découverte au consentement de Sa Majesté et bien public [60] ». Le capital d'expérience des Malouins était incontestable, mais leur intention était de pratiquer la traite, non de peupler un territoire.

Le roi, de son côté, souhaitait aller de l'avant. À l'automne 1602, afin de « faire promptement parachever et accomplir notre dessein de la découverte et habitation des terres et contrées de Canada [61] », le monopole de Chauvin fut partagé avec les marchands de Rouen. En février 1603, à la mort de ce dernier, Henri IV nomma pour le remplacer Aymar de Chaste, conseiller du roi en son conseil d'État, vice-amiral de France et gouverneur de Dieppe. Le nouveau détenteur du monopole mit sur pied une expédition, placée sous le commandement de Gravé du Pont. Le 15 mars 1603, elle faisait voile en direction du Saint-Laurent.

*

À l'orée du XVIIᵉ siècle, il n'existait toujours pas d'Amérique française, sinon sur quelques cartes. Les entreprises coloniales, tout au long du siècle précédent, furent grevées par la faiblesse, mais aussi par la dispersion des efforts de la monarchie. Comme le remarque Frank Lestringant, « la zone d'expansion visée se déplace, selon les époques et au hasard des volontés et des groupes de pression, de Tadoussac au nord du Rio de Janeiro au sud, de la rive septentrionale du Saint-Laurent, par quarante-huit degrés de latitude boréale, jusqu'au tropique du Capricorne [62] ». Henri IV, d'ailleurs, était plus attiré par le Brésil que par le Canada.

Parler d'échec de la colonisation française au XVIᵉ siècle demeure néanmoins une vue partielle. Les activités non officielles, la pêche, mais aussi la traite des pelleteries, relevaient en effet de l'expansion française et, de par leur nature saisonnière, ne nécessitaient pas pour prospérer d'occupation et de peuplement du territoire. À terme, la traite a aussi permis l'essor de l'Amérique française. Sans elle, il n'y aurait pas eu de colonisation du territoire au cours du XVIIᵉ siècle. Qui plus est, et puisque nous connaissons la suite, il convient de remarquer que le XVIᵉ siècle léguait des savoirs et des savoir-faire (nautique, cartographique, linguistique, ethnographique, etc.) qui contribuèrent à la réussite de l'entreprise coloniale française à partir du début du XVIIᵉ siècle. Il est vrai qu'une partie de cet héritage (celui des hugue-nots en particulier) profita aux Anglais, par l'entremise de marins transfuges et surtout de visionnaires comme

Richard Hakluyt, ambassadeur d'Angleterre à Paris qui, inlassablement, se fit le chantre auprès de la reine Élisabeth de la colonisation de l'Amérique du Nord, compilant et traduisant à ce dessein les récits français de la « découverte » du Nouveau Monde [63]. Quant aux Français, ils avaient notamment fait l'apprentissage du Saint-Laurent : exploré à plusieurs reprises, le formidable fleuve devait rapidement servir d'axe de pénétration vers l'intérieur du continent. Autre héritage, et non des moindres : les premiers contacts avec le monde amérindien, qui conduisirent à la certitude qu'on ne pouvait coloniser un territoire sans obtenir la coopération des autochtones.

L'échec de Cartier procédait en partie de ses mauvais rapports avec les Iroquoiens de Stadaconé. En Floride, Laudonnière avait commis des maladresses, mais il mesurait – comme Ribault et Gourgues – l'importance qu'il y avait à s'allier avec les Indiens. Au Brésil, les truchements normands avaient mis en place un modèle commercial fondé sur l'adaptation aux mœurs indiennes et sur les unions mixtes, modèle qui fut repris au XVIIe siècle au Canada, comme l'a montré Olive P. Dickason. Lors de la « tabagie » de Tadoussac, au printemps 1603, Gravé du Pont et Champlain s'inspiraient des techniques brésiliennes pour fonder une alliance durable avec les autochtones. Mais, plus encore sans doute, ils s'appuyaient sur des décennies de contacts informels dans le golfe du Saint-Laurent, contacts qui avaient permis aux pêcheurs et aux traiteurs d'élaborer les premières formes d'un dialogue interculturel dans ce qui devait devenir la Nouvelle-France.

2

LES ÉTAPES DE LA COLONISATION
(XVIIᵉ-XVIIIᵉ siècle)

Les échecs de Cartier, de Roberval, de La Roche et de
Chauvin au Canada, de Ribault et de Laudonnière en
Floride – sans parler de celui de Villegagnon au Brésil –
n'avaient pas éteint l'idée d'édifier outre-Atlantique une
Nouvelle-France. Ce projet colonisateur prit corps à
partir du début du XVIIᵉ siècle : une page inédite de
l'histoire des Français en Amérique du Nord commence
alors à s'écrire, marquée par l'implantation d'individus
dont les aspirations et les activités conduisent progressivement à la naissance de nouvelles sociétés, en Acadie,
au Canada, puis en Louisiane. En 1600, la Nouvelle-
France ne comptait aucun habitant européen à demeure.
Or, un siècle plus tard, une société coloniale s'était enracinée dans la vallée du Saint-Laurent, occupée par plus
de 16 000 individus de souche européenne. En 1760, la
population française s'élevait à près de 90 000 personnes : 90 % étaient regroupés entre Québec et Montréal, le reste vivant sur le littoral atlantique, dans la basse
vallée du Mississippi et dans les postes de l'intérieur du
continent. Même en ajoutant à ce total les nombreux
peuples autochtones alliés aux Français et les individus
d'origine africaine (mais aussi les individus catégorisés

comme métis ou mulâtres), force est de constater que
la densité de population était très faible au sein de ce
gigantesque domaine de la Nouvelle-France. Ce territoire
revendiqué par le roi de France, avec ses grosses bourgades, ses villages ou ses simples fortins, presque toujours
érigés sur la base d'alliances avec les Indiens, s'étirait sur
une partie notable du continent nord-américain, du
golfe du Saint-Laurent au golfe du Mexique.

La monarchie française a joué un rôle important dans
l'établissement de ces colonies nord-américaines. Selon
Bernard Barbiche, Henri IV, un ton en dessous de
Louis XVI toutefois, fut l'un des rois de France qui
s'intéressèrent le plus, et ce de façon personnelle, à la
marine et à l'expansion outre-mer. Il peut paraître étonnant que son principal ministre, le protestant Sully, ait
fait preuve de son côté d'une grande hostilité vis-à-vis
des expéditions lointaines. Dans une lettre de 1608
adressée à Pierre Jeannin, autre conseiller du souverain,
Sully estimait certes nécessaire de harceler les colonies
espagnoles (« attaquer le cœur et les entrailles de
l'Espagne, que j'estime pour le présent résider aux Indes
orientales et occidentales ») mais il se montrait allergique
à la création d'établissements coloniaux, contraire « au
naturel et à la cervelle des Français que je reconnais, à
mon grand regret, n'avoir ni la persévérance ni la pré-
voyance requise pour telles choses, et ne portent ordinairement leur vigueur, leur esprit et leur courage qu'à la
conservation de ce qui leur touche de proche en proche
[…]. Tellement que les choses qui demeurent séparées
de notre corps par des terres ou des mers étrangères ne
nous seront jamais qu'à grande charge et à peu
d'utilité [1]. »

Sous Henri IV, le projet colonial fut donc l'œuvre personnelle du roi. Avec une continuité dans l'effort qui
faisait défaut aux derniers Valois et tout en s'appuyant

sur des initiatives privées – et des entrepreneurs protestants –, le monarque sut en effet favoriser les premières implantations en Acadie et au Canada. « Le règne d'Henri IV, écrit Barbiche, est en quelque sorte l'inverse de ceux de ses deux successeurs. Sous Louis XIII et Louis XIV, c'est le ministre, Richelieu ou Colbert, qui fait tout ou presque en ce domaine ; le roi approuve, il appuie, mais il ne s'occupe pas personnellement des projets colonisateurs. Sous Henri IV, c'est le contraire. Le roi agit contre la volonté de son principal conseiller [2]. »

Le règne d'Henri IV fut décisif pour la Nouvelle-France, mais il fallut attendre Richelieu, à partir de 1624, pour qu'une véritable politique coloniale vît le jour, prolongée par l'œuvre de Colbert après 1661. Cette politique est fondée sur les principes du mercantilisme : il convient, pour accroître la puissance de l'État et donc la gloire du roi, d'augmenter la quantité de métaux précieux disponibles dans le royaume. Colbert conçoit les relations économiques internationales comme une « guerre d'argent [3] » : l'accroissement du stock monétaire dépend des performances du commerce et donc de la puissance maritime. Le rôle des colonies, dans un tel schéma, est d'apporter à la France les produits qui lui manquent ; elles ne doivent pas se développer pour elles-mêmes, mais en tant qu'elles servent les intérêts de la métropole.

Il faut préciser que la monarchie, soucieuse d'imposer son hégémonie sur le Vieux Continent face aux Habsbourg de Vienne et de Madrid et face aux Britanniques, donna toujours la priorité aux affaires européennes. Or la Couronne n'avait pas les moyens financiers de mener de front cette guerre continentale et une politique maritime et coloniale ambitieuse. Aussi eut-elle recours au système des compagnies, sur le modèle des Anglais et des Hollandais, fondateurs, respectivement, de l'*East India*

Company (en 1600) et de la *Verenigde Oostindische Compagnie* (Compagnie hollandaise des Indes orientales, en 1602). En échange du privilège exclusif du commerce, les compagnies étaient chargées de peupler, de ravitailler et de développer économiquement les colonies. Pourtant, la valeur géopolitique inestimable du Canada et de la Louisiane conduisit finalement la monarchie à intervenir directement. L'expérience coloniale française en Amérique du Nord se caractérise ainsi par l'importance croissante jouée par l'État dans l'exploitation et le contrôle du territoire. Le roi était d'ailleurs le plus à même de concilier les intérêts parfois divergents des autres acteurs de la colonisation, qui donnaient la priorité tantôt au commerce, tantôt à la christianisation des Indiens, tantôt au peuplement.

À partir de 1669, les colonies françaises furent placées sous la direction du ministère de la Marine, créé à l'initiative de Colbert. À l'exception de la période 1715-1723, au cours de laquelle il fut remplacé par un Conseil de Marine, c'est ce ministère, dirigé par un secrétaire d'État, qui formulait la politique coloniale, toujours au nom du roi. « Sa Majesté veut » : l'expression traverse les dépêches de la Cour destinées aux responsables locaux de la Nouvelle-France, qu'il s'agisse du « mémoire du roi » proprement dit, envoyé annuellement dans les colonies, ou des lettres et instructions du ministre. Le roi ne se contentait pas toujours de parapher les missives et les ordonnances. Louis XIV, par exemple, a pu parfois s'intéresser de près aux affaires coloniales. « Les Iroquois en Canada » sont ainsi évoqués dans ses *Mémoires*, et en particulier les conditions de la paix conclue en 1666 avec ces Indiens, conditions qui, se réjouit-il, volontariste, « assureront pour toujours le repos des colonies françaises » [4].

Le secrétaire d'État à la Marine – *le* ministre, disait-on en Nouvelle-France – était un personnage tout-puissant, et, comme le note Jean Meyer, on résume habituellement la politique coloniale « en la plaçant sous la rubrique d'un grand nom » : Colbert, Seignelay, Louis de Pontchartrain, Jérôme de Pontchartrain, Maurepas, etc. « Cette vision "personnaliste" de l'État correspond à quelque chose de bien réel[5] », même s'il faut tenir compte du rôle du contrôleur général des finances, d'une part, et des « fonctionnaires » appelés premiers commis, de l'autre. Ces derniers préparaient des résumés et rédigeaient ensuite les mémoires et les instructions que le ministre de la Marine signait. Sauf à l'époque de Colbert, ils s'occupaient même des questions secondaires sans en référer au ministre.

Mais ce « *brain trust*[6] » métropolitain orientait-il de façon exclusive la politique coloniale ? Les autorités locales ne bénéficiaient-elles pas, tout au moins, d'une certaine marge de manœuvre ? Colbert, dans une veine absolutiste, rappelait aux administrateurs de Québec en 1677 que, bien que le Canada paraisse « loin du Soleil », le roi ne saurait tolérer que l'on puisse « entreprendre » sans lui[7]. Le roi et le ministre attendaient de leurs agents coloniaux qu'ils soient obéissants et limitent leurs initiatives. Qu'on ne se leurre pas toutefois : la politique coloniale ne saurait être vue comme une implacable mécanique du pouvoir s'imposant sans entraves du « centre » impérial vers les « périphéries » coloniales. Elle s'élaborait de façon multiple : à Versailles, mais aussi à Québec, à Montréal, à La Mobile et à La Nouvelle-Orléans, ou même dans les postes de l'intérieur du continent. Administrateurs, officiers, missionnaires – qui pouvaient circuler à l'intérieur des différents domaines de l'Empire français, royaume compris –, tous les acteurs locaux jouaient de leur influence éventuelle à la Cour, en sus de la qualité de leurs arguments, pour peser sur les décisions royales.

Marchands, missionnaires et Amérindiens

De 1603, où sont jetés les fondements de l'alliance franco-indienne, à 1663, qui voit la monarchie prendre en main le destin de la Nouvelle-France, l'idée de colonisation de peuplement progresse doucement, en Acadie comme dans la vallée du Saint-Laurent. Les marchands, mais aussi les missionnaires, jouent un rôle moteur au cours de cette période.

1603 : la « tabagie » de Tadoussac

François Gravé du Pont apparaît comme un personnage central de l'expansion, à l'intersection des XVIe et XVIIe siècles, alors que se précise le dessein colonial français. Partenaire de Chauvin en 1599, il se met en 1603 au service d'Aymar de Chaste, le nouveau détenteur du monopole canadien, et dirige une expédition de traite et de prospection qui le conduit à Tadoussac. Parmi ses accompagnateurs se trouve Samuel de Champlain. Né à Brouage vers 1580, vraisemblablement issu d'un milieu protestant bien que de religion catholique, ce dernier avait été capitaine d'une compagnie en garnison à Quimper avant d'être démobilisé par la paix de Vervins. Il bénéficiait d'une formation de dessinateur et de géographe, et avait déjà séjourné pendant deux années en Amérique, dans les Caraïbes espagnoles (1598-1599), mais c'est comme simple observateur qu'il s'embarqua en 1603 en compagnie de Gravé du Pont.

Les deux hommes et leurs compagnons jetèrent l'ancre à Tadoussac le 24 mai 1603 et, trois jours plus tard, se rendirent à la pointe Saint-Mathieu (aujourd'hui pointe aux Alouettes) où étaient rassemblés plusieurs centaines d'autochtones. Il s'agissait de Montagnais qui célébraient une victoire obtenue aux côtés de leurs alliés algonquins et malécites contre les Iroquois. Gravé du Pont et Champlain – qui relata l'expédition dans un récit intitulé *Des*

Sauvages – furent reçus dans la grande cabane d'écorces du *sagamo* (chef) Anadabijou, où une centaine de personnes « faisaient tabagie (qui veut dire festin) ». Les Français se comportèrent « selon la coutume du pays », fumant le pétun (tabac) et mangeant de la viande d'orignal, d'ours et de castor. Gravé était accompagné de deux jeunes Montagnais qui, l'hiver précédent, avaient été reçus à la Cour d'Henri IV. L'un d'entre eux « commença à faire sa harangue, de la bonne réception que leur avait fait le roi, et le bon traitement qu'ils avaient reçu », assurant Anadabijou que « sadite Majesté leur voulait du bien et désirait peupler leur terre et faire la paix avec leurs ennemis [les Iroquois] ou leur envoyer des forces pour les vaincre ». Le chef montagnais, selon Champlain, en fut « fort aise », précisant qu'« il n'y avait nation au monde à qui ils voulussent plus de bien qu'aux Français ». La présence permanente de Français, jugeait sans doute Anadabijou, offrirait aux siens d'importants avantages économiques et militaires. Le chef montagnais, lors de cette journée du 27 mai, représentait-il seulement sa nation, ou parlait-il aussi au nom des Algonquins et des Malécites ? Ce qui est certain, c'est que le 9 juin suivant, à Tadoussac, se déroula une seconde « tabagie » impliquant, outre les Français, les trois nations récemment victorieuses des Iroquois (Montagnais, Algonquins, Malécites). Gravé du Pont et Champlain furent les témoins de la danse du scalp des Algonquins : « toutes les femmes et filles commencèrent à quitter leurs robes de peaux et se mirent toutes nues montrant leur nature […]. Après avoir achevé leurs chants, ils dirent tous d'une voix : "ho ho ho" […]. Or en faisant cette danse, le sagamo des Algonquins, qui s'appelle Besouat [Tessouat], était assis devant lesdites femmes et filles, au milieu de deux bâtons, ou étaient les têtes [scalps] de leurs ennemis pendues [8]. »

Ces cérémonies du 27 mai et du 9 juin permirent aux Français de nouer une alliance durable avec les Montagnais et les Algonquins, alliance qui devait s'avérer indispensable à l'établissement d'une « Nouvelle-France ». L'alliance franco-montagnaise datait vraisemblablement des années précédentes – elle avait peut-être été négociée dès 1600, lors de l'expédition de Chauvin à Tadoussac –, mais l'année 1603 inaugurait bel et bien, de façon officielle, une forme de colonisation fondée sur l'amitié avec les peuples autochtones. Si les commissions de la fin du XVIe siècle se limitaient souvent aux questions de conquête de territoires – « pour rendre ledit pays en notre obéissance », lit-on dans la commission de Jacques Noël de 1588 [9] –, celles du début du XVIIe établissent plus distinctement l'obligation de s'allier avec les Indiens. La commission accordée à Pierre Du Gua de Monts en novembre 1603, par exemple, l'enjoignait de « conserver » les autochtones « en paix, repos et tranquillité », de « traiter et contracter [...] paix, alliance et confédération, bonne amitié, correspondance et communication avec lesdits peuples, et leurs Princes », et d'« entretenir, garder et soigneusement observer les traités et alliances dont vous conviendrez avec eux : pourvu qu'ils y satisfassent de leur part » [10]. La nécessité de nouer de bons rapports avec les Indiens du Canada fut bien comprise dès les années 1580, avec l'essor de la traite des fourrures, mais l'idée selon laquelle il convenait d'adopter, de façon officielle, une stratégie d'alliance pour assurer le succès du commerce et, plus largement, de toute entreprise de colonisation fut définie vers 1600-1603. C'est la formation de larges alliances, y compris avec les peuples de l'intérieur des terres, qui conditionnait l'établissement d'une colonie.

Après avoir séjourné trois semaines à Tadoussac, Gravé du Pont et Champlain, du 18 juin au 11 juillet, remontèrent le Saint-Laurent jusqu'à Hochelaga (Montréal). Ils furent arrêtés, comme Cartier en 1535 et en 1541, par les rapides de Lachine, et durent faire demi-tour. Ils recueillirent toutefois auprès des Indiens de précieuses informations géographiques sur les Grands Lacs, y compris sur la chute d'eau de Niagara. Champlain acquit même la certitude que l'Asie était proche. Le 16 août suivant, les Français appareillèrent pour la France. Leur voyage sur le Saint-Laurent avait été motivé par la traite des fourrures, mais le fait de se rendre jusqu'à Lachine témoignait aussi d'une volonté d'explorer le territoire et de dresser un premier inventaire des lieux. L'alliance nouée à Tadoussac avait d'ailleurs permis aux Français de greffer leur commerce sur un vaste réseau d'échanges qui s'étirait jusqu'aux Grands Lacs et à la baie d'Hudson et leur assurait l'alliance des nations du sud de l'Ontario actuel, en particulier de la puissante confédération des Hurons.

Les déboires d'une colonie : l'Acadie au temps de Lescarbot

Toutefois, le Saint-Laurent va être laissé de côté pendant quelques années. À partir de 1603-1604, les entrepreneurs français concentrent en effet leurs efforts sur l'Acadie où ils espèrent trouver des mines ainsi qu'un chemin vers l'Asie. En novembre 1603, Pierre Du Gua de Monts succède à Aymar de Chaste, décédé en mai, comme nouvel adjudicataire de la traite. Il est accompagné dans son entreprise acadienne de 1604 par Champlain, qui n'a encore aucun titre officiel mais fait fonction de géographe, et par Jean de Biencourt de Poutrincourt, un noble picard, ancien ligueur et homme de guerre. Du Gua de Monts parcourt la baie de Fundy et, en juin, établit son « habitation » dans une île située à l'embouchure de la rivière Sainte-Croix. Mais l'hivernement de 1604-1605 tourne au désastre : le froid, la

disette et le scorbut emportent la moitié des hommes :
« de 79 que nous étions, rapporte Champlain, il en
mourut 35 et plus de 20 qui en furent bien près [11] ». Du
Gua de Monts transporte alors la colonie vers un site
jugé plus favorable : ainsi naît Port-Royal, où l'on érige
une seconde habitation. En l'absence de Du Gua de
Monts, reparti en France pour défendre son monopole
contre les marchands bretons et normands, c'est Gravé
du Pont qui commande la petite colonie durant l'hiver
1605-1606.

L'été suivant, de nouveaux renforts arrivèrent sous la
direction de Poutrincourt, lequel s'était vu confirmer par
le roi la concession de Port-Royal accordée dès 1604 par
Du Gua de Monts, et qui revenait comme lieutenant-
gouverneur de l'Acadie. Il était accompagné de son fils
Charles, et de l'avocat et écrivain Marc Lescarbot, qui
servit de mémorialiste à l'entreprise acadienne, et qui
écrivait dans son *Adieu à la France* que cette expédition
allait chercher

> « une nation aux hommes inconnue
> Pour la rendre sujette à l'empire français
> Et encore y asseoir le trône de nos Rois [12] ».

Lescarbot, comme Poutrincourt, était animé par le
rêve de fonder outre-Atlantique la « Cité de Dieu ». Il
multiplia les jardins en face de l'habitation, activité
d'autant plus importante selon lui que l'incapacité à
mettre en culture le sol avait été la cause principale de
l'échec des tentatives de colonisation française au
XVIe siècle.

La table du lieutenant-gouverneur servait par ailleurs
de centre de la sociabilité. Elle constituait le point de
ralliement du fameux ordre de Bon-Temps [13], créé à
l'initiative de Champlain : il s'agissait de souder l'élite de
la colonie autour du chef et de faire bonne chère pour

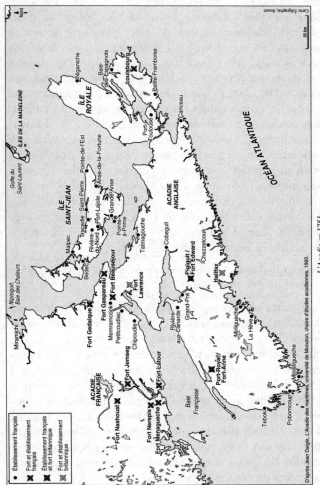

L'Acadie en 1751

Légende :
● Établissement français
✕ Fort et établissement français
✕ Établissement français et fort britannique
✕ Fort et établissement britannique

Nord

Golfe du Saint-Laurent

ÎLES DE LA MADELEINE

Nipisiguit, Baie des Chaleurs

Miramichi

ACADIE FRANÇAISE

Fort Nashouat

Fort Jemseg   Fort-Latour

Fort Nerepis

Fort Menagueche

Baie Française

Tebok

Pobomcoup   Mirliguèche

La Hève

Port-Royal / Fort-Anne

Minsiguèche

Memramcook   Fort Gaspareau

Petitcoudiac

Chipoudie

Fort Gédaïque

Bedec   Malpec

ÎLE SAINT-JEAN

Tracadie   Pointe-de-l'Est

Rivière-du-Nord   Saint-Pierre

Fort-Lajoie   Anse-de-la-Fortune

Grande-Anse

Pointe-à-Prime

Tatamagouche

Fort Beauséjour

Fort Lawrence

Rivière-aux-Canards

Grand-Pré

Cobeguit

Chezzetcouk

Pigiguit / Fort Edward

Halifax

Canceau

Port-Toulouse

ÎLE ROYALE

Niganiche

Baie-des-Espagnols

Louisbourg

Belle-Framboise

ACADIE ANGLAISE

OCÉAN ATLANTIQUE

50 km

Carte Édigraphe, Rouen

D'après Jean Daigle, L'Acadie des maritimes, université de Moncton, chaire d'études acadiennes, 1993.

éloigner les risques de scorbut. Ce nouvel ordre de chevalerie enjoignait à ses membres, au dire de Lescarbot,
d'être « maîtres d'hôtel chacun à son jour [14] », c'est-
à-dire de rassasier à tour de rôle, par force gibier et
poissons, les convives qui partageaient la table de
Poutrincourt. Mais Port-Royal, par la froideur de son
climat et son air jugé malsain, ne constituait pas aux
yeux de Du Gua de Monts le site idéal pour fonder une
colonie, et Poutrincourt fut chargé de repérer un endroit
plus avantageux vers le sud, sur les côtes de l'actuel
Massachusetts. L'ancien ligueur se rendit jusqu'au cap
Cod, mais ses recherches furent vaines. En 1607, alors
qu'on s'apprêtait à reprendre l'exploration des côtes, la
mauvaise nouvelle surprit Port-Royal : Henri IV, cédant
notamment aux pressions des marchands de Saint-Malo,
avait révoqué le monopole de Du Gua de Monts, et tous
les colons durent rentrer en France. Lescarbot ne vit pas
disparaître la petite colonie sans regrets :

> « Faut-il abandonner les beautés de ce lieu, Et dire au Port
> Royal un éternel Adieu [15] ? »

Les sites choisis en Acadie, à vrai dire, n'étaient pas
favorables : il était difficile, sur ce littoral découpé,
d'empêcher les contrebandiers de pratiquer la traite des
pelleteries et donc d'enfreindre le monopole ; les bénéfices du commerce et de la pêche étaient inférieurs à
ce qui était prévu ; et des colons n'étaient pas vraiment
indispensables à ce type d'entreprise puisque le commerce se faisait directement avec les Indiens. Du Gua de
Monts, l'année suivante, obtint néanmoins une prolon-
gation de son monopole pour un an, contre la promesse
d'établir un poste sur le Saint-Laurent et de poursuivre
ses efforts de colonisation.

L'échec de Du Gua de Monts en Acadie n'entraîna
toutefois pas la fin de la colonie de Port-Royal, qui fut
reprise en main par Poutrincourt. Celui-ci bénéficiait de

la propagande de Lescarbot qui, à l'initiative de Du Gua de Monts, avait publié en 1609 une *Histoire de la Nouvelle-France* (la première !) destinée à influencer la politique royale. Poutrincourt s'était décidé, avec la bénédiction du pape, à évangéliser les Indiens. Lorsqu'il rejoignit Port-Royal en 1610, il était accompagné notamment de Jessé Fléché, un prêtre séculier originaire du diocèse de Langres qu'il avait préféré aux jésuites. Fléché, une semaine après son arrivée, et donc sans connaître la langue de ses « ouailles », baptisa vingt et un Micmacs, dont le chef Membertou et sa famille. Galvanisé par cet apparent succès, Poutrincourt chargea son fils Charles de Biencourt, qui repartait en France avec une cargaison de fourrures, d'obtenir une aide de la Cour. Or, la régente Marie de Médicis, comme beaucoup d'investisseurs, préférait alors miser sur les entreprises de Daniel de La Touche, seigneur de la Ravardière, qui, en 1610, revenait enthousiaste du Maranhão brésilien [16]. Elle accorda néanmoins un soutien financier à Biencourt, tout en lui intimant l'ordre, inspirée en cela par des défenseurs de la Compagnie de Jésus, dont la marquise de Guercheville, de retourner en Acadie avec deux jésuites, les pères Biard et Massé.

En 1611, Poutrincourt se rendit à son tour en France et, à court d'argent, sollicita l'aide de Mme de Guercheville. À Port-Royal, les relations entre Biencourt et les jésuites étaient très tendues, et elles s'envenimèrent au point que la marquise de Guercheville, en 1612, retira son soutien. Le sort s'acharna sur la colonie l'année suivante : en novembre 1613, en effet, un raid anglais dirigé par le capitaine Samuel Argall pilla Port-Royal. Les Anglais contestaient aux Français le droit de s'implanter dans des territoires qui relevaient selon eux de leur souveraineté. Poutrincourt trouva le fort en ruine lors de son retour au printemps 1614, et les colons, son fils compris, affamés. Il rentra en France avec la plupart des Français, et céda à Biencourt tous ses biens.

Port-Royal devint alors un simple comptoir de traite. Pendant quelques années, le commerce y fut florissant mais, après 1618, le poste tomba progressivement en ruines, faute d'être dynamisé par de nouvelles recrues. Biencourt, qui vivait de plus en plus parmi les Indiens, mourut en 1623, et six ans plus tard l'Écossais sir William Alexander, qui avait obtenu une charte lui permettant d'établir une « Nouvelle-Écosse », fonda deux établissements, l'un au Cap-Breton, l'autre à Port-Royal. Le premier disparut au bout de quelques mois, à la suite d'une expédition française, et le second en 1631, alors qu'allait être signé un traité de paix avec la France. Le roi d'Angleterre Charles Iᵉʳ, qui gouvernait sans Parlement – lequel devait donner son consentement pour la levée des impôts – ne pouvait plus en effet financer le conflit avec Louis XIII. Ratifié en 1632, le traité de Saint-Germain-en-Laye enjoignait aux colons anglo-écossais de se retirer et reconnaissait à la France ses prétentions sur l'Acadie. Le programme de colonisation fut ainsi remis à l'ordre du jour. En 1634, Lescarbot, le premier poète et historien de la Nouvelle-France, fut même invité à rejoindre l'Acadie mais, bien que séduit par cette proposition, il n'y donna pas suite.

Le comptoir du Saint-Laurent, 1608-1627

Tandis que les tentatives d'implantation en Acadie se soldaient par des échecs répétés, un autre axe de colonisation, appelé à davantage de succès, se dessina en 1608 sur le Saint-Laurent. Du Gua de Monts, qui avait réussi à prolonger son monopole d'une année supplémentaire, fit armer deux navires à Honfleur et chargea Champlain de créer un comptoir à Québec. Mais à quel personnage doit-on attribuer au premier chef la fondation de cet établissement ? L'historiographie québécoise a généralement retenu le nom de Champlain de préférence à celui de Du Gua de Monts, sans doute parce que ce dernier était protestant – comme l'étaient aussi Roberval, Villegagnon, Ribault, Laudonnière, La Roche et Chauvin – et qu'à ce titre il ne possédait pas toutes les vertus requises pour faire briller le lustre catholique de la société canadienne-française. Pour l'historien québecois Marcel Trudel en revanche, le vrai fondateur, au sens de bailleur de fonds, fut Du Gua de Monts : ce sont ses subsides, remarque-t-il, qui permirent d'entretenir Québec jusqu'en 1613 ; Champlain était seulement à son service. Mais une remarque plus générale s'impose quant au statut historiographique du natif de Brouage, volontiers canonisé, jusqu'à aujourd'hui, comme le « père de la Nouvelle-France ». Le jugement de l'historien, en l'occurrence, n'est-il pas brouillé par les documents ? Les ouvrages de Champlain, du *Des Sauvages*, publié dès 1603, à ses derniers *Voyages* de 1632, sont en effet l'une des seules sources écrites – avec les récits de Marc Lescarbot – dont nous disposons pour étudier cette période fondatrice. Explorateur, dessinateur, cartographe et homme d'action, Champlain fut certes un acteur central de l'expansion, mais il ne fut pas « le » fondateur de l'Amérique française ; à trop le mettre sous les feux de la rampe, on occulte notamment le rôle des marchands et des entrepreneurs (Du Gua de Monts, Chauvin, Gravé du Pont) dans l'établissement de la Nouvelle-France [17].

L'« Habitation de Québec » fut édifiée à partir du 3 juillet 1608, sous la houlette de Champlain, par une trentaine d'ouvriers et d'artisans au pied de la falaise qui délimite l'actuelle haute-ville. Elle consistait en un magasin pour les vivres et en trois corps de logis, le tout protégé d'une palissade de pieux et entouré d'un fossé. Québec, qui, en langue micmaque, signifierait « l'endroit où la rivière se rétrécit », bénéficiait d'un site exceptionnel, puisque tout navire de passage s'exposait nécessairement aux canons placés sur les hauteurs. Simple comptoir pendant un demi-siècle, la ville devait devenir la capitale administrative de la Nouvelle-France, jusqu'à sa chute en 1759, lors de la bataille des Plaines d'Abraham. Le premier hivernement, comme en Acadie en 1604-1605, s'avéra pourtant désastreux. Quand les navires revinrent de France au printemps 1609, 20 des 28 hommes étaient morts, et les survivants, dont Champlain, se trouvaient très affaiblis par le scorbut et le manque de nourriture.

La vallée du Saint-Laurent constituait le meilleur territoire pour pratiquer la traite des pelleteries. En s'y établissant, les Français pouvaient entrer directement en contact avec des populations de l'intérieur moins initiées à la traite, et donc imposer des prix plus avantageux qu'aux Montagnais qui, pour avoir commercé depuis un siècle avec les Européens, se montraient très exigeants. Les Français, par ailleurs, s'inséraient dans la géopolitique amérindienne telle une nouvelle tribu – mais avec ses caractéristiques inédites, en particulier la capacité, jugée surnaturelle, à fournir des perles, des marmites, des armes à feu ou encore des tissus. En s'alliant avec les Montagnais, les Algonquins puis les Hurons, ils se plaçaient nécessairement en situation conflictuelle avec les ennemis de ces derniers, soit les Iroquois, qui formaient une ligue de Cinq Nations (Agniers, Onneiouts, Onontagués, Goyogouins et Tsonnontouans). Champlain n'a pas eu le choix. Il a vite compris que, pour conforter l'amitié de ses alliés, et donc pour assurer la pérennité de la colonie, il était « très nécessaire de les assister [...] en leurs guerres [18] ».

C'est à partir de 1609 que l'alliance franco-autochtone, d'abord centrée autour des Micmacs, des Montagnais et des Algonquins, s'est élargie aux Hurons (ou Wendats), qui vivaient sur la baie Georgienne, soit le rebord oriental du lac Huron. Cette année-là, par l'entremise du chef algonquin Iroquet, des Hurons emmenés par Ouchasteguin se rendirent pour la première fois à Québec. Champlain convint avec ses hôtes d'une expédition contre les Iroquois. Accompagné de deux autres Français et d'une soixantaine de guerriers hurons, algonquins et montagnais, il affronta avec succès quelque deux cents Iroquois sur le lac qui porte son nom. Selon l'explorateur, les arquebuses auraient joué un rôle décisif dans cette victoire, le premier coup ayant emporté deux chefs ennemis. Le Français fut honoré comme un chef de guerre. Ses alliés montagnais lui offrirent « une paire d'armes » et le scalp d'un ennemi « comme chose bien précieuse » [19].

En 1610, Champlain participa à nouveau à une expédition guerrière de ses alliés hurons et algonquins contre les Iroquois, cette fois à l'embouchure de la rivière Richelieu. Il fut blessé au cou par une flèche ennemie, mais les Iroquois, qui s'étaient retranchés dans un fort, durent prendre la fuite. Cinq ans plus tard, il remonta la rivière des Outaouais et atteignit le lac Huron, qu'il nomma « mer douce ». Il fut émerveillé par le pays huron, et se joignit à une troisième expédition contre les Iroquois, au sud du lac Ontario. Avec des guerriers hurons, il assiégea un fort iroquois et, durant l'assaut, fut blessé par deux flèches, dont l'une dans le genou. Lors du repli, Champlain, comme tous les blessés, fut porté pendant quelques jours dans un panier au dos d'un guerrier autochtone, « entassé en un monceau plié et garrotté de telle façon, qu'il est impossible de se mouvoir, moins qu'un petit enfant en son maillot [20] ». À cause de sa blessure, il dut hiverner chez les Hurons, et profita de son séjour pour rendre visite aux Pétuns et à des Outaouais.

En quelques années, les Hurons et les Français, sur la base de la traite pelletière, et plus généralement d'échanges de cadeaux, de personnes et de bons procédés, scellèrent une alliance durable qui conditionna le devenir de la colonie jusqu'au milieu du XVIIe siècle. À partir de 1618 et jusqu'aux années 1660, qui virent l'émergence commerciale de Montréal, c'est Trois-Rivières qui devint la foire principale du Canada. Un poste y fut fondé en 1634. Québec servait en effet davantage d'entrepôt que de lieu de traite. Les Iroquois de leur côté, par l'entremise des Agniers, nation la plus orientale de leur confédération, avaient accès aux produits européens grâce aux Hollandais, implantés sur le fleuve Hudson depuis 1609.

L'action de Champlain fut contrariée par ses concurrents. Les marchands de Saint-Malo, de Dieppe, de Saint-Jean-de-Luz et de La Rochelle, faisaient pression pour mettre fin au monopole de Du Gua de Monts. Dès l'été 1608, les marchands basques de Tadoussac tentèrent un coup de force contre Champlain, mais celui-ci parvint à déjouer le complot qui visait à l'assassiner. Le serrurier Jean Duval, le principal coupable, fut « pendu et étranglé audit Québec, et sa tête mise au bout d'une pique pour être plantée au lieu le plus éminent de notre fort[21] ». La suppression du monopole de Du Gua de Monts, en 1609, relança toutefois officiellement la concurrence sur le Saint-Laurent. Champlain se rendit en métropole où il espérait obtenir la fin du commerce libre. En octobre 1612, Louis XIII accepta de confier un nouveau monopole, en amont de Québec, au comte de Soissons, qui faisait de Champlain son lieutenant. Soissons décédant le mois suivant, c'est le prince de Condé qui prit la relève, avec le titre de vice-roi de la Nouvelle-France, tout en confirmant Champlain dans ses fonctions. Ce dernier, en 1614, parvint à former une société avec les marchands de Rouen et de Saint-Malo : en contrepartie du monopole, les associés avaient pour obligation d'établir six familles par an au Canada.

Mais les marchands n'avaient pas l'intention de peupler le territoire. Ils n'avaient aucun intérêt à ce que des colons s'installent, ces derniers, une fois établis, pouvant même accaparer à leur profit le monopole de la traite. Certes, dans deux mémoires de 1618 adressés l'un à la Cour, l'autre à la chambre du commerce, mémoires qui contribueront à édifier le mythe de Champlain « père fondateur de la Nouvelle-France », ce dernier essaya de mettre en avant un véritable programme de colonisation. Mais ce programme s'avéra plutôt irréaliste. Champlain proposait, grâce au Saint-Laurent, de « parvenir facilement au royaume de la Chine et Indes orientales, d'où l'on tirerait de grandes richesses », et grâce à la situation de Québec, de percevoir sur les produits venus de l'Orient un droit de douane qui « surpasserait en prix dix fois au moins toutes celles qui se lèvent en France [22] ». Il rêvait de créer une grande colonie commerciale, dont l'économie diversifiée reposerait sur la traite des pelleteries mais aussi sur les pêcheries, les mines, les cultures industrielles, l'élevage et les produits de la forêt. Il prévoyait en outre de répandre le christianisme parmi les Indiens. Pour réaliser un tel projet, il proposait l'envoi sur place de quinze récollets (des moines franciscains), de 300 familles de colons et de 300 soldats. Ce programme eut le mérite de séduire et le roi et la chambre du commerce, mais il ne fut jamais appliqué.

Québec demeura donc un simple comptoir. On était encore loin de la colonie agricole qui permettrait de donner au Canada une assise permanente. La première famille à s'établir fut celle de l'apothicaire Louis Hébert, en 1617, qui était accompagné de sa femme, Marie Rollet, et de leurs trois enfants. C'est un personnage hautement symbolique, et célébré comme tel par l'historiographie : d'abord parce que l'une de ses filles donna naissance en 1620 au premier enfant blanc qui survécut en Nouvelle-France ; ensuite parce qu'il fut le premier colon à tirer sa subsistance de la terre. On aurait pourtant tort de lui décerner le « titre » de « premier agriculteur du Canada ». Ce serait oublier en effet que les peuples indiens de la région (les Hurons et les Iroquois notamment) étaient de grands producteurs de maïs, de courges et de haricots ! Hébert et Champlain, durant plusieurs années, et en dépit des pressions de la Compagnie qui souhaitait les détourner d'une telle activité, furent néanmoins les seuls cultivateurs blancs du Canada.

En 1620, le prince de Condé dut céder son titre de vice-roi à Henri de Montmorency, amiral de France, qui accorda un nouveau monopole à la Compagnie dirigée par Guillaume et Emery de Caën, laquelle fusionna en 1621 avec la société précédente. Les de Caën, en échange de leur monopole, s'engageaient à nourrir six récollets et à établir six familles, mais concrètement il n'en fut rien. Les compagnies, depuis un demi-siècle, étaient incapables d'honorer leurs engagements en matière de peuplement. En 1627, la population de Québec, très fluctuante, ne dépassait pas cent personnes, et la petite colonie, approvisionnée par les Indiens alliés et par des navires venus de France, n'était toujours pas autosuffisante.

La Compagnie des Cent-Associés, 1627-1663

La politique coloniale de la monarchie connut un premier infléchissement avec Richelieu, entré au Conseil du roi en 1624 et devenu le principal ministre de Louis XIII en 1629. Le célèbre cardinal était lié à la mer et à la marine par ses origines familiales : son père, notamment, avait été armateur, et son frère aîné avait participé, avec de La Ravardière et les frères Razilly, François et Isaac, à la tentative de colonisation du Maranhão de 1612 à 1615. En 1626, le roi le nomma « grand maître et surintendant général de la Navigation et du commerce ». La politique maritime de Richelieu s'inspira des idées d'Isaac de Razilly, qui avait pris part à ses côtés à une attaque contre La Rochelle en 1625. Incapable pour lors de soumettre la cité huguenote, le cardinal avait pu mesurer la faiblesse de la marine française, et Razilly, l'année suivante, lui soumit un mémoire où il exposait la nécessité de mettre en œuvre une politique de la mer, mais aussi une politique coloniale fondée sur la pêche, l'agriculture et l'exploitation des ressources de la forêt, davantage que sur le commerce. Il lui avait conseillé de fonder une compagnie et d'établir 3 000 à 4 000 colons au Canada. Partisan d'une politique de grandeur, Richelieu entendait ainsi constituer une marine puissante et la doter de bases lointaines pour favoriser le développement du commerce. Il comptait aussi donner une assise démographique à la colonie canadienne, qui devait être capable de résister à la concurrence des autres puissances.

En 1627, Richelieu pria le duc de Vendatour, qui avait obtenu la vice-royauté deux ans plus tôt, d'y renoncer, et forma la Compagnie des Cent-Associés, ou Compagnie de la Nouvelle-France. Elle était composée de cent actionnaires (parmi lesquels Richelieu lui-même, le marquis d'Effiat, surintendant général des Finances, mais aussi Razilly et Champlain) qui disposaient au total d'un capital de 300 000 livres. Ces actionnaires, des Parisiens et des Normands, étaient en grande majorité des officiers du roi, mais on comptait aussi des marchands au long cours et des maîtres pelletiers. La plupart, soulignons-le, n'étaient pas intéressés par le développement colonial. Ils avaient surtout rejoint l'association pour bénéficier de la faveur de Richelieu ou du marquis d'Effiat. Si elle regroupait du capital privé, la Compagnie était donc bien une création du pouvoir politique. Pour encourager l'investissement, le roi permit aux nobles et aux ecclésiastiques de participer à la Compagnie sans déroger aux privilèges de leur ordre, et il accorda des lettres de noblesse à douze des cent associés.

Les droits conférés à la Compagnie étaient impressionnants : le roi lui concédait en fief et seigneurie un immense domaine qui s'étendait de la Floride au pôle Nord et de Terre-Neuve à la « mer douce » (les Grands Lacs), et lui octroyait la traite des fourrures à perpétuité, sans compter le monopole de tout autre commerce (pêcheries exceptées) pour quinze ans. En contrepartie, la Compagnie héritait d'un programme ambitieux : elle devait établir 4 000 personnes de religion catholique dans les quinze années à venir, et les entretenir pendant les trois premières années. La société avait aussi pour but, comme l'affirme le préambule de sa charte, d'œuvrer à la conversion des Indiens, qui se voyaient d'ailleurs accorder le statut de « naturels français » en cas de baptême. Selon John A. Dickinson, « l'établissement de colons français et catholiques devait seulement servir d'exemple pour amener les autochtones à adopter une vie sédentaire et réglée, conforme à un modèle européen [23] ».

Malheureusement pour elle, la Compagnie dut immédiatement affronter de terribles revers. En 1628, les quatre vaisseaux qu'elle avait affrétés, avec 400 émigrants à bord, tombèrent entre les mains d'une flotte anglaise dirigée par le corsaire David Kirke, qui bloquait le Saint-Laurent après avoir vainement tenté de s'emparer de Québec. Une guerre franco-anglaise s'était en effet déclenchée au moment même de la fondation de la Compagnie, et Kirke avait obtenu du roi Charles Ier des lettres de marque pour attaquer les bâtiments et les établissements coloniaux français. L'année suivante, une deuxième flotte des Cent-Associés fut perdue à son tour : lorsqu'elle arriva à Québec, l'habitation battait en effet pavillon anglais. Kirke, revenu avec ses frères, avait conquis le bourg le 20 juillet. Champlain, privé de vivres

et de munitions, ne disposait en outre que d'une cinquantaine d'hommes en état de combattre, et il n'avait
pas eu d'autre choix que de capituler. Ce fut le premier
assaut anglais contre Québec. Il y en eut trois autres sous
le Régime français : deux furent voués à l'échec, celui de
l'amiral Phips en 1690, et celui de Walker en 1711 ;
l'autre, quant à lui décisif, fut l'œuvre de Wolfe à l'été
1759.

Les Kirke dominèrent Québec pendant quatre
années : le petit comptoir, où ne vivaient qu'une vingtaine de Français, fut en effet restitué à la France grâce
au traité de Saint-Germain-en-Laye de 1632. Mais la
Compagnie des Cent-Associés était alors au bord de la
faillite. Privée de son monopole durant l'année 1632 au
profit des de Caën (Emery et son cousin huguenot,
Guillaume), pour les dédommager de navires qu'ils
s'étaient vu confisquer, contrainte d'effectuer de nouveaux remboursements en 1635, elle ne put jamais vraiment se remettre de ces revers successifs. La Compagnie,
qui plus est, avait depuis longtemps perdu le soutien
moral de Richelieu, plus préoccupé par l'entrée de la
France dans la guerre de Trente Ans, de manière « couverte » en 1630, puis directe en 1635.

Emery de Caën, accompagné d'une quarantaine de
personnes, dont quelques jésuites dirigés par le père Paul
Le Jeune, reprit possession de Québec en 1632. Champlain, qui avait quitté la colonie en 1629, n'y revint qu'en
1633, à la tête de trois navires : c'était la première flotte
d'immigrants (200 personnes, surtout des soldats) qui
atteignait le Canada depuis la fondation de la Compagnie. Celle-ci, dont l'élan initial était brisé, demeura propriétaire en titre de la Nouvelle-France, mais tout en
concédant l'exploitation du pays à des compagnies particulières qui devaient, en échange, assumer ses obligations
en matière de peuplement. Le retour de Champlain,
investi du titre de commandant par la Compagnie des

Cent-Associés, et le rôle de mission et d'encadrement désormais dévolu aux jésuites dans la colonie, permirent à ces derniers d'écarter le « péril huguenot et marchand [24] » qu'incarnaient les De Caën et de s'attacher à l'établissement d'une société pleinement catholique, conforme à l'idéal tridentin.

L'année 1632 vit aussi un renouveau de la colonisation française en Acadie, où Isaac de Razilly fut nommé lieutenant-général du roi. Richelieu espérait faire de cette région ouverte sur l'océan la principale province de la Nouvelle-France. Influencé par son « éminence grise », le père Joseph du Tremblay, il choisit six capucins pour assurer le travail d'évangélisation. La flotte de Razilly, composée de 300 personnes, dont une quinzaine de familles, jeta l'ancre à La Hève, sur la côte sud de la péninsule. Le site était propice à la pêche, et Razilly établit une pêcherie à Port-Rossignol avec l'aide d'un de ses lieutenants, Nicolas Denys, futur auteur d'une *Description géographique et historique des Costes de l'Amérique septentrionale* (1672). Selon Denys, Razilly « n'avait point d'autre passion que de faire peupler le pays, et tous les ans il faisait venir du monde le plus qu'il pouvait à ce dessein [25] ». Tout en étant attentif à la traite des fourrures et à la pêche à la morue, seules activités capables de dégager des bénéfices, Razilly, qui bénéficiait de l'aide de son cousin, Charles Menou d'Aulnay, était déterminé à établir une colonie agricole. Afin de favoriser la traite, il établit un fort à Canseau (le fort Saint-François) sur la côte nord, et s'empara aussi du poste de la rivière Pentagouet occupé par des Anglais.

Mais sa mort soudaine, en 1635, porta un coup désastreux à la colonie, qui perdit de nombreux appuis à la Cour, et que des querelles intestines affaiblissaient. L'Acadie, après 1635, fut dirigée par une administration bipartite : d'un côté Charles Menou d'Aulnay, qui profitait, grâce à l'influence des capucins, du soutien de la

Cour, et qui possédait dans la péninsule les seigneuries de La Hève et de Port-Royal ; de l'autre Charles de Saint-Étienne de La Tour, propriétaire de la rivière Saint-Jean, de la rivière Pentagouet et du cap de Sable, et qui avait partie liée avec la Compagnie des Cent-Associés. Les déchirements furent tels qu'ils conduisirent à une guerre civile. En 1639, d'Aulnay reçut le titre de lieutenant-général, et La Tour, isolé, alla jusqu'à demander secours à un puissant voisin, la colonie anglaise du Massachusetts. D'Aulnay parvint finalement à s'emparer des forts de La Tour, qui, contraint de fuir, se réfugia à Québec en 1646. La querelle des juridictions rebondit en 1650, à la mort de d'Aulnay, mais les Anglais y mirent un terme par la force des choses : en 1654, une expédition venue de Boston, dirigée par Robert Sedgwick, s'empara en effet des forts de Port-Royal, de la rivière Pentagouet et de la rivière Saint-Jean, soit l'essentiel de la colonie. La population acadienne d'origine française comptait alors 300 individus, la plupart vivant dans la région de Port-Royal. Ces Français d'Acadie restèrent sous juridiction anglaise jusqu'en 1667.

Les progrès de la colonisation n'étaient guère plus probants au Canada. La priorité y demeurait la traite des fourrures, mais on assista aussi à partir de 1632 à un véritable élan missionnaire. Les jésuites tentèrent de sédentariser les Indiens nomades du Saint-Laurent à Sillery, près de Québec, et à partir de 1634 ils se rendirent en Huronie sous la direction du père Jean de Brébeuf. La dynamique religieuse, produit de la Réforme catholique, se manifesta aussi à travers l'action de la « Société de Notre-Dame de Montréal pour la conversion des sauvages », fondée en 1639 par les membres d'une association de dévots, la Compagnie du Saint-Sacrement. L'objectif de cette société était de créer sur le site de Montréal une ville missionnaire où les Indiens, au contact de pieux Français, pourraient se sédentariser et se convertir au catholicisme. Cette « folle entreprise », telle qu'on la qualifiait à Québec, ne bénéficiait ni de l'appui de Richelieu ni de celui des jésuites et du gouverneur Charles Huault de Montmagny (qui avait succédé à Champlain, décédé en 1635) [26]. Les mystiques du Saint-Sacrement obtinrent pourtant de la Compagnie des Cent-Associés la concession de l'île de Montréal en 1640 et, deux ans plus tard, guidés par le militaire Paul Chomedey de Maisonneuve, une quarantaine de « Montréalistes » débarquèrent sur les lieux. Parmi eux se trouvait notamment Jeanne Mance, la première missionnaire laïque à s'installer en Nouvelle-France, femme pieuse qui avait fait vœu de chasteté dès l'âge de… cinq ans, et qui était inspirée par Marie de l'Incarnation, la fondatrice des ursulines au Canada.

Ainsi fut créée, en mai 1642, Ville-Marie (Montréal), là où Champlain, en 1611, avait défriché une « place Royale ». Les Montréalistes se consacrèrent à leur œuvre apostolique, mais, affaiblie par les dettes et par les déboires de l'évangélisation, la Société de Notre-Dame périclita dans les années 1650. En 1663, l'île de Montréal fut donnée en seigneurie à la Compagnie de Saint-Sulpice, qui avait pris la relève de la Société de Notre-Dame dès 1659. Née sous les auspices du mysticisme, Montréal était en réalité rapidement devenue une plaque tournante du commerce des fourrures.

La chute de la Huronie

Comme nous l'avons déjà suggéré, et comme nous le montrerons plus amplement dans deux chapitres ultérieurs, les Indiens furent des acteurs de premier plan dans l'histoire de la colonisation en Nouvelle-France. Alliés aux Micmacs, aux Montagnais, aux Algonquins et aux Hurons, les Français se sont établis en Acadie et dans la vallée du Saint-Laurent en s'appuyant sur les réseaux de traite et sur l'amitié des autochtones. Champlain fut certainement, avec Gravé du Pont, l'un des premiers à comprendre l'importance de ces alliances. Pendant quatre décennies, les Hurons devinrent pour les Français les principaux fournisseurs de pelleteries, qu'ils obtenaient en troquant leur maïs et des marchandises de traite européennes à des populations indiennes plus occidentales et septentrionales. Ce qui caractérise cette période en matière de traite, c'est que la main-d'œuvre était amérindienne : ce sont les autochtones qui se chargeaient de recueillir les pelleteries et de les transporter à Trois-Rivières ou à Québec. Cette situation explique pourquoi le peuplement n'était pas indispensable à la bonne marche de l'économie coloniale, fondée sur le commerce : seuls s'avéraient nécessaires quelques commis et quelques interprètes, ou truchements. « L'échec apparent des politiques de peuplement depuis 1588, selon John A. Dickinson, s'explique ainsi par la réalité économique. La colonisation rationnelle du territoire interdisait l'implantation d'une population nombreuse [27]. » Or, un tournant important, d'ordre démographique et économique, s'opère dans les années 1650-1660. Ce tournant, qui précède donc la reprise en main de la colonie par le roi en 1663-1665, est lié aux guerres opposant les Français et leurs alliés aux Iroquois.

On ne peut comprendre l'histoire du Canada au XVIIe siècle sans prêter attention à ces guerres. D'emblée, une mise au point se révèle pourtant nécessaire : elle vise à dissiper quelques clichés erronés et néanmoins tenaces qui s'attachent à l'étude des relations franco-iroquoises. Contrairement à une longue tradition historiographique qui remonte au XVIIe siècle, époque où les jésuites s'accordaient généralement pour diaboliser dans leurs écrits les Iroquois, ces derniers ne sauraient être définis uniquement comme des ennemis invétérés de la colonie canadienne. D'abord parce qu'ils n'eurent sans doute jamais l'intention de massacrer tous les Français. L'eussent-ils désiré, ils seraient certainement parvenus à leurs fins, compte tenu de leur supériorité militaire, jusqu'au début des années 1660, vis-à-vis de la petite colonie laurentienne. De nombreux Iroquois, en outre, après s'être installés près de Montréal à partir de 1667, rejoignirent l'alliance française et combattirent aux côtés des colons contre leurs anciens « frères ».

Il faut enfin mentionner le fait que les guerres franco-iroquoises ne furent pas permanentes : le XVIIe siècle a aussi été marqué par des périodes de paix et d'alliance. Comme l'a montré Alain Beaulieu [28], les Français, après 1615, évitèrent de participer aux expéditions de leurs alliés indiens contre les Cinq Nations. Dans les années 1630, Champlain envisagea même d'établir des liens commerciaux et diplomatiques avec les quatre nations occidentales de la ligue iroquoise, qui y semblèrent un temps disposées. Si ce projet d'alliance échoua, c'est notamment parce que les Iroquois, tout en acceptant la paix avec les Français, refusaient de la faire avec leurs alliés autochtones. Une paix générale apparaissait donc comme particulièrement délicate à ménager. En 1645, le gouverneur Montmagny conclut bien un traité à Trois-Rivières avec les Agniers, mais il s'agissait d'une paix en trompe-l'œil, d'ailleurs rompue dès l'année suivante : les quatre nations occidentales de la ligue n'y participèrent pas ; et parmi les Hurons, Algonquins, Montagnais et Attikameks, seuls les baptisés étaient concernés ! La politique des Français à l'égard de ses alliés indiens était donc ambivalente. De la même façon, tandis que les Hollandais vendaient allégrement des armes à feu aux Iroquois, les autorités françaises refusaient de le faire pour leurs alliés, sauf s'il s'agissait de baptisés. Les Hurons allaient pâtir de cette frilosité. À dire vrai, estime l'ethnohistorien Bruce G. Trigger, les Français préféraient que les Iroquois détruisent la confédération huronne plutôt que de subir les conséquences d'une alliance entre les Hurons et les Iroquois, alliance qui aurait été très préjudiciable au commerce des fourrures et, partant, à l'existence même de la colonie.

Les Iroquois, entre 1648 et 1650, lancèrent de terribles raids qui conduisirent à la destruction de la confédération huronne. Les armes à feu ont certainement contribué à leur victoire, mais il faut ajouter deux autres facteurs d'affaiblissement pour les Hurons : d'abord les épidémies catastrophiques qui, dans les années 1630-1640, les ont davantage affectés que les Iroquois ; ensuite l'œuvre missionnaire des jésuites. La communauté française vivant en Huronie regroupait une cinquantaine de personnes, missionnaires mais aussi soldats et domestiques. En 1639, elle s'était installée pour l'essentiel dans la mission fortifiée de Sainte-Marie-aux-Hurons, que l'on peut considérer comme le premier poste français dans la région des Grands Lacs. Or, l'une des conséquences de l'apostolat jésuite fut de lézarder la société huronne en la polarisant entre convertis et traditionalistes. Cette division, qui tranchait à vif dans les réseaux de parenté et affaiblissait la solidarité communautaire, provoqua des violences inhabituelles. Les traditionalistes, majoritaires, s'opposèrent vigoureusement à la minorité chrétienne. Pour saper l'influence des jésuites et ramener les baptisés aux valeurs de la tradition, des jeunes femmes tâchaient même de séduire les plus endurcis des célibataires chrétiens. Une petite faction de traditionalistes, à partir de 1647, optant pour l'alliance avec les Iroquois, fut sur le point de se débarrasser des Français. Une telle situation ne favorisa pas une défense efficace du territoire huron. Pour les jésuites, qui plus est, l'important n'était pas de préserver l'unité de la société huronne, mais de baptiser des Indiens pour peupler le Paradis.

Les Hurons, par milliers, furent tués ou adoptés par les Iroquois. Plusieurs missionnaires périrent durant les combats. Ce fut le cas du père Daniel, qui s'était établi dans la bourgade de Teanaostaiae, peuplée de 2 000 habitants. Le 5 juillet 1648, les guerriers iroquois firent irruption alors que les chrétiens du village sortaient de la messe. Les Hurons parvinrent à faire face pendant un certain temps, tandis que le père Daniel, en les aspergeant d'eau bénite, baptisait de nombreux guerriers qui recherchaient une protection surnaturelle. Mais le missionnaire fut finalement criblé de flèches et de balles de mousquet. L'année suivante, Jean de Brébeuf et Gabriel Lalemant furent capturés à l'occasion d'un nouveau raid, et se virent infliger le sort réservé à de nombreux Hurons (ceux qui ne furent pas adoptés) : on leur arracha quelques ongles, on leur fit subir le rituel de la bastonnade – ils devaient marcher entre deux rangées d'Iroquois qui leur donnaient des coups de bâton –, puis on les tortura. Cette tâche, semble-t-il, fut réservée à d'anciens Hurons, devenus Iroquois d'adoption : ils versèrent de l'eau bouillante sur les deux victimes comme s'il s'agissait d'un baptême. Les Iroquois rôtirent puis mangèrent le cœur des deux jésuites. La torture et le cannibalisme s'inscrivaient dans une logique culturelle de dissolution de l'ennemi : celui-ci, s'il n'était pas absorbé socialement (c'est-à-dire adopté), l'était physiquement.

Cet acte de guerre, tout à fait banal dans l'Amérique indienne, fut à l'origine du mythe des saints martyrs canadiens : au milieu du XIXᵉ siècle, l'Église catholique du Québec, avec le soutien de Rome, a en effet propulsé ces missionnaires au rang de martyrs – ils ont même été canonisés en 1930. Si le rêve des missionnaires, et de Brébeuf au premier chef, était bien de mourir en martyr, c'est-à-dire à la gloire du Christ, on remarquera qu'un martyr, au sens canonique du terme, est quelqu'un qui meurt parce qu'il refuse d'abjurer sa foi, ce qui n'était évidemment pas le cas ici. Les Iroquois avaient tué les

jésuites parce qu'ils les considéraient comme des ennemis, peut-être aussi comme d'affreux sorciers, mais,
Guy Laflèche l'a souligné[29], ils ne leur avaient pas
demandé d'apostasier – procédure d'ailleurs tout à fait
étrangère aux Indiens, comme l'atteste un père jésuite du
XVIIe siècle : « Il ne s'agit pas d'un pays où les Sauvages
mettent à mort en raison de leur religion. Ils laissent à
chacun le soin de ses croyances[30]. »

Les Hurons qui échappèrent aux Iroquois se réfugièrent soit dans la région de Québec, sous l'aile – supposément – protectrice des Français, soit dans les Grands
Lacs, en se mêlant aux Pétuns et en s'alliant étroitement
aux Outaouais. Les offensives iroquoises se poursuivirent
dans les années 1650. Elles entraînèrent la dispersion
d'autres peuples de langue iroquoienne, comme les
Pétuns, les Neutres et les Ériés, et menacèrent directement la colonie française : de 1650 à 1653, les Iroquois
avaient lancé des raids jusqu'à Québec et même jusqu'à
Tadoussac, pour traquer des Algonquins et des Hurons,
et ils s'en prirent aussi logiquement aux Français, qui
enregistrèrent quelques pertes.

L'année 1653 inaugura une période de paix franco-
iroquoise, avec plusieurs tentatives d'alliance à la clé,
mais la guerre reprit en 1660, suite à la fameuse bataille
du Long-Sault, sur la rivière des Outaouais, au cours de
laquelle périt le soldat Dollard des Ormeaux. L'historiographie québécoise a longtemps promu Dollard au rang
de « sauveur de la Nouvelle-France » parce qu'il aurait
empêché, au prix de son sacrifice, une armée iroquoise
de dévaster la colonie. Dollard était accompagné de 16
Français, de 40 Hurons de Québec – dont le chef se
nommait Annaotaha – et de quatre Algonquins. Son dessein semble avoir été d'aller au-devant des Indiens outaouais (partenaires commerciaux des Français) qui
descendaient à Montréal en provenance des Grands Lacs
et, accessoirement, de recueillir quelques fourrures en

dévalisant des chasseurs iroquois ; quant à la motivation de ses compagnons indiens, elle était de combattre leurs ennemis iroquois. Or, ce parti eut la désagréable surprise de croiser la piste de plusieurs centaines d'Iroquois : barricadés dans un fortin abandonné, les Français et leurs alliés périrent finalement au bout d'une semaine (à l'exception de quelques Hurons qui avaient rejoint le camp iroquois).

Les années 1650-1653, puis 1660-1661, furent les deux périodes au cours desquelles les Iroquois semblèrent menacer le plus la colonie. John A. Dickinson [31] estime les pertes françaises, entre 1650 et 1663, à 16 morts pour Trois-Rivières, 36 pour Québec et Tadoussac, sans compter de nombreux prisonniers dont un tiers mourut en captivité. En tout, il y aurait eu 191 Français tués entre 1608 et 1666.

La destruction de la Huronie par les Cinq Nations, au milieu du XVIIe siècle, correspond selon Dickinson à un premier grand tournant dans l'histoire socio-économique du Canada. Les Iroquois, en effet, avaient détruit le réseau commercial sur lequel s'appuyait la prospérité de la colonie, et il convenait de le restaurer. Cette situation entraîna une modification des structures de la traite. Depuis 1645, la Compagnie des Cent-Associés, en échange d'une rente annuelle, du paiement des dépenses d'administration, et de l'établissement, chaque année, de 20 habitants, avait cédé aux principaux commerçants de la colonie – la Communauté des habitants de la Nouvelle-France – le monopole de la traite pelletière. Cette communauté décida, ce qui était une première, de réserver la traite aux habitants de la colonie, lesquels se voyaient ainsi concéder une certaine autonomie. En réalité seule une poignée de familles, qui formaient une sorte d'oligarchie coloniale, tiraient « profit de l'entreprise *communautaire* [32] ».

Or, la chute de la Huronie, revenons-y, affaiblit la position des principaux habitants en ouvrant les Pays d'en Haut (la région des Grands Lacs, que l'on atteignait en remontant les rivières) à tous les colons, y compris les petits troqueurs, qui profitèrent en quelque sorte de l'appel d'air : ils furent amenés en effet à s'aventurer davantage dans l'Ouest pour reconstituer le réseau de la traite. « L'implication directe des Français dans la cueillette et le transport des fourrures inaugura de nouvelles structures qui allaient persister jusqu'à la fin du XVIIIe siècle [33]. » À partir de 1653, parce que les intermédiaires hurons avaient disparu, et pour déjouer la concurrence qui faisait rage dans la colonie, des colons que l'on nommera bientôt « coureurs de bois » ou « voyageurs », se rendirent régulièrement en canot d'écorce vers les Pays d'en Haut. Les Français furent ainsi les premiers Européens à se rendre parmi les Indiens dans l'intérieur du continent, ce qui conditionna l'histoire de l'Amérique du Nord jusqu'en 1763 et même au-delà.

En 1663, le Canada compte environ 3 000 habitants, contre une centaine en 1627 et 600 au milieu des années 1640. Il faut y ajouter les 80 colons débarqués à Terre-Neuve en 1662, et environ 400 habitants en Acadie, laquelle demeure toutefois pour l'essentiel sous domination anglaise (depuis 1654). Faut-il alors conclure au succès ou à l'échec de la Compagnie des Cent-Associés ? Celle-ci a souvent servi de bouc-émissaire pour expliquer la lenteur du développement colonial mais, comme le remarque Marcel Trudel, elle n'a pas failli à son contrat qui consistait à établir 5 000 colons. Le problème est que parmi eux beaucoup sont rentrés en France au bout de trois ou cinq ans, au terme de leur contrat d'engagement. Si la Nouvelle-France demeurait fragile sur le plan démographique, la Compagnie lui avait néanmoins procuré des bases sur lesquelles s'appuya la Couronne pour assurer son développement.

Le Canada du Roi-Soleil

La période qui s'ouvre à partir des années 1660 est marquée par le rôle accru de l'État. La monarchie, avec Richelieu, avait commencé à définir une politique coloniale, mais Louis XIV et Colbert décident de s'engager davantage, en transformant notamment le Canada en province royale. Parallèlement, mais parfois en marge des directives officielles, les Français étendent leur influence sur les rives des Grands Lacs et du Mississippi.

Sous la houlette de Colbert

Dès le début du règne personnel de Louis XIV, des lettres, des mémoires et des ambassades parviennent en métropole pour presser le jeune roi de soutenir l'entreprise canadienne. En 1662, le jésuite Paul Lejeune le supplie ainsi d'intervenir pour sauver les « fleurs de lys » semées en Amérique [34], et Pierre Boucher, ancien gouverneur de Trois-Rivières, se rend la même année à la Cour pour vanter les atouts de la Nouvelle-France. Comme l'a montré Christophe Horguelin, la Compagnie des Cent-Associés continuait d'être active sur le Saint-Laurent, au moment où le monarque, en France, décidait de gouverner seul. Un assassinat sordide, survenu à l'été 1661, l'atteste de façon troublante. La victime, tuée en plein jour dans une rue de Québec par un groupe d'habitants, est le fils de Jean Péronne du Mesnil, débarqué de France l'année précédente pour enquêter, au nom de ladite Compagnie, sur les finances de la colonie. Du Mesnil accuse les principaux habitants, soit les membres de l'oligarchie locale, d'avoir perpétré ce meurtre. Ces derniers, en effet, faisaient obstacle à sa tâche depuis plusieurs mois, l'accusant de n'être qu'un infâme percepteur d'impôt. Or les papiers de l'instruction judiciaire sont détruits, et l'affaire vite étouffée.

Mais de nouvelles querelles éclatent en 1662 au sujet de la vente d'eau-de-vie aux Indiens. Le gouverneur, d'Avaugour, à l'instar de Du Mesnil, se retrouve en butte à l'hostilité de l'oligarchie, qui soutient le vicaire apostolique de la colonie, monseigneur Laval. Ce dernier, à l'été 1662, se rend en métropole pour défendre ses vues, et lorsqu'il revient au Canada l'année suivante, il annonce que Louis XIV a décidé de placer la Nouvelle-France sous la coupe de la monarchie. Le roi dissout la Compagnie des Cent-Associés, réunit la colonie au domaine royal, établit à Québec une cour supérieure de justice – le Conseil souverain –, et nomme un nouveau gouverneur, Augustin Saffray de Mésy, choisi personnellement par Laval – ce qui n'empêche d'ailleurs pas une brouille entre les deux personnages quelques mois plus tard, au point que de Mésy est démis de son poste dès 1665.

La réforme de 1663 s'expliquerait donc avant tout par la volonté de l'oligarchie de conforter son autorité, et par le moyen le plus radical qui soit : la dissolution de la Compagnie des Cent-Associés. Et, de fait, pendant deux ans, le clergé et les principaux habitants sont encore maîtres de la colonie. Car ce n'est qu'en 1665 que s'affirme vraiment au Canada le programme centralisateur de la monarchie, avec l'arrivée du premier intendant, Jean Talon. Cette même année débarque aussi le régiment de Carignan-Salières, le roi réagissant enfin aux sollicitations inquiètes des colons en regard des Iroquois : composé de 1 200 hommes, ce régiment a pour mission d'envahir l'Iroquoisie. Deux expéditions militaires sont organisées contre les Agniers : la première, en janvier 1666, est un échec, mais la seconde, en septembre, permet aux Français de brûler plusieurs villages ennemis. Les Agniers et les Onneiouts, en 1667, furent ainsi amenés à conclure la paix avec les Français, comme l'avaient fait les autres nations iroquoises lors des deux années précédentes. C'est aussi à partir de cette date que des Iroquois, principalement des Agniers, souvent convertis au catholicisme, font sécession avec leur ligue pour venir s'implanter à proximité de Montréal et s'allier avec les Français.

L'œuvre coloniale de Colbert répondait à l'objectif principal qu'il s'était fixé : donner au roi les moyens d'une politique de puissance et de gloire en augmentant les ressources de la monarchie. Sous l'intendant Talon, de 1665 à 1668 puis de 1670 à 1672, et grâce à la paix qui régnait de manière exceptionnelle en Europe depuis 1660 (si l'on met de côté la guerre de Dévolution, en 1667-1668), l'État fit passer plus d'un million de livres au Canada pour établir des industries et développer le commerce. En outre, la monarchie s'engagea dans une politique volontariste de peuplement qui permit à la population française de tripler en dix ans. Colbert a ainsi fortement contribué à donner à la colonie son assise démographique et économique. Si cet effort considérable cesse en 1672, c'est parce que le Roi-Soleil est accaparé ensuite par la guerre de Hollande, laquelle inaugure une longue période de conflits qui ne s'interrompra véritablement qu'à la mort du souverain.

Le début du règne de Louis XIV est aussi marqué par la fondation à Terre-Neuve de la base de Plaisance. Au cours de la première moitié du XVIIe siècle, les Anglais et les Français, à l'initiative de sociétés privées, avaient essaimé de nombreux établissements dans les baies poissonneuses de l'île. En 1651, Oliver Cromwell, qui voulait développer la politique maritime et coloniale de l'Angleterre, nomma pour la première fois un gouverneur à la tête des possessions anglaises de Terre-Neuve, situées sur la côte orientale. Dans les années 1655-1660, la France se préoccupe à son tour de créer un établissement officiel, mais la guerre contre l'Espagne, qui ne s'achève qu'en 1659, retarde son intervention. En 1662, un gouverneur, accompagné de 80 hommes, est enfin nommé à la tête de Plaisance, qui bénéficie d'un site très favorable : un havre profond, abrité du vent et facile à défendre, mais aussi des ressources abondantes en morue de qualité supérieure. Plaisance devait servir de port d'escale pour les convois qui se rendaient à Québec ou qui en venaient, et il demeura un bastion de la présence française dans la région jusqu'en 1713. La monarchie, soulignons-le, favorisait le développement de la pêche à Terre-Neuve pour des raisons économiques, mais également parce que cette activité constituait la pépinière de la marine : les pêcheurs, en effet, pouvaient être enrôlés en temps de guerre par la Royale.

Le « Pérou » des coureurs de bois

Tout au long du Régime français, et le débat fut particulièrement sensible dans les années 1660-1680, deux visions de l'implantation coloniale se sont opposées. La première, défendue notamment par l'intendant Talon et par le comte de Frontenac, gouverneur du Canada à deux reprises (1672-1682, 1689-1698), entendait donner à la Nouvelle-France des bases continentales. En 1665, Talon préconisait ainsi la fondation d'« un État fort considérable » qui s'étendrait « du Saint-Laurent [...] jusqu'au Mexique [35] ». Or de façon générale, ce parti pris expansionniste ne fut pas celui des autorités métropolitaines, soucieuses de restreindre la colonisation aux rives du Saint-Laurent. Colbert, en 1674, écrit par exemple au gouverneur Frontenac que

> « l'intention de sa Majesté n'est pas que vous fassiez de grands voyages en remontant le fleuve Saint-Laurent [...]. Elle veut que vous travailliez incessamment [...] à les resserrer et à les assembler, et en composer des villes et des villages [...] à bien faire défricher et habiter les endroits les plus fertiles, les plus proches des côtes de la mer et de la communication avec la France que non pas de pousser au loin des

découvertes au dedans des terres des pays si éloignés qu'ils ne peuvent jamais être habités ni possédés par des Français [36]».

Le ministre était partisan d'une colonie « compacte [37] », d'une société homogène enracinée entre Québec et Montréal. Beaucoup d'administrateurs se sont ainsi opposés à l'expansion tous azimuts vers l'intérieur des terres, en pointant du doigt le risque de dispersion et donc la fragilité des établissements.

Or, ces consignes ne furent guère respectées. On assiste en effet à partir des années 1660 non pas à l'expansion territoriale de la colonie, mais à la dilatation de la zone de circulation et d'influence des Français, dans les Pays d'en Haut. L'appel de l'Ouest, dans un premier temps, répond surtout à des motivations économiques, soit la quête des fourrures, bien sûr, mais aussi la recherche de richesses minières et d'une route vers la mer de Chine. À cela s'ajoutent la volonté des missionnaires, suite à l'échec de l'apostolat en Huronie, de trouver de nouvelles ouailles, mais aussi, pour de nombreux jeunes hommes, privés de femmes sur le Saint-Laurent, le désir de rencontrer des Indiennes en s'engageant dans la traite des pelleteries.

Cette expansion commerciale commence dès les années 1650. Certains coureurs de bois n'ont guère laissé de traces dans les archives, d'autres sont passés à la postérité, à commencer par Médard Chouart des Groseilliers et son beau-frère Pierre-Esprit Radisson, qui atteignent l'extrémité occidentale du lac Supérieur en 1659, où ils établissent des relations avec des Saulteux (ou Ojibwés), des Sioux et des Cris. La ruée vers l'Ouest, ce « Pérou » des coureurs de bois au dire du chroniqueur Bacqueville de La Potherie [38], s'accélère après la paix générale de 1667 avec les Iroquois, qui rend les voyages moins risqués. Les expéditions ont presque toujours pour motivation la traite, mais elles prennent parfois un caractère officiel. L'intendant Talon note que des « gens de résolution » sont chargés, « en tous lieux », de « prendre possession, arborer les armes du Roi, dresser des procès-verbaux pour servir de titres » [39]. Cette appropriation, si elle sert à couvrir la traite illégale (car il faut être muni d'une autorisation, ou « congé », pour voyager dans les Pays d'en Haut), est destinée avant tout à flatter l'orgueil royal et, plus encore, à contrer les prétentions coloniales des autres puissances européennes, notamment l'Angleterre.

La baie d'Hudson devient un point de focalisation de la concurrence franco-anglaise : elle est investie en effet par une société anglaise, la *Hudson's Bay Company*, créée en 1670 à l'initiative de... deux Français ! Radisson et des Groseilliers, puisqu'il s'agit d'eux, avaient compris que cette baie constituait une voie de pénétration extraordinaire du continent, et, persuadés que l'avenir de la traite se situait là, ils avaient proposé aux autorités françaises d'y fonder un poste. Mais leur projet ne fut pas agréé. Les deux beaux-frères eurent plus de succès en Angleterre, où ils bénéficièrent du soutien du duc d'York, le frère du roi Charles II, et de leur cousin, le prince Rupert. Le commerce avec les Indiens cris, en arrivant par la mer, s'organise dès 1668, et deux ans plus tard naît officiellement la Compagnie, appelée à de grands succès commerciaux. Pour réagir à cette menace, l'intendant Talon envoya le jésuite Charles Albanel vérifier si la mer du Nord était bien la baie d'Hudson, ce qui permit, à partir de Tadoussac, d'ouvrir une route intérieure vers ladite baie.

Par ailleurs, plusieurs missions sont établies parmi les autochtones des Grands Lacs. Les jésuites fondent ainsi la mission Saint-Esprit à Chagouamigon (1665), à l'extrémité occidentale du lac Supérieur, la mission du Sault Sainte-Marie (1668), celle de Saint-François-Xavier, à la baie des Puants (1669), et celle de Saint-Ignace à Michillimakinac (1670). En 1673, le cartographe Louis Jolliet est chargé par

le gouverneur Frontenac et l'intendant Talon d'atteindre
« la grande rivière » que les Indiens « appellent Michissipi
qu'on croit se décharger dans la mer de Californie [40] ». Le
père Marquette, qui officie alors à Michillimakinac, se joint
à l'expédition de « découverte », et les deux hommes, après
avoir atteint le Mississippi, le descendent en canot jusqu'à
l'embouchure de l'Arkansas, où ils entrent en contact avec
les Quapaws (ou Akansas). Ils rebroussent alors chemin,
ayant établi que le fleuve se jette dans le golfe du Mexique
et non dans la « mer de l'Ouest ». Sur la route du retour,
ils visitent un village d'Indiens kaskaskias, situé sur la rivière
des Illinois, et Marquette promet d'y revenir pour fonder
une mission. Il retourne effectivement chez les Kaskaskias
(membres de la confédération des Illinois) en avril 1675,
mais il meurt peu après, et il fallut attendre 1689-1690,
grâce au père Gravier, pour que cette mission devienne permanente. À partir de cette époque, les jésuites concentrent
d'ailleurs de plus en plus leurs efforts dans le Pays des Illinois, dont les habitants paraissent plus sensibles au message
chrétien que ceux des rives des Grands Lacs.

Si Jolliet et Marquette avaient descendu le Mississippi,
ils n'avaient pas atteint son embouchure. Cet exploit fut
accompli par René-Robert Cavelier de La Salle, moins
de dix ans plus tard... La vie de cet homme est une
épopée. D'origine rouennaise, il a d'abord raté sa carrière
de prêtre : entré à quinze ans au noviciat de la Compagnie de Jésus, il passe neuf années dans cet ordre avant de
devoir se relever de ses vœux en 1667, pour « infirmités
morales » selon son propre dire [41]. Instable et volontaire,
tenté par l'aventure, La Salle, qui possède un oncle dans
la Compagnie des Cent-Associés et un frère sulpicien à
Montréal, se rend quelques mois plus tard en Nouvelle-
France, dont il va fortement élargir l'horizon.

Son désir de gloire le pousse à vouloir rechercher la
route de la Chine. Les habitants, par dérision, auraient

d'ailleurs utilisé ce nom (Lachine) pour désigner sa seigneurie, située tout près de Montréal. Il entend pour
commencer découvrir l'Ohio, la « belle rivière » en
langue iroquoise. Après une première expédition infructueuse en 1669, en compagnie de deux sulpiciens, Dollier de Casson et Bréhant de Galinée, l'ex-jésuite se place
sous la protection du gouverneur Frontenac. Associés, les
deux hommes étendent leur propre réseau de traite dans
le sud des Grands Lacs. La Salle devient concessionnaire
du fort Frontenac, fondé par le gouverneur en 1673, et
établit le poste de Niagara en 1676. Les marchands de
Montréal, qui voient leurs intérêts commerciaux menacés, réagissent en fondant des comptoirs plus au nord, à
Michillimakinac (1676) et autour du lac Supérieur. En
1678, après un voyage à la Cour, Cavelier de La Salle
obtient du roi la permission de découvrir la partie ouest
de l'Amérique du Nord comprise entre la Nouvelle-
France, la Floride et le Mexique. Entre 1679 et 1682,
l'explorateur, secondé par Henri de Tonty, un aventurier
d'origine napolitaine, parcourt l'intérieur du continent.
Il se rend au fort Frontenac, à Niagara, à Michillimakinac, puis, en 1680, sur la rivière des Illinois, où il érige
le fort Crèvecœur avec la permission des autochtones.

C'est de là, deux ans plus tard, que part l'expédition
qui va le conduire jusqu'aux bouches du Mississippi. Les
23 Français et 18 Indiens qui composent le groupe
rejoignent le grand fleuve par la rivière des Illinois puis
en effectuent la descente. Ils croisent le confluent du
Missouri, celui de l'Ohio, et érigent le fort Prud'homme
– du nom d'un armurier qui s'était égaré dans les bois
durant quelques jours – sur le site de l'actuelle ville de
Memphis (Tennessee). Le 13 mars 1682, chez les Quapaws, Cavelier de La Salle prend solennellement possession des pays situés autour de l'Ohio et du Mississippi.
Les Français font trois fois le tour de la place du village
en chantant l'*Exaudiat te Dominus* et en criant à chaque

passage « Vive le Roi ». Ils offrent aux Quapaws la « protection » et la « sauvegarde » du « plus grand prince du monde », le « très-haut, très-puissant, très-invincible et victorieux Prince Louis le Grand, XIVᵉ de ce nom », et « tous les avantages dont jouissent tant de peuples qui ont eu recours à sa puissance ». Plus prosaïquement, ils concluent une alliance avec les autochtones.

Puis l'expédition atteint la basse vallée du Mississippi, abandonnant le pays des loutres pour celui des alligators. La mer est en vue le 6 avril et, trois jours plus tard, on procède à une nouvelle prise de possession, en érigeant au sommet d'une colline une croix et une colonne où l'on grave au fer rouge l'inscription suivante : « Louis le Grand, roi de France et de Navarre, règne le 9 avril 1682 [42] » ; puis on découpe une marmite de cuivre pour en faire une plaque ornée des armes de France, laquelle est clouée sur la colonne. Coiffé de sa perruque et vêtu de son habituel manteau d'écarlate bordé de galons d'or, Cavelier de La Salle lit le procès-verbal, et le notaire qui l'accompagne le fait signer par douze personnes. Ainsi naissait, du moins sur le papier, par la magie de l'encre et de la plume, ladite « Louisiane », nom choisi en l'honneur du monarque.

Mal accueilli à son retour dans la colonie par le gouverneur La Barre, successeur de Frontenac, Cavelier de La Salle décide de se rendre en France pour faire valoir sa découverte et obtenir l'appui du roi. Pour le convaincre de l'utilité de fonder une colonie, il falsifie la géographie du Mississippi en faisant apparaître le fleuve à 250 lieues à l'ouest de sa course réelle, c'est-à-dire à proximité du Mexique : c'était le moyen d'arguer qu'une colonie permettrait d'avoir accès aux mines de la Nouvelle-Espagne. Séduit par le projet de Cavelier de La Salle, qui était soutenu à la Cour par l'abbé Bernou, Seignelay, le ministre de la Marine, accorde à l'explorateur une commission pour commander tout le territoire compris entre le fort Saint-Louis (érigé en 1682 sur la rivière des Illinois) et la Nouvelle-Espagne. Mais cette fois, c'est par la mer que Cavelier de La Salle, à la tête d'une flotte de quatre navires, compte se rendre sur le Mississippi.

Malheureusement pour lui, l'expédition tourne au désastre : naufrages, erreurs géographiques, maladies, querelles intestines, heurts avec les Indiens, désertions, tout y passe. Parmi les péripéties, on retiendra notamment que Cavelier de La Salle débarqua beaucoup trop à l'ouest sur la côte du Texas actuel ; qu'après avoir mis pied à terre en février 1685, il chercha en vain à rejoindre l'un des bras du Mississippi, et cela durant deux années ; enfin, qu'au cours de la seconde, l'explorateur fut assassiné par l'un de ses compagnons d'infortune, le 19 mars 1687. C'en était fini, pour l'heure, de l'aventure française en Louisiane. Les survivants finirent par trouver refuge au Pays des Illinois, où des associés de Cavelier de La Salle occupaient toujours le fort Saint-Louis. Malgré son échec final, l'explorateur normand a longtemps été considéré par les historiens français comme le « père de la Louisiane », à l'instar de Champlain pour le Canada [43].

Indiens et Français : « une grande famille »

La dilatation de l'espace économique de la Nouvelle-France s'appuie sur l'élargissement des réseaux d'alliance avec les Indiens. La « famille » d'Onontio (surnom du gouverneur français), suite à la chute de la Huronie, connaît en effet un agrandissement sans précédent. C'est ce qu'illustre le discours d'un vieux chef huron, âgé d'environ 80 ans, lors d'un congrès tenu à Québec en juillet 1670, où il exprime sa déférence envers le gouverneur Courcelles :

« Onontio, oh que tu as une grande famille, ah combien d'enfants que tu t'es acquis. Les femmes les plus fécondes n'en ont que deux à la fois : mais tu en as produits dans l'espace de ce peu d'années que tu es venu ici, une multitude innombrable. Tu as de tous côtés, à l'orient et à l'occident, au midi et au septentrion. Les Algonquins sont tes enfants, les Montagnais, les Outaouais, les Hurons et les Iroquois. Quel est le père qui t'ait jamais égalé en multitude d'enfants [44]. »

Les Français, entre 1660 et 1680, rejoignent une vaste « ligue » indienne qu'ils contribuent à consolider : elle regroupe les Népissingues, les Outaouais, les Saulteux, les Poutéouatamis, les Mascoutens, les Renards, les Kicapous, les Winnebagos, les Sakis, les Miamis et les Illinois. À l'été 1668, par exemple, le jeune coureur de bois Nicolas Perrot est invité à venir commercer par les Poutéouatamis. Guidé par un chamane, il rend ensuite visite à d'autres groupes de la baie des Puants, à l'ouest du lac Michigan. Il va notamment chez les Ménominis « pour faire alliance avec eux » et mettre fin aux heurts qui les opposent aux Poutéouatamis. Il leur déclare ainsi :

« Je vous lie à mon corps, qu'appréhenderez-vous si vous vous unissez à nous qui faisons les fusils et les haches, et qui pétrissons le fer comme vous pétrissez la gomme ? Je me suis uni aux Poutéouatamis, auxquels vous voulez faire la guerre. Je suis venu pour embrasser tous les hommes qu'Onontio, le chef de tous les Français qui sont établis dans ces pays, m'a dit de joindre ensemble pour les prendre sous sa protection [45]. »

Ce discours s'inscrit dans la stratégie de la *Pax Gallica* qui vise à imposer la paix aux membres de l'alliance franco-indienne mais aussi la « protection » et donc la prééminence d'Onontio. De son côté, le gouverneur français accueille des ambassadeurs autochtones venus dans la colonie pour la traite. À l'été 1669 par exemple, il reçoit à Québec, outre des Iroquois, plusieurs dizaines d'ambassadeurs des Pays d'en Haut.

En 1670-1671, l'intendant Talon décide de donner un caractère plus officiel à ces alliances. Il délègue dans les Grands Lacs Daumont de Saint-Lusson, avec pour mission de « prendre possession des terres qui se trouvent entre l'Est et l'Ouest, depuis Montréal jusqu'à la mer du Sud », et de placer les nations occidentales « sous la protection du Roi ». L'objectif est de former une alliance générale et de faire accepter aux autochtones l'autorité de Louis XIV. Saint-Lusson, peut-être conseillé par Nicolas Perrot, fixe le lieu de la cérémonie au Sault Sainte-Marie, centre habituel de la diplomatie autochtone où se réunissent chaque été une partie des Indiens des lacs et où les jésuites avaient fondé une mission deux ans plus tôt. Les Indiens de la région furent conviés par quelques émissaires, et comme le rapporte Bacqueville de La Potherie, « tous les chefs de la baie [des Puants], ceux du lac Huron, du lac Supérieur, et les gens du Nord, sans compter plusieurs autres nations se trouvèrent au Saut à la fin de mai[46] », soit au total quatorze nations. Les Français demandaient surtout aux Indiens leur hospitalité, c'est-à-dire la possibilité de circuler et de commercer sur leur territoire.

Cette alliance se nourrit aussi de la guerre contre les Iroquois. Les activités de Cavelier de La Salle, de 1679 à 1682, et en particulier son alliance avec les Illinois et les Miamis, groupes à qui il fournit des armes à feu, ont contribué à rallumer l'hostilité des Tsonnontouans, la nation la plus occidentale de la confédération iroquoise. Ces derniers multiplient alors leurs incursions guerrières dans le sud des Grands Lacs. Jugeant ces attaques menaçantes pour leur réseau commercial, les autorités françaises lancent deux expéditions contre les Tsonnontouans, avec l'aide de leurs alliés indiens. La première, en 1684, dirigée par le gouverneur La Barre, échoue piteusement, contraignant même les Français à négocier avec les Iroquois un traité de paix humiliant dont les termes permettent aux Cinq Nations de poursuivre leurs incursions contre les Illinois ; la seconde, trois ans plus tard, sous la houlette du gouverneur Denonville, dévaste quatre villages désertés par leurs habitants.

Le conflit s'étend à la colonie au cours des années suivantes, dans le contexte de la guerre de la Ligue d'Augsbourg (1689-1697). L'attaque iroquoise contre Lachine, en 1689, marque le renouveau des hostilités. Frontenac, qui succède à Denonville, tente bien de renouer le dialogue avec les Iroquois, mais il doit lui aussi se résoudre à une politique de force, en attaquant les Agniers en 1693, puis les Onontagués et les Onneiouts en 1696, et en incitant ses alliés des Pays d'en Haut à harceler les Iroquois. Ces derniers, affaiblis par la guerre, mais également soucieux de résorber les dissensions internes qui affectent leur confédération en jouant la carte de la neutralité entre les empires français et anglais concurrents, sont finalement conduits à ratifier, en août 1701, une paix générale connue dans l'historiographie sous le nom de « Grande paix de Montréal ». Cette paix, signée par le gouverneur Louis-Hector de Callière et les ambassadeurs de plus d'une trentaine de nations indiennes alliées aux Français, fut plus durable que les traités du siècle précédent. La Nouvelle-France, et la région de Montréal au premier chef, n'allaient plus vivre comme par le passé dans la hantise permanente des raids iroquois. Si les Cinq Nations, sous l'impulsion des Britanniques, furent sur le point d'attaquer à nouveau les Français lors des guerres impériales du XVIIIe siècle, ils se tinrent généralement à leur neutralité.

Les rivalités franco-anglaises
et le démembrement de 1713

La Nouvelle-France atteint son apogée territorial à la veille du traité d'Utrecht (1713) : la souveraineté nominale des Français – nominale, car elle fait fi du point de vue des autochtones et des rapports de force réels entre Français et Indiens – s'étend alors sur une partie considérable du continent nord-américain. Cette immense aire d'implantation et de circulation est formée de quatre colonies principales : Terre-Neuve, l'Acadie, le Canada, c'est-à-dire la vallée du Saint-Laurent et ses prolongements (Labrador, baie d'Hudson et Grands Lacs) et la Louisiane. Mais certaines de ces possessions, du fait de la concurrence franco-britannique, sont particulièrement fragiles.

La lutte franco-anglaise s'est manifestée une première fois lors de la prise de Québec par les frères Kirke en 1629, puis lors de la conquête de l'Acadie par Sedgwick en 1654. Mais cet affrontement devient plus virulent à partir des années 1680, tout en s'inscrivant de plus en plus dans le cadre des guerres européennes. Il se développe sur deux fronts : en Acadie et dans la baie d'Hudson, ce qui n'empêche pas le centre de la colonie et sa tête, Québec, d'être aussi menacés. En 1686, Pierre de Troyes, secondé par Pierre Le Moyne d'Iberville, un fils du pays, lance une expédition victorieuse contre les postes anglais de la baie d'Hudson. D'Iberville, en 1694 et en 1697, organise de nouveaux raids contre la *Hudson's Bay Company*, et les Français, sans jamais complètement ou durablement déloger les Anglais, parviennent à contrôler l'essentiel de la baie jusqu'en 1713.

Durant la guerre de la Ligue d'Augsbourg puis celle de Succession d'Espagne, c'est sur le mode de la guerre de raids que s'affrontent les Français et les Anglais en Amérique du Nord. Cette « petite guerre », souvent

cruelle, sème la terreur sur les frontières, selon un scénario immuable qui voit les Franco-Canadiens et leurs
alliés indiens surprendre en plein hiver, après de longues
marches en raquettes, les villages isolés de la Nouvelle-
Angleterre. De nombreux colons anglais sont tués et
d'autres capturés. Ces derniers sont parfois rapatriés
contre une rançon, mais plusieurs sont adoptés par les
Indiens ou bien placés dans des communautés religieuses
et naturalisés français. L'Acadie, qui avait été récupérée
par la France lors du traité de Breda de 1667, et réoccu-
pée dans les faits en 1670, est au centre de ces conflits.
Jean-Vincent d'Abbadie de Saint-Castin, qui vit parmi
les Abénaquis, devient le Mal par excellence aux yeux
des puritains, ses voisins du sud, qui le qualifient haineu-
sement de « *damned baron*[47] ».

Durant l'hiver 1690, Frontenac, qui veut riposter à
l'attaque iroquoise contre le village de Lachine, lance
trois raids surprises, qui se révèlent dévastateurs, contre
les établissements de Corlar (dans le New York), de
Salmon Falls (dans le Massachusetts, un peu au nord de
Boston) et de Casco (dans le Maine). Mais l'amiral Phips
organise une expédition de représailles : il saccage Port-
Royal en mai 1690 et reconquiert l'Acadie péninsulaire.
C'est alors que les colonies anglaises, souvent désunies,
décident de frapper un grand coup au cœur du Canada :
2 000 hommes, dirigés par Winthrop, doivent remonter
jusqu'à Montréal par le lac Champlain, à partir du New
York ; les puritains de Boston, de leur côté, se chargent
de prendre Québec en affrétant une flotte de 34 vaisseaux et de 2 300 hommes sous la direction de Phips.
Mais le projet échoue : l'armée de Winthrop, affaiblie
par des dissensions internes et la petite vérole, doit faire
demi-tour ; Phips, lui, ne parvient devant Québec qu'à
la mi-octobre, c'est-à-dire au seuil de l'hiver. Il est
contraint de prendre rapidement la ville, chose aisée en
apparence pour son armada. L'épisode suivant est bien

connu : au messager qui lui fit parvenir l'ultimatum de Phips, le gouverneur Frontenac lança cette réplique : « Je n'ai point de réponse à faire à votre général, que par la bouche de mes canons et à coups de fusil [48] ! »

Phips finit par passer à l'attaque trois jours plus tard : 1 500 hommes débarquèrent à Beauport, en aval de Québec, mais ils furent arrêtés par une colonne d'autochtones et de miliciens, comme le rapporte le baron de Lahontan :

> « nous fîmes nos décharges sur eux, et nous nous couchâmes ventre à terre jusqu'à ce qu'ils eussent fait les leurs, après cela nous nous relevâmes, et courant en pelotons de çà et de là, nous réitérâmes nos décharges avec tant de succès, que ces milices anglaises ayant aperçu nos Sauvages, la confusion et le désordre se mit parmi eux, et leurs bataillons furent rompus ; alors chacun cherchant son salut dans la fuite, ils se sauvèrent pêle et mêle, en criant *Indians, Indians* [49]… ».

Phips fit bombarder la ville depuis ses navires, mais du fait de la hauteur de l'escarpement, les boulets s'écrasaient parfois sur la falaise, d'où ils roulaient vers la basse-ville. Il leva l'ancre quelques jours plus tard, et le fiasco fut d'autant plus retentissant que des navires firent naufrage sur le chemin du retour dans le golfe. Les autorités anglaises se résignèrent alors à une politique défensive et n'apportèrent guère de soutien aux Iroquois, en guerre avec les Français jusqu'en 1701. Le traité de Ryswick de 1697, qui mettait un terme à la guerre de la Ligue d'Augsbourg, reconnaissait à la France toutes ses possessions d'Amérique du Nord.

Mais au moment même où, grâce à la Grande paix de Montréal, la Nouvelle-France semblait avoir réglé le « problème iroquois », un nouveau conflit murmurait outre-Atlantique. La guerre de Succession d'Espagne, qui se déclenche en 1702, se répercute sur tous les fronts, car les Anglais sont déterminés à établir leur souveraineté sur les différents territoires contestés (Terre-Neuve, l'Acadie et la baie d'Hudson). Il y a plus : pour la première fois, on envisage au plus haut lieu, c'est-à-dire à Londres, la conquête du Canada.

Si la neutralité iroquoise, décrétée en 1701, permit au New York de ne pas subir de raids meurtriers pendant la nouvelle guerre, il n'en fut pas de même pour les autres régions. Les Français attaquèrent les établissements anglais de Terre-Neuve depuis leur base de Plaisance et, surtout, ils continuèrent de harceler les frontières de la Nouvelle-Angleterre pour protéger l'Acadie qui, en dépit de l'alliance des Abénaquis et des Micmacs, était le maillon faible de l'Empire français. En février 1704, par exemple, 48 soldats et miliciens français et 200 Indiens (des Abénaquis de Saint-François, des Iroquois de Kahnawake, près de Montréal, et des Hurons de Lorette, près de Québec) attaquèrent la petite ville de Deerfield, tuant une cinquantaine d'hommes et emportant 112 captifs. Parmi eux, la jeune Eunice Williams, sept ans, qui sera adoptée et passera le reste de sa vie parmi les Iroquois de Kahnawake. Cette « petite guerre » radicalise l'hostilité des colons anglo-américains, qui en appellent au soutien de la reine Anne. Les milices coloniales reçoivent l'appui de troupes régulières venues d'Angleterre pour une entreprise qui doit conduire à la chute de la Nouvelle-France. Comme en 1690, on met sur pied une expédition terrestre chargée de prendre Montréal et une expédition maritime qui doit attaquer Québec. Après l'échec d'une première tentative en 1709, à cause de problèmes logistiques, une flotte de 36 navires s'empare l'année suivante de Port-Royal, qui devient Annapolis-Royal en l'honneur de la reine Anne.

Cette victoire encourage l'Angleterre à organiser une puissante expédition pour la conquête du Canada, dont le commandement revient à Walker. Son escadre compte

85 vaisseaux – dont 16 navires de guerre – portant 12 000 hommes. Ce chiffre est impressionnant : le Canada, à cette date, comptait moins de 20 000 Français ! Le gouverneur Vaudreuil, prévenu du danger, mobilise les milices, et l'évêque organise des prières publiques. Ils pensèrent certainement que la Providence les sauva : une partie de la flotte anglaise, à cause d'un brouillard tenace et d'erreurs de navigation, fit naufrage dans les eaux du golfe, plusieurs bâtiments brisant leur coque sur l'île aux Œufs. Walker, qui avait perdu 2 000 hommes, décida de rebrousser chemin. Il faudra attendre 48 ans pour voir Québec succomber à l'ennemi.

Mais le traité d'Utrecht, qui met un terme en 1713 à la guerre de Succession d'Espagne, se révèle désastreux pour la Nouvelle-France. Celle-ci doit en effet céder à l'Angleterre la baie d'Hudson, avec toutes les rivières qui s'y déversent ; Terre-Neuve, y compris le poste de Plaisance – la France préserve simplement des droits de pêche sur une partie du littoral, le *French shore* ; enfin l'Acadie péninsulaire, qui devient officiellement la Nouvelle-Écosse (*Nova Scotia*). Les Britanniques, en outre, se voient reconnaître un protectorat sur l'Iroquoisie (sans l'accord des Iroquois toutefois).

On a l'habitude de faire de l'année 1713, et donc du traité d'Utrecht, un point de rupture dans l'histoire de la Nouvelle-France. Certes, le démembrement de 1713 a son importance, en particulier pour les colons français qui vivaient à Terre-Neuve et en Acadie, mais un tournant plus significatif intervient peut-être en 1701. C'est à cette date, en effet, que Louis XIV inaugure une nouvelle politique impérialiste en Amérique du Nord. Il signifie aux administrateurs coloniaux que la Nouvelle-France, y compris la Louisiane naissante, officiellement détachée du Canada, devait désormais servir de barrière à l'expansion anglaise dans l'intérieur du continent. Il s'agissait, en consolidant l'emprise française de l'Acadie

au golfe du Mexique, de freiner toute velléité expansionniste des colonies anglaises à l'ouest des Appalaches.
Cette orientation est liée pour une part aux rivalités
dynastiques dans le Vieux Continent. Le Roi-Soleil, allié
de Madrid, allait s'engager dans la guerre de Succession
d'Espagne contre les puissances maritimes (Angleterre et
Provinces-Unies), et il était désireux de créer, par une
chaîne de postes, un lien protecteur entre le Canada et
le Mexique. Si le projet expansionniste de Versailles, à
cause des difficultés de la guerre de Succession
d'Espagne, ne se concrétisa qu'après 1713, les idées
étaient arrêtées dès le tournant du XVIIIe siècle.

Cette nouvelle vision impériale poussa Louis XIV, en
1699-1700, à cautionner la fondation de la Louisiane,
mais aussi la construction d'un fort au détroit des lacs
Érié et Sainte-Claire. Le projet de Détroit était celui de
Lamothe Cadillac, un officier d'origine gasconne, ambitieux et haut en couleurs, qui connaissait bien les Pays
d'en Haut pour avoir commandé le poste de Michillimakinac de 1694 à 1696. Ce projet se heurtait à l'édit royal
de 1696 qui, pour lutter contre une crise de surproduction des fourrures de castor, stipulait l'abandon des
postes de traite dans l'Ouest et de la circulation des coureurs de bois. Cadillac parvint néanmoins à convaincre
Versailles : un établissement dans le sud des Grands Lacs
permettrait selon lui de freiner l'expansion anglaise dans
l'intérieur du continent et d'exercer plus facilement la
Pax Gallica, en contrôlant les Iroquois et en s'attachant
étroitement les nations alliées de l'Ouest. Cadillac,
accompagné d'une centaine d'hommes, jeta les bases de
sa petite colonie à l'été 1701. C'est ce même été que
fut signée la Grande paix de Montréal, beaucoup plus
significative pour les relations franco-iroquoises que le
traité d'Utrecht : celui-ci, en dépit des apparences, ne
plaçait pas nettement les Cinq Nations dans le camp
anglais. En consacrant l'alliance des nations indiennes

des Grands Lacs, la paix de 1701 complétait avantageusement le nouveau dispositif stratégique de la monarchie.

Si le traité d'Utrecht se révélait désastreux, les Français
tentèrent d'y répondre dans les années suivantes. La perte
de Terre-Neuve constituait une grave atteinte aux intérêts de la pêche, et l'on chercha un littoral de substitu-
tion où les pêcheurs pourraient faire sécher la morue. Le
choix se porta sans hésitation sur l'île du Cap-Breton
– déjà occupée entre 1629 et 1669 –, parce qu'elle était
« assise au milieu des mers les plus poissonneuses », selon
l'expression d'un mémoire anonyme de 1706 [50]. Comme
l'a remarqué Peter Moogk, la Couronne choisit de gérer
directement cette colonie et n'envisagea jamais d'en
confier le monopole commercial à une compagnie, la
pêche mettant en jeu des intérêts trop puissants. L'île du
Cap-Breton pouvait en outre protéger l'entrée du golfe
du Saint-Laurent des incursions anglaises. C'est pourquoi le pouvoir royal décida d'y construire une forteresse. Le ministre de la Marine Pontchartrain justifiait
ainsi auprès du contrôleur général Desmaretz la nécessité
de fortifier l'île :

> « Je ne m'étends pas sur la nécessité présente et indispen-
> sable qu'il y a de fortifier solidement ce nouvel établisse-
> ment parce que vous en connaissez les conséquences. Les
> Anglais en prennent de l'ombrage et n'ignorent pas que,
> étant donné les avantages que le commerce de France en
> tirera, cet établissement sera très préjudiciable au leur en
> temps de guerre étant à portée d'annihiler tous les navires
> qui viendront des voyages de long cours et il est certain
> qu'à la première rupture, ils mettront tout en usage pour
> tâcher de s'en rendre maîtres, en quoi ils ne réussiront pas
> lorsqu'il sera bien fortifié. Si la France perdait cette île, cela
> serait irréparable et il faudrait par une suite nécessaire aban-
> donner le reste de l'Amérique septentrionale [51]. »

Si la situation géographique de l'île en faisait un
maillon essentiel dans la défense de la Nouvelle-France,

elle était aussi favorable au développement d'un commerce avec la France, les Antilles, le Canada et l'Acadie. En 1718, après quelques hésitations, la Couronne choisit finalement de fortifier le site du Havre à l'Anglais, où avaient été rapatriés les habitants de Plaisance dès 1714. La construction de la ville-forteresse, nommée Louisbourg en l'honneur du roi, commença en 1720. De la même façon, l'île du Cap-Breton fut rebaptisée île Royale, et Sainte-Anne et Saint-Pierre, occupés entre 1629 et 1669 puis réinvestis en 1714, furent appelés respectivement Port Dauphin et Port Toulouse. Ce changement de toponymie exprimait évidemment le souci des autorités de célébrer la gloire de la famille monarchique et la puissance royale outre-mer. Certains noms indiens, comme Niganiche, restèrent toutefois en usage. Enfin, l'île Saint-Jean voisine (aujourd'hui l'île du Prince-Édouard) fut occupée à partir de 1720, contribuant à la naissance d'une nouvelle Acadie. À cette date, la Nouvelle-France se trouva également consolidée par l'érection de forts dans les Pays d'en Haut – qui répondait en partie au souci de soumettre les Indiens renards, en guerre avec les Français depuis 1712 – et par les débuts de la colonisation en Louisiane.

La « grande Louisiane française »

On a parfois tendance à oublier que la Nouvelle-France ne se limitait pas au Canada et à l'Acadie. Elle était aussi composée de la Louisiane, reconnue une première fois par Cavelier de La Salle en 1682, et où les Français vinrent s'implanter à partir de 1699. La « Louisiane » ? Il faudrait plutôt parler, pour reprendre l'expression de Joseph Zitomersky, de « Grande Louisiane française ». L'espace concerné, en effet, était gigantesque : des Grands Lacs au golfe du Mexique, des Appalaches

aux montagnes Rocheuses, il couvrait plus d'une vingtaine des 50 États américains actuels (dont celui de Louisiane). Ainsi se trouvait comblé « le vide stratégique qui
séparait les possessions insulaires françaises des Antilles
(Saint-Domingue, la Martinique et la Guadeloupe) des
colonies continentales du nord (Canada et Acadie), […]
fondées presque un siècle plus tôt [52]. »

Comme le Canada et l'Acadie, la Louisiane s'est développée à la fois sous l'impulsion de l'État et à l'initiative
d'entrepreneurs privés. Il fallut attendre 1731 pour que
le roi la place sous son autorité directe.

Les balbutiements d'une colonie, 1699-1712

La Louisiane, après la mort de Cavelier de La Salle,
n'a pas cessé d'aimanter l'intérêt de la France, en particulier grâce aux récits des compagnons du « découvreur »
et à la curiosité manifestée par les milieux scientifiques
(savants, érudits, membres des académies), favorables à
l'exploration et à la connaissance du continent. Le roi et
son ministre Pontchartrain, de leur côté, étaient soucieux
de devancer les Anglais à l'embouchure du Mississippi.

L'illustre Le Moyne d'Iberville, qui revenait d'une
expédition victorieuse à la baie d'Hudson, fut choisi
pour diriger l'entreprise mississippienne. Il écrivait alors
de façon prophétique : « Si la France ne se saisit pas de
cette partie de l'Amérique, qui est la plus belle pour résister à celle de l'Angleterre qu'elle a dans la partie de l'est
depuis Pescadoué jusqu'à La Caroline, la colonie
anglaise, qui devient très considérable, s'augmentera de
manière que, dans moins de cent années, elle sera assez
forte pour se saisir de toute l'Amérique et en chasser
toutes les autres nations [53]. » D'Iberville entendait non
seulement précéder l'Anglais Daniel Coxe − un grand
propriétaire du New Jersey et de Caroline qui avait
recruté des dizaines de réfugiés huguenots (établis en

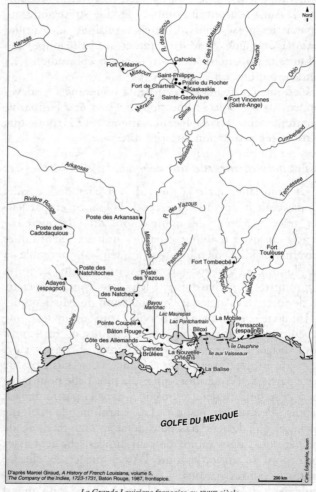

La Grande Louisiane française au XVIIIᵉ siècle

200 km

GOLFE DU MEXIQUE

Angleterre) et qui était sur le point d'armer deux vaisseaux pour le delta du Mississippi –, mais encore fonder une véritable colonie. Or telle n'était pas alors l'ambition du ministre. Deux navires, ce qui était bien peu, furent ainsi affrétés aux frais de la Couronne. « De cette faiblesse initiale, écrit Marcel Giraud, expression du déclin des entreprises coloniales de l'Ancien Régime, la Louisiane ne devait jamais s'affranchir entièrement [54]. »

Parti de La Rochelle en septembre 1698, d'Iberville débarqua dans la baie sablonneuse de Biloxi en février 1699. Il entreprit pendant plusieurs semaines l'exploration du territoire, atteignit le lac Pontchartrain et le Mississippi, mais, faute de trouver pour l'heure un meilleur site, il se résolut à ériger un fort à Biloxi, dans un pays marécageux au sol stérile et aux eaux malsaines. Au mois de mai, il repartit en France en laissant le fort sous le commandement de l'enseigne Sauvolle, et avec l'intention de revenir rapidement pour consolider son établissement. À cette date, Pontchartrain avait déjà pris des dispositions pour une occupation prolongée. Aux préoccupations stratégiques, et au désir de développer le commerce avec la Nouvelle-Espagne, s'ajoutait pour lui l'espoir que la Louisiane recelât autant de richesses minières que le Mexique. La recherche des mines, pendant plusieurs décennies, joua un rôle très important dans le développement de la colonie. Un aventurier, Pierre-Charles Le Sueur, qui s'était déjà rendu chez les Sioux dans les années 1690, eut l'autorisation d'aller prospecter sur le haut du Mississippi. D'Iberville, qui séjourna à nouveau en Louisiane de janvier à mai 1700, poursuivit la reconnaissance du territoire. Il repéra sur la rive sud du lac Pontchartrain « une eau dormante que les Sauvages appellent bayouque [55] » et qui lui permit de gagner le Mississippi. Tout en faisant consolider le fort Biloxi, il envisagea de prendre possession de la baie de La Mobile, à l'embouchure de la rivière des Alibamons

(Alabama) et de la rivière Tombecbé (Tombigbee), baie qui présentait l'avantage d'être mieux située, à proximité des puissantes confédérations indiennes de l'intérieur, dont celle des Chactas.

Le bilan de l'exploration, somme toute, demeurait néanmoins médiocre. Aussi la monarchie, empêtrée dans ses problèmes financiers, et se préparant à la guerre de Succession d'Espagne, n'entendait pas trop s'investir en Louisiane, bien qu'elle estimât nécessaire d'y établir une colonie permanente. Au début de l'année 1702, lors de son troisième voyage, d'Iberville transféra le quartier général de Biloxi à La Mobile où fut érigé le fort Saint-Louis, que jouxta bientôt une petite bourgade. Il repartit pour la France en avril, et ne devait jamais remettre les pieds en Louisiane. Il mourut quatre ans plus tard à La Havane, frappé par la fièvre jaune. C'est Le Moyne de Bienville, son frère cadet, qui, depuis son départ en 1702, assurait le commandement de la jeune colonie.

Comme le Canada à partir de 1603, la Louisiane se structura dès l'origine autour des alliances indiennes. Le Moyne d'Iberville établit grâce à la cérémonie du calumet des relations amicales avec plusieurs peuples autochtones du golfe du Mexique : d'abord avec les Biloxis, les Moctobis, les Pascagoulas, les Cabinas, les Bagayoulas et les Mougoulachas, puis, guidé par un chef bagayoula qui fit passer les Français près du fameux « bâton rouge » (un mât haut de trente pieds maculé de sang animal), avec la nation des Houmas, plus tard avec les Natchez, les Taensas, les Cénis, etc. Certains Indiens n'avaient pas oublié le passage des hommes de Cavelier de La Salle une vingtaine d'années plus tôt. Un chef mougoulacha, en 1699, remit ainsi à l'enseigne Sauvolle une lettre que Tonty lui avait confiée en 1686, et qui était alors destinée à Cavelier de La Salle. Les Indiens du golfe se lièrent d'autant plus facilement aux Français qu'ils subissaient les raids esclavagistes des Creeks et des Chicachas, deux puissantes confédérations alliées aux Britanniques de la Caroline du Sud. L'alliance franco-indienne s'élargit encore en 1702, au moment où d'Iberville transféra son quartier général à La Mobile, attiré par les ressources agricoles des peuples établis à proximité. En mars, le gouverneur reçut des chefs chactas et chicachas et les invita à vivre en paix, dans l'espoir notamment de mettre un terme aux raids à esclaves des Chicachas. Cette conférence inaugura l'alliance des Français avec les puissants Chactas, vite jugée indispensable pour la colonie.

Parallèlement, les Français se firent plus présents dans le Pays des Illinois, rejoint à partir du Canada ou de la Louisiane. Sans qu'il y ait eu de concertation avec d'Iberville, des prêtres du séminaire des Missions étrangères, mandatés par l'évêque de Québec, s'établirent ainsi sur le Mississippi en 1699, et y entrèrent en concurrence avec les jésuites, présents dans la région depuis 1689-1690. Cette expansion missionnaire donna naissance à deux postes dans le Pays des Illinois, qui servirent de noyaux aux futurs foyers de colonisation. Le premier fut fondé par le père Saint-Cosme du séminaire des Missions étrangères, à Cahokia, chez les Tamarois, en face du confluent du Missouri et du Mississippi (la mission de la Sainte-Famille) ; l'autre, installé à Kaskaskia, était la mission jésuite de l'Immaculée Conception, située à partir de 1703 plus au sud sur le Mississippi, à l'embouchure de la rivière des Metchigamias (nommée par la suite rivière des Kaskaskias). Le pouvoir royal abandonna officiellement le Pays des Illinois en 1703, lorsque Henri de Tonty et son associé, François Dauphin de La Forest, évacuèrent leur concession du fort Saint-Louis, qui leur avait été attribuée en 1690 après la mort de La Salle. Jusqu'en 1718 la présence française se résuma à l'apostolat des missionnaires et plus encore à l'activité de coureurs de bois qui se mariaient avec des Illinoises et se mirent à cultiver le blé.

La France, en Louisiane, entrait en concurrence avec deux puissances européennes : l'Angleterre et l'Espagne, laquelle bénéficiait d'un poste à Pensacola, un peu à l'est de La Mobile. Pendant la guerre de Succession d'Espagne, en dépit de l'alliance des deux Couronnes – un petit-fils de Louis XIV régnait désormais à Madrid –, de fortes tensions se développèrent entre les colons espagnols et français. Si les colons de la Caroline du Sud, de leur côté, ne menacèrent jamais directement la petite colonie de La Mobile, leurs marchands s'infiltraient en revanche chez les Indiens de l'intérieur et menaçaient le réseau d'alliances des Français. Bienville parvint à éviter l'affrontement avec les Chicachas, qui avaient repris la guerre contre les Chactas, mais il avait fort à faire avec les Alibamons qui s'en prenaient aux petites tribus (Mobiliens, etc.) alliées aux Français.

Quand la guerre de Succession d'Espagne éclata en 1702, tout restait à faire pour les Français en Louisiane. La colonie, qui dépendait si fortement de la métropole pour son approvisionnement, fut livrée à elle-même pendant une décennie, preuve de la faiblesse persistante de la marine française. Privée de secours, elle vécut plusieurs années de disette, sans cesse au bord de l'asphyxie. Les années 1708-1711 marquèrent le point culminant de la pénurie : en effet, le navire *La Renommée*, qui s'était présenté en février 1708, ne revint pas avant septembre 1711 ! L'État, pourtant conscient de l'importance stratégique de la Louisiane, était incapable de la soutenir, de sorte qu'en 1711 un des administrateurs pouvait écrire : « Nous avons peur d'être forcés d'abandonner la colonie [56]. » Selon Marcel Giraud, sans l'approvisionnement en nourriture, même médiocre, reçu par *La Renommée* en 1711, la colonie n'aurait pas survécu. Les colons, toutefois, ne mouraient pas de faim, grâce aux Indiens qui leur fournissaient du maïs – dont la bouillie était alors le plat de base de la colonie – et diverses viandes.

Les soldats de la garnison de La Mobile, pour pouvoir se nourrir, allaient d'ailleurs vivre dans les villages autochtones. En outre, les Français installés au Pays des Illinois commencèrent dès cette époque à apporter des farines en Basse-Louisiane.

Au bout d'une décennie, la population d'origine européenne continuait de stagner autour de 200 personnes, et l'activité économique se réduisait au commerce des peaux de chevreuil. La Louisiane française, de fait, fut sauvée par l'armistice de 1712, prélude à la paix d'Utrecht. À cette date, elle était devenue une colonie à propriétaire.

Crozat et le mirage minier, 1712-1717

Proche de la banqueroute après quarante années de guerres quasi ininterrompues, et donc incapable de faire face aux dépenses que nécessitait l'entretien d'une colonie, l'État, dès 1707, avait formulé l'idée de faire appel à l'initiative privée. Pontchartrain essaya de susciter l'intérêt de la bourgeoisie commerçante du royaume, mais sans guère de succès. Outre que l'opinion paraissait moins intéressée par la Louisiane qu'à l'époque de Le Moyne d'Iberville, les marchands hésitaient à engager leurs capitaux dans des opérations jugées incertaines. À Saint-Malo par exemple, les capitaux étaient réservés au négoce de la mer du Sud et aux pêcheries terre-neuviennes [57]. Aussi la monarchie finit-elle par céder la Louisiane à Antoine Crozat, un grand financier, secrétaire du roi, qui disposait d'une fortune colossale et qui était connu pour son activité dans le commerce maritime. C'est Lamothe Cadillac, le fondateur de Détroit, qui parvint à convaincre le financier, en lui faisant miroiter la douceur du climat et les possibilités d'enrichissement offertes par les mines de Haute-Louisiane et par le commerce avec la Nouvelle-Espagne. L'espoir, expliquait un négociant, était en effet de faire de la Louisiane un « Mexique français ». En septembre 1712, Louis XIV signa les lettres patentes qui concédaient à Crozat, pour quinze ans, le commerce de la Louisiane. Le financier, en retour, se devait d'envoyer annuellement deux navires transportant chacun dix garçons ou filles et des marchandises pour le service du roi. Crozat, cela étant, visait simplement l'exploitation commerciale du pays. Selon Marcel Giraud, « le peuplement de la colonie, l'édification d'un empire, sont des tâches qu'il jugeait au-dessus de ses moyens financiers [58] ». La monarchie, de son côté, n'abandonnait pas la colonie puisque les administrateurs dépendaient du roi : Bienville, qui espérait le poste de gouverneur, fut évincé au profit de Lamothe Cadillac, auquel se joignait un commissaire-ordonnateur (qui faisait office d'intendant), Jean-Baptiste Duclos.

Mais les attentes de l'État furent vites déçues. La colonisation, durant les années du régime Crozat ne fit pas en effet de progrès décisifs, du fait d'une immigration dérisoire. Cadillac pourtant, s'appuyant sur des rumeurs qui concernaient le Missouri, l'Ouabache et le Pays des Illinois, entretint pendant quelques années l'espoir de trouver des métaux précieux. « Il est indubitable, écrivait-il en 1713, que nous sommes en pays de mines d'or, et d'argent ; mais il est question de les trouver. » Quand le Gascon se rendit deux ans plus tard dans le Pays des Illinois à la recherche de mines, il paraissait encore très optimiste : « Je ne crois pas, si les choses sont telles que mes mineurs l'assurent, que ni la Nouvelle-Espagne ni le Pérou soient plus riches en argent que ce pays-ci. Lorsque j'aurai fait fondre la mine, et que je verrai quelque lingot, j'écrirai hardiment [59]. » Ainsi naquit un fantastique mirage digne des « diamants du Canada » de Jacques Cartier ! On ne trouva en effet ni or ni argent en Louisiane, mais simplement du plomb, du cuivre et de l'étain. Reste que cet engouement minier contribua fortement dans les années suivantes à la colonisation du Pays des Illinois.

L'époque de Crozat, par ailleurs, ne saurait être sousestimée au regard des alliances autochtones. Les autorités locales étendirent en effet leur réseau d'alliances, opération d'autant plus impérieuse que des agents anglais de la Caroline du Sud se montraient très actifs pour contrer l'influence française dans la région située entre le Tennessee et le golfe du Mexique. Mais en 1715 un soulèvement quasi-général des Indiens éclata contre les Britanniques : cette guerre dite des « Yamasees », dirigée contre les commerçants de Charleston mais aussi contre les colons de la Caroline du Sud, contribua au succès diplomatique français. Entre 1715 et 1717, la zone d'influence louisianaise s'étendit grâce à la construction de plusieurs forts dans l'intérieur du pays : le fort Rosalie (1716), qui conforta provisoirement l'alliance avec les Natchez, en dépit de tensions naissantes ; le fort Saint Jean-Baptiste ou poste des Natchitoches (1716), sur la rivière Rouge, c'est-à-dire à la limite de l'Empire espagnol, qui permit de s'affilier les groupes de la confédération caddo ; quant au fort Toulouse, ou poste des Alibamons (1717), sa construction traduisait l'évolution positive des relations entre les Français et les Alibamons, auparavant placées sous le signe de la guerre : en s'alliant avec ce puissant groupe creek, les Français fermaient l'accès du fleuve Mobile aux Britanniques de la Caroline du Sud. Ainsi s'élabora le réseau d'alliances des Français en Basse-Louisiane, qui devait prévaloir jusqu'en 1763.

La Louisiane était un véritable gouffre financier pour Crozat, qui décida finalement de se retirer. Dès 1714, il ne respectait plus la clause de l'envoi annuel de deux navires, et en 1717 il sollicita la révocation de sa concession. Il estimait toutefois nécessaire pour le royaume de sauvegarder coûte que coûte cette possession, dont les richesses et l'importance stratégique devaient contribuer à fortifier l'Empire français et l'économie nationale. Il convenait selon lui de peupler le territoire, et il préconisait l'intervention de l'État pour qu'il crée et soutienne une puissante compagnie de commerce. Le missionnaire François Le Maire jugeait également indispensable, pour que subsistât la Nouvelle-France, le maintien de la colonie louisianaise : « la conservation du Canada qui a tant coûté à la France dépend de l'établissement de la Louisiane », écrivait-il en 1717, quatre ans après le désastre de la paix d'Utrecht [60]. Le Conseil de Marine partagea ces points de vue, et le Régent Philippe d'Orléans, en août 1717, accepta la démission de Crozat tout en favorisant l'entrée en scène d'une nouvelle compagnie.

Grandeur et misères de la Compagnie des Indes (1717-1731)

Durant les quatorze années suivantes, la Louisiane demeura entre les mains des intérêts privés, tout en se transformant en colonie de peuplement et de plantations esclavagistes. Comme Crozat l'avait suggéré, elle fut placée sous la direction d'une compagnie de commerce, et cela à l'initiative de l'Écossais John Law. Financier, mais aussi joueur et aventurier, Law convainquit le Régent qu'il pouvait éponger la dette publique grâce à un système de crédit fondé sur le papier-monnaie. Il mit sur pied en mai 1716 une « Banque générale », puis, en août 1717, il fonda la « Compagnie d'Occident », ou « Compagnie du Mississippi ». Son capital, dont le montant n'était pas fixé – puisqu'il dépendait du succès des souscriptions –, était formé par la vente d'actions de 500 livres payables uniquement en billets d'État. Les premières actions se nommaient « mères », puis, le succès initial aidant, vinrent les « filles » et les « petites-filles ». L'objectif était de liquider le déficit budgétaire en faisant des créanciers de l'État les actionnaires de la Compagnie.

Celle-ci obtenait pour vingt-cinq ans le monopole du commerce en Louisiane. En contrepartie, elle devait, d'une part, assurer la défense de la colonie (entretien des fortifications et des troupes, présents aux Indiens), ce qui constituait une très lourde charge, et, d'autre part, transporter 6 000 colons et 3 000 esclaves africains en vingt-cinq ans. En 1719, la Compagnie d'Occident acquit la ferme du tabac et annexa plusieurs autres Compagnies (du Sénégal, du cap Nègre, des Indes orientales, de la Chine, etc.), devenant ainsi la Compagnie des Indes et réunissant de fait sous son autorité tout le commerce maritime et colonial du royaume. Mais le système financier de Law, bientôt victime de l'inflation et de la spéculation, se solda par un échec. L'Écossais avait fait des émissions trop importantes de billets de banque et, la confiance disparaissant, ce fut l'effondrement. Ruiné, le financier s'enfuit à Bruxelles en décembre 1720, et son système fut liquidé l'année suivante.

Law n'en avait pas moins suscité, au cours des années 1718-1720, une dynamique qui permit à la colonie de s'enraciner. Marcel Giraud écrit que « l'avènement de la Compagnie d'Occident marque le début d'une activité colonisatrice réelle, qui succède à une longue période d'indifférence envers la Louisiane [61] ». L'intérêt pour cette colonie, qui restait jusque-là confiné dans les milieux politiques et scientifiques, gagna le grand public de façon contagieuse. Grâce aux actions du financier et à toute une littérature de propagande, le Mississippi suscitait alors une véritable effervescence. Cadillac, qui eut l'audace de contester cette publicité, fut même embastillé pendant cinq mois à son retour en France en 1717. Le mouvement colonisateur fut un phénomène passager, mais il permit à la population d'origine française d'atteindre 1 800 personnes en 1723.

Ces immigrants appartenaient au personnel des nombreuses sociétés de colonisation créées suite à l'effort de propagande sans précédent orchestré par la Compagnie. Les actionnaires de ces sociétés étaient des marchands, des officiers, des financiers ainsi que des membres de la haute aristocratie ; beaucoup d'entre eux étaient des amis ou des collaborateurs de John Law, ainsi que des spéculateurs et des enrichis du système. Peu intéressés par le peuplement et la mise en valeur d'une nouvelle colonie, ils considéraient leur investissement comme une spéculation parmi d'autres. En plus de l'or que l'on devait tirer du Pays des Illinois, des profits importants étaient attendus de l'établissement de plantations, c'est-à-dire de la production et de l'exportation en métropole du tabac, de la soie, de l'indigo et du riz, cultivés à l'aide d'une main-d'œuvre d'esclaves africains et d'engagés ou de prisonniers transportés de France. La basse-vallée du Mississippi, au-delà des simples positions littorales auxquelles la colonisation s'était cantonnée durant les deux premières décennies – malgré l'érection de quelques forts dans l'intérieur des terres –, fut ainsi occupée plus densément. La fondation de La Nouvelle-Orléans en 1718, à trente lieues de l'embouchure du fleuve, s'inscrivit dans ce mouvement d'implantation.

Les établissements furent également consolidés plus en amont. En 1721, quelques engagés de Law s'établirent à l'embouchure de l'Arkansas, en pays quapaw, là où Henri de Tonty, le compagnon de La Salle, avait déjà érigé un petit poste en 1686 (abandonné en 1699). Mais c'est surtout dans le Pays des Illinois que la colonisation fit un bond en avant. Depuis 1703, ce territoire avait été délaissé par le pouvoir royal. Les autorités louisianaises s'étaient contentées d'y envoyer à deux reprises (en 1708 et en 1711) quelques soldats, à la demande des missionnaires, pour réprimer les « désordres » supposément causés par des coureurs de bois. En septembre 1717, à la demande de la Compagnie d'Occident – et au mécontentement des administrateurs du Canada –, le Pays des

Illinois fut rattaché à la Louisiane. En 1719, dépêché par
la Compagnie, le commandant Pierre Dugué de Boisbriant y édifia, entre Cahokia et Kaskaskia, le fort de Chartres, ainsi nommé en l'honneur du duc de Chartres, le
fils du Régent. Le fort était situé à six lieues en amont
de la mission jésuite, où se concentrait le plus important
groupement de population franco-indienne. Un autre
noyau de peuplement s'établit autour du fort, tandis que
des habitants formaient le village de Prairie du Rocher à
l'est du fort de Chartres. En 1721, Philippe François
Renaut, le directeur des mines, créa le village de Saint-
Philippe un peu plus au nord. La Compagnie, comme
Crozat auparavant, était en effet soucieuse d'exploiter les
mines de Haute-Louisiane. Le missionnaire François Le
Maire, en 1717, partageait les premiers enthousiasmes
de Cadillac : « C'est une vérité constante […] que tout
le Pays à l'ouest du Mississippi […] est plein de mines
aussi abondantes que celles du vieux et du nouveau
Mexique [62]. » Mais les tentatives furent vaines, et le
mirage minier s'estompa vers 1722-1723. On ne trouvait
ni or ni argent, et s'il y avait bien du plomb, son exploitation ne s'avérait pas rentable.

Entreprise commerciale, la Compagnie des Indes peinait à trouver un quelconque profit financier en Louisiane. Les difficultés s'aggravèrent en 1729, lors du
soulèvement des Indiens natchez, qui tuèrent près de
250 colons. Ce fut un véritable désastre pour la colonie
et pour la Compagnie. Celle-ci, affaiblie, décida en 1730
de renoncer à son privilège, de sorte qu'en janvier 1731
la colonie fut placée sous régie royale.

La Couronne prend la relève (1731-1763)

Cette reprise en main de l'État, comme l'explique
Khalil Saadani, peut paraître étonnante. La colonie, dis-
créditée depuis une décennie dans l'opinion métropolitaine, ne suscitait plus en effet le même intérêt qu'à

l'époque de John Law. Sur le plan économique par ailleurs, elle était loin d'être aussi attractive que les îles à sucre antillaises. Après trente ans d'existence, les exportations de tabac et d'indigo, ainsi que celles de peaux de chevreuil peinaient à prendre leur essor en Louisiane. Si la monarchie n'entendait pas sacrifier cette colonie, c'est en réalité pour des motifs géopolitiques : elle était nécessaire pour protéger le Canada, dont l'isolement renforcerait la vulnérabilité face à l'Empire britannique, et pour bloquer la progression territoriale des établissements anglais.

Pour mener à bien cette mission, le roi nomma en 1732 Le Moyne de Bienville gouverneur, titre qu'il ne s'était jamais vu décerner auparavant. Né à Montréal en 1680, Le Moyne de Bienville avait servi de longues années sous les ordres de son frère aîné, d'Iberville. À partir de 1701, il avait dirigé la colonie à plusieurs reprises et contribué à son développement. En mauvais termes avec les administrateurs de la Compagnie des Indes, il avait ensuite été rappelé en France – pays qu'il connaissait à peine –, en 1725. Sa nomination de 1732 constituait donc un retour en grâce. Il possédait selon le roi toutes les qualités requises, en particulier « la confiance des habitants et celle des Sauvages[63] ». Le Moyne de Bienville débarqua dans la colonie en 1733, et il s'efforça, pendant les dix années de son gouvernement – il prit sa retraite en 1743 –, de favoriser l'emprise française entre le Tennessee et le Mississippi et de contrer l'influence grandissante des marchands britanniques. Il se lança dans une politique de fortifications et tâcha de maintenir l'alliance avec les Chactas. À deux reprises, en 1736 et en 1739-1740, il organisa des expéditions contre les Chicachas, mais sans guère de succès. Au moment où la Couronne établit son contrôle direct sur la Basse-Louisiane en 1731, elle envisagea d'abord de rattacher le Pays des Illinois au Canada, afin de réduire les dépenses occasionnées par la circulation des convois entre la haute et la basse vallée du Mississippi. Le même débat ressurgit en 1748, à la fin de la guerre de Succession d'Autriche, lorsque le pouvoir chercha à diminuer le budget colonial. À chaque fois, cependant, les autorités de La Nouvelle-Orléans se mobilisèrent pour maintenir les liens entre la Basse-Louisiane et le Pays des Illinois. Celui-ci était devenu en effet le grenier à blé de la colonie. Les envois de farines, mais aussi de lards, contribuaient fortement à la subsistance des garnisons et des habitants de la basse vallée du Mississippi. En outre, les villages du Pays des Illinois jouaient un rôle fondamental au carrefour de voies de communication reliant le Canada et la Louisiane et à proximité de plusieurs peuples indiens dont l'alliance était essentielle au maintien de la présence française. C'est pourquoi les autorités de La Nouvelle-Orléans obtinrent gain de cause auprès du pouvoir métropolitain.

Vaudreuil et Kerlérec, les successeurs de Le Moyne de Bienville, poursuivirent jusqu'en 1763 sa politique vis-à-vis des Indiens et des Britanniques, dans une colonie multi-ethnique où Européens, Africains et autochtones s'efforçaient de vivre ensemble.

À la recherche de la « mer de l'Ouest »

L'expression « conquête de l'Ouest américain » évoque surtout, à nos yeux, les cow-boys, les chariots bâchés et la mythologie du western. Or, les Français de Louisiane et du Canada – mais aussi, secondairement, les Espagnols, à partir du Nouveau-Mexique – furent les premiers Européens à pénétrer dans les Grandes Plaines, jusqu'aux abords des Rocheuses, et ce bien avant l'expédition de Lewis et Clark (1804-1806) et l'expansion des colons américains au cours du XIXe siècle. Dès la fin du XVIIe siècle, poussés par la curiosité, l'appât du gain, le désir de gloire ou le goût de la liberté, des aventuriers

français, commissionnés ou non par les autorités officielles, et toujours guidés par des autochtones, avaient
commencé à circuler à l'ouest du Mississippi. Deux
mirages, par ailleurs, obsédaient les explorateurs depuis
la fin du XVe siècle : les métaux précieux d'un côté, et un
passage vers l'Asie de l'autre. Or, les Français imaginaient
l'existence, vers le couchant, d'une « mer de l'Ouest »,
sorte d'immense golfe qui s'ouvrirait sur le Pacifique et
servirait de raccourci vers l'Orient fabuleux. Le cartographe Guillaume Delisle fait ainsi figurer cette mer
hypothétique sur un globe manuscrit de 1697 [64].

La volonté de consolider l'emprise française à l'intérieur du continent, jointe à une effervescence intellectuelle dans les milieux scientifiques, conduisit à la relance
du programme de recherche de la mer de l'Ouest en
1717. Le gouverneur Rigaud de Vaudreuil avait rencontré lors d'un séjour en France, de 1714 à 1716, le prêtre
Jean Bobé, passionné par la question de la mer de
l'Ouest, et proche de Guillaume Delisle, le grand cartographe du temps. À son retour au Canada, Vaudreuil
prit connaissance d'un mémoire de l'explorateur Jacques
de Noyon, intitulé « Projet de la découverte à faire dans
les terres de l'Ouest de la Nouvelle-France », et dans
lequel l'auteur signalait que des Indiens avaient rapporté
du lac des Assiniboines (lac Winnipeg) des pièces
d'argent « qui paraissent avoir des caractères de la
Chine [65] ». Vaudreuil, avec l'accord du Conseil de
Marine, dépêcha en 1717 Zacharie Robutel de La Noue
au nord du lac Supérieur pour amorcer la « découverte »,
mais celui-ci ne put que fonder un poste à Kaministiquia. Trois ans plus tard, le père jésuite Charlevoix, qui
avait séjourné au Canada de 1705 à 1709, reçut du
Régent la mission de mener l'enquête sur la meilleure
route à suivre pour atteindre la mer de l'Ouest. De mars
1721 à mars 1722, Charlevoix sillonna la Nouvelle-
France entre Québec et La Nouvelle-Orléans, en passant

par les Grands Lacs et le Pays des Illinois, et en se rensei-
gnant auprès des voyageurs et des Indiens. Mais le bilan
de son expédition était médiocre : il se contenta de suggérer que le Missouri offrait probablement le meilleur
accès vers la mer de l'Ouest, et ne découvrait donc rien
de neuf.

À la même époque, on assista à des tentatives pour
rejoindre les colonies espagnoles à partir de la Louisiane :
l'ambition était de trouver des mines et éventuellement
d'établir un commerce fructueux avec les Espagnols.
Deux voies d'accès paraissaient prometteuses : la rivière
Rouge et le Missouri. La première fut empruntée en
1714 par Louis Juchereau de Saint-Denis, qui avait noué
des contacts avec les Indiens natchitoches dans les années
précédentes. En compagnie de quelques coureurs de
bois, il effectua la traversée du Tejas ou Texas (*tejas* signi-
fiant « allié » dans la langue caddo) qui le conduisit au
petit presidio espagnol de San Juan Bautista sur le Rio
Grande. Là, il fut emprisonné dans la maison du commandant, mais il séduisit sa fille et lui promit de devenir
un sujet espagnol. Après s'être rendu à Mexico, où il fut
retenu dans une semi-captivité, il rejoignit enfin la rivière
Rouge, et fut nommé un peu plus tard « commandant
des Natchitoches et des Nassonites ». « Les Français se
sont glissés derrière nous en silence », constatait amèrement en 1716 un officier en poste au Texas [66]. Les autorités espagnoles s'inquiétaient pour trois raisons : les
Français fournissaient en armes des Indiens hostiles ; ils
se rapprochaient des mines d'argent du Mexique ; et ils
menaçaient d'établir un commerce avec les colons du
Nouveau-Mexique, commerce qui était interdit par
Madrid en vertu du principe mercantiliste de l'Exclusif.
Pour réagir à la tentative de Saint-Denis, les Espagnols
mirent sur pied entre le Rio Grande et la rivière Rouge
un glacis défensif constitué de quelques postes.

En 1714, Étienne Véniard de Bourgmont, ancien sous-officier au Canada – il avait déserté de son poste à Détroit en 1706 –, explora une première fois le Missouri, où quelques coureurs de bois s'étaient déjà aventurés dans les années 1680-1690. À partir de 1717, suite à la création de la Compagnie d'Occident, cette rivière suscita un intérêt renouvelé de la part des autorités : on nourrissait de plus en plus l'espoir de gagner par cette voie la mer de l'Ouest, et pour le moins d'accéder aux mines d'or du Nouveau-Mexique. F. Le Maire évoquait ainsi la présence, sur le haut du Missouri, de « petites caravanes d'aventuriers espagnols » venus du Nouveau-Mexique et allant « traiter avec quelques nations de l'ouest ou nord-ouest du fer jaune » qui « ne peut être que de l'or » [67].

En 1719, deux autres explorateurs contribuèrent à mieux faire connaître les territoires situés à l'ouest du Mississippi : Jean-Baptiste Bénard de La Harpe et Claude-Charles Du Tisné. Le premier, un aventurier malouin qui avait voyagé au Pérou et qui était arrivé en Louisiane en 1718, se rendit sur la rivière Rouge parmi les Nassonites et les Caddos, où il établit le poste de Saint-Louis des Cadodaquious (fort Breton), avant de pousser plus avant son exploration, dans l'actuel Oklahoma, et de nouer contact avec les Touacaras (Tawakonys). De son côté, Du Tisné, un officier du Canada qui avait suivi Le Moyne de Bienville en Louisiane, remonta à deux reprises la rivière Missouri et entra en contact avec les Indiens missouris, puis avec les Osages et les Panis (Pawnees).

En 1720 – dans le contexte d'un conflit franco-espagnol (1719-1722) au cours duquel les Français s'emparèrent provisoirement de Pensacola –, une expédition espagnole forte de 45 soldats, de plus de 60 auxiliaires pueblos et d'une douzaine de guides apaches se rendit dans le Nebraska actuel à partir de Santa Fe (Nouveau-Mexique), pour contrer l'influence française et forger une alliance avec les Osages., Mais cette expédition, dirigée par Pedro de Villasur, fut attaquée par des Panis et des Otos, peut-être flanqués de coureurs de bois français. Trente-deux soldats espagnols périrent lors du combat. Lorsque les assaillants indiens rendirent visite par la suite au commandant du Pays des Illinois, Boisbriant, ils s'avancèrent vers le fort en procession, « dansant le calumet », vêtus d'habits liturgiques et bardés d'objets de culte qu'ils avaient pris aux Espagnols : le chef, coiffé d'un bonnet de plumes et d'une paire de cornes de bison, portait une chasuble, et une patène, percée d'un clou, lui servait de hausse-col ; les autres revêtaient des chasubles, des aubes, des étoles et des manipules, portaient des croix et des chandeliers, et au cou d'un cheval pendait un calice et une cloche [68]…

Véniard de Bourgmont avait été nommé « commandant sur la rivière Missouri » en 1720. En 1723-1724, il remonta cette rivière dans le but de protéger le Pays des Illinois des Espagnols – et éventuellement de développer un commerce avec eux. Bourgmont édifia le fort d'Orléans près d'un village missouri et s'efforça d'instaurer la paix entre les Indiens de la région (Missouris, Otos, Osages, Kansas, Panis, Iowas, etc.) et les Padoucas, ou Apaches des Plaines. Il est vraisemblable qu'il se soit rendu jusque chez les Arikaras. De retour à La Nouvelle-Orléans, il s'embarqua pour la France, accompagné de quelques Indiens, et ne devait jamais regagner l'Amérique. Le fort d'Orléans, où il avait laissé une garnison d'une douzaine d'hommes, et où officia pendant quelques mois le père Mercier, un missionnaire du Séminaire de Québec, fut abandonné vers 1728. Un nouveau poste (le fort de Cavagnial, ainsi appelé en l'honneur du gouverneur Vaudreuil de Cavagnial) ne fut construit dans la région qu'en 1744.

L'espoir d'établir un commerce régulier entre la Louisiane et le Nouveau-Mexique renaît avec les entreprises des frères Mallet, Pierre et Paul, des traiteurs canadiens installés tout d'abord à Détroit, puis au Pays des Illinois. Partis du fort de Chartres, et grâce à des informations recueillies auprès d'Indiens omahas, ils traversèrent en 1739 les États actuels du Nebraska, du Kansas et de l'Oklahoma, pour finalement parvenir à Santa-Fe. Retenus pendant neuf mois par les autorités espagnoles, ils prirent le chemin du retour en mai 1740 et gagnèrent La Nouvelle-Orléans en mars 1741. Le gouverneur Le Moyne de Bienville leur fit bon accueil, et à l'initiative d'André Fabry de La Bruyère, écrivain du roi, et ancien secrétaire du gouverneur, une nouvelle expédition guidée par les frères Mallet fut mise sur pied pour rejoindre Santa-Fe par la rivière Arkansas. L'entreprise se solda par un échec. En 1750, Pierre Mallet, accompagné de Mathieu François Martin de Lino, commandant du poste des Arkansas, prit part à une troisième expédition pour rejoindre Santa Fe. Mais, arrêtés par les Espagnols, les Français furent emprisonnés à Chihuahua, puis à Mexico.

Entre-temps, l'intérêt pour la mer de l'Ouest avait rebondi au Canada, dans les années 1730, grâce à l'officier Pierre Gaultier de Varennes et de La Vérendrye et à ses fils. Commandant du poste du Nord à Kaministiquia, La Vérendrye proposa en 1728 de pousser les explorations jusqu'au lac Ouinipigon (Winnipeg), dont il s'était fait une idée grâce à des informations obtenues auprès d'Indiens cris. Soutenu par le gouverneur Beauharnois, et bénéficiant du monopole du commerce des fourrures dans le pays des Sioux, il effectua un premier voyage en 1731-1732, au cours duquel furent érigés le fort Saint-Pierre, sur le lac La Pluie, puis le fort Saint-Charles, sur le lac des Bois. En 1734, son fils aîné Jean-Baptiste atteignit le lac Winnipeg, où il fonda le fort Maurepas. La

Vérendrye entra en contact avec de nombreux groupes indiens et, en s'alliant avec les Cris et les Assiniboines, à qui il fournissait des armes, il suscita l'hostilité des Sioux Titons, leurs ennemis. C'est ce qui explique en partie pourquoi, en juin 1736, vingt de ses hommes, dont Jean-Baptiste de La Vérendrye et le père jésuite Aulneau, qui comptait évangéliser les Mandanes, furent tués par des Sioux sur une île du lac des Bois.

Mais, poursuivant ses explorations, La Vérendrye-père fit construire en 1738 le fort La Reine au sud du lac Manitoba et, dans sa quête de la mer de l'Ouest, il chercha à tester la route du sud-ouest : guidé par des Assiniboines, il rendit visite aux Mandanes (Dakota du Nord actuel), dont les villages servaient de rendez-vous à de nombreux peuples des Plaines. En 1742-1743, deux de ses fils, Louis-Joseph et François, accompagnés de deux engagés, Amiot et Lalande, entreprirent aux mêmes fins un voyage qui les conduisit dans les Black Hills (Dakota du Sud), et peut-être jusqu'aux montagnes Big Horn, dans le nord de l'actuel Wyoming. Ils rencontrèrent notamment les « Beaux Hommes » (Corbeaux), les « Gens des chevaux » (Cheyennes), les « Gens de l'Arc » (une bande panise ou arikara) et les « Gens de la Petite Cerise » (Arikaras). En mars 1743, dans un village arikara, et à l'insu de ses hôtes, Louis-Joseph enfouit sous terre, en guise de témoignage, une plaque de plomb avec une inscription latine – plaque qui fut découverte par des enfants en 1913. Par ailleurs, désireux d'asseoir leur emprise commerciale dans la région du lac Manitoba, les La Vérendrye et leurs associés firent ériger d'autres postes : le fort Dauphin (1741), le fort Bourbon (1741), le fort Pasgoyac (1750), enfin le fort La Corne (1751), sur la rivière Saskatchewan, qui mit un point final à la poussée des Français en direction des Rocheuses.

Les explorations des Français dans l'ouest de l'Amérique du Nord se soldaient par un semi-échec, dans la mesure où elles ne leur avaient pas permis de découvrir de mines d'or ou d'argent, de nouer des relations commerciales régulières avec les Espagnols, ni de mettre au jour l'existence d'une mer de l'Ouest. Le mystère suscité par cette mer imaginaire fut percé un peu plus tard, grâce aux voyages maritimes de Cook et de La Pérouse et aux explorations terrestres de Mackenzie. Les Français, en outre, n'étaient guère parvenus à établir dans les Plaines l'infrastructure impériale (comptoirs, missions, garnisons) qui fit le succès de leurs alliances avec les Indiens des rives des Grands Lacs et du Mississippi. Les postes, à l'ouest de ce fleuve, existaient souvent de façon éphémère. Enfin, les guerres entre autochtones, endémiques, rendaient parfois difficile l'exploration du territoire. Par l'intermédiaire de coureurs de bois et de militaires, des contacts commerciaux et diplomatiques n'en avaient pas moins été établis avec plusieurs peuples autochtones, et une masse d'informations géographiques et ethnographiques avait été accumulée. Pour favoriser leurs revendications futures, les autorités françaises prirent bien soin de ne jamais dessiner sur leurs cartes la frontière occidentale de la Louisiane.

*

« Mais qu'arrive-t-il ? À peine une Compagnie a-t-elle mis le pied dans un Pays, qu'oubliant toutes les conditions qui lui sont imposées par la Cour, elle ne songe qu'à son intérêt, sans s'embarrasser de celui de l'État et du Public [69]. » François Le Maire, à travers ces remarques datées de 1717, visait le régime établi par Crozat en Louisiane depuis 1712. En Acadie, au Canada, comme sur le Mississippi, le processus colonisateur fut en effet confié, au cours des premières décennies, à des sociétés commerciales privées. Or, l'action de ces compagnies a souvent été décriée par les contemporains, puis par les historiens : on leur impute la lenteur du peuplement et du développement économique, et on leur reproche de ne pas avoir œuvré pour le bien public en se limitant à la recherche de profits, comme si une entreprise commerciale pouvait être animée par d'autres objectifs.

La monarchie, dans l'ensemble, trouvait son compte dans le système des compagnies. Celles-ci furent d'ailleurs fondées par des financiers, des négociants, mais aussi par des membres de la haute noblesse qui, directement ou non, étaient liés à l'appareil d'État. Leur utilisation répondait en outre aux principes mercantilistes selon lesquels une colonie ne devait rien coûter au roi. Le ministre Pontchartrain écrivait ainsi en 1709 qu'« il n'est pas naturel que sa majesté fasse ces dépenses dans un lieu qui ne doit pas lui rien produire [70] ». De fait, en accordant des monopoles de traite, le roi économisait ses deniers et contrôlait plus facilement le grand commerce colonial. Il est pourtant vrai que certaines compagnies n'ont pas respecté leurs engagements. Leur échec tenait sans doute aux motivations des actionnaires, d'autant moins intéressés par le peuplement que le faible développement économique des colonies ne leur apportait pas de bénéfices suffisants.

Que les colonies soient placées sous la responsabilité de compagnies ou qu'elles relèvent directement du roi, l'État français, de façon générale, a toujours su faire son miel des initiatives privées. De fait, s'il a joué un rôle moteur dans l'« institutionnalisation » du territoire, il a associé, de façon pragmatique, les intérêts privés aux siens, en les intégrant au sein de sa politique coloniale. En décidant de légaliser en 1681 le commerce des fourrures, tout en essayant de le contrôler par la distribution de congés – ou permis de traite –, il a cédé d'une certaine manière aux sirènes de l'expansion ; il a aussi profité de l'initiative des missionnaires partis dans le sillage des coureurs de bois, en établissant fréquemment les forts militaires à l'emplacement des missions ; le rôle de grenier à blé assigné officiellement au Pays des Illinois après la rétrocession de 1731 procédait également de l'esprit d'entreprise des colons.

Dans les Pays d'en Haut, l'exploration, l'entretien des postes, l'organisation des convois etc., ont été en partie assurés par des particuliers à qui le roi accordait un certain nombre de privilèges, notamment commerciaux. En 1701, si la construction du fort de Détroit fut assurée grâce aux deniers du roi, c'est la Compagnie de la Colonie, créée l'année précédente pour redresser le commerce des fourrures, qui fut chargée dans un premier temps de tous les autres financements (transport du matériel, des vivres et des hardes, solde des officiers, etc.). En échange, elle se vit accorder l'exclusivité du commerce. En 1717, le voyage de La Noue et de ses hommes vers la mer de l'Ouest est aussi financé par la traite : « Ce voyage ne coûte rien au Roi, écrit-on, parce que ceux qui le font se dédommageront de leurs dépenses sur la traite qu'ils feront [71]. » Le roi profitait ainsi de l'esprit d'initiative de certains entrepreneurs (marchands, officiers militaires ou les deux…), pour s'assurer à bon compte le contrôle du territoire.

Les individus et les groupes privés (non commerciaux) ont joué un rôle essentiel dans l'entreprise de colonisation, parfois en marge de l'autorité monarchique. C'est ainsi une association de dévots, on l'a vu, qui est à l'origine de la fondation de la ville de Montréal en 1642 ; les coureurs de bois qui sont partis à l'aventure dans l'Ouest pour amasser des ballots de fourrures, à partir des années 1650-1660, ont ancré les Pays d'en Haut dans l'imaginaire impérial français ; et ce sont des colons, anciens coureurs de bois canadiens, qui, dans le Pays des Illinois, ont développé de leur propre chef la culture du blé, tant à l'époque de la fermeture des postes des Pays d'en Haut que dans les années au cours desquelles la

Compagnie des Indes orientait l'économie de la Haute-Louisiane vers l'exploitation des mines.

Les administrateurs locaux eux-mêmes, soit les agents du roi, participèrent aussi étroitement à la formulation de la politique coloniale. Un gouverneur, certes, ne pouvait pas mener une politique personnelle, mais outre qu'il jouissait d'un pouvoir de recommandation, il bénéficiait, du fait de l'éloignement des colonies, d'une certaine autonomie de fait. Au Canada, les bateaux du roi n'arrivaient qu'une fois l'an et ils n'y séjournaient que quelques semaines. On ne gouvernait donc pas une colonie américaine comme une province française ! Le gouverneur Rigaud de Vaudreuil, dans une lettre au ministre datée de 1713, donnait ainsi une leçon de gestion coloniale à l'intendant Bégon, fraîchement débarqué à Québec en provenance de Rochefort : « Mr Bégon n'est pas au fait encore de bien des choses ici [...] à Rochefort on reçoit vos ordres tous les huit jours et ici nous ne recevons que tous les ans, ce qui fait que souvent une chose commencée est finie avant que nous ayons eu le temps de vous en donner avis [72]. » Il convenait d'avoir l'esprit d'initiative pour résorber les crises récurrentes qui survenaient dans l'alliance franco-indienne et pour contrer la menace britannique. « Un gouverneur est toujours le Maître dans son gouvernement, et surtout dans ces pays-ci que l'on est éloigné du Soleil », écrivait ainsi l'ordonnateur de la Louisiane, Duclos, en 1713 [73].

Au Canada et en Louisiane, les administrateurs étaient donc amenés à gouverner réellement. Frontenac et Talon, par exemple, ont joué un rôle important dans l'expansion vers l'intérieur du continent, contournant ainsi les recommandations de Colbert, qui souhaitait restreindre la colonisation sur le Saint-Laurent. Le premier est même parvenu à amender l'édit de 1696 décrétant la

fermeture des Pays d'en Haut, en permettant d'y conserver quelques postes alors que le roi exigeait dans un premier temps un retrait total. Rigaud de Vaudreuil, son
deuxième successeur, a fini de son côté par convaincre la
Cour, à partir de 1712, de la nécessité d'une réoccupation de Michillimakinac et de l'érection de plusieurs
autres forts. De la même façon, ce sont les administrateurs de La Nouvelle-Orléans, Périer en 1731 puis Vaudreuil en 1748, qui, par leurs arguments, ont permis de
s'opposer au projet royal de détachement du Pays des
Illinois de la Louisiane.

« La France possède dans l'Amérique septentrionale
plus de terrain qu'il n'y en a dans le continent
d'Europe », s'exclamait Louis-Antoine de Bougainville, le
futur navigateur des mers du Sud, au début de l'année
1759 [74]. À défaut de *posséder* réellement cet immense
territoire, peuplé par de nombreuses nations indiennes,
les Français, grâce à leurs établissements, à leurs déplacements et à la circulation de leurs marchandises, avaient
clairement établi une zone d'influence. Ils disposaient
d'une infrastructure capable de maîtriser correctement
l'espace, en acheminant les personnes et en transmettant
les ordres et les informations sur de longues distances,
du Canada à la Louisiane. La Nouvelle-France, en ce
sens, avait une dimension impériale, construite sous la
double impulsion de la traite des pelleteries et de la
nécessité de bloquer toute avance des Britanniques vers
l'ouest.

Quelques îlots de peuplement, une série de têtes de
pont stratégiquement situées, des poussières d'empire
jetées aux quatre vents d'un continent avant tout amérindien, voilà à quoi s'apparentait cette Amérique française
continentale qui se dressait en face des colonies britanniques, resserrées sur le littoral atlantique mais autrement
plus peuplées.

3

POUVOIRS ET INSTITUTIONS

À la différence de ce qui prévalait dans les colonies britanniques, les institutions jouèrent en Nouvelle-France un rôle moteur dans la constitution des sociétés coloniales. Joseph Zitomersky a souligné les spécificités de l'approche de l'espace dans l'Amérique française, en parlant d'un mode d'occupation « institutionnalisé », au sens où les Français qui dirigeaient la colonisation du territoire étaient souvent des hommes « de réseau », rattachés à des cadres ou des organisations de type institutionnel : administrateurs, militaires et diplomates au service de l'État (ou de compagnies), missionnaires issus d'ordres religieux ou encore marchands membres de compagnies commerciales [1]. L'État devint l'un des acteurs centraux de la colonisation au Canada à partir de Colbert : ce grand serviteur de la Couronne dota la colonie d'institutions à même d'assurer le contrôle direct de la monarchie. Des institutions similaires furent ensuite établies à l'île Royale et en Louisiane. L'objectif du ministre était de transplanter outre-Atlantique une société française idéale, forgée dans le moule absolutiste. Les colonies, en ce sens, devaient constituer des répliques améliorées de la métropole. C'est pourquoi le pouvoir royal s'y exerça de manière particulièrement autoritaire.

Est-ce à dire que les individus, localement, ne participèrent aucunement à la vie politique et à la gestion
administrative des colonies ? Pour répondre à cette question, il importe de s'interroger plus généralement sur les
rapports entretenus en Nouvelle-France entre les officiels
et les colons.

Une ou plusieurs colonies ?

Au XVIIIe siècle, la Nouvelle-France ne formait juridiquement qu'une seule colonie – et qu'un seul diocèse.
Elle était divisée en cinq gouvernements particuliers :
Québec, Trois-Rivières, Montréal, Louisiane et Acadie –
ou, après 1713, l'île Royale, dont le territoire administratif englobait l'île Saint-Jean. Le gouverneur général et
l'intendant de la Nouvelle-France, qui siégeaient à
Québec, étaient censés exercer leur autorité sur le
Canada, l'Acadie et la Louisiane (sauf, pour cette dernière, au temps de la Compagnie des Indes). Cela répondait à une certaine logique : la vallée du Saint-Laurent,
d'abord, constituait la partie la plus peuplée et la plus
anciennement organisée de la Nouvelle-France ; la colonie louisianaise – de La Mobile au Pays des Illinois –,
ensuite, en était la fille, le Canada lui fournissant des
missionnaires, des officiers, des administrateurs et des
colons. Les frères Le Moyne, d'Iberville et Bienville, fondateurs de Biloxi, de La Mobile et de La Nouvelle-
Orléans, ne sont-ils pas nés à Montréal ?
    En pratique, cependant, du fait de leur éloignement,
l'Acadie et la Louisiane étaient des colonies distinctes du
Canada. La distance, dans l'Amérique française, ne
semble certes pas avoir été appréhendée de la même
façon qu'en métropole. Louis-Antoine de Bougainville,
officier en Nouvelle-France durant la guerre de Sept Ans,

exprime son étonnement en 1756 devant le voyage d'un courrier entre La Nouvelle-Orléans et le Canada :

> « Il est arrivé ici [Montréal] le 9 [avril], un homme venant de la Louisiane. Il en est parti le 1er juillet avec le convoi qui, tous les ans, est envoyé de cette colonie à l'établissement que nous avons aux Illinois. Il est reparti des Illinois la veille de Noël, et le voici enfin arrivé ayant eu pour guides, à travers les lacs et les bois, des sauvages qu'il changeait de poste en poste. J'ai été étonné de voir ce courrier qui venait de si loin, d'une façon si peu commode, négligé à la porte de la chambre de M. de Vaudreuil [le gouverneur], et auquel on ne faisait pas plus d'attention qu'à un homme qui arriverait de Versailles à Paris [2]. »

Les convois, les canots, les postes, les guides indiens : telles étaient les principales composantes de l'infrastructure impériale française en matière de communication. En neuf mois, on traversait de part en part la Nouvelle-France. Mais l'anecdote de Bougainville ne doit pas faire illusion. De façon générale, mis à part les mouvements des traiteurs de pelleteries qui partaient de Montréal pour le Pays des Illinois, il n'existait pas de liaisons régulières entre la vallée du Saint-Laurent et la Louisiane, de sorte que les autorités du Canada et de la Louisiane s'ignoraient le plus souvent.

De fait, les officiels d'Acadie et de Louisiane recevaient leurs instructions directement de France. En 1684, Louis XIV signifiait ainsi au gouverneur La Barre : « bien que mon intention soit de vous conserver le commandement général dans ce qui peut regarder l'Acadie, et que le dit sieur Perrot [gouverneur de l'Acadie] ait rapport à vous autant que l'éloignement des lieux le peut permettre, vous ne devez envoyer aucun ordre sur les lieux pour ce qui regarde le détail de cette colonie [3] ». Au cours du XVIIIe siècle, remarquons-le, les administrateurs de l'île Royale, par ambition personnelle, demandèrent à plusieurs reprises aux autorités métropolitaines de voir leur colonie passer du statut de gouvernement particulier à celui de gouvernement général, comme Québec, la Martinique et Saint-Domingue. Malgré l'importance économique et stratégique de l'île, leur vœu ne fut toutefois pas exaucé. Reste que, pour l'île Royale, les liens étaient plus forts avec la métropole qu'avec le Canada. À titre d'exemple, Louisbourg, contrairement à Québec, ne disposait pas d'officialité (tribunal ecclésiastique). En 1721, une affaire de promesse de mariage qui relevait d'une telle juridiction fut ainsi jugée à La Rochelle plutôt qu'au Canada [4].

La naissance de la Louisiane, quant à elle, inquiéta les administrateurs de Québec : en 1700, le gouverneur général Louis-Hector de Callière demanda ainsi l'annexion par le Canada de cette nouvelle colonie. Il se heurta au refus du ministre, qui entendait « soutenir cet établissement [la Louisiane] par la mer », ajoutant qu'il était « plus facile d'y envoyer des ordres de France que de Québec [5] ». La rivalité entre le Canada et la Louisiane se manifesta à plusieurs reprises à propos de la juridiction sur le Pays des Illinois, situé à mi-chemin des deux colonies et rattaché officiellement à la seconde en 1717. Les autorités du Canada craignaient notamment que les marchands de La Nouvelle-Orléans ne détournent à leur profit les pelleteries de l'intérieur du continent ; elles s'offusquaient aussi de ce que plusieurs colons canadiens, plutôt que de mettre en valeur et de fortifier la colonie laurentienne, aillent s'installer sur le Mississippi. Cette mésentente fut longtemps préjudiciable à l'Empire français, en particulier sur le plan militaire. Dans les années 1715-1725 par exemple, le gouverneur général Rigaud de Vaudreuil ne fit rien pour contrer les raids des Indiens renards au Pays des Illinois, ce dont se plaignaient fortement les autorités de la Louisiane. Ces tensions entre le Canada et la Louisiane étaient cependant dérisoires comparées aux dissensions intercoloniales qui affaiblissaient l'Empire britannique. En outre, dans les années 1730, les deux colonies affrontèrent de concert les Renards, puis les Chicachas, qui furent attaqués par les Français (et leurs alliés autochtones) grâce à des contingents venus de Montréal, des Pays d'en Haut, du Pays des Illinois et de la Basse-Louisiane. Lors de la campagne de 1739-1740 contre les Chicachas par exemple, menée dans l'État actuel du Tennessee, le gouverneur de la Louisiane, Bienville, dirigeait une armée composée de soldats de la Louisiane et du Canada mais aussi d'alliés autochtones issus des deux colonies. L'officier Dumont de Montigny rapporte ainsi que s'étaient joints « les iroquois, les epissingles [Népissingues] et les hurons sauvages de Canada commandés par le sieur de celoron officier de quebec[6] ». Des « domiciliés » du Saint-Laurent combattant aux côtés d'Indiens de la vallée du Mississippi, sous les ordres (théoriques) d'un gouverneur d'origine française, voilà qui donnait au territoire de la Nouvelle-France une étonnante et concrète réalité. Par ailleurs, si le Canada avait fourni à la colonie mississippienne, avec les frères Le Moyne, ses premiers administrateurs, une carrière pouvait emprunter le trajet inverse : Pierre de Rigaud de Vaudreuil-Cavagnial (fils du premier Rigaud de Vaudreuil), avant de devenir le dernier gouverneur général de la Nouvelle-France et donc de siéger à Québec, avait ainsi été gouverneur de la Louisiane de 1743 à 1752. Né au Canada, il fut aussi le premier créole à être nanti d'une si haute charge.

Les régions situées dans l'intérieur du continent dépendaient donc de la Louisiane pour le Pays des Illinois et du Canada pour les Grands Lacs. Il fut certes question, à quelques reprises, d'ériger les Pays d'en Haut en gouvernement particulier, mais ce projet ne vit jamais le jour. Dans un mémoire adressé au ministre Louis de Pontchartrain en 1699, où il délivrait ses arguments en vue de la fondation d'un poste à Détroit, Cadillac ne cachait pas son ambition « d'ériger en gouvernement ce poste établi ». Il entendait par là se soustraire à l'autorité de Québec, jugée encombrante, et jeter les bases dans l'Ouest d'une colonie à part entière (il parlait d'ailleurs des Grands Lacs comme de la « colonie d'en haut ») [7]. L'idée de Cadillac fut reprise un demi-siècle plus tard par Bougainville, mais sans plus de succès.

Une administration d'Ancien Régime

Sous régie royale, l'administration coloniale, partout, calquait son organisation sur celle de la métropole. Le Canada (après 1663), l'île Royale (dès 1713) et la Louisiane (à partir de 1731) furent ainsi administrés comme des provinces de France. Même s'il fut considérablement simplifié et corrigé dans une optique absolutiste, le système administratif des colonies françaises demeura donc marqué, à l'instar de celui du royaume, par l'absence de séparation entre les différents pouvoirs (exécutif, législatif et judiciaire) et par l'enchevêtrement des compétences entre les divers officiers et juridictions.

Un gouvernement bicéphale

À la tête de chaque colonie, le pouvoir était partagé entre un gouverneur, d'une part, et un intendant (au Canada) ou un commissaire-ordonnateur (en Louisiane et à l'île Royale), d'autre part. Le gouverneur général de la Nouvelle-France et du Canada, qui était aussi celui, particulier, de Québec, était assisté d'un gouverneur à Trois-Rivières et à Montréal, à l'instar de l'intendant, secondé dans ces deux cités par un commissaire-ordonnateur. Chaque gouverneur était flanqué dans la ville de son gouvernement d'un lieutenant de roi, d'un major et d'un aide-major. Des commandants et des gardes-magasins, en outre, relayaient l'autorité du gouverneur et de l'intendant ou du commissaire-ordonnateur dans les postes de l'intérieur. En Louisiane, l'importance du Pays des Illinois fut reconnue avec l'institution en 1731 d'un écrivain principal qui remplaça le commis de la Compagnie des Indes et servit de subdélégué au commissaire-ordonnateur.

À l'exception de Rigaud de Vaudreuil-Cavagnial, le gouverneur général fut toujours natif de la France. Il était recruté parmi la vieille noblesse d'épée, et le roi, le plus souvent, laissait au ministre le soin de sa promotion. En 1699, il intervint néanmoins personnellement pour imposer son candidat à la succession du gouverneur Frontenac, décédé l'année précédente ; Pontchartrain, le ministre, souhaitait introniser Rigaud de Vaudreuil, mais c'est Louis-Hector de Callière, dont le frère, François, était secrétaire du roi, qui fut choisi par Louis XIV. En Louisiane, les gouverneurs étaient d'origines plus variées. Quatre sur onze étaient nés au Canada ; en revanche, tous les commissaires-ordonnateurs ou leurs équivalents étaient natifs du royaume, à l'exception du dernier, Foucault, un Canadien de naissance. L'intendant du Canada, quant à lui, issu de la noblesse de robe, était toujours un Français choisi dans la clientèle du ministre. Au début du XVIIIᵉ siècle, Beauharnois, Raudot et Bégon étaient ainsi tous apparentés à Jérôme de Pontchartrain. C'est pourquoi le procureur général du Conseil souverain, Ruette d'Auteuil, se plaignait de ce que le ministre exerçait « une autorité absolue sur ce malheureux pays et s'y est formé insensiblement une monarchie despotique où il trouve d'amples moyens d'enrichir tous ses parents [8] ». Alors que le poste de gouverneur récompensait une longue carrière militaire qui s'était parfois déroulée au Canada ou en Louisiane, celui d'intendant (ou de commissaire-ordonnateur), pour un jeune officier de plume

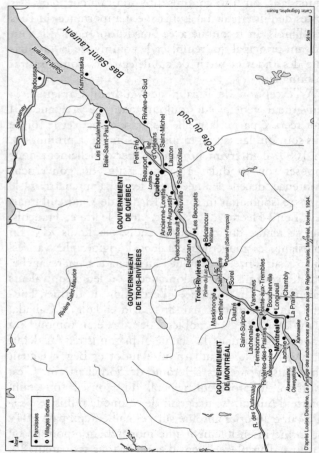

Le Saint-Laurent au XVIIIᵉ siècle

D'après Louise Dechêne, *Le Partage des subsistances au Canada sous le Régime français*, Montréal, Boréal, 1994.

Carte: Édigraphie, Rouen

Légende:
- ● Paroisses
- ○ Villages indiens

Gouvernements:
- GOUVERNEMENT DE QUÉBEC
- GOUVERNEMENT DE TROIS-RIVIÈRES
- GOUVERNEMENT DE MONTRÉAL

Lieux:
Tadoussac, Kamouraska, Rivière-du-Sud, Saint-Michel, Les Éboulements, Baie-Saint-Paul, Petit-Pré, Île d'Orléans, Loretta, Lauzon, Beauport, Québec, Saint-Nicolas, Ancienne-Lorette, Saint-Augustin, Neuville, Deschambault, Les Becquets, Bécancour, Wôlinak, Batiscan, Odanak (Saint-François), Trois-Rivières, Lac Saint-Pierre, Maskinongé, Pointe-du-Lac, Sorel, Berthier, Dautré, Varennes, Pointe-aux-Trembles, Boucherville, Chambly, Saint-Sulpice, Lachenaie, Terrebonne, Longueuil, La Prairie, Rivières-des-Prairies, Kanawake, Montréal, Lachine, Kahnawake, Akwesasne, Oswegatchie

Cours d'eau:
Saguenay, Saint-Laurent, Bas Saint-Laurent, Côte du Sud, Rivière Saint-Maurice, R. des Outaouais

Nord

50 km

des bureaux de la Marine, constituait une parenthèse coloniale et une étape préalable à une promotion en métropole.

Le gouverneur était le représentant personnel du roi et bénéficiait à ce titre de la prééminence sur l'intendant ou sur le commissaire-ordonnateur (et sur l'évêque pour le gouverneur général). L'arrivée d'un nouveau gouverneur général à Québec était un événement considérable : des salves de canon étaient tirées au moment de son débarquement, les officiers de justice venaient lui rendre leur hommage, et il passait ensuite en revue les troupes qui le saluaient de la pique comme un maréchal de France. L'intendant le conduisait finalement à la cathédrale où l'évêque, entouré du chapitre et du clergé de la ville, l'accueillait solennellement au nom de la colonie. Passé ce cérémonial, le gouverneur devait imposer et faire reconnaître son autorité en rencontrant les différents « corps » de la colonie. En 1753, le chevalier de Kerlérec, nouvellement nommé en Louisiane, reçut ainsi successivement dans sa résidence, au cours de la semaine suivant son arrivée, le clergé, les membres du Conseil supérieur et les représentants des planteurs. Il prit même la peine de visiter des plantations éloignées de La Nouvelle-Orléans afin de recueillir les doléances des simples habitants.

Le gouverneur recommandait les candidats aux divers postes de l'armée et dirigeait les troupes et les milices. Il était ainsi, avant tout, un chef militaire. Au Canada, des gouverneurs comme La Barre, Denonville et Frontenac menèrent personnellement des expéditions contre les Iroquois. En 1696, le troisième, alors âgé de soixante-quatorze ans, se fit porter à travers bois dans un fauteuil lors d'une campagne contre les Onontagués et les Onneiouts (deux nations iroquoises). Bienville, en Louisiane, conduisit lui aussi deux campagnes contre les Chicachas.

De surcroît, le gouverneur était chargé des relations extérieures et, en particulier, de la diplomatie autochtone, qui lui conférait des prérogatives essentielles. Le caractère ambulant des capitales coloniales en témoigne. Si Québec était le siège politique officiel, le gouverneur et l'intendant, de juin à septembre environ, s'installaient en effet à Montréal, et cela essentiellement « par rapport aux affaires des sauvages [9] » : c'est là qu'étaient reçues chaque été les ambassades amérindiennes en provenance de Michillimakinac, de la baie des Puants, de Détroit ou de l'Iroquoisie. De la même façon, le gouverneur de Louisiane, qui vivait à La Nouvelle-Orléans, se rendait fréquemment à La Mobile pour rencontrer ses alliés chactas et alibamons après 1729, même si La Mobile ne joua jamais le rôle que remplissait Montréal par rapport à Québec.

Pourvu de pouvoirs de justice, de « police » (soit l'administration générale) et de finances, l'intendant (ou le commissaire-ordonnateur) était « l'œil et la main du roi ». Il veillait à l'application des lois et, présidant le Conseil souverain ou supérieur, faisait figure de « chef suprême de la justice [10] ». Dispensateur des deniers royaux, y compris pour les dépenses militaires, il constituait le personnage le plus influent de la vie coloniale, même si le gouverneur avait préséance sur lui. Comme le souligne Guy Frégault, « ce que l'un [le gouverneur] possède en dignité, l'autre [l'intendant] le possède en pouvoir réel [11] ». L'intendant avait non seulement la responsabilité de gérer le budget, mais aussi celle de fixer le cours de la monnaie et le prix des denrées. Il devait prendre des mesures pour favoriser le peuplement et faciliter le développement de l'agriculture, de la pêche, du commerce et de l'industrie. Pour ce faire, il procédait régulièrement à des recensements, une pratique qui ne s'imposa en France au niveau national qu'à l'époque napoléonienne.

En raison des pouvoirs de police générale conférés également au gouverneur et du contrôle que l'intendant pouvait exercer sur la politique coloniale de par sa gestion du budget, de nombreux conflits d'attribution existaient entre les deux chefs. Ces désaccords furent d'autant plus vifs qu'ils s'inscrivaient fréquemment dans une rivalité entre les différentes noblesses et qu'ils étaient exacerbés par des querelles de personnes et de préséances particulièrement sensibles dans une société d'apparat et de représentation. La Nouvelle-France fut souvent livrée au jeu des factions et des cabales, le gouverneur et l'intendant regroupant chacun autour de lui un réseau de clients à qui ils accordaient des faveurs en échange de leur soutien.

La Louisiane, où les antagonismes entre Canadiens et Français renforçaient les divisions entre militaires et civils, fut le théâtre des plus graves conflits, mais le Canada ne fut pas épargné. Dans les années 1670, le gouverneur Frontenac et l'intendant Duchesneau se disputaient la présidence du Conseil souverain. « Du temps que Monsieur de Frontenac était en Canada, rapporte le baron de Lahontan, il se moquait de la prétendue préséance des Intendants. Il traitait les membres de ce parlement comme Cromwell ceux d'Angleterre [12]. » Le même problème se posa à Louisbourg au temps du gouverneur Saint-Ovide, en 1720 et à nouveau en 1732. Il arrivait aussi souvent que les deux têtes de l'exécutif ne s'accordent pas pour rédiger ensemble le rapport annuel au roi, à l'instar de Frontenac et de Champigny au Canada dans les années 1690 ou de Cadillac et de Duclos en Louisiane à l'époque de Crozat. À Québec, l'ambition des intendants atteignit son apogée avec Dupuy, qui défia avec beaucoup d'audace l'autorité du gouverneur Beauharnois entre 1726 et 1728. Celui-ci s'en insurgeait avec une plume mordante : « Il [Dupuy] fait, en ce pays, le général, l'évêque et l'intendant [13]. » Versailles finit par réagir :

Dupuy fut limogé et la supériorité du gouverneur proclamée. L'intendant aurait dû s'en douter : durant tout le Régime français, le roi ne souffrit jamais que l'autorité de son représentant personnel fût éclipsée par celle d'un autre.

La prééminence du gouverneur général sur l'intendant de la Nouvelle-France était également marquée par des différences de traitement. Cependant, contrairement aux autres officiers, tous deux touchaient des appointements conséquents qui leur permettaient de tenir leur rang. Ils n'en cherchèrent pas moins des sources de revenus annexes. En 1719, une ordonnance royale fut d'ailleurs publiée qui interdisait aux officiels de posséder des plantations pour y produire du sucre ou toute autre denrée coloniale. Ce texte, à l'évidence, était destiné principalement aux Antilles, mais il fut aussi promulgué dans les autres colonies. La Couronne cherchait à préserver l'intégrité des administrateurs et leur liberté de mouvement, et à les empêcher de se créoliser en partageant les mêmes intérêts que leurs administrés. Mais, en marge du texte enregistré en Louisiane, il était précisé : « Cette ordonnance n'a point été suivie dans la colonie, la Compagnie ayant permis au gouverneur commandant et autres, pendant la régie d'avoir des habitations et cette permission a eu force de loi [14]. » De fait, les autorités tirèrent partout profit de leur position pour s'enrichir en participant aux entreprises foncières et aux activités commerciales. Cette confusion des intérêts privés et publics – banale sous l'Ancien Régime – donna cependant lieu à quelques scandales, en particulier au Canada. Les gouverneurs Frontenac et Vaudreuil furent ainsi accusés de prendre une part active à la traite illégale des fourrures. Les intendants Michel Bégon et François Bigot, de leur côté, se distinguèrent par leur affairisme et leur absence de scrupules, à la différence de Hocquart. Le marquis de Montcalm rencontra ce dernier à Brest en 1756 et nota à son propos : « Pour M. et Mme Hocquart, c'est un couple bien assorti ; ce sont d'honnêtes gens, vertueux, bien intentionnés, tenant une bonne maison. Aussi M. Hocquart a-t-il été vingt ans intendant en Canada sans avoir augmenté sa fortune, contre l'ordinaire des intendants des colonies qui n'y font que de trop grands profits aux dépens de la colonie [15]. »

Le système judiciaire

À l'instar des provinces récemment rattachées au royaume, les colonies étaient dotées d'un Conseil souverain (au Canada dès 1663), appelé « supérieur » en Louisiane (1712-1716) et à l'île Royale (1717-1720). Le Conseil souverain de Québec, où siégeaient le gouverneur, l'intendant, l'évêque [16], un procureur général, un greffier et quelques autres conseillers, servait essentiellement de tribunal d'appel en matière civile et criminelle. Les conseillers étaient choisis parmi les habitants les plus aisés, pour la plupart des administrateurs et des marchands, ce qui leur permettait d'exercer une certaine influence sur la vie coloniale [17]. Ils étaient nommés par le roi pour une durée indéterminée et recevaient des appointements, d'ailleurs peu élevés. Contrairement à la situation métropolitaine, ces charges judiciaires n'étaient donc pas des offices vénaux et héréditaires, même si les fils succédaient souvent à leur père au Conseil, comme dans les autres juridictions. Cela rendait les magistrats moins indépendants et plus soumis au pouvoir royal. En 1714, le ministre refusa ainsi de conférer le siège au Conseil supérieur de Québec de Charles de Monseignat à son fils aîné, affirmant que les offices ne deviendraient jamais héréditaires [18]. À Louisbourg, en 1720, la composition du Conseil supérieur suscita des plaintes que rapporta le commissaire-ordonnateur Jacques-Ange Le Normant de Mézy : quatre des six conseillers étaient des officiers militaires (le gouverneur, le lieutenant de roi, un major et un capitaine de compagnie), de sorte qu'aux yeux des habitants le Conseil avait davantage l'allure d'un conseil de guerre que d'un Conseil supérieur. Le ministre refusa néanmoins la proposition de Mézy d'augmenter le nombre de conseillers choisis par les marchands et les habitants-pêcheurs à onze (au lieu de deux). Il se contenta dans les années suivantes de nommer deux conseillers supplémentaires, un marchand et le fils de Mézy lui-même.

Le Conseil souverain de Québec, dont le ressort embrassait théoriquement toute la Nouvelle-France, coiffait un système judiciaire qui était régi par une seule coutume, celle de Paris, ainsi que par la grande ordonnance criminelle de 1670 et par la jurisprudence du Parlement de Paris. Cette unité contrastait avec la mosaïque juridique prévalant en métropole. Autre particularité par rapport à la France : les avocats y étaient quasiment absents, même si la Couronne ne les interdit pas formellement, contrairement à ce que les historiens ont longtemps pensé [19].

Au Canada, chaque gouvernement possédait un tribunal royal de première instance : une prévôté à Québec et des cours appelées « juridictions royales » à Trois-Rivières et à Montréal. Au XVIIe siècle, c'était le séminaire de Saint-Sulpice qui, en tant que seigneur de l'île de Montréal, avait exercé la justice, mais en 1693 le pouvoir royal imposa sa prééminence en la matière, ne laissant plus au Séminaire que la basse justice. La plupart des tribunaux seigneuriaux du Canada étaient d'ailleurs cantonnés à cette instance et ils eurent tendance à disparaître au cours du XVIIIe siècle. À l'île Royale, la monarchie avait d'abord prévu de créer trois bailliages – Louisbourg, Port Dauphin, Port Toulouse – mais seul le premier vit le jour, et cela tardivement, en 1734. La population des deux autres circonscriptions ne fut finalement pas jugée assez importante pour qu'on y érige des cours de justice et elles dépendirent en conséquence de Louisbourg. En outre, en 1717, un tribunal de l'Amirauté fut créé à Québec et à Louisbourg pour juger en première instance les cas maritimes. La faiblesse du commerce rendit inutile l'établissement d'une telle juridiction en Basse-Louisiane.

Le système judiciaire y était d'ailleurs beaucoup plus simple : le Conseil supérieur rendait la justice à la fois en première instance pour la région de La Nouvelle-Orléans et en dernier ressort pour l'ensemble de la colonie. Au Pays des Illinois, un Conseil provincial fut instauré en 1722 : il jugeait les affaires en première instance, les appels étant renvoyés à La Nouvelle-Orléans. Ce conseil disparut quelques années plus tard ; après 1731, c'était l'écrivain principal qui faisait dorénavant, en Haute-Louisiane, office de juge au civil et au criminel. Un système similaire existait aussi dans les autres postes hors de la juridiction de La Nouvelle-Orléans. Au Canada, la poursuite des criminels relevait de la responsabilité du prévôt de la maréchaussée qui siégeait à Québec. Ce prévôt avait un « exempt [20] » à Montréal et disposait dans les deux villes d'une brigade d'archers, alors que c'est l'armée qui en Acadie et en Louisiane se chargeait d'une telle fonction.

L'appareil administratif répondait ainsi aux besoins essentiels des colonies. Au personnel déjà décrit s'ajoutaient : les ingénieurs militaires ; les chirurgiens, les aumôniers, les armuriers et les interprètes, présents dans chaque ville et dans chaque poste où se trouvaient des soldats en garnison ; le directeur du Domaine d'Occident et le contrôleur de la Marine, secondé par des gardes-magasins, le grand voyer, responsable de la voirie, et le capitaine de port, assistant aussi l'intendant ; les secrétaires, les écrivains et autres commis ; les greffiers et les huissiers dans les cours de justice. Peuvent être joints à ces officiers et à ces employés les notaires et les arpenteurs, que le roi ne rétribuait pas, mais nommait. Au milieu du XVIIIᵉ siècle, on comptait au Canada quelques centaines d'agents du pouvoir, ce qui n'était pas considérable.

L'absence de pouvoirs intermédiaires

Les colonies, bien qu'éloignées de la métropole, constituaient aux yeux du roi le cadre idéal d'instauration d'un État centralisé. Ces pays « neufs » devaient permettre d'innover en matière institutionnelle afin de rationaliser l'appareil administratif. Une telle volonté royale contredisait la tendance spontanée des autorités locales et des habitants à reproduire plutôt les institutions traditionnelles de la métropole. Mais, comme l'a souligné Peter Moogk, les groupes d'intérêt qui existaient lorsque le Canada fut érigé en province royale – le clergé et l'oligarchie de la Communauté des habitants –, n'avaient pas la force de certains ordres et corps constitués de la métropole – la noblesse, les provinces, les corps municipaux, etc. –, qui essayaient de défendre leurs privilèges et libertés, au nom du respect de la tradition et de la coutume. Le pouvoir royal put ainsi imposer dans les colonies un absolutisme plus intransigeant en matière gouvernementale et empêcher l'instauration des pouvoirs intermédiaires qu'il cherchait alors à supprimer dans le royaume.

Louis XIV, en effet, s'opposa à l'établissement de tout corps représentatif en Nouvelle-France. En 1672, le gouverneur Frontenac, qui venait de débarquer en Amérique, décida d'assembler les délégués des trois ordres (clergé, noblesse et tiers état) pour leur adresser un discours inaugural. Or il fut réprimandé l'année suivante par Colbert :

« L'assemblée et la division que vous avez faite de tous les habitants du pays en trois ordres ou états pour leur faire prêter le serment de fidélité pouvaient produire un bon effet dans ce moment là, mais il est bon que vous observiez que comme vous devez toujours suivre dans le gouvernement et la conduite de ce pays là les formes qui se pratiquent ici et que nos rois ont estimé du bien de leur service depuis long-temps de ne point assembler les états généraux de leur royaume, pour peut-être anéantir insensiblement cette forme ancienne, vous ne devez aussi donner que très rare-ment et pour mieux dire jamais, cette forme au corps des habitants dudit pays et il faudra même avec un peu de temps, et lorsque la colonie sera encore plus forte qu'elle n'est, supprimer insensiblement le syndic qui présente des requêtes au nom de tous les habitants, étant bon que chacun parle pour soi, et que personne ne parle pour tous [21]. »

Les États généraux n'avaient pas été réunis en France depuis 1614 – malgré les demandes pressantes de la noblesse au moment de la Fronde en 1651 – et ils ne le furent pas à nouveau avant 1789. Les élites étaient cependant attachées à cette institution qui jouait un rôle de conseil auprès du roi et permettait de tempérer son pouvoir. Mais Louis XIV n'entendait nullement réactiver « cette forme ancienne » : il voulait au contraire l'« anéantir insensiblement » par l'oubli, *a fortiori* dans les colonies.

À la place des États généraux, les Conseils souverains ou supérieurs, qui se voulaient les équivalents des Parle-ments français, auraient pu jouer un rôle important. À l'origine, le Conseil souverain de Québec avait d'ailleurs été doté de pouvoirs étendus à la fois dans le domaine judiciaire et dans celui de la législation. Il était chargé de réglementer toutes les affaires de police générale et municipale : le maintien de l'ordre, la sécurité publique, l'entretien et l'approvisionnement de la ville, etc. L'arrivée de l'intendant et l'établissement véritable de l'autorité royale, en 1665, changea cependant progressivement la donne. À partir de 1672 en effet, l'intendant obtint la possibilité d'agir indépendamment du Conseil, dont le pouvoir se limita rapidement à enregistrer les ordonnances que les autorités lui soumettaient – notons d'ailleurs que c'est à la même époque, en 1673, qu'une déclaration royale ôta aux Parlements français la possibilité de faire des remontrances avant l'enregistrement des ordonnances.

En 1685, Louis XIV cassa même une ordonnance de police du Conseil canadien et lui interdit d'en édicter de sa seule autorité. En 1714, en l'absence de l'intendant Bégon qui séjournait à Montréal, et alors que la disette s'aggravait dans la capitale, le Conseil se sentit obligé de prendre quelques mesures. Bermen de La Martinière, à la fois premier conseiller et subdélégué de l'intendant, rapporte ainsi :

> « On ne se contente pas de parler de cette Compagnie [le Conseil] avec mépris dans les conversations particulières mais en public, en pleine rue, et jusque dans les maisons de ceux qui composent cette Compagnie, où on leur dit impunément qu'il semble que tout leur pouvoir soit supprimé, puisqu'ils n'ont pas seulement celui de faire délivrer un minot de blé à une infinité de pauvres familles, à qui on en refuse, l'argent à la main, à sept et huit livres le minot, et qui souffrent la faim dans un temps que le blé ne devrait valoir que quatre livres, par l'abondance qu'il y en a dans toutes les côtes et que l'on tient caché ainsi que les farines, pour les embarquer et enlever hors de la colonie. »

Devant ces accusations de complot de famine, les conseillers se contentèrent d'écouter les doléances des particuliers et de rédiger un arrêt préparatoire à l'assemblée de police qui devait se tenir au retour de l'intendant. Celui-ci, furieux, rappela pourtant au Conseil qu'il n'avait pas le droit de légiférer, ni même « d'agiter ces matières [22] ». À partir du début du XVIIIᵉ siècle, le Conseil, appelé significativement « supérieur » et non plus « souverain » (comme tous les Parlements français depuis l'ordonnance de 1665), ne fut ainsi qu'une cour de justice chargée de juger en dernier ressort. En 1734, ultime marque de loyalisme et de soumission, les officiers demandèrent à Louis XV un portrait de sa majesté afin d'orner la salle de délibérations du Conseil [23].

Le pouvoir royal ne laissa pas davantage l'autonomie urbaine se développer, d'autant qu'en métropole les villes étaient de plus en plus étroitement surveillées par les intendants et leurs libertés restreintes, en particulier sous le règne personnel de Louis XIV. À Montréal, dès 1644, les colons se groupèrent pourtant spontanément en communauté d'habitants, une institution généralement réservée aux paroisses rurales en métropole. Ils tenaient régulièrement des assemblées afin de gérer leurs affaires et d'élire un syndic, qui les représentait auprès des autorités royales et seigneuriales. Contrairement à la situation française, une large partie des habitants, et pas seulement les plus aisés, assistaient à ces assemblées. À partir de 1647, les habitants de Québec commencèrent aussi à élire des syndics. Ils allèrent plus loin encore en 1663 en faisant élire un maire et deux échevins, se dotant ainsi d'un corps de ville et tâchant de s'administrer eux-mêmes à l'instar des cités du royaume. Un mois après, le Conseil souverain annula toutefois cette élection, ne jugeant pas utile d'établir une telle institution pour une ville si peu peuplée. Dix ans plus tard, Frontenac décida d'établir à nouveau un régime municipal et, à ce dessein, trois échevins furent élus. Mais, en 1677, le gouverneur supprima toute forme de représentation urbaine : communauté des habitants, syndic et corps municipal. Cette décision avait été prise suite à un mouvement séditieux des habitants de Montréal auquel avait pris part le syndic.

À La Nouvelle-Orléans, on procéda en 1728 à l'élection d'un syndic pour la répartition du prix des esclaves noirs suppliciés [24]. La Compagnie avait accepté cette réunion « quoi qu'[elle] ait beaucoup de répugnance à souffrir qu'il se fasse des assemblées d'habitants parce qu'elles sont toujours tumultueuses et que l'on y peut traiter d'autres sujets que ceux pour lesquels elles sont convoquées [25] ». Aux yeux des autorités, l'assemblée avait, en effet, donné lieu à des difficultés que le gouverneur Périer avait néanmoins réussi à résoudre : il était parvenu à faire nommer qui il voulait. Mais les archives ne disent pas si une telle expérience fut répétée par la suite. De toute façon, le syndic n'avait ici qu'un rôle extrêmement réduit et était étroitement contrôlé par le pouvoir. Seule l'Acadie, à vrai dire, vit se maintenir durablement des syndics.

Au Canada les notables urbains purent continuer toutefois à exprimer leurs opinions dans le cadre des assemblées de police instituées en 1676. Elles étaient censées être convoquées deux fois par an par le lieutenant général de la prévôté de Québec ou le bailli de Montréal, mais elles ne furent jamais aussi fréquentes. Les plus riches habitants y discutaient des différentes affaires de police générale et s'occupaient notamment de fixer les taxes sur le pain et la viande. Ces assemblées disparurent au début du XVIIIe siècle. Les élites marchandes de Québec et de Montréal, cependant, continuèrent à se réunir de manière officieuse. La corporation des marchands de chacune de ces villes, par une ordonnance royale en 1717, reçut l'autorisation de s'assembler quotidiennement et de déléguer un des leurs pour les représenter auprès des autorités. Les autorités consultaient aussi les habitants pour les constructions publiques (un tronçon de route, un pont, une église, etc.). Ainsi, lorsqu'il fut envisagé en 1736, puis en 1751, d'ériger un nouveau fort au Pays des Illinois, le gouverneur et le commissaire-ordonnateur de Louisiane demandèrent-ils aux autorités locales de réunir les officiers et les principaux habitants pour en choisir le site [26]. De même, en 1733, époque où l'île Royale manquait de vivres, le gouverneur Saint-Ovide consulta les notables en vue d'une expédition commerciale pour acheter des denrées à Boston. Les négociants conseillèrent d'ailleurs de se rendre plutôt à New York [27]. Comme l'a fait remarquer A. J. B. Johnston, c'est à l'île Royale que les marchands et les pêcheurs exercèrent la plus grande influence sur le gouvernement, en raison du rôle important de la pêche à la morue pour l'économie du royaume. En témoigne le fait qu'ils choisirent eux-mêmes le site de Louisbourg, alors que des officiers militaires, y compris des ingénieurs, auraient préféré Port-Dauphin. Il ne faudrait pas toutefois opposer les administrateurs aux négociants : les deux groupes partageaient des intérêts communs, les officiels participant aux entreprises de pêche et de commerce.

En raison de l'absence d'institutions représentatives permanentes, mais aussi de l'interdiction de toute imprimerie [28] – ce qui empêchait la publication de pamphlets et autres ouvrages contestataires –, les historiens du XIXe siècle ont souvent qualifié le système politique de la Nouvelle-France de profondément despotique, l'opposant à celui de la Nouvelle-Angleterre, né sous le signe de la liberté. « Quand je veux juger l'esprit de l'administration de Louis XIV et ses vices, écrit Alexis de Tocqueville, c'est au Canada que je dois aller. On aperçoit alors les difformités de l'objet comme dans un microscope [29]. » Cette vision occulte néanmoins quelques éléments importants : les autorités locales, on l'a vu, participèrent largement à l'élaboration de la politique coloniale ; autour du gouverneur et de l'intendant existaient des « partis » qui défendaient les intérêts des habitants les plus aisés ; les simples colons, malgré l'absence d'institutions représentatives permanentes, parvenaient à se faire entendre des autorités à travers des pétitions et des requêtes. Dans les campagnes, de surcroît, le pouvoir semblait loin de la plupart des paysans, tandis que les espaces périphériques de la Nouvelle-France, en particulier les Pays d'en Haut, échappaient en grande partie aux rets de l'administration. De manière générale, les autorités ne disposaient pas de moyens répressifs susceptibles de contraindre les habitants à respecter la législation royale. En 1685, le gouverneur du Canada écrivait ainsi : « Rien de plus beau ni de mieux conçu que tous les règlements de ce pays, mais je vous assure que rien n'est de si mal observé [30]. » Comme en métropole, l'absolutisme connaissait donc d'importantes limites. En outre, il ne faudrait pas le concevoir comme un phénomène imposé d'en haut par la force, puisqu'il nécessitait le consentement des gouvernés.

Une autorité acceptée

Contrairement à la réputation d'indépendance qui leur fut faite par les administrateurs, les Canadiens, tout au long du Régime français, acceptèrent globalement l'autorité royale et se révoltèrent peu. Les élites, en effet, avaient besoin du patronage royal. Les raisons avancées par l'officier anglais Pittman pour expliquer la soumission des principaux habitants du Pays des Illinois à l'autorité de leur commandant peuvent être étendues à l'ensemble de la Nouvelle-France : le commandant et, plus généralement, le pouvoir royal, « pouvait leur concéder de nombreuses faveurs, telles que de leur accorder des contrats pour la fourniture de denrées ou pour la construction de bâtiments publics, de les employer dans son commerce, ou d'accepter leurs enfants comme cadets, payés et nourris, et de les recommander pour des commissions, une fois qu'ils étaient parvenus à l'âge adulte [31] ».

Comme l'a bien montré Louise Dechêne, les couches populaires ne se révoltèrent pas davantage que les élites. Les troubles de subsistances qui se produisaient fréquemment en France furent ainsi extrêmement rares dans les colonies. En Louisiane, ce n'est qu'en 1723 que des soldats et des marins protestèrent contre la cherté du pain et les faibles salaires suscités par la politique d'économies de la Compagnie des Indes. De leur côté, les archives canadiennes témoignent d'une seule émeute de subsistances. En août 1714, les frères Asselin de l'île d'Orléans portèrent plainte pour avoir été attaqués alors qu'ils venaient livrer du blé à Québec :

> « Le nommé Savari et sa femme, la femme du Portugais, la femme du Polonais et plusieurs autres femmes à eux inconnues se seraient jeté sur les d [ites] farines et en auraient pris et enlevé 2 quarts et 2 poches pleines pesant ensemble 508 livres, qu'elles auraient prises et emportées de force et violence, et pour cela, se seraient attroupées au nombre de plus de 30 à 40. Et comme ces sortes d'attroupements, violences et enlèvements ne doivent point être permis, d'autant que c'est une émotion et assemblée illicite et populaire, qui ouvre la porte à des séditions et soulèvements publics que l'on peut même qualifier de vols ouverts et publics puisque aucuns ne prétendent payer les d [ites] farines par eux enlevées. C'est ce qui oblige les suppliants de se pourvoir par devant vous [32]. »

Comme toujours dans ce type d'émeutes, les femmes issues des milieux artisanaux étaient au premier rang. En l'espèce, elles réagissaient à la cherté du pain et à son absence dans les boulangeries de la ville. Mais le mouvement s'explique surtout par les rumeurs d'un complot de famine et par l'inaction du Conseil supérieur. C'est probablement en vue de protéger les intérêts de l'intendant Bégon, soupçonné d'exporter des farines, que le procureur du roi ne poursuivit les émeutiers qu'au civil et ne leur imposa qu'une simple amende, empêchant ainsi que l'affaire ne s'ébruitât auprès du ministre.

Après 1714, de tels troubles ne se répétèrent plus au Canada. Au moment des disettes de 1737-1738 et de 1742-1744, aucune émotion ne se développa parmi les citadins, satisfaits des mesures prises par les autorités. Il en fut de même durant la guerre de Sept Ans, malgré un mouvement initié par des groupes de femmes qui protestèrent vigoureusement, auprès des officiers responsables, contre la suppression du pain des rations populaires à Montréal, puis à Québec en 1757-1758. La misère frappait alors les deux cités, mais la présence massive de soldats prévenait tout trouble plus sérieux. De manière générale, tout au long du Régime français, les troupes stationnées en ville, beaucoup plus nombreuses en chiffres relatifs et beaucoup plus visibles qu'en métropole, jouèrent certainement un rôle dissuasif.

Cela explique également que les paysans qui marchèrent armés contre Québec en août 1714 firent demi-tour avant d'atteindre la cité. Selon le procureur général, des habitants des environs de la ville s'attroupèrent et « même il s'en est trouvé quelques-uns parmi eux assez téméraires pour s'être armés de fusils et ont été vus par différentes personnes, qu'ils ont poussé leur insolence jusqu'au point de faire des menaces d'entrer dans la ville ainsi attroupés si on n'écoutait leur remontrance ; et qu'ils ne se sont retirés que sur ce qu'ils ont appris que les troupes et les milices de cette ville étaient commandées pour marcher sur eux[33] ». Dans les années précédentes, de tels mouvements s'étaient déjà produits à deux reprises, en 1704 et en 1705. Les paysans s'insurgeaient contre l'enchérissement des marchandises au regard du prix des blés. Leur action était concertée et leur objectif, malgré leurs armes, pacifique : ils ne cherchaient pas à piller et à brûler les boutiques des marchands pour se faire justice, mais réclamaient aux autorités des mesures de taxation[34] qu'ils considéraient comme légitimes. Les administrateurs firent alors preuve de clémence, car ils avaient besoin de procéder à des levées de milice dans le contexte de la guerre franco-anglaise ; en revanche, en 1714, une fois la paix revenue, ils firent châtier les émeutiers beaucoup plus sévèrement. La longue paix qui s'ensuivit jusqu'à la guerre de Succession d'Autriche favorisa l'amélioration des relations entre les paysans et les marchands, de telle sorte que ces affrontements ne se reproduirent plus.

En outre, les paysans ne se révoltèrent jamais contre la taxation du prix du blé et les réquisitions, mesures que l'intendant imposa en cas de disette à partir de 1737. Cela ne signifie pas qu'ils les acceptèrent docilement et sans opposition, mais la résistance fut généralement passive et individuelle. L'absence d'institutions communautaires, en effet, ne facilitait pas les actions collectives. Sans avoir recours à la force armée, le gouvernement usait par ailleurs de moyens de pression : fortes amendes pour ceux qui cachaient du blé, récompenses pour les délateurs, etc. En 1742, juste avant de procéder aux premières réquisitions, il avait aussi obtenu de l'évêque un mandement dans lequel était dénoncée « l'odieuse cupidité » des paysans qui, inspirés par « l'ange des ténèbres », refusaient de livrer le blé et préféraient le vendre à des prix exorbitants. Il proclama que « celui qui résiste aux puissances résiste à l'ordre de Dieu et ceux qui y résistent se rendent dignes des peines éternelles [...]. Celui qui cache le blé sera maudit des peuples [35]. » Les mandements de l'évêque et les sermons répétés des curés participèrent ainsi d'un processus d'acculturation des campagnes et de réduction à l'obéissance des paysans.

L'Église missionnaire

Sous l'Ancien Régime, en métropole, comme dans les colonies, les responsabilités du clergé ne se limitaient pas, en effet, à l'encadrement spirituel ; les ecclésiastiques contribuaient aussi au maintien de l'ordre et de la cohésion sociale. L'action de l'Église était perçue comme indissociable de celle de l'État, ainsi que l'exprimait en 1720 le gouverneur de l'île Royale : « Je m'attache de faire vivre les habitants dans la Religion *et* l'obéissance qu'ils doivent au Roi et de maintenir l'union entre les uns et les autres [36]. » En relayant ou en soutenant pendant deux siècles l'action de l'État, l'Église a ainsi joué un rôle important dans la colonisation française en Amérique du Nord. Avant 1663-1665, en particulier, les religieux exercèrent une très grande influence et jouèrent un rôle moteur dans le développement colonial, consentant à d'importants investissements financiers et humains à un moment où l'État, puis la Compagnie des Cent-Associés, n'avaient pas les moyens de le faire. Ils participèrent à l'effort de peuplement, en recrutant des colons et des engagés, et à celui d'encadrement, en créant des hôpitaux, des pensionnats et des collèges, destinés aux habitants, mais aussi aux jeunes Indiens. Comme l'a souligné Cornelius Jaenen, l'Église en Nouvelle-France fut d'abord une Église missionnaire.

Les missions amérindiennes

L'orientation missionnaire de la colonisation est longtemps restée prioritaire au Canada. Dès le XVIe siècle, les entrepreneurs souhaitant pratiquer le commerce ou la pêche en Amérique étaient enjoints par lettres patentes d'évangéliser les Indiens. C'est ainsi que le roi François Ier justifiait la colonisation. Cartier, lors de ses deux premiers voyages, ne fut pas insensible à cette question, mais il n'y eut apparemment aucun missionnaire lors de la tentative de colonisation de 1541. Dominique Deslandres explique que l'éveil missionnaire de la France intervient surtout à partir de la fin du règne d'Henri IV, lorsque les élites françaises sont de plus en plus gagnées par les idées tridentines et que s'affirme le « parti dévot ». La Nouvelle-France n'est alors qu'un terrain parmi d'autres d'une vaste entreprise de christianisation qui touche également le Brésil (baie de Maranhão), les Antilles et le Moyen-Orient, une expansion outre-mer qui renforce l'exigence de soumission au sein même du royaume : « la découverte d'innombrables "païens" extra-européens mène [...] à une prise de conscience qu'il existe tout aussi bien des "païens" à l'intérieur du pays [37] ».

La première moitié du XVIIᵉ siècle est bien au Canada et en Acadie une époque d'élan missionnaire, marquée par les rêves de conversions massives et de francisation des Indiens et par une exaltation mystique qui confine chez de nombreux individus au désir du sacrifice et du martyre. Les laïcs font partie des animateurs de cette politique, à l'instar de Poutrincourt et de Lescarbot en Acadie, et, au Canada, de madame de La Peltrie et de Paul de Maisonneuve ou auparavant de Champlain. Au cours de ses premières années nord-américaines, le fondateur de Québec ne manifeste guère d'entrain pour la colonisation spirituelle. Il ne perçoit alors les autochtones que comme des informateurs, des guides, et bien sûr comme des alliés économiques et militaires. Puis, progressivement, il fait sien le discours « civilisateur » des missionnaires et des tenants les plus acharnés de la Réforme catholique.

Mais les troupes de choc, dans le « processus d'intégration socioreligieuse des Amérindiens [38] », sont formées par les missionnaires réguliers. Les premiers jésuites débarquent en Acadie en 1611, et, quatre ans plus tard, des récollets gagnent le Canada. En 1625, ces derniers (dont le frère convers Gabriel Sagard, auteur du *Grand voyage du pays des Hurons*) sont rejoints par des membres de la Compagnie de Jésus avec qui ils collaborent jusqu'à la prise de Québec par les frères Kirke (1629). Après 1632 et la restitution du Canada à la France, les jésuites reviennent sur le Saint-Laurent avec Champlain tandis que des capucins se rendent en Acadie. Les disciples d'Ignace de Loyola, pendant près de trente ans, vont alors exercer un véritable monopole sur la vie socioreligieuse du Canada, illustré par la publication annuelle, de 1632 à 1673, de leurs *Relations des jésuites*, dont la principale fonction était d'édifier le public dévot de métropole. L'espoir est bel et bien de fonder en terre américaine, ce « pays nouveau », une France régénérée, « de bannir les méchantes coutumes de quelques endroits de l'Ancienne France, et d'en introduire de meilleures », bref d'édifier une « Jérusalem bénite de Dieu, composée de citoyens destinés pour le ciel », qu'ils soient d'origine française ou amérindienne [39].

Après la chute de la Huronie, des missionnaires jésuites tentèrent de poursuivre leur œuvre dans les Pays d'en Haut et au Pays des Illinois. Ils continuèrent aussi d'encadrer les villages de domiciliés christianisés situés sur le Saint-Laurent. Les sulpiciens du Séminaire de Montréal, à partir de 1659, des prêtres des Missions étrangères, qui fondent une communauté à Québec en 1663, et des récollets, de retour au Canada en 1670, participent aussi à l'entreprise d'évangélisation – et à l'encadrement des colons.

Au XVIIIe siècle, avec le déclin de l'enthousiasme religieux en France, et compte tenu des déboires rencontrés par le programme de francisation et de christianisation, la motivation missionnaire n'est plus guère de mise en Nouvelle-France, comme le concède, sous forme de litote, François Le Maire, à la fin du régime de Crozat :

« Je pourrais tirer la première raison de la conséquence de l'Établissement de la Louisiane de la Gloire qui en reviendrait à la Nation française d'avoir aux extrémités de la terre

une Province aussi vaste et aussi belle : Mais ce motif, qui
seul suffisait autrefois aux Romains pour envoyer et établir
des Colonies par toute la terre, n'a plus la même force
aujourd'hui. J'en dirais presque de même du motif que peut
fournir la Religion, dont la propagation ne manquerait pas
de se pousser bien loin en établissant ce Pays, si je ne me
sentais pas comme forcé de penser autrement sous un Roi
très Chrétien [40]. »

Le missionnaire insiste alors sur l'importance des facteurs économiques et géopolitiques qui doivent présider
au développement de cette colonie. L'activité missionnaire, en Basse-Louisiane, fut dans l'ensemble assez
faible. Les prêtres des Missions étrangères, présents sur
le Mississippi à partir de 1699, les carmes, qui séjournèrent dans la colonie entre 1720 et 1723, puis les capucins, leurs successeurs, n'avaient pas la même fibre à cet
égard que la Compagnie de Jésus, dont les membres
étaient plus prompts à aller vivre parmi les Indiens et à
s'adapter à eux. C'est en Haute-Louisiane, notamment à
Kaskaskia, que les jésuites se montrèrent les plus actifs,
de nombreux Illinois se convertissant au catholicisme.

Partout en Nouvelle-France, les missionnaires préser-
vèrent cependant au XVIIIe siècle le rôle « extra-religieux »
qui fut le leur dès les origines de la colonisation.
Comprenant que le développement colonial reposait sur
la traite des fourrures, ils furent des partenaires indirects
de ce commerce ; ils jouèrent en outre un rôle notable
dans les explorations, à l'image du père Marquette en
1673 ou du père Aulneau dans les années 1730 ; ils
furent enfin, et surtout, des acteurs décisifs de la *Pax
Gallica*. Certes, la diplomatie indienne, au XVIIIe siècle,
était avant tout le fait des officiers militaires, mais certains prêtres se montraient encore très actifs sur ce plan.
Jean-Louis Le Loutre, missionnaire des Micmacs à la
frontière de la Nouvelle-Écosse, ou François Picquet, qui

réside à la mission sulpicienne du Lac-des-Deux-Montagnes, près de Montréal, furent ainsi des figures éminentes de l'alliance franco-amérindienne. Le second, selon le gouverneur La Jonquière, valait « mieux que dix régiments [41] ». En Louisiane, à l'époque de la Compagnie des Indes, la faiblesse des troupes fut compensée par l'action des religieux, expressément invités à agir dans la sphère diplomatico-militaire. En 1728, quatre pères jésuites furent ainsi dépêchés parmi les Indiens de l'intérieur : du Poisson chez les Quapaws, Souel chez les Yazous, de Guyenne chez les Alibamons et Le Petit (bientôt remplacé par le père Baudouin) chez les Chactas. Le père de Beaubois, leur supérieur, exprimait sans détours le rôle assigné à ces hommes d'Église :

> « Outre que nous sommes obligés de fournir des missionnaires à ces Sauvages pour leur prouver la connaissance du vrai Dieu et par ce plus grand bien qui seul justifie notre invasion de les dédommager de celui dont nous les privons en nous rendant maîtres de leurs terres ; il est certain qu'un missionnaire en est respecté, qu'il en est écouté ; et s'il ne vient pas toujours à bout de les convertir du moins, les attache-t-il à la nation française. Sa personne est un garant de l'alliance qu'ils contractent avec nous [42]. »

L'encadrement ecclésiastique des colons

Après la reprise en main royale du Canada en 1663, le rôle des religieux, tout en restant important, fut moins central dans l'entreprise coloniale. Le premier évêque fut désigné par le roi en 1674. Il s'agissait de monseigneur Laval, qui bénéficiait depuis 1658 du titre de vicaire apostolique de la Nouvelle-France. Les successeurs de Laval furent pour la plupart absentéistes, passant plus de temps en France que dans la colonie. Appelé couramment *Monsieur de Québec*, l'évêque dirigeait un diocèse qui s'étendait sur toute l'Amérique du Nord française et qui relevait non pas d'un archevêque français – il ne faisait d'ailleurs pas partie de l'assemblée du clergé de France – mais directement de Rome. Cela ne l'empêchait pas d'être soumis à l'Église gallicane, puisqu'il était nommé et payé par le roi et qu'il entretenait une correspondance régulière avec le ministre de la Marine. L'évêque de Québec avait du mal à exercer son influence en Louisiane et à l'île Royale, même s'il y nommait un grand vicaire chargé de le représenter : cela s'expliquait par les difficultés de communication et par le fait que des réguliers (et non des prêtres séculiers), payés par le roi, y étaient chargés de l'encadrement paroissial. Aussi, en 1734, l'abbé de l'Isle-Dieu en France fut-il nommé vicaire général, chargé, au nom de l'évêque de Québec, de toutes les questions ecclésiastiques en Louisiane et à l'île Royale. À partir de 1678, des paroisses furent érigées parallèlement à la progression du peuplement colonial dans la vallée du Saint-Laurent. En 1721, un règlement établit les limites de celles qui étaient déjà constituées et de celles qu'on prévoyait d'établir. Quant à l'encadrement ecclésiastique des Canadiens, il se détériora plutôt au cours du Régime français, les clercs du XVIIIᵉ siècle étant moins nombreux – en chiffres absolus et relatifs – qu'au siècle précédent. La disparition de l'élan religieux de la Réforme catholique entraîna, en effet, des difficultés de recrutement parmi les jésuites et les prêtres du séminaire des Missions étrangères. Le séminaire de Québec, malgré tous ses efforts, ne formait pas assez de prêtres pour les besoins des paroisses urbaines et surtout rurales. Le taux d'encadrement, cela étant, équivalait selon Marie-Aimée Cliche à celui des diocèses français. En revanche, la situation de la Louisiane et de l'île Royale était sur ce point moins satisfaisante.

   Le curé de chaque paroisse jouait un rôle religieux, mais également civil : il était chargé de tenir les registres

paroissiaux et lisait lors de la messe dominicale les ordonnances royales qui étaient ensuite affichées à la porte de
l'église. Cette dernière tâche, en métropole, avait été ôtée
aux curés dès les années 1690 par Louis XIV, soucieux
d'affirmer la prééminence de l'État sur l'Église, une
mesure qui fut appliquée dans les colonies à partir de la
Régence. De plus en plus souvent, le curé était ainsi
remplacé dans les campagnes canadiennes par le capitaine de milice et en ville par le greffier, accompagné par
deux tambours. En 1728, les habitants de la paroisse de
La Prairie profitèrent d'une telle occasion pour manifester leur désapprobation à l'égard d'une décision royale.
À la sortie de la messe, le notaire Barette entreprit de lire
et de publier un ordre du roi « portant défense de faire
usage d'étoffe des Indes en cette colonie ». Il fut assailli
par plusieurs femmes, toutes âgées d'une quarantaine
d'années, qui se saisirent de lui, lui bandèrent les yeux,
lui arrachèrent des mains l'ordonnance et la déchirèrent.
L'action avait été préméditée, ce que ces femmes nièrent
ensuite, prétendant ne pas savoir en outre qu'il s'agissait
d'un ordre royal [43].

L'entretien du curé était assuré par la dîme et le casuel
(rentes de bancs, quêtes…). En 1667, la dîme fut fixée
à un vingt-sixième de la récolte contre un dixième en
métropole. Initialement, le pouvoir royal avait voulu
imposer un taux d'un treizième, mais les autorités locales
avaient argumenté que la colonie n'était pas encore assez
développée pour supporter un tel prélèvement. Cela
obligea la Couronne à prévoir un supplément pour compléter le traitement des curés. Malgré cette réduction,
beaucoup d'habitants réglaient la dîme avec réticence. À
l'île Royale, on refusa même toujours de la payer – son
versement était coutumier, mais pas obligatoire. À Louisbourg, les habitants ne consentirent jamais à construire
une église paroissiale, certainement parce qu'ils estimaient que c'était au pouvoir royal de s'en charger,

comme il le faisait pour les autres bâtiments publics. Partout ailleurs pourtant, les colons, même en rechignant, payaient de leurs deniers l'édification de l'église paroissiale et du presbytère. En 1738, une assemblée des habitants de La Nouvelle-Orléans, réunie à l'hôtel de l'intendance à la requête du père Mathias, et en présence du gouverneur et du commissaire-ordonnateur, décida ainsi d'une capitation par tête d'esclave et d'une imposition pour les habitants ne possédant pas d'esclaves en vue de reconstruire l'église et le presbytère de la ville [44]. Les marguilliers étaient désignés par la fabrique de chaque paroisse, qui était chargée d'en gérer les biens matériels. Les assemblées paroissiales regroupaient les habitants les plus aisés et se réunissaient après la messe dominicale dans l'église ou le presbytère afin de discuter des affaires locales. Comme les habitants de Nouvelle-France n'étaient pas soumis au paiement de la taille, le principal impôt royal, et que l'organisation agraire était individuelle, il n'existait pas dans les campagnes de communautés villageoises s'incarnant dans l'assemblée des habitants, alors que la paroisse et la communauté villageoise avaient tendance en métropole à se confondre. Ce n'est qu'exceptionnellement, comme dans certaines paroisses canadiennes ou dans les villages du Pays des Illinois, que les habitants élisaient un syndic afin de gérer les biens communaux et de veiller au respect de quelques contraintes collectives. La paroisse était ainsi « à peu près le seul cadre de la vie communautaire », et c'est autour d'elle que se fixait l'identité des paysans. En témoigne l'attitude des habitants de Saint-Léonard, dans l'île de Montréal, lorsque leur « côte » (au sens de terroir) fut rattachée à une nouvelle paroisse par le séminaire de Saint-Sulpice en 1714 : pour manifester leur opposition, ils adressèrent une requête à l'évêque, puis, celui-ci maintenant la décision du Séminaire, ils s'emparèrent du pain béni qu'un habitant allait porter à la nouvelle église et

agressèrent l'huissier chargé d'assigner en justice les séditieux. Ce dernier raconta que toutes les femmes l'attendaient « avec des roches et des perches dans leurs mains
pour [l]'assassiner » et qu'elles le poursuivirent « en
jurant : arrête voleur, nous te voulons tuer et jeter dans
le marais » [45].

Les institutions éducatives et hospitalières

L'installation d'ordres contemplatifs fut interdite dans
les colonies. Les religieux n'étaient accueillis que s'ils se
consacraient au bien du public et offraient des services
dans le domaine de l'éducation, de la santé et de l'assistance. À cette condition, le pouvoir royal les soutenait
en leur donnant le passage gratis sur les vaisseaux du roi,
en leur accordant des seigneuries et en leur versant des
gratifications.

Dans les villes notamment, les congrégations religieuses et les curés paroissiaux s'occupèrent d'ouvrir de
petites écoles (primaires) pour les garçons ou pour les
filles. Il s'agissait d'écoles de jour ou de pensionnats. Ce
sont les capucins qui fondèrent en Acadie (précisément
à La Hève) le premier pensionnat de la Nouvelle-France
en 1632. Au Canada, les jésuites, les sulpiciens et les
récollets, sans compter les prêtres paroissiaux, se chargeaient d'enseigner aux garçons, tandis que l'enseignement des filles était assuré d'un côté par les ursulines,
dont le premier couvent avait été ouvert à Québec par
Marie de l'Incarnation en 1639, de l'autre par la Congrégation de Notre-Dame, fondée à Montréal par Marguerite Bourgeoys en 1657. Ces femmes missionnaires,
religieuses ou laïques, que le père Paul Lejeune appelait
les « Amazones du grand Dieu », jouèrent un rôle fondamental au sein de l'Église de Nouvelle-France, en particulier au XVIIᵉ siècle [46]. En Louisiane, après le départ de
Françoise de Boisrenaud, qui débarqua en 1704 dans la

colonie comme accompagnatrice de filles du roi et qui
se dévoua à l'éducation des filles à La Mobile jusqu'en
1718, il fallut attendre 1725 pour que les capucins
ouvrent une école pour garçons (à La Nouvelle-
Orléans) [47] et 1727 pour que les ursulines, nouvellement
arrivées, fassent de même pour les filles. C'est sans
succès, en revanche, que les habitants du Pays des Illinois
demandèrent en 1738 l'établissement d'une communauté de religieuses pour l'éducation des filles. À Louisbourg, par souci d'économie, le pouvoir royal refusa
également de puiser dans ses caisses pour établir des
écoles. Mais l'évêque de Québec décida en 1727 d'y
envoyer une sœur de la Congrégation de Notre-Dame
afin d'ouvrir une école pour filles, et cela sans la sanction
de sa supérieure. En revanche, il n'existait pas d'école
pour garçons. Les habitants devaient envoyer leurs
enfants en France ou avoir recours sur place aux institu-
teurs privés (maîtres d'école ou tuteurs à domicile). De
tels enseignants, résidents ou itinérants, se rencontraient
partout en Nouvelle-France, dans les villes, mais aussi à
la campagne. Ils devaient en théorie recevoir l'aval des
autorités (ecclésiastiques ou civiles). Dans les paroisses
rurales de Montréal, les frères Charron dirigèrent aussi
de petites écoles au cours des années 1720. En 1760, il
existait ainsi au Canada des petites écoles dans plus du
tiers des paroisses, ce qui correspondait à la situation
métropolitaine. À la fin du Régime français, 45 % des
habitants de Québec étaient alphabétisés, ce taux tombant néanmoins à 23 % pour l'ensemble de la population coloniale.

Seule la ville de Québec était dotée d'institutions
d'enseignement secondaire et universitaire, et ce de
manière très restreinte. Le collège des jésuites dès 1635
et le Petit séminaire à partir de 1726 délivraient le seul
enseignement secondaire de la Nouvelle-France. C'est en
vain que les habitants de Montréal, en 1727, mais aussi

Bienville, gouverneur de la Louisiane, en 1742, demandèrent l'instauration d'un collège. Dans la capitale canadienne, l'enseignement universitaire se réduisait à la formation des clercs dans le Grand séminaire dès 1663, à une classe d'hydrographie ouverte par les jésuites au début du XVIIIe siècle pour la formation des pilotes et des arpenteurs et à quelques cours de droit donnés par le procureur général Verrier à partir de 1733.

Un Hôtel-Dieu, tenu par des religieuses hospitalières, fut très tôt institué dans chacune des trois villes du Saint-Laurent. Il accueillait les militaires et les traiteurs – ou coureurs de bois – blessés, ainsi que les victimes de maladies épidémiques, au premier chef soldats et marins. De la même façon, l'hôpital du Roi, qui avait vocation à accueillir les militaires et les marins (ainsi que les esclaves du roi dans la capitale louisianaise), était desservi par les frères de la Charité de Saint-Jean-de-Dieu à Louisbourg et par les ursulines à La Nouvelle-Orléans (à partir de 1734). À côté de ces institutions publiques, il existait partout des chirurgiens et des sages-femmes privés qui exerçaient leur profession sous le contrôle des autorités civiles et religieuses. La sage-femme était souvent désignée par l'assemblée des femmes de la paroisse. En février 1712, Catherine Guertin fut ainsi élue à l'unanimité par les femmes de Boucherville et dut ensuite prêter serment devant le curé [48]. Certaines sages-femmes, comme Marie-Marguerite Lotman, dite la Veuve Droit, envoyée de Rochefort à Louisbourg entre 1749 et 1758, furent choisies et rétribuées annuellement par le pouvoir royal [49].

En métropole, l'aide aux défavorisés fut longtemps confiée à la charité privée, mais à partir du XVIIe siècle, l'accroissement de la misère conduisit l'État à intervenir, en collaboration avec l'Église. En 1688, l'intendant établit un Bureau des pauvres dans chacune des trois villes laurentiennes. Formé du curé et de trois directeurs, ce

Bureau était financé par les aumônes recueillies par deux dames de la haute société et surtout par l'État. Il avait pour vocation de secourir les nécessiteux, de leur trouver des emplois et ainsi d'éliminer la mendicité. Le Bureau menait des enquêtes et distinguait les miséreux « méritants » des pauvres « fainéants ». En Louisiane, dans les années 1720, la Compagnie des Indes faisait distribuer des rations de nourriture aux plus démunis. En 1736, un Hôpital de la Charité fut aussi fondé à La Nouvelle-Orléans pour l'accueil et les soins aux nécessiteux d'origine européenne. Placé sous la direction du curé de la ville, il ne fonctionnait que grâce à des donations privées.

Au Canada, le Bureau des pauvres disparut avec l'ouverture en 1692 d'un Hôpital général à Québec – tenu par les chanoinesses hospitalières de Saint-Augustin –, suivi d'un autre à Montréal deux ans plus tard. On y accueillait et enfermait les vieillards délaissés, les infirmes, les invalides de guerre, les pauvres et les fous. C'est parce qu'il devait la considérer comme « folle » qu'un traiteur de Détroit nommé Jean-Baptiste Turpin, au début du XVIIIe siècle, fit mettre sa femme à l'Hôpital général de Montréal : elle l'avait quitté à trois reprises pour vivre avec les autochtones et se mettre en ménage avec l'un d'entre eux ; les deux premières fois, il avait essayé de reprendre la vie commune après l'avoir retrouvée et ramenée de force, mais après sa troisième tentative, il la fit enfermer. Elle réussit pourtant à s'échapper encore, s'enfuyant en Nouvelle-Angleterre où, d'après des coureurs de bois, elle vivait mariée à un Amérindien [50]. Une autre catégorie de femmes, les prostituées, faisaient également de courts séjours – de moins d'un an – à l'Hôpital général, où les religieuses leur rasaient la tête [51]. Au XVIIIe siècle, la prostitution augmenta de manière importante à Québec et à Montréal avec l'accroissement du nombre de matelots et de soldats.

Les forces militaires

Les troupes

L'institution militaire tenait une place très importante en Nouvelle-France. Elle prit une part centrale dans le peuplement mais aussi dans l'économie coloniale. La Couronne effectuait de nombreuses dépenses pour assurer la défense de ses colonies, laquelle reposait sur les alliances indiennes, mais aussi sur la présence de troupes et sur une politique de fortifications. Marcel Trudel note ainsi que « vue de l'extérieur », la Nouvelle-France ressemblait « à un camp militaire » [52]. C'était le rôle que s'était vu assigner la colonie au XVIIIe siècle dans le contexte des luttes d'empire.

Il n'existait pas d'armée coloniale à proprement parler en Nouvelle-France, puisque les troupes, pour l'essentiel, étaient issues des réserves de l'infanterie de Marine. La « militarisation » du Canada commença à l'époque de Louis XIV. Les Compagnies, auparavant, se contentaient d'entretenir une poignée de soldats. En 1662, afin de lutter contre les Iroquois, le Roi-Soleil dépêcha cent soldats, et, trois ans plus tard débarqua le fameux régiment de Carignan-Salières, le seul qui soit venu en entier au Canada sous le Régime français. Au total, 1 300 soldats réguliers arrivèrent alors dans la colonie, dont la population civile (européenne) ne s'élevait qu'à 2 500 personnes. Ce régiment fut rappelé en métropole en 1668. À partir de 1683, la guerre ayant repris contre les Iroquois, le roi eut recours non plus à des régiments, mais à des compagnies franches, détachées des troupes de la Marine, qui en France étaient casernées à Brest et à Rochefort. Chaque compagnie, commandée par un capitaine, était composée en théorie de cinquante hommes. De 1685 à 1697, durant la guerre de la Ligue d'Augsbourg, avec l'arrivée de nouvelles compagnies, le nombre de soldats présents au Canada oscilla entre 1 100 et 1 600, puis tomba à 700 pendant la guerre de Succession d'Espagne. Par la suite, on comptait dans cette colonie autour de trente compagnies totalisant environ 1 500 soldats.

Ce n'était rien, proportionnellement à la population, au regard du millier d'hommes cantonnés à Louisbourg au début des années 1750. L'île Royale, en raison de son importance stratégique, connut en effet une très forte présence militaire durant tout le Régime français. La Louisiane présentait une situation différente. Pendant la régie de la Compagnie des Indes, l'importance des troupes varia en fonction de l'intérêt que celle-ci lui portait, le nombre de compagnies passant de 16 à 8 entre 1721 et 1728. Après le soulèvement des Natchez et la rétrocession de la colonie en 1732, le pouvoir royal décida de porter les effectifs à 800 hommes. Des troupes supplémentaires furent envoyées en prévision de la campagne de 1739 contre les Chicachas, mais elles repartirent après l'échec de l'expédition. Dans toutes les colonies de la Nouvelle-France, la Couronne fit un effort militaire remarquable au cours de la guerre de Sept Ans, y envoyant des soldats des compagnies franches de la Marine, mais aussi des troupes de terre, qui relevaient du ministère de la Guerre, soit au total quelque 8 500 hommes.

Durant tout le Régime français, les compagnies envoyées de métropole voyaient rapidement leurs effectifs chuter en raison des décès et surtout des très nombreuses désertions. Ce phénomène, endémique en métropole, se retrouvait presque partout en Nouvelle-France. En 1742, par exemple, six soldats allemands de la garnison du Pays des Illinois tentèrent de rejoindre des traiteurs anglais établis parmi les Chicachas ; ils furent suivis par dix autres militaires français qui essayèrent de gagner le Nouveau-Mexique en se faisant guider par des

Amérindiens [53]. En Basse-Louisiane, les déserteurs rejoignaient Pensacola, tandis qu'au Canada ils se rendaient dans le New York ou en Nouvelle-Angleterre. À l'île Royale, les déserteurs furent beaucoup moins nombreux car ils ne pouvaient trouver refuge qu'à Beaubassin, un établissement acadien éloigné et difficilement accessible, situé en territoire anglais. La crainte d'un châtiment, en cas de délit ou de crime, la mésentente avec un officier ou encore l'ivresse étaient à l'origine des désertions sur le Saint-Laurent ; sur le Mississippi et dans les Pays d'en Haut, les déserteurs évoquaient en outre des conditions de vie très éprouvantes. Selon les circonstances, ils étaient graciés, condamnés aux galères ou punis de mort. À plusieurs reprises, et cela constituait d'ailleurs un aveu d'impuissance, les autorités promulguèrent des amnisties générales.

En dehors de la fuite, les soldats avaient peu de moyens d'échapper à l'arbitraire des officiers. Mais les révoltes individuelles ou collectives étaient exceptionnelles car elles étaient très sévèrement réprimées. En 1754, un soldat du Pays des Illinois fut ainsi condamné à avoir le poing coupé et à être pendu pour avoir mis en joue un officier [54]. En Nouvelle-France, la plus importante mutinerie collective se produisit à Louisbourg, c'est-à-dire là où les soldats n'avaient guère l'occasion de déserter [55]. En décembre 1744, au tout début de la guerre de la Succession d'Autriche – ce qui constituait une circonstance aggravante –, la presque totalité de la garnison, menée par des soldats suisses, menaça de tuer les officiers et de mettre à sac la ville afin d'obtenir « justice sur les vivres qui leur étaient dus » et « justice des vexations qu'on leur faisait journellement ». La première raison de leur mécontentement était d'avoir été nourris de pois et de haricots secs pourris, alors que les magasins du roi regorgeaient de bons légumes qui étaient vendus aux habitants. Ils se plaignirent surtout du fait que les officiers les forçaient à accomplir des travaux supplémentaires en dehors de leur service, et sans les rétribuer : leur honneur de militaires était froissé de ce qu'on les traitât comme de simples travailleurs et non pas comme des soldats conscients de leurs devoirs. Devant la démonstration de force des insurgés assemblés avec leurs baïonnettes, les autorités durent céder. Des groupes de soldats continuèrent néanmoins, dans les mois suivants, à menacer les marchands s'ils ne leur vendaient pas des produits à bas prix. Le ton de la lettre du gouverneur Duchambon et du commissaire-ordonnateur Bigot témoigne ainsi d'une atmosphère tendue : « Nous sommes ici leurs esclaves, ils font tout le mal qu'ils veulent. » Pourtant, si les soldats demandèrent qu'on leur accordât un pardon général au début du siège de la forteresse par les Anglais en mai 1745, ils montrèrent durant l'événement un loyalisme sans faille. Après leur évacuation à Rochefort durant l'été, suite à la prise de la ville par les Anglais, les leaders furent poursuivis devant des cours martiales et huit d'entre eux furent exécutés, ce qui constituait la répression la plus sévère d'un soulèvement militaire en France au XVIIIe siècle [56].

En 1755, une vingtaine d'hommes de Port-Toulouse se révoltèrent à nouveau en raison de la nourriture médiocre. Un soldat qui se plaignait fut battu par un caporal. Les hommes, armés, s'assemblèrent auprès du commandant Duhaget en lui demandant justice. Mais ils le blessèrent, de même que le caporal, et durent prendre la fuite. Rattrapés, ils furent poursuivis devant une cour martiale : six furent exécutés, les autres condamnés aux galères [57]. Aucune autre sédition n'eut lieu en Nouvelle-France durant la guerre de Sept Ans, les troupes, comme les populations civiles, étant trop accaparées par la lutte contre les Britanniques.

La participation des colons à l'effort de guerre

En temps normal, la faiblesse des troupes régulières obligea les autorités locales du Canada à constituer des milices. Comme le souligne Louise Dechêne, « alors qu'en France, à la même époque, la guerre se traduit surtout par l'augmentation des charges fiscales, c'est un prélèvement humain que le roi opère d'abord sur le Canada [58] ». Dès 1663, on établit à Montréal un système de milice qui s'étendit, six ans plus tard, à toute la colonie : tous les hommes de seize à soixante ans en état de porter les armes étaient enrôlés. Seuls étaient exemptés les clercs, ainsi que les officiers de plume [59]. Les miliciens, en plus de défendre la colonie, aidaient à la poursuite des criminels et des déserteurs et s'occupaient aussi, en ville, de la prévention des incendies, de l'entretien de la voirie et même des recensements.

Dans les villes, la levée des miliciens était effectuée par le syndic, puis par l'intendant ou son subdélégué, secondé par les capitaines des milices urbaines. Ces derniers étaient recrutés parmi les gentilshommes et les marchands, mais seuls les premiers allaient au combat et encadraient comme officiers les milices coloniales. En 1752, les marchands de Montréal formèrent une « compagnie de réserve » habillée d'un uniforme écarlate et blanc, les autres miliciens en étant dépourvus. Dans les campagnes, l'intendant nommait un habitant pour s'occuper du recrutement et de l'entraînement des miliciens. Ces commissaires étaient appelés « capitaines de côte » ou « capitaines de milice » (les côtes étaient les lignes d'habitations). Cependant, ils participaient rarement aux opérations militaires et, le cas échéant, uniquement comme simples soldats. Seuls les nobles étaient autorisés à commander les milices. Ces capitaines de côte acquirent un rôle déterminant dans le fonctionnement administratif de la colonie. Chargés de la répartition des taxes, des corvées et des billets pour le logement des soldats, mais aussi de la levée des blés en temps de disette, ils servaient de courroie de transmission entre les autorités et les paysans. Nommés par l'intendant, ils assumaient ainsi individuellement les fonctions remplies par les assemblées villageoises en métropole.

Au Canada, tous les colons étaient armés (les miliciens devaient payer eux-mêmes les fusils qu'on leur distribuait) et constituaient de bons combattants, comme l'atteste le botaniste suédois Pehr Kalm en 1749 : « Il n'est pour ainsi dire aucun d'entre eux qui ne soit capable de tirer remarquablement, ni qui ne possède un fusil [60]. » Cette situation donnait un grand avantage à la Nouvelle-France en période de guerre avec les Britanniques. À la veille de la guerre de Sept Ans, les miliciens, au nombre de 15 000, étaient la principale force militaire du pays. Les compagnies de milice de l'île Royale et celles de Basse-Louisiane, mises en place à partir des années 1720, ne jouèrent pas un rôle aussi essentiel. En revanche, les miliciens du Pays des Illinois participèrent de manière importante aux conflits contre les Amérindiens et contre les Anglais.

Selon les circonstances, un nombre plus ou moins élevé de miliciens canadiens étaient appelés pour participer aux opérations militaires. Des recrutements massifs eurent lieu en particulier durant la guerre de la Ligue d'Augsbourg et plus encore au cours de la guerre de Sept Ans. En 1687, un tiers de tous les Canadiens de plus de quinze ans se joignirent à l'expédition du gouverneur Denonville contre les Iroquois. Entre 1745 et 1755, les levées de miliciens touchèrent uniquement les jeunes hommes. Comme c'étaient essentiellement ces fils d'habitants qui procédaient aux nouveaux défrichements, cette mobilisation conduisit néanmoins à une stagnation de la production agricole. Après 1755, tous les hommes furent appelés. L'année suivante, un prisonnier anglais témoigna qu'il ne restait plus que les femmes, les vieillards et les enfants dans les campagnes environnant Québec, d'où de graves problèmes de main-d'œuvre pour les moissons. Jointes aux réquisitions, ces levées massives de miliciens expliquent la famine qui sévit alors dans la colonie.

Pourtant, même durant ce dernier conflit, les habitants ne refusèrent pas de partir à la guerre. De fait, durant tout le Régime français, ils acceptèrent sans trop rechigner de servir dans la milice. Pendant la guerre de la Ligue d'Augsbourg, les officiels firent bien part de la grogne des colons qui se plaignaient du départ des pères de famille, tandis que les jeunes hommes couraient les bois en toute quiétude, mais, selon le gouverneur, ils n'ont « point encore refusé de marcher [61] ». En mars 1752, l'incident qui opposa les jeunes gens du Pays des Illinois au commandant du poste fut ainsi exceptionnel. Après que certains refusèrent de partir à la poursuite de soldats déserteurs, le commandant Macarty fit arrêter un jeune homme pour donner l'exemple, menaçant de l'envoyer à La Nouvelle-Orléans pour y être jugé. Les jeunes gens s'assemblèrent et prirent les armes durant la nuit, de crainte que le commandant ne profitât de l'obscurité pour mettre sa menace à exécution. Finalement, la crise fut résolue par l'intermédiaire d'habitants venus plaider la cause du jeune homme. Deux femmes d'officier, notamment, mirent en avant le fait qu'il était de bonne famille au Canada et Macarty le libéra afin d'apaiser les tensions [62].

Ce petit conflit s'explique par un mécontentement général de la population contre l'obligation de livrer des fournitures pour des travaux de fortification. Au Canada, la Couronne exigea surtout des habitants le paiement d'impositions pour financer la fortification de Québec et de Montréal. En outre, les artisans, les journaliers et les soldats ne constituant pas une main-d'œuvre suffisante, les habitants des deux villes et surtout des campagnes environnantes étaient réquisitionnés pour des corvées de charrois de terre et de terrassement. À Québec, contrairement à Montréal, les corvéables étaient nourris et rémunérés. Ces travaux mobilisaient une partie importante de la population masculine, levée par groupes plusieurs fois par an (quatre au maximum) durant cinq à quinze jours – en dehors des périodes de travaux agricoles. En revanche, les colons de Basse-Louisiane ne furent jamais soumis à de telles obligations car à La Nouvelle-Orléans la corvée retombait sur les esclaves que chaque propriétaire se devait de fournir. Dans la vallée du Saint-Laurent, ces impositions et ces corvées se heurtèrent à l'hostilité des habitants. Le major de Québec Louvigny écrivait ainsi : « La fermeté que vous savez être absolument nécessaire pour faire exécuter les ordres du roi, passe en ce pays pour un crime. Les communautés disent que ce n'est pas l'usage en France de les obliger de fournir aux corvées ; la noblesse et les officiers de justice publient qu'on viole leurs droits ; le marchand qu'on dérange l'économie de son commerce, le laboureur qu'on tire de sa charrue et l'artisan de sa boutique n'obéit qu'avec peine [63]. » Aussi eut-il recours à quelques peines d'emprisonnement, alors que la coutume, pour de tels refus d'obéissance, consistait ordinairement à punir d'une simple amende le contrevenant. Cependant, si les impositions et les corvées déclenchèrent quelques mouvements d'humeur au XVIIe siècle et une véritable émeute armée à Longueuil en 1717, aucune agitation de ce type ne fut par la suite enregistrée.

Les charges que l'État et l'Église imposèrent aux colons ne furent donc pas négligeables. Bien sûr, ils ne payaient pas la taille ou la gabelle (l'impôt sur le sel) ; la dîme était en outre moins élevée qu'en métropole. Cependant, au Canada en particulier, la contribution à la défense de la colonie, à travers les impositions et les corvées pour les fortifications et plus encore le service dans la milice, fut loin d'être insignifiante. Nombreux furent les Canadiens qui moururent en défendant leur colonie contre les Amérindiens ennemis ou les Britanniques. Il est possible que cette défense commune, menée conjointement par les troupes et les milices, loin d'être vécue comme une obligation imposée d'en haut, contribua au contraire à resserrer les liens entre le pouvoir royal et les colons.

4

UN PEUPLEMENT MULTI-ETHNIQUE :
AMÉRINDIENS, EUROPÉENS ET AFRICAINS

En 1744, un esclave africain de La Nouvelle-Orléans, Jupiter dit Gamelle, connu de nombreux habitants de la ville parce qu'il vendait les légumes de son maître sur la levée (la digue de terre qui protégeait la cité des inondations du Mississippi), fut condamné pour plusieurs vols et notamment pour un cambriolage chez le sieur Layssard, résident d'origine française. Interrogé par le juge, Jupiter dut reconnaître qu'il avait agi avec préméditation : l'idée de voler Layssard lui était venue le jour où celui-ci l'avait appelé chez lui « pour interpréter un sauvage ». L'esclave africain parlait probablement le mobilien, ce pidgin développé à l'origine parmi les Amérindiens du sud-est des États-Unis actuels (Chactas, Chicachas et Alibamons) et qui s'étendit aux autres groupes ethniques présents en Louisiane. L'anecdote montre que les Amérindiens, les Africains et les Européens entretenaient des relations étroites et complexes dans la colonie du Mississippi, au caractère fortement multi-ethnique. Si cet aspect était beaucoup moins marqué en Acadie et au Canada en raison du très faible nombre d'esclaves noirs, les Amérindiens et les Européens s'y côtoyaient néanmoins quotidiennement.

La « découverte » et la colonisation de l'Amérique par les Européens avaient conduit au bouleversement démographique du continent. Les populations de l'Ancien Monde – les Européens et les Africains qui furent déportés par les Espagnols dans les Antilles dès les premières décennies du XVIᵉ siècle – et celles du Nouveau Monde se mirent à cohabiter, voire à se mêler. Mais tandis que la population européenne et africaine augmenta grâce à l'émigration volontaire ou forcée et surtout grâce à l'accroissement naturel dans les colonies françaises d'Amérique du Nord, la population amérindienne subit un dramatique déclin tant au Canada qu'en Louisiane.

Des « terres veuves » : la dépopulation amérindienne

Au lieu de parler du peuplement européen de l'Amérique à partir des XVIᵉ-XVIIᵉ siècles, ne faudrait-il pas plutôt utiliser le terme de « repeuplement » ? L'Amérique indienne était loin d'être un continent « vierge » à la fin du XVᵉ siècle, quand retentit l'heure de la conquête dans le sillage des navires de Christophe Colomb ; mais au XVIIᵉ siècle, lorsque les colons européens commencèrent à s'implanter en Amérique du Nord, ils le firent bien souvent sur des « terres veuves », pour reprendre l'expression de l'historien Francis Jennings [1].

Les sociétés amérindiennes, confrontées dès les premiers contacts aux microbes et aux virus des Européens, ont subi en effet une véritable tempête démographique. La plupart des groupes ont vu leur population fondre, certains ont disparu, d'autres se sont amalgamés avec les restes de populations voisines. Les Indiens « disparaissent d'une manière aussi sensible, qu'elle est inconcevable », remarque le père Charlevoix au début du XVIIIᵉ siècle.

En éradiquant 90 % de la population autochtone dans certains territoires américains, le choc microbien, on a tendance à l'occulter, est l'aspect le plus important de la rencontre entre l'Europe et l'Amérique. Les autres causes de la dépopulation (les guerres, l'alcool, etc.), sans être insignifiantes, sont secondaires. « L'expérience a fait connaître depuis longtemps que les *maladies des Européens* se communiquent facilement aux Indiens », écrit le missionnaire François Le Maire en 1717 [2]. En effet, si les autochtones américains étaient affectés par des maladies (la tuberculose par exemple), ils ne connaissaient pas certaines infections virales et bactériennes graves de l'Eurasie et de l'Afrique. Vivant eux-mêmes dans un continent isolé et relativement salubre – du fait notamment de la faiblesse de l'élevage –, ils n'étaient pas immunisés contre « les maladies des Européens », à savoir la variole (ou « petite vérole »), la grippe, le typhus, le choléra, la peste, les oreillons, la rougeole, la rubéole ou encore la varicelle. Il fallut des décennies aux Indiens pour s'accoutumer à ces germes pathogènes.

Si tous les chercheurs s'accordent aujourd'hui pour reconnaître l'importance du choc microbien, ils se divisent lorsqu'il s'agit d'établir la chronologie et l'intensité des épidémies. Il est très difficile, en effet, d'évaluer précisément la population indienne d'Amérique du Nord vers 1500 – l'hypothèse du démographe Russel Thornton, qui parle de sept millions d'autochtones, nous paraissant toutefois la plus crédible [3]. Soulignons par ailleurs que si les peuples rencontrés par les Français à partir du XVIIe siècle étaient encore puissants, leur splendeur appartenait généralement au passé, en particulier dans la basse vallée du Mississippi. Partout, parfois avant même l'arrivée effective des Européens – puisque les microbes, comme les marchandises de traite, pouvaient circuler à travers le continent de façon indirecte –, le fléau épidémique avait rongé les sociétés autochtones.

Nous évaluerons ce désastre dans le nord-est de l'Amérique du Nord puis dans l'aire « louisianaise », non sans prêter attention aux phénomènes de la guerre et des migrations.

Le Nord-Est

Le nord-est de l'Amérique du Nord comptait deux grandes familles linguistiques : les Iroquoiens et les Algonquiens. Les premiers, à savoir les Iroquois, les Hurons, les Neutres, les Ériés, les Pétuns et les Andastes, étaient plus de 110 000 au début du XVIe siècle. Quant aux Algonquiens, parmi lesquels les Delawares, les Montagnais, les Micmacs, les Abénaquis, les Algonquins, les Outaouais, les Saulteux, les Poutéouatamis, les Illinois, les Miamis ou encore les Cris, ils comptaient à la même date au moins le double ou le triple de cette population de langue iroquoienne. Dans les années 1660-1670, les explorateurs et les missionnaires français décrivent parfois des villages très populeux dans la région des Pays d'en Haut. À la baie des Puants, par exemple, sur le rebord occidental du lac Michigan, les jésuites parlent de gros bourgs renards et mascoutens « qui composent [...] plus de 20 000 âmes » ; sur la rivière Ohio, un sulpicien évoque « quantité de nations [...] si nombreuses qu'au rapport des sauvages, telle nation aura 15 ou 20 villages [4] ». Mais les épidémies étaient alors sur le point d'accomplir leur œuvre de désolation.

Pour les peuples du littoral atlantique, les premiers contacts avec les Européens survinrent dès le début du XVIe siècle, et quand s'amorça la colonisation de l'Acadie et du Canada, le paysage démographique n'était déjà plus le même. Jacques Cartier avait rencontré de nombreux Iroquoiens lorsqu'il avait remonté le Saint-Laurent en 1535 ; il avait constaté la présence de deux villages importants, l'un à Stadaconé (sur le futur site de

Québec), l'autre à Hochelaga (dans l'île de Montréal), mais aussi de plusieurs hameaux et villages secondaires. Or soixante-dix ans plus tard, quand Champlain et ses compagnons investirent la région, ces « Iroquoiens du Saint-Laurent », comme il est convenu de les appeler, avaient disparu, terrassés par des épidémies et par des guerres inter-indiennes. Le Bas-Saint-Laurent n'était pas un *no man's land* au début du XVIIᵉ siècle, puisqu'il était fréquenté par quelques centaines d'Algonquins et de Montagnais qui venaient pêcher l'été à l'embouchure des rivières, sans compter des Agniers (Iroquois) qui, du moins selon quelques historiens, chassaient dans les environs de Montréal... Mais il constituait assurément une « terre veuve ». Une telle situation favorisa, on s'en doute, l'implantation d'une société coloniale relativement homogène.

Les Indiens d'Acadie furent également très affectés au cours du XVIᵉ siècle et au début du XVIIᵉ : un jésuite rapporte en 1611 que les Micmacs « s'étonnent et se plaignent souvent de ce que dès que les Français hantent et ont commerce avec eux, ils se meurent fort et se dépeuplent. Car ils assurent qu'avant cette hantise et fréquentation, toutes leurs terres étaient forts populeuses, et historient par ordre, côte par côte, qu'à mesure qu'ils ont commencé à trafiquer avec nous, ils ont plus été ravagés de maladies [5] ».

Des épidémies dévastatrices touchent aussi les Indiens des Grands Lacs à partir de 1634. Les Hurons par exemple, qui étaient 30 000 au début du XVIIᵉ siècle, ont vu leur population fondre à 9 000 au début des années 1640, essentiellement à cause de la variole. Le père Vimont, en 1644, en rend compte de façon saisissante : « là où l'on voyait il y a huit ans quatre-vingts et cent cabanes, à peine en voit-on maintenant cinq ou six, et tel capitaine qui commandait pour lors à huit cents

guerriers n'en compte plus à présent que trente ou quarante [6] ». Les Iroquois sont très affectés eux aussi : « la
petite vérole qui est la peste des Américains, a fait de
grands dégâts dans leurs bourgades, écrit un jésuite en
1662, et a enlevé outre grand nombre de femmes et
d'enfants, des hommes en quantité : de sorte que leurs
bourgs se trouvent presque déserts, et leurs champs ne
sont qu'à demi-cultivés [7] ».

La dépopulation s'explique essentiellement par les épidémies, et secondairement par les guerres. Les Hurons en
particulier, ont subi la foudre des attaques iroquoises entre
1648 et 1650. Il faut préciser que ces conflits n'étaient
pas, comme l'ont pourtant répété des générations d'historiens, des « guerres de fourrures » : en attaquant leurs voisins iroquoiens du nord et de l'ouest, dans les années
1640-1650, les Cinq Nations de la ligue iroquoise
n'avaient pas pour objectif le contrôle du commerce des
pelleteries et la conquête de nouveaux territoires. Il ne
s'agissait pas davantage de guerres de vendetta, mais,
fondamentalement, de guerres de capture.

Comme le souligne le gouverneur Denonville en 1685 :
« Le plus à craindre est l'Iroquois qui se trouve le plus
puissant [...] par le nombre d'esclaves que cette nation
fait tous les jours chez ses voisins en leur enlevant leurs
enfants en bas âge qu'ils naturalisent [8]. » La guerre iroquoise fonctionnait comme une gigantesque matrice,
comme une fabrique à remplacer, à assimiler, en somme
à enfanter, selon le principe de la filiation. Cette logique
de la guerre se retrouvait chez les Algonquiens des Grands
Lacs, mais c'est chez les Iroquois qu'elle se déployait de la
façon la plus radicale, compte tenu de la nature matrilinéaire de leur société (l'individu appartenait au clan de sa
mère). Si ce sont les hommes qui faisaient la guerre, les
femmes, ou plutôt les mères, figuraient ainsi au centre du
mécanisme sociologique qui y présidait, la filiation.
Quand elle avait perdu un proche, une mère demandait

à des guerriers de lui ramener des prisonniers ou à défaut des scalps, qui servaient de substituts aux captifs. S'ils n'étaient pas intégrés « physiquement » (c'est-à-dire suppliciés et partiellement mangés), les prisonniers l'étaient socialement à travers le mécanisme de l'adoption : ils se voyaient symboliquement restituer la vie, comme s'il s'agissait pour eux d'une seconde naissance. La ligue iroquoise était ainsi composée aux deux tiers de captifs dans les années 1660. L'institution de la guerre, et sa structure sous-jacente d'enfantement, fut aiguillonnée par les épidémies qui, en décimant les villages iroquois, incitèrent les guerriers à capturer de plus en plus d'ennemis. Mais l'intégration de captifs ne compensa pas les pertes : 22 000 en 1630, les Iroquois n'étaient plus que 6 000 au début du XVIIIᵉ siècle.

On aurait tort toutefois d'analyser la dépopulation indienne comme un processus continu et inexorable. Pour les Indiens de l'État actuel du Wisconsin, par exemple, 1700 – soit une cinquantaine d'années après le premier contact avec les Français – correspond *grosso modo* à un nadir : les décennies suivantes furent marquées par une nette reprise démographique, qui s'explique par la croissance naturelle comme par les succès de la guerre de capture. Les Sakis, ainsi, n'auraient été que 200 vers 1700, et 1 400 en 1760 ; les Ménominis 160 en 1668, et 800 à la fin du Régime français ; quant aux Winnebagos, qui étaient environ 20 000 au début du XVIIᵉ siècle, ils n'étaient plus qu'à peine 200 en 1700, mais 1 000 vers 1760 [9]. Tout au long de la période française, les Pays d'en Haut demeurèrent une région amérindienne peuplée par une minorité de Français. C'est le contraire qui prévalut dans la basse vallée du Saint-Laurent à partir des années 1660.

La vallée laurentienne, suite à la disparition des Iroquoiens de Stadaconé et d'Hochelaga, connut un double « repeuplement » dans la seconde moitié du XVIIᵉ siècle :

celui des colons français, bien sûr, mais aussi celui de migrants indiens en provenance de la baie Georgienne (des Hurons), de la Nouvelle-Angleterre (des Abénaquis) et de l'Iroquoisie. Les Hurons s'installèrent dans la région de Québec en 1650, après la destruction de leur confédération par les Iroquois, et se fixèrent définitivement à Lorette (Wendake) en 1697. Une partie des Abénaquis, fuyant la menace des colons britanniques, cherchèrent refuge auprès des Français à la fin des années 1670, et établit deux villages sur le Saint-Laurent : Saint-François (Odanak) et Bécancour (Wôlinak). Enfin des Iroquois – surtout des Agniers et des Onneiouts –, faisant sécession avec la ligue des Cinq Nations, migrèrent vers Montréal à partir de 1667, sous l'impulsion des missionnaires et des administrateurs coloniaux, soucieux de créer par des villages alliés une zone tampon contre les incursions anglo-iroquoises. Les motifs de tels déplacements étaient divers : ils pouvaient être liés à la conversion au christianisme, ou se révéler de nature sociale (volonté d'échapper au fléau de l'alcoolisme), politique et même économique (participation au commerce des pelleteries entre Montréal et Albany). Deux communautés se constituèrent dans un premier temps : celle du Sault Saint-Louis (Kahnawake) ; et celle de La Montagne, au cœur de l'actuel Montréal, qui fut déplacée en 1721 au Lac-des-Deux-Montagnes (Oka, Kanesatake) et qui, outre des Iroquois, regroupait des Hurons, des Népissingues et des Algonquins.

Deux autres villages iroquois furent établis sur le Saint-Laurent, au sud de Montréal, au cours du XVIIIᵉ siècle : Saint-Régis (Akwesasne) en 1747, et La Présentation (Oswegatchie) en 1749. Il existait enfin, depuis 1738, une mission à la Pointe-du-Lac (près de Trois-Rivières), où l'on trouvait essentiellement des Algonquins. Dans les deux dernières décennies du Régime français, le nombre d'Indiens « domiciliés »

oscillait entre 3 500 et 5 000 personnes, ce qui correspondait à un peu moins de 10 % de la population entre
Québec et Montréal [10].

La basse vallée du Mississippi

Dans le sud-est de l'Amérique du Nord, habité essentiellement par des peuples de la famille linguistique
muskogee, les densités de population étaient beaucoup
plus élevées que dans le nord-est lors des premiers
contacts avec les Européens. La région, dès le début du
XVIᵉ siècle, avait pourtant été ravagée par des épidémies,
suite au passage de conquistadores et de chasseurs
d'esclaves espagnols comme Hernando de Soto et ses
hommes entre 1540 et 1543. La dépopulation, selon certaines estimations, aurait pu être de l'ordre de 80 %.
Cette hécatombe a contribué à la disparition des civilisations dites « mississippiennes », dont le déclin s'était
amorcé dès le XIIᵉ siècle. Ces civilisations, qui se caractérisaient par des sociétés hiérarchisées au pouvoir centralisé et par des villes imposantes – Cahokia, vers 1100,
comptait près de 30 000 habitants – dotées de tertres
pyramidaux (tumuli), ont progressivement laissé place à
des sociétés beaucoup plus fragmentées et égalitaires
– à l'exception des Natchez et des Taensas –, et souvent
organisées en de très lâches confédérations. Ce sont ces
groupes que rencontrent les Français sur le Bas-
Mississippi à la fin du XVIIᵉ siècle : leur taille a diminué,
mais on peut les estimer à plus de 100 000 individus,
peut-être à 200 000 [11]. À titre d'exemple, les confédérations natchez et chactas comptent chacune quelque
30 000 habitants.

Le passage d'explorateurs, de missionnaires et de commerçants français dans les villages indiens de la haute
puis de la basse vallée du Mississippi, à partir des années
1670, provoque toutefois de nouvelles épidémies. La

population des Quapaws passe ainsi de 15 000 ou
20 000 personnes en 1682, lors du premier contact avec
Cavelier de La Salle, à environ 6 000 en 1690, puis à
1 000 vers 1700, soit une chute de 95 % en moins d'une
génération. Le missionnaire Buisson de Saint-Cosme, en
1699, n'observe dans un village « que des fosses où ils
étaient deux ensemble ». Cette nation « autrefois si nombreuse », explique-t-il, a été « entièrement détruite par la
guerre et par la maladie. Il n'y avait pas un mois qu'ils
étaient guéris de la picotte qui en avait emporté la plus
grande partie ». Les religieux des Missions étrangères,
faute d'ouailles, décident d'aller fonder une mission plus
en aval du Mississippi, chez les Tonicas. De nouvelles
épidémies frappent les Quapaws au cours du
XVIIIe siècle. En 1721, le père Charlevoix trouve l'un de
leurs villages « dans la dernière désolation. Il y a quelque
temps qu'un Français en passant fut attaqué de la petite
vérole : le mal s'est communiqué d'abord à quelques Sauvages, et bientôt après à toute la bourgade. Le cimetière
paraît comme une forêt de perches et de poteaux nouvellement plantés » [12].

Le Moyne d'Iberville et ses compagnons, à partir de
1699, sont aussi les acteurs – ils apportent leurs
« fièvres » – et les témoins du choc microbien dans la
basse vallée du Mississippi. Dès son arrivée dans la baie
de La Mobile, Le Moyne d'Iberville trouve des cadavres
de Mobiliens et un village abandonné ; chez les Bagayoulas, il apprend que le quart de la population vient de
périr, foudroyé par la variole. Le père du Ru, l'année
suivante, constate chez les Houmas qu'« il y a eu ici une
grande mortalité » ; « nous trouvons la désolation dans
le village, les femmes pleurent nuit et jour leurs
morts » [13]. Le Moyne d'Iberville se rend chez les Natchez
dont le chef (le Grand Soleil) est moribond, victime
d'une sorte de dysenterie. Ce groupe connaît dans les
années suivantes un désastre démographique : « Autrefois

cette nation était très considérable. Elle avoit soixante villages, 800 soleils ou princes, elle est aujourd'hui réduite à six petits villages, onze soleils [14]. » Trois ou quatre décennies de relations avec les Français ont eu raison de nombreux groupes, comme l'atteste Le Moyne de Bienville dans un mémoire daté de 1726 : « Ce pays […] était autrefois le plus peuplé de sauvages, mais à présent on ne voit plus de ces quantités prodigieuses de nations différentes que des pitoyables restes. » Selon lui, seuls les Chactas « peuvent nous donner quelques idées de ce que les sauvages étaient autrefois, les autres sont de faibles restes qui diminuent tous les jours par les différentes maladies que les Européens ont apportées dans le pays et qui étaient autrefois inconnues des sauvages [15] ». Les Chactas seraient alors plus de 8 000, dispersés dans 27 villages, mais en 1699 ils étaient près de 30 000 dans 50 villages…

Les ravages épidémiques et les raids des Chicachas entraînent une grande instabilité géopolitique dans le Bas-Mississippi. Des groupes, très affaiblis, déplacent leurs villages, certains s'agrègent à d'autres, comme les Quinipissas qui sont absorbés par les Bayagoulas, eux-mêmes réunis aux Mangoulachas. Les autorités coloniales encouragent parfois ces déplacements de population, de sorte que de nombreux « petits restes de nations [16] » – les Pascagoulas, les Biloxis, les Taensas, les Chaouachas, etc. – se fixent à proximité des postes français, en particulier de La Mobile, plus tard de La Nouvelle-Orléans. Seules les puissantes nations de l'intérieur (Chactas, Chicachas, Alibamons, Natchez), en dépit des épidémies, échappent à ces incessantes fluctuations. En Louisiane, comme dans les Pays d'en Haut – et sur le Saint-Laurent une partie du XVIIe siècle – les Français étaient donc largement minoritaires : ils vivaient, eux et les esclaves noirs, dans un monde indien. Les Chactas, à eux seuls, furent toujours beaucoup plus nombreux que les colons louisianais : on comprendra que, pour ces derniers, s'allier avec les autochtones constituait un impératif.

Des Européens en Amérique

Louis Hébert, Marie Rollet et leurs trois enfants formèrent la première famille d'origine européenne à s'établir au Canada en 1617. Leur fille Guillemette Hébert, mariée à Guillaume Couillard, donna naissance au premier enfant blanc à survivre en Nouvelle-France, Élisabeth Couillard. Au cours de sa vie sur le Saint-Laurent, Guillemette assista à la naissance d'au moins 143 de ses descendants, dont 110 étaient encore vivants au moment de son décès en octobre 1684. En 1730, on en recensait au moins 689 [17]. Sans atteindre ce nombre tout à fait exceptionnel qui s'explique par l'ancienneté de ce couple dans la colonie, les pionniers, c'est-à-dire les émigrants qui se sont « établis en famille au Canada avant le 1er janvier 1680 [18] », eurent de manière générale une descendance prolifique, en raison d'une forte fécondité et d'une faible mortalité : ils donnèrent naissance à un nombre très important d'enfants et ceux-ci purent parvenir nombreux à l'âge adulte et se marier. La population canadienne connut de ce fait un fort accroissement au cours du Régime français malgré une émigration très faible et largement temporaire. Ainsi quelque 10 000 pionniers sont-ils à l'origine des 6 millions de Canadiens-Français actuels qui se passionnent souvent pour la recherche de leurs ancêtres.

L'étude des émigrants français qui s'établirent dans la vallée du Saint-Laurent s'inscrit au Québec dans une volonté de forger et de défendre une identité provinciale menacée. C'est pourquoi le gouvernement canadien participe de manière très importante au financement de grands projets de recherche sur le sujet [19]. Les connaissances des historiens sur l'émigration française au Canada sont ainsi bien plus avancées que pour l'Acadie ou la Louisiane. Les travaux du démographe Mario Boleda fixent à 33 500 le nombre d'émigrants vers la vallée du Saint-Laurent. De son côté, l'historienne américaine Leslie Choquette estime à 70 000 le nombre total de départs vers le Canada et à 7 000 celui vers l'Acadie, en tenant compte des migrants saisonniers. C'est peu, comparé aux 300 000 émigrants qui débarquèrent aux Antilles françaises ou aux 700 000 qu'accueillirent les Treize colonies britanniques d'Amérique du Nord ; c'est néanmoins beaucoup par rapport aux 6 000 émigrants qui parvinrent en Louisiane. Qui furent ces rares migrants qui choisirent de partir et de s'établir dans les colonies françaises d'Amérique du Nord ou de retourner en France ? Pourquoi décidèrent-ils de quitter la métropole, temporairement ou définitivement, alors que la plupart de leurs compatriotes refusèrent cette aventure coloniale ?

Un périple risqué

Les émigrants qui embarquaient à La Rochelle ou dans un autre port de la côte atlantique pour l'Amérique ne parvenaient pas tous à destination. Le voyage était long et périlleux. Durant sa traversée de l'océan, la mère ursuline Cécile de Sainte-Croix écrivait ainsi qu'il lui était « souvent passé à l'esprit que c'est autre chose d'expérimenter les incommodités de la mer que d'en entendre parler seulement ; quand on se voit à deux doigts de la mort, on se trouve bien étonné [20] ». Il fallait en effet compter six à douze semaines pour rallier le Canada depuis la France et quatorze à vingt pour la Louisiane, le voyage retour – plus court – durant respectivement de quatre à six et de neuf à douze semaines.

Dans l'Atlantique Nord, le mauvais temps et les tempêtes étaient fréquents ; la navigation dans les eaux tropicales de la mer des Caraïbes et du golfe du Mexique n'était pas non plus de tout repos. À bord des navires marchands mal adaptés au transport de passagers, les conditions de vie à bord étaient difficiles à cause de l'inconfort, de la promiscuité, de la saleté et de la puanteur. Le manque d'hygiène, une nourriture déséquilibrée et une eau vite croupie favorisaient les maladies, le scorbut, mais aussi le typhus et la variole, entraînant un taux de mortalité de 7 à 10 %.

Les journées s'écoulaient péniblement dans l'ennui et la monotonie. Durant les voyages pour le Canada, seule l'arrivée sur les bancs de Terre-Neuve, marquée par des cris de « Vive le Roi ! » que lançaient les marins, ranimait l'enthousiasme : on savait l'issue de la traversée proche et la pêche occupait alors l'équipage et les passagers. Tous ceux qui franchissaient les bancs pour la première fois subissaient une cérémonie de baptême : le voyageur devait se présenter devant un marin déguisé en bonhomme Terre-Neuve. On le faisait asseoir au bord d'un baril rempli d'eau où il était plongé s'il refusait de prêter le serment de ne pas divulguer ce rituel et de ne jamais toucher une femme de marin ou bien manquait de donner quelques pièces à l'équipage pour qu'il puisse s'offrir de l'eau-de-vie. Une cérémonie comparable avait lieu durant le voyage vers La Nouvelle-Orléans lors du passage du Tropique du Cancer, le bonhomme Terre-Neuve étant simplement remplacé par le dieu grec Neptune.

Aux morts durant la traversée, s'ajoutèrent en Louisiane les nombreux décès à l'arrivée, alors que les migrants au Canada bénéficièrent de conditions démographiques beaucoup plus favorables. Marcel Giraud estime que 60 % des 6 000 émigrants civils qui partirent

pour la colonie du Mississippi entre 1717 et 1720 moururent au cours du voyage transatlantique ou, surtout,
peu après leur débarquement. Le Moyne de Bienville et
la Compagnie des Indes peuvent être tenus pour responsables de cette mortalité à l'arrivée. Le lieutenant de roi
imposa, en effet, dans un premier temps aux ingénieurs
le choix du Nouveau Biloxi comme capitale de la colonie
à la place de La Nouvelle-Orléans. Or la Compagnie fit
preuve d'incompétence et d'imprévoyance. Contrairement à ses engagements, elle n'envoya pas en Louisiane
suffisamment de vivres et d'embarcations pour nourrir
les immigrants arrivés particulièrement nombreux en très
peu de temps et les transporter sur leurs concessions.
En outre, elle confisqua leurs denrées personnelles afin
d'assurer la subsistance de ses employés et de la garnison.
Pour faire face à une telle situation de crise, il aurait fallu
que les autorités locales décidassent de mesures énergiques, mais la prise de décision était paralysée par les
dissensions continuelles qui opposaient les commandants
militaires et les directeurs de la Compagnie. En conséquence, les nouveaux venus durent attendre plusieurs
mois sur le littoral désolé du golfe du Mexique où les
mauvaises conditions de vie, le manque de nourriture, la
difficulté à s'adapter au climat et à un nouveau régime
alimentaire, l'épuisement et le découragement les rendirent plus vulnérables aux maladies et aux épidémies
(scorbut, dysenterie, fièvres). En raison de cette surmortalité à l'arrivée, la population européenne de la Louisiane demeura très faible.

Une émigration temporaire

Qui plus est, seule une petite partie des émigrants qui
survécurent à la traversée ou à l'arrivée contribuèrent
durablement au développement des colonies françaises
d'Amérique du Nord. L'émigration vers l'Acadie, le

Canada ou la Louisiane était largement de nature tempo-raire. Deux tiers des émigrants vers la vallée laurentienne retournèrent en métropole. Comme l'a montré Leslie Choquette, l'émigration vers le Canada ne devint jamais un mouvement autonome, mais demeura liée aux migra-tions traditionnelles internes au royaume de France (migrations des campagnes vers les villes, migrations interurbaines de travail, migrations militaires, migrations des montagnes vers les plaines). Elle constituait un pro-longement ou une alternative à ces mouvements tradi-tionnels qui présentaient le plus souvent un caractère temporaire. À l'instar de la servante Suzanne Dionnet, née dans la Saintonge rurale, qui avait travaillé huit ans dans la petite ville de Tonnay-Charente, puis avait migré à Rochefort avant de partir pour la Nouvelle-France en 1751, nombreux étaient les émigrants vers le Canada qui s'étaient déjà déplacés en France avant de gagner l'outre-mer [21]. Laissant parfois une famille en métropole, ils se rendaient souvent dans les colonies à la recherche d'un travail pour quelques années sans aucun projet de s'y établir, même si tous ne réussissaient pas à repartir, par-fois contraints et forcés de demeurer en Amérique. Quant à ceux qui y allaient avec le désir de s'installer durablement, ils n'y parvenaient pas toujours en raison de la dureté du milieu et du déséquilibre du marché matrimonial. Ils pouvaient alors décider de rentrer en métropole, de la même façon qu'un séjour dans une ville du royaume pouvait être interrompu en cas d'échec.

Tout quitter, sa famille, sa paroisse, sa terre, n'était pas chose facile. Les liens de parenté n'étaient pas totalement brisés par la migration et la famille pouvait faire pression afin que l'émigrant rentrât au pays. C'est ainsi que Mau-rice Averty, passé au Canada en 1653, reçut cette lettre de son père :

« Mon cher fils je suis bien étonné d'avoir trouvé des per-sonnes de votre patrie et de m'avoir point écrit. Il est vrai que je trouve cela bien étrange d'avoir un enfant que j'ai chéri plus que moi-même et de n'avoir point de volonté pour moi. Je croyais que j'aurais le bonheur de le voir dans quatre ou cinq ans après son départ. Mon cher fils je vous supplie que si ce peut que vous pouviez trouver l'occasion de revenir en France et d'être deux trois mois en votre bonne ville de La Flèche d'où vous êtes : je vous promets que vous êtes héritier de votre défunte mère et que si vous étiez venu à La Flèche vous en auriez [pour plus] de huit cents livres [...] C'est pourquoi je vous supplie de ne manquer à venir au plutôt d'autant que cela vous touche beaucoup. Autres choses ne vous puis que mander sinon que je vous prie de m'honorer en titre de père et mère. Léger Averty votre père et sans oublier Marie Lemoine votre mère. Votre oncle Lucas se recommande bien à vous. Et sa femme votre tante et tous vos bons amis de ce bon pays d'Anjou où nous prenons le vin blanc à un sol – Mon fils je ne vous dis pas encore adieu. J'espère encore vous posséder en la ville de La Flèche avant que de mourir, Dieu m'en fasse la grâce. »

La douceur angevine, le petit vin blanc, l'héritage et l'amour familial ne suffirent pas à faire revenir Maurice Averty, qui épousa en 1685 Marie Cherlot et s'installa à Varennes, puis dans l'île de Montréal, où il mourut en 1724 [22]. D'autres arguments, tels que le bon goût des fruits, les amusements quotidiens (les quilles, la pelote basque et les jeux de cartes) et les « jeunes tendrons » de Gascogne, furent avancés dans une lettre pour faire revenir un marchand de Bayonne résidant sur l'île du Cap-Breton en 1756, sans que l'on sache s'ils obtinrent davantage de succès [23].

Qui tentait l'aventure ?

Contrairement à ce qu'affirmaient les historiens canadiens-français du XIXe siècle, les migrants ne provenaient pas de la paysannerie catholique traditionnelle, mais étaient issus des régions et des secteurs les plus dynamiques, les plus mobiles et les plus ouverts sur l'extérieur. La très grande majorité de ces émigrants furent des hommes, les femmes montrant toujours moins d'inclination à migrer, en particulier sur de longues distances – la nécessité de traverser l'Atlantique constituant assurément un facteur dissuasif supplémentaire. Près des trois quarts étaient de jeunes adultes dont l'âge moyen à l'arrivée était de vingt-cinq ans pour les hommes et de vingt-deux ans pour les femmes. Peu d'enfants ou de personnes âgées émigrèrent au Canada.

La sous-représentation de ces deux classes d'âge et le déséquilibre des sexes sont révélateurs de la faiblesse de l'émigration familiale vers la vallée du Saint-Laurent : la plupart étaient, en effet, de jeunes célibataires qui n'étaient pas encore établis. L'émigration familiale prit place essentiellement avant 1663 : elle était alors favorisée par les recruteurs seigneuriaux, tels que Robert Giffard et les frères Juchereau dans le Perche ou Jérôme Le Royer de la Dauversière autour de La Flèche. Par la suite, on donna la priorité aux jeunes adultes à cause des dangers de la traversée, qui rendaient l'émigration d'enfants peu rentable, et du besoin d'une main-d'œuvre robuste immédiatement disponible. Cependant, même si la très grande majorité des migrants vinrent seuls plutôt qu'en famille, nombreux étaient ceux qui entretenaient des liens d'amitié ou de parenté avec un autre migrant. Ce fut particulièrement le cas des pionniers. Les apparentés pouvaient partir ensemble, comme les six couples avec enfants de Marans, soit vingt-deux personnes toutes parentes ou amies, qui firent partie des gens recrutés en 1659 pour peupler Montréal [24]. Ils pouvaient aussi arriver les uns après les autres dans la colonie et s'y rejoindre. Pierre Gandois, par exemple, quitta le Perche pour le Canada en 1636. Il était accompagné de sa femme Louise Mauger et de leurs deux enfants. Dix ans plus tard, il déménagea à Montréal où il retrouva sa sœur Françoise venue au Canada en 1641 avec son mari Nicolas Godé et leurs quatre enfants [25]. La solidarité familiale « constituait souvent un motif d'émigration qui venait se substituer ou s'ajouter à d'autres raisons personnelles [26] ». Dans la colonie, les relations de parenté ou d'amitié contribuèrent de manière très importante à enraciner ces immigrants.

La presque totalité des émigrants pour le Canada était originaire du royaume de France, quelques centaines seulement venant des pays limitrophes. À ces étrangers venus d'Europe s'ajoutèrent des Anglo-Américains capturés aux frontières de la Nouvelle-France par des Amérindiens, des miliciens ou des soldats lors des conflits coloniaux, à partir des années 1680. Environ cinq cents d'entre eux demeurèrent dans la colonie. En 1704, Matt Farnsworth, âgé alors de quatorze ans, fut enlevé par un parti d'Amérindiens du Sault-au-Récollet à Groton dans le Massachusetts. Il fut ramené au Canada, instruit dans la foi catholique et baptisé en 1706 sous le nom de Claude-Mathias, le gouverneur de Montréal, Claude de Ramezay, lui servant de parrain. Naturalisé français, il reçut une terre en 1711. Deux ans plus tard, il épousa Catherine Charpentier, la fille d'un habitant voisin. Un des témoins de son contrat de mariage était un Anglais nommé Joseph-Daniel Maddox, menuisier à Montréal. Matt Farnsworth, quant à lui, signa du nom de Claude-Mathias Farnef, preuve de sa pleine intégration dans la communauté française [27].

La Louisiane aurait dû, proportionnellement, accueillir un plus grand nombre d'étrangers. En 1720-1721, John Law recruta, en effet, quelques familles suisses et environ 4 000 Allemands, des familles de laboureurs et d'artisans originaires principalement de la vallée du Rhin, de confession catholique ou protestante. Seulement 300 d'entre eux purent, néanmoins, s'établir en Louisiane ; quant aux autres, s'ils ne désertèrent pas avant même de partir, ils trouvèrent la mort à différents stades du périple : à Lorient où ils attendaient d'embarquer, durant la traversée ou encore peu après leur arrivée dans la colonie. Ces Allemands furent rejoints dans les années 1750 par une centaine d'Alsaciens. Une partie d'entre eux avaient été arrêtés alors qu'ils essayaient d'émigrer en Allemagne, puis condamnés aux galères ou à la prison à vie, et avaient vu leur peine commuée en exil dans la colonie à la condition d'abjurer le protestantisme. En dehors de ces émigrants civils, la Louisiane reçut une compagnie de soldats-ouvriers suisses en 1720-1721, mais la compagnie fut dissoute quelques années plus tard. En 1732, un détachement du régiment de Karrer qui comprenait des soldats suisses et allemands de confession catholique et protestante, fut envoyé dans la colonie. Un autre détachement de ce régiment se trouvait en garnison à Louisbourg depuis 1722. Même après son départ en 1745, les étrangers comptaient encore pour 5 % des troupes de l'île Royale.

Les émigrants pour le Canada partirent de toutes les provinces françaises. Deux tiers d'entre eux provenaient toutefois de la côte ouest, là où se trouvaient les ports d'embarquement pour l'Amérique : La Rochelle, Rouen, Dieppe, Rochefort, Nantes, Bordeaux. C'est dans ces ports que les recruteurs officiaient le plus souvent. Les émigrants pour le Canada furent ainsi nombreux à venir de Normandie, d'Aunis, de Poitou et de Saintonge, mais aussi de la région parisienne. Il en était de même des émigrants pour la Louisiane, recrutés à Paris et dans les ports de La Rochelle, de Lorient et de Port-Louis. L'Acadie fut probablement peuplée d'immigrants originaires du Loudunais et d'autres régions du Poitou. Lorsqu'elle fut cédée par le traité d'Utrecht à la Grande-Bretagne en 1713, seulement 500 (sur 2 500) Acadiens choisirent de s'installer, à côté des habitants de Plaisance, sur l'île du Cap-Breton. À cet apport initial vinrent s'agréger surtout des Normands, des Bretons et des Basques. Après l'échec de la Compagnie de l'île Saint-Jean qui œuvra entre 1720 et 1723 et la réinstallation des colons français sur l'île Royale en 1724, l'île Saint-Jean fut principalement peuplée d'émigrants acadiens venus de la Nouvelle-Écosse. En 1749, à l'issue de la guerre de Succession d'Autriche, les deux îles reçurent de nouveaux groupes d'Acadiens.

Entre 40 et 60 % des émigrants au Canada étaient des citadins, alors même que la population métropolitaine était massivement rurale. D'ailleurs, proportionnellement, peu de paysans figuraient parmi les émigrants, plutôt issus des élites nobles et bourgeoises et du monde des artisans et des manouvriers. Comment interpréter ce poids de la côte ouest et des milieux urbains dans les provenances géographiques des émigrants ? Selon Leslie Choquette, ces zones de départ, essentiellement des centres urbains et leurs arrière-pays agricoles bien reliés aux voies de communication, correspondaient à des régions relativement prospères et dynamiques sur le plan économique. Elles furent touchées par l'économie de marché, dans le contexte d'une expansion de l'économie atlantique au cours des deux derniers siècles de l'Ancien Régime. En dehors de cette frange atlantique, la France connut au XVIIe siècle une grave période de dépression marquée par une baisse des prix agricoles, à laquelle succéda au siècle suivant une phase de prospérité et de hausse des prix. Cependant, il y eut autant d'émigrants pour le Canada au XVIIe siècle qu'au XVIIIe siècle. En outre, si l'on met en relation année par année le nombre de départs avec les variations du prix du blé, on ne constate aucune corrélation. En d'autres termes, l'émigration vers le Canada n'était pas tant liée à la misère qu'à la prospérité. Vraisemblablement, en choisissant le voyage et l'établissement outre-mer, les jeunes migrants ne fuyaient pas la pauvreté extrême, mais cherchaient plutôt à améliorer leur condition.

Il existe deux exceptions à ce scénario : le Perche et le nord de l'Anjou, deux zones relativement pauvres, peu touchées par l'économie de marché et assez éloignées de la mer. Le poids de ces deux régions, en particulier du Perche, dans l'émigration vers le Canada, s'explique par les liens que certains recruteurs entretenaient avec elles : Robert Giffard possédait des seigneuries dans le Perche, comme Jérôme Le Royer de La Dauversière dans le nord de l'Anjou et le sud du Maine. Pourtant, les émigrants qu'ils réussirent à recruter ne faisaient pas partie de leurs censitaires [28], mais étaient plutôt des habitants des villes et bourgs de la région, actifs et ouverts sur l'extérieur.

Le recrutement des engagés et des militaires

Dans quelles conditions ces émigrants partirent-ils pour le Nouveau Monde ? S'ils n'étaient pas miséreux, avaient-ils pour autant les moyens de financer leur voyage à destination du Canada ou de la Louisiane ? En fait, très peu d'émigrants y vinrent comme passagers : probablement quelques centaines pour la vallée du Saint-Laurent et quelques dizaines pour le Mississippi. En revanche, très nombreux furent les engagés dont la traversée atlantique était payée en contrepartie de plusieurs années de travail au service d'un colon. Ils comptaient pour près de 19 % des émigrants vers le Canada et 38 % de ceux venus en Louisiane entre 1717 et 1720. Ces engagés étaient recrutés par les compagnies, les colons ou par des marchands et armateurs qui revendaient les contrats dans la colonie. Au Canada, entre 1663 et 1671, le pouvoir royal contribua aussi à financer leur passage. À partir de 1714, une ordonnance obligea les bateaux de commerce se rendant à Québec à prendre à bord un certain nombre d'engagés selon le tonnage du navire.

Les marchands et les armateurs rechignaient toutefois à remplir leurs obligations, car ils trouvaient plus de profit à transporter des marchandises. La Couronne dispensa les navires marchands se rendant en Louisiane de l'obligation d'y amener des engagés afin de favoriser le commerce avec la colonie, qui était insignifiant.

Les engagés étaient recrutés le plus souvent dans les ports d'embarquement, mais des recrutements eurent aussi lieu à Paris pour la Louisiane ou encore à Tourouvre dans le Perche pour le Canada, comme en témoigne ce contrat d'engagement :

« Furent présents Jean Malenfant, manœuvre demeurant au lieu de Riant, paroisse de Tourouvre et Louis Guimond, fils de François demeurant en la paroisse de Tourouvre, au lieu de la Mulotière, lesquels volontairement ont promis et se sont obligés à et envers maître Jean Juchereau, sieur de More, commis général des magasins de la Nouvelle-France et y demeurant, absent. Stipulant par Nicolas Juchereau, sieur de Saint-Denis, son fils ici présent, demeurant au dit pays de la Nouvelle-France, savoir est : de servir de leurs états de manœuvre le dit maître Jean Juchereau, sieur de More, durant le temps savoir : le dit Malenfant, cinq ans et le dit Guimond six ans à commencer du jour de l'embarquement qu'ils feront pour aller au pays de la Nouvelle-France et finissant à pareil jour, à la charge de les nourrir pendant le dit temps et de les passer et repasser au lieu de l'embarquement. Et ceci a été fait moyennant la somme de quarante livres tournois au dit Guimond par chacun an et en outre une paire de souliers et un habit de serge de laine sur tout le dit terme et au dit Malenfant la somme de 55 livres tournois aussi par chacun an et sur tout le dit terme une paire de souliers que le dit sieur de Saint-Denis a promis de leur payer d'an en an dont les parties sont demeurées d'accord devant nous, notaire, promettant tenir été obligeant. Présents le maître François Chastel, avocat à Tourouvre et y demeurant et Jacques Coupeau demeurant au lieu de Longueterre, paroisse de Randonnay, témoins qui ont avec ledit sieur de Saint-Denis et nous, notaire, signé… [29]. »

Contrairement à ce contrat valable pour cinq ou six ans, le temps d'engagement était fréquemment de trois ans, d'où le surnom de « trente-six mois » donné aux engagés. En cela, les engagés français étaient grandement favorisés par rapport à ceux des colonies britanniques, astreints à quatre à sept années de service. Les autres clauses variaient en fonction des qualifications des individus, des lieux de destination et des périodes. Des salaires plus importants que ceux offerts pour un bon ouvrier en France, en raison de la forte demande de main-d'œuvre coloniale, expliquent probablement pourquoi ces engagés acceptaient de partir et de subir des conditions de vie souvent très dures dans les colonies. Mais certains, une fois le contrat d'engagement signé, désertaient avant le départ en empochant l'avance sur les gages. La plupart de ceux qui se rendaient en Amérique rentraient en métropole, la durée du contrat expirée.

Au Canada, bien avant les engagés, le groupe socio-professionnel le plus important fut celui des militaires. Recrutés par voie d'affichage et d'annonces faites au son du tambour sur les places publiques, ils comptèrent pour plus de la moitié des émigrants. En conséquence, les dates d'envoi des militaires correspondent aux pics dans la chronologie de l'émigration vers le Canada : 1663-1673, 1683-1693, 1755-1756. L'émigration militaire vers l'île Royale fut aussi proportionnellement importante, la population totale de la colonie comprenant entre un quart et la moitié de soldats selon les périodes. Elle fut beaucoup plus faible en Louisiane.

De fait, le pouvoir royal avait parfois du mal à recruter des soldats pour le Canada et le Mississippi, deux colonies souffrant d'une mauvaise réputation. En 1687, un officiel en charge du recrutement au Havre expliquait ainsi au ministre de la Marine qu'il ne réussirait à réunir sa levée de cent hommes que s'il omettait de les prévenir qu'ils seraient envoyés au Canada [30]. En 1720, l'intendant de Brest n'arrivait pas à recruter des soldats destinés pourtant à Saint-Domingue, car les Bretons craignaient d'être envoyés en Louisiane [31]. La difficulté de trouver des recrues donnait lieu à de nombreux abus dans les méthodes employées et dans les personnes recrutées, l'âge minimal n'étant pas toujours respecté. En 1750, par exemple, un laboureur débarqué à Louisbourg parmi une levée de soldats protesta qu'il ne s'était jamais enrôlé et qu'il avait seulement accepté trois livres d'un officier pour boire à la santé du roi, geste qui fut considéré comme un signe d'acceptation pour un engagement de six ans [32]. La faiblesse de la prime d'engagement et de la solde, les critiques portées à leur encontre par les autorités coloniales laissent à penser que les soldats recrutés dans les Compagnies franches de la Marine provenaient des milieux populaires les plus humbles.

La grande majorité des troupes envoyées dans la colonie laurentienne n'y demeuraient pas et rentraient à la fin de leurs années de service. Pourtant, dès 1665, le pouvoir royal avait considéré l'établissement des militaires comme un moyen de peupler durablement le Canada. Il accorda des libérations et des gratifications aux soldats du régiment de Carignan-Salières afin de faciliter leur mariage et leur établissement dans la colonie, et plus de 400 d'entre eux acceptèrent. Par la suite, l'attribution systématique de congés et de gratifications aux militaires désireux de s'établir fut remise en cause par les autorités locales soucieuses de ne pas affaiblir la défense de la colonie. Plusieurs centaines de soldats s'installèrent néanmoins. La même politique de peuplement militaire fut appliquée en Louisiane, mais de manière très restrictive, et elle eut peu de conséquences. Lors de l'arrivée des Espagnols en 1766, selon Carl A.

Brasseaux, 280 des 1 200 à 1 300 officiers et soldats alors en garnison dans cette colonie choisirent toutefois de demeurer sur place : certains étaient trop âgés pour rentrer en métropole ou continuer à servir le roi de France ailleurs, tandis que d'autres souhaitaient commencer une vie nouvelle en ouvrant une plantation.

Les « filles du roi »

Au Canada, on proposa aux soldats d'épouser des « filles du roi ». Selon Yves Landry, cette appellation fut utilisée pour la première fois en 1697-1698 par Marguerite Bourgeoys, la fondatrice de la Congrégation de Notre-Dame, afin de qualifier le millier de filles à marier envoyé dans la colonie aux frais du roi entre 1663 et 1673. Elles constituaient environ la moitié des femmes venues seules au Canada. Le baron de Lahontan, jeune officier débarqué dans la colonie en 1683, racontait ainsi leur arrivée :

« Après la réforme de ces troupes [du régiment de Carignan] on y envoya de France plusieurs vaisseaux chargés de filles de moyenne vertu, sous la direction de quelques vieilles béguines qui les divisèrent en trois classes. Ces vestales étaient pour ainsi dire entassées les unes sur les autres en trois différentes salles, où les époux choisissaient leurs épouses de la manière que le boucher va choisir les moutons au milieu d'un troupeau. Il y avait de quoi contenter les fantasques dans la diversité des filles de ces trois sérails, car on en voyait de grandes, de petites, de blondes, de brunes, de grasses et de maigres ; enfin chacun y trouvait chaussure à son pied. Il n'en resta pas une au bout de 15 jours. On m'a dit que les plus grasses furent plutôt enlevées que les autres, parce qu'on s'imaginait qu'étant moins actives elles auraient plus de peine à quitter leur ménage, et qu'elles résisteraient mieux au grand froid de l'hiver, mais ce principe a trompé bien des gens. Quoi qu'il en soit on peut ici faire une remarque assez curieuse. C'est qu'en quelque partie du monde où l'on transporte les plus vicieuses Européennes, la populace d'outre-mer croit à la bonne foi que leurs péchés sont tellement effacés par le baptême ridicule dont je vous ai parlé [celui sur les grands bancs de Terre-Neuve], qu'ensuite elles sont censées filles de vertu, d'honneur, et de conduite irréprochable. Ceux qui voulaient se marier s'adressèrent à ces directrices auxquelles ils étaient obligés de déclarer leurs biens et leurs facultés, avant que de prendre dans une de ces classes celles qu'ils trouvaient le plus à leur gré. Le mariage se concluait sur le champ par la voie du prêtre et du notaire, et le lendemain le Gouverneur Général faisait distribuer aux mariés un bœuf, une vache, un cochon, une truie, un coq, une poule, deux barils de chair salée, onze écus avec certaines armes que les Grecs appellent kéras [cornes]. Les officiers plus délicats que leurs soldats s'accommodaient des filles des anciens gentils-hommes du pays ou de celles des plus riches habitants [33] »

En dépit des accusations de Lahontan sur leur moralité, qui furent véhiculées par d'autres témoins de l'époque et qui ont suscité un long débat historiographique, ces filles n'étaient pas des prostituées. Leurs origines sociales étaient très diverses et un pourcentage relativement important, soit 12 %, était issu de la noblesse ou de la haute bourgeoisie. Les premières, arrivées en 1669-1671, étaient pour les trois quarts des orphelines élevées à l'Hôpital général de Paris. Elles reçurent une dot du roi afin de faciliter leur mariage et leur établissement en Nouvelle-France. Cette perspective de faire un mariage honorable grâce au soutien royal, alors qu'une telle union était difficilement envisageable en France en raison de la perte d'au moins un de leurs parents et de leurs difficultés financières, ainsi que le désir de fuir les conditions de vie miséreuses de l'Hôpital général, expliquent certainement leur choix d'émigrer au Canada. Par la suite, seulement un tiers d'entre elles transitèrent par cet établissement et beaucoup ne furent pas dotées. Elles furent alors surtout recrutées à Rouen, La Rochelle et Dieppe. Malgré la demande de filles venues de la campagne, la plupart étaient de ce fait des citadines de la région parisienne, du Nord-Ouest et du Centre-Ouest. Des filles du roi ou plutôt des « filles à la cassette », comme on les y appelait, furent aussi envoyées en Louisiane, mais en nombre beaucoup plus réduit : la colonie du Mississippi n'accueillit qu'environ 120 jeunes femmes entre 1719 et 1721.

La plupart des filles du roi envoyées au Canada y demeurèrent et s'y marièrent rapidement. Le pouvoir royal faisait pression pour que, dès leur arrivée, des mariages expéditifs fussent conclus avec les célibataires de la colonie. Un arrêt promulgué en 1670 et répété l'année suivante enjoignit même à « tous compagnons volontaires et autres personnes qui sont en âge d'entrer dans le mariage de se marier quinze jours après l'arrivée des navires qui apportent les filles sous peine d'être privés de la liberté de toute sorte de chasse pêche et traite avec les sauvages [34] ». En dépit des injonctions royales et du témoignage du baron de Lahontan, peu de filles se marièrent dans les semaines suivant leur débarquement, mais 80 % d'entre elles avaient convolé en justes noces six mois après. Le délai était plus long pour les jeunes bourgeoises ou aristocrates, en raison de la difficulté à trouver un parti correspondant à leur position sociale. D'autres ne parvenaient jamais à se marier. En Louisiane, en 1713, le commissaire-ordonnateur Duclos annonça ainsi l'arrivée de douze filles si laides que les Canadiens présents dans la colonie n'avaient pas voulu les épouser. Il conseillait de choisir des filles belles plutôt que ver-tueuses, déclarant : « les Canadiens aiment encore mieux les sauvagesses, avec lesquelles la plupart se marient [35] ».

En règle générale pourtant, ces jeunes femmes étaient plutôt en position de force car le déséquilibre des sexes leur offrait une pléthore de prétendants. Reste que le choix d'un conjoint n'était pas chose facile. En témoigne cet extrait de la correspondance de Marie de l'Incarnation : « Les vaisseaux ne sont pas plus tôt arrivés que les jeunes hommes y vont chercher des femmes, et dans le plus grand nombre des uns et des autres on les marie par trentaines. Les plus avisés commencent à faire une habitation un an devant que de se marier, parce que ceux qui ont une habitation trouvent un meilleur parti ; c'est la première chose dont les filles s'informent, et elles font sagement, parce que ceux qui ne sont point établis souffrent beaucoup avant que d'être à leur aise [36]. »

Le destin de Manon Lescaut

À côté de ces filles à la cassette, la Louisiane reçut un certain nombre de « femmes de mauvaise vie ». Ce n'était pas la première fois que la Couronne avait recours à l'émigration forcée, puisqu'elle avait envoyé des centaines de prisonniers aux Antilles et en Guyane dans les années 1680. Mais, ces derniers s'avérant peu utiles à la mise en valeur des îles, elle avait vite cessé de telles déportations. Cette politique de bannissement reprit cependant au début de la Régence, du fait des difficultés économiques que connaissait alors le pays. Démarrée timidement dès 1717, elle s'accéléra avec les trois ordonnances de 1718-1719, qui réprimaient le vagabondage. L'objectif était double : débarrasser le royaume de ses éléments indésirables et favoriser le peuplement de la Louisiane. Jusqu'au printemps 1720, furent ainsi déportés environ 1 300 faux sauniers, fraudeurs de tabac, soldats déserteurs ou mendiants... Un petit nombre étaient accompagnés de leurs épouses et enfants. Des fils de famille arrêtés sur lettre de cachet en raison du déshonneur que leur comportement scandaleux faisait peser sur leurs familles vinrent compléter ces contingents de criminels et de vagabonds. Beaucoup de ces fils de famille étaient des artisans et des ouvriers ou des fils d'artisans et de petits marchands. Parmi eux se trouvait peut-être Jacques Barbion. Sa mère, à son propos, avait écrit au lieutenant général de police de Paris :

> « La veuve Barbion demeurant rue de Paradis chez le sieur Georges Tacheron, maître rôtisseur représente humblement à Votre Grandeur que le nommé Jacques Barbion, âgé d'environ vingt-cinq ans, compagnon maçon, l'un de ses quatre enfants, a déjà fait plusieurs mauvais tours, se prend de vin très souvent, fait des juremens exécrables, casse et brise tout dans la maison, et non content de ce désordre menace la suppliante de la tuer, tantôt avec son compas, tantôt à coups de couteau ; dans la triste situation où la suppliante se trouve réduite, à chaque moment à la veille de périr par les mains d'un fils dénaturé, elle a recours à l'autorité de Votre Grandeur et la supplie très humblement d'ordonner que le dit Jacques Barbion soit arrêté et mis en lieu de sûreté par la première occasion être envoyé à Mississipy afin d'éviter les malheurs qui pourraient s'en ensuivre. Et la suppliante fera des vœux chaque jour pour la prospérité et la conservation de la précieuse santé de votre Grandeur [37]. »

Après réception d'un tel placet, le lieutenant général de police ordonnait une enquête à l'issue de laquelle il donnait son avis. Concernant certains dossiers particulièrement chargés, il écrivait : « C'est un vrai sujet pour la Louisiane », « un fort mauvais sujet et qui mérite […] d'être du nombre de ceux qui sont destinés pour les nouvelles colonies [38] ». Ces observations montrent que, dans l'opinion publique, la Louisiane était dorénavant assimilée à une colonie de déportation.

Moins de deux cents jeunes femmes, en majorité de vingt à trente ans, de condition sociale souvent modeste, tirées pour la plupart de la Salpêtrière, où elles étaient enfermées pour vagabondage, mendicité, prostitution ou crimes, furent également déportées en Louisiane. Certaines d'entre elles – dont l'une était accusée d'une quinzaine d'assassinats – s'appelaient Marie, Marie-Anne ou Marie-Madeleine, et étaient donc volontiers surnommées Manon ; une jeune femme du nom de Marie-Anne Lescau, originaire d'Amiens, fut aussi enfermée à l'Hôpital général en 1720 [39]. L'abbé Prévost trouva peut-être dans ces femmes une source d'inspiration pour son roman paru en 1731, *Histoire du chevalier Des Grieux et de Manon Lescaut*. Nul ne sait si les femmes qui inspirèrent le personnage de Manon trouvèrent l'amour au Mississippi, mais, comme l'héroïne, beaucoup d'entre elles moururent peu après leur arrivée.

Avec la multiplication des départs forcés dans les six derniers mois de 1719, les résistances à la déportation, sous la forme de soulèvements ou d'évasions, se multiplièrent. Le *Journal de la Régence* de Jean Buvat témoigne de la compassion éprouvée par l'opinion publique devant ces déportations dont on exagérait l'importance. À la date du 4 septembre 1719, Buvat écrit avoir appris « de La Rochelle que les cent cinquante filles qu'on y avait envoyées de Paris pour être transportées au Mississippi s'étaient jetées comme des furies sur les archers, leur arrachant les cheveux, les mordant en leur donnant des coups de poing, ce qui avait obligé les archers de tirer leurs fusils sur ces pauvres créatures, dont six avaient été tuées et douze blessées ; ce qui avait intimidé les autres de telle sorte qu'elles se laissèrent embarquer [40] ». Dans les premiers mois de 1720, le public commença à manifester ouvertement son hostilité tandis que se mettait en place une répression encore plus systématique du vagabondage : un corps d'archers spéciaux eut pour mission d'arrêter dans les rues de Paris tous les mendiants et vagabonds. En raison de la bandoulière qui leur servait d'insigne, ces archers furent appelés par la population parisienne les « bandouliers du Mississippi ». Parce qu'ils touchaient une prime pour chaque personne arrêtée, les archers usèrent de violences et de procédés arbitraires. Des enlèvements eurent lieu aussi à Orléans. Dans la capitale, leurs exactions déclenchèrent de véritables émeutes. Face au mécontentement croissant de l'opinion publique, le pouvoir royal interdit en mai 1720 la déportation en Louisiane des vagabonds, mendiants, fraudeurs et autres criminels. À cette date, plusieurs centaines d'entre eux attendaient encore leur transfert en Louisiane ; la plupart furent finalement transportés vers les autres colonies d'Amérique, aux Antilles ou au Canada. Environ un millier de prisonniers fut envoyé dans la seule vallée du Saint-Laurent. On choisissait de préférence les jeunes hommes robustes et sachant un métier, mais on y déportait parfois aussi des chefs de bande incorrigibles, comme Philippe Guerry dit le Dragon ou Simon Monny dit la Mort [41].

La politique de peuplement : rôle et limites des institutions

Le nombre important de soldats, de filles du roi et de prisonniers envoyés outre-mer témoigne de la place fondamentale que joua l'émigration institutionnelle dans le peuplement des colonies françaises d'Amérique du Nord. À cet égard, la grande différence entre le Canada et la Louisiane réside dans le rôle inverse que jouèrent respectivement les Compagnies et l'État. La Compagnie des Cent-Associés, on l'a vu, ne parvint pas à remplir ses obligations de peuplement. Elle s'en déchargea sur d'autres Compagnies ou sur la Communauté des habitants. Dans les années 1650, celle-ci fit appel à des marchands de La Rochelle pour assurer la venue d'engagés. À partir de 1655, les marchands, tel François Péron, se mirent à recruter des engagés pour leur propre compte. La Compagnie des Cent-Associés se tourna également vers les seigneurs à qui elle accordait des concessions. Ces seigneurs, qui pouvaient être des individus ou des groupes, les jésuites ou la Société Notre-Dame de Montréal par exemple, installaient les colons recrutés sur leurs concessions en tant que censitaires : ils en attendaient ainsi un profit à travers le paiement des droits seigneuriaux. Les seigneurs, notamment Claude de Razilly et son cousin et successeur Charles de Menou d'Aulnay, jouèrent aussi un rôle particulièrement actif en Acadie durant tout le Régime français. En 1663, après la reprise en main du Canada par la Couronne, celle-ci mit en place une importante politique d'émigration, finançant au XVIIe siècle le passage de soldats, d'engagés, de filles du roi et, au XVIIIe, de militaires et de criminels. L'effort le plus important fut accompli durant la décennie 1663 à 1673. Cependant, même après 1663, lorsque l'essentiel du recrutement reposa sur le pouvoir royal, les seigneurs et les marchands continuèrent à participer au recrutement d'émigrants pour le Canada.

En Louisiane, en revanche, la Compagnie des Indes joua un rôle plus important que l'État dans le recrutement d'émigrants. Avant 1717, l'immigration y fut insignifiante en raison de la guerre de Succession d'Espagne et des moyens limités de Crozat. Au moment de la démission du financier, on ne comptait que 550 personnes d'origine européenne dans la colonie du Mississippi, dont 300 soldats. Tout changea avec la création de la Compagnie d'Occident qui devait transformer la Louisiane en une colonie de peuplement. En quatre années seulement, au début de sa régie, la Compagnie remplit les obligations que lui fixaient ses lettres patentes. Cette vague migratoire fut la seule dont bénéficia la colonie tout au long du Régime français.

De fait, à partir de 1717, les gazettes de France et de Hollande se mirent à diffuser de nombreuses informations sur la Compagnie d'Occident devenue ensuite

Compagnie des Indes, sur le Système de Law, sur la Louisiane et sa mise en valeur. Entre septembre 1717 et mars 1719, le *Nouveau Mercure* publia trois relations sur la colonie, présentée comme le nouveau pays de cocagne, qui furent utilisées pour recruter des candidats au départ. Le Mississippi bénéficia donc d'une publicité favorable qui manqua grandement au Canada. Ce furent les sociétés créées à la suite de cet effort de propagande sans précédent qui recrutèrent de nombreux engagés pour mettre en valeur leurs concessions.

Toutefois, à partir de 1721, l'immigration civile en Louisiane s'interrompit presque totalement. La très mauvaise image de la colonie, l'échec du Système et la fuite de John Law, sans compter la politique d'économies que la Compagnie des Indes se mit à appliquer, furent responsables de cette situation. Quelques articles ou mémoires vantant la Louisiane ne purent rien contre les récits des engagés, des chefs de concessions et des matelots de la Compagnie de retour en métropole. Dans l'opinion publique, la colonie était désormais irrémédiablement associée à la déportation : l'exil au Mississippi fut ainsi choisi comme thème principal de deux pièces de la comédie italienne en 1723-1725 et du roman de l'abbé Prévost en 1731, dans lequel le chevalier Des Grieux trouvait au gouverneur de la colonie « beaucoup de politesse pour un chef de malheureux bannis[42] ». Comme l'économie de la Louisiane demeura moribonde tout au long du Régime français, que les exportations vers la métropole étaient insignifiantes, et que la colonie rapportait encore moins au royaume que le Canada, rien ne put redorer son blason. Seule l'implication de l'État aurait pu changer cette situation. Mais le pouvoir royal, lorsqu'il reprit le contrôle de la colonie en 1731, ne chercha pas à développer une nouvelle politique d'émigration civile active. Son objectif était de conserver la Louisiane essentiellement pour des raisons stratégiques – et cela au moindre coût possible. Aussi le ministre de la Marine se limita-t-il à autoriser le passage gratuit sur les vaisseaux du roi des familles désireuses de s'y installer et à y déporter quelques faux sauniers. En matière d'émigration civile, en dehors de l'envoi de quelques Alsaciens, rien d'autre ne fut entrepris par le pouvoir royal qui se contenta d'assurer la défense de la colonie grâce à l'envoi de troupes supplémentaires.

Comment expliquer cette faiblesse de l'émigration vers le Canada et plus encore vers la Louisiane ? Tout d'abord, il faut la replacer dans le contexte général d'une forte sédentarité des Français de l'Ancien Régime, viscéralement attachés à la terre. Ils se déplaçaient certes beaucoup sur de petites distances, par exemple pour trouver un conjoint ou du travail, mais en dehors de cette micromobilité, les Français migraient peu, sauf situations régionales particulières. Contrairement à leurs homologues anglais, les paysans français demeurèrent en effet majoritairement propriétaires de leurs terres. Par ailleurs, il n'y eut pas d'émigration liée à des persécutions religieuses : dès 1627, Richelieu interdit l'établissement de protestants (mais pas leur passage, d'où la présence de marchands huguenots) et de toute autre personne ne professant pas la religion catholique au Canada. Cette mesure, qui était justifiée par la volonté d'atténuer les risques de dissensions internes, ainsi que par la proximité entre la colonie laurentienne et la Nouvelle-Angleterre et la crainte de voir les liens confessionnels l'emporter sur les solidarités nationales, fut maintenue tout au long de la période française et étendue à l'ensemble de la Nouvelle-France. Celle-ci, de fait, ne vit arriver qu'un très faible nombre de huguenots, qui furent pourtant 200 000 à quitter le royaume de France à la suite des persécutions religieuses décidées par Louis XIV à partir de 1661 et qui culminèrent avec la révocation de l'édit de Nantes en 1685 : les huguenots s'installèrent dans différents pays européens (Angleterre, Provinces-Unies, cantons suisses, États allemands…) et dans les colonies britanniques d'Amérique du Nord (New York, Caroline du Sud…). Cela ne signifie pas pour autant que les colonies françaises ne furent peuplées que de catholiques. Environ 300 protestants s'établirent ainsi au Canada en abjurant ou en adoptant un catholicisme de façade [43]. De toute façon, comme l'a fait remarquer Jean Meyer, même si l'émigration des protestants avait été autorisée, il n'est pas certain qu'ils auraient choisi de s'installer dans les colonies.

La mauvaise réputation du Canada et de la Louisiane dissuadait, en effet, les candidats à la migration outre-mer, qui préféraient partir aux Antilles, à la riche économie sucrière et caféière. Dans l'opinion publique, le Canada était associé aux difficultés de la traversée, aux hivers longs et rigoureux, aux innombrables moustiques estivaux, à l'isolement et à l'ennui ou encore au danger iroquois, tandis que la Louisiane apparaissait comme un lieu de relégation. Cependant, cette mauvaise réputation ne suffit pas à rendre compte de la faible attractivité de ces colonies, car l'hécatombe liée à la fièvre jaune et au paludisme qui frappait les nouveaux venus dans les îles du Vent représentait une menace bien plus grave. Seules les fortes possibilités de mobilité sociale offertes par l'économie antillaise expliquent qu'un nombre relativement important d'émigrants aient accepté de braver ces risques pour tenter leur chance. Le Canada était moins attractif non pas à cause de la dureté du milieu, mais en raison de ses structures économiques : la traite des pelleteries, peu demandeuse en main-d'œuvre, et une agriculture de subsistance. Le « mirage » n'était pas assez puissant pour que les jeunes gens de milieux modestes quittent la métropole, et la colonie ne suscitait pas de profits assez substantiels pour que les entrepreneurs privés (transporteurs, marchands, colons…) investissent de manière importante dans le recrutement d'émigrants. D'ailleurs, au temps de la Compagnie des Cent-Associés, les bénéfices provenant de la traite des pelleteries ne furent pas non plus suffisants pour financer les énormes dépenses indispensables à la fondation d'une colonie de peuplement. Quant aux profits fabuleux que l'on attendait dans les années 1717-1723 de l'exploitation des mines de Louisiane, du développement des plantations de tabac et d'indigo et du commerce avec les colonies espagnoles voisines, ils ne virent jamais le jour, de sorte que la Compagnie des Indes ne fit plus aucun effort pour promouvoir l'émigration européenne.

Au Canada, comme en Louisiane, l'action de l'État s'avéra donc nécessaire. Mais la politique migratoire de la monarchie fut limitée par ses difficultés financières tout au long de l'Ancien Régime. En dehors de la décennie 1663-1673, période phare de l'intervention étatique, la priorité fut toujours donnée au financement de la guerre en Europe, en dépit des quelques efforts fournis pour assurer la défense des colonies, en particulier au moment de la guerre de la Ligue d'Augsbourg et de la guerre de Sept Ans. Cette question financière mise à part, l'État, fidèle à ses principes mercantilistes, adopta une politique ambiguë à l'égard de ses possessions d'outre-mer. Leur développement ne devait pas nuire à celui de la métropole : il n'était pas question d'autoriser les exportations de blé vers la France ou de laisser les colonies établir des manufactures pour leurs propres besoins. Enfin, l'idée selon laquelle le royaume se dépeuplait – idée partagée par la Couronne et l'opinion publique – constitua un frein à une politique migratoire royale plus ambitieuse. C'est pourquoi le recrutement actif de l'État ou des acteurs privés pour le Canada, et plus encore pour la Louisiane, fut faible et discontinu. Il ne permit pas d'engendrer un mouvement migratoire autonome. Les émigrants qui souhaitaient quitter la

France choisissaient plutôt de partir pour les Antilles, mais aussi pour l'Espagne, de telle sorte qu'aux XVIIe et XVIIIe siècles l'émigration coloniale ne représenta que le quart des départs hors de France.

Les Antilles étant la colonie de prédilection des candidats à l'émigration coloniale, comment expliquer que certains émigrants aient décidé de se rendre au Canada et en Louisiane ? La question est d'autant plus complexe que, selon Claire Lambert et Yves Landry, des familles de l'île de Ré, par exemple, donnèrent des émigrants à la fois aux Îles et à la Nouvelle-France au XVIIe siècle. Pourquoi certains choisirent-ils les Antilles et d'autres le Canada ? Cela dépendait peut-être simplement de la disponibilité des bateaux en partance pour telle ou telle colonie, voire de la volonté des recruteurs (notamment de l'État), ou encore de motivations individuelles que nous ne pouvons qu'imaginer. En 1751, un jeune garçon de 18 ans employé dans les bureaux du gouverneur de l'île de Ré décida de s'engager comme soldat dans les colonies pour satisfaire son désir de voyager. Il raconte dans son journal qu'il se renseigna sur les meilleurs pays où vivre. Il apprit que les recrues de l'île de Ré n'étaient envoyées qu'au Canada ou en Louisiane. Il se détermina ensuite en faveur du Saint-Laurent parce qu'on lui avait dit que le climat y était plus sain, même s'il était plus froid [44]. Ce qui motivait ce jeune homme, c'était peut-être la curiosité et le goût de l'aventure ; mais le choix des émigrants obéissait également à d'autres considérations : la nécessité de gagner sa vie, la recherche d'un bon salaire, la volonté de devenir propriétaire d'une terre, le désir de rejoindre un parent déjà émigré...

Le Pays des Illinois, le plus beau pays du monde

Parvenu à Québec, l'émigrant pouvait choisir de s'y établir ou de migrer encore dans une autre région de la

Nouvelle-France. Le peuplement du Pays des Illinois, que certains auteurs de relations de voyage considéraient comme le plus beau pays du monde [45], est partiellement lié à ces mouvements migratoires internes au Canada, qui débordèrent au-delà de la vallée du Saint-Laurent, vers les Pays d'en Haut et le Haut-Mississippi. Mais des colons arrivant directement de France *via* La Nouvelle-Orléans avec pour objectif initial de s'installer dans ce territoire isolé à l'intérieur du continent contribuèrent aussi à son peuplement. Le Pays des Illinois se peupla ainsi en vertu d'un double mouvement migratoire : l'un en provenance du Canada, l'autre de la Basse-Louisiane. Les premiers habitants d'origine européenne furent des coureurs de bois canadiens qui s'installèrent dans les missions dirigées par les prêtres du séminaire des Missions étrangères et par les jésuites, qui épousèrent des Amérindiennes illinoises et qui se convertirent à l'agriculture. Lorsque le fort Saint-Louis fut abandonné en 1703, beaucoup d'entre eux choisirent de demeurer dans la région. Ce courant migratoire en provenance du Canada persista tout au long de la période française, malgré la forte hostilité des autorités canadiennes, qui craignaient que la vallée du Saint-Laurent ne se dépeuplât.

Après son rattachement administratif à la Louisiane en 1717, le Pays des Illinois connut un brusque essor de sa population coloniale avec l'arrivée en 1719 des officiels, d'une garnison, puis peu après de l'entrepreneur de mine Renaut et de ses ouvriers. De nombreux habitants, qui trouvaient les conditions de vie trop difficiles au bas du fleuve, décidèrent alors d'eux-mêmes de s'établir dans le Haut-Mississippi. Les officiels de Basse-Louisiane étaient parfaitement conscients du caractère très attractif de la région. Le commissaire-ordonnateur Salmon écrivait ainsi en 1732 : « Comme le Pays des Illinois est bon et très vivant, il n'est pas étonnant qu'il s'y retire des

habitants de tous les endroits. Il y est monté par le dernier convoi plusieurs voyageurs de La Nouvelle-Orléans,
que je ne serais pas surpris d'apprendre d'avoir pris le
parti de s'y établir, parce que ce pays-ci est aussi dur que
l'autre est aisé à cultiver, joint à ce qu'ils sont là dans
une espèce d'indépendance [46]. » Il est vrai qu'en plus de
profiter de conditions climatiques et économiques très
favorables, les habitants du poste n'étaient pas soumis à
un contrôle étatique aussi pesant que dans la basse vallée
du Mississipi.

Les nombreux immigrants provenant du Canada ou
de Basse-Louisiane ne s'installèrent pas tous définitivement dans la région. Beaucoup n'y séjournèrent que
quelques années et repartirent ensuite. Le manque de
moyens financiers ou l'incapacité à trouver une femme
et à créer des relations de solidarité avec les habitants
déjà installés ne leur permirent pas de s'établir durablement. L'attitude de la Compagnie des Indes à la fin de
sa régie dut aussi décourager de nombreux habitants,
sans parler des guerres contre les Renards et les Chicachas, qui gênèrent considérablement l'économie de la
région en bloquant la traite des pelleteries et le commerce avec La Nouvelle-Orléans.

Mais certains habitants quittaient aussi le Pays des Illinois pour profiter de l'économie de plantations de la
Basse-Louisiane. Lorsque le gouverneur Vaudreuil
s'opposa au rattachement de la région au Canada en 1748,
il affirma que « le bas de cette colonie perdrait encore les
habitants du Pays des Illinois [d'anciens voyageurs cana-
diens] qui après avoir ramassé un fonds suffisant [grâce à
la traite des pelleteries et au commerce de subsistances avec
le Bas-Mississipi] pour entreprendre la culture des
denrées propres pour le commerce de France, vend[aient]
leurs établissements aux Illinois et [venaient] s'établir le
long du fleuve dans la dépendance de La Nouvelle-
Orléans [47] ». Les riches habitants de la haute vallée du

Mississippi étaient attirés par la possibilité d'accroître leur fortune en produisant des denrées propres au commerce avec la métropole et par le prestige qui s'attachait au mode de vie des planteurs et des possesseurs d'esclaves de Basse-Louisiane. Pour un pauvre traiteur canadien, la progression vers le sommet de l'échelle sociale au cours de son existence pouvait prendre la forme d'une émigration vers le golfe du Mexique, en passant par le Pays des Illinois, la mobilité sociale épousant la mobilité spatiale à l'intérieur d'un système économique reliant les différentes colonies françaises d'Amérique du Nord.

D'après Jacques Mathieu, Renald Lessard et Lina Gouger, les émigrants élisant domicile en Haute-Louisiane étaient en grande majorité des hommes célibataires. Tout au long du Régime français, ceux qui étaient originaires du Bas-Mississippi vinrent seuls, sans relation avec d'autres migrants ou pionniers, et repartirent fréquemment au bout de quelques années : ils faisaient ainsi preuve d'un comportement caractéristique d'un front pionnier, à l'instar de ce qui s'était produit au Canada au XVIIe siècle. En revanche, si dans les deux premières décennies du XVIIIe siècle les Canadiens étaient seulement liés par des métiers et des origines géographiques communes, les relations familiales jouèrent par la suite un rôle important dans leurs mouvements migratoires. Les années 1730-1750 furent ainsi marquées par un fort enracinement de la population. Avec la formation de nombreuses familles, l'accroissement naturel joua alors un rôle de plus en plus important dans l'essor démographique du Pays des Illinois. Il en était de même au Canada et en Basse-Louisiane.

La forte croissance naturelle des Canadiens

Après 1673, l'émigration ne contribua plus que faiblement à la croissance de la population canadienne. Cette croissance était liée depuis 1663 à un fort taux d'accroissement naturel – de l'ordre de 2,5 à 3 % – qui permettait à la population de doubler tous les vingt-cinq ans. Ainsi la population coloniale de la vallée du Saint-Laurent put-elle atteindre 75 000 personnes à la veille de la Conquête. Pour la même raison, les quelque 600 à 700 émigrants qui firent souche en Acadie durant l'occupation française donnèrent naissance à une population de 13 000 individus en 1755.

L'accroissement naturel de la population canadienne résultait d'un double phénomène : une fécondité plus forte et une mortalité plus faible qu'en Europe. Les autorités locales furent frappées par le niveau élevé de la fécondité. En 1684, l'intendant de Meulles écrivait : « Après avoir visité avec soin presque toutes les habitations du Canada, j'ai trouvé partout des familles très nombreuses. Les pères et mères ont d'ordinaire dix ou douze enfants et assez souvent quinze, seize, dix-sept, et les ayant interrogés bien des fois combien il leur en était mort, la plupart m'ont répondu aucun, et d'autres m'ont répondu quelques-uns qui ont été noyés. Il en périt plus de cette manière que par la mort naturelle [48]. » Les officiels avaient certes tendance à gonfler les chiffres pour faire état des grands progrès accomplis par la colonie durant leur administration. En fait, les familles canadiennes comptaient en moyenne sept à huit enfants (contre quatre à cinq par famille dans le Bassin parisien entre 1670 et 1769). Mais parmi les familles dites complètes, c'est-à-dire celles qui duraient jusqu'à la fin de la vie féconde de la femme (cinquante ans), quatre familles sur dix avaient dix enfants ou davantage.

Au Canada les femmes se mariaient, en effet, plus tôt qu'en France, gage d'une fécondité plus forte. La différence fut particulièrement importante au XVIIe siècle, puisque les hommes étaient alors beaucoup plus nombreux que les femmes : cela précipitait les jeunes femmes très tôt dans le premier mariage (à dix-neuf ans en moyenne contre vingt-quatre ans en France aux XVIIe et XVIIIe siècles), alors que c'était l'inverse pour les hommes (à vingt-huit ans en moyenne contre vingt-sept en métropole). Ensuite, avec le rééquilibrage des sexes après 1700, fruit de l'accroissement naturel et du ralentissement de l'immigration, le comportement des Canadiennes se rapprocha du modèle métropolitain : l'âge moyen au premier mariage des femmes passa à plus de vingt-deux ans, demeurant toutefois inférieur à celui des Françaises en raison des plus grandes facilités d'établissement des couples canadiens. Au XVIIIe siècle, la différence d'âge au premier mariage entre les femmes et les hommes était ainsi de cinq ans au Canada ; il s'élevait à neuf ans à Louisbourg à cause d'un très fort déséquilibre du rapport hommes/femmes.

En outre, des naissances plus rapprochées du fait d'une moins grande durée d'allaitement, et une stérilité définitive moins précoce chez les Canadiennes que chez les Françaises en raison de meilleures conditions de vie, favorisaient encore la fécondité des Canadiennes. En revanche, les pionnières accusèrent une stérilité définitive plus précoce, probablement parce qu'elles comptaient dans leurs rangs de nombreuses filles du roi, dont la fertilité avait sans doute été altérée par la misère lorsqu'elles vivaient en France. Enfin, la faiblesse de la mortalité canadienne eut comme conséquence d'interrompre les unions moins fréquemment qu'en métropole, de telle sorte qu'un plus grand nombre de femmes purent survivre jusqu'à la fin de leur vie féconde.

De fait, tout au long du Régime français, la mortalité fut plus faible dans la colonie qu'en métropole. Ce fut particulièrement vrai pour les pionniers arrivés de France. Pehr Kalm avait pu constater ce phénomène en 1749 : « Les Français nés en France et venus ensuite au Canada se portent ordinairement beaucoup mieux ici que dans leur pays natal et ont une meilleure santé ; ils sont également en meilleure santé et vivent plus vieux que les Français nés au Canada ; ils peuvent supporter bien mieux que d'autres les difficultés et les randonnées d'hiver à travers le pays ; la plupart d'entre eux vivent ordinairement jusqu'à un âge avancé[49]. » Le recrutement, la traversée et les retours opéraient, en effet, une sélection parmi les migrants. En outre, les Français, comme les Canadiens, bénéficièrent de la faible densité de population, qui empêchait la propagation des épidémies, mais aussi de la qualité de l'approvisionnement en eau et de l'abondance de la faune et de la flore qui permettaient de se chauffer correctement et, en cas de disette, de survivre grâce à la chasse, à la pêche et à la cueillette. Ce dernier facteur explique que la colonie, si l'on excepte la famine qui sévit durant la guerre de la Conquête, ne souffrit presque jamais de graves crises de subsistance comme celles que subissait fréquemment la population métropolitaine jusqu'au début du XVIIIe siècle.

En revanche, avec l'épidémie de typhus de 1685, la colonie connut pour la première fois une crise de mortalité liée à une maladie contagieuse amenée à l'automne par un bateau. De telles épidémies de typhus, variole, grippe et autres fièvres, réapparurent régulièrement par la suite et furent particulièrement nombreuses au XVIIIe siècle, en raison de l'accroissement du trafic maritime et de la densification de l'habitat urbain. Écoutons à cet égard François Ruette d'Auteuil, ancien procureur général au Conseil souverain :

« Il est vrai que le Canada est froid depuis la mi-novembre jusqu'au commencement d'avril, qu'il y a des neiges qui couvrent la terre, pendant ce temps-là, mais loin que le froid et les neiges soient préjudiciables, ils produisent de l'avantage car le froid purifie l'air de toutes les maladies et rend les corps robustes, cela est si vrai que l'on ne voit pas de maladies contagieuses en Canada, si elles n'y sont pas apportées d'ailleurs comme il est arrivé plusieurs fois depuis 20 à 25 ans par le peu de précaution qu'on a eu lorsque les navires qui y transportaient des troupes de France qui avaient contracté des maladies dans leurs traversées y sont arrivés et par les commerces défendus qu'on a faits avec les Anglais de la Nouvelle-Angleterre d'où on a apporté plusieurs maladies qu'ils contractent avec les îles de l'Amérique qui ont causé beaucoup de mortalités parce que la bonne constitution des corps des Canadiens les rend beaucoup plus susceptibles du mauvais air que ceux des Européens[50]. »

Cependant, ces épidémies eurent toujours un impact limité. La détérioration des conditions sanitaires eut surtout pour effet d'accroître la mortalité infantile, qui resta toutefois inférieure à la moyenne française. La mortalité adulte demeura quant à elle à peu près stable tout au long du Régime français.

Malgré l'absence d'études approfondies sur le sujet, on peut supposer que la population louisianaise connut elle aussi un fort taux d'accroissement naturel. D'après les recensements, la population civile d'origine européenne passa de 1 800 à près de 4 000 habitants entre 1723 et 1769 dans la basse vallée du Mississippi. Cette croissance fut cependant moins élevée qu'au Canada, en raison de conditions de vie moins favorables et notamment du développement de maladies endémiques comme la fièvre jaune et la malaria. En dépit de cette forte croissance, la taille de la population blanche de Basse-Louisiane était insignifiante comparée à celle de la vallée laurentienne, du fait de la plus grande jeunesse de la colonie et du plus faible apport migratoire initial. Afin de pallier le manque de main-d'œuvre, les colons de Louisiane eurent recours à l'esclavage, celui des Amérindiens tout d'abord, puis celui des Africains.

La Louisiane, une colonie esclavagiste

L'esclavage des Amérindiens

La pratique de l'esclavage n'a pas été introduite en Amérique du Nord par les Européens. Elle existait déjà dans de nombreuses sociétés autochtones, comme produit de la prédation guerrière. L'objectif de la guerre, comme on l'a souligné, était en effet de faire des captifs qui étaient torturés, adoptés ou (dans certains groupes, par exemple les Iroquois) réduits à la condition servile. Aux XVIIe et XVIIIe siècles, l'esclavage s'est ensuite développé à cause de la demande des marchés euro-américains, celui des colonies britanniques au premier chef, mais également ceux du Canada et de la Louisiane.

Les premiers esclaves autochtones apparurent dans la vallée du Saint-Laurent dans le dernier tiers du XVIIe siècle [51]. Ils étaient offerts par les Indiens alliés ou amenés par les coureurs de bois qui parcouraient la région des Grands Lacs, la vallée du Mississippi et celle du Missouri. En 1671, le gouverneur Rémy de Courcelles accepta ainsi le don de deux esclaves poutéouatamises. Deux ans plus tard, Louis Jolliet, parti explorer le Mississippi, se vit offrir un jeune esclave de la part des Illinois. L'esclavage des Indiens fut ainsi largement stimulé par la *Pax Gallica* dans les Pays d'en Haut. Les « esclaves », tout autant que les ballots de castor, constituaient des cadeaux désignés dans la diplomatie amérindienne. Dans les années 1670-1690, l'alliance franco-autochtone se constitue sur la base de rituels d'échange au cours desquels les explorateurs, les commerçants et les officiers qui sillonnent l'intérieur du continent reçoivent parfois des captifs de guerre indiens, souvent très jeunes, qui se retrouvent bientôt à Montréal et à Québec. En Basse-Louisiane, avant même l'arrivée des Français dans la région, les marchands de la Caroline du Sud, colonie

anglaise fondée en 1670, incitaient les Creeks, les Chicachas et les Natchez à capturer des esclaves parmi les
Chactas et les autres peuples de la région. Entre 1670 et
1715, ce ne sont pas moins de 50 000 autochtones, selon
Alan Gallay, qui sont mis en esclavage, puis vendus dans
les Caraïbes par les Caroliniens. Après leur établissement
au bord du golfe du Mexique en 1699, les Français
tirèrent parti de cette situation en nouant aisément des
alliances avec les populations victimes de ces raids,
comme les Tohomes et les Mobiliens. Mais les colons
louisianais se mirent eux-mêmes à pratiquer l'esclavage
des Amérindiens à la suite d'une expédition punitive
contre les Chitimachas qui, en 1706, avaient tué un missionnaire. Les prisonniers, des femmes et des enfants
pour la plupart, furent vendus par les autorités 200 livres
chacun aux colons français. L'esclavage des autochtones
était pourtant officiellement prohibé en Louisiane,
comme il l'était dans les Antilles. Au début du
XVIIIe siècle, le gouverneur Le Moyne de Bienville écrivit
en vain à plusieurs reprises à la Cour pour qu'elle autori-
sât la mise en servitude des autochtones.

Cet esclavage fut en revanche légalisé au Canada en
1709 par une ordonnance de l'intendant Jacques
Raudot. Paradoxalement, c'est l'expansion des alliances
franco-indiennes qui explique le développement, même
limité, de l'esclavage des autochtones dans la vallée du
Saint-Laurent. Aux captifs régulièrement offerts par les
Indiens pour nourrir l'alliance, parfois pour « couvrir »
la mort de Français tués dans l'Ouest, il faut ajouter les
prisonniers de guerre renards (capturés le plus souvent
par les alliés des Français) qui font irruption sur le
marché montréalais après 1712. L'esclavage, à vrai dire,
manifestait l'impossibilité qu'avaient les Français d'assurer partout dans les Pays d'en Haut la *Pax Gallica*, la
guerre des Renards en constituant la preuve la plus cri-
ante. En Louisiane, malgré l'interdiction officielle de

l'esclavage, les autorités françaises incitaient aussi leurs alliés indiens à lever des scalps ou à capturer des esclaves parmi leurs ennemis (Chitimachas, puis Natchez et Chicachas). En 1721, il fut promis aux Chactas quatre-vingts livres de marchandises en échange de tout captif chicacha. Lors des guerres franco-indiennes, les Français réduisaient eux-mêmes les populations ennemies en esclavage. En 1731, 450 Natchez furent ainsi déportés à Saint-Domingue à l'initiative du gouverneur Périer.

La plupart des esclaves amérindiens au Canada étaient originaires du bassin du Missouri, au point que le terme « panis » devint synonyme d'esclave amérindien. Il s'agissait de Panis proprement dits, mais aussi d'Arikaras, de Wichitas, de Padoucas (Apaches des Plaines), de Missouris ou encore d'Osages. Ils formaient environ 70 % des esclaves amérindiens jusqu'au début du XIXe siècle ; les autres étaient des Renards, des Sioux, des Chicachas, des Inuits, etc.

Le nombre d'esclaves amérindiens, au total, demeura faible : Marcel Trudel en comptabilise 2700 au Québec entre la fin du XVIIe et le début du XIXe siècle, la plupart ayant vécu sous le Régime français. Brett Rushforth considère que ce chiffre, qui correspond aux esclaves retrouvés dans les archives canadiennes, ne rend pas compte du nombre réel d'esclaves ; il estime que la population servile n'aurait pas été loin de correspondre à 5 % de la population totale de la colonie laurentienne, soit plusieurs centaines d'individus au début du XVIIIe siècle. Parmi ces esclaves, les femmes, privilégiées traditionnellement par la guerre de capture, étaient majoritaires : elles servaient de domestiques et de concubines aux Français. Les esclaves n'étaient souvent âgés que d'une dizaine d'années quand ils arrivaient dans la colonie laurentienne et ils mouraient très jeunes, à l'âge de dix-huit ans en moyenne, parce qu'ils succombaient facilement aux maladies des Européens. Ils étaient plus nombreux que les esclaves d'origine africaine, car il était plus facile de s'en procurer. Tant au Pays des Illinois qu'en Basse-Louisiane, en revanche, on ne compta jamais plus de 200 esclaves amérindiens. Ils étaient, en effet, victimes des épidémies et s'échappaient facilement, outre que les planteurs leur préféraient les Africains jugés plus aptes aux travaux des champs.

La faiblesse de la traite des noirs vers la Louisiane

L'esclavage des Africains ne joua pas de rôle majeur dans le développement économique de la vallée du Saint-Laurent. Cependant, après que le pouvoir royal eut autorisé la possession d'esclaves noirs au Canada en 1689, leur nombre augmenta lentement. Environ 300 esclaves d'origine africaine ont ainsi été répertoriés durant la période française, dont une majorité d'hommes[52]. Les habitants se les procuraient aux Antilles, au Pays des Illinois, par le biais de la contrebande avec les colonies anglaises voisines ou comme prises de guerre lors des conflits intercoloniaux.

En revanche, le poids démographique et économique des esclaves noirs en Louisiane fut beaucoup plus important, en dépit de la faiblesse des arrivées en provenance d'Afrique. Comparée aux Antilles et aux colonies anglaises esclavagistes d'Amérique du Nord, la Louisiane fit venir peu d'esclaves et la traite intervint sur une période limitée. Pourtant, dès les débuts de la colonie, les autorités et les colons étaient persuadés que la Louisiane ne pourrait se développer sans une main-d'œuvre servile africaine, en raison de la faiblesse de l'immigration blanche et de la difficulté à réduire les Amérindiens en esclavage. À plusieurs reprises, durant la décennie 1700, le gouverneur et le commissaire-ordonnateur tentèrent d'obtenir de la métropole l'autorisation d'échanger des esclaves amérindiens contre des esclaves africains antillais, à raison de deux esclaves autochtones pour un noir, à l'instar de ce que pratiquaient les marchands et colons de la Caroline du Sud. Mais le pouvoir royal s'y opposa, un tel échange s'avérant défavorable aux îles. Les quelques esclaves noirs qui parvinrent en Louisiane avant 1719 furent achetés à titre individuel aux Antilles par certains officiers de plume ou d'épée et par des missionnaires.

La traite des noirs en provenance d'Afrique ne démarra qu'en 1719, après la cession de la colonie à la Compagnie d'Occident, devenue ensuite Compagnie des Indes. Celle-ci en détenait le monopole. Au début de sa régie, la Compagnie espérait mettre en valeur la colonie grâce à une main-d'œuvre mixte composée d'engagés, de prisonniers et d'esclaves. Après l'effondrement du Système de Law et la réorganisation de la Compagnie, celle-ci décida de suivre le modèle caribéen et de donner la priorité au commerce des esclaves et à l'esclavage. La traite en provenance d'Afrique qui s'était interrompue entre 1721 et 1723 reprit avec vigueur et conduisit à une africanisation de la population coloniale de Basse-Louisiane. Au total, la déportation d'esclaves ne dura cependant qu'une douzaine d'années. Après 1731, date de la rétrocession de la Louisiane à la Couronne, la Compagnie des Indes n'y envoya plus aucun navire : elle voulait se désengager totalement de ce territoire qui ne lui avait rien rapporté. En outre, le Mississippi étant la colonie française la plus éloignée des côtes africaines, les traiteurs pouvaient vendre leurs cargaisons plus avantageusement aux planteurs antillais tout en évitant les risques d'un plus long voyage. En 1743, La Nouvelle-Orléans reçut un dernier bateau négrier en provenance d'Afrique, financé par des fonds privés. Mais les entrepreneurs louisianais ne rééditèrent pas cette expérience, à cause de la longueur des négociations de la licence avec la Compagnie, de l'immobilisation des capitaux et de l'importance des risques encourus. La traite ne reprit qu'en 1772 au cours de la période espagnole.

Entre 1719 et 1743, quelque 5 700 à 6 000 Africains furent transportés de force en Louisiane, de sorte que presque autant d'esclaves que de blancs arrivèrent en très peu de temps dans la vallée du Mississippi avant 1731. De 50 à 70 % d'entre eux étaient originaires de Sénégambie, la région située entre les fleuves Sénégal et Gambie en Afrique de l'Ouest, le reste provenant du Congo-Angola et du golfe du Bénin. De très nombreux « Bambaras » parvinrent ainsi en Louisiane, mais aussi un important contingent de « Sénégals ». Après 1743, la colonie reçut encore plusieurs centaines d'esclaves provenant des Antilles françaises, du commerce de contrebande avec les traiteurs anglais et de la saisie d'un bateau britannique en 1758, ce qui contribua à diversifier les origines ethniques des esclaves. Il est cependant difficile de mesurer le degré d'homogénéité ou d'hétérogénéité ethnique et culturelle de la communauté servile louisianaise, dans la mesure où, selon Peter Caron, les termes dont se servaient les autorités et les planteurs pour identifier l'origine des esclaves ne correspondaient pas forcément à de véritables groupes ethniques et culturels. En effet, ils pouvaient désigner trois réalités différentes : la région d'embarquement, le royaume qui avait capturé ces prisonniers de guerre vendus comme esclaves, ou encore la religion des captifs – les « Bambaras » étant souvent par exemple des non-musulmans.

Le nombre d'esclaves importés en Louisiane aurait pu être plus élevé, mais certains bateaux étaient arrêtés et leurs cargaisons vendues dans les Antilles, les capitaines étant sûrs d'obtenir en retour des marchandises beaucoup plus intéressantes qu'à La Nouvelle-Orléans. D'autres Africains ne parvinrent jamais au Mississippi en raison d'accidents ou de révoltes. En outre, de nombreux esclaves mouraient durant le « passage du milieu » ou peu après leur arrivée dans la colonie. Alors qu'elle n'était que d'environ 4 % entre 1719 et 1723, la mortalité durant la traversée passa à environ 16 % entre 1726 et 1731, du fait de l'allongement de la durée de détention dans les postes de traite sur les côtes africaines, lié aux difficultés conjoncturelles de la Compagnie à se procurer des captifs. Les esclaves, affaiblis avant même l'embarquement, souffrant toujours à bord d'une nourriture inadéquate et d'un manque d'hygiène, étaient ainsi rendus plus vulnérables à la dysenterie, au scorbut et aux autres maladies. De surcroît, la Compagnie ne prit jamais la peine de prévoir des capots (ou manteaux) pour protéger les esclaves quasiment nus des vents du nord qui soufflaient fréquemment dans le golfe du Mexique à l'approche du delta du Mississippi. À l'arrivée, les esclaves devaient souvent attendre plusieurs jours à La Balise que des pirogues vinssent les conduire à La Nouvelle-Orléans, parfois sans nourriture suffisante et sans vêtements adaptés à l'hiver. Rapidement, on procédait à la distribution des esclaves aux particuliers. Selon l'ancien officier Dumont de Montigny, les captifs étaient d'abord inspectés par le chirurgien qui séparait les malades des autres. Pour répartir les bien-portants, on procédait de la manière suivante : les habitants qui avaient été choisis par les autorités pour recevoir un esclave se présentaient devant le commissaire-ordonnateur, et piochaient dans un sac un billet numéroté qui correspondait à un esclave portant le même numéro autour du cou. Quant aux malades, ils étaient vendus aux enchères. En 1719, le prix d'une « pièce d'inde » (un esclave en bonne santé et en âge de travailler, soit plus de dix-sept ans pour les hommes et plus de quinze ans pour les femmes) avait été fixé par la Compagnie à 650 livres. En 1722, celle-ci décida d'augmenter le montant à 1 000 livres, alors qu'elle avait baissé le prix d'achat du riz, les colons de Basse-Louisiane pouvant payer les esclaves sur trois ans en riz ou tabac et les habitants du Pays des Illinois en farine de froment. Dans les transactions entre particuliers, la valeur des esclaves variait selon leurs qualités physiques, leurs compétences artisanales, leur sexe et leur âge.

Les esclaves furent ainsi dispersés entre La Nouvelle-Orléans et les différents postes de la colonie. Au début de sa régie, la Compagnie veilla à en fournir aux habitants du Pays des Illinois pour le travail des mines et les travaux agricoles. Lorsqu'elle commença à se désintéresser de cette région à partir de 1726, elle chercha toutefois à les réserver aux postes de la basse vallée du Mississippi, en supprimant les achats d'esclaves à crédit pour les habitants du Pays des Illinois et en les obligeant à venir en chercher à La Nouvelle-Orléans. Après la rétrocession de la colonie au pouvoir royal et le quasi-arrêt de la traite, les habitants de Haute-Louisiane continuèrent à en acheter dans la capitale auprès des autorités ou des particuliers. Ceux-ci profitaient du fait que la mauvaise réputation de certains esclaves n'était pas connue au Pays des Illinois pour s'en débarrasser et faire d'importants bénéfices. Mais à partir de 1747, l'exportation d'esclaves dans la haute vallée du Mississippi fut interdite par une ordonnance du marquis de Vaudreuil. Le gouverneur souhaitait employer ces esclaves à la culture des denrées exportables en métropole plutôt qu'à celle du froment. Cette interdiction se traduisit par la diminution de la proportion d'esclaves noirs dans la population totale du Pays des Illinois.

La formation d'une société esclavagiste

En raison de la cessation presque totale de la traite après 1731, le nombre d'esclaves noirs en Louisiane n'augmenta pratiquement plus que grâce à l'accroissement naturel, ce qui conduisit à la créolisation de la population servile, le nombre d'esclaves nés sur place devenant majoritaire. Selon Paul Lachance, il fallut néanmoins attendre la disparition de la première génération d'esclaves originaires d'Afrique pour que l'accroissement naturel cessât d'être négatif[53]. Comme le faisait remarquer le commissaire-ordonnateur Salmon, adoptant le

point de vue et le langage des planteurs : « C'est la différence qu'il y a de ce pays-ci aux îles Antilles où il ne se
fait que très peu de production [54]. » En effet, la colonie
du Mississippi se distinguait sous cet aspect de la Caraïbe
ou du Brésil où le nombre d'esclaves n'augmentait que
par la traite, alors que le bilan naturel était nul ou négatif. Elle s'apparentait, en revanche, aux colonies britanniques d'Amérique du Nord de la seconde moitié du
XVIIIe siècle. Au début des années 1740, la population
servile de Basse-Louisiane s'élevait ainsi à environ 4 000
esclaves, dont deux tiers nés dans la colonie ; en 1763,
le nombre d'esclaves noirs au sud de Pointe Coupée
atteignait 6 000 individus. À La Nouvelle-Orléans et
dans la région environnante, il y avait environ quatre
esclaves noirs pour un blanc en 1731 et deux pour un
dans les années 1760. À l'instar des colonies continentales anglaises du Sud (Maryland, Virginie, Carolines,
Géorgie) et des Antilles (même si dans les îles la proportion de blancs était beaucoup plus faible), la Basse-
Louisiane était donc une « société esclavagiste ». Elle se
différenciait des « sociétés avec esclaves », comme celles
du Canada ou des colonies continentales anglaises du
Nord, où les esclaves comptaient pour moins de 20 %
de la population totale et où l'économie ne reposait pas
sur l'esclavage. Au-delà de ces critères démographique et
économique, ce qui caractérisait la Basse-Louisiane
comme toutes les autres sociétés esclavagistes était le fait
que l'ensemble des relations et des institutions sociales
était modelé par le système servile. Alors que le Pays des
Illinois ne relevait pas d'une économie de plantation, les
colons de Kaskaskia et des autres villages français aspi-
raient également à développer une société esclavagiste.
Mais les esclaves d'origine africaine y demeurèrent minoritaires, leur proportion au sein de la population coloniale passant de 25 % à 32 % entre 1726 et 1752.

L'accroissement naturel de la population noire dans la colonie du Mississippi était lié à une assez forte fécondité des femmes et à une mortalité relativement faible, les autorités et les colons encourageant la formation de familles et veillant à atténuer la dureté des conditions de vie et de travail, en particulier pour les femmes enceintes. Néanmoins, cet accroissement naturel était moins rapide que celui des colons blancs, d'où une diminution de leur proportion au sein de la population globale au cours de la période. Bien que les esclaves noirs fussent plus résistants que les blancs à la malaria, leur taux de mortalité était, en effet, plus élevé, car ils étaient plus sensibles aux infections pulmonaires du fait de moins bonnes conditions de vie. En outre, le déséquilibre entre les sexes à l'avantage des hommes influait de manière négative sur le taux de natalité. Durant la période de traite, 2,2 hommes en moyenne étaient arrivés pour 1 femme. Ce déséquilibre, que l'on retrouve dans toutes les colonies, ne s'expliquait pas tant par la demande des planteurs que par la volonté des marchands d'esclaves africains de garder les captives pour la traite africaine. Dans les années 1730, il y avait ainsi 40 % de femmes au sein de la population servile adulte en Basse-Louisiane. Leur importance relative eut tendance à croître du fait de l'accroissement naturel et d'une forte mortalité des hommes noirs durant les guerres contre les Chicachas. En conséquence, la population servile de la vallée du Mississippi put augmenter dans les dernières décennies de la période française.

*

L'évolution démographique de l'Acadie, du Canada et de la Louisiane depuis l'installation définitive des premiers colons au début du XVIIᵉ siècle eut une influence déterminante sur le processus de colonisation. Malgré un fort accroissement naturel, la faiblesse de l'immigration fut telle que la population d'origine européenne demeura réduite et toujours inférieure en nombre aux Amérindiens, lesquels subirent pourtant un dramatique déclin démographique. Les Français, soucieux de contrôler l'immense territoire qu'ils revendiquaient, n'avaient pas d'autre choix que d'entretenir des alliances avec les autochtones. Leur colonisation ne pouvait être, en outre, ni intensive, ni exclusive des autres catégories ethniques dans toute la Nouvelle-France. Que ce soit dans les zones densément peuplées par les Français à proximité des littoraux ou à l'intérieur du continent, les sociétés françaises et amérindiennes vivaient en étroite communion, de sorte que l'Amérique française fut en réalité une Amérique franco-indienne. En Louisiane, la traite des noirs en provenance d'Afrique mit en contact non pas deux, mais trois groupes ethniques. Comme l'a souligné Joseph Zitomersky, la colonie du Mississippi constituait ainsi une synthèse entre le Canada et les Antilles, entre un monde franco-amérindien et un monde franco-africain. Dans l'ensemble des colonies françaises d'Amérique du Nord, les différents groupes ethniques ne firent pas que se côtoyer, ils se mêlèrent intimement. Le faible nombre de femmes blanches contribua à l'importance du métissage entre Français et Amérindiennes ou Africaines. Des unions, beaucoup moins nombreuses, se nouèrent aussi entre Africains et Amérindiennes. Ce métissage biologique n'a pas été évoqué ici parce qu'il ne contribua pas réellement au peuplement colonisateur. Les enfants nés de ces unions mixtes étaient le plus souvent intégrés dans l'une ou l'autre société. Contrairement à l'Amérique espagnole ou au Brésil, il ne se développa pas de groupes significatifs catégorisés comme métis ou mulâtres et dotés d'un statut distinct. Les relations interethniques n'en furent pas moins complexes et fascinantes.

5

ENFANTS ET ALLIÉS :
LES INDIENS ET L'EMPIRE FRANÇAIS

Un historien français a écrit que sur « le territoire des États-Unis et du Canada l'Indien a été un comparse, tandis qu'il était un acteur et un partenaire au Mexique et au-delà [1] ». Un « comparse » ? Les autochtones, dans l'Amérique coloniale française, n'auraient-ils été que des figurants, des acteurs de seconde catégorie relégués à l'arrière-plan du décor historique ? Pour certains spécialistes français de l'histoire coloniale, par ailleurs, les Amérindiens ne semblent pouvoir exister que figés dans deux stéréotypes : celui du farouche ennemi, qui agit comme frein à la colonisation – rôle incarné par les cruels Iroquois –, et celui du Bon Sauvage, adepte de la liberté, de la félicité et de l'égalité [2]. L'un des objectifs de ce chapitre sera de corriger ces visions erronées ou tronquées : l'Indien de Nouvelle-France – si l'on se permet une telle généralisation – fut loin d'être un simple « comparse », et il ne se réduit pas à l'image de l'Iroquois tapi derrière un arbre en quête de scalps – nombre d'Iroquois, qui plus est, s'allièrent étroitement aux Français… Quant au Bon Sauvage, s'il a son intérêt en soi, il correspond pour l'essentiel à un fantasme entretenu dans les salons : prétexte pour mettre à nu les tares de la civilisation occidentale, il relève donc de l'histoire des idées, non de l'histoire coloniale à proprement parler.

L'historiographie, en outre, est marquée par la thèse du génie colonial : en tant que peuple, les Français auraient eu une aptitude particulière à s'entendre avec les autochtones, et en Amérique du Nord plus qu'ailleurs. Leur approche des Indiens aurait été beaucoup plus conciliante et tolérante que celle de leurs concurrents européens. Francis Parkman, historien de Boston de la deuxième moitié du XIXe siècle, a parfaitement exprimé ce point de vue : « La civilisation hispanique a écrasé l'Indien ; la civilisation britannique l'a méprisé et négligé ; la civilisation française l'a adopté et a veillé sur lui [3]. » Chateaubriand, qui s'était exilé aux États-Unis pendant la Révolution, avait tenu un discours similaire : « De tous les Européens, mes compatriotes sont les plus aimés des Indiens. Cela tient à la gaieté des Français, à leur valeur brillante, à leur goût de la chasse et même de la vie sauvage ; comme si la plus grande civilisation se rapprochait de l'état de nature [4] ! » L'écrivain et planteur Louis-Narcisse Baudry des Lozières, dans un ouvrage de 1802 consacré à la Louisiane, louait de son côté la « grande douceur » dont auraient toujours fait preuve les Français à l'égard des « sauvages », lesquels « conçurent pour nous la plus haute estime et la plus grande amitié », tout en manifestant au contraire leur défiance envers « l'ambition des Anglais », « leurs moyens honteux » et « la férocité de leur politique [5] ».

Cette vision héroïque de la colonisation française ne relève pas uniquement d'un discours nostalgique et nationaliste façonné *a posteriori*. Les Français perçurent en effet leur alliance avec les Indiens comme une relation privilégiée bien avant la chute de la Nouvelle-France. Marc Lescarbot, dès le début du XVIIe siècle, présentait ses compatriotes comme « naturellement plus humains, doux et courtois [6] » que les Espagnols. À la tête de la colonie naissante de la Louisiane, Le Moyne de Bienville

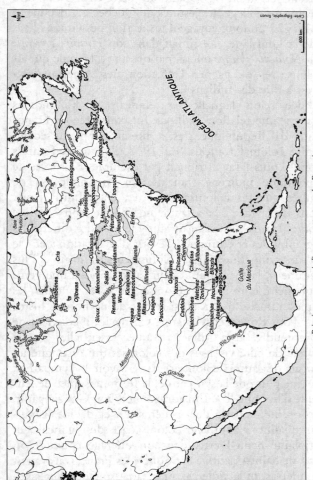

Principaux groupes indiens en contact avec les Français
au cours des XVIIᵉ-XVIIIᵉ siècles en Amérique du Nord

Carte: Edigraphie, Rouen

600 km

Nord

OCÉAN ATLANTIQUE

Golfe
du Mexique

Baie
d'Hudson

Fleuve St-Laurent

Micmacs
Abénaquis
Montagnais
Nepissingues
Algonquins
Hurons
Iroquois
Pétuns
Neutres
Ériés
Ohio
Cris
Ojibwas
Outaouais
Assiniboines
Menominis
Sakis
Pouteouatamis
Miamis
Sioux
Renards
Mississagué
Kicapous
Mascoutens
Winnebagos
Iowas
Missouris (Illinois)
Kansas
Osages
Quapaws
Yazous
Chicachas
Cherokees
Chactas
Mobiliens
Alibamons
Caddos
Natchitoches
Natchez
Tonicas
Houmas
Biloxis
Chitimachas
Bayagoulas
Atacapas
Padoucas
Missouri
Saskatchewan
Rio Grande
Rio Grande

affirmait en 1708 que « les sauvages aiment naturellement les Français et ne s'attachent aux Anglais que par
nécessité et intérêt ». Quant au père Charlevoix, qui
enseigna au collège des jésuites de Québec et effectua en
1721-1722 un long voyage d'inspection des Grands Lacs
et de la Louisiane, il estimait dans son *Histoire générale
de la Nouvelle-France* que sa nation était « la seule qui ait
eu le secret de gagner l'affection des Ameriquains »
– c'est-à-dire des Indiens [7].

L'idée selon laquelle les Français et les Indiens
nouèrent une relation idyllique fut consacrée en France
sous la IIIe République, c'est-à-dire au temps du second
Empire colonial français. En 1938, l'historien français
Gabriel Louis-Jaray attribuait par exemple le « succès de
la politique indigène française en Amérique » à de
« hautes qualités colonisatrices » et, en définitive, aux
« dons de la race [8] » ; à la même époque, son confrère
Georges Hardy s'extasiait devant « le sens des différences
géographiques et ethniques, l'esprit d'adaptation » et « le
don de sympathie » des colonisateurs français [9]. Plus
récemment, la thèse qui attribue aux Français une vertu
proprement ethnique à coloniser et à se concilier les
peuples autochtones, a aussi séduit de nombreux historiens. Pour Robert et Marianne Cornevin, il convient de
« comprendre une caractéristique essentielle de la
manière de faire vis-à-vis des colonisés qui distingue les
Français des autres colonisateurs, à savoir la sympathie,
et même plus que la sympathie, la reconnaissance de leur
qualité d'homme [10] ». L'historien québécois Guy Frégault,
de son côté, a parlé de « générosité » et d'« idéalisme »
pour qualifier l'approche colonisatrice des Français, et
Marjolaine Saint-Pierre, dans un ouvrage consacré au
baron de Saint-Castin, a écrit que « les Français n'avaient
ni le mépris, ni la violence, ni le fanatisme des Anglais »,
et qu'ils « ne cherchèrent pas à détruire » le « système
social ou politique » des autochtones [11].

Humanisme, philanthropie, tolérance : voilà beaucoup d'angélisme à l'égard de la fleur de lys… Quelques historiens ont d'ailleurs fortement critiqué cette vision avantageuse de la colonisation française. John A. Dickinson, notamment, insiste sur la violence des contacts franco-indiens (guerres d'extermination, esclavage, etc.) et, plus fondamentalement, nie l'idée selon laquelle les Français auraient eu une attitude spécifique vis-à-vis des autochtones, rejetant par là même le bien-fondé d'une analyse culturaliste. À sa suite, Saliha Belmessous a parlé du contact entre Indiens et Français comme d'une « non-rencontre [12] », un diagnostic qui nous paraît excessif. Entre la légende dorée d'une relation harmonieuse et la légende noire d'une rencontre impossible, l'historien soucieux d'analyser la nature du contact franco-indien ne peut-il pas emprunter une voie médiane ?

Ce chapitre et le suivant s'interrogent ainsi sur l'existence ou non d'une spécificité des relations franco-indiennes en Amérique du Nord. Une telle enquête présente deux dangers que nous mesurons. Le premier est celui du stéréotype : parler des « Français », des « Espagnols » ou des « Anglais », comme si tous les individus et les contextes se valaient, peut se révéler caricatural, et le manque de place ne nous permettra pas toujours d'établir les nuances qui s'imposent. Le second écueil est celui qui nous conduirait à formuler des jugements de valeur sur tel ou tel modèle de colonisation. S'il est donc nécessaire d'éviter les poncifs, il faut aussi offrir, à des fins heuristiques, des cadres d'interprétation et, de fait, prêter attention aux spécificités politiques et socioculturelles de chaque pays colonisateur. Il importe, dans une perspective comparatiste, de déterminer si les Indiens d'Amérique du Nord préféraient effectivement s'allier aux Français, et de comprendre pourquoi ils le faisaient ou ne le faisaient pas.

« Grande Montagne » et les chefs à médaille

Des alliés indispensables

De 1600 à 1760, l'existence même de la Nouvelle-France repose sur une politique d'alliance avec les autochtones. La correspondance écrite entre Versailles et les capitales coloniales nous fournit à cet égard des preuves abondantes et variées. La politique indienne, pour un gouverneur, a préséance sur tout le reste puisqu'elle détermine le destin de la colonie. « Je ne m'attache à rien plus qu'à m'attirer l'amitié des sauvages et avoir pour eux toutes les complaisances », révèle Le Moyne de Bienville [13]. Le gouverneur du Canada entonne le même refrain, à l'exemple de Rigaud de Vaudreuil, pour qui « l'affaire principale de ce pays » est « de maintenir une grande union parmi les sauvages qui nous sont alliés », ou de son successeur, le marquis de Beauharnois, qui considère aussi cette « matière » comme « la plus importante » de son « gouvernement » [14]. Tous les acteurs de la colonisation, officiers militaires, administrateurs civils, commerçants et missionnaires le concèdent sans détours, et les bureaux de la Marine, de fait, le comprennent aussi rapidement : sans ses alliés indiens, la Nouvelle-France serait une coquille vide, appelée à disparaître ; elle n'aurait ni lieu ni possibilité d'être, sauf à se limiter à quelques pêcheries sur les bancs de Terre-Neuve, comme dans la première moitié du XVIe siècle. « Maintenir une bonne union avec tous les sauvages », voilà la clé, expliquent les administrateurs du Canada en 1708, pour assurer « le bonheur et la sûreté de cette colonie » [15].

Dans les années 1680, alors que reprennent les hostilités avec les Iroquois et que la menace des colonies anglaises se fait plus pressante, on mesure à Québec à quel point l'appui militaire des alliés autochtones est crucial. La survie de la colonie repose sur la collaboration des « domiciliés » (les Indiens du Saint-Laurent), des Abénaquis, des Micmacs, et des nations des Pays d'en Haut récemment intégrées dans l'espace politique de la Nouvelle-France, tel qu'il est du moins imaginé. Comme le résume le chroniqueur Bacqueville de La Potherie, les Indiens « sont le soutien et le bouclier [16] » de la Nouvelle-France. La dépendance à l'égard des autochtones est notamment révélée à l'annonce de l'édit royal de 1696 exigeant le retrait des garnisons de l'Ouest. L'intendant Champigny, pourtant hanté, à l'instar de Colbert, par le spectre de la dispersion des forces vives de la colonie en dehors de la vallée laurentienne, mesurait l'importance stratégique des alliés des Pays d'en Haut : il estimait qu'« à la moindre rupture [...] les sauvages nos amis deviendront nos ennemis, d'où il s'ensuivra la perte infaillible de la colonie, qui ne pourrait jamais se soutenir sans eux, et bien moins encore s'ils étaient contre nous [17] ». La présence des Français dans l'Ouest, de fait, créait les conditions de l'alliance avec les Indiens.

En 1701, au moment de la signature de la Grande paix de Montréal, le gouverneur Callière se félicite ainsi du succès de l'alliance franco-amérindienne : « La Nouvelle-Angleterre est deux fois plus peuplée que la Nouvelle-France [...] mais les peuples y sont d'une lâcheté surprenante, absolument point aguerrie, et sans aucune expérience de la guerre, le moindre parti sauvage les a toujours fait fuir [18]. » Le gouverneur est conscient du handicap démographique français, même s'il le minimise énormément : le rapport n'est pas de 1 à 2 mais, à l'époque, presque de 1 à 20 : au début du XVIIIe siècle, la Nouvelle-France compte en effet 16 000 habitants d'origine européenne, contre 300 000 pour l'ensemble des colonies anglaises. Mais sa remarque traduit avec justesse la force de la colonie française, qui repose sur l'alliance avec les autochtones, ici exprimée à travers la capacité des Canadiens à faire la guerre à l'indienne. Les

Français, à terme, ne sauraient en effet résister à la pression militaire des Britanniques sans l'aide des Indiens. Pour Bougainville, « c'est l'affection qu'ils [les autochtones] nous portent qui jusqu'à présent a conservé le Canada [19] ».

En Louisiane, au XVIIIᵉ siècle, la dépendance stratégique des colons envers les Indiens est encore plus frappante. Sans les Chactas notamment, c'en serait fini de La Mobile et de La Nouvelle-Orléans. Ils « sont la sécurité de notre colonie », écrit le gouverneur Kerlérec en 1760 [20].

En sus de leur valeur militaire, les Indiens se révèlent indispensables sur le plan économique, puisque ce sont eux qui approvisionnent les Français en pelleteries, essentiellement des peaux de castor au Canada et de chevreuil en Louisiane. Mais la dépendance, à vrai dire, concerne bien souvent tous les aspects de la vie quotidienne, notamment dans les postes de l'intérieur des terres où les traiteurs, les missionnaires et les militaires ne sauraient se passer des autochtones : ceux-ci leur fournissent des connaissances géographiques, des guides, des techniques de survie pour vaincre l'hiver (au Canada) et bien sûr de la nourriture. Sans les Indiens, la colonie louisianaise n'aurait pas survécu pendant la guerre de Succession d'Espagne, et durant tout le XVIIIᵉ siècle, La Mobile et La Nouvelle-Orléans, comme les postes plus isolés de la vallée du Mississippi et des Grands Lacs, sont approvisionnés par les alliés autochtones en maïs, volailles et autres viandes. « Il est certain que sans le secours des chevreuils, ours et gibiers que les sauvages fournissent au Détroit, la plupart des habitants du fort et des campagnes passeraient l'année sans viande », souligne l'officier Chaussegros de Léry en 1755 [21].

Il arrive aussi que des Amérindiens sauvent des Français en perdition : combien de colons ont été recueillis par des autochtones alors qu'ils erraient dans les bois, au

seuil de la mort, perdus et affamés, implorant la pitié !
C'est ce qui arrive par exemple à Henri de Tonty et à ses
compagnons, sauvés par une bande d'Outaouais en
1680 : « D'une grande disette où nous étions, raconte
Tonty, nous nous trouvâmes dans l'abondance après un
jeûne extraordinaire de trente-quatre jours. Nous hiver-
nâmes avec les Sauvages, lesquels se firent un plaisir de
nous assister dans notre misère [22]. » Le premier souci des
Français qui parcourent l'intérieur du continent à des
fins commerciales ou d'exploration n'est pas de découvrir
de nouvelles terres ou d'amasser des ballots de castor,
mais bien de se nourrir. Quand Cavelier de La Salle,
en 1682, prend possession de l'immense territoire qu'il
nomme « Louisiane », lui et ses hommes n'ont plus que
quelques grains de maïs pour se sustenter. Dans ce
moment solennel où l'on glorifie la grandeur du Roi-
Soleil, c'est la famine qui guette.

Auxiliaires militaires, fournisseurs de fourrures ou de
nourriture, guides, compagnons de la vie quotidienne,
mais aussi... âmes à « sauver », les autochtones, à des
degrés divers, forment une composante essentielle de la
vie coloniale.

Une histoire de famille

Conscients du rôle indispensable des Indiens dans le
processus de colonisation, les autorités françaises ont
établi, à partir du début du XVIIe siècle, une politique
d'alliance qui nécessitait beaucoup de tact et de savoir-
faire, mais qui s'accompagnait aussi d'une certaine frustration. Au milieu du XVIIIe siècle, Bougainville, dans
un mélange de lucidité et d'amertume, regrettait ainsi
cette « obligation où l'on est d'être l'esclave de ces Sauvages », de céder à « tous leurs caprices », de supporter
leur « insolence » [23]. « Caprices », « insolence » ? Il s'agit
là d'observations ethnocentriques qui révèlent en outre

la logique d'empire des autorités coloniales. Les Indiens, eux, défendaient leurs intérêts tout en souscrivant à leur propre conception de l'alliance, qui entraînait leur partenaire français dans une série d'obligations, comme à l'intérieur d'une famille.

Les Amérindiens alliés aux Français, selon le vocabulaire politique de l'alliance, sont considérés comme les « enfants » du gouverneur et du roi de France. C'est en effet autour de la métaphore du père et des enfants que se construit la relation entre Français et Indiens en Amérique du Nord. Cette métaphore familiale se développe au Canada à partir des années 1660-1670, et se trouve reprise en Louisiane dès 1699. Au Canada, le gouverneur est aussi appelé Onontio (« Grande Montagne ») par les autochtones, terme qui correspond au nom huron du premier gouverneur de la Nouvelle-France, Montmagny (soit « Mons Magnus »). Ce vocable devint l'appellation usuelle de tous les gouverneurs généraux de la Nouvelle-France jusqu'en 1760. Il s'agissait d'un titre dynastique, qui, comme le « corps symbolique » du roi dans la monarchie française, se transmettait rituellement de génération en génération. Lorsque le gouverneur du Canada décédait, les ambassadeurs des différentes nations indiennes se rendaient à Montréal pour reconduire l'alliance avec le nouvel Onontio, qui « relevait le nom ». En Europe comme en Amérique, les termes de parenté servaient à illustrer métaphoriquement des rapports sociaux ou politiques. Selon la rhétorique politique de l'Ancien Régime, ainsi, le roi était le « père » du peuple ; les Amérindiens, de leur côté, avaient l'habitude de nommer leurs alliés au moyen d'expressions imagées telles que « oncle », « neveu », « frère », etc. Ce langage de la parenté, pendant deux siècles, servit de base aux alliances franco-amérindiennes.

Avant 1660 toutefois, les Français et leurs alliés autochtones formalisaient leurs relations à travers la métaphore des « frères » : par là, ils se reconnaissaient comme des partenaires égaux. Selon Marc Lescarbot, le chef micmac Membertou « s'estime pareil au Roi et à tous ses lieutenants, et disait souvent [...] qu'il lui était grand ami, frère, compagnon et égal, montrant cette égalité par la jonction des deux doigts de la main ». Les Micmacs, ajoute le père Biard, se disent « les bons amis, alliés, associés, confédérés, et compères du Roi, et des Français [24] ». Au registre fraternel succède donc à partir des années 1660-1670 la métaphore du père et des enfants. Le chef huron Kondiaronk, aussi appelé Saretsi, l'exprime lors d'une conférence en 1682 avec le gouverneur Frontenac : « Saretsi ton fils, Onontio, se disait autrefois ton frère, mais il a cessé de l'être car il est maintenant ton fils, et tu l'as engendré par la protection que tu lui as donnée contre ses ennemis [25]. » Le gouverneur français, ainsi, se fit désormais appeler « père » par les Amérindiens (y compris les Iroquois), considérés comme ses « enfants ».

Si le langage était commun, la compréhension respective des acteurs différait, chacun projetant sur cette métaphore sa propre logique culturelle. La puissance paternelle, intimement liée à l'absolutisme et au dogme catholique, était censée conférer au gouverneur un pouvoir coercitif sur les Indiens. Onontio établissait une relation d'autorité entre lui et les peuples-enfants, qu'il subordonnait à son bon vouloir. Or, les autochtones n'avaient pas la même conception que les Européens en matière d'autorité parentale. Chez les Hurons et les Chactas par exemple, deux des principaux alliés des Français, la filiation était matrilinéaire : l'enfant appartenait au clan de sa mère, et la paternité culturelle ne coïncidait pas avec la paternité biologique ; c'était l'oncle maternel, et non le père, qui éduquait l'enfant et possédait sur lui une certaine influence, de sorte qu'Onontio se serait vu reconnaître une plus grande autorité s'il avait

hérité du titre d'« oncle »... Le père n'avait en effet
aucun pouvoir de commandement sur ses enfants, y
compris d'ailleurs parmi les groupes patrilinéaires.
Comme l'écrit le voyageur Nicolas Perrot à propos des
Indiens des Pays d'en Haut : « Le père n'oserait user
d'autorité envers son fils, ni le chef, de commandement
sur son soldat ; il le priera doucement [26]. » De fait,
lorsque les chefs autochtones appelaient le gouverneur
leur « père », ils ne faisaient en aucun cas acte de sujétion, mais s'adressaient plutôt, dans leur logique, à un
médiateur et surtout à un pourvoyeur.

Les mamelles d'Onontio

L'influence d'Onontio et de ses agents dépendait de
leur propension à respecter les règles de la chefferie
indienne. Les « ordres » d'un commandant n'étaient que
des « propositions », et son influence dépendait de sa
générosité, de son éloquence comme de sa puissance,
c'est-à-dire de sa capacité à être soutenu par des entités
surnaturelles. Il devait agir comme un médiateur, à
l'image de Pierre Pouchot, commandant du fort Niagara
pendant la guerre de Sept Ans, et que les Indiens avaient
baptisé Sategariouaen, c'est-à-dire « le milieu des bonnes
affaires [27] ». C'est la capacité à arbitrer les conflits inter-
indiens qui conférait du prestige et du pouvoir aux officiers. Il convenait, par divers rituels de paix, et notamment
par des discours appropriés (les « bonnes paroles ») et le
don de présents, de « dissiper les nuages », autrement dit
de maintenir l'harmonie au sein de l'alliance. Les Indiens
reconnaissaient aux agents français un certain pouvoir – en
particulier d'arbitrage –, mais celui-ci n'était nullement
coercitif. François Clairambault d'Aigremont, subdélégué
de l'intendant à Montréal, écrit ainsi au début du
XVIIIe siècle que « leurs chefs ne sont pas en droit de dire
aux autres "faites quelque chose", mais seulement "il

serait à propos de faire telle chose" sans nommer personne, car autrement ils n'en feraient rien étant ennemis de la contrainte[28] ».

Parlant de ses alliés autochtones, le marquis de Montcalm note en 1756 qu'« il faut leur faire part de tous les projets, les consulter et souvent suivre ce qu'ils proposent[29] ». Dans les postes de l'intérieur des terres, le commandant réunissait régulièrement les chefs des villages voisins pour leur faire des propositions relatives au commerce ou aux affaires militaires ; les chefs écoutaient, puis se réunissaient par nation et revenaient deux jours plus tard devant le commandant pour lui faire part de leurs décisions, favorables ou non aux intérêts français. Le commandant portait donc mal son nom : il proposait, mais ne disposait pas. Les Indiens, de leur côté, émettaient aussi des requêtes, et les officiers se montraient généralement conciliants. Il arrivait que des commandants ou des gardes-magasins fussent démis de leur fonction par le gouverneur sous la pression d'Indiens mécontents.

Le chevalier de Raymond insiste sur la générosité qui doit dicter le comportement des officiers : « Il est incroyable la politique et les ménagements qu'il faut avoir pour les Sauvages, pour se les conserver fidèles [...]. C'est pourquoi toute l'attention que doit avoir un commandant pour servir utilement, c'est de s'attirer la confiance des Sauvages où il commande. Pour y parvenir, il faut qu'il soit affable, qu'il paraisse entrer dans leurs sentiments, qu'il soit généreux sans prodigalité, qu'il leur donne toujours quelque chose[30]. » La bienveillance paternelle des Français se manifestait, lors des séances de traite, à travers la politique du « bon marché », qui consistait à offrir beaucoup de marchandises aux Indiens, même lorsque ces derniers apportaient peu de pelleteries. Onontio, en bon père, devait souscrire à l'esprit du don qui prévalait entre alliés, et inciter les marchands de la

colonie à forcer leur nature en ajustant les prix. Selon
François Le Maire, il n'existe « pas d'autres talents pour
[…] savoir gagner [les Indiens] que de leur donner, ce
qu'ils appellent parler de la main ». « Il n'y a pas de
milieu, poursuit le missionnaire ; il faut avoir le sauvage
ou pour ami ou pour ennemi ; et quiconque veut l'avoir
pour ami, il faut qu'il lui fournisse ses besoins à des
conditions auxquelles il puisse se les procurer [31]. » Pour
s'adresser à leur « père », les Indiens utilisent la rhétorique de la pitié : ils se déclarent « nus » pour susciter sa
compassion et stimuler sa générosité. Onontio, le père-
pourvoyeur, est sommé de « tenir chaudière ouverte », et
de subvenir ainsi aux « besoins » de ses enfants qui se
placent symboliquement sous sa coupe.

Pourtant, les Français ne se montrent pas toujours
capables de ravitailler les Indiens comme ces derniers le
souhaiteraient, en particulier en Louisiane. Les alliés, s'ils
estiment la générosité française insuffisante, se réservent
alors la possibilité d'aller traiter auprès des Anglais, usant
de chantage à l'égard des Français. Les Outaouais et les
Hurons, au Canada, et plus encore les Chactas, en Louisiane, paraissent toujours sur le point de rejoindre
l'alliance des Britanniques. Ces derniers bénéficient il est
vrai de plusieurs avantages : ils offrent généralement aux
Indiens plus de produits pour autant de pelleteries ; leurs
étoffes sont de meilleure qualité ; et ils disposent, grâce
à la supériorité de leur marine, de marchandises en abondance, ne subissant pas comme les Français des périodes
de pénurie imposées par le blocus ennemi.

Au XVIIIe siècle, dans le contexte de la menace britannique, la priorité des Français était de préserver l'amitié
des Indiens, et la traite des pelleteries devint parfois une
activité plus diplomatique que commerciale : c'était le
cas au fort Frontenac et au fort Niagara, postes qui fonctionnaient grâce aux subventions du roi et non sur la

base des bénéfices commerciaux. En Louisiane également, la gestion coloniale des alliances indiennes était marquée par la subordination de l'économique au politique. Le gouverneur Kerlérec écrivait ainsi à propos des Chactas : « Ne pouvant […] se passer de cette nation et étant même obligés de la ménager, on leur a de tout temps fourni le plus de marchandises de traite […] sans l'attrait de ces présents il est incontestable que dans ces dernières années, nous eussions perdu la nation chakta. » En offrant des présents aux Indiens, le pouvoir colonial cherchait à compenser la faiblesse des prix offerts par les marchands. Les agents du roi, lors des congrès tenus à Montréal, à La Mobile, à La Nouvelle-Orléans ou dans les postes de l'intérieur du continent, distribuaient régulièrement des cadeaux à leurs alliés indiens : fusils, poudre, balles, outils, couvertures, etc. « C'est la coutume constante ici de leur donner […] un banquet, de les laisser boire à satiété et de leur distribuer également des présents [32] », écrit Pehr Kalm en 1749 à propos des conférences franco-indiennes de Montréal.

En Louisiane, les Français jugeaient souvent arrogante l'attitude des Chactas, qui considéraient les présents comme un dû. Le Moyne de Bienville parle de « l'insolence avec laquelle ils ont prétendu ériger en tribut les présents que le Roi veut bien leur accorder [33] ». Les Indiens ne percevaient pourtant pas les présents comme un tribut ou un loyer, mais comme des preuves de générosité et les signes d'une alliance qu'il convenait de réactiver périodiquement. Offrir des présents, chez les Indiens, était consubstantiel à l'établissement d'une relation sociale. Le commandant du poste des Illinois, Jean-Jacques Macarty, l'atteste dans une lettre à un autre officier datée de 1754 : « Monsieur, vous connaissez mieux les sauvages que moi, qu'on ne leur parle point les mains vides [34]. » Qui plus est, un chef était tenu de donner, de distribuer autour de lui, s'il souhaitait conserver son

crédit. Cette maxime concernait aussi bien les commandants, qualifiés de « chefs français » que les gardes-
magasins, appelés « maîtres de la marchandise ». Quant
à Onontio, selon l'expression des autochtones, il devait
allaiter ses enfants « à la mamelle », et de préférence « de
son téton gauche parce qu'étant plus près de son cœur,
il pourrait ne leur porter à la tête que des idées
agréables [35] ». Téter le lait au sein d'Onontio, chef de
guerre soudain féminisé, c'était s'approvisionner mais
aussi alimenter la relation sociale entre le père et ses
enfants. Les « mamelles » du gouverneur, en outre, exprimaient symboliquement la fonction protectrice des Français à l'égard des Indiens.

Les Français, eux, concevaient les cadeaux selon la
logique du pot-de-vin ou du salaire, mais aussi selon
celle, féodale, de l'*ost* ou service militaire. Il convenait de
rétribuer les autochtones pour services rendus ou futurs,
comme s'en explique Kerlérec, soucieux de justifier aux
yeux de la Cour l'importance des cadeaux : « Il serait
inutile de vouloir me persuader que ce qu'on est obligé
de donner à ces gens-là, tant pour la traite que pour les
présents annuels soit au titre d'un tribut honteux pour
la nation française […] C'est une récompense et une
solde si l'on veut, mais bien modique, pour les services
qu'ils nous ont rendus et qu'ils nous rendent continuellement [36]. » À l'été 1760, pour approvisionner les 2 500
Indiens qui sont venus lui rendre visite à La Mobile, il
doit, faute de marchandises dans les magasins du roi, en
faire trouver de toute urgence chez des particuliers.

L'institutionnalisation des présents s'est amorcée dans
les années 1680-1690. En 1707, un mémoire du roi avait
bien conseillé de réduire cette dépense, mais c'est
l'inverse qui se produisit. La somme allouée aux cadeaux
diplomatiques, qui figurait en bonne place sur le budget
annuel des colonies (entre 5 et 10 %), était au Canada
de 20 000 livres au tout début du XVIIIe siècle, de

40 000 livres en 1716, de 57 000 en 1740, et de 75 000 dix ans plus tard ; en Louisiane, ce même budget, qui était de 4 000 livres par an entre 1712 et 1720, grimpa à 40 000 livres dans les années 1730 et à plus de 60 000 autour de 1750. « Tant qu'il y aura un seul sauvage Chactas dans la colonie, il sera source de dépenses considérables pour le roi », écrit en 1751 Honoré Michel de Villebois, le commissaire-ordonnateur de la Louisiane [37].

De la chefferie en Amérique du Nord

C'est par une politique de cadeaux et, à travers elle, par l'instrumentalisation de la chefferie indienne, que les Français sont parvenus à étendre leur influence en Amérique du Nord. Transformer les chefs autochtones en relais du pouvoir impérial, telle était en effet l'une des clés de la *Pax Gallica*. Il ne s'agissait pas nécessairement d'une tâche aisée. De façon générale, le champ politique amérindien était éclaté, parcellisé, et de fait rebelle à tout contrôle et à toute centralisation. « Il se trouve autant de capitaines que d'affaires », explique ainsi le père Brébeuf à propos des Hurons, et plus d'un siècle plus tard le gouverneur Kerlérec décrit les différents villages chactas

« comme autant de républiques, où le chef n'a d'autorité qu'autant qu'il sait se concilier l'estime et l'amitié des considérés et des principaux guerriers [38] ».

Il était donc impossible de terrasser des empires par le haut, comme l'avaient fait les Espagnols au Mexique et dans les Andes. Il n'y avait en effet ni souverain du type de Moctezuma ou d'Atahualpa en Amérique du Nord, ni caciques habitués à une organisation verticale du pouvoir mais, dans chaque confédération ou dans chaque nation, plusieurs dizaines ou centaines de chefs qui se partageaient le pouvoir. Les Français, si tel avait été leur souhait, ne seraient donc pas parvenus à agir comme Cortès ou Pizarro. Les Espagnols, d'ailleurs, connurent également des difficultés pour soumettre les sociétés « sans État » situées aux marges de leur Empire (au nord du Mexique, au Chili, etc.).

En Basse-Louisiane, certaines sociétés étaient certes hiérarchisées : c'était le cas des Taensas et des Natchez, dont la société était stratifiée en quatre « classes », et qui étaient dirigés par un Grand Soleil disposant d'un pouvoir d'apparence absolue. Les autres membres de la famille royale étaient aussi désignés du nom de « Soleils », puis venaient les « Nobles », les « Honorables » ou « Considérés », et enfin les gens du peuple appelés les « Puants ». Il est frappant de constater que les Natchez furent l'un des seuls groupes alliés aux Français à se soulever violemment contre eux (en 1729), et ce au prix de leur disparition comme entité politique. L'une des explications ne réside-t-elle pas dans l'incapacité des Français à infiltrer et parasiter leur tissu politique, marqué par la verticalité ? Il était vraisemblablement plus aisé d'étendre son influence parmi les peuples où le pouvoir était très dispersé, par la distribution de cadeaux à une pluralité de chefs.

Il est vrai aussi que les Français percevaient un avantage dans l'absence, chez les Indiens, de pouvoir centralisé : « Le peu de subordination qu'il y a parmi eux fait leur faiblesse », explique Clairambault d'Aigremont. « Et de quoi ne seraient-ils point capables s'ils avaient des chefs absolus, ces gens-là n'ayant d'autre profession que celle des armes, ils se seraient bientôt rendus les maîtres de ce pays [39]. » L'absence d'État, dans le rapport de forces franco-amérindien, était ainsi perçue comme un garde-fou en cas de soulèvement antifrançais. Les administrateurs ne souhaitaient pas transformer les chefs autochtones en potentats capables de s'élever au-dessus des divisions et des factions traditionnelles.

Médailles et hausse-cols,
ou comment s'affilier les chefs

Le gouverneur Bienville, pour renforcer l'efficacité de la politique française, s'efforça néanmoins de créer un « grand chef » chez les Chactas. En 1733, lors de son retour aux affaires, il se désole de la « multiplication des chefs qu'on y a laissé établir et qu'on a mis dans l'habitude de recevoir des présents particuliers ». Il y avait alors, dans les 39 villages chactas, pas moins de 111 chefs. Bienville relève les deux inconvénients de cette dispersion pour l'exercice de la *Pax Gallica :* d'abord la difficulté, si l'on désire « faire mouvoir le corps de la nation », à « gagner tous ces différents chefs » ; ensuite l'importance des dépenses, puisqu'il fallait offrir autant de cadeaux qu'il y avait de chefs. Le gouverneur est partisan d'un système plus hiérarchisé : il souhaite s'affilier étroitement celui qu'il désigne comme le « grand chef », qui seul recevrait les présents et qui se chargerait ensuite de les distribuer « par village » tout en agissant au service des Français [40]. Cette politique fut un échec, car les Chactas, pas plus qu'ils ne souhaitaient se soumettre aux Français, n'acceptaient l'autorité du « grand chef », titre honorifique détenu dans la première moitié du XVIIIe siècle par Chicacha Outlacta puis par son neveu Mingo Tchito. Il n'y avait ni roi ni Soleil chez les Chactas : le « grand chef » n'était, après tout, qu'un chef de village parmi d'autres [41].

Les chefs qui servaient d'intermédiaires au sein de l'alliance étaient soigneusement « sélectionnés » par les autorités françaises en fonction de deux critères. D'abord l'entrain que pouvaient manifester certains d'entre eux à collaborer avec le pouvoir colonial. En ce sens, la distribution des cadeaux ne s'effectuait jamais au hasard : il fallait, explique Kerlérec, « remettre religieusement les présents à ceux envers lesquels on s'est obligé », tout en

créant, notent le gouverneur Vaudreuil et l'intendant
Raudot, « une émulation entre eux qui nous sera très
utile [42] ». Le second critère de sélection conduisait les
Français à choisir comme intermédiaires des chefs
influents, des hommes à « la voix forte » capables de
relayer efficacement le pouvoir colonial. Il faut « gagner
les esprits les plus considérables » par « force présents
particuliers », note par exemple le gouverneur La Barre
dans les années 1680 [43]. Il convenait en somme de
récompenser les chefs pro-français mais aussi de viser la
« tête ».

Pour honorer ces « sauvages qui se distinguent à la
guerre ou qui ont de la considération dans leur cabane »,
on leur décernait au XVIIIe siècle une « commission » de
chef et on leur offrait surtout une médaille en argent
portant d'un côté l'effigie du roi et de l'autre un dessin
représentant un Français et un guerrier indien se donnant la main en signe d'amitié. Ces médailles, que les
autochtones portaient autour du cou avec « un grand
honneur », étaient plus ou moins grandes selon l'importance reconnue aux chefs. À défaut de médaille, les Français offraient aux Indiens un hausse-col, c'est-à-dire une
petite plaque de métal que les officiers en service accro-
chaient en haut de leur poitrine, sans compter divers
autres cadeaux – justaucorps galonné d'or, chapeau, cra-
vate, chemise, mitaines, souliers, raquettes, etc. [44]. Les
autorités coloniales organisaient aussi, transposant en
Amérique la logique d'éclat de la diplomatie royale, de
grandioses cérémonies funèbres pour les chefs décédés
qui le méritaient. Le chef huron Kondiaronk, par
exemple, qui avait joué un rôle important dans les négociations conduisant à la Grande paix de Montréal de
1701, fut inhumé avec beaucoup de cérémonie après
qu'une épidémie l'eut foudroyé en pleine conférence : il
s'agissait d'impressionner les Indiens témoins d'une telle

mise en scène et, selon une stratégie d'émulation, de les inciter à se comporter comme ce chef l'avait fait.

Le gouverneur était renseigné sur l'attitude des chefs par les officiers et les missionnaires qui œuvraient dans les postes de l'intérieur des terres et parfois même dans les villages indiens. À Montréal, avant la distribution des cadeaux qui ponctuait le séjour des ambassadeurs indiens de l'Ouest, il s'informait, rapporte Bacqueville de La Potherie, sur les « bonnes ou méchantes dispositions des nations », et jaugeait « le mérite de chaque sauvage un peu considérable », « ce qui est absolument nécessaire de savoir pour les traiter chacun comme ils doivent l'être [45] ». Joseph Marin, un officier dépêché dans les Pays d'en Haut, conseille de la sorte le gouverneur Duquesne qui s'apprête à accueillir des délégations autochtones en 1754 : à propos du chef saki Le Dardeur, qui a perdu sa médaille lors d'un naufrage, il suggère à son supérieur de la lui remplacer, « et comme il est grand chef des Sakis, que sa commission sera distinguée des autres » ; à Laporte, fils « d'un grand chef » renard « qui est mort l'année dernière », il conseille de « donner la médaille […] avec la commission », parce « que cela lui augmenterait son zèle à travailler aux bonnes affaires » ; il recommande aussi « une médaille pour Chanchaman, Folle-Avoine [Ménomini], très considéré dans la bande du Castor », « un hausse-col pour Nampaté, chef de guerre de la bande des Cuillouts, qui est très considéré par sa bande et très redouté », enfin « une commission de second chef pour Layouois, Saki, qui a perdu la sienne dans un incendie [46] ».

Si la politique française est efficace, c'est parce que les Indiens sont sensibles aux gratifications et parce que la distribution de cadeaux fait écho à leur éthique du don. Le chef cultivait son influence au sein du groupe en redistribuant les présents offerts par Onontio, et il était donc avantageux pour lui d'agir selon les intérêts français. Il préservait certes la médaille, insigne de son pouvoir et détentrice d'une puissance spirituelle potentielle. Cela ne constituait pas un indice de soumission ni même d'allégeance, mais sans doute une marque de « clientélisation ». En 1740, lors d'une conférence tenue à Montréal, le chef outaouais Pennahouel jugea bon de donner à l'un de ses amis la médaille que venait de lui offrir le gouverneur Beauharnois. Celui-ci fut fort contrarié par ce geste, mais il accepta les excuses du chef outaouais et lui en donna une seconde. Pennahouel, qui ne goûtait pas le ton hautain du gouverneur, et qui avait trop bu, jeta toutefois un peu plus tard sa médaille dans la poussière… Furieux, le gouverneur le fit attacher, sous l'œil bienveillant des autres chefs outaouais, heureux visiblement de rabattre le caquet de ce leader au statut usurpé. Pennahouel conserva cependant son influence au sein de son village et, au cours de la guerre de Sept Ans, il redevint un chef à médaille très prestigieux de l'alliance franco-amérindienne.

Idéalement, et sans pour autant les transformer en roitelets, le gouverneur voudrait créer les chefs de son choix. Bienville, en 1725, se targue d'avoir poussé son autorité « jusqu'à casser à son gré des chefs mêmes, et mettre d'autres à la place [47] ». Lamothe Cadillac note de son côté en 1701, à propos de Ouilamek, un leader poutéouatami : « c'est moi qui l'ai fait chef » ; et le gouverneur Callière aurait aussi « déclaré » le Huron Quarante Sols, « chef de toute sa nation [48] »… En réalité, Richard White l'a montré, Onontio « reconnaissait », intronisait les chefs, mais ne les « faisait » pas. Un chef ne pouvait être en effet une pure créature du colonialisme français : il lui fallait disposer d'un crédit particulier au sein de son village. En l'espèce, Ouilamek et Quarante Sols étaient déjà des chefs. Mais il était certes dans leur intérêt de recevoir l'« onction » du gouverneur pour disposer d'un prestige redoublé. Au XVIIIe siècle, certains chefs des Pays d'en Haut profitaient de leur venue à Montréal pour satisfaire à ce rituel de l'alliance : ils venaient « relever » le nom de leur prédécesseur, et se faire reconnaître par « Grande Montagne » comme le successeur légitime.

Qu'en était-il dans les villages « domiciliés » du Saint-Laurent ? En 1741, par exemple, le gouverneur Beauharnois désigne quatre nouveaux chefs parmi les Iroquois du Lac-des-Deux-Montagnes, près de Montréal : un « Grand Chef », et un chef pour chacun des clans, celui de l'Ours, celui du Loup et celui de la Tortue. À vrai dire, il n'agit pas alors autoritairement mais avec l'accord des aînés, des matrones et des guerriers. Les Français avaient donc la possibilité de nommer les chefs dans les communautés christianisées de la colonie, mais toujours en concertation avec les autochtones. En 1757, des Iroquois du village domicilié de la Présentation se plaignent au gouverneur Vaudreuil de ce que l'un des leurs « prétendant que le gouverneur général l'a établi pour chef » n'était en fait pas digne de ce titre, en particulier parce qu'il « n'était pas de la prière » – c'est-à-dire catholique. La nomination est ainsi jugée « contraire aux droits d'un peuple guerrier et libre qui ne connaît de chefs que ceux qu'il se donne et pour le temps qu'il veut [49] ». Vaudreuil dissipa le malentendu, et offrit aux sept chefs de guerre des espontons et des hausse-cols. Si les autorités françaises doivent reconnaître le droit du conseil du village à désigner ses chefs, elles s'échinent néanmoins à faire pression sur les communautés, ce qui est moins difficile parmi les domiciliés que dans les Pays d'en Haut. Il semble même que des chefs iroquois de Montréal aient été intégrés dans les troupes de la Marine, en recevant jusqu'à leur mort une solde de capitaine...

Le pouvoir colonial s'établit ainsi en misant sur la quête de prestige des chefs. Les présents sont les signes de l'alliance, mais ils sont aussi porteurs d'une logique d'empire ; ils permettent d'établir la *Pax Gallica* et d'esquisser un processus de clientélisation. En vertu d'un système vertical de circulation des cadeaux, « Grande Montagne » assoit son influence et permet aux chefs de conforter la leur ; il ne crée pas des marionnettes obéissantes, mais il place les chefs dans une position de débiteurs, donc d'obligés, sinon de clients.

Des Indiens à Versailles

Certains chefs à médaille eurent le privilège de côtoyer le roi en se rendant en France. Le monarque, qui habitait par-delà le « grand lac » (l'océan Atlantique), était appelé par les Indiens du Canada Onontio Goa, ou Grand Onontio (« la plus haute montagne de la terre »). Les visites d'Amérindiens à la Cour de France n'étaient pas rares. Tous les souverains, de François Ier, au début du XVIe siècle, à Louis XV, au milieu du XVIIIe siècle, ont rencontré des autochtones venus de Nouvelle-France, tantôt des individus kidnappés (à l'instar de Domagaya et de Taignoagny en 1534), tantôt des personnes invitées. À Rouen, en 1550, Henri II et Catherine de Médicis avaient pu assister à une fête brésilienne qui mettait notamment en scène cinquante Tupinambas. À cette époque, de nombreux autochtones débarquaient dans les ports de Normandie. Dès 1504, le capitaine honfleurais Binot Paulmier de Gonneville aurait ramené du Brésil l'Indien Essomericq, fils du « Roy » Arosca. L'abbé Jean Paulmier, chanoine de la cathédrale de Lisieux, qui fréquentait la Cour et le Vatican, se présente au XVIIe siècle comme son arrière-petit-fils. Il raconte comment Essomericq épousa une proche parente de son parrain Gonneville, mais aussi hérita de son nom et d'une partie de ses biens.

Au début du XVIIIe siècle, les autorités du Canada et de la Louisiane encourageaient des chefs à traverser l'océan pour promouvoir auprès du roi la colonisation, mais aussi pour renforcer l'alliance franco-indienne : il s'agissait évidemment d'impressionner ces visiteurs par les fastes de la Cour et de les combler de présents. En 1705, par exemple, le chef abénaqui Nescambiouit fut reçu à Versailles par Louis XIV, qui lui remit personnellement, entre autres cadeaux, un sabre et une médaille. On l'honora comme le « prince des Abénaquis », et après son retour, en 1706, il combattit les Anglais avec le sabre offert par le « Grand Onontio ». Certains historiens prétendent même qu'il aurait été fait chevalier de l'ordre de Saint-Louis et qu'il aurait reçu une pension en récompense de sa bravoure [50].

En 1725, à l'initiative de l'officier Véniard de Bourgmont, explorateur de la rivière Missouri, quatre chefs – un Missouri, un Oto, un Osage et un Illinois – et une « princesse » missouri visitèrent Paris pendant trois mois. « On leur a fait voir ce qu'il y a de plus curieux à Paris, et ce qu'ils y ont de plus particulièrement remarqué, sont les chaudières et les broches de la cuisine des Invalides, lesquelles étaient si bien garnies, qu'ils demandèrent s'il y avait assez de guerriers pour manger toutes ces viandes ; ils ont cependant vu l'Opéra avec une grande admiration ; ils se frottaient les mains de joie, et se tiraient les uns et les autres pour marquer les choses qui les surprenaient le plus [51]. » Ils avaient appelé l'hôtel royal des Invalides la « Cabane des vieux guerriers », et nommèrent de la même façon le Louvre, Versailles, Marly et Fontainebleau les « cabanes du Grand chef des Français [52] ». Ils furent reçus en audience à Fontainebleau par Louis XV, alors âgé de quinze ans, en présence « de tous les Seigneurs de sa Cour ». « Les Sauvages ayant fait leurs compliments, se dépouillèrent tous quatre leur assortiment de Chef et de guerrier, c'est-à-dire, de leur casque de plumes. » Le roi fit montre de « son attention aux choses par mille questions qu'il fit au père de Beaubois et au chevalier de Bourgmont sur les manières, mœurs, et les différentes Religions des Sauvages ». Trois jours plus tard, Louis XV accorda à ses hôtes indiens le « divertissement » de la chasse au lièvre.

Chaque chef, finalement, se vit offrir par Louis XV une médaille et une chaîne en or, un fusil, une épée, une montre et une peinture représentant leur réception par le roi, « indépendamment des présents considérables que la Compagnie des Indes leur fera faire à La Nouvelle-Orléans lorsqu'ils y seront de retour pour les distribuer dans leurs villages [53] ». La « princesse » indienne, quant à elle, « avait eu, entr'autres choses, une belle montre à répétition, garnie de diamants, que les Sauvages appelaient un esprit, à cause de son mouvement, qui leur paraissait surnaturel [54] ». En souvenir de cette visite indienne, Jean-Philippe Rameau composa sous le titre *Les Sauvages* une partition pour clavecin, puis sous le même nom une composition que le chef de chœur du roi fit interpréter aux Tuileries en 1729. Ce séjour marqua aussi les Indiens, et en particulier les Illinois. En 1758, Kerlérec louait le « bon comportement d'un chef qui fut mené en France, et fait chef à médaille ». « Il revint dans sa nation chargé de présents, ce qui lui avait donné un crédit infini pour la contenir dans l'intérêt des Français ce qu'il a fait exactement jusqu'à sa mort et c'est aujourd'hui son fils qui le remplace et qui se conduit comme le père [55]. »

La place des Indiens dans l'Empire

Parfois invités à la Cour du roi, les Indiens, plus généralement, trouvent une place au sein de l'Empire français. Mais de quelle façon ? Comment, autrement dit, les autochtones de la Nouvelle-France s'intègrent-ils dans le système, les pratiques et la rhétorique politiques de l'Ancien Régime ? Une première réponse nous a été fournie avec l'évocation de la métaphore du père et des enfants, métaphore qui fait en partie écho au langage politique de la monarchie. Reste à explorer les caractères souples de la souveraineté d'Ancien Régime et le respect traditionnel du roi envers les « libertés » locales, autant d'aspects qui contribuent aussi à cette « intégration ». Les autochtones alliés, destinés à l'assujettissement, étaient-ils soumis à la justice royale, fondement par excellence de l'autorité monarchique ? Quelle politique, enfin, les autorités coloniales ont-elles menée à l'égard des groupes situés, et parfois rejetés, en dehors de l'Empire, autrement dit de la confédération franco-amérindienne ?

Une monarchie intégratrice

Député du tiers état aux États généraux de 1789, l'abbé Sieyès estimait que le royaume ne saurait être « un assemblage de petites Nations [56] ». Il préconisait l'établissement d'un tout unique doté d'une législation commune et était soucieux de soumettre la société à la règle de l'égalité.

« Comme plus tard Saint-Just, note Yves Durand, Sieyès ne peut admettre que les composantes entrant dans l'unité nationale aient une existence propre [57]. » Qu'on ne s'y trompe pas néanmoins : l'État royal des XVIIe et XVIIIe siècles aspirait bel et bien, pour mieux imposer son autorité, à réduire les particularismes provinciaux. Il ne faisait donc pas preuve de « tolérance », mais devait en revanche tenir compte, remarque Joël Cornette, du « pays "réel" » : l'immensité du royaume, la diversité des peuples, la multiplicité des coutumes, des privilèges, le chevauchement et la dilution des compétences [58]... ». Le royaume de France, à cet égard, se différenciait de l'Angleterre, qui constituait l'État le plus

unitaire d'Europe [59]. Outre-Manche, la loi comme le fisc
étaient plus centralisés et la diversité culturelle et institutionnelle, comme les traditions de souveraineté locale,
étaient beaucoup moins importantes.

Le royaume de France, véritable agrégat, était même
constitué d'enclaves étrangères, comme la principauté
d'Orange, qui subsistèrent jusqu'à la Révolution. Quant
aux provinces périphériques, tardivement rattachées au
royaume, elles étaient liées à la Couronne par des traités
qui leur reconnaissaient un certain nombre de privilèges,
notamment en matière fiscale. Les Bretons, par exemple,
n'eurent jamais à payer ni taille ni gabelle ; le Béarn,
largement autonome, défendit jalousement jusqu'en
1789 ses Fors et Coutumes, que les rois faisaient le serment de maintenir ; le Roussillon, en 1659, lors de son
annexion, se vit promettre par Louis XIV le respect de
sa langue et de ses privilèges, etc. [60]. La monarchie avait
conscience qu'il ne lui était pas possible d'uniformiser la
société, et l'absolutisme ne fut en réalité qu'un jeu
constant « de compromis et d'accommodements [61] ».

L'hétérogénéité juridique et socioculturelle du
royaume, comme l'existence traditionnelle de formes
d'autonomie locale, ont certainement favorisé l'intégration politique des Indiens au sein de l'Empire français.
Ces derniers pouvaient en effet y former un corps ou une
communauté de plus, avec ses statuts et ses caractères
particuliers, tout en devenant des régnicoles. Selon la
charte de la Compagnie des Cent-Associés, les autochtones qui se convertissaient au catholicisme étaient
reconnus comme « naturels français » : ils pouvaient
théoriquement disposer de leurs biens par testament,
posséder des offices, témoigner en justice, etc. Dans la
société coloniale illinoise, au XVIIIe siècle, se pose concrètement la question du statut juridique des autochtones.
Les Indiennes catholiques, lors du décès de leur mari
français, sont-elles soumises aux mêmes lois que les

femmes blanches et bénéficient-elles à ce titre de droits successoraux identiques ? Un arrêt du Conseil supérieur de Louisiane, en 1728, jugea que les Indiens étaient exclus des successions des Français, leur déniant ainsi la qualité de régnicoles. Cet arrêt, toutefois, ne fut pas appliqué : priver les veuves amérindiennes de leurs possibilités d'héritage (meubles, bestiaux, terres...) allait en effet à l'encontre des intérêts des colons avec lesquels elles pouvaient se remarier [62].

Les Indiens vivant sur des terres seigneuriales, par ailleurs, ne furent pas soumis aux mêmes obligations que les colons. Il y a plus : certains devinrent auprès des Français des seigneurs fonciers. En 1651, la Compagnie de la Nouvelle-France concéda aux « Sauvages néophytes » la seigneurie de Sillery (près de Québec) : loin d'être des censitaires comme les colons, loin donc de payer des redevances, ces autochtones, bien que placés sous la tutelle des jésuites, jouissaient collectivement du statut de seigneurs. Le cens était remis aux gestionnaires du domaine, donc aux missionnaires, mais les chefs indiens occupaient très probablement la place du seigneur à l'église [63]. Les autochtones de la colonie laurentienne se virent reconnaître, dans le même sens, des droits de chasse sur toutes les terres seigneuriales. Cela s'inscrit dans la logique de superposition des droits sur le sol qui caractérise le système de propriété de l'Ancien Régime français : ceux du roi, ceux du seigneur et ceux des paysans. À cet égard, il n'y avait guère de sens pour les Français à conclure avec les Indiens des traités de cession de territoire, à l'inverse des Hollandais ou des Anglais, qui valorisaient la propriété privée et exclusive du sol [64].

Des nations autonomes

Le Régime français n'a certes jamais officiellement reconnu aux autochtones de droits particuliers – à l'exception de l'article 40 de la capitulation de Montréal en 1760, qui assure aux « domiciliés » la conservation de leurs terres et de la religion catholique. Il ne faut d'ailleurs pas se laisser abuser par les instructions générales données par Versailles concernant les Amérindiens. En 1665, Louis XIV donne des directives précises au gouverneur Courcelles à propos des « Indiens naturels ». Il rappelle que le premier objectif est de « procurer leur conversion à la foi chrétienne le plus tôt qu'il sera possible », et qu'à ce dessein « les officiers, soldats et tous ses autres sujets traitent les Indiens avec douceur, justice et équité, sans leur faire jamais aucun tort ni violence ; qu'on n'usurpe point les terres sur lesquelles ils sont habitués sous prétexte qu'elles sont meilleures ou plus convenables aux Français ». Le deuxième objectif du roi est d'inciter les Indiens à participer au commerce colonial, « mais son intention est que tout cela s'exécute de bonne volonté et que ces Indiens s'y portent par leur propre intérêt [65] ». De la même façon, Louis XIV écrit en 1681 à l'intendant Duchesneau : « Il est aussi très important de traiter les Sauvages avec […] douceur, d'empêcher que les gouverneurs n'exigent d'eux aucun présent, de tenir la main à ce que les juges punissent sévèrement les habitants qui auront commis quelque violence contre eux. C'est par cette conduite que l'on parviendra à les apprivoiser [66]. »

« Douceur », « justice », « équité »… Cette rhétorique, remarquons-le, émaille aussi les instructions relatives à la façon de gouverner les colons. Le désir des autorités, en effet, est de transformer les Indiens en Français. Ce qu'il convient de retenir de ce discours stéréotypé est donc le désir assimilationniste de la monarchie. Si l'on doit du respect aux Amérindiens, ce n'est pas par tolérance mais, au contraire, parce qu'on les considère comme inférieurs et qu'il convient de les « apprivoiser », de les soumettre au roi et à la « vraie foi ». Or, l'assujettissement et la francisation des autochtones ne peuvent évidemment s'obtenir par la violence.

Faute de pouvoir assimiler les autochtones et compte tenu du rapport de forces, il fallait composer avec eux. Si elle ne leur reconnaissait pas officiellement des droits particuliers, la monarchie française s'ajustait en Amérique comme elle pouvait le faire dans le royaume. Les Indiens, « enfants » d'Onontio, étaient aussi appelés « Sauvages alliés », « nations des sauvages » ou « nations alliées » [67]. Le terme de « nation » désignait à l'époque une province ou tout corps privilégié disposant de représentants et de juridictions particulières ; s'il ne renvoyait pas par définition à la souveraineté, il impliquait au moins certaines formes d'autonomie. Les nations indiennes, dans la rhétorique politique française, étaient placées sous la « protection » du roi, qui concluait des alliances et signait des traités avec elles. En vertu de l'article 6 de la Compagnie d'Occident (1717), par exemple, le roi permet à celle-ci, « dans les Pays de sa concession », de « traiter et faire alliance en notre nom avec toutes les nations du pays [...] et convenir avec elles des conditions qu'elle jugera à propos pour s'y établir, et faire son commerce de gré à gré, et en cas d'insulte, elle pourra leur déclarer la guerre, les attaquer ou se défendre par la voie des armes, et traiter de paix et de trêve avec elles » [68]. L'autonomie des peuples autochtones était ainsi reconnue. Un observateur espagnol en visite à Louisbourg écrit que les Indiens « n'étaient ni les sujets absolus du roi de France, ni des personnes complètement indépendantes de celui-ci. Ils le reconnaissaient comme le seigneur du pays, mais sans que cela modifie leur mode de vie, et sans se soumettre à ses lois [69]. »

Dans la rhétorique politique de la monarchie, les autochtones occupaient une position intermédiaire entre le statut accordé à une province, qui bénéficiait d'une certaine autonomie et de privilèges, et celui dont disposait un État souverain. Sans leur reconnaître officiellement la pleine souveraineté, les Français négociaient avec les « nations » amérindiennes de la même façon qu'avec les puissances européennes, en recevant leurs chefs comme des « ambassadeurs ». L'État colonial conciliait donc la souveraineté française (théorique) avec la reconnaissance de l'autonomie des Indiens sous la protection du roi.

Si les Indiens, comme « régnicoles » ou comme alliés, se virent reconnaître une place dans l'Amérique française, il en allait tout autrement dans les colonies britanniques [70]. Il est certes très difficile de parler de ces colonies d'une façon générale : fondées à des époques différentes, animées par des objectifs – religieux, mercantiles... – parfois dissemblables, dotées de statuts divers (colonies à charte, colonies royales, colonies « à propriétaires ») et très composites sur les plans religieux (variété des protestantismes, minorité catholique) et ethnique (Anglais, Écossais, Allemands, Hollandais, Suédois, mais aussi calvinistes français et suisses...), elles offrent en effet un tableau d'une grande complexité. On peut néanmoins remarquer, à la suite d'Alan Gallay, que l'incorporation des peuples autochtones, qu'elle soit le fruit de l'« éducation », de la christianisation ou des mariages mixtes, a rarement présenté dans les Treize Colonies le caractère prioritaire qu'il a revêtu en Nouvelle-France et en Nouvelle-Espagne.

Certes, les autorités métropolitaines et leurs agents envisagent d'abord d'établir des relations pacifiques avec les autochtones et, de façon récurrente, expriment leur volonté de les « civiliser » pour les inclure dans la société coloniale. Les chartes de fondation de la Virginie, du Massachusetts et de la plupart des colonies britanniques affichaient ainsi des préoccupations assimilationnistes, mais ces intentions initiales ne furent guère suivies d'effets. Les premiers missionnaires à entrer en scène furent des jésuites anglais, dans la colonie du Maryland, fondée en 1632 par un lord catholique. En Nouvelle-Angleterre, il fallut attendre les années 1650-1660, sous l'impulsion du pasteur John Eliot, pour que soient fondées des « *Praying Towns* ». On en compte quatorze vers 1675, qui abritent quelque mille cent néophytes indiens soumis à la loi coloniale. Au cours du XVIIIe siècle, la *Society for the Propagation of the Gospel in Foreign Parts (SPG)*, fondée en 1701 par l'Église anglicane, envoie des pasteurs dans les colonies, mais leur action consiste davantage à encadrer les fidèles qu'à évangéliser les autochtones. Ils sont rejoints dans les années 1740-1750 par des missionnaires moraves originaires des États allemands qui s'installent parmi les Delawares en Pennsylvanie et dans la vallée de l'Ohio.

Dans l'ensemble, si le programme philanthropique des Britanniques s'essouffle, au point de se révéler secondaire ou anecdotique, c'est avant tout parce qu'il ne résiste guère aux réalités nord-américaines : l'immigration massive et la faim de terres des colons, peu sensibles aux efforts missionnaires, conduisent en effet à de fréquents conflits, notamment en Virginie (en 1622, puis en 1644), en Nouvelle-Angleterre (guerre « des Pequots » en 1636-1637 ; guerre du « Roi Philip » en 1675-1676) et en Caroline du Sud (guerre « des Yamasees » en 1715). Ces guerres n'éteignent jamais complètement les projets de « civilisation », mais elles radicalisent, chez la plupart des colons, l'idée selon laquelle les Indiens sont des « Barbares » qu'on ne peut éduquer. À partir des années 1750, en raison des luttes impériales auxquelles participent les Amérindiens et de la pression toujours plus forte sur leurs terres, l'animosité envers les autochtones se généralise dans les Treize Colonies, et un nouveau seuil est franchi en matière d'hostilité et d'intolérance, y compris en Pennsylvanie, réputée pour son pacifisme depuis sa fondation en 1681 par les Quakers. Les massacres perpétrés en 1763 par les Paxton Boys – des colons écossais-irlandais installés dans l'arrière-pays de cette province –, bien que condamnés par de nombreux officiels de Philadelphie comme Benjamin Franklin, inauguraient ainsi une nouvelle ère de tensions sur la Frontière.

Si les tentatives d'incorporation des Britanniques sont moins accentuées ou moins durables que celles des Français, cela ne tient pas qu'au contexte de la Frontière. L'absence de clergé régulier, dans le protestantisme, constituait certainement un frein aux tentatives d'évangélisation. Les pasteurs n'étaient pas formés, comme pouvaient l'être les jésuites ou les récollets pour aller vivre parmi les Indiens, et le fait qu'ils soient mariés ne les inclinait pas non plus à une vie aventureuse. Faut-il aussi évoquer l'absence d'universalisme, lequel aiguillonne au contraire les efforts d'assimilation dans le camp catholique ? La dynamique « civilisatrice » évidemment, chez les Français et plus encore chez les Ibériques, a pu prendre la forme d'une lutte brutale contre l'« idolâtrie » et, plus fondamentalement, elle n'a parfois guère pesé face aux considérations militaires ou mercantiles – comme en témoignent les dénonciations de Bartolomé de Las Casas, à l'origine de la légende noire espagnole. Mais il paraît délicat de rejeter tout facteur religieux dans l'appréhension des expériences coloniales.

Il convient aussi de prendre en compte l'héritage irlandais de la dynamique coloniale anglaise. L'expansion britannique en Amérique peut en effet être lue comme un prolongement de la conquête des marges celtiques, et en particulier de l'Irlande au cours du XVIe siècle, une conquête marquée par l'échec de l'assimilation et par plusieurs campagnes de terreur (un constat similaire s'impose pour les Espagnols catholiques, la *Conquista* du Mexique ou du Pérou s'inscrivant dans la dynamique de la *Reconquista* de la péninsule ibérique sur les

« Maures »). Un administrateur anglais engagé dans la politique de « *plantation* », William Herbert, écrit dans les années 1590 : « les colonies dégénèrent à coup sûr quand les colons imitent et embrassent les mœurs, coutumes et pratiques des autochtones » ; « il n'y a pas de meilleur moyen de remédier à ce mal qu'en [...] détruisant complètement les mœurs et pratiques des autochtones » : l'Irlande a pu ainsi servir aux Anglais, dans certaines colonies du moins, de laboratoire de la relation à l'Autre – le « Sauvage » –, un laboratoire violent et désenchanté[71].

En Nouvelle-Angleterre, selon Denys Delâge[72], il est d'autant moins question d'intégrer les autochtones dans la société coloniale que les Pères Pélerins, soucieux de fonder une « Nouvelle Jérusalem », manifestent leur rejet de toute forme d'hétérogénéité dans l'organisation de la société, dans le statut des individus (ce qui ne les empêche pas de légaliser l'esclavage) ou dans les croyances religieuses. La société de la Nouvelle-Angleterre s'est en partie construite sur l'idée du contrat social et de l'égalité de tous devant la loi, ce qui, à terme, impliquait la disparition des privilèges, des hiérarchies et des différences culturelles. En France et en Nouvelle-France, en revanche, le « Nous » est constitué de tous ceux qui reconnaissent l'autorité et la légitimité du roi, quel que soit leur statut : il est donc d'autant plus facile d'intégrer des ethnies étrangères que « le pouvoir vient d'en haut[73] », puisque c'est ce pouvoir, d'origine théologico-politique, qui garantit l'unité du tout. Joseph Zitomersky note que les colonies françaises d'Amérique avaient « moins renoncé à l'esprit de ce monde de traditions et à son continuum d'espaces privilégiés, que ne l'avaient fait leurs homologues américains-britanniques. L'évolution des colonies britanniques vers une égalité devant la loi et, par la suite, au XIXᵉ siècle, vers un libéralisme, servit tout à la fois à assimiler le grand nombre et

à exclure ceux qui étaient "trop" différents[74] ». Si tous
les Européens partageaient un sentiment de supériorité
culturelle vis-à-vis des Indiens, et si le désir d'assimilation
reposait partout sur la négation de l'Autre en tant
qu'Autre et sur une volonté d'assujettissement, la
Nouvelle-France ne s'en « ouvrait » pas moins aux
Indiens, les intégrait dans son système politico-culturel,
quand les colonies anglaises, bien souvent, les excluaient.

La justice au sein de l'alliance : souplesse et improvisation

Le chevalier de Raymond, en 1754, propose de faire
du chantage aux Indiens de l'Ouest en les menaçant de
ne plus leur distribuer de présents : « Pour lors *ils ne feront
plus la loi aux Français*, c'est vous qui leur ferez et aux
conditions que vous voudrez[75]. » Les autorités coloniales
n'étaient-elles donc pas souveraines en Nouvelle-France ?
Les situations, au vrai, étaient extrêmement diverses. Les
« domiciliés » du Saint-Laurent et, plus encore, les
« petites nations » décimées vivant en marge de la société
coloniale à La Mobile et à La Nouvelle-Orléans, ne bénéficiaient pas du même degré d'indépendance que les
puissantes nations de l'intérieur. Dans les Pays d'en
Haut, les Français, loin d'inféoder les Indiens, étaient
bien souvent en position d'infériorité à suivre la
remarque de Raymond. Ce qui est sûr, c'est que parler
de souveraineté effective partout en Nouvelle-France
constitue une aberration. À cet égard, il faut dénoncer
l'habitude consistant à représenter l'Amérique du Nord
des XVIIe et XVIIIe siècles comme un énorme gâteau
que se partagent les puissances européennes. Les historiens, de la sorte, reprennent à leur compte les cartes
dressées au temps de la Nouvelle-France, et ignorent la
situation réelle : dans l'intérieur du continent, en effet,
la souveraineté coloniale ne dépassait pas la limite d'une

portée de mousquet au-delà des forts. Les Français avaient beau planter des colonnes ornées des armoiries royales aux quatre coins du continent, le rapport de force, au milieu du XVIIIe siècle, restait encore favorable aux premiers occupants. La possibilité de commercer, de circuler et d'ériger des postes dépendait du bon vouloir des autochtones... Un fort isolé, entouré d'Indiens ennemis, devenait d'ailleurs rapidement un mouroir.

L'exercice de la justice constitue le meilleur baromètre pour estimer le pouvoir des Français : que se passait-il, au sein de l'alliance franco-autochtone, quand un Français tuait un Indien, quand un Indien tuait un Français et, dans le cas de communautés voisines des établissements coloniaux, lorsque des Indiens s'entretuaient ? Et qu'en était-il pour les autres délits (viol, agression, pillage, « contrebande », sorcellerie, etc.) ? Le gouverneur Kerlérec, à propos de la nation des Quapaws, note qu'elle « est encore la seule qui n'ait jamais trempé ses mains dans le sang français [76] ». Les cas de violence, en effet, étaient assez fréquents entre autochtones et Français. Si leurs relations étaient généralement pacifiques – ce qui constituait un impératif pour le commerce des fourrures –, l'alliance n'était évidemment pas vierge de toute tension. Dans les Pays d'en Haut, les Français peinaient à réglementer la violence, même quand elle les touchait directement : selon l'officier Lamothe Cadillac, les Indiens ne sont « point sujets à nos lois lorsqu'ils s'entretuent, et qui pis est lorsqu'ils nous tuent [77] »... Des coureurs de bois étaient pillés ou même tués par des autochtones censés appartenir à la « famille » d'Onontio. Ces Indiens reprochaient parfois aux Français leur manque de générosité, ou leur propension à aller traiter avec des nations plus éloignées qui étaient leurs ennemis, à l'instar des Sioux ; il pouvait aussi s'agir d'actes de guerre isolés, ou de querelles personnelles qui, sous l'effet ou non de l'ivresse, dégénéraient en bains de sang.

La résolution des crimes relevait, dans les Grands Lacs, de l'improvisation : tout était affaire de circonstances, d'individus et de rapport de forces. Bien souvent, les meurtres de Français n'étaient tout simplement pas punis. Il était particulièrement difficile de châtier les groupes évoluant à la périphérie de l'alliance. En 1700 par exemple, sur le haut Mississippi, un groupe de Renards, de Sakis, de Poutéouatamis et de Winnebagos, détrousse cinq « voyageurs », lesquels sont recueillis un peu plus tard par un parti de vingt-deux Français. Ces derniers, qui rencontrent bientôt les « pilleurs », sont loin d'obtenir réparation puisqu'ils doivent leur faire des cadeaux en vue de fortifier l'alliance et donc de permettre leur libre circulation sur le territoire... Il faut ajouter que les Français ne détenaient pas le monopole de la justice. Des coureurs de bois et des missionnaires, ainsi, étaient parfois accusés de sorcellerie par les Indiens et menacés de mort.

Comme l'a montré Richard White[78], on s'efforçait généralement, s'il s'agissait d'alliés, de trouver des compromis acceptables pour les deux cultures. Le hiatus tenait en effet à l'existence de deux conceptions de la justice. Les Indiens privilégiaient le principe des réparations et de la réconciliation : il convenait selon eux de « refaire l'esprit » de la famille affligée en « couvrant le mort » par quelques cadeaux, ou en le « relevant », c'est-à-dire en le remplaçant par le don d'un « esclave » (captif de guerre) ; les autochtones souscrivaient par ailleurs au principe de la responsabilité collective, c'est-à-dire que le meurtrier engageait toute sa communauté dans la compensation qui était due à la famille de la victime. À l'époque moderne, la justice française n'obéissait plus de son côté à une logique de dédommagement mais à un impératif de punition ; quant au coupable, il devait être châtié directement et nominativement. La loi du talion et la vengeance de sang relevaient non pas des cultures

autochtones (comme on l'admet pourtant généralement), mais de celle des Européens. Un officier écrit
ainsi à propos des Illinois : « Nos sauvages ne savent ce
que c'est que la justice en tant qu'elle punit le crime, ils
regardent celle qu'on ferait à un homicide comme une
vengeance qu'on tirerait en faveur de celui qui aurait été
tué, parmi eux c'est une espèce de folie que de faire
mourir un meurtrier [79]. » Ajouter le sang au sang, pour
les Indiens, c'est instaurer une logique de représailles
guerrières dans le cercle de l'alliance.

Le plus souvent, la justice est rendue dans les Pays
d'en Haut selon le principe autochtone du dédommagement. En 1648 par exemple, deux Hurons traditionalistes, qui s'opposent à la présence des jésuites, tuent un
Français nommé Jacques Douart. Les jésuites, non sans
relativisme culturel, convinrent que « ce serait tenter
l'impossible, et même empirer les affaires, plutôt que d'y
apporter remède, qui voudrait procéder avec les sauvages
selon la justice de France qui condamne à mort celui qui
est convaincu du meurtre. Chaque pays a ses coutumes,
conformes aux divers naturels de chaque nation. Or vu
le génie des Sauvages, leur justice est sans doute très efficace pour empêcher le mal, quoi qu'en France elle parut
une injustice. Car c'est le public qui satisfait pour les
fautes des particuliers, soit que le criminel soit reconnu,
soit qu'il demeure caché. En un mot c'est le crime qui
est puni [80] ». Réalistes, les missionnaires acceptèrent les
présents hurons en guise de compensation.

Avec l'arrivée d'officiers des troupes de la Marine dans
l'Ouest, dans les années 1680, les Français sont cependant décidés à ne plus tolérer les meurtres et les pillages
et entendent faire valoir leur justice. À Michillimakinac,
en 1683, le sieur Daniel Greysolon Dulhut tente ainsi
un véritable coup de force en prenant l'initiative – sans
même en référer au gouverneur – de punir les meurtriers

de deux coureurs de bois français : refusant les « calumets » et les « esclaves » qu'on lui offrait pour compenser les crimes, il fit « casser la tête » d'un Saulteux et d'un Ménomini. Heureux d'avoir imposé sa propre loi, mais conscient du mécontentement des Indiens (Outaouais, Hurons, Saulteux, etc.) qui avaient assisté au procès, Greysolon Dulhut leur offrit des couvertures, des fusils, des couteaux et autres marchandises pour… « couvrir la mort » des deux Indiens exécutés.

Cette volonté, affichée par Dulhut, d'instituer la loi du talion comme mode de résolution des meurtres de Français, fut très rarement mise en pratique par la suite, du moins au Canada. Le gouverneur acceptait souvent de pardonner les pillages et les meurtres de coureurs de bois sur la base des compensations autochtones. Il fallait pour cela venir faire amende honorable devant Onontio. En 1757 par exemple, des Iowas, coupables d'avoir tué deux Français, se rendent à Montréal pour « demander grâce à leur père » en lui présentant un calumet de paix. Nus, peints en noir, et portant à la main un « bâton d'esclave », ils adoptent symboliquement le profil du captif de guerre : « ils sont entrés en chantant leurs chansons de mort, comme s'ils allaient être mis au poteau [de torture], ils se sont prosternés aux pieds du marquis de Vaudreuil, et, pour signe qu'on les pardonnait, on leur a donné une chemise blanche », en sus de quelques cadeaux [81]. Ce rituel judiciaire métissé, tout en illustrant le rôle central d'Onontio dans l'alliance, met en exergue sa propension à pardonner, qui est l'une des clés de l'alliance franco-amérindienne.

Il y a plus : sous la pression des autochtones, les autorités coloniales sont parfois contraintes de relâcher des Français ayant pourtant bafoué la justice du roi. En 1756 par exemple, des chefs quapaws et ossogoulas se rendent à La Nouvelle-Orléans pour demander à Kerlérec de gracier cinq soldats déserteurs et un autre coupable d'homicide sur un caporal. Le gouverneur, en accord avec les autres officiers, décide de céder à la requête des Amérindiens et se justifie auprès du roi en mettant en avant « les services présents et passés des deux nations » et la nécessité d'« entretenir les nations sauvages dans une intelligence la plus étroite avec les Français [82] ».

Pour ce qui est des autochtones « domiciliés » dans la colonie laurentienne, les recherches de Jan Grabowski sur le gouvernement de Montréal, de Denys Delâge et d'Étienne Gilbert sur celui de Québec [83], montrent clairement que la justice française, dans l'ensemble, ne s'applique pas à eux de la même manière qu'aux colons, en dépit d'une forte volonté d'assujettissement, particulièrement marquée dans les années 1660-1670 lorsque la colonie devient une province royale. La justice française, d'abord, n'intervient pas si les crimes ne concernent que des Indiens et s'ils sont perpétrés dans leurs villages. En territoire « colonial », même si l'espoir des autorités est de punir les Indiens coupables, les solutions sont négociées dans le cadre de l'alliance. Un mémoire du roi l'atteste en 1713 : « À l'égard de la prétention que les sauvages ont qu'on ne peut les mettre en prison que de leur consentement et qu'ils ne soient point Sujets aux lois du pays la matière en est fort délicate et doit être traitée doucement [84]. » Le commerce de « contrebande » entre Albany et Montréal par exemple [85], pratiqué par les Indiens domiciliés – qui le conçoivent, eux, comme un commerce légal –, est toléré par les autorités. « Ce commerce est préjudiciable au Royaume, expliquent le gouverneur Vaudreuil et l'intendant Bégon en 1712, mais il n'est pas possible de l'empêcher par la force, il serait même dangereux de l'entreprendre par le grand intérêt que nous avons de ménager les Sauvages [86]. » L'importance militaire des

Indiens domiciliés était telle qu'il n'était pas question de les froisser en appliquant brutalement les lois françaises.

Cette maxime se vérifie pour les actes criminels : les autorités politiques intervenaient souvent en effet pour négocier ou annuler les peines imposées aux Indiens par les tribunaux. À Québec par exemple, en 1686, ledit Ouniahoul tua d'un coup de bêche un cabaretier nommé Pierre Chapeau qui refusait de lui servir un deuxième verre d'eau-de-vie. On l'emprisonna, un procès lui fut intenté, mais il fut finalement libéré dans les mois suivants sur ordre du gouverneur et de l'intendant : Ouniahoul était un guerrier fameux, donc précieux, capable de défendre la colonie contre les Iroquois. Une lettre de grâce fut signée à Versailles en 1688 : elle invoquait le fait que le crime avait été commis en état d'ivresse, argument qui épousait la conception autochtone en matière d'éthylisme : en cette circonstance, en effet, parce que l'ivresse relève pour les Indiens du contact avec le « surnaturel », c'est l'alcool qui est rendu responsable du meurtre – ou de tout autre acte normalement répréhensible –, non le buveur. Un autre exemple est lui aussi révélateur : en juillet 1689, Jeanne Dasny, âgée de seize ans, est violée et tuée par un Iroquois de Kahnawake (près de Montréal) nommé Tehagaraoueron. Celui-ci, lors du procès, nia le viol mais reconnut le meurtre, tout en arguant, en guise d'excuse, de son état d'ébriété. Finalement, après deux semaines d'un procès qui parut interminable aux Indiens, le gouverneur Denonville et l'intendant Champigny ordonnèrent la libération de Tehagaraoueron. La ville était alors menacée par les Iroquois de la ligue, et le soutien des Iroquois de Kahnawake était indispensable à la défense de la colonie… En 1719 c'est le père de Jeanne, Honoré Dasny, qui fut tué par plusieurs Iroquois domiciliés, et, à la demande des Indiens, le gouverneur se contenta d'un dédommagement pour réparer le crime. Il existait en somme pour les Indiens une justice « parallèle » à celle qui s'appliquait aux colons, justice fondée sur les « ménagements » et les concessions. Il faut remarquer que cette souplesse caractérisait les pratiques infrajudiciaires de l'Ancien Régime : dans le royaume en effet, les solutions négociées à l'amiable, hors-cour, étaient très courantes. Précisons en outre que lors des procès tenus en France devant les tribunaux royaux, l'ébriété était également considérée comme une circonstance atténuante.

Les autorités coloniales punissaient aussi les Français coupables de crimes perpétrés sur les Indiens. En 1678 par exemple, le dénommé Robert Leclerc, qui avait tué d'un coup d'épée l'Indienne Marie-Madeleine Ganhouentak, fut condamné par la prévôté de Québec à un bannissement de cinq ans et à une lourde amende. Ainsi, il arrivait souvent que pour les mêmes délits, les Indiens fussent graciés et les Français châtiés. C'est le contraire qui prévalait à la même époque en Nouvelle-Angleterre, où les autochtones bénéficiaient d'une moindre indulgence que les colons. « On a toujours regardé comme une mauvaise politique dans le pays de punir le Français qui use de voix de fait envers les sauvages, remarque un officier, tandis que ces derniers peuvent impunément maltraiter, même tuer un Français sans courir d'autre risque que la réprimande. Il est cependant vrai de dire qu'on ne les y autorise pas. Chez les Anglais c'est tout le contraire, un sauvage qui tue un Anglais, s'il est attrapé est puni de mort, et jamais un Anglais n'est puni pour avoir tué un sauvage ; c'est peut-être pour cette raison qu'il y a plus de nations sauvages attachées aux Français qu'aux Anglais [87]. »

Les Indiens de la vallée laurentienne ne furent donc pas assujettis aux lois du roi comme pouvaient l'être les colons. Leur statut particulier, en plus de traduire la dépendance stratégique et économique des Français, s'accordait avec les pratiques d'une monarchie reconnaissant des droits et « libertés » aux différents corps sociaux et politiques du royaume. Lesdites « réductions » étaient donc des villages autonomes d'alliés. Les domiciliés échappaient à la justice française, ne payaient pas de redevances seigneuriales et, s'ils servaient d'auxiliaires militaires, ils n'étaient pas tenus de faire partie de la milice.

Une logique de conquête est pourtant à l'œuvre en Nouvelle-France, et les pratiques coloniales, de façon générale, n'y sont pas moins impérialistes que celles des Britanniques et des Ibériques. La construction de l'Empire, si elle repose sur l'alliance avec les Indiens, est aussi animée par un idéal de domination et de soumission. De fait, si l'alliance franco-amérindienne est secouée par des rapports de force, cela tient en partie aux velléités dominatrices et manipulatrices des Français. Selon les mots de l'intendant Hocquart en 1730, il s'agit d'« amener peu à peu les Sauvages au point où ils doivent être. Les ménagements passés que l'on a eus avec eux ont pu être nécessaires : mais il serait si bien à désirer aujourd'hui qu'on pût les forcer à devenir citoyens [88] ». Ce programme d'assujetissement sera loin d'être atteint lors de la disparition de la Nouvelle-France trente ans plus tard. Bien que dépourvu de tout pouvoir coercitif, Onontio bénéficie pourtant d'une aura particulière au sein de l'alliance : sa capacité de redistribution et son pouvoir d'arbitrage et de médiation, appuyé par l'action d'agents français rompus aux « manières sauvages » et de chefs à médaille clientélisés, sont en effet sans commune mesure.

Le « cercle » brisé :
les guerres franco-indiennes au XVIIIᵉ siècle

Les autochtones, par-delà leurs différences (linguistiques, culturelles, politiques, etc.), se reconnaissent une identité commune, celle d'« enfants » du gouverneur français, et ils sont invités à s'aimer comme des « frères » plutôt qu'à se faire mutuellement la guerre. Réseau multilatéral, l'alliance franco-amérindienne, comme les ligues autochtones, repose sur la paix qui doit prévaloir en son sein. En 1757, le chef outaouais Pennahouel évoque cette alliance générale, parlant à ses alliés des Pays d'en Haut d'« un cercle tracé autour de vous par le grand Ononthio, qu'aucun de nous n'en sorte [89] ». Le rôle des agents de la *Pax Gallica* était de faire respecter la paix à l'intérieur de cette confédération et, dans la mesure du possible, d'élargir le « cercle » pour étendre la zone d'influence française en Amérique du Nord. Or, ce double objectif fut souvent écorné : comment en effet, pour les Français, inclure dans le « cercle » les ennemis de leurs alliés, alliés qui eux-mêmes avaient une propension particulière à s'entredéchirer ?

Les tensions au sein ou à la marge de la confédération dégénérèrent parfois en guerres entre les Français et certains groupes amérindiens, parmi lesquels, outre les Iroquois au XVIIe siècle, les Renards, les Natchez et les Chicachas. Tous les autochtones n'étaient donc pas destinés à s'intégrer dans l'Empire. Ceux à qui les Français attribuaient le statut d'ennemis furent même voués, de par les circonstances, à l'extermination.

La guerre des Renards

Guerres franco-indiennes ? En réalité, on l'a vu à propos des Iroquois, il s'agissait de guerres opposant d'un côté les Français et leurs alliés indiens et de l'autre les autochtones ennemis. Les colons, à certains égards, participaient autant aux guerres de leurs alliés que ces derniers devenaient des mercenaires au service d'Onontio. La guerre dite « des Renards », dans ses commencements, illustre en tout cas cette réalité. Les Renards, mais aussi

les Mascoutens et les Kicapous, leurs alliés, s'étaient posi-
tionnés à la marge extrême du « cercle » franco-indien
dès la fin du XVIIᵉ siècle. Ils étaient réputés dans les
Pays d'en Haut pour leur valeur guerrière, et se faisaient
remarquer dans les années 1680-1690 en pillant occasionnellement des coureurs de bois à qui ils reprochaient
de commercer avec les Sioux, leurs pires ennemis. À cela
s'ajoutaient les tensions parfois conflictuelles entre les
Renards et d'autres alliés des Français comme les Outaouais, les Saulteux, les Hurons ou les Illinois.

C'est à Détroit qu'éclata un des premiers conflits
généralisés du XVIIIᵉ siècle : ce poste, créé en 1701, était
alors un établissement cosmopolite – et voulu comme tel
par son fondateur, Cadillac –, peuplé notamment, en
plus des Français, par des Hurons, des Outaouais, des
Poutéouatamis, des Miamis, des Saulteux, mais aussi,
depuis 1710, par des Renards et des Mascoutens. Or des
tensions ne tardèrent pas à naître entre tous ces groupes,
tensions que les agents français ne parvinrent pas à apaiser. Des guerriers outaouais, accompagnés d'alliés illinois,
poutéouatamis, sakis, etc., qui désiraient récupérer leurs
femmes capturées par des Mascoutens, se rendirent à
Détroit en 1712 et envenimèrent les querelles qui
s'étaient déjà développées entre d'une part les Français et
les Hurons, et d'autre part les Renards et les Mascoutens.
Le commandant du poste, Dubuisson, chercha d'abord
à jouer la carte de la médiation, mais, cédant à la déter-
mination des chefs de guerre indiens, il engagea sa
modeste garnison (trente hommes) dans une bataille qui
dura dix-neuf jours. Assiégés dans leur fort, les Renards
parvinrent finalement à s'enfuir, mais furent bientôt rattrapés et tués ou capturés par centaines.

La guerre, en dépit de quelques trêves, se propagea à
travers tous les Pays d'en Haut dans les trois décennies
suivantes. Ce long et difficile conflit perturba le commerce des Français sur le Mississippi, de même que leurs

possibilités d'expansion vers la « mer de l'Ouest ». Leur hégémonie se trouvant contestée, ils envisagent à partir des années 1726-1728 d'exterminer les Renards : il s'agit, écrit le gouverneur Beauharnois, de lutter contre « cette maudite nation » jusqu'à ce qu'elle soit « tout à fait éteinte » [90]. Les autorités coloniales étaient d'autant plus à l'aise pour parler de destruction des Renards que ces derniers se trouvaient alors particulièrement isolés : tous les autres autochtones des Grands Lacs, y compris les Kicapous, les Mascoutens et les Winnebagos, s'étaient finalement ralliés à Onontio.

En 1730, les Renards décidèrent d'abandonner leurs villages de l'État actuel du Wisconsin dans l'espoir de trouver refuge chez les Iroquois, au sud du lac Ontario. Mais, repérés par leurs ennemis dans la prairie illinoise, ils durent bâtir un camp fortifié pour résister aux contingents franco-indiens. « Le siège de leur fort a duré 23 jours », écrit l'un des officiers français, Coulon de Villiers ; « ils en étaient réduits à manger le cuir et nous n'étions guère mieux [91] ». Les Français se rapprochaient des Renards en creusant des sapes et, comme en 1712, les assiégés s'échappèrent dans un premier temps à la faveur d'un orage ; mais ils furent rejoints par les alliés des Français (Illinois, Poutéouatamis, Miamis...) qui leur infligèrent de très lourdes pertes. « Cette défaite des Renards jointe à celle de 80 guerriers, 300 femmes ou enfants tués ou brûlés par un parti des Sauvages alliés qui avait précédé et d'autres faites dans le cours de l'année par de petits partis, en a détruit plus de 1200. Il n'en reste que 30 cabanes », s'enthousiasme le gouverneur Beauharnois à l'automne 1730 dans une lettre au ministre [92]. Plusieurs otages et prisonniers de guerre furent provisoirement enfermés à Québec, avant qu'on ne fixe leur sort. Un « courrier » renard nommé Coulipa, offert comme esclave à Beauharnois par des guerriers miamis, fut destiné aux galères (comme l'avaient été 36

Iroquois en 1687) : il mourut en 1732 dans la prison de Rochefort[93]. En 1734, le chef Kiala et sa femme, quant à eux, furent déportés en Martinique ; le gouverneur de l'île, le marquis de Champigny, avait pour mission de les vendre comme esclaves, mais la réputation d'intrépidité de Kiala avait précédé sa venue, et aucun planteur ne se porta acquéreur. Le couple fut finalement transporté sur la côte sud-américaine, à l'embouchure de l'Orénoque.

La population renarde, qui s'élevait à environ 2 000 personnes en 1700, avait chuté à moins de 200 en 1732. Doit-on parler d'une politique génocidaire ? En 1733, Beauharnois charge le sieur de Villiers de mener une nouvelle expédition contre les Renards, en lui donnant « ordre si ce misérable reste ne voulait pas obéir de faire main basse sur eux sans songer à faire aucun esclave afin de n'en pas laisser un seul de la race, s'il est possible, dans les pays d'en haut, les femmes et les enfants qui resteront, s'il était obligé d'exterminer les hommes, seront amenés ici surtout les enfants ». Le gouverneur n'entend pas déroger aux lois de la « guerre juste », qui interdisent de tuer les femmes et les enfants, fussent-ils « sauvages », mais il n'en a pas moins établi à l'encontre des Renards une politique d'extermination, comparable à ce que les puritains ont entrepris en Nouvelle-Angleterre contre les Pequots ou les Wampanoags au XVIIe siècle[94]. Il fallut attendre 1738 pour qu'une paix durable fût signée, et les Renards, dont la population augmenta à nouveau (1 200 âmes en 1760) réintégrèrent progressivement la famille d'Onontio.

Le soulèvement des Natchez

En Louisiane, les tensions franco-indiennes furent généralement plus vives qu'au Canada. L'importance des densités de population autochtone est certainement un élément d'explication. Comme le remarquait par exemple, en 1728, Diron d'Artaguiette, « la nation des Chactas de 16 à 17 000 hommes sera un jour le soutien ou le bouleversement de cette colonie, parce que aucune autre nation n'est capable de lui résister [95] ». Mais il faut aussi prendre en compte certaines maladresses françaises et les efforts des Britanniques – souvent mieux armés sur le plan commercial – pour s'affilier les Indiens (Cherokees, Chicachas, Chactas, Creeks, etc.). C'est évidemment le soulèvement des Natchez de 1729 qui doit retenir notre attention [96].

Ce groupe, jusqu'aux écrits de Chateaubriand, a suscité la fascination des Français. Le pouvoir « absolu » du Grand Soleil et l'existence d'un « culte réglé », avec ses temples et ses prêtres, suscitaient au début du XVIIIᵉ siècle l'admiration des observateurs, plus ou moins interloqués, en outre, par des traits ethnographiques qui ont fait le délice des anthropologues : la « déchéance » progressive des descendants mâles du Grand Soleil, qui tombent, de génération en génération, dans les classes inférieures, jusqu'à celle des Puants (ou « roturiers ») ; l'existence pour la « classe » des Puants d'une langue particulière, distincte de celle de la « noblesse » ; le fait pour les domestiques, s'assimilant à des chiens, de s'adresser aux « Soleils » en aboyant, au sens propre du terme ; le « sacrifice », lors des funérailles du souverain, de centaines de proches par strangulation ; le transport du Grand Soleil dans une litière, notamment lors d'une fête dite de la « tonne de valeur », où les guerriers le portaient sur une distance de six kilomètres en se relayant de main en main à un rythme tel qu'un homme à cheval peinait à suivre l'équipage ; ou encore le rituel qui voyait des centaines de guerriers, après trois jours de jeûne, se faire vomir un breuvage ou « médecine de guerre » concoctée par le chef du parti, etc. Énigme sociologique, les Natchez sont aussi une énigme historique dans le contexte de l'Amérique française : leur « coup » de 1729, qui se solda par le massacre de plus de deux cents colons, ressemble en effet aux soulèvements indiens caractéristiques de l'Amérique anglaise ou espagnole.

Des années après ce sanglant événement, l'officier Dumont de Montigny a pu écrire que « ces sauvages natchez aimaient véritablement les Français », et le planteur Le Page du Pratz, de la même façon, notait que « les Français s'établirent aux natchez sans aucune contradiction de la part de ces peuples, qui loin même de les traverser, leur rendirent beaucoup de services [97] ». Les premiers contacts franco-natchez, qui remontent au voyage d'exploration de Cavelier de La Salle en 1682, furent il est vrai pacifiques. En 1700, Le Moyne d'Iberville se rendit dans leurs villages accompagné de deux missionnaires, qui baptisèrent 185 enfants. Les Natchez, qui accueillirent les Français par le rituel du calumet, étaient peut-être d'autant plus enclins à sceller une alliance avec eux qu'ils étaient alors en guerre avec les Chicachas, armés par des traiteurs de la Caroline du Sud. Mais au cours des années suivantes, ils nouèrent eux aussi des liens commerciaux avec les marchands britanniques, comme purent le constater en 1712, sous le régime de Crozat, les deux frères Marc-Antoine de La Loire Des Ursins et Louis-Auguste de La Loire Flaucourt, venus établir sur place un petit comptoir.

Les premières tensions franco-natchez, éclatèrent en 1715, et furent causées, semble-t-il, par le refus du gouverneur, le fier Lamothe Cadillac, de fumer le calumet lors de son passage chez les Natchez. Il s'agissait pour les Indiens d'un geste de guerre qui explique peut-être le meurtre de quatre voyageurs canadiens dans les mois suivants. En avril 1716, accompagné d'une trentaine d'hommes, Le Moyne de Bienville se rendit en territoire natchez avec l'ordre de faire construire le fort Rosalie ; un peu comme Dulhut lors de l'affaire de meurtres de 1683 à Michillimakinac, il parvint non sans audace à faire exécuter les coupables. Il commença par ériger un fortin chez les Tonicas, alliés des Français et voisins des Natchez. Après avoir séquestré des Soleils natchez – dont le Grand Soleil et ses deux frères, Petit Soleil et le chef de guerre Le Serpent Piqué, qu'il avait attirés dans son fort, il parvint à se faire livrer trois « têtes », dont deux étaient celles de coupables. Mais Le Moyne de Bienville, qui voulait châtier tous les responsables, se fit communiquer les noms de quatre autres individus, deux guerriers et deux Soleils, qui faisaient en fait partie des otages : il fit aussitôt « casser la tête » des deux premiers, puis escorter les deux chefs vers La Mobile, avec ordre de les exécuter en route. Le Moyne de Bienville ne réussit pas à capturer le chef La Terre Blanche, qui dirigeait le mouvement antifrançais, mais il parvint ainsi à mettre en action sa logique judiciaire. Quelques années plus tôt déjà, pour venger l'assassinat du père Saint-Cosme, survenu en 1706, il avait organisé avec l'aide d'alliés indiens une expédition punitive contre des Chitimachas qui s'était soldée par la destruction d'un village et la mise à mort du coupable. Bien que réprimandé par le ministre Pontchartrain pour cette exécution sommaire, Le Moyne de Bienville, obsédé par la loi du talion, et refusant de fait toute possibilité de dédommagement, eut donc la même attitude avec les Natchez. Le Serpent Piqué et quelques autres chefs furent gardés en otages jusqu'à ce que le fort Rosalie fût édifié avec l'aide de la main-d'œuvre indienne. Ils furent alors libérés, et l'alliance à nouveau scellée par une danse du calumet.

Riche région agricole, le territoire natchez suscita rapidement l'intérêt des colons lors de la prise en main de la Louisiane par la Compagnie d'Occident. Au début des années 1720, deux plantations de tabac (la concession Sainte-Catherine et le domaine de la Compagnie) jouxtaient les villages natchez et le fort Rosalie. L'augmentation du nombre de colons, parmi lesquels le planteur

Antoine-Simon Le Page du Pratz, entraîna le développement de relations intimes – avec les femmes natchez –
mais provoqua surtout des frictions grandissantes. Les
Français se montraient coupables de mauvais traitements, tandis que les Natchez se mettaient à voler des
chevaux et à tuer des vaches ou bien des cochons.

En octobre 1722, une querelle entre un soldat et un
vieux guerrier natchez du village de La Pomme Blanche
met le feu aux poudres : le premier réclame à l'autre le
paiement sous forme de maïs des marchandises qu'il lui
avait avancées à crédit – selon une procédure habituelle
de la traite –, mais la discussion dégénère et la garde du
fort ouvre le feu sur le Natchez, qui rend l'âme quelques
heures plus tard. Or, le soldat se sortit d'affaire avec une
simple réprimande. Les Natchez, piqués au vif, tuèrent
peu après deux habitants, et les escarmouches se multiplièrent aux abords de la concession Sainte-Catherine.
En novembre, une soixantaine de soldats de La Nouvelle-
Orléans, commandés par le major Pailloux, se rendirent
chez les Natchez mais, incapables de les mater, durent se
contenter de signer une paix fragile. Les fusillades
reprirent en 1723 et Bienville se décida à lancer une
expédition à l'automne, soutenu par des Tonicas, des
Yazous et des Chactas. Sa cible fut le village de La
Pomme Blanche, qui était à l'origine de la plupart des
attaques, et il parvint à tuer ou capturer une soixantaine
de Natchez, dont une « vieille sauvagesse » scalpée selon
Dumont de Montigny sur ordre de Bienville [98]. Les
autres établissements natchez se désolidarisèrent de ce
village, et Le Serpent Piqué négocia la paix avec le gouverneur : celui-ci obtint la tête du chef Le Vieux Poil,
hostile aux Français, mais aussi celle d'un Noir libre
devenu chef de guerre parmi les Natchez.

Le Serpent Piqué aurait adressé ce discours à Le Page
du Pratz dans les semaines qui suivirent cette première
guerre franco-natchez : « Pourquoi les Français sont-ils

venus dans notre Terre ? Nous ne sommes point allés les chercher : ils nous ont demandé de la terre [...] Nous leur avons dit qu'ils pouvaient prendre de la terre où ils voudraient, qu'il y en avait assez pour eux et pour nous, qu'il était bon que le même soleil nous éclairât, que nous marcherions par le même chemin, que nous leur donnerions de ce que nous avions pour vivre, que nous les aiderions à se bâtir, et à faire des champs, nous l'avons fait [99]. » C'est l'hospitalité natchez qui avait permis aux Français de s'implanter, et l'amertume du chef de guerre exprime des attentes déçues, liées en particulier aux appétits fonciers des colons.

La mort du Serpent Piqué, en 1725, puis celle du Grand Soleil, son frère, en 1728, retentissent comme la fin d'une époque, en renforçant au sein de la société natchez la faction antifrançaise. La nomination en 1728, au poste de commandant, du capitaine Détchéparre, qui sera dépeint ensuite comme incompétent, violent, cupide et mégalomane, accentua les tensions. Dumont de Montigny parle de lui comme d'« un Basque [...] qui se croyait descendu de nos rois ». Soucieux de remplir sa bourse, le nouveau commandant du fort Rosalie était tout sauf un « chef d'alliance », adepte de la libéralité et de la médiation – comme l'avait été le capitaine Deliette qui dirigeait le poste au début des années 1720 et qui avait conquis l'estime des Natchez. Détchéparre, remarque Le Page du Pratz, obligeait ces derniers « à prendre de force ses marchandises à des prix exhorbitants, que malgré ça réduits à la dernière misère il avait condamné les chefs à faire payer par chaque cabane une manne de fèves, deux mannes de blé, et quatre poules à faute de quoi les menaçait de les envoyer aux îles [100] ». Mais il y a pis : repérant un beau terrain au cœur du territoire natchez, le Basque projette, avec l'accord du gouverneur Périer, d'y installer une plantation. Or, il se trouve que ce terrain est occupé par le village de La

Pomme Blanche. Qu'à cela ne tienne : les Natchez n'ont qu'à déguerpir ! C'est en substance ce que le commandant déclara au Grand Soleil… « Jamais on n'avait pris de haute lutte des terrains aux sauvages », explique Dumont de Montigny. Les Natchez manifestèrent leur mécontentement, mais ils « eurent beau représenter que les terrains […] leur appartenaient de tout temps, que les os de leurs ancêtres y étaient en repos dans leur temple », le commandant ne fléchit pas, et ils finirent par céder non sans ressentiment à sa requête [101].

C'est à partir de là que les Natchez, tout en sollicitant l'appui d'autres nations indiennes, dont les Yazous, se proposent de mettre fin à la présence française dans leur pays. Au petit matin du 28 novembre 1729, soit deux mois après le coup de force de Détchéparre, les guerriers natchez, mimant des préparatifs de chasse, se rendirent dans les différents établissements de la concession. Le nouveau Grand Soleil, accompagné de trente hommes, gagna le fort Rosalie : il avait des volailles, du maïs et des peaux de chevreuil pour le commandant et il pénétra tranquillement dans le fort en « chantant le calumet ». Alors que Détchéparre recevait cette délégation en toute confiance – il avait méprisé les avertissements d'habitants qui, liés intimement à des femmes natchez, avaient eu vent du projet de soulèvement –, un signal retentit soudain au milieu de l'assemblée qui déclencha l'attaque. Il s'ensuivit une tuerie de masse. Le Grand Soleil désigna un chef « puant » pour exécuter le commandant, que les Natchez regardaient « comme un chien [102] ». Les colons et les soldats furent systématiquement tués, parfois à petit feu (une vingtaine réchappa à l'assaut) ; quant aux femmes, elles furent généralement épargnées, à l'exception notable des femmes enceintes, qui se firent éventrer, et de « presque toutes celles, qui avaient des enfants à la mamelle [103] », égorgées à l'instar des bébés – des gestes qui font peut-être écho au sacrifice de bébés natchez à la mort d'un Soleil. Au total, en quelques heures, près de 250 Français périrent – soit un dixième de la population blanche de la colonie –, et une bonne cinquantaine de femmes et d'enfants furent faits prisonniers, de même que 200 esclaves noirs.

Cette tragédie constituait une terrible rebuffade pour le gouverneur Périer, responsable d'avoir placé Détchéparre à la tête du fort Rosalie. Elle éclairait aussi la fragilité de la colonisation française en Louisiane. « Cette affaire a mis la colonie à deux doigts de sa perte », explique un officier ; « si les Chactas et les Chicachas se joignent à cette nation, nous ne saurions y résister [104] ». S'il connaissait assez mal les sociétés indiennes, à la différence des frères Le Moyne, d'Iberville ou Bienville, Périer, privé de troupes suffisantes – lors de l'annonce du massacre, il n'avait à sa disposition que soixante hommes en état de combattre ! –, était néanmoins conscient du fait que sans alliés il ne pouvait venir à bout des Natchez. Il fallut donc rallier les Chactas qui, en acceptant de combattre auprès des Français, ne se considéraient d'ailleurs nullement comme des auxiliaires mais menaient leur propre guerre. En janvier 1730, 800 Chactas, qu'accompagnait le jeune Français Le Sueur, attaquèrent ainsi les Natchez sans même attendre le soutien du contingent dirigé par Henry de Louboey – 200 Français et 300 autochtones des « Petites Nations » – qui s'était regroupé plus au sud, dans les villages tonicas. Les Natchez, surpris, perdirent plus de 70 hommes, et ils acceptèrent de rendre 50 femmes ou enfants français. Arrivé sur place, Louboey constata que les Natchez étaient soutenus par des esclaves noirs qui leur apprenaient à manier les canons, que les Chactas, qui ne restituèrent les captives françaises qu'à force de présents, n'étaient pas les alliés attendus, et que ses propres hommes faisaient preuve d'insubordination. Les Natchez parvinrent à prendre la fuite, la plupart se réfugiant sur la rivière Noire, à l'ouest du Mississippi.

Une nouvelle expédition, forte de 550 Français et de 150 autochtones, fut organisée un an plus tard sous la direction personnelle de Périer, qui avait finalement obtenu un soutien, même minime, de la métropole – 150 hommes, soit trois compagnies. Son objectif était d'annihiler les Natchez. Deux Canadiens en provenance du Pays des Illinois, qui informèrent le gouverneur de la défaite des Renards, guidèrent l'expédition jusqu'au fort des Natchez en janvier 1731. Ces derniers, après quatre jours de siège, négocièrent leur reddition et quelque 500 individus – dont 450 femmes et enfants –, qui s'étaient vus promettre la vie sauve, furent capturés, tandis que plusieurs dizaines de guerriers parvenaient à s'enfuir. Les prisonniers furent conduits à La Nouvelle-Orléans puis vendus comme esclaves à Saint-Domingue. Cette décision, prise par Périer, fut vivement critiquée par le ministre de la Marine, le comte de Maurepas. Un premier groupe de Natchez, sur *La Gironde*, se révolta, mais ils furent presque tous tués par l'équipage. Le plus gros contingent prit place sur *La Vénus* et 100 des 291 hommes et femmes moururent durant le voyage. De sorte que seulement 160 Natchez, dont deux Soleils, gagnèrent finalement Saint-Domingue. Ainsi disparut la société natchez, avec ses Soleils, ses « classes » et ses temples. Les survivants, au nombre de 200 à 300, trouvèrent refuge chez les Chicachas ou, plus tard, chez les Cherokees.

Les échecs de Bienville face aux Chicachas

Dans les années 1730, les Chicachas, alliés aux Britanniques, et ennemis des Chactas, contrariaient de plus en plus la *Pax Gallica* : non seulement refusaient-ils de livrer aux Français les Natchez qu'ils avaient accueillis, mais encore ils attaquaient fréquemment des convois français sur le Mississippi. Le gouverneur Bienville, successeur de Périer, se résolut alors à faire des Chicachas les nouveaux Renards ou les nouveaux Natchez, soit, les détruire, ou à tout le moins les affaiblir.

Une expédition militaire fut mise sur pied en 1736 : deux contingents franco-indiens devaient se rejoindre en territoire chicacha à la fin de l'hiver. Le premier, dirigé par Pierre d'Artaguiette, commandant du Pays des Illinois, comptait 463 hommes, dont 326 Indiens ; le second, commandé par Bienville, était fort de 544 soldats et de plusieurs centaines de Chactas. Or, d'Artaguiette arriva devant les villages chicachas beaucoup plus tôt que Bienville. Il passa à l'attaque sous la pression de ses alliés indiens, mais sa troupe fut victime d'une embuscade : lui et quelque quarante Français, dont le père Antoine Sénat, aumônier de l'armée, furent capturés, torturés et mis à mort. Seul un sergent fut épargné : alors qu'il allait être brûlé, il aurait déclaré aux Chicachas dans leur langue : « Vous êtes des chiens, puisque vous avez brûlé mes Chefs, je veux l'être aussi ; je ne crains ni le feu, ni la mort, parce que je suis un véritable homme ; faites-moi bien souffrir, car c'est ce que je demande [105]. » Une telle résolution aurait décidé les guerriers chicachas à lui laisser la vie sauve. En fait, il est plus vraisemblable qu'il ait été adopté *in extremis* par une femme, car le courage dont il fit preuve, loin d'être exceptionnel, faisait partie au contraire du jeu ritualisé avec la mort qui unissait les tortionnaires au supplicié : on attendait de celui-ci, complice de la cérémonie en quelque sorte – le rituel de la torture était vécu parmi les Indiens, depuis la plus tendre enfance, comme un destin redouté mais attendu –, qu'il entonne sa chanson de guerre et défie ses ennemis jusqu'au dernier souffle.

La colonne de Bienville, qui ignorait le sort de d'Artaguiette et de ses hommes, ne parvint sur les lieux que deux mois plus tard. Au son des fifres et des tambours, les drapeaux déployés au vent, les soldats tentèrent de prendre d'assaut les retranchements chicachas, mais la bataille tourna au désastre : plus de 100 Français furent mis hors de combat. Isolé au cœur du pays ennemi, Bienville n'avait plus qu'un parti : la fuite. Le gouverneur organisa une nouvelle expédition en 1739-1740, la plus imposante qu'aient mise sur pied les Français contre des Indiens : Bienville envisageait d'attaquer les Chicachas à partir du fort de l'Assomption (sur le site de la ville actuelle de Memphis), et il avait sous ses ordres 1 200 soldats (de Louisiane et du Canada) et 2 400 Indiens, parmi lesquels des « domiciliés » du Saint-Laurent (Iroquois, Népissingues, Hurons, etc.). Contrariés par la logistique, les pluies incessantes, et confrontés à un ennemi fuyant, les Français acceptèrent finalement les offres de paix des Chicachas, lesquels s'étaient résolus à livrer des « fugitifs » natchez. Autant dire qu'il s'agissait pour Bienville d'un semi-échec au vu des moyens mis en œuvre.

La colonisation française en Amérique du Nord, ces quelques exemples le montrent, n'a pas toujours été aussi pacifique qu'on le prétend généralement. Les guerres menées contre les Renards et contre les Natchez, dans leur caractère systématique, sinon génocidaire, présentent une certaine parenté avec les guerres puritaines du XVIIe siècle (guerre des Pequots en 1636-1637, guerre « du Roi Philip » en 1675-1676). C'est l'un des pans de la thèse du « génie colonial » qui s'écroule ici : les conflits et, comme nous l'avons vu dans le chapitre IV, la mise en esclavage d'autochtones, font en effet partie de l'histoire de la Nouvelle-France. Mais il faut aussi admettre, comme nous allons le montrer maintenant, que les rapports franco-indiens furent le plus souvent fondés sur l'alliance.

6

UN MONDE FRANCO-INDIEN

Le père jésuite Louis Nicolas, qui a vécu de longues années dans ce qu'il nomme « la Grande manitounie », parmi les Indiens des Grands Lacs, a pu parler des Français et des autochtones du XVIIᵉ siècle comme d'« inséparables compagnons ». Leurs rapports, en effet, partout en Nouvelle-France, sont marqués pendant deux siècles par une très grande proximité, par des échanges, des emprunts et des formes de métissage. Le Page du Pratz, lors de la paix de 1722 avec les Natchez, explique à un chef « qu'il était bon que nous reprissions notre façon de *vivre ensemble* » ; pour ce planteur, la colonisation française ne peut fonctionner qu'« en liaison étroite avec les Naturels de qui nous tirions beaucoup de connaissances sur la nature des productions de la terre et sur les animaux […] ainsi que des pelleteries et des vivres »[1].

Ce « vivre-ensemble » ou cette « liaison étroite » forment l'un des arcs-boutants de l'Amérique française, comme le concèdent aussi, ce qui est encore plus révélateur, de nombreux observateurs britanniques : James Adair, auteur de *The History of the American Indians* (1775), loue le savoir-faire des Français de Louisiane qui, « bien mieux que les Anglais », surent conserver les autochtones dans « la plus solide amitié ». Thomas Mante de son côté, dans son ouvrage intitulé *History of*

the Late War in North America (1772), recommande à
ses concitoyens anglo-américains d'« imiter la façon dont
les Français traitent les Indiens ». Il remarque qu'à la différence des Britanniques, les Français ont encouragé les
mariages mixtes, et que leurs liens avec les autochtones
leur ont permis « une profonde connaissance de tous
leurs plus secrets desseins », mais aussi octroyé le « gain
de leur affection », « de sorte qu'aujourd'hui encore les
sauvages disent qu'eux et les Français ne forment qu'un
seul peuple [2] ».

La question des terres

Des ressources en partage

La colonisation française en Amérique du Nord repose
sur deux éléments fondamentaux : la faiblesse du peuplement et la traite des pelleteries. De façon générale, et
compte tenu de ces deux caractéristiques, l'implantation
des Français ne conduisit pas en Amérique du Nord à la
dépossession des premiers occupants, contrairement à ce
qui s'est passé dans les colonies anglaises, qui accueillirent
des immigrants en très grand nombre. Si les Indiens
s'allient plutôt avec les Français, de fait, c'est en partie par
crainte de l'expansionnisme des Britanniques, qui accapa-
rent les terres pour le développement de l'agriculture et le
commerce du bois.

On ne saurait évidemment caricaturer les modèles
coloniaux. Les Britanniques, en effet, ont souvent noué
des relations pacifiques avec les Indiens : les séances de
troc et les conférences diplomatiques, parfois la coopération militaire, ont ainsi nourri l'histoire des relations
euro-autochtones dans les Treize Colonies. En Pennsylvanie par exemple, sous l'impulsion initiale du Quaker
William Penn, ce sont des rapports cordiaux qui ont prévalu, du moins jusqu'aux années 1750. De la même

façon, les relations entre la ligue iroquoise et la colonie de New York furent marquées par une longue alliance. Il y a plus : dans le Sud-Est, de nombreux traiteurs britanniques (écossais, irlandais, anglais…) de la Caroline du Sud, à l'image des coureurs de bois français, se mariaient avec des Indiennes (creeks, cherokees, chicachas, etc.), suscitant un métissage que l'on retrouve aussi dans le Subarctique avec les commerçants écossais de la *Hudson's Bay Company*.

Il reste que de nombreux groupes autochtones, aux XVIIe et XVIIIe siècles, ont été dépossédés de leurs terres par les colons anglo-américains, dont la mauvaise réputation a certainement contribué au maintien durable des alliances franco-amérindiennes. Des Iroquois domiciliés expriment la hantise de l'expansion anglaise en 1754 dans un discours destiné à leurs « frères » de la ligue : « Ignorez-vous, nos frères, quelle différence il y a entre notre père [Onontio] et l'Anglais ? Allez voir les forts que notre père a établis et vous y verrez que la terre sous ses murs est encore en terres de chasse, ne s'étant pas placé dans celles que nous fréquentons que pour nous y faciliter nos besoins ; lorsque [alors que] l'Anglais au contraire n'est pas plutôt en possession d'une terre que le gibier est forcé de déserter, les bois tombent devant eux, la terre se découvre [3] ». L'officier français Jean-Bernard Bossu rapporte en 1760 que des Cherokees ont attaqué un fort anglais (le fort Loudoun) « et que le Commandant appelé M. Damari [Paul Demeré] a été mis à mort par les Sauvages, qui lui ont enfoncé de la terre dans la bouche, en lui disant : chien, puisque tu es si avide de terre, rassasie-toi ; ils en ont fait autant à quelques autres [4] ».

C'est la pression démographique et la faim de terres qui expliquent l'inexorable dépossession des Amérindiens dans l'Amérique britannique, un processus que l'on s'efforça de justifier d'un point de vue juridique. À

cet égard, les pratiques coloniales anglaises étaient tein-
tées d'ambiguité. Initialement, c'est la thèse du *Vacuum
Domicilium* qui prime : les Indiens ne possèdent pas la
terre puisque, sans habitat « solide » ni clôtures, ils ne
font que la « parcourir », comme des nomades impro-
ductifs (une doctrine qui n'est pas sans rapport avec la
relative pénurie des terres en Angleterre). Dans le courant du XVIIᵉ siècle pourtant, en Virginie, en Nouvelle-
Angleterre ou en Pennsylvanie – mais aussi chez les
Hollandais dans la vallée de l'Hudson –, les autorités
coloniales reconnaissent aux autochtones un droit de
propriété : elles s'efforcent en effet d'acquérir légalement
les territoires en éteignant les titres indiens par la signature de traités de cession – ou bien par des guerres qualifiées de « justes ». Ces accords fonciers, qui pouvaient
prêter à confusion, furent très souvent contestés par les
Amérindiens.

En Nouvelle-France, d'une certaine manière, la situation était inversée. Les autochtones n'étaient pas reconnus comme les propriétaires du sol et – même si cette
règle subit quelques entorses dans le Pays des Illinois –
il ne fut pas question de leur acheter des terres. Mais,
dans les faits, c'est le respect des territoires indiens qui a
prévalu, sauf dans le cas des Natchez. Outre que le roi,
suzerain-propriétaire des territoires revendiqués jusqu'au
cœur du continent, considérait les Indiens comme des
« vassaux » indépendants avec lesquels il signait des traités d'alliance, le contexte de la colonisation ne se prêtait
guère à une usurpation du sol. En Acadie par exemple,
les colons bouleversent peu les territoires micmacs, puisqu'ils occupent le littoral marécageux, souvent des prés
salés où ils construisent des digues⁵. Dans la basse vallée
du Saint-Laurent, ils s'implantent également sans
encombre, et cela tient, outre leur faible nombre, à l'évolution récente de la démographie indienne : les populations iroquoiennes rencontrées par Jacques Cartier en

1535 ont disparu au moment où s'amorce soixante-dix ans plus tard le processus de colonisation. Les Français s'installent donc d'autant plus aisément qu'ils ne délogent personne. Les Hollandais et les Britanniques, eux, en Nouvelle-Angleterre, dans la vallée de l'Hudson ou en Virginie, durent prendre pied sur des territoires autrement plus peuplés. Si les régions de l'intérieur du continent, par ailleurs, n'ont guère été le théâtre de tensions territoriales entre allochtones et autochtones sous le Régime français, c'est surtout parce qu'elles demeurèrent quasiment vierges de toute véritable colonie de peuplement (sauf dans le Pays des Illinois et à Détroit).

Les Français, à la différence des Britanniques, approvisionnent les autochtones en produits divers (fer, armes à feu, poudre, étoffes, etc.) sans guère menacer leurs terres ni leurs activités traditionnelles. À l'échelle de la Nouvelle-France, c'est autour de la traite des pelleteries que se structurent les relations euro-indiennes. Or cette activité exige le respect de l'environnement et le concours des Amérindiens : les hommes chassent et trappent le gibier tandis que les femmes s'occupent d'apprêter les peaux ; la traite s'intègre donc dans l'économie indienne plus qu'elle ne la bouleverse. L'alliance franco-autochtone repose sur une économie de troc, sur des activités complémentaires et sur le partage des ressources. L'intendant du Canada Claude-Thomas Dupuy explique au ministre de la Marine en 1727 que « l'on est comme nous l'avons été de tout temps en partage de tout avec les naturels d'un consentement unanime [6] ». Les villages illinois par exemple, qui jouxtent les villages français de Haute-Louisiane, « sont d'une très grande conséquence à conserver, explique le gouverneur Kerlérec, en ce qu'ils couvrent tous nos établissements de cette partie, qu'ils fournissent aux habitants l'huile d'ours dont on fait une grande consommation pour la vie, la viande de bœuf sauvage, chevreuil, dindes et gibier de toute espèce [7] ».

L'un des paradoxes de la colonisation française résidait dans le fait qu'en encourageant les Amérindiens à demeurer des chasseurs – qu'il s'agisse de rapporter aux Français des peaux ou de la nourriture –, et donc à rester fidèles à leur mode de vie – marqué également par l'agriculture –, les rapports économiques entre les deux sociétés allaient à l'encontre de la politique de francisation… Et puisque la traite, comme toute activité d'échange chez les Amérindiens, s'accompagnait par définition de rituels de sociabilité, d'adoption et d'alliance, elle favorisait également l'acculturation des Français et les métissages.

Ce sont les comptoirs de commerce, et non la colonisation de peuplement, dévoreuse de terres, qui contribuaient à maintenir l'alliance. Les Français, outre qu'ils n'en avaient pas les moyens, n'avaient guère d'intérêt à s'établir massivement dans l'intérieur du continent, là où les populations indiennes étaient les plus nombreuses. Certes, les autochtones n'étaient pas forcément hostiles à l'installation d'habitants : à Détroit, par exemple, en 1701, la venue de deux femmes d'officiers, une nouveauté dans l'Ouest, semble avoir réjoui les autochtones, qui y percevaient l'assurance d'une présence durable des colons français. En 1713, le poste paraît au contraire sur le point d'être abandonné et des Hurons s'en plaignent au gouverneur lors d'une ambassade à Montréal : « Nous vous demandons de vouloir bien nous accorder une garnison pour mettre notre terre en sûreté. À quoi nous sert d'avoir des gens dans notre pays qui n'y viennent que pour la traite et qui ensuite s'en retournent comme des oiseaux, si nous avions une garnison avec un bon officier qui nous entendît nous serions toujours en état de lui découvrir nos pensées comme lui de nous faire savoir les vôtres [8]. » Les Indiens jouent donc clairement la carte de l'alliance française : s'ils ne sont pas favorables à la colonisation de peuplement, ils ne sont pas satisfaits non plus de l'absence d'enracinement des Français (« comme des oiseaux »), qui nuit à l'affermissement de l'alliance militaire et à la distribution régulière des présents. L'existence d'un fort, qui est un établissement permanent, est perçue comme une marque d'alliance lorsque des relations de confiance préexistent.

Des querelles de voisinage

Dans l'ensemble, Français et autochtones cohabitèrent avantageusement, mais des tensions éclatèrent çà et là, pour diverses raisons. Dans le Pays des Illinois par exemple, où les relations franco-indiennes étaient très étroites, c'est pour éviter les conflits de voisinage que le commandant du fort de Chartres, Boisbriant, décida en 1720 de séparer de quelques lieues les villages français des villages autochtones. Cette mesure fut toutefois insuffisante : en 1733, alors que de fortes tensions opposent Français et Illinois, les autorités coloniales envisagent d'éloigner de douze lieues supplémentaires les villages indiens. Le bétail des colons constituait l'une des sources potentielles de frictions. Ce problème surgit partout où s'amorce une colonisation de peuplement. Les cochons européens paissaient en effet en toute liberté autour du poste, et ravageaient fréquemment les champs de maïs des autochtones, qui n'étaient pas clôturés. Les Indiens, en conséquence, et au grand désarroi des colons, n'hésitaient pas à tuer les bestiaux, et ce d'autant moins que le concept de propriété privée leur était traditionnellement étranger. Les Indiens se conçoivent en effet comme un élément parmi d'autres de l'environnement, à l'égal des animaux, des poissons et des plantes, qu'ils considèrent comme des êtres sociaux. La terre n'est donc pas leur propriété, pas plus que l'air ; elle n'est pas perçue comme un bien immeuble, susceptible d'être vendu et échangé. Les porcs, les vaches et les moutons ne formaient ainsi pour les autochtones qu'un gibier supplémentaire, comparable à l'ours ou au chevreuil. Pendant la guerre de Sept Ans, les militaires français se lamentaient de l'abattage de moutons et de bœufs dans leur camp par leurs alliés des Pays d'en Haut qui justifiaient leurs actes en « disant que tous les bestiaux qui sont sur la terre leur appartiennent et qu'ils y sont pour les besoins communs du monde [9] ». Ces querelles éclataient dans tous les postes où les Français amenaient du bétail. Les Natchez, eux, se contentaient parfois de couper la queue des chevaux français non sans leur donner des coups de tomahawk sur le flanc, action réputée qui équivalait à la prise d'un scalp humain.

Lorsque les Français affirmaient leurs prétentions quant à la propriété des terres, leurs alliés réagissaient vivement. À Détroit, le commandant Cadillac, qui voulait se comporter en seigneur foncier, avait décidé de concéder des terrains aux autochtones : « Il y a à la droite du fort, à une bonne distance un village de Hurons, à qui j'ai accordé des terres au nom de sa majesté [...], j'ai mis toutes les nations sur le pied de me demander des terres, et la permission de s'y établir. » Il leur aurait distribué ces terres « en propriété pendant le temps qu'ils voudraient les posséder, mais que s'ils changeaient de demeure ces terres [...] reviendraient à son Domaine ». Il n'est pas sûr que les Hurons aient eu la même interprétation. L'un de leurs chefs, Quarante Sols, déclara à Cadillac : « Cette terre n'est pas à vous, elle est à nous et nous la quitterons pour aller où bon nous semblera. » Autoriser les Français à s'établir sur leurs territoires n'équivalait pas en effet à leur céder un droit exclusif de propriété [10].

Dans la région de Kaskaskia, il est arrivé que des colons, souvent mariés à des Illinoises, achètent des parcelles aux Indiens dans des prairies pourtant réservées à ces derniers. Ces acquisitions, que le pouvoir royal s'efforçait, difficilement, de contrôler, donnèrent lieu à des contestations. Les autochtones, en effet, exprimaient parfois le désir de récupérer ce qu'ils avaient cédé. À l'occasion de son voyage à Paris en 1725, le chef illinois Chicagou demanda à la Compagnie des Indes et au roi Louis XV qu'on n'aliène pas les terres de son peuple : « Les Français sont avec nous, nous leur avons cédé la terre que nous occupions aux Cascakias ; nous en sommes bien aises, mais cela n'est pas bien, qu'ils viennent se mêler avec nous, et se mettre au milieu de notre village et de nos déserts [champs]. Ma pensée est que vous qui êtes les Grands Chefs, vous nous laissiez maîtres de la terre [11]. » En 1733, lors d'une crise surve- nue entre Français et Illinois, ces derniers, selon Bien- ville, « prétendaient qu'on leur devait le paiement des terres [12] » mais aussi de la Saline et des mines de plomb qu'ils avaient cédées.

Les Français furent d'autant plus attentifs à ces reproches que quatre années plus tôt les Natchez s'étaient soulevés pour des motifs similaires. Le conflit pour la terre n'est donc pas l'apanage des colonies britanniques. Partout en Amérique, la colonisation de peuplement qui s'accompagne d'empiètements territoriaux se solde par des confrontations, que les colons soient d'origine anglaise ou française. Mais l'épisode natchez, en Nouvelle- France, est l'exception qui confirme la règle. Les tensions foncières entre Illinois et Français, somme toute, furent assez insignifiantes, du fait de la faiblesse du peuplement colonial, de la disponibilité des terres, mais aussi de la diminution de la population illinoise. Le cas du fort Toulouse paraît lui aussi significatif : dans ce poste environné d'Indiens creeks (Alibamons), la coexistence pacifique perdura de 1717 au retrait de la garnison en 1763. L'établissement était pourtant habité dans les années 1740-1750 par une petite communauté française d'une centaine de personnes qui pratiquaient l'élevage et l'agriculture. Les vaches et les cochons erraient parfois dans les champs indiens, mais les militaires et les colons,

certainement sensibilisés par le désastre de la colonisation
en pays natchez, surent maintenir avec les autochtones
de bonnes relations.

« On ne saurait trop se faire aimer
et ménager les sauvages [13] »

Des encouragements officiels

L'alliance franco-indienne repose sur le partage des
ressources, mais aussi sur la connaissance de l'Autre, qui
fait partie de la panoplie colonisatrice des Français. Au
XVIe et encore au début du XVIIe siècle, les sociétés
indiennes sont essentiellement perçues comme des sociétés « sauvages » marquées au sceau du « manque » : les
Indiens sont sans loi, sans roi, sans culture, sans religion.
Le père jésuite Paul Lejeune, en 1634, parle des « Sauvages » comme « n'ayant ni vraie religion ni connaissance
des vertus, ni police, ni gouvernement, ni Royaume, ni
République, ni sciences [14] ». Les autochtones apparaissent donc comme d'autant plus faciles à transformer,
à « humaniser », à « civiliser », à convertir à la « vraie
foi », qu'ils constituent des sociétés du « vide ». Or, si de
tels préjugés persistent par la suite à l'endroit des Indiens,
les appréciations se nuancent parfois, et les observateurs
en arrivent à reconnaître et à dépeindre les organisations
sociales, les systèmes politiques et les croyances de ces
peuples. Des auteurs comme le père Lafitau ou comme
Le Page du Pratz, qui ont respectivement décrit, avec une
grande acuité, les mœurs iroquoises et celles des Natchez,
peuvent même apparaître comme des précurseurs de
l'ethnologie moderne. Leurs œuvres ne constituent
d'ailleurs que la partie émergée de l'« iceberg » ethnographique en Nouvelle-France, composé d'une multitude de
relations de missionnaires, de récits de voyage et autres
documents de la correspondance administrative.

Cette richesse ethnographique existe à un moindre degré dans les écrits britanniques : à quelques exceptions près, comme *A New Voyage to Carolina* de John Lawson (1709), il faut attendre les années 1760-1770 pour qu'apparaissent dans les Treize Colonies des récits de voyage relatant de façon détaillée les mœurs des Amérindiens (James Adair, William Bartram, etc.). Pour expliquer cette différence, on peut d'abord remarquer que les Britanniques, comparativement aux Français, ont assez peu exploré le continent et, surtout, qu'ils ont moins cherché à évangéliser les Indiens. Mais la plus grande finesse ethnographique des récits de la Nouvelle-France tient peut-être aussi à l'histoire de la monarchie française. La nomination d'agents du roi dans des postes jouxtant les villages indiens, sur les rives des Grands Lacs et du Mississippi, répondait à la logique louis-quatorzienne à l'œuvre dans le royaume, qui consistait à placer dans les provinces des intendants chargés de transmettre à Versailles des rapports administratifs. Les récits ethnographiques rédigés par les officiers et les missionnaires avaient partie liée avec l'impérialisme : il fallait connaître les Indiens pour mieux les « gouverner » et les convertir.

Il existait même, à cet égard, une incitation officielle à s'accommoder. Dans une lettre datée de 1756, un dénommé Varennes décrit à propos de la colonisation en Acadie « la connivence ou plutôt l'encouragement donné par le gouvernement français aux colons pour qu'ils adoptent le mode de vie sauvage et se fondent dans les nations sauvages, où ils empruntent leurs manières, courent avec eux les bois et deviennent des chasseurs aussi habiles qu'eux-mêmes [...]. Nous utilisons de plus une façon encore plus efficace de les unir à nous, par les intermariages entre nos gens et les femmes sauvages, élément qui resserre les liens de l'alliance [15] ». Le processus d'acculturation ne concernait pas simplement l'Acadie, mais toute l'Amérique franco-indienne. Il

convenait de s'adapter aux « sauvages » et de les
« aimer », jugeaient les autorités coloniales, civiles
comme religieuses, qui n'étaient pas mues par quelque
élan altruiste, comme le posent les tenants du « génie
colonial français », mais par la volonté de connaître les
autochtones pour les transformer et les manipuler.

Edmond Atkin, surintendant des Affaires indiennes
dans les colonies britanniques du sud, et qui disputait
aux Français l'influence coloniale sur les Creeks (Alibamons), les Cherokees, les Chactas et les Chicachas, note
au milieu des années 1750 : « On suppose habituellement que c'est grâce à leurs forts que les Français ont
acquis leur influence sur les nations indiennes et qu'ils
ont maintenu leur puissance parmi elles ; [...] il est
pourtant absurde d'imaginer que les Français ou nous-
mêmes pouvons maintenir un intérêt et une influence,
en particulier chez les Indiens de l'intérieur, seulement
par la possession de forts, sans posséder en même temps
leur *affection* [16]. » Les commandants en particulier, dont
les postes étaient perdus dans les prairies ou les forêts de
l'intérieur et qui étaient chargés d'entretenir l'alliance de
nombreuses nations, devaient faire preuve d'un grand
savoir-faire. Maurice Ménard, interprète à Michillimakinac à la fin du XVIIᵉ siècle, et qui avait épousé une
métisse, est décrit comme un agent idéal de la *Pax Gallica* : selon ses supérieurs, il « est aimé des sauvages, [...]
suit leurs manières, [...] n'est point embarrassé pour leur
répondre, et cela d'un air libre, aisé, toujours riant, il
découvre les affaires qui sont sous terre ». Les soldats
eux-mêmes étaient parfois enjoints d'apprendre « à
connaître les sauvages [17] », en dépit des risques d'« ensauvagement » ! Cette ouverture transparaît également dans
l'attitude des jésuites, qui acceptent de s'acculturer pour
gagner la confiance des autochtones mais plus encore
pour comprendre leur culture en vue de la modeler et

d'œuvrer à leur mission de conversion. Le père Le Mercier, en 1668, révèle ainsi qu'« il faut [...] les gagner par douceur et par affection [...], s'accommoder à leurs façons, pour ridicules qu'elles paraissent, afin de les attirer aux nôtres [...], se faire en quelque façon sauvage avec ces sauvages, mener une vie de sauvage avec eux [18] ».

Apprendre « *l'iroquois, l'algonkin et l'abénaki* »

La maîtrise des langues indiennes est d'autant plus impérieuse que les autochtones montrent peu d'inclination à apprendre le français : c'est donc, sauf exception, aux « colonisateurs » de parler la langue desdits « colonisés », signe d'une nécessaire adaptation, mais preuve aussi de l'ambition des Européens qui sont placés, à la différence des Indiens, dans une dynamique de conquête. Sans interprète, il était impossible pour un officier d'œuvrer à la *Pax Gallica*, pour un marchand de négocier les prix avec les autochtones et, dans l'intérieur du continent, de vivre et de communiquer tout simplement. Dès les débuts de la colonisation, il fallut donc, pour le moins, former des « truchements ». La monarchie française, à cet égard, héritait d'une part des habitudes prises avec le sultan turc, lequel refusait toute autre langue que la sienne dans ses rapports avec les puissances étrangères (l'expression « truchement » dérive d'ailleurs du mot turc *tercümân*, qui signifie « interprète »), et d'autre part de l'expérience des truchements normands qui avaient servi au Brésil d'intermédiaires avec les Indiens tupinambas. Jacques Cartier, lui aussi, lors de son troisième voyage au Canada en 1541, avait déjà laissé de jeunes garçons chez un chef iroquoien « pour qu'ils apprennent sa langue [19] ». Champlain reprit donc cette politique, du moins à partir de 1610, lorsqu'il envoya de jeunes Français comme Étienne Brûlé hiverner parmi les Algonquins ou les Hurons : il s'agissait de former des interprètes et d'enraciner l'amitié entre Français et Indiens. L'alliance s'établissant sur le mode de l'échange, le Huron Savignon fut confié en retour à Champlain, qui l'amena avec lui en France. L'année suivante, l'explorateur français exprima sa satisfaction quand il retrouva le jeune Brûlé sur l'île de Montréal : « Je vis mon garçon qui vint habillé à la sauvage, qui se loua du traitement des sauvages [...] et me fit entendre tout ce qu'il avait vu en son hivernement, et ce qu'il avait appris desdits sauvages [...]. Mon garçon [...] avait fort bien appris leur langue [20]. » Cette pratique fut aussi celle de Cavelier de La Salle, des officiers en poste dans les Pays d'en Haut, et des frères Le Moyne, d'Iberville et Bienville qui, utilisant leur bagage canadien, furent les architectes de la politique indienne en Louisiane. Dès 1700, de jeunes garçons âgés de huit à dix ans, souvent des mousses ou des cadets, furent envoyés parmi les Indiens de la vallée du Mississippi, y compris chez les Natchez, en vue de fonder un corps d'interprètes [21].

Les officiers eux-mêmes parlaient parfois une ou plusieurs langues indiennes. Le sieur Deliette par exemple, qui s'installe à l'été 1687 au fort Saint-Louis des Illinois, cherche à perfectionner sa connaissance de la langue en participant pendant cinq semaines avec les Indiens à la grande battue collective des bisons. Son cousin et mentor, Henri de Tonty, était « bien aise, écrit Deliette, que j'apprisse cette langue, où il me voyait de la disposition, pour pouvoir avec sûreté s'absenter quand ses affaires le demanderaient et me laisser à sa place [22] ». Certains officiers, de fait, peuvent parfois se passer d'interprètes : c'est aussi le cas, par exemple, du sieur Hertel de La Fresnière, nommé commandant du fort Frontenac en 1708 et qui, selon le gouverneur Vaudreuil, « entend fort bien l'iroquois, et l'algonkin et même l'abénaki [23] ».

La plupart des gouverneurs appréciaient d'avoir à leurs côtés des officiers bilingues lors des congrès franco-indiens, car ils se méfiaient des coureurs de bois, accusés de travestir les harangues. Certains connaissaient certainement quelques rudiments linguistiques, mais seul Le Moyne de Bienville, qui dirigea la colonie louisianaise pendant de nombreuses années, était réputé pour s'adresser directement aux chefs indiens : il s'était initié au mobilien, *lingua franca* du bas Mississippi qui lui permettait de parler avec les Bayagoulas, les Houmas, les Colapissas, les Chicachas, les Chactas et les Alibamons. Le propre père de Bienville, Charles Le Moyne de Longueuil, avait d'ailleurs été l'interprète du gouverneur Frontenac au Canada : lors d'une conférence tenue à Cataracoui (fort Frontenac) avec les Iroquois, Frontenac s'exprima comme suit devant des ambassadeurs iroquois : « Il ne me reste qu'un seul déplaisir qui est de ne pouvoir parler votre langue ou de ce que vous n'entendez pas la mienne, afin de n'avoir pas besoin d'interprète et de truchement. Mais afin que vous soyez pleinement instruits de tout ce que je vous ai dit, j'ai choisi le sieur Le Moyne à qui je vais donner par écrit ce que je viens de vous dire, pour qu'il vous l'explique mot à mot et que vous ne perdiez pas une seule de mes paroles [24]. » D'une manière générale, les chefs indiens étaient d'autant moins décontenancés d'avoir affaire à des truchements français qu'eux-mêmes dépendaient souvent d'orateurs spécialisés, qui parlaient en leur nom.

Les connaissances linguistiques permirent aux missionnaires, surtout aux jésuites, les plus compétents en la matière, d'accéder à l'univers spirituel des Indiens et de mettre au point des dictionnaires et des recueils de prières dans la langue de leurs ouailles. « Je vais à l'école du vieux sauvage [...] pour apprendre le bagayoula [25] », écrit par exemple le père du Ru en 1700. Le père Allouez qui, au cours des années 1660-1670, sillonna de part en part les Grands Lacs sur la piste des autochtones, releva avec brio le défi linguistique, puisqu'il pouvait s'exprimer en cinq langues différentes. Il faut, à cet égard, distinguer les Français d'un côté, pour qui les entreprises d'évangélisation revêtaient une grande importance, et les Hollandais et les Anglais de l'autre, qui ne s'y attachèrent comparativement qu'assez peu. Le catholicisme de l'époque était plus porté vers l'apostolat que le protestantisme. Alors que les pasteurs britanniques restaient dans les établissements coloniaux, de nombreux jésuites et récollets français sont allés au-devant des Indiens pour vivre parmi eux : ils ont appris leurs langues, se sont initiés à leurs mœurs et ont amassé un matériel ethnographique considérable. Cette ouverture, si elle avait pour fondement le désir de transformer les autochtones, a certainement contribué au bon fonctionnement de l'alliance franco-indienne.

Des fréquentations quotidiennes

La connaissance ethnographique des autochtones relève d'une stratégie de colonisation le plus souvent agréée par les autorités, mais elle procède aussi du vivre-ensemble, qui confine aux échanges, à la commensalité et aux mélanges. À la fin du XVIIe siècle, l'« habitation » du baron de Saint-Castin, située à Pentagouët au sud de l'Acadie, est en fait un village franco-abénaqui. Au fort Toulouse, dans l'État actuel de l'Alabama, Kerlérec note la présence de « quelques familles françaises dont les enfants » sont « élevés parmi les sauvages et accoutumés de bonne heure à leurs exercices »… Et écoutons de nouveau le père du Ru, qui vient de s'installer chez les Bayagoulas : « me voilà habitant du village dans toutes les formes, ma tente fait face à la cabane du chef, je commence à faire mes visites [26] ». De nombreux Français, et pas seulement les missionnaires et les coureurs de bois, vivaient ainsi au cœur des communautés indiennes. Le plus souvent, certes, même dans l'intérieur du continent, les postes français et les villages indiens, distants de quelques mètres ou de quelques lieues, ne se confondaient pas. Il fallait limiter les querelles interethniques, mais il convenait également, aux yeux des autorités – en particulier religieuses –, de lutter contre l'indianisation des jeunes Français. S'il s'agissait donc souvent, comme le souligne judicieusement Joseph Zitomersky, d'une « intimité à distance [27] », la vie n'était pas ethniquement compartimentée en Nouvelle-France, et la remarque vaut d'ailleurs pour les esclaves noirs.

Les Indiens formaient un groupe distinct, mais pouvaient s'intégrer dans la vie coloniale. De la même façon, dans un environnement autochtone, les Français se distinguaient de leurs hôtes, mais pouvaient participer à leurs activités. Ils le faisaient d'autant plus que les groupes autochtones se définissaient sociologiquement par leur propension à adopter les autres. Dans les postes de l'intérieur comme dans les villes (Montréal, Québec, Trois-Rivières, La Mobile, La Nouvelle-Orléans), les fréquentations étaient ainsi quotidiennes. Dans les Pays d'en Haut, l'été constituait la saison des rencontres, du troc et des jeux. L'hiver, lorsque les Indiens du voisinage quittaient leurs villages pour se disperser en unités restreintes sur leurs territoires de chasse, certains Français empruntaient leurs pas : les missionnaires et les coureurs de bois bien sûr, mais aussi, parfois, les soldats du fort, soucieux d'assurer de la sorte leur subsistance.

Quant aux Indiens, ils pénétraient bien souvent à l'intérieur même du fort, si le commandant les y autorisait, ce qui était généralement le cas : c'était l'habitude des Natchez au fort Rosalie, comme le prouve… leur attaque surprise de 1729. Le père Charlevoix en témoigne aussi lors de son passage au fort Frontenac en 1721 : « je vis une Troupe de Mississagués, qui entraient dans le Fort en chantant », exécutant leurs chansons et leurs danses de guerre « dans tous les Appartements du Fort, par honneur pour le Commandant et pour les officiers [28] ». Une anecdote moins réjouissante nous permet une autre plongée dans l'intimité du monde franco-indien : il s'agit d'une histoire d'adultère, dans les années 1690, entre le cuisinier du fort Saint-Louis et une Illinoise mariée qui vivait dans le village voisin. À la différence des Outaouais et des Hurons par exemple, les Illinois punissaient la femme adultère, et de façon violente : nez coupé, chevelure arrachée ou bien viol collectif. Alors que les deux tourtereaux batifolaient dans l'un des bâtiments du fort, le mari bafoué, un chef qui était aussi l'ami du commandant (le sieur Deliette), vint lui dénoncer cette idylle et l'enjoindre de lui livrer sur-le-champ le galant. Deliette, accompagné du chef illinois qui était suivi d'une vingtaine de guerriers de sa confrérie, vint frapper à la porte de la maison et dut hausser le ton pour que le cuisinier daigne enfin lui ouvrir. La femme, derechef, fut châtiée selon le rituel illinois : elle fut violée par les jeunes guerriers, et cela dans l'un des bastions du fort…

Danses, séances de troc, ou violences rituelles : le fort français, véritable lieu du « milieu », était le plus souvent ouvert aux autochtones. Dans certaines circonstances, ces derniers pouvaient même s'y installer durablement : au cours des années 1680 par exemple, des Illinois, des Miamis et des Chaouanons (ou Shawnees) avaient dressé leurs cabanes dans le fort Saint-Louis, pour se prémunir contre les attaques iroquoises. Au fort de Chartres, au XVIIIe siècle, l'interprète logeait souvent pendant plusieurs jours des bandes illinoises venues rendre visite au commandant. En 1760, pour essayer de convaincre des Iroquois qu'ils faisaient le mauvais choix en s'alliant avec les Britanniques, le sieur Pouchot leur expliquait significativement que ces derniers ne leur donnaient « pas la permission de coucher dans leurs forts [29] ».

À table avec les Indiens

Les Indiens et les Français, dans les postes, pratiquaient ensemble les mêmes activités : chasser, pêcher, manier les canots, construire des habitations, fort, chapelle ou cabane, danser et chanter, transpirer pêle-mêle dans les huttes à sudation, jouer au jeu de la crosse, sorte de hockey amérindien, ou bien participer côte à côte à des courses à pied. Celles de Détroit, par exemple, étaient réputées, « aussi célèbres que celles des chevaux en Angleterre », s'exclame Bougainville [30]. Elles réunissaient parfois plus de mille participants, français et indiens, et, au milieu du XVIIIe siècle, un dénommé Campo s'illustra en battant à plusieurs reprises les meilleurs coureurs autochtones : sa supériorité était telle qu'il n'était plus admis à y participer. Dans le domaine « religieux » – expression impropre pour les autochtones, qui ne compartimentaient pas les activités (religion, politique, économie, etc.) comme les Européens –, les Français et les Indiens chantaient parfois tour à tour, chacun dans sa langue, les cantiques pour honorer le dieu chrétien, ou bien déposaient ensemble du tabac devant un lieu sacré. Et, bien sûr, on mangeait coude à coude. À Port-Royal, au début du XVIIe siècle, la table de Poutrincourt recevait fréquemment des Micmacs : « quant au sagamo [chef] Membertou, et autres Sagamos (quand il en arrivait quelqu'un), ils étaient à la table mangeant et buvant comme nous », rapporte Lescarbot [31].

Les commandants de poste et les gouverneurs eux-mêmes, en effet, invitaient souvent des chefs à leur table. C'était une façon comme une autre de les impressionner, le banquet étant conçu, à l'instar des soupers versaillais, comme une mise en scène de la puissance royale ; c'était aussi une manière de charmer et de s'affilier les convives. L'officier français souscrivait au principe d'hospitalité des Amérindiens, en transformant le « festin », cadre de la sociabilité du « don » chez les autochtones, en arme de la *Pax Gallica*. Bienville recevait de la sorte les chefs chactas, natchez ou alibamons : il « les régalait » et « ces chefs indiens » étaient « ravis de voir un chef français leur faire des caresses, et les faire manger avec lui, à quoi ils sont fort sensibles, surtout quand on les fait bien manger [32] ». Le gouverneur Frontenac est connu pour avoir systématiquement invité à sa table les chefs indiens venus en ambassade à Montréal ou à Québec : ils se délectaient du pain, des pruneaux, des raisins secs, des biscuits, du vin, parfois d'un soupçon d'eau-de-vie, et repartaient toujours contents.

Les officiers se plaisaient à discuter avec les chefs d'envergure, au verbe facile et au charisme fort, comme le Huron Kondiaronk, qui, selon le père Charlevoix, « était naturellement éloquent », et « brillait [...] dans les conversations particulières ». « On prenait souvent plaisir à l'agacer pour entendre ses reparties, qui étaient toujours vives, pleines de sel, ordinairement sans réplique. Il était en cela le seul Homme du Canada qui pût tenir tête au Comte de Frontenac, lequel l'invitait souvent à sa table pour procurer cette satisfaction à ses Officiers [33]. » Ce chef aurait même inspiré à l'un des protégés de Frontenac, l'iconoclaste baron de Lahontan, le Huron philosophe de ses *Dialogues*, appelé Adario (anagramme partiel de Kondiaronk). Le chef outaouais Pennahouel était également « célèbre par son esprit, sa sagacité et ses conversations particulières avec M. de La Galissonnière [34] ».

Et il fut peut-être plus impressionnant encore de rencontrer Le Serpent Piqué, grand chef de guerre natchez, et frère du Grand Soleil. Il avait un serpent tatoué (ou

« piqué ») sur tout le corps « depuis le coin de l'ouverture de sa bouche du côté gauche et lui faisait le tour du cou, descendait ensuite vers son estomac, lui cernait tout le corps et finissait à la cheville du pied droit ». Ce chef, poursuit Dumont de Montigny, « aimait beaucoup les Français et il n'y perdait pas non plus, car [...] c'était à qui l'aurait à dîner ». L'officier français évoque avec un plaisir non dissimulé l'invitation que lui et quelques colons du poste reçurent des Natchez à participer à la fête de la « tonne de valeur ». Au cours de cette fête, qui avait lieu chaque été, les Indiens aménageaient un grenier cérémoniel que l'on remplissait de maïs, et érigeaient, sur une levée de terre, une loge pour le Grand Soleil. Ce fut dans cette loge que Le Serpent Piqué, accompagné de trois Soleils, reçut en grande pompe Dumont et quatre autres Français, et cela « à la mode française assis à une table, couverte de bons plats de fricassée de volaille » ; les invités, de leur côté, avaient amené avec eux du pain et du vin. Le soir, précise Dumont, « nous soupâmes avec le chef mais splendidement, plus de vingt plats de différents mets [35] ». Ces sujets du Roi Très-Chrétien devaient jubiler : ils vivaient à leur façon, auprès du Serpent Piqué et du Grand Soleil, les fastes de la Cour versaillaise !

« Nous vivons avec eux comme avec nos frères »

Les Indiens, pour les colons français, sont des voisins et des partenaires avec qui s'élaborent des relations de confiance. « Nous avions plaisir de les voir, comme au contraire leur absence nous était triste [36] », note Lescarbot ; « Nous vivons avec eux comme avec nos frères, et j'aimerais beaucoup mieux me trouver seul la nuit dans leurs campagnes au milieu d'eux qu'à neuf heures du soir dans la rue Saint-Jacques à Paris [37] », écrit un siècle plus tard un missionnaire de Louisiane. De nombreux Français comptent des amis intimes parmi les autochtones, et parfois des amantes. Les Indiens, en Nouvelle-France, ne sont pas des êtres anonymes mais des individus à part entière, que l'on appelle par leur nom. Les colons, pour les désigner, peuvent utiliser leur nom indien (Anadabijou, Membertou, Kondiaronk, Onanguicé, Teganissorens…), le traduire en français (le Brochet pour Kinongé par exemple), faire usage de prénoms chrétiens s'il s'agit de personnes converties (Marie, Gabriel, Madeleine, etc.) ou bien inventer des sobriquets, qui traduisent une certaine familiarité dans les rapports interethniques : le Régent, Vinaigre, la Mouche, le vieux Bouchard, Grand Charles, le Baron, Jean le Blanc, Quarante Sols, etc.

Chez les Indiens, le fait d'accorder aux Français un nom particulier exprime une véritable adoption. Onontio en constitue l'exemple le plus célèbre, même si le gouverneur n'était peut-être pas réellement intégré dans un réseau de parenté. À Trois-Rivières, dans les années 1660, le seigneur Michel Gamelin était surnommé Ottocociniche, « le médecin » et, de la même façon, de nombreux Français recevaient un surnom indien : tous les officiers, par exemple, s'en voyaient attribuer un « relativement aux bonnes ou mauvaises qualités » que les autochtones « remarquent en eux » écrit Bossu, lui-même appelé « Grand Nez [38] ». Le méconnu Henri de Tonty, qui mériterait peut-être plus de romans et de films que Buffalo Bill et Wild Bill Hickock réunis, était surnommé « Bras de Fer » : une grenade lui avait arraché la main droite lors d'une bataille en Sicile, quelques années avant son départ pour la Nouvelle-France.

Certains Français, missionnaires, voyageurs ou militaires, étaient clairement intégrés au sein d'un clan particulier : le père Nau, par exemple, est adopté en 1735 par le clan iroquois de l'Ours ; Bougainville, en 1757, par le clan de la Tortue des Iroquois de Kahnawake, qui lui donnent le nom de Garoniatsigoa, « Le grand ciel en courroux ». « Me voilà donc chef de guerre iroquois », s'enthousiasme le militaire qui, pour l'occasion, chante sa « chanson de guerre [39] ». Tous les officiers étaient reconnus socialement comme des « chefs français », mais combien furent adoptés de la sorte et se virent décerner le titre de « chef indien » ? Il y en eut des centaines. Pour certains, comme Bougainville, l'adoption relevait d'un rituel d'alliance ; d'autres furent au départ des captifs de guerre épargnés, tel le sieur Delisle, sous-officier à La Nouvelle-Orléans, capturé puis adopté par les Atakapas, et qui, rapporte Dumont de Montigny, « a trouvé le moyen de se faire aimer dans cette nation où [...] il devint parmi eux un chef de parti et très considéré, ayant appris leur langue » ; des années plus tard, il « a eu le bonheur d'apporter le calumet » au gouverneur, « comme en qualité de sauvage, mais lorsqu'il fallut un interprète [...] on fut bien surpris de voir que ce chef [...] savait parler notre langue » [40].

Jan Grabowski a montré, à propos de Trois-Rivières et de Montréal, que les établissements français, le plus souvent, ne constituaient pas une société homogène, mais des carrefours culturels : les Indiens visitaient les maisons des habitants, les Français les cabanes indiennes. À la fin du Régime français, « environ 4 100 domiciliés », dans la vallée du Saint-Laurent, « participent activement aux échanges économiques et culturels avec les Français, en tant que clients et fournisseurs [41] ». Au milieu du XVIIIe siècle, comme le remarque Pehr Kalm, qui visite le Canada, les Iroquois de Kahnawake apportent de « belles courges » au marché de Montréal « tous les jeudis soir, pour leurs clients habituels ». L'alliance franco-indienne, en effet, reposait en partie sur le troc et les services mutuels. Entre les Natchez et les Français, avant l'imprévisible soulèvement de 1729, une certaine harmonie semblait régner, fondée sur des échanges quotidiens : « Ces habitants sauvages nommés Natchez, étaient amis des Français, allaient à la chasse pour eux, leur traitaient toutes les années soit volailles, blé, soit de l'huile [...] leur apportaient de l'eau ou du bois, [...] leur défrichaient la terre, et même ils nageaient comme des galériens dans les voitures soit pour descendre et monter le fleuve ils allaient pour les Français non seulement à la chasse [...] mais encore à la pêche, ils faisaient tout cela de bonne volonté, les sauvagesses traitaient du pain, de la farine froide, des cruches et poteries qu'elles faisaient fort bien et de plus se louaient elles-mêmes pour faire le lit et le défaire [42]. »

En Louisiane, comme au Canada, les Indiens sont omniprésents : ils sont nombreux à fréquenter les villes et les plantations et à offrir leurs services aux Français en tant qu'alliés, tandis qu'un petit nombre vit en permanence dans les établissements coloniaux et y travaille comme esclaves. Du haut en bas de la société, les colons louisianais emploient en effet comme domestiques les « sauvagesses » esclaves, qui deviennent souvent leurs concubines.

À ces services quotidiens s'ajoutait le commerce des peaux et des fourrures. Dans la deuxième moitié du XVIIe siècle, avec un apogée dans les années 1670, des centaines de canots indiens se rendaient l'été à Montréal en provenance des Pays d'en Haut. Les Outaouais, Hurons et autres Poutéouatamis dressaient leurs tentes d'écorce de bouleau à proximité de la ville. Par leurs costumes, leurs parures ou leurs peintures corporelles, ils passaient moins inaperçus que les Indiens « domiciliés ». « La ville, écrit Bacqueville de La Potherie, ressemble pour lors à un enfer, par l'air affreux de tous les sauvages qui se matachent plus que jamais, croyant par là se mettre sur leur propre [43]. » Les Indiens, à demi nus, déambulaient dans les rues, croisaient des bourgeois emperruqués ou de belles dames poudrées, visitaient les boutiques, traitaient avec les marchands – à l'aide d'un interprète –, et étaient bien sûr reçus en grande pompe par le gouverneur. Montréal, plus que jamais, devenait alors une arène grouillante et colorée, image parmi d'autres du cosmopolitisme de la Nouvelle-France. La Mobile et La Nouvelle-Orléans, appelés « grands villages » par les Indiens, recevaient comme Montréal des délégations de l'intérieur des terres. Bossu évoque par exemple la visite d'un « jongleur » quapaw, capable d'avaler « une côte de cerf de 17 pouces de longueur » en la retenant « avec ses doigts », puis en la retirant « de son estomac », et qui s'était rendu à La Nouvelle-Orléans « montrer son tour d'adresse au Gouverneur et à tous les officiers de la garnison ; c'est ce que les Sauvages appellent faire de la médecine [44] ».

Civiliser les « sauvages »

La francisation, « un ouvrage de plusieurs siècles »…

La colonisation française, si elle est fondée sur l'adaptation aux Indiens, s'inscrit aussi – et plus fondamentalement – dans une logique de soumission qui passe, au moins jusqu'aux années 1680, par une politique de francisation, menée de concert par les autorités civiles et religieuses. Remarquons ici que l'universalisme « civilisateur », en France, n'est pas seulement un produit des Lumières et de la Révolution. Le langage salvateur, régénérateur et assimilateur d'un Jules Ferry et autres chantres de l'Empire colonial, sous la IIIe République, existait déjà sous l'Ancien Régime, dans une version marquée par l'étroite alliance de l'Église et de la royauté. Les missionnaires, mais aussi les laïcs, étaient engagés en Nouvelle-France dans une politique de francisation dont les ressorts étaient universalistes : il s'agissait, comme l'illustre la charte de la Compagnie des Cent-Associés (1627), qui prévoyait la naturalisation des Indiens convertis, de transformer les « Sauvages » – soit des êtres humains capables d'être « sauvés » mais ignorant encore la Vraie Culture et la Vraie Foi – en chrétiens et en sujets. Cet universalisme comme la plupart des universalismes d'ailleurs, y compris celui des Lumières – est de type ethnocentrique : l'autochtone est reconnu comme un égal à certains égards, mais il s'agit de l'absorber. On l'inclut tout en le niant puisque le but est de le rendre parfaitement semblable à soi.

L'entreprise consistant, pour reprendre les termes de Champlain, à « supprimer [les] sales coutumes [des autochtones], la dissolution de leurs mœurs, et leurs libertés inciviles [45] » se solde dans l'ensemble par un échec, sauf, à certains égards, dans les communautés domiciliées de la colonie laurentienne. Les Indiens étaient attachés à leur mode de vie et, le plus souvent, ils manifestaient de l'indifférence face au programme de « civilisation » ou alors exprimaient clairement leur rejet. Un chef lança ainsi à des missionnaires jésuites : « car toutes vos raisons, et apportez-en mille si vous voulez, sont biffées, par ce seul trait, qui leur est en main. "Aoti Chaboya", c'est (disent-ils) la façon de faire des Sauvages. Vous usez de la vôtre, nous de la nôtre. Chacun prise ses merceries [46] ».

Le programme de « civilisation », comme l'ont montré Cornelius Jaenen et Dominique Deslandres, reposait d'abord sur la sédentarisation des autochtones, et des « réductions », inspirées du modèle paraguayen, furent implantées à partir de 1637 sur les rives du Saint-Laurent. Il devait aussi s'appuyer sur l'éducation des jeunes enfants, filles et garçons, dans le cadre de pensionnats. Au cours des années 1620-1630, certains furent même envoyés en France par des communautés religieuses dans le but de former une élite autochtone francisée qui favoriserait l'« intégration » de tous les Indiens dans la société coloniale. Or, les jeunes à qui l'on inculquait les

« manières françaises », après quelques années, ne trouvaient plus leurs repères dans la société traditionnelle. Un jeune Montagnais appelé Pastedechouan, par exemple, est envoyé en France par les récollets en 1620 ; de retour en Amérique cinq ans plus tard après avoir appris le français et le latin, il est incapable de parler sa langue maternelle et de reprendre son ancien mode de vie, comme le lui demandent les missionnaires, soucieux d'en faire un interprète. Méprisé par sa famille parce que piètre chasseur, il se voit confier par le père Lejeune un poste de professeur de langue à Québec, mais il se détourne finalement du christianisme jusqu'à manifester de l'hostilité envers les Français. Écartelé entre deux cultures, celui que les jésuites surnomment l'« apostat » ou le « renégat » mène désormais une vie jugée dissolue – il a plusieurs épouses – qui se termine tragiquement : il meurt de faim, perdu dans la forêt.

Les écoles-pensionnats de la colonie se vidèrent assez rapidement de leurs élèves autochtones, qui n'étaient pas habitués à une discipline et à des horaires stricts et qui globalement vivaient mal le déracinement : « comme ils sont libertins, remarque le récollet Sagard, et ne demandant qu'à jouer et se donner du bon temps [...] ils oublient en trois jours, ce que nous leur avions appris en quatre[47] ».

Le programme de francisation fut toutefois relancé par Colbert à partir de 1666. C'est le seul moyen, note-t-il en 1668, « pour ne faire qu'un même peuple parce que si on venait à bout de ce point-là il serait plus aisé ce semble de leur faire embrasser notre religion ». Les sulpiciens, qui sont installés à Montréal depuis 1657 et les récollets, de retour au Canada en 1670, doivent contribuer à cet effort « civilisateur ». « Sa Majesté, écrit Colbert au gouverneur Frontenac en 1674, veut que vous continuiez d'exciter les jésuites, les récollets, le séminaire de Montréal à prendre les jeunes sauvages pour les nourrir, les instruire à la foi et les rendre sociables avec les Français ». En favorisant l'éducation des jeunes enfants et les mariages mixtes, le ministre de Louis XIV pensait que les Indiens, mêlés aux colons, deviendraient de bons et fidèles sujets. Il conviendrait, explique-t-il encore en 1679, « de mêler les sauvages parmi les Français en beaucoup moindre nombre, c'est-à-dire une sept ou huitième partie dans les lieux qui sont habités et cultivés par les Français ». L'intendant de Meulles juge de son côté qu'il faut transformer les jeunes femmes indiennes en « villageoises de France [48] ».

Les laïcs pieux étaient aussi invités par le pouvoir royal à prendre sous leur aile de jeunes Indiens. L'intendant Duchesneau par exemple, adopta trois enfants en 1680, mais, à peine habillés à la française, ils prirent la poudre d'escampette ! Les autorités sont ainsi amenées à reconnaître que la francisation des Indiens, fussent-ils pris « à la mamelle », est un mirage. C'est ce que concédait sans détours en 1668 Marie de l'Incarnation, la fondatrice des ursulines, qui tenta d'« éduquer » des dizaines de petites « sauvagesses » dans le cadre de son pensionnat :

> « C'est pourtant une chose très difficile pour ne pas dire impossible de les franciser ou civiliser. Nous en avons l'expérience plus que tout autre, et nous avons remarqué de cent de celles qui sont passé par nos mains à peine en avons-nous civilisé une. Nous y trouvons de la docilité et de l'esprit, mais lorsqu'on y pense le moins elles montent par-dessus notre clôture et s'en vont courir dans les bois avec leurs parents, où elles trouvent plus de plaisir que dans tous les agréments de nos maisons Françaises. L'humeur sauvage est faite de la sorte : elles ne peuvent être contraintes, si elles le sont elles deviennent mélancoliques, et la mélancolie les fait malades. D'ailleurs les sauvages aiment extraordinairement leurs enfants, et quand ils savent qu'ils sont tristes ils passent par-dessus toutes considérations pour les r'avoir, et il les faut rendre [49]. »

À la fin du XVIIe siècle, il n'y a pratiquement plus de « séminaristes » indiennes chez les ursulines, qui se consacrent alors davantage à l'éducation des filles de colons. Et lorsque Lamothe Cadillac, qui projette de fonder un poste à Détroit, relance en 1699 l'idée de la francisation, l'intendant Champigny lui réplique de façon cinglante : « l'expérience fait voir que les sauvagesses qu'on instruit chez les ursulines et qui apprennent la langue française sont les plus grandes putains, parce qu'elles ne se débauchent pas seulement avec les Sauvages, mais même avec les Français [50] ». De Meulles, encore optimiste, écrivait dans les années 1680 qu'il fallait « leur [les Indiens] ôter avec le temps cet Esprit de sauvage » ; l'intendant A. D. Raudot, plus fataliste, estimait trente ans plus tard qu'il s'agissait d'« un ouvrage de plusieurs siècles [51] ».

Si la rhétorique de l'assimilation ne disparaît pas totalement au XVIIIe siècle, elle ne s'exprime plus qu'à travers le dépit et la frustration. Dans les années 1730, le gouverneur Beauharnois note que « le temps n'est pas encore venu […] où toutes ces nations [indiennes] n'en feront qu'une avec les Français » ; il parle de la nécessité d'« asservir peu à peu » les « Sauvages » et d'en faire « de bons citoyens » tout en regrettant qu'à l'exception de « quelques sauvages domiciliés, les autres sauvages ne se sont attachés [à la religion chrétienne] que par feinte et que par intérêt [52] ».

Un christianisme « syncrétique »

Les laïcs pieux comme les missionnaires partagent au départ l'idée selon laquelle la christianisation est inséparable de la francisation : il faut, au contact des colons, « humaniser » les « Sauvages », c'est-à-dire les « civiliser » et les sédentariser avant d'espérer pouvoir les convertir. Mais si les jésuites souscrivent dans un premier temps à un tel programme, ils sont amenés à réviser ensuite leur stratégie : jugeant l'influence des Français sur les Indiens pernicieuse (alcool, etc.), constatant l'échec des projets de « civilisation » et redoutant l'indianisation des colons, ils cherchèrent à séparer les deux peuples plutôt qu'à les mêler, et, s'efforçant en outre de sédentariser les autochtones, ils créèrent des « réductions » à partir de 1637, tout en dissociant la conversion de la francisation. Comme l'explique le père Charlevoix au XVIIIe siècle, « l'expérience, non pas de dix ans, mais de plus d'un siècle, nous a appris que le plus mauvais système pour bien gouverner ces peuples, & pour les maintenir dans nos intérêts, était de les approcher des Français […]. On ne pouvait plus douter que le meilleur moyen de les *christianiser* ne fût de se bien donner de garde de les *franciser* [53] ».

Les jésuites se perçoivent comme des « soldats du christ » luttant contre l'« Empire de Satan ». Cette guerre sainte, parfois intransigeante, impose toutefois – comme dans les « Indes » de l'intérieur, Savoie ou Bretagne – un certain pragmatisme. Il n'était pas question de faire table rase de la culture indienne mais, pour annihiler la « Sauvagerie », de se faire « Sauvage » parmi les « Sauvages ». « Je garde un peu de leur coutume, et j'en ôte tout ce qui est de mal [54] », résume un missionnaire. S'ils considéraient les manitous, ou « esprits », comme des « diables », et s'ils entendaient extirper ledit « satanisme » autochtone, les « Robes noires » (surnom donné aux jésuites par les Indiens), moins assimilationnistes que les autres ordres, cherchèrent à identifier des passerelles entre le catholicisme et les croyances indiennes et, de fait, à valoriser la facette « magique » ou païenne de leur propre religion.

Le catholicisme, faut-il le préciser, qui avait toujours su intégrer en son sein des rituels non chrétiens, était lui-même d'essence syncrétique. À cet égard, on peut

remarquer qu'il était plus à même de s'amalgamer avec
les religions indiennes que le protestantisme, soit la religion de leurs concurrents britanniques. « Il faut convenir
[…] que la religion catholique est plus propre à l'éducation du Sauvage que le culte protestant », écrivait très
justement Chateaubriand [55]. Le catholicisme se rapprochait davantage du paganisme pour deux raisons :
d'abord, par son caractère quasi « polythéiste » : la
Sainte-Trinité, la Vierge, les saints ; ensuite, par l'importance accordée à la « magie » (invocation des anges, des
saints ; bénédictions, etc.), centrale dans la tradition cha-
manique des Indiens.

Le parti pris syncrétique des jésuites, certes, ne fut pas
sans susciter quelques troubles au sein de la hiérarchie
catholique, comme l'atteste, dans une autre aire géographique, la querelle des rites chinois. Le jésuite, dans son
désir de supplanter le chamane comme interprète des
forces surnaturelles, devenait lui-même un chamane aux
yeux des Indiens. Parce qu'il était soucieux de démontrer
la supériorité de son dieu sur les manitous, en parlant de
« justice divine » pour rendre compte d'une épidémie, en
prévoyant une éclipse de soleil ou en utilisant tantôt des
« gadgets » technologiques (instruments de mathéma-
tiques, pierres d'aimant, etc.), tantôt le pouvoir de l'écri-
ture pour frapper l'imagination de son auditoire, il
s'insérait dans la logique animiste et plurielle de l'univers
spirituel autochtone. Le dieu chrétien n'était pas « Dieu »
mais une divinité, un esprit parmi d'autres !

Les réactions autochtones à l'évangélisation furent
extrêmement variables. Des milliers d'individus furent
baptisés – 10 000 en Huronie de 1634 à 1649 –, mais
il ne s'agissait pas le plus souvent de véritables conversions : la plupart d'entre eux étaient des morts en sursis
qui décédaient dans l'heure (enfants moribonds,
vieillards à l'agonie, captifs de guerre sur le point d'être
torturés, etc.). Les écrits jésuites, volontiers apologétiques

et hagiographiques, rendent compte toutefois de conversions spectaculaires. Certains prosélytes, appelés dogiques, servirent de relais aux missionnaires pour la prédication et le catéchisme, à l'instar du Montagnais Pierre Nienienigabouachit à Sillery ou du Huron Joseph Chiouatenhoua dans le bourg d'Ossossané (en Huronie). Les jésuites interprétaient le zèle pénitent des Indiens convertis comme des actes de piété éminemment chrétiens. L'ardeur religieuse semble parfois si profonde que cela « surpasse tout ce qui s'en peut dire », note Marie de l'Incarnation [56]. En 1646, des néophytes de Sillery, pour s'absoudre de leur ivrognerie, se flagellent en pleine messe. À Lorette, une Huronne refuse de se faire soigner un mal de dents « pour honorer la mort de notre Seigneur ». Une autre exige d'être fouettée par une compagne pour ses péchés [57]. L'Iroquoise Kateri Tekakwitha, presque aveugle, mène à Kahnawake – près de Montréal –, en compagnie d'une douzaine d'autres jeunes femmes, une vie de chasteté, de privations et d'ascétisme (jeûnes prolongés, flagellations, corps nu soumis au froid de l'hiver, pied volontairement brûlé, etc.) qui étonne autant qu'elle ravit les jésuites. Kateri meurt en 1680 à l'âge de vingt-quatre ans et est bientôt l'objet d'un culte dans l'Église catholique. Elle sera même béatifiée par Jean-Paul II en 1980.

La spiritualité exacerbée des Indiens prosélytes, qui se manifeste par un constant dressage du corps, exprime parfois un véritable basculement culturel, mais elle doit aussi être mise en relation avec certains aspects de la culture traditionnelle : résistance au froid apprise dès l'enfance, jeûnes, torture… Chez les Illinois, de la même façon, les jeunes femmes christianisées, dont le comportement et les discours exaltent la chasteté et la virginité, sont sensibles au message des missionnaires – le père Marquette avait introduit le culte marial dans ce groupe

dès 1674 –, mais vivifient tout autant leurs valeurs traditionnelles de codification et de limitation de l'activité
sexuelle.

C'est le plus souvent par le rejet, poli ou railleur, que
les Amérindiens accueillaient le discours des missionnaires. Selon le récollet Hennepin, l'indifférence « est le
plus grand obstacle à la foi que j'ai connu parmi ces
barbares [58] ». Les sarcasmes, voire les menaces, se manifestaient lorsque le missionnaire se montrait trop opi-
niâtre ou intolérant. Les religieux ne cessaient de
regretter l'« obstination » des Indiens « à suivre entièrement leurs pensées, et leurs désirs ». L'adhésion au christianisme, explique Denys Delâge, impliquait la rupture
avec la tradition. La répression ou la dénonciation des
danses, des fêtes, des rituels chamaniques, des chants qui
présidaient à la guérison des malades, de la polygamie,
de la liberté sexuelle, de l'érotisation des corps (nudité
ou semi-nudité, peintures corporelles, bijoux, toucher,
etc.), de l'écoute prêtée aux rêves, de la propension à
changer de nom, mais aussi le discours culpabilisant des
jésuites, leur obsession du Jugement dernier et du péché,
notions étrangères aux Indiens, constituaient autant
d'obstacles au processus de conversion, mais aussi, en cas
d'adhésion, autant d'éléments destructeurs des cultures
autochtones.

Dans les années 1630-1640, dans le contexte d'épidémies dévastatrices, les Hurons se divisent quant à l'attitude à adopter face aux jésuites : si certains choisissent
de rester fidèles à la tradition, nombreux sont ceux qui
se convertissent, cherchant à travers le dieu chrétien, qui
épargne les Robes noires, une protection face aux malheurs. Les jésuites ont profité des épidémies pour décon-
sidérer les chamanes, impuissants à enrayer un tel fléau.
De façon générale, qu'il s'agisse des « convertis » hurons,

illinois, micmacs (pour citer les groupes les plus réceptifs) ou bien sûr des domiciliés des « réductions » laurentiennes, on assiste rarement au reniement de la religion de naissance : on peut plutôt parler de juxtaposition ou de syncrétisme.

Combien en effet de conversions superficielles, liées au désir de s'attacher les services d'un dieu supplémentaire, de profiter de l'alliance française (protection militaire, marchandises), ou bien de faire preuve de… courtoisie ! De passage à Pimitoui, sur la rivière des Illinois, en 1721, le père Charlevoix en fait l'expérience. Il note à propos d'un chef : « Comme j'aperçus une Croix de cuivre, et une petite figure de la Vierge, qui pendaient au cou de ce sauvage, je crus qu'il était Chrétien, mais on m'assura qu'il ne l'était point, et qu'il ne s'était mis dans l'équipage, où je le voyais, que pour me faire honneur [59]. »

Les Indiens recherchent l'alliance et la protection de nouveaux êtres surnaturels (la Robe noire, Dieu, Jésus, la Vierge, etc.), s'efforçant de les instrumentaliser au service de leurs activités. Jésus, messager de l'amour, devient souvent pour les autochtones un puissant manitou de la guerre. Les autochtones s'approprient aussi la croix chrétienne (comme objet ou comme geste), avec la bénédiction des jésuites, parce qu'elle leur confère un surcroît de « puissance » : ils la plantent au cœur de leurs villages, la dessinent sur leurs peaux ou leurs boucliers ou se signent avant d'affronter leurs ennemis.

On assiste à une recontextualisation du discours catholique en fonction des codes culturels indiens : les jeûnes imposés par les missionnaires sont ainsi davantage perçus dans la tradition de la quête de vision que comme rite d'expiation des péchés de la chair ; les chapelets et les crucifix servent d'objets de médiation avec le surnaturel, à l'instar des amulettes, des sacs de médecine (paquets rituels) ou des bâtons cérémoniels ; les images de la catéchèse rappellent les peintures rupestres, liées à la quête de vision, etc. Les autochtones, le plus souvent, restent donc attachés à leur univers socioculturel.

Le castor fait tout

« Le Castor ou le Bièvre, note le père Lejeune, se prend en plusieurs façons. Les Sauvages disent que c'est l'animal bien aimé des Français, des Anglais, et des Basques, en un mot des Européens ; j'entendais un jour mon hôte qui disait en se gaussant, *Missi picoutau amiscou*, le Castor fait toutes choses parfaitement bien, il nous fait des chaudières, des haches, des épées, des couteaux, du pain, bref il fait tout [60]. » C'est en effet sur le plan matériel que l'acculturation des Indiens est la plus évidente : ils apprécient beaucoup la commodité des marchandises européennes qu'ils obtiennent en échange des pelleteries. Ils sont séduits surtout par les objets de métal (chaudrons, couteaux, haches…), mais aussi par les produits textiles (toiles, draps, chemises…), les perles de verre polychromes, les armes à feu et l'alcool.

Passé les premiers contacts, les autochtones se montrent extrêmement exigeants en matière de qualité. Au XVIIIe siècle, les manufacturiers du Languedoc sont ainsi invités à fabriquer des étoffes de laine rouge comparables aux « écarlates » des Anglais, afin de plaire à leurs « clients » indiens. Ces derniers sont aussi attentifs aux prix, n'hésitant pas à comparer les taux d'échange des Français et des Anglais. Ces taux se révèlent généralement favorables aux Britanniques qui, en Louisiane, offrent un fusil pour dix à douze peaux de chevreuil quand les Français en donnent un pour trente. Mais les autochtones ne répondent pas aux *stimuli* du marché. Lorsque la demande européenne augmente (et donc lorsque le prix du castor ou du chevreuil est à la hausse), ils n'en profitent pas pour troquer davantage de peaux.

Outre qu'ils n'ont pas nécessairement les moyens d'en convoyer en grande quantité sur des centaines de kilomètres, leurs besoins sont stables : de fait, ils réduisent au contraire leur production, puisqu'ils peuvent obtenir autant de produits pour moins de fourrures, et satisfaire de la même façon leurs besoins. Le doublement du prix du castor leur permet de travailler deux fois moins !

Les produits européens sont absorbés de manière sélective. Les objets de fer, plus performants, se substituent partiellement aux outils et ustensiles d'os, de pierre et d'écorce ; les fusils sont utilisés sans que les arcs et les flèches disparaissent ; les draps sont appréciés mais ne font que compléter les peaux animales. Les marchandises, de façon générale, sont aussi réinterprétées par la culture indienne, qui leur assigne souvent de nouvelles fonctions d'ordre esthétique et rituel. Les chaudrons par exemple, auxquels s'attachait un grand pouvoir surnaturel, étaient parfois découpés en morceaux et servaient à la fabrication de pointes de flèche, de perles ou de pendentifs ; les épées pouvaient être utilisées comme des harpons, les chemises neuves portées au-dessus de la « robe » animale plutôt qu'au-dessous, etc. Les produits s'intégraient donc dans le mode de vie indien sans véritablement le modifier.

Mais les autochtones, incapables de fabriquer ou de réparer les articles acquis auprès des Européens, se plaçaient à terme dans une situation de dépendance. Ils attendaient notamment des Français qu'ils leur fournissent les fusils et la poudre utilisés pour la guerre ou la chasse. Une anecdote permet de s'en rendre compte, non sans illustrer en outre les tentatives de duperie commerciale des Français. Lors des premiers contacts entre Français et Missouris, au début du XVIIIe siècle, un coureur de bois avait dupé ses hôtes en leur faisant croire qu'on semait la poudre comme des graines et qu'on la récoltait ! Les Missouris s'empressèrent alors de semer ce

qui leur restait, et furent amenés en conséquence à en
acheter de nouveau au Français, ravi de son tour...
Lorsque l'un de ses associés revint dans le village
quelques mois plus tard, on lui laissa étaler ses marchandises dans la « cabane publique », où des dizaines de Missouris s'engouffrèrent soudainement pour le piller. Au
Français qui se plaignit, le « Grand Chef de la Nation »
rétorqua « d'un air grave, qu'il lui ferait rendre justice,
mais qu'il fallait, pour cet effet, attendre la récolte de
poudre » [61].

Le processus d'acculturation, évidemment, varie en
intensité selon les régions. Le mode de vie des Indiens
« domiciliés » de la vallée du Saint-Laurent, convertis au
catholicisme, s'est transformé de façon assez importante,
du fait de la fréquentation quotidienne des colons. Les
Hurons de Lorette, en particulier, offrent le visage d'une
communauté acculturée. En 1749, Pehr Kalm remarque
qu'ils arborent souvent des pendants d'oreille, qu'ils ont
des colliers de wampum autour du cou, et que leur corps
est couvert de peintures et de tatouages, mais aussi qu'ils
« portent volontiers une veste ou une blouse à la mode
française » et cultivent le blé et le seigle en plus du maïs
et du tournesol. Trois ans plus tard, l'ingénieur en chef
Louis Franquet note que ces Indiens partent toujours à
la chasse l'hiver mais que « la plupart parlent français
[...] élèvent des volailles et des bestiaux » et « ont même
des chevaux qu'ils conduisent eux-mêmes, attelés à des
carrioles pour se rendre en ville ». Ils ont aussi abandonné les maisons longues traditionnelles en écorce, qui
abritaient plusieurs dizaines de personnes apparentées, au
profit d'habitations plus petites « bâties, selon Franquet,
à l'instar et dans le goût de celles de nos habitants, de
pièces sur pièces, couvertes en planches et distribuées
avec cheminées, portes et fenêtres ». Ce changement n'est
pas anodin, explique Alain Beaulieu, « car il impliquait
au préalable la transformation de la structure sociale

huronne ». En 1762, au lendemain de la Conquête, le gouverneur militaire de Québec, James Murray, remarque que ces autochtones sont les « plus civilisés de tous les Indiens » et qu'ils « vivent pratiquement de la même manière que les Canadiens » [62].

Les emprunts faits aux colons, toutefois, relèvent souvent d'une logique mimétique qui se différencie de l'acculturation à proprement parler. Les autochtones pouvaient imiter scrupuleusement les Français, leurs manières, gestes, parures ou costumes. Chez les Tonicas et les Natchez par exemple, le grand chef, tout au moins en présence des colons, s'habillait complètement « à la française ». De la même façon, lors d'un conseil tenu en 1757 avec le gouverneur Vaudreuil, deux Indiens « que l'abbé Picquet a montrés à Paris » sont « vêtus à la française de pied en cap. Pierre, l'un d'eux, portait la veste que lui a envoyée Mr le Dauphin. Il m'a semblé voir Arlequin Sauvage en perruque blonde et en habit galonné » [63]. Lors de la cérémonie de signature de la Grande paix de Montréal, en 1701, l'orateur des Renards, Miskouensa, se mit lui aussi en scène avec un raffinement de courtisan. Son visage était peint en rouge et, pour se « mettre à la française », il s'était couvert la tête d'une vieille perruque « fort poudrée et très mal peignée » [64]. S'avançant vers le gouverneur Callière, il le salua en retirant sa perruque comme s'il s'agissait d'un chapeau ! Les diplomates français ne purent refréner un éclat de rire, tout en priant le chef de se recoiffer. Celui-ci fut d'autant moins décontenancé qu'il prit le brouhaha qu'il avait déclenché pour des applaudissements. Son attitude n'était pas clownesque, mais rationnelle : en empruntant les signes de représentation (la perruque) et les gestes de civilité (le salut) de l'aristocratie européenne, il voulait offrir à ses hôtes le miroir de leur mondanité. Cette imitation, en outre, manifestait peut-être la volonté de réduire la « différence » de l'autre, en l'absorbant. Elle pouvait ainsi exprimer la propension des Indiens à adopter les Français – et non à épouser leurs mœurs.

Des Français « ensauvagés » ? les formes de l'indianisation

Serait-ce le monde à l'envers ? Le scénario colonial prévoyait l'assimilation des Indiens ; on assista plutôt à l'indianisation des Français. Comme le notait laconiquement l'intendant Champigny en 1699, « il arrive plus ordinairement qu'un Français se fasse sauvage, qu'un sauvage devienne français [65] ». Ce sont donc lesdits « colonisateurs » et « civilisés » qui semblaient paradoxalement attirés par les sociétés autochtones, qualifiées de « sauvages ». Certes, la formule de l'intendant, avec son habillage américain, semble transposer un refrain social habituel des élites de l'Ancien Régime à l'encontre du petit peuple. Mais il reste à s'interroger sur l'influence culturelle effective des Indiens sur les Français. Dans ses formes comme dans son « intensité », cette influence s'avéra extrêmement variable selon les lieux, les catégories sociales et les individus [66].

S'habiller et se nourrir à l'indienne

Écoutons Pehr Kalm qui, lors de son séjour canadien de 1749, délivre des remarques très instructives sur la vie des colons : « J'ai remarqué que les Français canadiens de condition modeste ont assez souvent adopté la mode et les coutumes des Sauvages d'Amérique, par exemple en ce qui concerne les pipes, les chaussures, les bandes molletières, les ceintures, la façon de courir en forêt, les

méthodes de guerre, la façon de mélanger d'autres produits au tabac, les bateaux en écorce, la façon d'entor-
tiller un carré d'étoffe ou de toile autour de la jambe en
place de bas, la façon de manœuvrer une barque à
l'aviron, et d'autres choses de ce genre [67]. » L'indianisation, on le voit, est multiforme, et ne concerne pas seulement les coureurs de bois qui vivent parmi les Indiens.
L'été, de Québec aux Grands Lacs, les Français se déplacent très souvent en canot d'écorce ; sur le Mississippi,
ils font plutôt usage de la pirogue, en sus des barges. À
cet effet ils apprennent à naviguer comme le font les
autochtones, mais aussi à confectionner et à réparer les
embarcations. Durant l'hiver, au Canada, ce sont les
raquettes qui sont empruntées aux Amérindiens pour se
déplacer dans la neige.

Et puis il y a les vêtements : de nombreux Français
des milieux populaires s'habillent « à la façon des sauvages ». Les soldats, en Louisiane et dans les Pays d'en
Haut, ne disposent pas toujours de l'uniforme réglemen-
taire : ils sont bien souvent vêtus de « culottes » faites
avec des peaux de chevreuil, et les peaux de bison ou
d'orignal leur servent de couverture, ainsi qu'aux missionnaires. Quant au port des mocassins, il est généralisé
pour qui veut parcourir le pays.

Et que dire des habitudes alimentaires ? Il faut souvent
tirer un trait sur la gastronomie française, surtout dans
les postes de l'intérieur des terres, où les condiments et
le vin sont un luxe et où les approvisionnements sont
rares. Mais l'on s'accoutume plutôt bien à la nourriture
des Indiens ! Les Français de l'intérieur, parfois ceux des
villes, mangent de la sagamité, sorte de potage à base de
maïs, du riz sauvage, et diverses viandes : chevreuil,
bison, castor, caribou, du chien parfois, ou encore de
l'ours. Le sulpicien Bréhant de Galinée, qui sillonne les
Grands Lacs vers 1670, parle d'« ours plus gras et de
meilleur goût que les plus savoureux cochons de

France » ; l'huile d'ours, comme la graisse d'orignal et de bison, est aussi consommée en grande quantité, notamment en Louisiane : « cette huile approche pour la blancheur au saint doux, elle ne se fige point et est aussi belle et même plus que l'huile d'olive […] Les Français la mangent en salade et s'en servent ainsi que du beurre […] lorsqu'elle est […] congelée », remarque Dumont de Montigny [68].

L'appropriation des éléments de la culture matérielle indienne (canots, vêtements, nourriture, etc.), précisons-le, relevait moins d'une indianisation à proprement parler que d'une adaptation élémentaire au milieu, d'ailleurs tolérée par les autorités. De la même façon, certains Français apprenaient à se faire soigner par les autochtones.

À l'école des chamanes

Les colons manifestent souvent leur admiration pour la médecine amérindienne, qu'ils s'efforcent de mieux connaître par curiosité scientifique ou à des fins thérapeutiques. On s'informe auprès des autochtones pour inventorier les nouvelles plantes et étudier leurs vertus curatives. Le médecin et naturaliste Michel Sarrazin au Canada, ou bien Le Page du Pratz en Louisiane, font expédier en France des centaines d'espèces végétales qui sont transplantées dans des jardins botaniques. Serait-il plus judicieux, à l'époque de Louis XIV, de tomber malade parmi les « Sauvages » d'Amérique que dans le château de Versailles, où le roi et ses courtisans sont régulièrement saignés et purgés ? On connaît la formule de Molière : « Presque tous les hommes meurent de leur remède et non pas de leur maladie » ; de son côté, le jésuite Paul du Ru, stupéfié par la guérison rapide, entre les mains d'un chamane bayagoula, d'un Français blessé à la cuisse, écrit qu'« on ne saurait être assez attentif aux remèdes des sauvages [69] ».

Le recours aux guérisseurs indiens faisait partie du vivre-ensemble dans les postes, et l'on s'en étonnera d'autant moins que les « empiriques », sorcières, guérisseurs et autres devins étaient monnaie courante dans l'Europe du temps. Louis XIV, sur le point de mourir, ne but-il pas l'élixir d'un rebouteux provençal pour soigner sa goutte… Mais peut-être lui eût-il fallu consulter un chamane indien ! Celui-ci aurait utilisé de la décoction d'écorce de bois rouge. En Nouvelle-France, on apprend également des autochtones l'usage du suc basalmique du févier contre les plaies et les ulcères, des tisanes d'écorce de cèdre pour lutter contre le scorbut, de la gomme de sapin pour soigner les blessures, de l'osmonde qui sert d'antidote à la morsure du serpent à sonnettes, etc.

De nombreux Français doivent leur vie, ou leur bonne santé, aux guérisseurs indiens. Le Page du Pratz raconte comment il fut soigné d'une sciatique par un chamane natchez. Dans un premier temps, il s'entretint d'une douleur à la cuisse avec le chirurgien du fort Rosalie qui lui conseilla de se saigner, mais rien n'y fit ; il se rendit ensuite à La Nouvelle-Orléans, où les médecins, impuissants, lui conseillèrent de repasser en France pour y faire des cures thermales. Le mal ne diminuant pas, note Le Page du Pratz,

« je pris la résolution de me servir […] d'un chirurgien ou Jongleur [natchez], que l'on m'indiqua, et qui me dit qu'il me guérirait en suçant l'endroit de ma douleur. Il me fit quelques scarifications avec un éclat tranchant de caillou, toutes de la grandeur d'un coup de lancette, et disposées de façon qu'il pouvait les sucer toutes à la fois ; ce qu'il fit en me faisant des douleurs extrêmes ; il se reposait de temps à autre apparemment pour me faire valoir son travail, et me tint ainsi l'espace de demie heure. Je lui fis donner à manger et le renvoyai après l'avoir payé […]. Le lendemain je me sentis un peu soulagé ; je pus me promener dans mon champ ; on me donna conseil dans ma promenade de me mettre entre les mains des médecins Natchez, que l'on me dit avoir beaucoup de science ; et qui faisaient des cures qui tenaient du miracle […]. Que n'aurais-je point fait pour ma guérison ? […]. Le remède d'ailleurs était très simple […] il ne s'agissait que d'un cataplasme ; on l'appliqua sur la partie souffrante, et au bout de huit jours je fus en état d'aller au Fort. Je fus parfaitement guéri. »

Le Page du Pratz eut une autre fois recours aux Natchez pour soigner une « fistule lacrymale » à l'œil gauche. Le chirurgien français, qui avait travaillé une douzaine d'années à l'Hôtel-Dieu de Paris, avait préconisé d'« employer le feu » pour soigner la blessure, mais le planteur ne s'y résolut pas. Le Grand Soleil, qu'il côtoyait souvent, observant sa « grosseur à l'œil », fit venir « son médecin », lequel se proposa de guérir le Français « avec des simples et de l'eau ». En quelques jours, Le Page du Pratz fut « bien guéri sans autre opération et sans qu'il y parut » [70].

Les Français, en Louisiane, n'hésitaient pas non plus à recourir aux chamanes pour lutter contre la sécheresse. Dumont de Montigny évoque les longues prières de l'aumônier du poste des Yazous « pour implorer le secours du ciel, afin de le fléchir et lui demander de l'eau ». Dieu étant « sourd à nos prières », le commandant fit venir le chef du village indien voisin et lui demanda « s'il pouvait lui donner de l'eau ». Le chef « lui en promit et dès le lendemain il en tomba à souhait qui tomba durant deux jours ». Et Dumont de préciser que « le devin », ou chamane, « fut payé grassement en marchandises de la concession ». Au fort Rosalie, chez les Natchez, on observe les mêmes pratiques : « les allexis qui sont les médecins parmi eux et les jongleurs qui sont comme des magiciens font si bien par leur art de jongler qu'ils devinent et qu'en outre pour peu de marchandises ils font venir de l'eau lorsque le temps est porté à la sécheresse comme aussi font venir la pluie pour avoir le beau temps, ce n'est point une fable inventée[71] ».

On consultait aussi les Indiens pour prédire l'avenir. Pendant toutes les expéditions militaires franco-indiennes, y compris durant les opérations de la guerre de Sept Ans, les officiers français voisinaient avec des chamanes qui « faisaient la médecine » pour localiser les ennemis ou prévoir la fortune des combats. Les missionnaires eux-mêmes se montrent sensibles aux pouvoirs chamaniques. À propos du rituel de la tente tremblante, qui permet au chamane, enfermé dans une hutte cérémonielle, d'entrer en contact avec des esprits, le père Charlevoix écrit, comme bluffé : « On a vu les pieux, dont ces étuves étaient fermées, se courber jusqu'à terre, tandis que le Jongleur se tenait tranquille, sans remuer, sans y toucher, qu'il chantait et qu'il prédisait l'avenir[72]. »

Les rituels de l'alliance

La guerre et la diplomatie servent aussi de théâtre aux échanges culturels. L'acculturation militaire est particulièrement frappante. En combattant aux côtés de leurs alliés contre les Iroquois, les Canadiens ont assimilé les méthodes de la guérilla autochtone, fondées sur la mobilité et la surprise, méthodes dont ils se sont servis contre les Britanniques. Bougainville évoque ainsi l'attitude des miliciens durant la guerre de Sept Ans : « Ils sont braves, leur genre de courage, ainsi que les Sauvages, est de s'exposer peu, de faire des embuscades ; ils sont fort bons dans le bois, adroits à tirer ; ils se battent en s'éparpillant et en se couvrant de gros arbres[73]. » Mais il y a plus : des Français participent aux rituels de guerre amérindiens, qu'il s'agisse de « frapper au poteau » en chantant sa « chanson de guerre » ou, à l'instar du vieux gouverneur Frontenac, bien poudré et emperruqué, de rejoindre les Indiens dans leurs danses cérémonielles pour les inciter à combattre. Il arrivait également, comme on le faisait à la fin du XVIIe siècle sur la place Royale de Montréal, ou bien à La Nouvelle-Orléans au temps des guerres natchez et chicachas, que l'on torture et que l'on brûle vifs ses ennemis, de concert avec des alliés indiens ; dans les Pays d'en Haut et en Louisiane, qui plus est, certains Français prélevaient des scalps et participaient même aux rituels cannibales de leurs hôtes autochtones.

Sur le plan diplomatique, contrairement à ce qui prévalut dans le domaine militaire, les pratiques autochtones ne furent pas utilisées par les Français dans leurs relations avec les Anglais, mais le recours au calumet de paix, aux ceintures et cordons de perles de wampum pour appuyer rituellement la parole transmise, ou aux discours sertis de métaphores (la « fosse » où l'on « enterre les haches », le « bouillon » de la « chaudière » que l'on partage, les larmes que l'on « sèche », la gorge et les oreilles que l'on « nettoie », la « natte teinte de sang » que l'on « essuie », etc.), tout cela était indispensable si l'on voulait négocier avec les Indiens. « Ce sont des maximes pratiquées parmi les Sauvages que nous sommes obligés d'observer avec eux », observe le chevalier de Raymond [74].

Dans les villages autochtones de l'intérieur du continent, les officiers, missionnaires et autres voyageurs, parfois gênés ou amusés, souvent admiratifs, doivent se soumettre à différents rituels d'hospitalité et d'alliance, et ils font généralement preuve d'une grande souplesse. En 1687, par exemple, sept Français, rescapés de l'équipée tragique de Cavelier de La Salle au Texas, et montant des chevaux, sont accueillis dans un village de la rivière Rouge d'une manière jugée fort cocasse : les Indiens, des Cadodaquious (Kadohadachos), viennent à leur rencontre et les portent sur leur dos sur quelques centaines de mètres, comme s'il était interdit à leurs invités de toucher le sol[75]. Henri Joutel, un bourgeois rouennais, rapporte ainsi : « Pour moi, qui suis d'assez belle taille et étais, de plus, chargé d'habits, d'un fusil, de deux pistolets, de plomb, de poudre, d'une chaudière et de diverses nippes, je pesais assurément à mon porteur autant qu'il en pouvait supporter ; et parce que j'étais plus grand que lui et que mes jambes auraient touché terre, deux autres Sauvages me les soutenaient. Ainsi j'avais trois porteurs [...] et nous arrivâmes en ce ridicule équipage au village. Nos porteurs, qui avaient fait un grand quart de lieue, avaient besoin de repos, et nous d'être délivrés de nos montures pour rire en nôtre particulier, car il fallait bien se garder de le faire devant eux[76]. » Les hôtes furent ensuite invités à prendre place, à l'invitation du chef, « sur une espèce de petit échafaud, élevé d'environ quatre pieds de terre ». Cet accueil ne prêtait évidemment pas à rire pour les Indiens. Les Cadodaquious étaient des voisins des Natchez et partageaient certains aspects de leur culture. Or le « Grand Soleil » natchez était presque toujours transporté sur une litière ou une chaise à porteur. Joutel et ses compagnons, sujets du Roi-Soleil, étaient peut-être sans le savoir assimilés à des Soleils.

Ce même auteur évoque aussi, chez un autre groupe indien, les « caresses » reçues par les Français : « ils se frottaient les mains sur leur poitrine, et ensuite ils nous les venaient passer sur la nôtre et sur les bras[77] ». Dans la plupart des groupes vivant sur les rives du Mississippi, les Français étaient systématiquement accueillis par un autre rituel, celui du calumet, qui ne durait pas moins de trois jours et trois nuits ! « Un d'eux m'est venu présenter la pipe, il a fallu en mettre le bout dans la bouche et le sucer deux ou trois fois, un autre m'est venu pousser de la fumée de sa pipe dans le nez comme pour m'encenser », note par exemple le père du Ru à propos des Bayagoulas[78]. Chez les Sioux, c'est à la cérémonie des pleurs que durent s'adapter les Français. Le récollet Hennepin note que « pendant la nuit il y avait des vieillards qui venaient pleurer à chaudes larmes, nous frottant souvent les bras, et tout le corps avec leurs mains qu'ils nous mettaient sur la tête [79] ».

Le gouverneur lui-même doit faire preuve d'une grande souplesse. En septembre 1754 par exemple, Kerlérec reçut à La Mobile 2 000 Indiens alliés. À leur arrivée, les chefs à médaille chactas, chantant et « dansant » le calumet, se rendirent jusqu'à la demeure du gouverneur, lequel fut « enlevé et porté dans le hangar destiné à écouter les harangues et à faire leurs présents ». Puis Kerlérec se vit décerner le nom de *Tchacta Youlakly Mataha tehiho anke achoukema*, qui signifie selon lui « le Roi de Tchaktas et le plus grand de la race des Youlakta […] et le très bon père ». Huit jours consécutifs « ont été employés à cette fête […] J'ai dû y paraître sensible [80] », note le gouverneur, contraint on le voit de s'adapter au cérémonial des autochtones et qui devenait ici l'un des leurs.

Les voies de la séduction :
« Sauvagerie » et… valeurs aristocratiques

Il nous semble judicieux, à dessein d'expliquer certains aspects de l'indianisation, de mettre en avant les valeurs et les conduites qui animent, consciemment ou non, les acteurs de la colonisation. Parmi ces acteurs se détachent les coureurs de bois, qui vivent au plus près des sociétés indiennes, au point de devenir, selon Philippe Jacquin, des « Indiens blancs ». « Les Français les mieux instruits, élevés dans l'école de la foi, deviennent sauvages pour si peu qu'ils vivent avec les sauvages et perdent presque la forme de chrétien », déplore ainsi le récollet Sagard dans les années 1620. Cette séduction traduit en partie la fragilité de la société occidentale, minée par ses contradictions. Guillaume Jean de Crèvecœur, en 1782, en témoigne avec force : « Il y a donc dans leur système social quelque chose de singulièrement captivant, quelque chose de supérieur aux charmes de nos mœurs et de nos coutumes puisque des milliers d'Européens sont devenus volontairement sauvages [81]. »

Ce « quelque chose » serait-il le réveil de « pulsions » humaines bridées et soudain réactivées ? La faible institutionnalisation de la notion de culpabilité peut jouer en tout cas comme facteur de séduction. Les Indiens ne croient pas à la damnation éternelle qui, depuis le XVIᵉ siècle surtout, affecte la vie morale des chrétiens. À vivre parmi les autochtones, et à la condition d'adopter leurs croyances, même confusément, on peut concevoir que des individus d'origine européenne aient échappé à une violence symbolique obsédante, sans compter la possibilité de se soustraire à la police des mœurs des curés. « Nous sommes tous sauvages », écrit un déserteur français en 1680 sur une barque échouée près du fort Crèvecœur, dans le Pays des Illinois : c'est par défi, parce qu'il a intériorisé le discours colonial sur la « sauvagerie » et conteste l'autorité légitime – quitte à imaginer, à tort, que les sociétés indiennes sont toujours dénuées de formes d'autorité –, que ce Français se revendique « sauvage ». Sa transgression assumée exprime peut-être une aspiration à la liberté et au renversement des hiérarchies. Des coureurs de bois ne sont-ils pas aussi laissés bercer par le réconfort de la solidarité communautaire et par l'importance donnée chez les Indiens à l'écoute des rêves et des désirs ? N'oublions pas enfin, dans un contexte, parfois, de pénurie de femmes européennes, l'attirance pour les Indiennes [82].

Les élites administratives et les missionnaires se plaisent à dénoncer le comportement des coureurs de bois, en stigmatisant leur « libertinage », leur « nomadisme », leur « oisiveté » ou leur « insubordination », autant de « vices » qu'ils auraient acquis au contact des

autochtones. Un père jésuite écrit que les coureurs
« poussent le libertinage plus loin que d'autres [...] ce
qui les rend plus difficiles à gouverner est cet air libre
qu'ils respirent dans les bois où ils ne reconnaissent
aucun maître et où ils vivent suivant leur caprice »[83].
Cette rhétorique sert simultanément à définir la psycho-
logie provinciale des « Canadiens » qui, dans leur
ensemble, auraient une propension à courir les bois. Il y
a donc une part de fantasme dans ces discours, mais
certains individus, surtout dans les Pays d'en Haut, se
sont effectivement indianisés. La ressemblance des colons
avec les Indiens est parfois telle, explique même Pehr
Kalm, « qu'il est difficile de les en distinguer, si ce n'est
qu'ils ont la peau et le teint légèrement plus blancs[84] ».

Pour explorer encore la séduction exercée par les sociétés indiennes, il convient aussi d'évoquer l'idéal nobiliaire qui imprègne la société française d'Ancien Régime.
Les Français, certes, considèrent généralement les Indiens
comme des inférieurs, mais les récits de voyage et les
relations de missionnaires, sans oublier la correspondance officielle des administrateurs coloniaux, laissent
sourdre çà et là une certaine admiration envers leur mode
de vie, notamment pour tout ce qui touche à la guerre, à
la chasse, et plus encore aux rituels diplomatiques. Cette
séduction renvoie selon nous à un système de valeurs très
anciennes qui innerve de haut en bas la société française
des XVIIe et XVIIIe siècles. On ne la retrouve pas, ou
de manière beaucoup moins sensible, à l'œuvre chez les
Britanniques, sans doute parce que leur noblesse était
plus attirée par les emplois de robe ou de finance que
par les idéaux chevaleresques et, de façon plus générale,
parce que le modèle nobiliaire était moins répandu dans
leur société, précocement convertie aux valeurs du commerce et de la bourgeoisie.

Les valeurs guerrières, entre autres, étaient beaucoup
plus prégnantes dans l'aristocratie française que dans la

noblesse anglaise. « Il n'est d'occupation plaisante comme la militaire », écrivait Montaigne à la fin du XVIe siècle. Montesquieu, dans *De l'esprit des lois* (1748), affirmait de façon similaire qu'« il n'y a rien que l'honneur prescrive plus à la noblesse que de servir le prince à la guerre [85] ». Bercés par l'idéologie nobiliaire, qui assimile la chose militaire à un art de vivre, les auteurs français ne sont nullement choqués par le caractère éminemment belliciste des sociétés amérindiennes. Bougainville, comme tant d'autres observateurs, perçoit « dans les mœurs des Sauvages des traces des anciens usages des Grecs, principalement [...] dans leurs mœurs et coutumes guerrières », qui évoquent « celles des héros de l'*Iliade* et de l'*Odyssée* [86] ». Quant au jésuite Louis Nicolas, il écrit au XVIIe siècle que les autochtones « s'attachent et à la guerre, et à la chasse, qui sont le caractère et l'unique Marque de la plus haute, et de la plus ancienne noblesse, qui d'abord qu'elle a été introduite dans le monde, n'a pris sa naissance que de l'indépendance de la force, et de la valeur des armes, et de la terreur de la guerre, et de tous les autres exercices qui n'ont rien de bas, ni de mécanique, ne voyons-nous pas que nos Rois même les plus puissants n'ont point de plus forte, ni de plus noble passion que la guerre [87] ».

Le goût de la guerre des autochtones trouve ainsi une résonance particulière dans la culture des élites, chez les jésuites notamment, dont les écrits sont traversés par la thématique militaire. En plus d'incarner les vertus chevaleresques de la classe dominante (honneur, force, vaillance, fidélité, etc.), la guerre contribuait vivement à l'épanouissement de la fonction royale. Le « roi de guerre » Louis XIV, Joël Cornette l'a montré, en faisait un instrument de gloire et un attribut de la souveraineté [88]. Certes, les rituels de la guerre indienne, avec leur cortège de cruautés (le scalp, la torture des prisonniers, le cannibalisme), suscitaient bien souvent l'effroi des

missionnaires et des administrateurs français ; mais ce
qui choquait et frustrait le plus les observateurs, c'était
le caractère non réglé des combats, et le fait que les guerriers indiens fussent insaisissables au milieu des bois. En
somme, c'est la *manière* dont les Indiens faisaient la
guerre qui bousculait les codes de la société française
– ce qui n'empêchait pas les colons, on l'a souligné, de
combattre à l'imitation de leurs hôtes –, non la *passion*
avec laquelle ils s'y adonnaient.

Quant à la chasse pratiquée par les Indiens, elle était
également perçue positivement parce qu'on l'associait
aux occupations nobiliaires. Tout cela explique pourquoi
les auteurs français, dans leurs descriptions des sociétés
indiennes, ont surtout disserté sur la gent masculine :
outre le fait que c'est parmi les hommes, pour l'essentiel,
que se recrutaient les guerriers, les diplomates et les commerçants auxquels ils avaient à faire, ils retrouvaient en
effet dans les activités masculines les valeurs viriles de
leur propre société. Ces parallèles ont d'ailleurs conduit
à certains amalgames dont doivent se méfier les historiens, car les auteurs eurent tendance à projeter sur les
autochtones leurs propres catégories, comme le point
d'honneur ou la vendetta, qu'il ne faut pas confondre
avec la réalité sociologique américaine. De la même
façon, en associant la chasse à une activité de loisir, ils
sous-estimaient la charge de travail qu'elle pouvait représenter pour les hommes indiens, alimentant ainsi le
cliché erroné de la domination masculine : les femmes,
expliquent les relationnaires, « sont les esclaves des
hommes » et « doivent tout faire et les servir » ; les
hommes, eux, ne font « jamais rien que chasser ou faire
les canots », et quand ils reviennent de « voyage » ils « se
mettent à fumer », « se prélassent sous des feuillages ou
s'adonnent à leur passion du jeu » [89]. Les auteurs français, prenant la pose du mari parfait, s'indignaient de tels
procédés, mais nul doute qu'ils y percevaient quelque

attrait : leur description ethnographique, pour l'essentiel, est fausse en effet – ils confondent la division des sexes en matière de travail avec la soumission de l'un à l'autre – et nous en apprend donc davantage sur eux, leurs valeurs et leurs fantasmes, que sur les sociétés indiennes.

Le thème de la noblesse, assez paradoxalement, permet aussi de rendre compte du péril social incarné aux yeux des élites par les coureurs de bois. Le gouverneur Denonville, qui est un noble de « race », un gentilhomme d'ancienne lignée, écrit ainsi en 1688 : « Le grand mal des coureurs de bois est connu […] il dépeuple le pays de bons hommes, le rend indocile, indisciplinable, débauché, en fait des nobles portant l'épée, la dentelle et pour eux et pour leurs proches qui sont tous Messieurs et Demoiselles, il ne leur faut plus parler de labourer la terre. » Il note encore que « ces dérèglements […] se trouvent bien plus grands dans les familles de ceux qui sont gentilshommes, ou qui se sont mis sur le pied de le vouloir être soit par fainéantise ou par vanité n'ayant aucune ressource pour subsister que les bois, car n'étant pas accoutumés à tenir la charrue, la pioche et la hache, toute leur ressource n'étant que le fusil » [90]. Denonville raille ces roturiers, ces cuistres qui, selon lui, adopteraient le style de vie propre aux gentilshommes : le port de l'épée, le droit de chasse, le refus du travail ordinaire et de son caractère aliénant, le goût des dépenses et de l'ostentation vestimentaire sont autant de signes distinctifs de la noblesse, et cette volonté de sortir de sa condition, d'échapper à sa vulgarité, de jouer au… bourgeois gentilhomme, enfreint le code hiérarchique et l'ordre social aux yeux du gouverneur. Le coureur de bois ou Monsieur Jourdain au Canada !

C'est encore au gentilhomme que l'on compare volontiers les Indiens. Le père Binneteau écrit par exemple à propos des Illinois à la fin du XVIIe siècle : « les hommes vont des fois et d'autres chasser le chevreuil ou des ours,

sinon ils jouent, dansent, chantent [...] ce sont tous gentilshommes, vivant, sans autre métier, que celui de la
chasse, de la pêche et de la guerre ». Il est loisible de
discerner dans cette réflexion une critique explicite des
valeurs et des comportements nobiliaires, associés à l'oisiveté, d'autant que Binneteau parle plus loin de « la fainéantise » des hommes illinois [91]. Les propos de Denonville
peuvent aussi apparaître de prime abord comme subver-
sifs, mais il convient en réalité de faire la distinction,
avec Arlette Jouanna [92], entre l'oisiveté, qui est répréhensible, et le privilège du loisir, fortement valorisé par les
nobles parce qu'il permet de se consacrer aux activités
jugées prestigieuses (la chasse, la guerre, la danse, le jeu,
etc.).

Denonville raille la roture tout en dénonçant l'indianisation, par laquelle s'opère également un renversement
de l'ordre social. Il écrit en effet à propos des coureurs
de bois : « L'attrait que tous les jeunes gens ont pour
cette vie de Sauvages [...] est de ne rien faire, de ne se
contraindre pour rien, de suivre tous ses mouvements et
de se mettre hors de la correction. » Il est clair que les
coureurs de bois, engagés et autres soldats, en vivant
parmi les Indiens, échappaient aux pesanteurs et aux
contraintes, notamment sexuelles, de leur société mère :
ils étanchaient leur soif de liberté et laissaient s'épanouir
certaines facettes de leur culture « populaire » (l'oralité,
le recours aux guérisseurs, le goût des danses, des jeux,
des festins, de la fête dionysiaque...).

En dénonçant l'oisiveté des coureurs de bois, les
auteurs français entonnaient un discours alors en vogue
chez les élites du royaume à l'encontre du petit peuple :
comme l'a montré Annie Jacob, le travail, après avoir
longtemps été assimilé à une punition et à une souf-
france, acquiert au cours du XVIIe siècle une valeur positive, en particulier parmi les penseurs et les réformateurs
du royaume, qui cherchent des remèdes à la pauvreté et

à la mendicité. En 1615, Antoine de Montchrétien, qui a vécu quelque temps en Angleterre, écrit que « l'homme est né pour vivre en continuel exercice et occupation [...], qui veut tenir cet homme en oisiveté [...] lui enseigne à mal faire » ; « les Anglais et Flamands nos voisins nous l'apprennent [...], personne qui soit capable de travailler, ne peut demeurer oisif ». Colbert, quelques décennies plus tard, demandait aux notables d'« exciter le peuple au travail » [93].

Le père Lafitau, qui fut missionnaire chez les Iroquois de Kahnawake, rend parfaitement compte du fossé qui sépare la mentalité indienne de cette éthique européenne du travail : « L'homme, né pour le travail, languit et s'ennuie dans le repos [...]. Cette proposition, qui est assez exactement vraie de la plupart des hommes chez les peuples de l'Europe [...] ne l'est pas tout à fait par rapport aux Sauvages de l'Amérique. Ceux-ci se font un honneur de leur oisiveté ; la paresse, l'indolence, la fainéantise sont dans leur goût et dans le fond de leur caractère [...], ils sont presque toujours les bras croisés, ne faisant autre chose que tenir des assemblées, chanter, manger, jouer, dormir et ne rien faire [94]. »

C'est que, par parenthèse, les Indiens avaient des besoins limités et ne recherchaient ni le profit ni l'encombrement des richesses : l'anthropologue Marshall Sahlins [95] a montré que les sociétés dites « primitives » constituaient à ce titre les premières sociétés d'abondance. L'Occident moderne, lui, comme le précise le philosophe René Guénon, « ne peut tolérer que des hommes préfèrent travailler moins et se contenter de peu pour vivre [...] ; il est admis que celui qui ne s'agite pas et qui ne produit pas matériellement ne peut être qu'un "paresseux" [96] ». Or l'éthique bourgeoise qui perle sous la plume de Montchrétien, de Colbert ou de Lafitau était assurément moins affirmée au XVIIe siècle dans la société française que chez les puritains de la Nouvelle-Angleterre. Le marquis de Montcalm, au milieu du XVIIIe siècle, met encore en relief l'idéal aristocratique qui imprègne les mentalités françaises : dénonçant l'affairisme de certains marchands, il écrit que « cet esprit d'avidité, de gain, de commerce détruira toujours l'esprit d'honneur, de gloire et l'esprit militaire [97] ». Aux antipodes de l'idéologie puritaine, qui célébrait le labeur comme la valeur suprême, l'*ethos* nobiliaire français percevait insensiblement dans le miroir indien le reflet de ses propres valeurs.

Les Français s'approprient ainsi certains comportements de leurs hôtes autochtones en les réinterprétant. Cette grille d'analyse permet d'expliquer quelques aspects de l'indianisation. L'officier J. B. Bossu, en 1751, raconte comment il s'est fait adopter par les Quapaws : « Ils m'ont reconnu pour guerrier et pour chef, et m'en ont donné la marque ; c'est un chevreuil qu'ils m'ont imprimé sur la cuisse ; je me suis prêté de bonne grâce à cette opération douloureuse. » Le tatouage, explique-t-il encore, est « une marque qui n'est due qu'au mérite militaire », « une sorte de chevalerie, où l'on n'est admis que pour des actions éclatantes ». Dumont de Montigny, qui s'est fait « piquer » au bras gauche, explique que « c'est la marque d'honneur des guerriers, ainsi que nous avons parmi nous la croix militaire de Saint-Louis ». Un tel rituel – proscrit à cette époque dans les sociétés européennes, comme toutes les marques corporelles – favorisait donc l'intégration dans la société indienne : le gouverneur Bienville lui-même s'était tatoué un serpent qui lui faisait le tour du corps et, lorsqu'il partait en guerre avec ses alliés autochtones, il se dénudait pour exhiber ses marques [98]. Mais cette pratique magnifiait également l'*ethos* nobiliaire des officiers français, pour qui la vertu guerrière et chevaleresque semble avoir été le sommet de l'excellence humaine. « Je suis présentement noble Akanças [quapaw], se félicite Bossu. Ces peuples croyant m'avoir fait par cette adoption pour l'honneur qui serait dû à un défenseur de leur Patrie ; pour moi je le regarde à peu près comme celui que M. le Maréchal de Richelieu reçut, lorsqu'il fut inscrit dans le livre d'or de la République de Gênes au nombre de nobles Gênois [99]. » Serait-il aussi prestigieux d'être adopté par les Indiens que par les Gênois ? Il n'y avait pourtant pas de nobles chez les Quapaws, mais l'amalgame de notre auteur, soucieux de se mettre en valeur, n'en exprime pas moins son attirance pour le monde indien… si fantasmé soit-il.

C'est d'ailleurs à propos des rituels d'alliance et de diplomatie que les Français manifestent le plus leur admiration envers les autochtones. Les mœurs politiques, certes, ne les arrêtent guère : les chefs indiens, sans pouvoir coercitif, ne sauraient constituer des modèles pour les administrateurs et les chroniqueurs français – sauf à nourrir le mythe du Bon Sauvage. Seuls les Natchez ont fortement retenu l'attention des Français : leur Grand Soleil ne pouvait pas manquer de fasciner les sujets de Louis XIV, sensibles qu'ils étaient à la propagande solaire de leur monarque. D'une façon générale, c'est le protocole indien qui suscite des commentaires élogieux de la part des Français. Le gouverneur Frontenac écrit par exemple à Colbert, à propos des Iroquois : « Vous auriez assurément été surpris, Monseigneur, de voir l'éloquence, l'adresse et la finesse avec laquelle tous leurs députés me parlèrent et si je n'avais peur de passer pour ridicule auprès de vous, je vous dirais qu'ils me firent en quelque sorte souvenir des manières du sénat de Venise, quoique leurs peaux et leurs couvertures soient bien différentes des robes des procurateurs de St-Marc [100]. »

L'admiration n'est pas feinte. Frontenac cède à un réflexe banal et redondant de la relation de voyage du

XVIIᵉ siècle, qui consiste à décrire la nouveauté ou l'altérité au miroir de sa propre culture. C'est avant tout la ressemblance qui force le respect, comme dans le cas des Natchez : les Français retrouvent dans le protocole autochtone l'emphase cérémonielle de la vie de Cour, le goût de l'apparat, de l'étiquette, de la pompe, du théâtre et de l'éloquence qui imprègnent la culture aristocratique française – mais aussi celle des Espagnols et des Italiens. Le père Charlevoix écrit ainsi : « il faut convenir que dans leurs traités de paix, et généralement dans toutes leurs négociations », les Indiens « font paraître une habileté, et une noblesse de sentiments, qui feraient honneur aux Nations les plus policées ». La danse du calumet, par exemple, rappelle aux Français « le divertissement du Bal ou de la Comédie », tant par la gestuelle que par la solennité propre aux réceptions [101]. Ce rituel, observe le père Marquette chez les Illinois, comprend des danses « comme la première Scène du Ballet », et un duel mimé « qui se passe si bien par mesure et à pas comptés et au son réglé des voix et des tambours, que cela pourrait passer pour une assez belle entrée de ballet en France [102] ».

Lorsque le comte de Frontenac, à l'occasion d'un congrès d'alliance à Montréal en 1690, participe aux danses cérémonielles de ses alliés indiens, c'est pour les inciter à faire la guerre aux Iroquois, mais on aurait tort d'interpréter ce geste uniquement en termes de manipulation. La danse, à la Cour du roi, constituait un véritable langage politique, une mise en scène du pouvoir. Comme le Roi Soleil à Versailles, « l'un des plus brillants danseurs de son temps [103] », on peut supposer que Frontenac se déhanchait parmi les « Sauvages » avec sincérité.

Le gouverneur transposait sur le théâtre colonial son apprentissage aristocratique, soit la culture des civilités (théâtre, éducation du corps, contrôle des gestes et de la voix...), mais il n'est pas impossible que cette expérience de l'altérité ait influencé en retour l'art de la négociation en Europe. Comment ne pas mettre en relation le savoir-faire diplomatique de Hector de Callière, gouverneur de la Nouvelle-France et orchestrateur de la Grande paix de Montréal de 1701, qui savait s'adapter au protocole autochtone (rituel des condoléances, discours remplis de métaphores…) et les préceptes de son frère François, négociateur à Ryswick en 1697, secrétaire du roi et auteur d'un célèbre manuel de diplomatie, *De la manière de négocier avec les souverains* ? Le diplomate, estime François de Callières, est un comédien « capable de sort [ir] pour ainsi dire de lui-même, pour se mettre en la place de celui à qui il a dessein de plaire » ; « il y a des sujets d'une capacité si étendue, précise-t-il, qu'on peut sans scrupule les employer en toutes sortes d'affaires & en toutes sortes de Pays, qui se transforment pour ainsi dire dans les mœurs & dans les façons de vivre de toutes les Nations […], qui s'insinuent également bien auprès de toutes sortes d'esprits, qui savent s'accommoder à toutes sortes d'humeurs ». Pensait-il à son frère Hector en écrivant ces lignes ? Ses remarques sont en tout cas significatives de la capacité d'ouverture des Européens, qui trouvent un champ d'expérimentation privilégié au contact des sociétés exotiques, qu'il s'agisse de la Perse, du Siam ou bien des Indiens d'Amérique [104].

Le métissage

Invité à la fête de la « tonne de valeur », chez les Natchez, Dumont de Montigny évoque un « jour de plaisir et de libertés » où « tout est permis », « alors les filles vont seules ou deux ensemble se promener sur l'herbe en attendant leurs amants […] et il est permis à chacun de prendre celle qu'il veut » ; « Le Français, le sauvage, tout est pêle-mêle, en ce jour » où l'on se « divertit […] soit

en conversation avec la fille, soit à un autre divertissement que je ne nomme point de peur de blesser les
oreilles chastes [105] ». L'intimité des peuples ne semble
jamais plus forte que lorsque les corps et les cœurs se
mêlent. Le métissage n'a certes pas marqué l'Amérique
française comme il a forgé l'Amérique ibérique, mais il
fut loin d'y être un aspect secondaire de la rencontre
interethnique. Nous essaierons de l'expliquer à la lumière
de la politique française et de la sexualité dans les sociétés
indiennes, puis nous tâcherons d'en mesurer l'intensité
dans les différentes régions de la Nouvelle-France.

Ne faire qu'un seul peuple ?
De l'optimisme à la « mixophobie »

« Une très jolie fille française s'est sauvée dans les bois
avec un beau et jeune sauvage, et ils se sont mariés à la
mode du pays », nous rapporte le sieur de Varennes en
1756 [106]. S'il est arrivé que des Françaises vivent avec
des Indiens, c'est l'inverse qui prévalait néanmoins, en
particulier à cause du *sex ratio* de la société coloniale. La
sous-représentation des femmes dans l'immigration a en
effet contribué à l'ouverture sur le monde indien et au
métissage biologique. En 1663, dans la colonie laurentienne, il y avait six ou sept hommes à marier pour une
femme. Parmi ces individus, certains sont retournés en
France, mais d'autres se sont rendus dans les Pays d'en
Haut, attirés par la traite des fourrures comme par les
Indiennes. L'extrême rareté des femmes blanches est
d'ailleurs souvent l'argument invoqué par les administrateurs pour justifier les unions mixtes. Au début du
XVIIIe siècle, « pour empêcher les désordres, et les
débauches qui se commettent avec les sauvagesses », les
autorités louisianaises préconisent l'envoi de filles françaises, et qui ne soient si possible ni « vilaines » ni « mal-
faites » [107], car les colons étaient bel et bien attirés par
les Indiennes...

Contrairement aux idées reçues, il n'y eut jamais en Nouvelle-France de politique très cohérente en matière de mariages mixtes : les autorités étaient souvent divisées, et il convient d'établir une distinction chronologique, même sommaire, entre un XVIIᵉ siècle généralement marqué par la promotion de ces mariages et un XVIIIᵉ siècle où les élites administratives manifestent de plus en plus leur rejet.

Avec pour optique la francisation des Indiens et la possibilité de peupler plus rapidement la colonie, les autorités envisagent au XVIIᵉ siècle la création d'un peuple unique : « nos garçons se marieront avec vos filles, et nous ne ferons plus qu'un peuple », déclare Champlain en 1633 à ses alliés montagnais ; deux ans plus tard, à l'occasion d'un congrès franco-indien tenu à Québec, et alors que les Hurons confirment l'invitation faite aux jésuites de venir vivre parmi eux, le Saintongeais leur demande de confier de jeunes garçons aux missionnaires pour qu'ils soient éduqués dans un collège dont la construction est imminente et leur annonce que les Français iront « en grand nombre en leur Pays ; qu'ils épouseront leurs filles quand elles seront Chrétiennes ». Le droit canonique interdisait en effet le mariage entre catholiques et païens. Les jésuites, vers 1635, avaient bien demandé au pape de permettre les mariages entre des Français et des « filles sauvages non baptisées », alléguant que « cela obligera tous les sauvages à aimer les Français comme leurs frères », mais ils s'étaient vu opposer un refus [108].

Champlain et les jésuites sont ouverts aux mariages mixtes, pourvu qu'ils débouchent sur le succès de la francisation. S'ils sont donc animés par un très fort sentiment de supériorité culturelle, ils ne conçoivent pas leur différence avec les Indiens en termes de race, au sens biologique du terme. Colbert, de la même façon, veut inclure les Indiens dans la société coloniale pour ne faire, explique-t-il à l'intendant Talon, qu'« un même peuple et un même sang [au sens de lignée] [109] ». Tout en favorisant le passage des « filles du roi », le ministre du Roi Soleil continue donc à promouvoir les mariages mixtes. Dans les années 1680, Louis XIV crée le « présent du roi », qui prévoit une dot de cinquante livres pour toute candidate autochtone au mariage avec un Français.

Remarquons que l'impulsion donnée à ces mariages, à l'époque de Champlain puis à celle de Colbert, distingue les pratiques françaises de celles des Britanniques. Non que ces derniers n'aient jamais envisagé le métissage, comme le prouve le mariage à Jamestown (Virginie) du colon John Rolfe avec la Powhatan Pocahontas en 1614. Le géomètre John Lawson, soucieux d'instaurer un climat de paix en Caroline du Nord, propose encore au début du XVIIIᵉ siècle de se lier aux Indiens par des mariages afin qu'ils ne forment « qu'un peuple avec nous », et les autorités britanniques de Nouvelle-Écosse, en 1729, encouragent les colons à s'unir avec des Indiennes en vue de contrer l'influence des Français sur les autochtones. Les mariages mixtes, toutefois, sont généralement condamnés dans les colonies britanniques d'Amérique du Nord. En Virginie par exemple, une loi de 1691 a officiellement prohibé ces unions afin d'éviter les « mélanges abominables » (*abominable mixture*). Il est vraisemblable que la peur de la dégénération, que partageaient tous les colons européens, était plus exacerbée chez les Anglais – en particulier les puritains – que chez les Français. Cette crainte était en partie un héritage de la conquête de l'Irlande, et elle devait aussi à la forte volonté qu'avaient les Britanniques de se distinguer des Espagnols des Amériques, qui étaient réputés tout à la fois pour leur violence (légende noire, ou *Black Legend*) et leur propension au métissage. Dans l'Empire hispanique, ce dernier phénomène a été favorisé par l'Église et l'État, sans doute parce que les mélanges ethniques et

culturels étaient une tradition dans la péninsule Ibérique.
La Couronne espagnole ne considérait pas les autochtones comme des « étrangers » mais comme des sujets
(au statut particulier), ce qui n'empêchait d'ailleurs pas
de multiples discriminations à l'égard des métis [110].

La politique louis-quatorzienne de promotion des
mariages mixtes se solde par un échec, comme l'est généralement, nous l'avons vu, la stratégie d'assimilation des
Indiens. Le roi, certes, fait encore preuve d'une attitude
assez permissive à ce sujet en 1699 : « Sa Majesté a étudié
la recommandation formulée par le sieur d'Iberville selon
laquelle il devait être notamment permis d'épouser de
jeunes Indiennes. Sa Majesté n'y voit aucun inconvénient
pourvu qu'elles soient chrétiennes, auquel cas Sa Majesté
donne son entière approbation [111]. » Pourtant, les autorités civiles des colonies et, à leur suite, le pouvoir royal,
manifestèrent un rejet de plus en plus prononcé des
mariages mixtes au cours du XVIIIe siècle. En 1735, une
ordonnance fut publiée en Louisiane (mais pas au
Canada) qui interdisait les mariages entre Français et
autochtones sans le consentement du gouverneur, du
commissaire ordonnateur ou du commandant du poste
des Illinois.

Les tenants de cette politique mettaient en avant
l'échec de l'assimilation des Indiennes, la facilité qu'elles
avaient, dans leur propre tradition culturelle, à rompre
les unions, la tendance des maris à s'« ensauvager » et,
argument nouveau au XVIIIe siècle, la peur du « mauvais
sang » indien. En 1709, le gouverneur Vaudreuil interdit
formellement à Lamothe Cadillac, le commandant de
Détroit – qui est partisan des mariages mixtes –, « de
laisser marier des Français avec des sauvages […], persuadé qu'il ne faut jamais mêler un mauvais sang avec
un bon ». Même crispation idéologique en Louisiane, où
le commissaire-ordonnateur Duclos condamne en 1713

> « l'altération que de pareils mariages feront à la blancheur,
> et à la pureté de sang dans les enfants [...]. L'expérience
> fait voir tous les jours que les enfants qui proviennent de
> semblables mariages sont extrêmement basanés, en sorte
> qu'avec le temps s'il ne venait point de Française à la Loui-
> siane la colonie deviendrait une colonie de mulâtres qui
> sont naturellement fainéants, libertins et encore plus
> fripons [112] ».

Ces discours révèlent à quel point les autorités louisianaises avaient intégré les préjugés des Espagnols sur la
« pureté de sang » à l'encontre des individus catégorisés
comme métis ou mulâtres. La « mixophobie » de Vaudreuil et de Duclos est fondée sur la crainte de la mésalliance dans une société fortement marquée par la
mentalité nobiliaire. C'est par le sang en effet, pensait-on
alors, que se transmettaient les vertus propres à chaque
« race » de gentilshommes. Certains nobles français, au
XVIIᵉ siècle, qualifiaient même parfois de « métis » les
rejetons issus d'un mariage avec un roturier, ce genre
d'union altérant le « sang clair et pur » propre aux gentilshommes et entraînant donc, à terme, la dégénérescence des lignages [113]. Cette idéologie du « sang pur » et
de la mésalliance, qui fleurissait dans le royaume au
début du XVIIᵉ, n'avait guère été transplantée au Canada,
comme l'attestent les projets de Champlain ou de Colbert. Mais l'échec avéré de la francisation, comme les
risques toujours dénoncés de l'indianisation, conduisent
à un raidissement des élites. On voit ainsi apparaître au
siècle des Lumières, dans les colonies françaises d'Amérique du Nord, un préjugé racial qui n'existait pas au
siècle précédent. De plus en plus, les Français vont
s'efforcer de se distinguer racialement des autres peuples,
des noirs d'origine africaine, mais aussi des Amérindiens.
Il en était qui, encore au XVIIIᵉ siècle, soulignaient toutefois les vertus des mariages mixtes. Ces derniers permettaient en effet, jugeaient notamment les missionnaires,

d'éviter le « scandale » du concubinage. À partir de la fin
du XVIIᵉ siècle, et jusqu'à la fin du Régime français, les
jésuites et les prêtres du séminaire des Missions étrangères agirent avec une certaine souplesse en Haute-
Louisiane, en s'efforçant de légitimer les unions contractées par les coureurs de bois « à la façon du pays », c'est-
à-dire à la mode autochtone : pour cela ils baptisaient
l'Indienne et ses enfants métis et mariaient devant
l'Église les deux amants. Ces mariages possédaient aussi
un intérêt diplomatique souligné par le père La Vente,
supérieur des Missions de la Louisiane au début du
XVIIIᵉ siècle : « l'alliance des Français avec les Indiennes,
écrit-il, [est] une chose nécessaire pour faire une liaison
plus étroite avec ces nations [114] ». Les commandants de
poste, en plus de céder occasionnellement aux charmes
des Indiennes, considéraient également le métissage
comme une arme d'empire. Ferment de l'emprise française mais aussi de l'« ensauvagement », le métissage cristallisait toutes les tensions de l'Amérique française,
partagée entre son désir d'alliance et ses rêves de
conquête. Cette tension existait à l'échelle individuelle.
Ceux-là même qui, parmi les élites coloniales, dénonçaient au XVIIIᵉ siècle les unions mixtes, étaient parfois
en effet des acteurs du métissage. Le Page du Pratz par
exemple, qui vécut plusieurs années chez les Natchez,
avait beau exprimer *a posteriori* – dans son *Histoire de la
Louisiane* (1758) – sa crainte de la corruption du sang
français, il n'en avait pas moins eu une liaison avec une
esclave chitimacha qui lui aurait donné plusieurs
enfants [115]…

Une nouvelle sexualité

De nombreux Français, malgré le regard inquisiteur
des missionnaires, profitent parmi les autochtones d'une
liberté sexuelle inusitée dans la société mère, où prévalent

la culpabilisation de la chair et la condamnation de la concupiscence. La notion de péché n'entache nullement chez les Indiens les pratiques sexuelles. Bien au contraire, puisque c'est selon eux l'assouvissement des désirs, et non leur refoulement comme dans l'Europe chrétienne, qui concourt à la bonne santé, ce qui se traduit parfois par des rituels d'accouplement aux vertus thérapeutiques.

Pour comprendre les relations homme/femme dans ces sociétés, il faut commencer par se départir des catégories qui servent de cadre d'analyse aux auteurs de l'époque – et souvent d'aujourd'hui : le mariage indissoluble, l'adultère, la prostitution, les mœurs « pures », les « débauches », etc. Les jeunes femmes indiennes, « maîtresses de leur corps », bénéficiaient d'une grande liberté sexuelle et, sauf dans certains groupes (Illinois, Miamis, etc.), la séparation ne posait aucun problème : les Huronnes, par exemple, pouvaient changer de mari ou de compagnon selon leur volonté. « Les mariages parmi les sauvages se rompent quasi aussi facilement qu'ils se lient », remarque un jésuite à propos des peuples iroquoiens [116]. De fait, si les Indiens accueillaient favorablement les unions dites mixtes, ce sont deux conceptions du mariage qui s'affrontaient : celle, rigide, des chrétiens, pour qui l'indissolubilité du lien sacramentel était absolue, et celle, plus souple, des autochtones.

L'absence de jalousie étonne les Français. « Une nuit, écrit le coureur de bois Radisson, je dormis auprès d'une gracieuse jeune fille qui était avec nous ; en cela, ils ne trouvent rien à redire parce qu'ils vivent dans une si grande liberté qu'ils ne sont jamais jaloux les uns des autres [117]. » Chez les Natchez, constate un mémorialiste,

> « les maris sont peu jaloux, il y en a quantité qui ne font point de difficulté de prêter leurs femmes à leurs amis [...] cela vient de la liberté qu'ils ont d'en changer quand bon leur semble, pourvu cependant qu'ils n'aient point eu d'enfants avec elle, en ce cas ils les gardent jusqu'à la mort [118] ».

Dans les Grands Lacs, les Français s'initient au rituel de l'allumette, à l'imitation des jeunes hommes indiens : s'éclairant d'une torche, ils visitent les cabanes durant la nuit et viennent faire la cour aux jeunes femmes qui, si elles soufflent l'« allumette », acceptent de coucher avec eux. Les coureurs de bois se liaient aussi de façon plus durable à des « femmes de chasse » qui les accompagnaient dans leurs périples de traite, leur servaient de guide, d'interprète, mais aussi, observe un jésuite, de « domestiques », de « servantes », de « ménagères » et de « cuisinières » [119]. La barbe des Français ne semble pas avoir été un facteur de séduction pour des Indiennes habituées à des hommes épilés, mais elles passèrent outre. Selon Cadillac, « il est certain qu'il n'y a point de sauvagesse, je ne sais par quelle inclination, qui n'aime mieux à se marier à un médiocre Français qu'au plus considérable de sa nation [120] ». Pour le baron de Lahontan, c'est parce que les Français seraient de meilleurs amants… Ce qui est sûr c'est que les Indiennes, en vivant avec un voyageur, ont accès plus facilement aux marmites, aux aiguilles ou aux tissus qui allègent leurs tâches quotidiennes.

L'« inclination » particulière des femmes pour les Français doit aussi s'éclairer à la lumière de l'hospitalité sexuelle amérindienne. « La politesse des Sauvages est de vous offrir des filles », observe Bossu. À propos des Sioux, un mémorialiste écrit que « pour prouver leur amitié à ceux qu'ils aiment » ils « leur offrent leurs femmes, c'est leur faire injure que de les refuser [121] ». Les coureurs de bois, les soldats et les officiers ne se sont pas fait prier ! Champlain, lors de son hivernement chez les Hurons, en 1615, se drape pourtant – mais faut-il le croire ? – dans la vertu chrétienne : « une fille peu honteuse, et effrontément vint à moi, s'offrant à me faire compagnie, de quoi je la remerciai, la renvoyant avec douces remontrances, et passai la nuit avec quelques Sauvages [122] ». Marc Lescarbot semble moins rigide. Selon

Éric Thierry, il « n'est pas insensible aux charmes de Kinibech'coech et de Metembroech', deux jeunes filles de dix-huit ans ». Lescarbot pense même que les Indiens de Port-Royal ont appris grâce aux colons la manière d'embrasser : « Nos Sauvages […] avant la venue des Français en leurs contrées […], n'avaient l'usage de ce doux miel que sucent les amants sur les lèvres de leurs maîtresses quand ils se mettent à colombiner et préparer la Nature à rendre les offrandes de l'amour sur l'autel de Cypris [123]. »

Dans les villages indiens et dans les postes, les liaisons étaient généralisées. Quel endroit pour des missionnaires, soucieux de contraindre les corps… à commencer par le leur ! Mais n'ont-ils pas cédé eux-mêmes à la tentation ? Ce fut peut-être le cas du père Saint-Cosme, prêtre du Séminaire des Missions étrangères affecté chez les Natchez en 1703.

> « Dans le commencement que les Français y ont paru, écrit un relationnaire, ces messieurs leur paraissaient si beaux qu'il n'y avait point de mari qui ne leur vînt amener sa femme ou sa fille pour en avoir de la race. Un certain missionnaire qui s'y rencontra ayant été connu pour ce qu'il était, et ces sauvages s'imaginant qu'il avait acquis son caractère de naissance, et voulant en avoir de toute espèce, le chef lui amena sa femme, lequel ayant refusé la proposition, ce chef interprétant son refus à ce que ce prêtre ne trouvait point sa femme assez jolie, lui fut chercher sa fille et deux de ses nièces, mais il les refusa derechef. Bel exemple où bien d'autres n'auraient pas donné tant de peine à ce chef. À la fin on lui amena trois ou quatre filles des plus jolies du village […] ce bon prêtre n'osa faire plus longtemps le rebelle. »

Saint-Cosme aurait eu une liaison avec la sœur du Grand Soleil, liaison révélée aux autres Français lors de sa mort, survenue en 1706 (il fut assassiné par des Chitimachas). De cette union naquit un fils qui serait devenu Grand Soleil en 1728 : « Ce chef a toutes les qualités de ceux qui sont nés de Français et de sauvagesses [...] il est d'une force extraordinaire et haït au suprême degré la nation de son père, il a honneur d'en être à ce qu'il dit et il ne vient point chez les Français sans avoir le visage et le corps mataché c'est-à-dire peint de différentes couleurs. » Ce Soleil métis aurait joué un rôle central dans le soulèvement guerrier de 1729 et, en janvier 1731, il négocia avec Périer la reddition des Natchez sur la rivière Noire [124].

L'hospitalité sexuelle ne s'assimilait ni à de la prostitution ni à des services. En effet, les Indiennes, de leur point de vue, n'« offrent » pas leur corps mais profitent de celui des Français, auxquels s'attachent des pouvoirs spirituels particuliers (la capacité à produire des armes à feu par exemple). Dans certains groupes des Plaines, les femmes allaient passer la nuit avec un chamane plus âgé pour transmettre à leurs maris, soit la jeune génération, les pouvoirs surnaturels détenus par les anciens. Coucher avec un Français pouvait ainsi s'apparenter, surtout lors des premiers contacts, à un coït rituel. Les femmes étaient rarement contraintes, comme le suggèrent de nombreux observateurs : « il y avait [...] des sauvagesses qui venaient s'offrir d'elles-mêmes aux soldats ou habitants, aux officiers et aux sergents et cela pour peu de chose [125] », écrit Dumont de Montigny à propos des Natchez. Le fait pour les Français de donner en échange de petits cadeaux ne répondait probablement pas à l'origine à une exigence des Indiennes, mais constituait plutôt un rituel d'entretien et de vivre-ensemble.

« Si ces enfants sont d'un Français, on le voit à la face et aux yeux »

Le terme « métis », qui existe en France depuis la fin du XIIe siècle (« mestiz »), se vulgarise dans les sources de la Nouvelle-France au cours du XVIIIe siècle : Gédéon de

Catalogne évoque par exemple en 1716 un certain Dubeau, « mitit, fils d'un françois et d'une huronne ». L'emploi du terme « métis » (ou « sang mêlé ») reste toutefois assez limité jusqu'à la fin du Régime français, et concerne surtout la Louisiane. Si, dans les Pays d'en Haut par exemple, la réalité du métissage échappe souvent à la documentation, c'est parce que les enfants issus d'unions mixtes, dans la grande majorité des cas, y étaient élevés par leur mère comme les autres enfants amérindiens. Aucune communauté métisse (qui se distinguerait et des Français et des Indiens) n'est d'ailleurs repérable dans les sources au temps de la Nouvelle-France.

Au XVIIᵉ siècle, les Français ne faisaient pas systématiquement la distinction entre les Indiens et les métis qui formaient une même population et se comportaient de façon identique. Les caractéristiques physiques n'échappent toutefois pas à certains observateurs : le père Hennepin note ainsi vers 1680 à propos des petits « sauvages » de l'Ouest : « si ces enfants sont d'un Français, on le voit à la face et aux yeux [126] ». Il arrivait aussi que les métis soient pris en main par leur père, comme le montre le cas de Charles Langlade, fils d'un traiteur français et d'une Outaouaise, qui, dans les années 1740-1750, était à la fois chef de guerre chez les Outaouais et officier des troupes de la Marine. Le métissage est un phénomène difficile à quantifier, car les registres paroissiaux, très lacunaires, n'enregistrent que les mariages chrétiens et ne tiennent donc compte ni des unions « à la façon du pays », ni des liaisons passagères. Ce qui est sûr c'est que le métissage franco-indien n'a pas touché les régions de la Nouvelle-France avec la même intensité. En Acadie, il semble avoir été important au XVIIᵉ siècle. Les unions mixtes y ont visiblement été favorisées par le fait que les Micmacs étaient tous considérés comme convertis au catholicisme. Le premier mariage dont nous ayons connaissance dans cette région fut béni par les récollets en 1626 : il unissait Charles de Saint-Étienne de La Tour à une Micmacque avec qui il eut trois filles. Deux se firent nonnes, l'autre, Jeanne, se maria à un colon français, le sieur de Martignon. Le baron béarnais Jean-Vincent de Saint-Castin, devenu chef chez les Abénaquis, est aussi connu pour avoir été l'un des acteurs de l'alliance franco-amérindienne et du métissage en Acadie à la fin du XVIIe siècle. Il se lia d'abord, en 1670, à la fille du chef abénaqui Madockawando, appelée Pidianské, puis, vers 1677, s'amouracha d'une autre des filles de ce chef, Melchilde Misoukdkosié. Il eut en tout douze enfants, deux de sa première compagne, et dix de sa deuxième. En 1684, à l'invitation d'un père jésuite, il « légitima » son union avec Melchilde en se mariant devant l'Église. Le sieur de Varennes, en 1756, écrit à propos des Acadiens qui viennent de subir le « Grand dérangement » : « Ils formaient une race mélangée, c'est-à-dire que la plupart étaient issus de mariages ou de concubinages entre des femmes sauvages et les premiers colons. » Le père Maillard, missionnaire chez les Micmacs, notait déjà en 1753 que les Français étaient tellement métissés avec les Indiens qu'il ne faudrait pas plus de cinquante ans encore pour qu'il soit impossible de les distinguer les uns des autres. Les Acadiens, si l'on se fie à ces remarques, n'auraient donc pas été loin de former « un seul peuple » catholique, réalisant ainsi le vœu de Champlain ou bien de Colbert [127].

Dans le Pays des Illinois également, le métissage avait été si important dans les années 1680-1720 que, selon Dumont de Montigny, volontiers excessif, les Français et les Indiens n'y formaient qu'« un peuple ». Tous les voyageurs célibataires qui, à cette époque, s'installaient parmi les Illinois, épousèrent en effet des « filles Sauvages [128] ». Les Français du Pays des Illinois, comme ceux de Basse-Louisiane, avaient aussi des relations sexuelles avec les « sauvagesses esclaves ».

Dans les postes isolés des Pays d'en Haut et de la Louisiane, là où la Nouvelle-France se dilue dans le monde indien, les militaires comme les coureurs de bois contribuent au métissage. Dès la fin du XVIIe siècle, une première génération d'enfants métis apparaît dans ces régions éloignées, où les Français vivent en contact étroit avec les autochtones. À Michillimakinac même, capitale du castor, les soldats « tiennent table ouverte à toutes les femmes de leur connaissance dans leur maison », et ils transforment les villages indiens en « Sodomes pour l'impureté [129] », selon un jésuite scandalisé de la fin du XVIIe siècle. Entre 1698 et 1765, près de la moitié des mariages enregistrés dans ce poste unissent un Français et une Indienne (ce chiffre ne tient pas compte des « concubinages »). Les mariages entre officiers et Indiennes, comme en Acadie, furent souvent tolérés dans l'intérieur du continent, pourvu que cela serve les intérêts de l'Empire. La fille d'un chef missouri, par exemple, avait d'abord été la maîtresse d'Étienne Véniard de Bourgmont, l'explorateur du Missouri, puis avait épousé le sieur Dubois, sergent et interprète, à Notre-Dame de Paris en 1725 et, en secondes noces, le sieur Marin, capitaine de milice. Dans les postes les plus éloignés, comme le fort Toulouse, en pays alibamon, le fort Saint-Jean-Baptiste, chez les Natchitoches, le poste des Arkansas, en territoire quapaw, ou, dans l'extrême périphérie, le poste des Cadodaquious – où la garnison se limitait à six hommes vers 1750 –, les Français et les Indiens, comme l'a montré Arnaud Balvay, ne sont pas loin de former de véritables communautés, avec, à la clé, un métissage très important, si banal d'ailleurs que les sources n'en font pas toujours mention. Les coureurs de bois français qui ont fondé le poste des Arkansas dans les années 1680, note Le Page du Pratz, « ont traité comme légitimes les enfants qu'ils ont eu des filles des Arkansas [Quapaws] ». Louis Dubroca, en 1802, au moment où Bonaparte s'apprête à réoccuper la Louisiane, évoque lui aussi les unions entre « Canadiens » et « filles des Akansas » : « on ne vit jamais le moindre refroidissement entre deux nations si différentes que l'hymen avait unies [130] ».

Moins nombreuses, des unions mixtes furent aussi nouées dans la colonie laurentienne. Certes, c'est là où la société était la plus homogène, et la présence de femmes européennes n'incitait pas à l'essor de ce type d'unions. Les stratégies matrimoniales s'y opposaient également puisqu'une Indienne n'apportait aucune dot – la règle voulant au contraire, chez les autochtones, que ce soit au galant d'offrir des cadeaux à la famille de la promise. De fait, les cas de mariages mixtes dûment répertoriés dans cette région sont rares : on en comptabilise une quinzaine pour l'ensemble du XVIIe siècle. Le colon Martin Prévost, par exemple, épouse en 1644 l'Indienne Marie-Olivier Sylvestre Manitouabeouich, qui lui donne neuf enfants ; Pierre Boucher se lie à Marie Ouebadinskoue – Huronne éduquée par les ursulines – en 1649, mais elle meurt lors de son premier accouchement. Il y eut néanmoins, en plus des mariages officiels, plusieurs liaisons entre les Indiennes et les colons du Saint-Laurent : l'ingénieur Louis Franquet constate ainsi en 1752 la présence dans le village de Kahnawake et chez les Hurons de Lorette de « plusieurs bâtards français ». L'intégration par les groupes domiciliés de captifs anglais contribua également à ce métissage. Comme le révèle Pehr Kalm, « les Sauvages alliés aux Français ont fait de nombreux prisonniers parmi les colons anglais des deux sexes et les ont mariés avec les gens de leurs propres villages ; il s'ensuit que les Sauvages du Canada ont maintenant leur sang profondément mélangé à celui des Européens [131] ». À Lorette, les habitants métissés se distinguaient physiquement de moins en moins des colons.

*

La thèse du génie colonial conduit souvent à des simplifications abusives. Étudier les épopées coloniales en fonction de particularités nationales est très enrichissant mais présente d'évidents écueils. Le « Français », ainsi, n'existe pas tel un idéal type : l'écart est grand entre le comportement de certains coureurs de bois, à l'aise parmi les sociétés indiennes, et l'attitude d'aristocrates comme le marquis de Vaudreuil, hantés par la peur du mélange ; et que dire des flottements de la politique française en matière d'unions mixtes, expression de certaines divergences au sein même des élites coloniales… Les Britanniques, en outre, n'étaient pas systématiquement en guerre avec les Indiens, et un homme comme sir William Johnson, par exemple, surintendant des Affaires indiennes de la colonie du New York à l'époque de la guerre de Sept Ans, montrait une aussi bonne connaissance des autochtones qu'un Frontenac ou qu'un Le Moyne de Bienville. Il s'habillait même à l'indienne et vivait avec une Iroquoise, Mary Brant, qui lui donna plusieurs enfants. Toute généralisation peut donc être jugée abusive et il conviendrait sans doute, au-delà des cultures nationales, de discerner le comportement des groupes sociaux, des factions et des individus – sans oublier d'évaluer en permanence les contextes.

Tâchons néanmoins de répondre à la question que nous nous étions posée : relation harmonieuse ou rencontre impossible ? Ni l'un, ni l'autre. Les Français ont l'espoir de soumettre – à Dieu et au roi – les autochtones, mais ils se résignent à l'alliance. Après tout, la Nouvelle-France existe sans qu'il soit nécessaire – eût-il été réaliste de le faire – de subjuguer les « Sauvages ». Leur soutien, comme alliés, est même jugé indispensable. À défaut de les assujettir, les officiers s'efforcent toutefois d'instaurer des formes subtiles de domination et de dépendance. Le gouverneur Vaudreuil s'en fait l'écho, de façon assez saisissante, au début du XVIIIe siècle : « La politique que nous avons eue de tout temps en ce pays a été de tenir les sauvages dans une espèce de soumission et de ne leur jamais faire connaître qu'ils peuvent être nos maîtres [132]. » L'impérialisme français se déploie aussi avec la plus grande violence lors des guerres menées contre les Renards et les Natchez, et la colonisation est marquée enfin par la mise en esclavage – certes, assez limitée – d'ennemis amérindiens.

Il n'y eut toutefois pas de conquête brutale en Nouvelle-France, où le paradigme de l'alliance constituait l'élément structurant de la relation avec les Indiens. Cette alliance conduisit à de multiples formes d'interdépendance, d'acculturation et de métissage, et cela dans toutes les sphères de la vie quotidienne. Prendre en compte cette réalité, c'est un peu résoudre le paradoxe apparent de la colonisation française en Amérique du Nord : celui d'une population infime, comparée à celle des colonies britanniques, qui parvient à étendre son influence, à des degrés divers, du golfe du Saint-Laurent au golfe du Mexique. En France, du moins dans les salons mondains, l'Indien existait surtout sous les atours du Bon Sauvage, il était essentiellement un objet littéraire ; outre-Atlantique, sur les rives du Saint-Laurent et du Mississippi, il n'était pas un fantasme mais un être de chair et d'os, un voisin et un partenaire, que l'on apprit à connaître et qui participa intimement à la construction des sociétés franco-américaines. Ladite « Amérique française » était aussi une terre indienne : pour les colons, il s'agissait d'une réalité somme toute banale, *a fortiori* lorsqu'ils pénétraient dans l'intérieur du continent, au-delà des zones « centrales » du peuplement colonial. Si la plupart des Français étaient animés par un vif sentiment de supériorité culturelle à l'égard des « Sauvages », alimenté au XVIIIe siècle, parmi les élites coloniales, par l'essor du préjugé racial, les relations locales étaient souvent marquées par une simple réalité : l'alliance.

L'originalité du contact franco-indien et la propension des autochtones à devenir les enfants d'Onontio sont liées d'abord, et c'est l'aspect le plus important, à des facteurs contextuels : compte tenu de leur faiblesse démographique, les Français ne furent pas placés en position antagonique avec les premiers occupants du sol [133]. Mais on aurait tort de s'en tenir à cette première explication. Aussi avons-nous cherché à déceler ce qui dans les habitudes politiques et les valeurs socioculturelles de l'Ancien Régime a pu contribuer au bon fonctionnement de l'alliance franco-amérindienne : les traditions d'autonomie locale au sein du royaume ; l'universalisme de l'Église catholique et de la monarchie française ; les spécificités du catholicisme, à la fois – et paradoxalement – plus porté vers l'apostolat et plus proche du paganisme ; enfin, certains idéaux aristocratiques. Négliger ces facteurs socio-culturels, aussi secondaires soient-ils en regard des conditions démographiques et économiques, c'est s'interdire de comprendre l'originalité de la Nouvelle-France.

La relation franco-indienne des XVIIe et XVIIIe siècles, en somme, a été innervée par plusieurs logiques. Une logique d'alliance pour commencer, symbolisée par la métaphore du père et des enfants ; une logique d'auto-inféodation puisque les Indiens, en demandant à leur père qu'il les nourrisse et les protège, tissent consciemment ou non les liens de la dépendance ; une logique de conquête ensuite, car le désir des autorités reste de soumettre les Indiens au roi et au catholicisme ; enfin une logique « métisse », l'Empire ne pouvant se construire autrement, pour le meilleur et pour le pire (aux yeux des hommes du temps), que sur la base de mélanges : des idées, des objets, des corps et des peuples. L'un des héritages de l'alliance franco-amérindienne, qui fit la force de la Nouvelle-France, fut la naissance autour de 1800 d'un peuple « Métis », sur la rivière Rouge (dans les États actuels du Manitoba et du Dakota du Nord). Né des unions entre coureurs de bois et Amérindiennes (Cries, Saulteuses et Assiniboines), ce peuple matérialisait en apparence le rêve de Champlain de la fusion des peuples au Canada.

7

LES VILLES DE L'AMÉRIQUE FRANÇAISE

« Les villes sont, Nos Très Chers Enfants, comme le centre de cette colonie [...]. C'est dans les villes que vous trouverez ce qui manque dans vos campagnes ; c'est dans les villes où plusieurs de vos enfants reçoivent une éducation chrétienne. C'est dans les villes où les hôpitaux sont ouverts pour vous recevoir dans vos infirmités ; c'est dans les villes où la justice règle vos différends et fait rendre à un chacun ce qui lui appartient ; c'est là où réside d'une manière particulière l'autorité royale et où Sa Majesté entretient un grand nombre de troupes pour la défense de cette colonie, pour maintenir la tranquillité publique et assurer votre repos ; c'est enfin dans les villes où se réfugient les pauvres des campagnes qui viennent surcharger les citoyens [1]. »

Ce mandement fut prononcé par l'évêque de Québec, Mgr de Pontbriand, en octobre 1742, à l'occasion d'une grave disette. Il voulait par cette instruction convaincre les paysans laurentiens de se soumettre à la taxe des blés et d'apporter leurs récoltes aux citadins. Ce faisant, il soulignait le rôle essentiel joué par les centres urbains en Nouvelle-France.

L'idée d'édifier des villes ne s'imposa pourtant pas immédiatement. Dans les premières décennies de la colonisation du Canada, Québec ne fut conçue que comme un simple comptoir de traite. Dès 1617-1618, dans le cadre d'un vaste plan de colonisation, Champlain proposa certes d'édifier une cité appelée Ludovica sur la rivière Saint-Charles, mais ce projet ne fut jamais réalisé. Ce n'est que lorsque Richelieu décida de faire de la vallée du Saint-Laurent une colonie de peuplement confiée à la Compagnie des Cent-Associés que l'on envisagea de faire de Québec une véritable ville.

Le développement urbain de la Nouvelle-France s'accéléra encore avec l'intervention directe du pouvoir royal à l'époque de Colbert, lequel entreprit d'envoyer des intendants et des ingénieurs militaires dans les colonies. La création et l'aménagement urbain devinrent une préoccupation essentielle des autorités locales, du gouverneur comme de l'intendant. Puis, au début du XVIIIe siècle, se développa une politique métropolitaine de création de villes neuves au plan régulier, menée simultanément à Louisbourg et à La Nouvelle-Orléans, mais aussi à Saint-Domingue. Le plan en damier correspondait à l'idéal esthétique classique de l'époque et devait refléter l'ordre politique et social que la monarchie voulait dorénavant imposer dans son empire outre-mer.

Ainsi la fondation de villes fut-elle toujours un processus autoritaire, que la décision fût imposée par une compagnie de commerce ou bien par la Couronne. Ce développement urbain ne répondait pas à des dynamiques démographiques et économiques « naturelles », liées aux besoins diversifiés d'une population en pleine croissance ; il avait essentiellement pour dessein de structurer le processus colonisateur.

Des villes de taille modeste

Faute d'un effectif démographique suffisant, aucun réseau urbain ne se développa en Nouvelle-France. Le territoire canadien avait pourtant la particularité d'être contrôlé non par une ville, mais par deux : Québec et Montréal, qui se partageaient les fonctions urbaines. Dans l'esprit de la Compagnie des Cent-Associés, ces deux agglomérations, auxquelles se joignait Trois-Rivières, devaient faciliter le développement du commerce et la mise en valeur intensive du territoire ; elles servaient à l'origine de comptoirs de traite et de têtes de pont dans l'occupation agricole de la vallée du Saint-Laurent. Mais seules Québec et Montréal peuvent réellement être considérées comme des villes. Trois-Rivières, située entre les deux, souffrit, en effet, de leur concurrence et périclita lorsque la traite le long du Saint-Maurice fut remplacée par celle autour du Saguenay-lac-Saint-Jean. Aussi demeura-t-elle un gros village offrant certains services aux populations alentour. De la même façon, la Louisiane aurait pu connaître un développement urbain duel, puisqu'il existait deux voies fluviales d'accès à l'intérieur des terres, le Mobile et le Mississippi. Après la fondation de La Nouvelle-Orléans, la ville de La Mobile resta néanmoins une simple bourgade, même s'il s'agissait d'un établissement important pour le maintien des alliances indiennes.

Le rôle joué par ces villes dans le processus de colonisation fut sans commune mesure avec leur poids démographique. Elles étaient de taille médiocre en comparaison avec celles des Treize colonies britanniques, la population de Philadelphie, de New York, de Boston ou de Charleston comptant, à la fin de la guerre de Sept Ans, entre 12 000 et 40 000 habitants. À la même époque, Louisbourg n'abritait que 4 000 personnes, chiffre qui correspond au dernier recensement du Régime français en 1752, Québec 8 000, Montréal 5 000 et La Nouvelle-Orléans 3 200. Cependant, le taux de population urbaine était plus élevé dans les colonies françaises qu'en métropole, où il atteignait 15 %. Dans la vallée du Saint-Laurent, entre un cinquième et un quart de la population globale vivait en ville. En 1763, 33 % des blancs et 25 % des esclaves de Basse-Louisiane résidaient à La Nouvelle-Orléans. L'île Royale avait un caractère urbain encore plus affirmé : en 1737, les habitants de Louisbourg représentaient 37 % de la population civile totale, ce pourcentage grimpant à 62 % en 1752. Après l'occupation anglaise de 1745-1749, en effet, beaucoup de Français se réinstallèrent de préférence à l'intérieur de la forteresse afin de bénéficier de sa protection.

Si les villes européennes de l'époque étaient de véritables mouroirs et n'auraient pu croître sans la venue de nombreux migrants en provenance des campagnes ou bien d'autres villes plus petites, Québec et Montréal, en revanche, dont le solde migratoire était nul ou négatif, ne purent grandir que grâce à l'accroissement naturel. Certes, les deux cités, et en particulier Québec, constituaient les lieux d'accueil des immigrants français, mais ceux-ci n'y séjournaient que temporairement avant d'aller s'établir sur une nouvelle terre. Des fils de paysans résidaient également en ville le temps de leur apprentissage, plus de la moitié d'entre eux, toutefois, retournant ensuite s'installer à la campagne ; il en était d'ailleurs de même des jeunes femmes venues des paroisses rurales voisines se placer comme domestiques à Québec. Beaucoup d'hommes, originaires soit des campagnes environnantes, soit de Montréal pour Québec ou inversement, venaient en outre se marier en ville, suivant en cela la coutume du mariage dans la paroisse de l'épouse, mais les conjoints élisaient probablement domicile dans celle du mari. Globalement, les villes représentaient donc des pôles d'attraction plus limités qu'en Europe, en raison de l'abondance de la terre disponible dans la vallée du Saint-Laurent, de l'avancée continuelle des fronts de colonisation et de la faiblesse des activités industrielles en milieu urbain, qui ne permettait pas de retenir les habitants.

Ports maritimes et villes fluviales

En dehors de Louisbourg, toutes les villes françaises d'Amérique du Nord étaient situées sur des fleuves, car elles devaient être facilement accessibles depuis le littoral et permettre de progresser vers l'intérieur des terres. Québec, Louisbourg et La Nouvelle-Orléans étaient de surcroît des ports maritimes grâce auxquels les colonies maintenaient des relations avec la métropole.

Dans la vallée du Saint-Laurent, les Français choisirent pour fonder leurs villes d'excellents sites, qui avaient du reste déjà été exploités par les Amérindiens : les villages de Stadaconé et d'Hochelaga, visités par Jacques Cartier, se trouvaient sur le futur emplacement de Québec et sur l'île de Montréal. Ces établissements furent abandonnés par les autochtones au cours du XVIe siècle, ce qui permit aux Français de s'y installer. La situation de Québec, remarquée dès 1603 par Champlain, destinait la future ville à devenir la capitale de la colonie. En 1608, Pierre Du Gua de Monts décida, en effet, de bâtir un comptoir de traite sur le Saint-Laurent à son intersection avec la rivière Saint-Charles, à l'endroit où le fleuve se transforme en estuaire : les vaisseaux de haute mer ne pouvant naviguer facilement en amont s'arrêtaient forcément à Québec, ce qui en faisait la porte d'accès du Canada ; en cas de grands vents, ils pouvaient trouver refuge dans la rade de la rivière Saint-Charles. Outre ce vaste port, le site disposait de qualités défensives remarquables en raison de son escarpement.

Montréal bénéficiait sur son île d'une situation géographique tout aussi extraordinaire : non seulement elle se trouvait au cœur de la plaine agricole la plus riche de la colonie, mais elle contrôlait les voies d'accès vers l'intérieur du continent. À une soixantaine de kilomètres en aval, la rivière Richelieu conduisait à Manhattan *via* le lac Champlain et la rivière Hudson ; immédiatement en amont de la ville, la rivière des Outaouais constituait un raccourci vers les Grands Lacs, l'Ohio et le Mississippi. Plus qu'« une simple escale avantageusement située », Montréal était de surcroît un « point de transbordement, la dernière limite de la navigation sans portage »[2]. Les rapides de Lachine, ou Sault Saint-Louis, en amont de l'île, devaient être contournés par voie terrestre sur une longueur de 13 kilomètres afin de retrouver un fleuve navigable. Dès 1689, les Français tentèrent en vain de construire un canal pour éviter le saut : il fallut attendre 1825 pour qu'un tel projet fût mené à bien. Les marchandises apportées de Québec devaient donc être débarquées dans la ville avant d'être charroyées au-delà des rapides. Ensuite, elles ne pouvaient être amenées dans les Pays d'en Haut que sur des canots d'écorce. En 1642, Maisonneuve choisit de fonder son premier établissement au sud de l'île, sur la pointe à Callière, à la confluence de la rivière Saint-Pierre et du Saint-Laurent, mais les inondations printanières poussèrent le fondateur et les premiers colons à s'installer dès l'année suivante sur le coteau Saint-Louis situé entre la rivière Saint-Martin et le fleuve.

En revanche, le choix d'un site urbain appelé à devenir le centre de la colonie fut plus difficile en Louisiane et sur l'île du Cap-Breton. C'est sur la côte orientale de cette île qu'en 1714 les premiers colons, des pêcheurs venus de Plaisance (Terre-Neuve), avaient sélectionné un emplacement appelé le Havre à l'Anglais, en raison de la présence d'un bon mouillage et de la proximité de bancs de poissons. Peu après, l'établissement fut rebaptisé Louisbourg par Louis XIV. En dépit des qualités de ce site pour la pêche et le commerce, le monarque hésita dans un premier temps à en faire la capitale de la colonie, se demandant s'il ne fallait pas mieux opter pour Port Toulouse ou Port Dauphin, soit les anciens postes de Sainte-Anne et de Saint-Pierre. Ces établissements, fondés en 1629 et abandonnés en 1669, avaient été réoccupés et rebaptisés en 1714. En 1715, dans une période de restriction budgétaire, le pouvoir royal décida de faire de Port Dauphin son centre administratif et militaire, car sa fortification nécessitait beaucoup moins de dépenses que celle de Louisbourg. Mais il s'avéra rapidement que Port Dauphin – le mal nommé – était dépourvu d'un port convenable. Quatre ans plus tard, la Couronne choisit donc finalement comme capitale Louisbourg, où elle envisageait depuis 1717 d'édifier une ville planifiée et fortifiée.

La naissance de La Nouvelle-Orléans fut encore plus longue et laborieuse. Durant les deux premières décennies du XVIIIe siècle, la colonisation se développa essentiellement sur le littoral. Les Français eurent beaucoup de mal à y trouver un site idoine. C'est pourquoi les premiers établissements sur la côte furent marqués par une très grande instabilité, le centre de la colonie changeant à quatre reprises. Face à ces difficultés, les autorités locales et les colons en vinrent à penser que l'effort colonisateur devait se porter en priorité sur la vallée du Mississippi où se trouvaient les terres les plus fertiles, alors que le golfe du Mexique présentait des abords désolés et incultes. Avant 1717, Crozat commença d'ailleurs à y fonder de petits postes militaires et commerciaux. Cependant, malgré les premières tentatives du financier, la décision de faire reposer le développement colonial sur le contrôle et la mise en valeur de la vallée du Mississippi fut prise véritablement par la Compagnie d'Occident lorsqu'elle récupéra le monopole commercial de la Louisiane. La Compagnie souhaitait en faire une colonie de peuplement, dont elle espérait tirer de grands profits.

Aussi décida-t-elle immédiatement de fonder une ville sur le fleuve, qui devait servir d'entrepôt à la colonie. L'année suivante, les autorités locales apprenaient que la cité serait baptisée La Nouvelle-Orléans en l'honneur du Régent.

Cette même année, Le Moyne de Bienville proposa d'établir la ville, à près de 160 kilomètres de la côte, sur la partie convexe d'un méandre du Mississippi (d'où son surnom actuel de *crescent city*, la ville en forme de croissant), sur sa rive orientale, à proximité du bayou Saint-Jean. La sélection d'un site aussi éloigné de la mer était liée à l'existence de deux voies d'accès au littoral : le fleuve et son delta ; le bayou Saint-Jean et le lac Ponchartrain, qui permettaient de rejoindre directement Biloxi et La Mobile. Le site était occupé depuis 1708 par une dizaine de colons qui s'y étaient installés sous le commandement de l'officier volontaire Louis Juchereau de Saint-Denis et qui y cultivaient quelques terres. Du fait des risques d'inondations et de l'insalubrité du milieu liée à la proximité de zones marécageuses, le choix de Le Moyne de Bienville fut longtemps contesté. Ces mêmes raisons, jointes à la guerre contre l'Espagne en 1719 qui focalisa l'attention des autorités sur le littoral et au fait que l'on n'était pas certain de pouvoir faire passer des bateaux de haute mer par le delta, expliquent que la Compagnie persista si longtemps dans sa décision d'installer la capitale de la colonie sur les rivages du golfe du Mexique. Finalement, s'appuyant sur les projets de travaux de l'ingénieur Pauger, qui devaient protéger la ville des inondations, soulignant qu'un second navire avait réussi en janvier à franchir la barre de l'embouchure du fleuve et arguant des difficultés immenses que présentait l'aménagement du Nouveau Biloxi sur la côte, Le Moyne de Bienville réussit à convaincre la Compagnie des Indes de faire de La Nouvelle-Orléans la capitale de la Louisiane en 1722. Après s'être d'abord prononcé en faveur du Nouveau Biloxi, le lieutenant de roi avait compris que le Mississippi était appelé à devenir l'épine dorsale de la colonie.

Des villes fortifiées

En Nouvelle-France, les villes étaient des centres défensifs et, pour cette raison, furent toutes fortifiées à un moment ou un autre de leur histoire. Selon les conceptions de l'époque, c'est l'existence d'une enceinte qui faisait de ces agglomérations de véritables villes. À la fin du XVIIᵉ siècle, le dictionnaire de Furetière définissait une ville de la sorte : « Habitation d'un peuple assez nombreux, qui est ordinairement fermée de murailles. » Les fortifications de Québec, de Montréal et de Louisbourg témoignaient aussi de la puissance royale. Elles eurent une grande influence sur l'urbanisme de ces cités, en limitant et en réduisant l'espace à bâtir et en influant sur les plans d'aménagement, sur l'alignement et le tracé des rues, ainsi que sur la distribution du parcellaire. Réalisées par des ingénieurs militaires, elles s'inspirèrent toutes de Vauban, qui avait pourvu la France d'une ceinture de citadelles dans le dernier quart du XVIIᵉ siècle. D'ailleurs, le grand ingénieur s'intéressa vivement aux fortifications canadiennes, écrivant à ce sujet de nombreuses lettres et mémoires au ministre Maurepas et au gouverneur Brisay de Denonville.

Sur le Saint-Laurent, la Couronne favorisa la défense fortifiée de Montréal avant celle de Québec, parce que la capitale de la traite des fourrures constituait une tête de pont vers l'intérieur du continent. Une palissade en bois fut ainsi érigée entre 1687 et 1689 afin de protéger la ville des Iroquois avec qui les Français étaient à nouveau en guerre depuis 1684. Après la paix d'Utrecht, l'ancienne enceinte étant en ruine, le pouvoir royal décida de faire construire des murs en maçonnerie de seulement 5,5 mètres de hauteur, avec bastions et courtines. De telles fortifications auraient été inutiles en Europe où il était possible d'utiliser l'artillerie lourde pour prendre les villes, mais ne n'était pas le cas à Montréal qui risquait uniquement d'être assiégée par un fort contingent de soldats. Sous la direction de Chaussegros de Léry, ingénieur en chef de la Nouvelle-France, les travaux durèrent plus de vingt-cinq ans entre 1716 et 1744.

Québec, pour sa part, commença à être fortifiée au cours des années 1690, en vue de parer à un éventuel assaut anglais dans le contexte de la guerre de la Ligue d'Augsbourg. Dans la perspective d'un nouveau conflit à propos de la succession espagnole, le roi accepta ensuite, dès 1701, d'édifier une enceinte de maçonnerie autour de la ville haute. Mais la construction fut ralentie par la guerre, par des difficultés de financement et par des disputes entre les différentes autorités coloniales. En 1720, le ministre de la Marine décida d'arrêter le chantier car la paix régnait alors durablement et les finances royales se trouvaient gravement obérées par la banqueroute de Law. Ce n'est qu'après la prise de Louisbourg en 1745 qu'il décida d'achever les murailles de la capitale canadienne, sous la direction de Chaussegros de Léry. En 1751, un soldat canonnier les décrivait ainsi :

« La haute ville est fortifiée, du côté de terre, d'un fort rempart élevé de vingt-cinq pieds [huit mètres] sur autant d'épaisseur, plus en dehors d'un bon mur en pierres et plusieurs redoutes et bastions qui avec le rempart forment un circuit, depuis la côte d'Abraham du côté de la rivière Saint-Charles jusqu'au Cap-Diamant. Ce rempart, avec les bastions et redoutes, peut contenir trois cent cinquante pièces de canons, toutes sur des plates-formes ; mais il n'y en avait alors que cent vingt, toutes en fer, et de différents calibres. [...] L'enceinte de la ville est d'une lieue de forme triangulaire. » [3]

En 1720, plutôt que de financer l'érection de murailles à Québec, la Couronne avait préféré concentrer tous ses efforts sur Louisbourg, la citadelle qui devait garder l'entrée du Saint-Laurent. Le plan de la forteresse fut dressé par l'ingénieur militaire Jean-François du Verger de Verville. La construction des fortifications en maçonnerie et des bâtiments civils et militaires fut en grande partie l'œuvre des soldats : durant les années 1720 et 1730, plus de la moitié de la garnison était employée à temps complet à ces travaux six mois par an. Les remparts furent terminés au début des années 1740 : alors que Verville avait au départ envisagé d'en construire seulement à l'ouest du côté de la terre ferme, ils furent poursuivis du côté de la mer et Louisbourg devint une ville close. L'enceinte comprenait sept bastions et s'étendait sur un périmètre de 2,72 kilomètres. Impressionnante, visible à bonne distance, elle constituait un élément essentiel du paysage urbain et fit que l'agglomération fut immédiatement considérée comme une ville. En revanche, si tous les ingénieurs prévirent de construire des fortifications en maçonnerie autour de La Nouvelle-Orléans, celles-ci ne furent jamais réalisées. Ce ne fut qu'en 1760, après la chute du Canada, qu'une palissade de bois fut érigée en toute hâte autour de la ville.

À Montréal et à Québec, le pouvoir royal consacra des sommes importantes pour l'édification de murs, favorisant ainsi l'économie des deux villes. Mais c'est surtout à Louisbourg qu'il consentit l'effort financier le plus considérable pour la construction de la forteresse et plus largement pour l'entretien de la colonie : de 1713 à 1758, 20 millions de livres furent dépensés par l'État à cet effet, dont 4 millions pour les travaux publics. Il faut, néanmoins, relativiser cet investissement : Frederick J. Thorpe a montré que les dépenses annuelles pour les fortifications étaient inférieures à celles nécessaires pour l'armement d'un grand vaisseau de guerre durant six mois. Il reste que les murailles de Québec coûtèrent moins au gouvernement que celles de Louisbourg ; globalement, le budget de l'île Royale correspondait au double de celui du Canada et le montant des dépenses par habitant était six à huit fois plus important que dans la vallée du Saint-Laurent. Cela témoigne de l'importance stratégique et économique que revêtait l'île aux yeux de la monarchie. Celle-ci n'eut pas à regretter un tel investissement : la valeur totale de la production de poissons de l'île représenta, en effet, trois à quatre fois le montant des dépenses consenties par le gouvernement jusqu'en 1758.

Le paysage urbain

Les villes laurentiennes

Durant un quart de siècle, Québec demeura un simple comptoir de traite avec l'habitation et le petit fort construits par Champlain. En 1626, on pouvait en faire cette description satirique : « Le tout gît en une vieille maison pour marchands voirement encore une forteresse et ne sait si ce n'est point en dérision qu'il l'a fait garder par deux pauvres femmes qui, pour sentinelles, n'y laissent que deux poules [4] ». Ce n'est qu'en 1636 que le nouveau gouverneur, Huault de Montmagny, fut chargé de transformer ce comptoir en centre urbain, ce qu'il fit avec l'aide de l'ingénieur Jean Bourdon. L'essor démographique et territorial de l'établissement fut lent et, selon Marie de l'Incarnation, Québec ne mérita réellement le nom de ville qu'en 1663. De la même façon, ce n'est qu'entre 1710 et 1730 que Montréal prit véritablement l'aspect d'une cité.

Québec était divisée en deux quartiers : ville haute et ville basse. Cette séparation correspondait à la topographie et au partage des fonctions urbaines. La ville basse, confinée au pied de la falaise, constituait le centre commercial et industriel (on y trouvait d'ailleurs la place du marché), tandis que la ville haute, juchée sur un plateau au-dessus, avait une vocation administrative, ecclésiastique et militaire. Un chemin abrupt reliait les deux quartiers.

Les grands édifices publics que l'on construisait dans la ville haute faisaient l'admiration des visiteurs. Situé au bord de l'escarpement, le château Saint-Louis, qui servait de résidence au gouverneur, fut reconstruit en 1694 à l'instigation de Frontenac. C'était un grand bâtiment de deux étages, formé de trois pavillons. À l'avant, il s'ouvrait sur une place d'armes, alors que l'arrière était pourvu d'une longue terrasse offrant une perspective admirable sur le fleuve. Reconstruit en 1725, le collège jésuite, situé sur la Grande place, devint le plus vaste bâtiment de la cité : il s'agissait d'un édifice carré à trois étages organisé autour d'une cour intérieure. Le quartier, qui abritait également le majestueux palais épiscopal édifié à la fin du XVIIe siècle à l'entrée de la ville haute, le séminaire de Québec, le monastère des ursulines, le monastère et l'hôpital de l'Hôtel-Dieu, était hérissé de clochers. La résidence de l'intendant était le dernier grand édifice de la ville : elle fut reconstruite après l'incendie de 1715 sous la forme d'un somptueux hôtel urbain entre cour et jardin, avec une ouverture sur le fleuve Saint-Laurent.

Ville haute et ville basse se distinguaient aussi par leur parcellaire : celui-ci était dense et serré dans le secteur commercial et plus aéré et irrégulier dans le quartier des clochers où l'on trouvait de nombreux jardins et vergers. Les maisons à deux ou trois étages devinrent la norme dans la ville basse au XVIIIe siècle, alors que la ville haute

accueillait encore des bâtiments à un seul étage. Un territoire relativement exigu et des problèmes de densité de
population entraînèrent au XVIIIe siècle la formation de
trois faubourgs : Saint-Jean, Saint-Louis et Saint-Roch.

Le développement de Montréal fut de la même façon
étroitement tributaire de la topographie : la ville, enser-
rée entre la rivière Saint-Martin et le Saint-Laurent, avait
la forme d'un rectangle allongé. Son terrain était très peu
accidenté. La cité était traversée d'est en ouest par deux
rues principales parallèles au fleuve, la rue Notre-Dame
et la rue Saint-Paul, tracées en 1672 par le supérieur des
sulpiciens Dollier de Casson. Autour de ces deux rues,
rattachées l'une à l'autre par une dizaine de ruelles trans-
versales, s'étendaient respectivement la ville haute et la
ville basse. Le centre de Montréal était la place du
marché créée en 1676 dans la basse ville ; elle était
entourée de maisons de marchands. Une seconde place,
la place Notre-Dame ou place d'armes fut ouverte en
1693 dans la ville haute. L'espace urbain était structuré
par les propriétés des communautés religieuses comportant de beaux et grands édifices et de vastes jardins et
vergers : les récollets à l'ouest, les sulpiciens, les religieuses hospitalières de Saint-Joseph et les sœurs de la
Congrégation de Notre-Dame au centre, les jésuites à
l'est. À l'extrémité orientale de la ville s'étendaient au
XVIIIe siècle de larges parcelles dignes d'accueillir les résidences du gouverneur, de l'intendant et des officiers, à
proximité des magasins et de la canoterie du roi. C'est
là que fut construit le château Ramezay, du nom du
gouverneur de Montréal : la maison à simple corps de
logis, érigée en 1705, fut transformée en un vaste palais
à double corps de logis en 1756. Dans la première moitié
du XVIIIe siècle, partout dans la ville, des lotissements se
substituèrent de plus en plus aux anciens vergers et jardins afin de faire face à une densité urbaine croissante.
Cet essor provoqua également, à partir des années 1730,

l'apparition de trois faubourgs (Saint-Joseph, Saint-Laurent, Sainte-Marie) au-delà des fortifications.

Le caractère urbain de Québec et de Montréal se renforça avec le temps. Au XVIIᵉ siècle, les maisons étaient certes de petites dimensions, ne disposant que d'une seule pièce sur un seul niveau, avec une cheminée en torchis ou en pierre ; elles étaient en colombage, recouvertes d'un enduit, avec une toiture en planches chevauchées ou couvertes de chaume, le toit étant à double pente avec une forte inclinaison pour faciliter l'écoulement de l'eau et de la neige. Au cours du siècle suivant, cependant, les maisons s'agrandirent en superficie et en hauteur, comportant le plus souvent au moins deux pièces avec chacune sa cheminée et deux étages ; elles furent construites majoritairement en pierre, avec de hauts murs de pignon. Elles étaient aussi de plus en plus mitoyennes. Même si les jardins et vergers étaient toujours présents, leur nombre et leur surface eurent tendance à se réduire. Cette évolution vers une ville de maisons en pierre à plusieurs étages et mitoyennes fut plus précoce et plus généralisée à Québec qu'à Montréal où il fallut attendre l'incendie de 1721 et l'ordonnance de l'intendant Bégon pour que cette ville suivît l'exemple de la capitale. À la fin du Régime français, le bois dominait encore dans les faubourgs montréalais.

Dans les deux villes, le strict alignement des maisons dans les rues ne s'imposa que progressivement. Comme dans la plupart des cités occidentales de l'époque, ces rues, qui n'étaient pas pavées, étaient insalubres et nauséabondes, parsemées d'ordures et parcourues de nombreux animaux. Tous les habitants ne respectaient pas les ordonnances qui imposaient la construction de latrines privées et le ramassage des déchets à la fin de l'hiver. L'intendant Jacques Raudot écrivait ainsi au début du XVIIIᵉ siècle à propos des rues de Montréal qu'elles étaient « quasi impraticables dans toutes les saisons, non seulement aux gens de pied, mais même aux carrosses et charrois, et ce à cause des bourbiers qui se trouvent dans lesdites rues qui proviennent tant de la mauvaise nature et inégalité du terrain que les immondices que les habitants y jettent chaque jour [5] ». Les colons se pliaient pourtant peu volontiers à l'obligation faite par les autorités d'y construire et entretenir des trottoirs en bois appelés banquettes afin de faciliter la circulation. Celle-ci était en outre entravée par des boutiques avançant sur la rue, des perrons et des escaliers, des réserves de bois de chauffage, des clôtures de pieux, des tas de neige en hiver, etc.

Les autorités prirent également des mesures relatives à l'approvisionnement en eau par souci d'hygiène et par prévention contre le feu. Au départ, les habitants de Québec et Montréal buvaient l'eau du fleuve, mais celle-ci devint vite polluée car le Saint-Laurent servait de dépotoir municipal. Aussi se fournissaient-ils en eau aux puits privés ou aux puits et fontaines publics. Des citernes furent construites afin de lutter plus efficacement contre les incendies qui représentaient un fléau majeur pour les villes de cette époque. Les citadins devaient aussi participer à l'extinction du brasier. Lors de l'incendie de Montréal de 1721, l'intendant Bégon déplora néanmoins que de nombreuses maisons eussent été détruites, vu « la difficulté qu'il y a eu d'avoir le nombre de seaux nécessaires pour éteindre le feu, et de haches pour l'arrêter en abattant les maisons quoique par les règlements de police, il soit ordonné aux bourgeois et habitants de courir au feu aussitôt que le tocsin sonne et d'y porter chacun une hache et un seau [6]».

Louisbourg et La Nouvelle-Orléans : des villes au plan régulier

Contrairement à ce qui prévalut avec les villes laurentiennes, la construction de Louisbourg et de La Nouvelle-Orléans fut planifiée dès l'origine. Les deux cités relevaient d'un même modèle urbanistique appliqué lors de presque toutes les fondations urbaines à partir du début du XVIIIᵉ siècle aussi bien dans les Antilles et en Guyane qu'en Amérique du Nord. Ce modèle commun se caractérisait par un plan en damier avec une place d'armes non pas centrale, mais latérale, située en bord de mer ou de fleuve. Il serait né, après la création du corps des ingénieurs du roi en 1691, de la « culture urbaine des ingénieurs » militaires, qui étaient pourtant formés sur le terrain et non dans une école, et puiserait ses racines à la fois dans les traités de fortifications recommandant d'imiter la place forte de Neuf-Brisach – construite par Vauban en Alsace en 1699 –, et dans les écrits et réalisations italiennes de la Renaissance comme Vitry-le-François, conçue par Girolamo Marini en 1545 [7].

À Louisbourg, la construction de la ville neuve ne démarra pas totalement *ex nihilo* puisque dès 1714 les habitants-pêcheurs et les marchands avaient édifié des cabanes en bois et des huttes le long du port. En plaçant sa ville fortifiée dans la péninsule située à l'extrémité sud du port, Verville choisit d'intégrer cet espace désordonné à l'intérieur de l'enceinte, privilégiant les intérêts économiques sur les impératifs de défense. Progressivement, disparurent la plupart des anomalies que ces habitations initiales avaient amenées dans le plan en damier régulier et symétrique élaboré par l'ingénieur, à l'exception du quartier commercial situé près des quais. Le plan de la ville fut achevé dans les années 1730 : il était formé d'une grille de quarante-cinq îlots rectangulaires. Au bastion du Roi, un énorme palais de 110 mètres de long fut édifié et terminé dès 1730. Il constituait le centre administratif et militaire de la ville, regroupant les résidences du gouverneur et du commissaire-ordonnateur, un pavillon pour les officiers et des casernements de part et d'autre de la chapelle. Devant le palais s'étendait la place d'armes, décentrée et séparée du château par un fossé d'isolement. Le plan de la ville était orienté par ce bastion du Roi. Certains historiens voient dans le château de Louisbourg « le plus gigantesque et le plus original édifice de pouvoir qu'ait connu le Nouveau Monde français. » [8] Ce fut aussi un point faible de la défense car tous les pouvoirs étaient regroupés dans le bastion le plus exposé.

En comparaison de Québec, de Montréal et de Louisbourg, La Nouvelle-Orléans conserva longtemps l'aspect d'une simple bourgade. Pourtant les articles de propagande que John Law faisait paraître dans la presse française au début des années 1720 évoquaient l'existence de huit cents maisons élégantes réparties entre cinq paroisses. D'où l'étonnement du père Charlevoix qui, lorsqu'il visita l'établissement en 1722, n'y trouva qu'un campement de tentes [9]. Cela n'empêcha pas une des ursulines de souligner en 1728 la beauté et la régularité de la capitale et de rapporter qu'« il se chante ici publiquement une chanson, dans laquelle il y a que cette Ville a autant d'apparence que la Ville de Paris, ainsi c'est tout vous dire [10] ! » Les ingénieurs Pauger et Le Blond de La Tour furent à l'origine du plan d'urbanisme. Celui-ci formait un damier symétrique comprenant six rangées, ce qui donnait en théorie à la ville la même largeur que le Mississippi à cet emplacement. Dans son extension maximale, la cité devait couvrir 88 hectares et être ainsi beaucoup plus grande que toutes les villes neuves construites en France à la fin du XVIIe siècle (la plus grande était Rochefort avec 60 hectares). La première rangée donnait sur le fleuve et servait de façade à la cité. L'îlot central de cette première rangée était occupé par une place d'armes, située au sommet du croissant formé par la rive fluviale, au fond de laquelle il était prévu d'édifier l'église.

La construction de la ville fut lente et difficile. Le site choisi était densément boisé : il fallut donc engager des travaux de défrichement longs et pénibles avant de pouvoir procéder au traçage des rues. Le travail était ralenti par la difficulté à se procurer les matériaux de construction, le manque de main-d'œuvre et les très dures conditions de vie des ouvriers et des esclaves : les chaleurs étaient excessives une large partie de l'année, le sol était boueux en raison des inondations qui duraient six mois par an, des nuées de moustiques accablaient constamment les hommes qui étaient mal nourris et logés dans des abris de fortune, enfin les épidémies ravageaient les rangs de ces travailleurs affaiblis. En outre, en septembre 1722, un ouragan dévasta la région. Il ralentit le chantier, mais eut l'avantage de détruire toutes les habitations qui avaient été édifiées entre 1718 et 1721 de manière désordonnée et qui ne se conformaient pas au plan conçu par Pauger[11]. La ville, contrairement à Louisbourg, put ainsi être réellement construite *ex nihilo*. Des travaux d'endiguement permirent ensuite de limiter les inondations : une levée fut achevée en 1724 le long du fleuve. Les habitants durent également creuser des fossés d'écoulement autour de chaque îlot et construire des ponts aux carrefours.

La place centrale n'était pas très vaste : elle était plus petite, par exemple, que l'actuelle place des Vosges à Paris, mais son ouverture sur le Mississippi agrandissait la perspective. Autour de la place s'élevaient les bâtiments des différents pouvoirs : au fond, l'église construite par Pauger en 1724-1726, avec juste à côté le presbytère ; de part et d'autre, les résidences du gouverneur et de l'intendant. En 1732, les anciennes casernes situées à la périphérie de la ville ayant été endommagées par un ouragan, Le Moyne de Bienville donna l'ordre à l'ingénieur Broutin d'en édifier deux nouvelles autour de la place d'armes, avec à leur extrémité, du côté de la levée, des quartiers pour les officiers. Elles ne furent achevées qu'en 1736-1738. Du côté des quais, on trouvait les magasins du roi, le couvent des ursulines et l'Hôpital. La brique devint progressivement le matériau de prédilection tant pour les édifices publics que pour les maisons des particuliers. Situées sur des parcelles clôturées, sur la rue ou légèrement en retrait, les maisons à un seul niveau étaient construites de poteaux en terre ou sur sole, avec remplissage de briques (ou de bousillage au début de la période). Les murs étaient blanchis à la chaux, les toits couverts en bardeaux ou en tuiles. Des galeries extérieures protégeaient l'intérieur du soleil et de la chaleur. Les nombreux jardins plantés d'orangers donnaient à La Nouvelle-Orléans un caractère champêtre. À la fin du Régime français, environ la moitié des 66 îlots de la grille avaient été mis en valeur, mais la plupart des bâtiments publics tombaient alors en ruine.

Parallèlement à la construction de la ville, des travaux très importants furent entrepris à partir de janvier 1723 afin de permettre aux navires hauturiers d'emprunter le delta du Mississippi et de se rendre dans la capitale : un chenal fut creusé et le poste de La Balise situé en avant du delta fut fortifié. Il fallut en modifier le site à plusieurs reprises au cours du Régime français du fait de l'avancée de la côte, extrêmement mouvante : dans les années 1750, il se trouvait ainsi à sept kilomètres de sa position initiale. Un ou deux pilotes y stationnaient en permanence afin d'aider les bateaux à remonter le fleuve dont le cours fluctuait également constamment au niveau du delta et qui était coupé par une barre de sable permanente qu'il fallait contourner. Malgré ces difficultés, La Nouvelle-Orléans devint le principal port et le centre commercial de la colonie. Les positions littorales perdirent de leur importance. Le poste de Biloxi ne servit plus qu'à signaler l'arrivée de bateaux ; l'île aux Vaisseaux, en face de cet établissement, fut abandonnée. La

Mobile demeura une simple bourgade. Le fort Condé y fut construit en 1725-1726. Les habitants y vivaient d'agriculture, de coupe du bois, de traite avec les Amérindiens. Toutes les peaux devaient ensuite être envoyées à La Nouvelle-Orléans, capitale commerciale de la Louisiane.

L'économie urbaine

Des places commerciales

Le commerce animait et faisait vivre les cités coloniales. Villes-entrepôts, Québec, Louisbourg et La Nouvelle-Orléans jouaient un rôle fondamental dans le commerce extérieur du Canada et de la Louisiane. Les bateaux de métropole arrivaient sur le Saint-Laurent de la fin juillet à la fin octobre. Cette période était un moment d'activité intense. Toute la population se rassemblait sur les quais pour accueillir les navires repérés de loin. Les cours de justice interrompaient leurs sessions pendant quinze jours à l'arrivée et au départ des bateaux du roi. Selon la supérieure de l'Hôtel-Dieu, « l'automne en Canada est une saison accablante parce que toutes les affaires se font, on reçoit les lettres de France, on y répond promptement, on fait ses provisions, on paye ses dettes [12] ».

Québec abritait les magasins du roi, de la Compagnie des Indes, des communautés religieuses et des grands marchands de la colonie. Les activités portuaires, maritimes et commerciales de la ville donnaient du travail à de nombreux pilotes, navigateurs et marins, charretiers et journaliers. Il fallait transporter les marchandises des vaisseaux de haute mer, ancrés au large dans la rade du Cul-de-Sac ou devant l'anse des Mers au pied du Cap-aux-Diamants, jusqu'à la ville, en barques, chaloupes et gabares, puis les débarquer, les stocker dans les entrepôts, après vérification des produits par les commis du Domaine d'Occident et paiement des droits par les négociants. À La Nouvelle-Orléans, c'étaient des esclaves qui se chargeaient des opérations de débarquement et de stockage des marchandises dans les magasins de la Compagnie des Indes ou du roi. Selon Le Page du Pratz, quand les eaux du Mississippi étaient assez hautes, les navires pouvaient s'ancrer à proximité de la place d'armes, le long de la levée : il suffisait alors de rouler les tonneaux sur des passerelles de bois [13]. Dans les deux agglomérations, la population de marchands et de marins de passage résidait et se divertissait dans les nombreuses auberges et tavernes. De petites boutiques écoulaient au détail les produits amenés de métropole.

Si au XVIIe siècle Québec et Trois-Rivières concurrençaient Montréal dans le commerce des fourrures, cette dernière en vint à quasiment monopoliser l'activité à partir de la fin du siècle. À l'origine, les Amérindiens amenaient eux-mêmes les fourrures et les peaux dans les comptoirs de traite. Durant le mois d'août, de nombreux Hurons, puis Outaouais venus en canot se rassemblaient ainsi à Montréal. « Leur foire ou marché se tient toujours sur le bord du fleuve, le long des palissades de Montréal », observe un visiteur du XVIIIe siècle. « Des sentinelles empêchent qu'on n'entre dans leurs cabanes pour éviter les chagrins qu'on leur pourrait faire ; et pour leur donner la liberté d'aller et venir pendant le jour dans la ville, toutes les boutiques sont ouvertes. On leur échange aussi pour leurs pelleteries du vermillon, des marmites de fer et de cuivre et en un mot toutes sortes de quincaillerie. […] C'est à qui fera valoir son talent ; les plus fortes amitiés entre marchands ne laissent pas de se refroidir dans ce moment [14]. » Même si le commerce était dominé par les marchands locaux concurrencés par leurs collègues de Québec et par les forains (métropolitains), les habitants de la ville pouvaient y participer et s'enrichir. L'un d'eux, Pierre Pigeon, réunit ainsi en deux ans de traite un actif de 1 200 livres en fourrures et marchandises, ce qui lui permit de s'établir sur une concession en 1662 ; à sa mort, après seize ans de labeur comme paysan, il ne laissa pas davantage à ses héritiers [15]. À la fin des années 1660, la situation changea en raison de la baisse du prix du castor et de la signature de la paix avec les Iroquois de 1667 : de plus en plus fréquemment, les coureurs de bois partirent collecter les pelleteries dans les Pays d'en Haut. Si la foire de Montréal se maintint jusqu'à la fin du siècle, le nombre de peaux qui y étaient amenées diminua rapidement. Les habitants de la ville furent ainsi évincés de ce commerce au profit d'une vingtaine de marchands-équipeurs. Ce sont eux qui fournissaient les marchandises de traite aux officiers et aux marchands-voyageurs – qui employaient des centaines d'engagés en partance chaque été vers les Pays d'en Haut – et qui expédiaient les pelleteries à Québec. Ils étaient rarement indépendants et étaient liés le plus souvent à des marchands de la capitale, eux-mêmes associés à des négociants de La Rochelle.

Louisbourg était également une grande place de commerce. Grâce à une position relativement centrale sur le littoral et de bonnes installations portuaires (le port fut notamment doté d'un phare en 1734), la ville constituait pour les petites communautés de pêche éparpillées sur la côte orientale de l'île un centre de regroupement et d'exportation du poisson. Les marchands locaux fournissaient à crédit aux 80 à 100 entreprises de pêche de l'île le sel, les équipements de pêche et la nourriture nécessaires à leurs opérations. Beaucoup de ces marchands locaux se lancèrent aussi directement dans la pêche et en vinrent à dominer ce secteur.

De plus en plus, l'approvisionnement alimentaire des agglomérations urbaines fut assuré par les campagnes environnantes. À La Nouvelle-Orléans, des fermiers blancs de la côte des Allemands, des esclaves noirs des plantations voisines ou des libres de couleur du Détour des Anglais venaient vendre des fruits et des légumes, ou du lait, des volailles et des œufs sur la levée. Le mardi et le vendredi, se tenait à Québec et à Montréal un marché que les autorités coloniales réglementaient et surveillaient étroitement, en particulier pour la boucherie et la boulangerie. Les paysans français, mais aussi les autochtones des alentours y écoulaient leurs denrées et achetaient des produits manufacturés.

Le marché montréalais était également approvisionné par les grands domaines possédés par des citadins dans les environs de la ville. Selon Sylvie Dépatie, au cours du XVIIIᵉ siècle, l'arboriculture et le maraîchage pratiqués auparavant *intra muros* à Montréal eurent, en effet, tendance à être repoussés en zone péri-urbaine : les potagers se multiplièrent dans les faubourgs, où l'on trouvait aussi quelques vergers, tandis que les côtes (les lignes d'habitations) avoisinantes abritaient des vergers et des prairies qui servaient à garder en pension et nourrir les animaux de la ville. Ces terrains horticoles appartenaient à des communautés religieuses, des officiers civils et militaires, des marchands et des artisans. Les produits de cette horticulture ne servaient pas seulement à l'autoconsommation ; ils étaient aussi vendus sur le marché local ou encore exportés : les pommes, sans transformation ou sous forme de cidre, ravitaillaient ainsi les bateaux de passage.

L'artisanat et l'industrie

Après le commerce, l'artisanat était le deuxième pilier de l'économie urbaine. Dans les cités laurentiennes, les artisans les plus nombreux se rencontraient surtout dans le secteur de la construction (maçons, charpentiers, menuisiers, forgerons, serruriers…). Ils comptaient ainsi pour la moitié des artisans de la ville et des faubourgs de Montréal dans la première moitié du XVIIIe siècle en raison des travaux de fortifications et de la reconstruction de la ville après l'incendie de 1721. On trouvait aussi des artisans dans l'ameublement, l'alimentation (boulangers, bouchers, aubergistes…) et l'habillement (cordonniers, tailleurs, taillandiers…). La concentration d'une grande partie des élites coloniales à Québec permettait à quelques travailleurs d'y vivre des métiers du luxe. En revanche, les artisans de La Nouvelle-Orléans étaient moins nombreux et avaient des occupations moins diversifiées.

Si à l'origine les artisans de la capitale canadienne approvisionnaient surtout le marché local, durant la période de prospérité, de 1713 à 1744, les bouchers et les boulangers se mirent à produire des salaisons et des biscuits pour les équipages de bateaux et l'exportation, tandis que les tonneliers fabriquaient des tonneaux pour le marché extérieur. À Montréal, l'activité artisanale bénéficia à la même époque des retombées du commerce des fourrures : les boulangers confectionnaient des biscuits pour les voyages de traite, les couturières taillaient des capots et des chemises, les forgerons fabriquaient des outils de fer, les orfèvres de menus objets en argent à échanger avec les Amérindiens… Trois-Rivières, quant à elle, se spécialisa dans la production de canots qui étaient souvent construits par des artisans autochtones vivant à proximité du bourg.

À Québec, quelques petites industries souvent éphémères se développèrent : tanneries, corderies, tuileries, briqueteries, brasseries, etc. En relation avec ses activités maritimes et commerciales, la porte océane de la colonie vit surtout se développer la construction navale qui devint l'industrie la plus importante sous le Régime français grâce, tout d'abord, à l'action des particuliers qui s'occupaient de radouber les bâtiments de haute mer et de construire de petites embarcations. Le gouvernement chercha aussi à intervenir directement dans ce domaine. À l'instigation de l'intendant Talon, un chantier royal fonctionna à partir de 1664, mais il fut fermé dès 1672 en raison de la guerre de Hollande. En 1739, l'intendant Hocquart réussit à convaincre le roi de rouvrir le chantier royal afin de faire construire de plus grands vaisseaux que les petits bateaux de commerce fabriqués par les entreprises privées.

En conjonction avec la construction navale, se développa une activité sidérurgique à Trois-Rivières. Dès 1671, l'intendant Talon avait fait procéder à des essais de fonte d'un fer extrait près de la bourgade au bord du Saint-Maurice, mais ce n'est qu'en 1733 que la Couronne décida d'investir dans ce secteur. Elle commença par soutenir financièrement les entrepreneurs privés avant de prendre le contrôle direct de l'activité. Pour faire fonctionner les forges du Saint-Maurice, quatre-vingts mineurs furent recrutés dans les mines de fer de Bourgogne. La moitié de la production était exportée en métropole, alors que le reste était écoulé sur le marché colonial. Les forges fournissaient ainsi les habitants en poêles, ce qui améliora les conditions de chauffage. Cependant, ces activités industrielles périclitèrent rapidement en raison d'un manque de main-d'œuvre qualifiée, des contraintes imposées par l'hiver canadien (débit d'eau insuffisant aux forges, irrégularité dans le travail et hivernage des navires à l'abri des glaces), d'une inadaptation du bois local à la construction de grands navires et surtout d'un coût de construction plus élevé qu'en France.

Le pouvoir royal influa finalement sur l'économie urbaine de manière indirecte. Les villes prélevaient, en effet, la plus grande part du budget colonial par le biais des appointements des officiers civils et militaires, des gages des employés, des soldes et de l'entretien des troupes, ainsi que des pensions et gratifications des communautés religieuses. En outre, les achats de subsistances et de marchandises pour les magasins du roi, les dépenses en matière de transport maritime ou fluvial, et les travaux publics, en particulier pour les ouvrages de défense, faisaient vivre et donnaient du travail aux citadins.

*

Les cités coloniales étaient donc tournées vers l'extérieur : elles servaient d'interface entre la métropole et ses territoires ultramarins et vivaient au rythme de l'économie atlantique. C'est pourquoi le géographe Serge Courville a pu décrire les villes et les campagnes canadiennes comme « deux mondes distincts, deux univers différents dominés l'un par l'élite coloniale articulée au commerce et à la culture atlantiques, l'autre par l'habitant lui-même vivant de relations beaucoup plus intimes avec le territoire. Entre les deux, pas de coupure nette, mais des contrastes suffisants pour que l'on puisse parler d'acteurs distincts, de groupes sociaux différents, de production et d'échange empruntant des modes différents d'actualisation [16] ». Cette vision doit être nuancée : au XVIIIe siècle, les paysans laurentiens se mirent à produire pour le marché extérieur ; une minorité d'habitants faisaient aussi quelques voyages de traite avant de s'établir et de se consacrer à l'agriculture. En Basse-Louisiane, la séparation entre ville et campagnes était encore moins marquée qu'au Canada : autour de La Nouvelle-Orléans se développa une vaste zone agro-urbaine, dans laquelle les plantations produisaient à la fois des cultures vivrières et des cultures commerciales pour l'exportation. En outre, partout en Nouvelle-France, des liens étroits unissaient les villes et les campagnes environnantes. C'est pourquoi, comme nous y incite Danielle Gauvreau, la ville doit être vue comme un « monde en continuité avec la campagne [17] ».

8

L'EXPLOITATION DU TERRITOIRE

À la recherche de nouvelles populations indiennes avec qui échanger des pelleteries à des prix avantageux, les traiteurs canadiens furent amenés à circuler au sein d'un vaste territoire. Cette pénétration à l'intérieur du continent nord-américain fut facilitée par le réseau hydrographique constitué du Saint-Laurent, de l'ensemble des Grands Lacs et du Mississippi, qui formait un large arc de cercle. Il fallut s'assurer du contrôle de ce territoire et empêcher les Anglais de s'en emparer en développant des colonies de peuplement. Le commerce des pelleteries et les impératifs géopolitiques conduisirent ainsi à la formation d'un vaste empire fluvial. La faiblesse de l'immigration, cependant, rendait impossible une mise en valeur intensive de l'ensemble des terres sur lesquelles les Français revendiquaient leur souveraineté. L'appropriation et la mise en valeur du territoire se fit donc selon un double modèle, intensif et extensif. Un mode de colonisation compacte se développa au sein des espaces centraux (la vallée du Saint-Laurent entre Québec et Montréal, la zone-cœur louisianaise s'étendant en aval et surtout en amont de La Nouvelle-Orléans, la côte littorale de l'île du Cap-Breton), dans lesquels les colons vivaient de l'agriculture et de la pêche, tandis que les espaces périphériques (les Pays d'en

Haut, la plus grande partie de la vallée du Mississippi, la vallée du Mobile) étaient le lieu d'une colonisation en archipel, marquée par des réseaux de forts, et par la traite des pelleteries [1].

Les terroirs agricoles

Dans presque toutes les colonies françaises d'Amérique du Nord, l'organisation des terroirs agricoles fut la même : elle reposait sur le système du rang. Au-delà de ce point commun, les systèmes agraires de la Nouvelle-France divergeaient. Au Canada, les paysans pratiquaient une agriculture de type européen fondée sur la monoculture céréalière et sur l'utilisation d'une main-d'œuvre essentiellement familiale, comme en métropole, alors qu'en Basse-Louisiane les colons développèrent des plantations esclavagistes, produisant du tabac et de l'indigo et se rapprochant du modèle antillais. Situé entre ces deux régions, le Pays des Illinois occupait une place intermédiaire puisque les habitants cultivaient du froment et du maïs à l'aide d'esclaves noirs. La Louisiane dans son ensemble, cependant, se distinguait de la vallée laurentienne par l'absence de régime seigneurial, lequel constitua au Canada le cadre institutionnel de la colonisation agraire.

Le régime seigneurial au Canada

En Acadie et au Canada, la monarchie autorisa dès l'origine le développement du régime seigneurial. Néanmoins, dans la colonie acadienne, ce système ne réussit pas à se mettre en place et à se maintenir en raison des périodes d'occupation écossaise ou anglaise et des rivalités entre explorateurs et commerçants français. Au début du XVIIIe siècle, la politique royale avait changé et la

Couronne interdit de concéder des terres en seigneuries sur l'île du Cap-Breton (à quelques exceptions près) et en Louisiane. Ce changement de politique peut s'expliquer doublement : d'une part, les seigneurs canadiens s'étaient révélés incapables de remplir correctement le rôle qui leur avait été assigné en matière de peuplement ; d'autre part, la monarchie ne souhaitait plus créer de pouvoirs concurrents et intermédiaires entre elle et ses sujets coloniaux. Dans la basse vallée du Mississippi et au Pays des Illinois, quelques officiers et missionnaires prétendirent toutefois être des seigneurs, mais ils ne perçurent jamais les droits afférents et le régime seigneurial demeura lettre morte [2].

Dans la vallée du Saint-Laurent, si Louis Hébert reçut un premier fief dès 1623, c'est surtout à partir de 1634 que la Compagnie des Cent-Associés concéda des seigneuries en grand nombre. Après la rétrocession de la colonie au pouvoir royal en 1663, les autorités continuèrent de même jusqu'à la fin du Régime français. En 1672, l'intendant Talon procéda à la plus importante distribution de seigneuries de la période, une quarantaine, essentiellement afin d'établir convenablement les officiers du régiment de Carignan-Salières. À l'origine, la plupart des seigneuries étaient situées sur le bord du Saint-Laurent, puis, à partir de la fin des années 1720, elles furent concédées de plus en plus à l'intérieur des terres, à l'arrière des seigneuries riveraines et le long de nouveaux axes de communication, tels que les rivières Richelieu et Chaudière près de Montréal. Vers 1760, on comptait environ 250 seigneuries, inégalement peuplées. Leur taille était extrêmement variée ; elle dépendait notamment de la position sociale de son bénéficiaire. La plupart des seigneurs étaient des nobles et des communautés religieuses ; les roturiers, de leur côté, acquirent en nombre croissant des seigneuries en raison du prestige social que leur possession conférait.

Aux yeux des autorités métropolitaines, tant de la Compagnie que du pouvoir royal, et dans le cadre d'une politique rationnelle de « maîtrise totale du territoire », l'instauration du régime seigneurial devait faciliter et accélérer le peuplement de la colonie ; la seigneurie devait aussi constituer l'unité de base autour de laquelle était censée s'organiser la vie économique et sociale, selon « des valeurs conformes à l'idéal d'une société terrienne d'Ancien Régime [3] ». En fait, comme l'a montré Richard C. Harris, la plupart des seigneurs n'assumèrent pas ou peu leurs fonctions de colonisateurs parce qu'ils n'en avaient pas les moyens financiers et matériels. Les lignes de peuplement qui progressèrent dans la vallée du Saint-Laurent ne respectèrent pas le cadre seigneurial imposé de l'extérieur par la métropole, mais s'adaptèrent aux réalités locales : elles « ont sans interruption suivi le fleuve, les rivières, longé les terrasses, collant à la terre, n'obéissant qu'aux impératifs de la topographie, de l'économie et de la sociabilité [4] ». En revanche, les seigneurs eurent une influence sur la structure agraire en choisissant la taille des concessions initiales (même si des possibilités de remembrement ultérieur existaient), en menant une politique de peuplement continu par la distribution de censives [5] accolées les unes aux autres et en réunissant au domaine les terres qui n'avaient pas été mises en valeur au-delà d'un certain temps, surtout dans les espaces périphériques de la seigneurie.

Pour autant, le régime seigneurial canadien ne représentait pas une institution affaiblie par rapport à son équivalent métropolitain [6]. Il était même juridiquement plus solide car son instauration avait précédé l'arrivée des premiers colons ; les privilèges des seigneurs reposaient sur des titres écrits difficilement contestables. Comme en France, les seigneuries restreignaient les droits de propriété des censitaires sur la terre : ces derniers ne bénéficiaient que de la propriété utile ou d'usage, la propriété éminente revenant au seigneur. Grâce aux redevances de leurs censitaires, les seigneurs pouvaient tirer des revenus de la terre sans avoir à intervenir dans les processus de production. Les droits seigneuriaux étaient multiples : honorifiques (préséance, banc à l'église, pain béni…) ; judiciaires (mais les seigneurs les exerçaient rarement et, quand ils le faisaient, ils se limitaient à la basse justice) ; réels et personnels, enfin, avec notamment le cens et la rente (droits annuels versés en nature ou en argent), les lods et ventes (droit payé lors de la vente de la censive, correspondant au douzième du prix de vente), les banalités (obligation pour les censitaires de faire moudre leurs grains au moulin seigneurial contre une redevance fixée au quatorzième minot), la commune (redevance payée pour que les animaux aient accès aux pâturages communaux) et les droits sur la chasse (rarement observés), sur la pêche et sur la coupe du bois. Les seigneurs avaient aussi le droit de réunir au domaine une terre non défrichée et mise en valeur ou pour laquelle les redevances n'étaient pas acquittées. Ils eurent tendance à faire appliquer ces droits de plus en plus rigoureusement et le montant des redevances seigneuriales s'avéra assez important avec le temps.

On a reproché au système seigneurial d'avoir freiné le développement d'une agriculture commerciale au Canada. Cette accusation est liée à deux phénomènes. D'une part, certains historiens estiment que la totalité des surplus paysans servait à payer la dîme et les redevances seigneuriales, ne laissant plus rien pour la vente, ce que conteste Louise Dechêne. D'autre part, les réserves étaient très souvent de petite taille et leur part au sein des seigneuries eut tendance à se réduire, contrairement à ce qui se passait en France à la même époque. Selon l'historien Louis Lavallée, en effet, les seigneurs éprouvaient des difficultés pour trouver de la main-d'œuvre susceptible de mettre en valeur leurs domaines et des marchés où écouler leurs produits. La conséquence était que les revenus seigneuriaux provenaient essentiellement des droits féodaux et non pas de la rente foncière, comme l'a montré Sylvie Dépatie pour le fief possédé par le séminaire de Québec sur l'île Jésus. Les seigneurs n'étaient pas pour autant insensibles aux sollicitations du marché. Au cours du XVIIIᵉ siècle, les revenus seigneuriaux du séminaire de Québec augmentèrent ainsi grâce à des investissements judicieux dans les moulins lorsque le marché des produits agricoles commença à se développer. Face au pouvoir seigneurial, les paysans canadiens n'étaient pas totalement impuissants. Ils pouvaient résister passivement en retardant le paiement des redevances ou intenter un procès au seigneur. Ils n'hésitaient pas non plus à porter leurs grains à moudre à des moulins étrangers. La localisation, le fonctionnement et l'administration de ces moulins étaient source de nombreux conflits entre les seigneurs et leurs censitaires. Au début du XVIIIᵉ siècle, les habitants de l'île de Montréal remettaient ainsi en cause les droits seigneuriaux : « De tels usages étaient bons pour la France, mais non dans un pays qu'ils avaient eux-mêmes conquis en exposant leurs vies [7]. » Cependant, de plus en plus au fil du siècle, les seigneurs accrurent leurs exigences. Ils firent leur cette affirmation du père Dablon, recteur du collège jésuite de Québec et supérieur de toutes les missions, en réponse à une requête des habitants de la côte Saint-Lambert, dans la seigneurie de la Prairie, qui demandaient une réduction de leurs rentes : « Je n'ai point vu jusqu'à présent que les vassaux fissent la loi à leur seigneur, lequel étant maître de sa terre, il la donne à telles conditions qu'il veut, sans que personne s'en puisse plaindre, puisqu'il est libre à chacun d'accepter ces conditions ou non. Au reste, s'ils ne sont contents de celles qui leur ont été proposées, ils peuvent faire ce qui se fait partout ailleurs

en pareille rencontre, qui est de se défaire de leur concession le plus avantageusement qu'ils pourront [8]. » Cette
réponse intransigeante, datée de 1672, ne correspondait
pourtant pas alors à la réalité : les jésuites, qui souhaitaient peupler leur seigneurie et stabiliser les colons,
durent, en effet, accepter la requête des habitants. Ce
n'est que dans les années 1730-1740 que les religieux
montrèrent davantage de fermeté dans l'application des
droits seigneuriaux.

Le système général du rang

Au Canada, l'occupation des seigneuries commençait
presque toujours par leur devanture sur le littoral fluvial.
Les censives avaient la forme de rectangles allongés,
parallèles les uns aux autres et perpendiculaires au Saint-
Laurent. La mise en valeur du territoire de part et d'autre
du fleuve se faisait ainsi en arêtes de poisson. Lorsque
toutes les censives situées sur les rives avaient été concédées, un second rang était ouvert à l'arrière du premier.
Certaines seigneuries combinaient un alignement de censives sur la devanture avec d'autres lignes d'habitations
ou côtes orientées par le réseau hydrographique secondaire à l'intérieur du territoire seigneurial. Chaque
famille s'installait sur sa censive qui comportait la maison
et les bâtiments d'exploitation au bord de l'eau, les
champs, les prés et la réserve en bois debout. L'habitat
était donc dispersé. Ce système du rang avait été mis en
place parce qu'il donnait à tous accès à l'axe principal de
communication, facilitait les relations de voisinage et le
contrôle des populations par les autorités, permettait un
partage équitable des différentes qualités de sol, enfin
offrait des facilités d'arpentage et de labourage (cela limitait le nombre de demi-tours à faire à l'attelage).

Si en 1749 Pehr Kalm pouvait parler du ruban de
fermes presque contiguës entre Montréal et Québec de

part et d'autre du fleuve comme d'un « long village », les campagnes canadiennes furent en fait longtemps dépourvues de véritables villages. Dans les années 1660, les jésuites et à leur suite l'intendant Talon essayèrent d'en fonder, mais ces tentatives se soldèrent par un échec. Ce n'est qu'à la fin du Régime français que se développèrent naturellement, en raison d'une densité rurale plus élevée, des embryons villageois autour d'une église ou d'un manoir seigneurial. Dans la région de Montréal, on en comptait six établis autour de fortins élevés dans la seconde moitié du XVIIᵉ siècle afin de se protéger des incursions iroquoises. Ils regroupaient quelques commerces et boutiques d'artisans et jouaient un rôle d'intermédiaire entre ville et campagne.

Ce système du rang se généralisa dans toutes les colonies françaises d'Amérique du Nord. Le peuplement en arêtes de poisson se retrouva naturellement en Basse-Louisiane de part et d'autre du Mississippi pour les mêmes raisons de facilité de communication. À l'instar de l'espace laurentien entre Québec et Montréal, qui fut progressivement mis en valeur au cours du Régime français, une longue ligne de plantations se développa petit à petit sur les deux rives du fleuve en aval et surtout en amont de La Nouvelle-Orléans sur une distance de 180 kilomètres. Ce furent les représentants de la Compagnie des Indes ou du pouvoir royal, et non pas des seigneurs, qui distribuèrent ces concessions foncières. En Basse-Louisiane, le peuplement fut néanmoins plus dispersé que dans la vallée laurentienne où les fermes se succédaient de manière contiguë. Au nord de la région de La Nouvelle-Orléans, sur le Mississippi, se trouvaient deux postes séparés, la Pointe Coupée et Natchez, à respectivement 200 et 400 kilomètres de la capitale. Aux Natchez, les colons résidaient sur de petits lots loin du fort, tandis que deux grandes concessions s'étendaient à l'écart l'une de l'autre. Les environs de La Mobile connaissaient également un certain développement agricole.

En outre, à environ 1 500 kilomètres au nord de La Nouvelle-Orléans, à la frontière avec les Pays d'en Haut canadiens, six villages furent fondés au Pays des Illinois. Si les champs suivaient le système du rang, les habitants, à l'exception de quelques propriétaires qui avaient obtenu de larges concessions entre Kaskaskia et Fort de Chartres, ne résidaient pas chacun sur leur parcelle comme les paysans canadiens. Cet habitat groupé, original dans l'Amérique française, s'expliquait essentiellement par le danger amérindien, soit les conflits avec les Renards et les Chicachas.

Les six villages du Pays des Illinois s'égrenaient sur les rives du Mississippi sur une distance de 90 kilomètres. Les communications se faisaient par le fleuve, ainsi que par une route terrestre, appelée chemin du Roi, surtout praticable en été et qui sillonnait sur la rive gauche entre les villages, montant sur un talus au-delà de Saint-Philippe jusqu'à Cahokia. Les Français, pour des raisons de facilité de circulation et de sécurité, ne s'installèrent que sur les terres alluviales qui bordaient le fleuve et étaient limitées par un escarpement calcaire peu élevé. Ces terres alluviales étaient en outre d'une extrême fertilité. À l'exception de la commune de Prairie du Rocher, les habitants n'exploitèrent jamais les prairies situées sur les abrupts, malgré les risques d'inondation des terres riveraines du Mississippi. Lorsqu'ils cherchèrent à étendre leur territoire agricole à la fin des années 1740, ils préférèrent fonder le village de Sainte-Geneviève sur la rive droite du fleuve, en face de Kaskaskia. Les débordements du Mississippi constituaient pourtant un problème récurrent pour ces établissements, en particulier pour Fort de Chartres, comme en témoignent les reconstructions successives du fort et le déplacement du village qui prit alors le nom de Nouvelle Chartres au début des années 1750. Par comparaison, le site de Kaskaskia, à proximité de la petite rivière des Kaskaskias, était beaucoup plus favorable parce qu'il était moins sujet aux inondations et parce que la rivière offrait un abri naturel aux bateaux provenant de La Nouvelle-Orléans.

Le peuplement colonisateur dans la vallée laurentienne

Au cours du Régime français, l'ensemble de la vallée laurentienne entre Québec et Montréal fut peu à peu occupé et exploité. La progression du peuplement fut très lente au XVIIᵉ siècle en raison du manque d'hommes et de l'insécurité liée aux guerres iroquoises ; elle fut plus rapide au siècle suivant grâce à une forte croissance démographique, la traite des pelleteries qui nécessitait peu de main-d'œuvre ne pouvant offrir de débouchés aux nombreux jeunes gens parvenus à l'âge adulte. La rive sud du Saint-Laurent, longtemps délaissée en raison des incursions iroquoises, fut ainsi occupée, les vides entre les deux villes furent comblés et de nouvelles zones de colonisation ouvertes sur la rive sud en aval de Québec et dans les vallées de la Chaudière et du Richelieu. Cette progression se fit de deux façons : principalement de proche en proche, par déversement de l'excédent des zones les plus peuplées vers les fronts pionniers les plus proches, mais aussi par des migrations lointaines. Le choix d'un lieu d'établissement relevait de divers facteurs : les facilités offertes par le seigneur (concession de grandes censives, arpentage des terres, suppression temporaire des redevances seigneuriales, construction des infrastructures routières et minotières…), la proximité d'un centre urbain, le réseau de communication, la qualité des sols, les impératifs de sécurité, les solidarités de famille et de provenance (on s'installait dans des seigneuries où se trouvaient déjà des parents ou des membres de la région d'origine), la proximité du lieu d'origine, etc.

L'historien Jacques Mathieu a proposé un schéma ternaire rendant compte des dynamiques du peuplement colonisateur. Dans un premier temps, de jeunes couples, de jeunes célibataires et des familles avec enfants quittaient leur terroir d'origine, où les meilleures terres avaient déjà été concédées. Ces jeunes célibataires ou couples venus dans les fronts pionniers étaient des exclus des successions familiales. En effet, malgré la Coutume de Paris qui imposait un partage égalitaire de tous les biens de la succession entre tous les héritiers, la terre familiale n'était pas partagée afin de transmettre une exploitation viable : elle était attribuée à un héritier privilégié qui devait dédommager les autres héritiers. Quant aux familles avec enfants, elles partaient afin de trouver des terres abondantes sur lesquelles elles pourraient établir le plus grand nombre d'enfants possible : les économies obtenues par la vente de leur précédente habitation et les nombreux bras dont elles disposaient leur permettaient de mettre en valeur non seulement une exploitation familiale, mais aussi des terres additionnelles. Le deuxième temps de ce peuplement colonisateur correspondait à un enracinement. Les garçons issus des familles pionnières demeuraient et s'établissaient sur place. La plupart des concessions leur étaient attribuées. On assistait alors à un véritable accaparement des terres par quelques familles, dont témoigne la répétition des mêmes patronymes parmi les propriétaires fonciers. L'aveu de la seigneurie de Yamaska, qui date de 1723, enregistre un tel phénomène : « Que dans la censive dudit fief, et sur la devanture d'icelui sur le fleuve Saint-Laurent dans la terre ferme est Paul Hus qui possède une lieue de front ou environ sur la profondeur [...]. Sur laquelle terre, ledit Paul Hus a établi tous ses enfants et petits-enfants au nombre de quatorze. » Paul Hus avait réussi à accumuler 699 arpents de terre qu'il répartit entre ses sept fils, trois gendres et quatre petits-fils [9]. En outre, afin d'assurer la mainmise des familles-souches sur le patrimoine foncier, une forte endogamie, des phénomènes de doubles mariages et de renchaînement d'alliances se développaient.

Enfin, à la génération suivante, cette communauté vivait une sorte de « crise de croissance [10] » : les meilleures terres avaient été concédées et la moitié des enfants qui n'étaient pas les héritiers privilégiés devaient à leur tour migrer ailleurs. L'exogamie redevenait plus importante afin de favoriser la sortie des enfants en surnombre. Ces départs ont été qualifiés de « mobilité de la sédentarité. » Selon Jacques Mathieu, il ne faut donc pas opposer les agriculteurs stables et « moraux » aux coureurs de bois nomades et « indisciplinés » comme le faisaient les administrateurs de l'époque et à leur suite plusieurs générations d'historiens canadiens, dont la vision a « donné naissance à deux images symboliques extrêmement puissantes, définissant par opposition deux types de pionniers, deux ordres sociaux ; à la limite, deux systèmes de valeurs. L'agriculteur attaché au sol et à la famille s'est trouvé confronté aux coureurs de bois, cet éternel absent tourné vers les grands espaces. Pourtant la distance entre cet agriculteur ancré au sol et cet aventurier aux horizons infinis n'est pas si grande [11] », d'autant qu'après un ou deux voyages, nombreux étaient les coureurs de bois qui s'établissaient sur une terre afin de pratiquer une agriculture de type européen.

L'agriculture de type européen au Canada et au Pays des Illinois

Au Canada, le colon qui avait reçu du seigneur une terre en censive devait la défricher, ce qui s'avérait être un long et dur labeur. Le bois, coupé à la hache, était soigneusement conservé pour édifier une première maison et constituer une réserve en bois de chauffage et de construction, à l'exception des branchages qu'il fallait brûler. On laissait les souches pourrir sur place ou on les arrachait avec le secours de bœufs et de chevaux. Il fallait encore si nécessaire épierrer le terrain. Un habitant seul mettait un an à obtenir un arpent cultivable et deux arpents d'abatis [12]. Cinq années étaient nécessaires pour défricher une terre grâce à laquelle une famille pouvait survivre et toute une vie de labeur pour former une exploitation autosuffisante. En revanche, au Pays des Illinois, les prairies naturelles ne nécessitaient pas de longs défrichements : il suffisait de planter la charrue en terre et l'on pouvait commencer à cultiver.

Les premiers abris que se construisaient les pionniers du Saint-Laurent étaient extrêmement rudimentaires. Ils tenaient davantage de la hutte ou de la cabane en pieux que de la maison. Après un certain temps, ils pouvaient édifier une vraie maison en bois de pièce sur pièce, l'abri initial servant alors d'étable pour les bêtes. En raison des effets du dégel, les maisons devaient continuellement être reconstruites. Progressivement, les dépendances se multiplièrent : granges, étables, poulaillers, porcheries, laiteries... Malgré les rigueurs de l'hiver, ces bâtiments n'étaient pas accolés à la maison, peut-être pour parer aux risques d'incendie.

Au Pays des Illinois, la plupart des colons vivaient dans des villages dont le plan était relativement simple et l'aspect champêtre : à Saint-Philippe et Prairie du Rocher, les maisons se situaient de part et d'autre d'une seule rue principale, tandis que Cahokia, Kaskaskia et Fort de Chartres étaient organisés selon un quadrillage plus ou moins régulier. Les parcelles étaient divisées en plusieurs terrains carrés ou rectangulaires, entourés d'une clôture de pieux de cèdre, de mûrier ou de noyer. Outre la maison placée sur le devant du côté de la rue, chaque terrain abritait un grand nombre de dépendances, telles qu'une cuisine séparée, un four, un puits, un poulailler, un pigeonnier, une étable, une grange, une porcherie, un hangar, un logement pour les esclaves, ainsi qu'un jardin potager et un verger. Les maisons étaient le plus souvent de poteaux en terre ou à colombage sur sole, avec un toit en bardeaux et une galerie sur un, deux ou quatre côtés. Elles n'avaient qu'un étage, étaient de taille modeste et comportaient en général deux pièces. Les plus riches habitants se firent construire de grandes maisons de pierre. Kaskaskia, le village le plus prospère, en abritait plusieurs, ainsi qu'une église en maçonnerie construite dans les années 1740.

Au XVIIIᵉ siècle, pour l'ensemble de la vallée laurentienne, les terres faisaient en moyenne 80 arpents de superficie, avec 2 à 4 arpents de face sur 40 à 50 de long. Leur surface variait entre 40 et 200 arpents. Pourvus d'exploitations de taille moyenne, les paysans canadiens étaient ainsi bien plus favorisés que ceux de métropole, la grande majorité de la paysannerie française étant composée de manouvriers et de journaliers. Sur ces exploitations, la totalité de la surface foncière n'était pas mise en labour : une grande part devait être gardée en pâturages pour nourrir les bêtes et en bois debout pour les besoins en chauffage durant la longue saison hivernale. Compte tenu des techniques, des instruments, des animaux de trait et de la main-d'œuvre disponibles, la surface maximale des terres en labour dans une ferme canadienne était de 40 arpents. Au Pays des Illinois, la surface cultivée moyenne était plus importante : elle passa de 24,8 à 65,9 arpents entre 1726 et 1752. Progressivement, les micro et petites propriétés (disposant d'une surface cultivée inférieure à 20 arpents) eurent tendance à disparaître au profit des propriétés de superficie moyenne ou grande (50, voire 100 arpents). La taille des exploitations en valeur au Pays des Illinois était donc particulièrement remarquable. La formation de ces grands domaines ne visait pas l'établissement des enfants comme au Canada, mais la production pour le marché. Dans la vallée laurentienne comme en Haute-Louisiane, la céréaliculture dominait l'agriculture. Le froment avait partout la première place, le pain blanc constituant l'élément de base de l'alimentation. Au Canada, les trois quarts des terres étaient emblavées. La culture secondaire était celle des pois. On se mit également à cultiver de plus de plus de l'avoine avec l'essor de l'élevage des chevaux, introduits en 1665-1672 et qui permettaient aux habitants de se déplacer rapidement. Au Pays des Illinois, le maïs, aliment des esclaves et des animaux, venait en seconde position après le froment. Dans les deux colonies, on trouvait aussi un peu de tabac, du chanvre et du lin parmi les cultures de plein champ. En outre, les habitants du Pays des Illinois possédaient quelques pieds de vigne, comme en témoigne cette lettre d'un officier réputé pour son éthylisme : « Je crois vous avoir déjà marqué que j'avais fait une barrique et un quart de vin du pays avec la ferme résolution prise que je n'en ferai l'ouverture que ce printemps prochain, mais ayant continuellement sous mes pieds ce nom de vin dans une cave où je descends souvent pour voir s'il ne leur arrive aucun incident je me suis laissé aller pour le quart seulement à la Sainte Martine quoique bien vert encore, mais pour la barrique aura campo jusqu'à Pâques contre toutes tentations, je ne crains que Sainte Les Rois et Sainte Marty Cras [*sic*] je compte en ce temps m'absenter pour ne pas manquer à ma parole, je vous dirai par la suite comment je me suis comporté à ce sujet pour que vous me rendiez justice… [13] » ! Ces expérimentations viticoles étaient toutefois insuffisantes pour satisfaire les besoins locaux et il fallut toujours importer du vin et de l'alcool de métropole.

Quant aux besoins en légumes, ils étaient assurés par l'exploitation des potagers où l'on faisait pousser des choux, des carottes, des navets, des oignons, des concombres, des oignons, des échalotes, de l'ail et des citrouilles. Les jardins montréalais étaient réputés pour leurs melons. On trouvait dans les vergers canadiens surtout des pommiers et dans ceux de Haute-Louisiane tous les arbres cultivés en Europe. L'élevage de quelques chevaux, bœufs, vaches, porcs et volailles au Canada permettait de satisfaire les besoins domestiques et de s'équiper en train de labour. Il était beaucoup plus important dans la région de Montréal que dans le reste de la vallée laurentienne. Au Pays des Illinois, l'élevage des chevaux, bovins et cochons prit une plus grande ampleur et avait une visée commerciale. En revanche, l'élevage des ovins, qui se développa au Canada principalement dans le gouvernement de Québec, ce qui permettait aux habitants de produire des vêtements de laine à leur usage, était absent de Haute-Louisiane.

En dehors de leurs jardins, les paysans du Canada et du Pays des Illinois pratiquaient une agriculture extensive. Les instruments et les techniques agraires en Nouvelle-France étaient comparables à celles de la grande majorité des paysans français de l'époque. Cependant, la plupart des colons de la vallée du Saint-Laurent ou du Pays des Illinois possédaient une charrue et une paire de bœufs pour la tirer. Ils se caractérisaient ainsi par un fort degré d'indépendance économique. Néanmoins, à l'instar de leurs charrues à rouelles ou à pas de loup, leurs instruments agraires étaient rudimentaires, même s'ils eurent tendance à s'améliorer légèrement et si les habitants s'efforcèrent de mieux en prendre soin.

Au Canada, la production céréalière était limitée par les fortes contraintes climatiques. La longue stabulation hivernale des bêtes demandait des fourrages en quantités importantes. C'est pourquoi les paysans préféraient faire boucherie à l'automne. Les quelques bêtes restantes ne produisaient pas assez de fumier pour amender les terres correctement, ce qui obligeait la plupart des agriculteurs canadiens à pratiquer un système d'assolement biennal (avec une rotation de blé de printemps et de pâturage). Seules les meilleures exploitations de la région de Montréal choisissaient un système d'assolement triennal, la période sans gel y étant plus longue que dans le gouvernement de Québec : cela rendait le calendrier agricole moins serré et permettait d'étendre la surface emblavée, forcément réduite dans la région québécoise. Le blé récolté plus tôt était plus sec : la production s'en trouvait augmentée et améliorée. De ce fait, la région montréalaise était considérée comme le grenier à blé de la vallée laurentienne. Au Pays des Illinois, grâce à la longueur de la saison végétative (environ 200 jours contre 130 à 150 au Canada) et à la possibilité d'amender davantage les terres, les habitants suivaient probablement un mode d'assolement triennal, avec une alternance de blé d'automne, de blé de printemps ou de maïs et de jachère.

L'assolement se pratiquait toujours individuellement. En effet, très peu de contraintes collectives pesaient sur les paysans de Nouvelle-France, contrairement à ce qui existait dans les systèmes d'openfield des plaines du nord de l'Europe. C'est l'individualisme agraire qui caractérisait les habitants des campagnes à blé du Canada et du Pays des Illinois. Partout, à l'exception de la Côte-du-Sud, on trouvait cependant des communes à l'intérieur de chaque terroir. Mais dans l'île de Montréal, les communes étaient acensées aux riverains individuellement ; en raison de la négligence de certains censitaires qui ne défrichaient et ne nettoyaient pas leur portion, les habitants des côtes de l'intérieur de l'île en demandaient souvent le partage. Cet individualisme forcené des Montréalais était toutefois atténué par l'existence de la vaine pâture qui fut pratiquée tardivement dans certaines côtes jusque dans les premières décennies du XVIIIᵉ siècle.

Au Pays des Illinois, cette contrainte collective fut instaurée dans les années 1720, sous la supervision des autorités locales. Alors que chaque longueur de parcelle n'était pas clôturée, mais seulement parfois bornée, l'ensemble des champs fut entouré d'une barrière du côté du chemin ; chaque propriétaire avait l'obligation de réparer la partie de la clôture attenante à son champ avant les semailles. À cette date, toutes les bêtes devaient être enfermées dans la commune. C'était seulement à la fin des récoltes que les bêtes pouvaient paître dans les champs. Les dates de début et de fin des travaux agricoles étaient ainsi fixées par les autorités locales. À la demande des habitants, chaque année à partir des années 1730, un syndic fut élu afin de veiller à l'entretien de la clôture. Cette élection se faisait sous la surveillance des autorités locales par l'assemblée des habitants. En fait, comme en métropole, seuls les habitants les plus importants votaient. Sans que le droit de vaine pâture existât, l'élection de syndics par la *sanior pars* de la communauté fut aussi instituée dans la seigneurie canadienne de la Prairie à partir des années 1720 : ils étaient chargés de veiller à la réfection des barrières autour de la commune chaque printemps. Dans cette seigneurie, l'esprit collectif se cristallisait autour de ces biens communaux.

En Acadie, les habitants vivaient dans des fermes isolées et dispersées. Ils cultivaient individuellement leurs terres. Cependant, de grands travaux furent entrepris collectivement afin d'assécher les terres marécageuses situées à proximité de la mer. Les Acadiens utilisèrent des techniques amenées avec eux de l'ouest de la France, notamment de Saintonge. Des digues furent construites, avec des aboiteaux, soit un système de clapets laissant l'eau s'écouler sous la digue.

La main-d'œuvre agricole, au Canada, était essentiellement familiale. Les paysans les plus aisés exploitant de grandes surfaces ou au contraire les plus pauvres, ceux qui souffraient d'un manque de bras en raison de circonstances familiales particulières, pouvaient toutefois employer des engagés au moment des grands travaux. Mais seuls les seigneurs, les couvents, les officiers et les marchands employaient des engagés en grand nombre et à l'année pour exploiter leurs vastes domaines. De plus en plus, ils conclurent plutôt à cet effet des contrats de fermage ou de métayage. Les tuteurs chargés de gérer les biens des mineurs utilisaient aussi ce mode d'exploitation. Cependant, la location de fermes était peu fréquente. En raison de la forte disponibilité des terres, l'agriculture était pratiquée en très grande majorité par des propriétaires-exploitants qui étaient appelés habitants [14], selon le principe d'une habitation par famille. Contrairement à la situation métropolitaine caractérisée par la détérioration de la propriété paysanne, la terre appartenait très largement aux paysans, y compris autour de Montréal ou de Québec. La domination de la ville sur les campagnes ne se manifestait pas, comme en France, à travers l'accaparement par les élites urbaines de la propriété paysanne.

En Haute-Louisiane, les colons faisaient appel à une main-d'œuvre salariée ou servile. Les exploitations de grande taille n'auraient pu être mises en valeur avec les seules forces familiales. Macarty, commandant du poste, écrivait ainsi en 1752 : « nous voyons qu'il n'y a que ceux qui ont des nègres qui fassent de bonnes récoltes. C'est ce qui est très nécessaire dans un pays naissant qui doit être la nourrice de plusieurs autres [15] ». Si à cette date près de la moitié des feux comprenaient de un à trois engagés, les salaires de ces derniers étaient relativement élevés. C'est pourquoi les habitants eurent recours de manière croissante aux esclaves noirs. Le Pays des

Illinois devint ainsi le seul établissement colonial où l'on pratiquait une agriculture de type européen avec l'aide d'une importante main-d'œuvre servile d'origine africaine. Près de la moitié des feux comportaient des esclaves noirs en 1752 et ceux qui n'en possédaient pas pouvaient en louer en Basse-Louisiane ou auprès des officiers de passage dans le poste. En général, il n'y avait qu'un à cinq esclaves par feu ; on trouvait aussi un groupe de moyens propriétaires d'esclaves (avec 6 à 15 esclaves) et quelques gros propriétaires (20 à 35 esclaves, exceptionnellement plus). La main-d'œuvre salariée et servile permit aux habitants du Pays des Illinois de développer non pas une agriculture de subsistance comme au Canada, mais une agriculture commerciale qui servait à approvisionner la basse vallée du Mississippi.

Les plantations de Basse-Louisiane

À l'instar du Pays des Illinois, l'agriculture de Basse-Louisiane reposait sur le travail servile, même si tous les habitants ne possédaient pas d'esclaves. Les fermiers allemands, en particulier, cultivaient leurs terres avec une main-d'œuvre essentiellement familiale. Les esclaves étaient fortement concentrés géographiquement. En 1766, la moitié d'entre eux vivait dans les 110 plantations situées autour de La Nouvelle-Orléans. Les trois quarts des possesseurs d'esclaves étaient de petits propriétaires avec moins d'une dizaine d'individus. Venait ensuite un petit groupe de possesseurs disposant de moins de cinquante esclaves. Enfin, les grandes plantations où travaillait au moins une centaine d'esclaves étaient rares. Si les plantations louisianaises se conformaient globalement au modèle du rang canadien, la présence de ces esclaves introduisait un élément de ségrégation ethnique dans l'organisation de l'espace, avec l'existence de larges baraques ou de cabanes regroupées plus ou moins loin de la maison du maître et servant au logement des travailleurs d'origine africaine.

Chaque plantation était exploitée individuellement par le propriétaire ou, lorsqu'il résidait en ville, par son économe. La seule contrainte collective était l'obligation d'édifier des levées le long du fleuve afin de protéger les terres des inondations du Mississippi. Chaque habitant était responsable de la portion de levée devant sa plantation. La construction et l'entretien continuel de ces digues de terre, ainsi que des canaux d'irrigation, faisaient que les plus durs travaux ne correspondaient pas seulement à la période de défrichement comme au Canada, mais se répétaient chaque année.

Les plantations de Basse-Louisiane ne connurent jamais la tendance à la monoculture des îles du Vent. Toutes se consacraient conjointement aux cultures vivrières et aux cultures commerciales pour le marché extérieur. Les cultures vivrières consistaient en maïs, légumes (haricots, pois, fèves et autres) et riz. Cette dernière plante avait été introduite en Louisiane en 1719, après que la Compagnie des Indes avait demandé à un bateau négrier destiné à la colonie de s'en procurer et de ramener du Sénégal des esclaves sachant le cultiver. Ce fut donc grâce aux esclaves africains que les habitants apprirent les techniques de culture du riz que tous se mirent à produire, tirant profit des inondations régulières du Mississippi, comparables à celles des fleuves Sénégal et Gambie. Avec l'aide de leur main-d'œuvre servile, les esclaves originaires d'Afrique de l'Ouest s'avérant être de très bons éleveurs, les habitants entreprirent également d'élever des quantités importantes de chevaux, de bovins et de cochons pour leurs besoins alimentaires et autres. Les premiers chevaux furent achetés aux Amérindiens de la rivière Rouge (les Caddos, Wichitas, Tonicas et Avoyelles), qui se les procuraient auprès des Espagnols, tandis que les bovins furent introduits depuis Saint-Domingue et les colonies espagnoles voisines.

Quant aux cultures commerciales, il s'agissait essentiellement de l'indigo et du tabac. À plusieurs reprises, des tentatives furent aussi faites pour cultiver le coton, la canne à sucre et les mûriers pour les vers à soie, mais elles se soldèrent par des échecs. Outre que son cycle de culture se combinait facilement avec celui du riz, l'indigo était la culture commerciale qui rapportait le plus. Il permettait de produire une teinture bleue très recherchée. Il fut cultivé essentiellement dans les grandes plantations autour de La Nouvelle-Orléans car sa culture demandait d'importants investissements initiaux pour les installations hydrauliques et exigeait un savoir-faire et une main-d'œuvre abondante. L'indigo était coupé deux fois par an. Il était amené dans un hangar ouvert sous lequel se trouvaient trois cuves placées de telle sorte que l'eau puisse s'écouler de l'une à l'autre. On laissait les feuilles se putréfier dans l'eau du premier bac et l'indigotier devait déterminer le moment où il fallait laisser l'eau s'écouler dans la seconde cuve, avant qu'elle ne fût noire. L'indigo était alors battu, puis on laissait le liquide reposer et l'indigo se déposer sous forme de sédiments au fond du bassin. Lorsque le liquide s'était éclairci, on ôtait progressivement l'eau. On enlevait alors l'indigo, on le plaçait dans des sacs de tissus afin qu'il puisse s'égoutter, puis on le faisait sécher sur des planches, on le découpait en petits carrés et on l'empaquetait. En raison de ces équipements et de ces techniques semi-industrielles, seules les grandes plantations permettaient de réaliser des économies d'échelle. On en comptait une quinzaine dans les années 1730 et une cinquantaine au début des années 1760, qui se consacraient à la culture de cette plante tinctoriale. La production d'indigo crût ainsi dans les années 1750, durant une courte période de prospérité économique, après avoir été longtemps devancée par le tabac. Celui-ci pouvait être cultivé indifféremment sur de petites ou de grandes plantations, ce qui en faisait la culture commerciale la plus répandue. Dans la colonie, le meilleur établissement pour sa culture se révéla être le poste des Natchez où deux grandes concessions s'y consacraient, mais la production y fut abandonnée après le massacre de 1729. Le tabac fut alors cultivé principalement à la Pointe Coupée. On en produisait aussi un peu aux Natchitoches. Sa culture demandait beaucoup de temps et de main-d'œuvre. Aux semailles en février succédait à partir d'avril la période durant laquelle il fallait transplanter les jeunes plants, désherber, détruire les vers et les chenilles du tabac et enlever les bourgeons et pousses sur les plantes ayant plus d'une douzaine de feuilles. La récolte avait lieu en août et en septembre. Les feuilles étaient séchées, puis empaquetées. Les caisses étaient ensuite convoyées à La Nouvelle-Orléans où elles attendaient, avec les peaux de chevreuil, dans les magasins de la Compagnie des Indes (ou du roi) et des négociants, d'être expédiées en métropole.

Le domaine des fourrures

Un double réseau de forts

L'intérieur du continent nord-américain ne donna lieu qu'à une faible mise en valeur coloniale. Ces territoires, pour l'essentiel, étaient dominés et contrôlés par les populations autochtones. Seules des alliances conclues avec ces peuples permettaient aux Français de se maintenir dans de telles régions. Afin d'entretenir de bonnes relations avec les Amérindiens, manifester la présence française et bloquer les Anglais, le pouvoir royal établit un double réseau de postes : le premier développé sur le bassin hydrographique du Saint-Laurent, des Grands

Lacs, du Haut-Mississippi, ainsi que dans la région de la mer de l'Ouest, dépendait principalement de Québec et surtout de Montréal, tandis que le second, construit sur le Bas-Mississippi, le Mobile et leurs affluents relevait de La Nouvelle-Orléans. Une trentaine de postes furent édifiés au cours du Régime français. Séparés par de longues distances, ils étaient situés dans des lieux stratégiques pour le contrôle des voies de communication (détroits, portages, confluents…) et le plus souvent à proximité de villages amérindiens. Chacun d'entre eux était commandé par un officier et regroupait un petit nombre de soldats, auxquels s'ajoutaient parfois quelques habitants.

Ces postes étaient presque toujours fortifiés. Les forts étaient de deux types. La plupart n'étaient que de simples fortins construits en bois. Ils formaient un carré pourvu de deux à quatre bastions et étaient entourés d'une palissade faite de pieux en bois fichés en terre. L'érection de ces édifices sommaires coûtait assez peu d'argent et était l'affaire de quelques jours, mais il fallait continuellement réparer la palissade et même la reconstruire régulièrement, sans quoi ils tombaient en ruine. Un administrateur qui inspectait le fort Pontchartrain de Détroit en 1708 se lamentait ainsi : « Les pieux du fort sont presque tous pourris et de telle sorte que j'en ai vu tomber devant moi [16]. » Le but assigné à ces constructions en bois était simplement de dissuader une éventuelle attaque des Indiens, ces derniers ne se lançant jamais à l'assaut d'un fort bien gardé : « Tous ces sauvages, explique l'intendant Raudot au début du XVIIIᵉ siècle, n'osent attaquer un fort de pieux défendus par des Européens, ils disent que c'est s'exposer visiblement à être tué, que c'est n'avoir point d'esprit, que pour eux ils font la guerre pour tuer et pas du tout pour être tués [17]. » En revanche, les autochtones pouvaient tenter d'affamer un poste, comme le firent les Iroquois à Niagara en 1688, ou bien le prendre par surprise, à l'instar des Natchez en 1729.

Il existait par ailleurs plusieurs forts aptes à soutenir un siège de la part des Anglais. Le fort Chambly sur la rivière Richelieu, le fort Saint-Frédéric et le fort Carillon sur le lac Champlain, le fort de la Présentation et le fort Frontenac sur le Haut-Saint-Laurent, le fort Niagara de l'autre côté du lac Ontario ou encore le fort de Chartres au Pays des Illinois, constituaient au milieu du XVIIIe siècle des ouvrages de pierre imposants. Le fort Saint-Frédéric était ainsi décrit par l'ingénieur Franquet en 1750 : « les fortifications consistent en une redoute [...], et en une enceinte de six bastions qui l'enveloppe. La redoute est le premier ouvrage de ce fort. Sa construction est des plus solides, ses murs sont d'une épaisseur durable de résistance au canon, percés d'embrasures et renforcés à leur sommet d'un mâchicoulis qui en défend l'accès [...]. En avant de la face de son entrée est un fossé traversé d'un pont-levis [18] ».

Pour la plupart des postes canadiens, les mouvements de troupes et l'approvisionnement en matériaux, vivres et munitions se faisaient depuis Montréal qui remplissait un rôle fondamental de centre logistique militaire. Des commerçants montréalais étaient chargés par contrat du transport des marchandises. Les établissements de la région du Missouri et de l'Ouabache dépendaient du Pays des Illinois : le commandant du fort de Chartres détachait quelques soldats de sa garnison pour les garder et s'occupait de leur approvisionnement. Les militaires des forts du Mississippi et du Mobile venaient de La Nouvelle-Orléans. Les autorités de la Louisiane veillaient à ce que les compagnies ne fussent pas toujours affectées aux mêmes endroits. La circulation des soldats se faisait par l'intermédiaire du convoi annuel qui reliait la capitale à Kaskaskia. Au retour, à partir des années 1730, les bateaux apportaient aux garnisons du Mississippi les

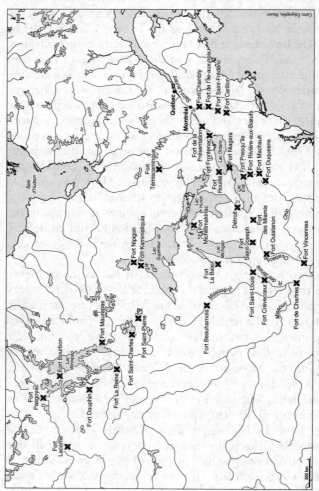

Les forts français du bassin des Grands Lacs au cours des XVIIᵉ-XVIIIᵉ siècles

farines et les jambons dont elles avaient besoin pour subsister. Durant la guerre de Sept Ans, le Pays des Illinois
fut aussi chargé de secourir certains établissements canadiens (Ouiatanons et Miamis).

La fonction militaire et géopolitique des postes et leur
rôle dans le commerce des pelleteries étaient étroitement
liés. Les forts constituaient, en effet, des lieux de traite,
même si celle-ci ne s'y déroulait pas exclusivement. Le
commerce des peaux qui y était pratiqué avait un triple
intérêt : il était une source de profits économiques, représentait un élément fondamental du fonctionnement de
l'alliance franco-amérindienne et permettait de financer
les dépenses pour la construction des forts, le paiement
des appointements des officiers et des gages des soldats.
En outre, les forts, situés à des points névralgiques des
axes de communication hydrographiques devaient empêcher la contrebande avec les colonies anglaises.

La traite des pelleteries

Le pouvoir royal chercha à contrôler étroitement ce
commerce de peaux. À cette fin, les autorités coloniales
mirent en place un système de congés pour la traite dans
les Pays d'en Haut à partir de 1681. Les congés, délivrés
par le gouverneur et l'intendant de Québec, donnaient
droit d'envoyer dans un poste donné (avec interdiction
de faire la traite ailleurs) un certain nombre de canots et
d'engagés. À l'origine, ils devaient être attribués à de
pauvres nobles qui pouvaient les exploiter eux-mêmes ou
les vendre à des marchands. Cependant, ils furent de
plus en plus souvent vendus directement aux marchands
contre une somme qui se fixa progressivement à 500 ou
600 livres. Leur nombre était fixé en théorie à vingt-
cinq, mais dans la pratique un plus grand nombre de
congés étaient distribués. Le résultat de cette expansion
fut une surproduction de peaux de castor qui conduisit

le pouvoir royal, en 1696, à abolir le système des congés. La traite ne fut plus autorisée que dans trois postes : Détroit, Michillimakinac et le Pays des Illinois dont le fort Saint-Louis fut pourtant abandonné en 1703. En 1713, le stock de castors en Europe avait été épuisé et la guerre contre les Renards faisait alors du castor gras une denrée rare, ce qui décida la Couronne à rouvrir les Pays d'en Haut. En 1715, elle instaura à nouveau le système des congés, qui s'interrompit toutefois entre 1720 et 1726. À partir de 1742, certains postes furent aussi affermés. En Louisiane, l'État joue un rôle encore plus central dans la traite, comme approvisionneur de marchandises, la colonie disposant d'un nombre limité d'équipeurs.

Congés et fermes des postes visaient à limiter le nombre de personnes s'adonnant à la traite des fourrures. Les administrateurs du Canada ont souvent déploré le pouvoir d'attraction que les Pays d'en Haut exerçaient sur de nombreux jeunes hommes de la colonie ; jusqu'au début du XVIIIᵉ siècle, et parfois par-delà, ils n'ont eu de cesse de condamner leur mode de vie nomade, l'absence de tout contrôle étatique et religieux et de déplorer la perte de bras pour l'agriculture. L'intendant Champigny écrivait ainsi, exagérant la situation : « Il est bien fâcheux que la jeunesse canadienne [...] ne puisse presque rien goûter que ces sortes de voyages où ils vivent dans les bois comme des sauvages et sont deux ou trois ans sans pratiquer aucun sacrement, vivant dans une oisiveté et souvent dans une misère extrême. Quand ils sont accoutumés à cette vie, ils ont peine à s'attacher à la culture des terres [19]. » Toutes les tentatives pour contrôler la traite ne purent empêcher l'existence de nombreux coureurs de bois qui, au sens strict de ce terme, étaient des traiteurs hors-la-loi, dépourvus de congé. Le pouvoir royal les menaçait des galères et du fouet, mais les amnistiait aussi régulièrement dans l'espoir de les faire revenir dans la vallée laurentienne, d'arrêter la contrebande avec les colonies britanniques et d'obtenir leur aide dans la guerre contre les Renards.

Au Pays des Illinois, la traite, apparemment, exerçait également une forte attraction sur les jeunes gens. En 1743, Jean-Baptiste Mercier, fils d'un défunt habitant, justifiait en ces termes sa requête auprès des autorités locales pour un terrain à Saint-Philippe :

> « Dans un âge où la plupart des jeunes hommes de ce pays, qui sont trop tôt leurs maîtres, ne songent qu'à leurs plaisirs ou tout au plus qu'à la chasse ou aux voyages, je me trouve par la grâce du Seigneur avoir d'autres idées. Je suis encore mineur et pupille, mais dès présent je pense à m'établir solidement. Dans la succession de feu mon père Jean-Baptiste Mercier, il me revient pour ma part près d'un arpent de terre, pour me mettre en état de la cultiver, ou quelque autre qu'il me sera aisé d'emprunter, j'ai besoin d'un emplacement, afin de m'y bâtir, et de commencer dès à présent la vie d'habitant à laquelle je me trouve destiné. Quoique je ne jouisse pas encore de mon bien j'ai assez de parents et d'amis pour achever les petits travaux que je pourrais entreprendre… Si j'obtiens de vous cette grâce je couperais incessamment du bois pour l'entourer, et j'espère que l'an prochain je serai en état d'y commencer un bâtiment. Je serais ainsi le premier jeune homme de Saint-Philippe qui étant né dans ce pays aura travaillé lui-même à s'y établir. [20] »

Il ne faudrait pas pour autant, à suivre un tel témoignage, opposer traite et agriculture, et les modes de vie nomade ou sédentaire qui leur étaient liés. Les voyages auxquels s'adonnaient ces jeunes gens nés au Pays des Illinois étaient souvent temporaires ; ils leur permettaient de se constituer un petit pécule avant de s'établir. De la même façon, parmi les voyageurs canadiens venus en Haute-Louisiane pour la traite, certains finissaient par s'y installer et se mettaient à cultiver la terre. Ils avaient été séduits par le climat, la facilité avec laquelle on pouvait s'y établir comme habitant et les possibilités de mobilité sociale offertes par l'économie du poste.

Les différentes catégories de personnes qui participaient au commerce des fourrures dans les Pays d'en Haut étaient les marchands-équipeurs, les officiers, les marchands-voyageurs et les engagés. Les premiers, qui résidaient à Montréal, ne participaient pas aux voyages de traite. Les marchands-voyageurs étaient environ une centaine. Pour l'exploitation des postes, ils s'associaient avec des officiers : ces derniers apportaient à la société le droit de faire la traite, tandis que les premiers étaient chargés de la gestion des affaires. La durée de participation des uns et des autres au commerce des pelleteries variait énormément. Certains ne s'y adonnaient qu'une ou plusieurs années, d'autres y consacraient toute leur vie professionnelle.

À leur service, on trouvait des engagés, au nombre de 700 environ à la fin du Régime français. Ce groupe se renouvelait continuellement, d'autant que la traite constituait une activité extrêmement dure et éprouvante physiquement. Louise Dechêne a montré qu'un peu moins de la moitié des engagés ne faisaient qu'un seul voyage dans les Pays d'en Haut au début du XVIIIe siècle. Cela permettait à ces jeunes hommes célibataires de gagner de quoi s'établir comme habitant. Les autres étaient des engagés professionnels qui étaient souvent mariés et qui transmettaient fréquemment leur métier à leurs fils. Issus à l'origine de la ville de Montréal, les engagés, au XVIIIe siècle, furent de plus en plus recrutés dans les paroisses rurales voisines. Ils provenaient souvent des mêmes familles. Chaque année, un relativement faible pourcentage d'hommes adultes participait ainsi à la traite et ceux qui le faisaient, pour la plupart, n'étaient pas établis et ne laissaient donc pas une terre en friche. L'affirmation des autorités selon laquelle toute la jeunesse de la colonie partait dans les Pays d'en Haut en délaissant l'agriculture est donc fausse. Une minorité de Canadiens seulement participèrent à la traite plus ou moins activement à un moment de leur vie : 12 à 16 % pour la fin du XVIIe siècle et le début du XVIIIe siècle, 20 à 25 % pour les années 1730-1740.

Les engagés devaient pagayer dans les canots d'écorce qui comportaient de trois à huit hommes selon leur taille. Ils pouvaient parcourir une soixantaine de kilomètres en un jour en suivant le courant des rivières ou sur les eaux calmes des lacs et même une centaine de kilomètres en utilisant des voiles. Ils devaient en outre porter les canots à bout de bras lors des portages. Les vingt-cinq engagés employés dans l'expédition de Louis Denis de La Ronde en 1727 pour le poste de Chagouamigon durent, par exemple, transporter plus de 6 000 kg de marchandises, vivres et autres entreposés dans cinq canots [21]. Les engagés étaient absents entre quatre et douze mois de l'année. Les canots partaient au printemps et revenaient à l'automne, ce qui correspondait à un aller-retour entre Montréal et Détroit ou Michillimakinac, ou bien ils rentraient l'année suivante, hivernant alors dans un poste des Pays d'en Haut. Leurs salaires dépendaient de leur expérience et de leur place dans le canot.

Les postes du Pays des Illinois et du Missouri étaient fréquentés tant par des voyageurs canadiens que par des traiteurs louisianais. L'essentiel des pelleteries récoltées dans ces régions était envoyé au Canada *via* Michillimakinac ou Détroit, alors qu'elles auraient dû légalement être amenées à La Nouvelle-Orléans. Mais les marchands-voyageurs canadiens proposaient des marchandises de traite à des prix moins élevés ; les peaux s'abîmaient très rapidement dans le climat subtropical de la capitale louisianaise où elles devaient attendre

longtemps un bateau pour la métropole. En conséquence, la Basse-Louisiane ne retirait pas un grand bénéfice de la traite. À plusieurs reprises, les autorités
louisianaises, principalement Vaudreuil dans les années
1740 et au début des années 1750, essayèrent de remédier à cette situation. Le gouverneur se livra à une petite
guerre commerciale et administrative avec son homo-
logue de Québec, en essayant d'interdire totalement la
traite du Pays des Illinois et du Missouri aux traiteurs
canadiens. L'historien Joseph Zitomersky a souligné que
cette rivalité entre le Canada et la Louisiane à propos
des espaces frontaliers aux deux colonies annonçait la
compétition entre Montréal et New York, d'une part, et
La Nouvelle-Orléans, d'autre part, pour le contrôle des
territoires du *Old North West*, dans le dernier tiers du
XVIIIe siècle et au XIXe siècle. En dehors de la traite des
pelleteries, certains postes développèrent des activités
agricoles, ce qui permit à leur population civile de se
stabiliser et de s'accroître. Ce fut le cas en particulier des
deux postes canadiens les plus actifs dans la traite des
fourrures, Michillimakinac et surtout Détroit. À partir
du milieu du XVIIIe siècle, les autorités canadiennes
adoptèrent des mesures pour favoriser le peuplement et
le développement agricole du poste fondé par Cadillac.
Elles organisèrent en 1749 et 1750 des convois de colons
voués à l'agriculture et leur accordèrent des vivres pendant les deux premières années suivant l'installation.
Cette politique porta ses fruits puisque la population de
Détroit atteignait plus de 800 personnes exploitant près
de 150 terres en 1765. Les habitants étaient répartis des
deux côtés de la rivière du Détroit sur une quinzaine
de kilomètres. À Détroit comme à Michillimakinac, les
exploitations s'étendaient et s'organisaient selon le système du rang canadien. En Basse-Louisiane, ce fut le
poste des Natchitoches qui connut un certain essor grâce

au commerce avec les Espagnols voisins et à la culture du tabac.

Les espaces littoraux consacrés à la pêche

Les communautés de pêche de l'île Royale

À côté des petits établissements de pêche fondés en Acadie, à Plaisance, au Labrador, sur l'île Percée et à Gaspé, l'île du Cap-Breton se distinguait par sa relative importance. Les Français n'occupèrent que la côte orientale de l'île, si l'on excepte quelques implantations établies après 1749 à l'intérieur des terres par des Acadiens, des soldats français congédiés et des Allemands catholiques réfugiés de Nouvelle-Écosse. Ainsi n'empiétèrent-ils pas sur le territoire des Micmacs, situé principalement près de la mer intérieure, le lac du Bras d'Or. La raison principale n'était pas de maintenir de bonnes relations avec les Amérindiens, ce que souhaitait néanmoins le pouvoir royal, les Micmacs étant des alliés militaires précieux ; il s'agissait surtout d'assurer le développement de la pêche, qui avait été à l'origine de la fondation de la colonie et qui demeura l'activité économique dominante tout au long du Régime français.

Contrairement au Canada où la grande majorité des habitants étaient des cultivateurs, l'agriculture se développa très peu sur l'île. La côte est, choisie du fait des avantages qu'elle offrait pour la pêche, comptait, en effet, peu de terres arables. En outre, la pêche à la morue demandait beaucoup de main-d'œuvre : elle employait donc les quelques immigrants venus de France et établis sur place, peu enclins à se lancer dans le dur travail de défrichement de terres boisées. Enfin, les conditions climatiques, froides et pluvieuses, étaient défavorables à l'agriculture ; la saison végétative était encore plus courte qu'en Acadie. Comme la mise en valeur agricole de l'île Saint-Jean voisine fut de surcroît un échec malgré des conditions plus propices, la colonie demeura toujours dépendante de l'extérieur pour sa subsistance.

Avant 1745, les colons qui ne résidaient pas à Louisbourg étaient éparpillés entre environ deux douzaines de communautés ne comprenant que quelques centaines de personnes et vivant essentiellement de la pêche (à l'exception de Port Dauphin et de Port Toulouse). Leur taille variait énormément d'une année à l'autre, en fonction de l'importance des prises. Les habitants, à la poursuite des bancs de poissons, étaient très mobiles. Après l'occupation anglaise, certains de ces établissements, comme Niganiche (Port d'Orléans) qui était auparavant le second poste de la colonie avec 741 habitants en 1737, ne furent pas réoccupés ; d'autres ne retrouvèrent pas leur taille antérieure, alors que les ports sur la côte sud-est (Petit-de-Grat et Port Toulouse) virent leur population augmenter.

Dans ces petites communautés comme dans les faubourgs de Louisbourg, les autorités distribuèrent des concessions qui avaient la forme du rang canadien : de longues bandes étroites et parallèles, perpendiculaires au rivage. L'objectif de cette organisation était de donner un accès à la mer au plus grand nombre. Il ne s'agissait pas ici de cultiver la terre, mais de préparer le poisson salé et séché sur les graves. Les colons disposaient des meilleurs emplacements qui leur avaient été concédés à l'origine en dédommagement de la perte de leurs établissements à Plaisance. Les autres graves pouvaient être occupées temporairement par des pêcheurs métropolitains. Ceux-ci louaient ou achetaient parfois leurs concessions aux pêcheurs résidents, malgré l'obligation qui était faite à ces derniers de les exploiter eux-mêmes.

La pêche à la morue

Outre les compagnons pêcheurs et ceux préparant le poisson, établis à demeure dans l'île, les habitants-pêcheurs, c'est-à-dire les détenteurs de propriétés de pêche, employaient des migrants saisonniers venus pour la plupart de Saint-Malo et du Pays basque. Les entreprises de pêche ne pouvaient fonctionner, en effet, sans un minimum de dix hommes pour la pêche en chaloupe et de quatorze pour celle en goélette (six à dix individus à bord et quatre à terre). La main-d'œuvre manquait souvent et le recrutement donnait lieu à toutes sortes de procédures malhonnêtes pour débaucher les équipages d'un concurrent. Un mémoire de 1739 rapporte ainsi qu'« un habitant après avoir attiré chez lui un compagnon pêcheur d'un autre habitant le fait boire et dans la boisson lui fait passer un engagement que l'on antidate quelquefois lorsqu'on soupçonne un engagement précédent et il est arrivé que des compagnons pêcheurs ont passé jusqu'à trois engagements avec différents habitants pour la même pêche [22] ».

Les habitants de l'île Royale pratiquaient deux sortes de pêche : la pêche à la morue sèche, qui était sédentaire, et la pêche mixte, forme errante de la précédente. La première se pratiquait près de la côte : les pêcheurs partaient en chaloupe chaque jour de trois heures du matin à la fin de l'après-midi. À terre, les graviers habillaient ou désarêtaient, salaient, lavaient et séchaient le poisson. Cette pêche ne pouvait avoir lieu que deux mois dans l'année, de fin juin à fin juillet, car ensuite la morue s'éloignait des littoraux. Il s'agissait donc d'une véritable course contre la montre qui nécessitait un labeur épuisant. C'est pourquoi certains pêcheurs allaient « courir le marigot » : ils partaient dormir quelque part sur la côte et revenaient en disant qu'ils avaient « couru toute la journée d'un bord à l'autre, mouillé plus de vingt fois le grappin sans trouver de morue, qu'ils sont plus fatigués que s'ils en avaient pêché cinq cents, qu'ils ont été malheureux dès le matin, qu'ils n'ont pêché que dix à douze maquereaux, que le lendemain ils iront d'un autre côté, et qu'ils seront plus heureux » [23]. Le sort des travailleurs à terre, occupés sur le chauffaud, sorte de jetée s'avançant dans la mer, était encore moins enviable : « Il n'est pas de travail plus dégoûtant et de plus insupportable que celui de chauffaudiers. Sans cesse couverts du sang des poissons qui jaillit sur eux en l'ouvrant [...] joignez à cela la puanteur des cageots dont l'exhalaison fétide se répand au loin et l'on se fera une idée de la force de l'habitude. Il est vraiment inconcevable comment ils peuvent s'y familiariser et rester. Il est à observer aussi qu'ils n'en sortent pas pendant que la pêche donne, qu'ils sont au travail depuis la pointe de jour jusque bien avant dans la nuit et qu'ils y couchent [24]. »

Dans la pêche mixte, les navires partaient pour plusieurs semaines, voire plusieurs mois, prendre la morue loin des côtes sur les bancs. Le poisson, qui avait été habillé et salé à bord, était lavé et séché sur les graves à terre. Cette pêche ne pouvait se faire en chaloupes et nécessitait des goélettes. Elle offrait l'avantage de se pratiquer plus longuement de la fin d'avril jusqu'à mi-octobre, ce qui permit d'accroître la production de morues séchées et les envois en métropole. L'activité halieutique donnait ainsi à l'économie de l'île Royale une orientation commerciale très marquée.

9

ÉCHANGES, TRANSPORTS ET COMMERCE

Richelieu et Colbert, chacun à son époque, donnèrent une impulsion nouvelle à la colonisation en Nouvelle-France. Ces grands serviteurs de l'État fondaient leur action outre-mer sur le mercantilisme, un ensemble de théories et de politiques économiques développé en Europe depuis le XVIᵉ siècle. Selon cette doctrine, les colonies étaient au service de la métropole : elles devaient lui fournir les denrées exotiques qu'elle ne pouvait se procurer sur son propre sol et servir de débouché aux produits manufacturés du royaume. À cette fin, la monarchie mit en place le système de l'Exclusif qui réservait le commerce colonial à certains ports métropolitains et en excluait les puissances étrangères. En fait, cette mesure visait essentiellement les colonies britanniques et hollandaises, alors que le commerce avec les colonies espagnoles était lui encouragé. Les échanges devant être bilatéraux entre la France et ses propres colonies, le commerce intercolonial n'était pas non plus favorisé. Cette dernière position fut toutefois assouplie au cours des premières décennies du XVIIIᵉ siècle, en particulier sous la houlette du ministre de la Marine Maurepas. La Couronne espérait, en effet, réduire de la sorte le commerce de contrebande avec les établissements anglais voisins. Cela correspondait également à la mise en place d'un système impérial : les territoires sous souveraineté française en Amérique du Nord devaient être maintenus et soutenus afin de s'opposer aux colonies britanniques. Les exportations et les importations qui se développèrent alors entre Québec, Louisbourg et les Antilles, générèrent un commerce de subsistances à l'intérieur du Canada. La Louisiane, quant à elle, n'aurait pu survivre sans les échanges internes à la basse vallée du Mississippi et sans ceux liant le Pays des Illinois et La Nouvelle-Orléans.

Le commerce intracolonial des denrées agricoles

Le commerce des subsistances au Canada

Avant de circuler des campagnes vers les villes, le froment canadien était l'objet d'échanges à l'intérieur des paroisses rurales. Si l'objectif des exploitations laurentiennes était l'autosuffisance, tous les paysans n'avaient pas atteint ce stade : les plus démunis survivaient grâce aux travaux rémunérés en nature et aux prêts de blé. En cas de disette, les campagnes ne pouvaient pas compter sur une aide extérieure venue de la ville ; les habitants dépendaient alors des curés qui distribuaient des aumônes et faisaient des avances de grains, ainsi que des gros exploitants qui en vendaient à des conditions avantageuses. Cependant, au XVIIIe siècle, la production agricole augmenta plus vite que la population et les paysans purent dégager des surplus céréaliers. Comme une partie seulement de ces excédents servait à payer la dîme et les redevances seigneuriales, le reste était commercialisable à l'intérieur et à l'extérieur de la colonie. En conséquence, un véritable commerce de subsistances se développa entre les campagnes et les villes. Ces surplus ne furent néanmoins jamais très importants, en raison du faible nombre d'exploitants.

Ce commerce devait d'abord satisfaire la demande locale qui s'accrut au cours du XVIIIᵉ siècle avec l'augmentation de la population urbaine, même si de nombreux citadins possédaient des terres grâce auxquelles ils s'approvisionnaient eux-mêmes. Les excédents permettaient surtout d'assurer la subsistance des garnisons, qui dépendait au siècle précédent de la métropole. Le Canada était ainsi la seule colonie à nourrir ses troupes. Il fallait aussi satisfaire les besoins croissants en denrées alimentaires des entreprises de pêche et de traite des pelleteries. La commercialisation des blés se faisait de multiples façons : les habitants apportaient une partie de leur récolte sur les marchés urbains ; de petits colporteurs sillonnaient les campagnes ; des marchands de Québec et, dans une moindre mesure, de Montréal, prospectaient les côtes (les lignes d'habitations) ; enfin, des commerçants établis à demeure dans les villages en formation dans la région de Montréal vendaient à crédit aux paysans des produits manufacturés et autres que les agriculteurs payaient en froment. Ces marchands ruraux représentaient les plus gros fournisseurs des magasins du roi. L'intendant passait aussi des contrats avec de nombreux officiers qu'il rattachait de cette manière à sa clientèle.

La navigation constituant le moyen de circulation le plus rapide et le moins cher, les blés étaient transportés par voie fluviale. Les paysans qui vivaient à une courte distance de Québec ou de Montréal pouvaient y livrer leurs denrées en pirogues durant la saison de navigation, de début mai à fin novembre. Il s'agissait bien de pirogues, même si on leur donnait dans la colonie le nom de canots. Malartic, aide-major du régiment de Béarn, les décrivait ainsi : « Ces canots sont une espèce d'auges faits avec un seul arbre. Ils sont très légers et tournent très facilement. Tous les habitants en ont pour porter leurs denrées au marché et traverser le fleuve. Ils mettent jusqu'à huit quintaux dedans et ils les conduisent tantôt avec de petits avirons, ce qu'ils appellent nager, tantôt avec la perche dans les endroits où il y a peu d'eau, ou des courants qu'il faut monter le long des terres [1]. » En hiver, le fleuve gelé durant cinq mois était impraticable. Les communications terrestres étaient aussi interrompues à la fin de l'automne en raison des fortes pluies et au moment du dégel et de la débâcle. À partir de mi-décembre, les paysans avaient recours aux traîneaux, ce qui réduisait les opérations de chargement et de déchargement entre les différentes rives du fleuve.

Le transport des grains de Montréal à Québec se faisait pareillement par la voie fluviale, malgré les dangers et les difficultés de la navigation. De fait, les courants, les bas-fonds et les coups de vents violents rendaient les voyages périlleux. Une route terrestre, appelée chemin du roi et achevée en 1737, reliait certes les deux villes, distantes de 270 kilomètres ; elle passait au nord du fleuve et était coupée d'une dizaine de bacs. Elle n'était toutefois pas utilisée pour les charrois et ne servait qu'aux colons circulant à cheval, en charrette, en calèche ou à traîneau : le trajet ne prenait pas plus de quatre jours avec un bon attelage. Les livraisons de blé se faisaient entre mai et juillet. Les paysans étaient, en effet, trop occupés à leurs labours durant l'automne et la navigation fluviale était interrompue pendant cinq mois de fin novembre à fin avril en raison du gel. En attendant, les blés étaient donc stockés par les paysans eux-mêmes dans leurs granges, alors qu'en France ils étaient immédiatement transportés dans les greniers des receveurs ou des acheteurs après la moisson. Le froment, avec les pelleteries, les pois, les pommes, le cidre et les autres denrées montréalaises, servait de cargaison de retour pour les bateaux amenant de Québec à Montréal les marchandises métropolitaines. Les propriétaires de ces bateaux étaient en général des habitants de Québec, des marchands ou des bateliers. Ils faisaient en moyenne deux voyages par saison. Le trajet aller-retour entre la capitale et les côtes du gouvernement montréalais durait un mois, soit beaucoup plus que le temps de navigation des simples passagers : il fallait deux jours à un canot non chargé pour relier les deux villes et quatre à six jours à une barque à voile ou à rames, faisant escale la nuit. Le blé parvenait en ville sous la forme de grains. Il était moulu dans une dizaine de moulins banaux situés dans les environs de Québec et de Montréal, le blutage étant assuré par les boulangers.

La régularité de ce commerce de subsistances était perturbée par les mauvaises révoltes, relativement fréquentes comme dans tous les systèmes agricoles traditionnels. Les plus graves disettes se produisirent en 1736-1737 et en 1741-1743. Les mauvaises récoltes pesaient surtout sur les urbains, en particulier les habitants de Québec, et moins sur les paysans qui pouvaient survivre en se nourrissant de poissons et de légumes. En temps de crise, les intendants mettaient fin à la liberté du commerce des blés et prenaient des dispositions pour assurer l'approvisionnement des citadins et des garnisons. Entre 1718 et 1744, ils interdirent à sept reprises les exportations de froment et firent trois fois appel à la France ou à Louisbourg pour faire entrer des farines dans la colonie. À l'intérieur, les autorités imposaient les mesures suivantes : contrôle du transport des grains, déclaration des stocks des marchands et interdiction faite aux boulangers de fabriquer des biscuits. À partir de la crise de 1736-1737, elles eurent recours à des méthodes plus drastiques, taxant et réquisitionnant le blé des paysans (mais pas celui des privilégiés, seigneurs et curés). L'intendant vendait le froment réquisitionné à prix coûtant aux boulangers, aux communautés religieuses, à l'évêque et aux prêtres paroissiaux. Les plus pauvres étaient ainsi soulagés par les aumônes de l'Église et par la charité privée. Ces mesures se faisaient au détriment des paysans qui devaient céder leur récolte à un prix inférieur au marché et réduire leurs réserves faites pour assurer les semences suivantes et payer leurs dettes. Le système fut encore aggravé après 1744 en raison de la croissance des consommations militaires dans le contexte de la reprise des hostilités avec l'Angleterre. La guerre de Sept Ans entraîna la seule famine véritable que connut le Canada français.

Le développement d'une « économie d'échange de la frontière » en Basse-Louisiane

Comme sur le Saint-Laurent, la préoccupation première des habitants de la basse vallée du Mississippi fut de se nourrir. Certes, la colonie ne connut pas toujours des temps de disette aussi dramatiques que lors de la guerre de Succession d'Espagne, durant laquelle les communications avec la métropole furent totalement interrompues, ou lors des premières années de la Compagnie des Indes qui n'envoya pas assez de denrées alimentaires pour nourrir les centaines de colons, de soldats et d'esclaves qu'elle avait acheminés en Louisiane en très peu de temps. La question de l'approvisionnement alimentaire demeura néanmoins cruciale. Les envois de blés et de lards de métropole ne furent, en effet, jamais suffisants et la population peinait à produire les quantités convenables pour assurer sa propre subsistance. Face à ces difficultés se mit en place ce que Daniel H. Usner a appelé une « économie d'échange de la frontière », soit une économie dans laquelle colons blancs, Amérindiens et esclaves noirs échangeaient des marchandises et entretenaient des liens économiques étroits. Les problèmes de subsistance ne furent donc pas résolus par le seul développement d'une agriculture autosuffisante, ils le furent aussi grâce à la mise en place d'un marché local de denrées alimentaires dans lequel intervenaient tous les groupes ethniques présents dans la colonie.

Les Amérindiens, tout d'abord, jouèrent un rôle fondamental dans l'approvisionnement des habitants d'origine européenne. Ces derniers firent appel à eux en particulier dans les premiers temps de la colonisation, au moment des disettes les plus graves, en leur achetant des vivres ou en envoyant les soldats s'établir au sein des villages autochtones voisins des postes français. Dans le premier quart du XVIIIe siècle, certains groupes amérindiens migrèrent afin d'être mieux à même d'approvisionner les établissements français en formation : ce fut notamment le cas des villages de Colapissas, Chaouachas, Ouachas, Houmas et Chitimachas, qui se déplacèrent afin de se rapprocher de La Nouvelle-Orléans en 1718-1720. Par la suite, les Alibamons à Fort Toulouse, les Chactas à La Mobile, les Houmas et d'autres petites nations à proximité de la capitale, ainsi que d'autres populations autour des postes de l'intérieur aux Natchez, aux Natchitoches, aux Yazous et aux Arkansas, ne cessèrent de fournir aux soldats et aux colons du maïs, des volailles, ainsi que du poisson, du gibier, de l'huile d'ours, contre des marchandises de traite importées de métropole. Les femmes autochtones leur vendaient aussi leurs produits artisanaux, tels que les paniers en joncs et les récipients en terre.

Progressivement, les colons et leurs esclaves se chargèrent néanmoins eux-mêmes d'assurer leur propre subsistance. Les productions vivrières de chaque exploitation servaient d'abord à satisfaire l'autoconsommation. De surcroît, certaines habitations et plantations se mirent à vendre leurs surplus sur le marché de La Nouvelle-Orléans. Les marchandises y étaient amenées en pirogue. Les fermiers allemands, en particulier, ne cultivaient pas de produits destinés à l'exportation en métropole, mais s'étaient spécialisés dans l'approvisionnement de la ville en maïs, riz, légumes, viande de bœuf, beurre et fromages, qu'ils produisaient avec l'aide d'une main-d'œuvre essentiellement familiale et de quelques esclaves. Le marché de la capitale était aussi achalandé par les esclaves eux-mêmes qui y vendaient les produits de leurs lopins individuels, ainsi que par des libres de couleur qui s'installèrent au Détour des Anglais à partir de la fin des années 1740.

Dans le domaine gastronomique, les échanges entre les trois groupes ethniques présents dans la colonie furent en conséquence particulièrement nombreux. Ils ont donné naissance à une partie de la cuisine louisianaise traditionnelle. Le maïs est une plante américaine cultivée à l'origine par les Amérindiens, à côté des courges et des haricots. Les colons et les esclaves noirs se mirent à en manger sous la forme d'épis boucanés ou de sagamité. Ce plat autochtone consistait en une bouillie de maïs pilé, agrémentée de graisse d'ours ou de lard. Le riz était préparé de plusieurs façons : il était cuit dans l'eau ou le lait et les esclaves en faisaient du pain. Selon le planteur Le Page du Pratz, ils utilisaient aussi indifféremment du maïs ou du riz cuit dans de la graisse sous forme de grains. Ce mets était appelé couscous. De nos jours, il porte le nom de coush-coush et est associé principalement à la cuisine cadienne. Le riz entrait également dans la composition du gumbo que les archives mentionnent dès les années 1760 et qui est devenu un autre plat louisianais traditionnel. La base du gumbo est un roux obtenu à partir d'okras, légumes originaires d'Afrique, ou de poudre de feuilles de sassafras, confectionnée et vendue par les Amérindiens du sud-est des États-Unis actuels. Cette base est ensuite délayée avec du bouillon, des fruits de mer, de la volaille ou d'autre viande et servie avec du riz.

Les échanges de produits alimentaires ne se cantonnèrent pas à la Basse-Louisiane. L'approvisionnement de La Nouvelle-Orléans en gibier, en bison salé et en huile d'ours était partiellement assuré par des voyageurs d'origine européenne (souvent appelés « chasseurs ») résidant non seulement dans le Bas-Mississippi, mais aussi au Canada et au Pays des Illinois. Durant l'hiver, ils organisaient des expéditions de chasse sur les rivières Arkansas, Blanche et Saint-François, employant des engagés blancs, des Amérindiens et des esclaves noirs, puis ils venaient vendre le produit de leur chasse dans la capitale. En outre, les habitants du Pays des Illinois exportaient en Basse-Louisiane de la farine de froment et des jambons en abondance.

Le Pays des Illinois, grenier à blé de la Louisiane

L'économie du Pays des Illinois fut dopée par les marchés que représentaient les garnisons et les populations de Basse-Louisiane, très demandeuses de ses produits agricoles, car les conditions climatiques empêchaient la culture du froment dans la basse vallée du Mississippi. L'officier Bossu associait la beauté de la région aux denrées qu'elle pouvait exporter : « Le pays des Illinois est un des plus beaux pays qu'il y ait au monde : il fournit de farine tout le bas de la colonie. Son commerce consiste en pelleterie, en plomb, en sel. Il y a quantité de sources salées, qui y attirent les bœufs sauvages, et les chevreuils qui aiment beaucoup les pâturages qui se trouvent sur leurs bords, et dans les environs. On fait des salaisons de leur chair, et de leurs langues ; ce qui forme encore un commerce pour la Nouvelle-Orléans, et des jambons qui valent ceux de Bayonne. Les fruits y sont aussi bons qu'en France [2]. » Ces échanges entre la Haute- et la Basse-Louisiane débutèrent très tôt, dès les premières années du XVIIIe siècle. Initiés par les colons eux-mêmes, ils furent de plus en plus encouragés par les autorités, surtout après la rétrocession de la colonie à la Couronne en 1731. L'objectif était que les exportations de farine illinoise fussent suffisantes pour supprimer totalement les envois de subsistances de métropole.

Dans la vallée du Mississippi, farines et jambons étaient transportés grâce à un système de convois, rendu nécessaire par la distance entre la mer et la Haute-Louisiane, les difficultés de la navigation sur le fleuve et le danger amérindien. Après 1731, un convoi annuel circulait entre La Nouvelle-Orléans et le Pays des Illinois. Il était formé de trois ou quatre bateaux pontés d'environ seize tonneaux, chaque embarcation étant commandée par un officier et dirigée par un patron de bateau aidé de quelques matelots. Les rameurs étaient des esclaves et des soldats, ce qui permettait d'assurer la circulation des compagnies entre les différents postes de la colonie. En raison du danger autochtone, particulièrement important durant les guerres contre les Renards et les Chicachas, le convoi était souvent accompagné d'une escorte d'alliés amérindiens. Il quittait la capitale en juillet-août, amenant avec lui les marchandises nécessaires pour l'approvisionnement des garnisons, le paiement des appointements et de la solde des militaires, la vente aux particuliers dans les magasins du roi, la traite et les présents pour les Amérindiens. Parvenu à Kaskaskia en novembre-décembre, il hivernait sur place, puis repartait entre avril et juillet et arrivait quinze jours plus tard à La Nouvelle-Orléans où il était attendu avec beaucoup d'impatience. Tout retard provoquait des inquiétudes. Au cours de l'année, le commandant de Fort de Chartres envoyait des nouvelles de la récolte en cours, mais un accident pouvait arriver et l'on n'était sûr de la quantité de farine illinoise sur laquelle on pouvait compter qu'à l'arrivée des bateaux au printemps. En temps de guerre, la régularité des convois était complètement bouleversée par l'interruption des communications avec la métropole et par l'absence de marchandises.

Outre les farines et les lards achetés par le pouvoir royal pour l'approvisionnement des garnisons des postes du fleuve et de La Nouvelle-Orléans, les bateaux du roi convoyaient au retour du fret pour les particuliers. Ils étaient accompagnés de dizaines de pirogues appartenant à des habitants ou à des voyageurs professionnels qui employaient des engagés blancs ou des esclaves noirs comme rameurs. Un convoi de voyageurs descendait également chaque année à La Nouvelle-Orléans à la fin de l'hiver, sans attendre le convoi officiel qui partait plus tard. Au retour, de la capitale vers Kaskaskia, les voyageurs devaient remonter avec le convoi royal pour des raisons de sécurité. En dehors de ces convois du « petit printemps », des pirogues privées circulaient individuellement toute l'année.

Les échanges économiques entre Haute- et Basse-Louisiane furent le fait de nombreux acteurs institutionnels ou privés. Durant la régie de la Compagnie des Indes, seule cette dernière pouvait vendre les marchandises de métropole (l'alcool, les armes et les outils, les tissus et les vêtements, les épices, etc) : les habitants du Pays des Illinois se les procuraient soit dans le magasin de la Compagnie à Fort de Chartres, soit à La Nouvelle-Orléans. Après la rétrocession de la colonie au pouvoir royal, celui-ci continua à maintenir un à deux magasins sur place, à Fort de Chartres et à Kaskaskia. En outre, les colons pouvaient alors également se fournir en produits de France auprès de voyageurs professionnels. Ces derniers les achetaient à crédit à des marchands de La Nouvelle-Orléans, qui étaient des agents de négociants de La Rochelle. Certains de ces marchands faisaient parfois eux-mêmes le voyage à Kaskaskia. Enfin, les officiers civils et militaires cherchaient souvent à profiter de ce commerce entre la Haute- et la Basse-Louisiane, soit qu'ils fussent responsables du commandement d'un bateau du convoi (ils le chargeaient partiellement de marchandises pour leur propre compte), soit qu'ils fussent en poste au Pays des Illinois (ils mettaient en place un trafic régulier avec La Nouvelle-Orléans où ils étaient en relation constante avec un partenaire commercial). En raison de ce commerce (et d'autres activités économiques telles que la location d'esclaves et la traite avec les Amérindiens) et du fait que la vie y était moins chère que dans la capitale, le Pays des Illinois était vu par les officiers comme une affectation enviable où l'on pouvait faire fortune.

L'ensemble de la vallée du Mississippi formait ainsi un espace économique intégré. Certes, les exportations ne furent jamais suffisantes et elles étaient trop irrégulières pour que le pouvoir royal puisse cesser ses envois de métropole. Cependant, la contribution du Pays des Illinois à la survie et au développement de la Basse-Louisiane fut loin d'être négligeable. Ce commerce, comme l'a souligné Joseph Zitomersky, préfigurait un développement ultérieur qui vit au XIXᵉ siècle l'intérieur de la vallée du Mississippi devenir le grenier à blé d'une large partie de l'Amérique du Nord et d'autres régions du monde.

Les exportations coloniales vers la métropole

Castors et autres pelleteries du Canada, peaux de chevreuil de la vallée du Mississippi, morue séchée de l'Atlantique Nord, tabac et indigo de Basse-Louisiane, tels étaient les produits que les colonies françaises d'Amérique du Nord avaient à offrir à leur métropole. À l'exception du poisson, toutes ces denrées avaient peu de valeur en comparaison du sucre et du café antillais.

Les pelleteries canadiennes

Au XVIIᵉ siècle, malgré l'action de l'intendant Talon qui chercha à développer de nouvelles activités, l'économie canadienne reposait essentiellement sur le commerce des pelleteries et une agriculture de subsistance. Durant tout le Régime français, les pelleteries demeurèrent le principal produit d'exportation de la colonie laurentienne. En 1739, 70 % de la valeur des exportations provenaient encore de ce produit. De 200 000 à 400 000 peaux étaient ainsi exportées chaque année entre 1720 et 1740. Dans la première moitié du XVIIIᵉ siècle, on assista toutefois à une légère diversification de l'économie canadienne, grâce à l'essor de la construction navale, de l'industrie sidérurgique, de la production de bois et des pêcheries. Les exportations vers la métropole en vinrent à inclure, en dehors des fourrures, des bois, du goudron et du chanvre, du fer, des poissons (morue et saumon), ainsi que des denrées agricoles (farine, pois, tabac).

Si le commerce des pelleteries était libre à l'intérieur de la colonie, en revanche le monopole total ou partiel de leur exportation en France appartenait à une compagnie commerciale, sauf de 1664 à 1674 – la Compagnie des Indes prélevait alors néanmoins le droit du quart sur le castor. Les Compagnies furent nombreuses à se succéder au cours du XVIIᵉ siècle et des premières années du XVIIIᵉ siècle, avant que le monopole des exportations de castor ne fût confié à la Compagnie des Indes en 1719. La plupart de ces compagnies regroupaient des intérêts métropolitains, à l'exception de la Communauté des habitants de 1645 à 1659, puis de 1661 à 1663, et d'une compagnie canadienne entre 1700 et 1705. C'est pourquoi la grande majorité des bénéfices du commerce du castor revinrent aux négociants français, en particulier rochelais. Entre 1675 et 1760, 72 % des revenus du commerce du castor allaient dans le royaume. Cependant, le monopole que la Compagnie des Indes exerça à partir de 1719 sur ces exportations fut contrebalancé par deux phénomènes. D'une part, l'exportation des peaux ou fourrures autres que le castor – élan, chevreuil, ours, loup, martre – était libre et, à partir du début des années 1720, la part des peaux de castor diminua de manière très importante, tombant certaines années à moins de 30 % des exportations de peaux et fourrures. D'autre part, le commerce de contrebande avec la colonie britannique de New York par le biais des postes d'Oswego et d'Albany prit une très grande ampleur, ponctionnant deux tiers des fourrures canadiennes.

La morue séchée de Louisbourg

Alors qu'au Canada 75 à 80 % des habitants étaient des paysans ne se consacrant pas au secteur produisant la principale marchandise d'exportation, c'est de la pêche, soit l'activité prédominante, que vivaient la majorité des habitants de l'île Royale. La production de morues séchées atteignit rapidement un niveau important : elle variait entre 120 000 et 170 000 quintaux par an jusqu'à la fin des années 1730. À cette date, les trois quarts de la production provenaient des pêcheurs résidents qui exerçaient déjà un large contrôle local sur les ressources de l'île. Ce phénomène s'amplifia dans les années 1750 en raison des tensions franco-anglaises : les pêcheurs de métropole abandonnèrent presque totalement les pêcheries de la région aux pêcheurs résidents qui fournissaient alors 90 % de la production et dominaient dorénavant à la fois la pêche côtière et celle au large.

La production était destinée à l'exportation vers la France, notamment vers les ports de Saint-Malo, Bayonne et Saint-Jean-de-Luz, une partie du poisson étant ensuite réexportée en Espagne et en Méditerranée. La morue séchée représentait 90 % des exportations de l'île en 1737 et les deux tiers en 1754. L'île Royale était ainsi dans la même situation que le Canada dont les exportations reposaient essentiellement sur un seul produit, les pelleteries. Très rapidement, la valeur européenne des exportations annuelles de morue de l'île Royale devint trois fois supérieure à celle des pelleteries canadiennes. Si l'on rapporte ces chiffres au nombre d'habitants, l'écart devient encore plus grand (huit fois). Cela permettait à la colonie de s'approvisionner en denrées alimentaires, vins et alcools, équipements de pêche et produits manufacturés. Malgré la dépendance de l'île en matière de subsistances et de produits manufacturés, la balance des paiements demeura ainsi longtemps positive, contrairement à celles du Canada et de Louisiane, presque toujours déficitaires, cela grâce à l'importance de la production et des exportations de poisson (sans compter les investissements royaux).

La faiblesse des exportations louisianaises

Comme le Canada, la Louisiane exporta des pelleteries. Les peaux de chevreuil obtenues notamment auprès des Chactas, des Alibamons et des Caddos, constituaient l'un des principaux produits d'exportation de la colonie. On estime qu'environ 50 000 peaux – 100 000 les meilleures années – étaient expédiées annuellement en France. Elles étaient le plus souvent acheminées à La Rochelle d'où elles étaient réexportées en Europe ou envoyées dans des manufactures à Niort afin d'en faire des gants ou des chutes utilisées dans les reliures de livre. Elles arrivaient parfois en mauvais état en raison d'un temps d'attente trop long à La Mobile ou à La Nouvelle-Orléans où elles souffraient de la chaleur, des vers et des mites. C'est pourquoi les peaux de chevreuil en provenance de Louisiane n'avaient pas la préférence des tanneurs français et européens et leur commerce n'atteignit

jamais la même ampleur que celui des peaux et des fourrures exportées depuis Québec.

Outre les pelleteries, la colonie exportait également
des denrées agricoles, essentiellement du tabac et de
l'indigo. Exporté en très petite quantité, le riz fut surtout
destiné à l'alimentation locale, la Louisiane ne pouvant
concurrencer en ce domaine la Caroline du Sud. En
revanche, la Compagnie des Indes mit beaucoup
d'espoirs dans la culture du tabac. Depuis septembre
1718, elle détenait, en effet, le monopole de la ferme du
tabac dans le royaume et souhaitait que la colonie du
Mississippi devînt la zone d'approvisionnement de la
métropole afin de réduire la dépendance française à
l'égard de la Virginie et du Maryland. Malgré les mesures
prises par la Compagnie pour favoriser sa culture, la production demeura toutefois faible. En outre, le tabac louisianais était plus cher et de qualité inférieure à celui
produit par les colonies britanniques qui continuèrent
donc à fournir le marché français.

Par manque de main-d'œuvre, la production de tabac
et d'indigo ne fut ainsi jamais assez importante pour permettre le développement de la Louisiane et intéresser les
négociants français au commerce avec la colonie. Dans
les années 1730, les planteurs louisianais durent aussi
faire face à une série de catastrophes climatiques (ouragans, pluies dévastatrices, inondations, sécheresses) qui
détruisirent les récoltes. Les périodes de guerre, durant
lesquelles les communications avec la métropole étaient
partiellement ou totalement interrompues, n'incitaient
pas non plus les planteurs à développer leur production.
En conséquence, il arrivait fréquemment que les bateaux
métropolitains, lorsqu'il en venait, ne trouvassent pas de
cargaison de retour et dussent prendre du bois, des
briques ou du sable pour servir de lest. Cela les obligeait
à aller chercher un meilleur fret aux Antilles françaises
ou dans les colonies espagnoles. En dépit des mesures

prises par le pouvoir royal après 1731 pour favoriser le commerce de la Louisiane (levée de l'obligation faite au bateau de commerce de transporter des engagés, subventions aux importations et aux exportations, suppression des taxes sur les marchandises à destination ou en provenance de la colonie, transport du fret royal), celui-ci occupa toujours une place insignifiante dans l'ensemble du commerce colonial français. Il est tout à fait représentatif à cet égard que seuls 4 bateaux sur 253 navires marchands étaient destinés à la Louisiane dans le convoi organisé en 1747 par la France afin de forcer le blocus anglais et approvisionner ses colonies américaines, alors que 244 vaisseaux étaient prévus pour Saint-Domingue et la Martinique. Cette faiblesse des exportations louisianaises conduisit à la mise en place d'un commerce intercolonial entre les Antilles et la colonie du Mississippi.

Le commerce intercolonial maritime

Les échanges entre le Mississippi et les îles du Vent

Les bateaux arrivant à La Nouvelle-Orléans de métropole, en effet, s'arrêtaient presque toujours dans un port des Antilles françaises, en général à Saint-Domingue. De plus en plus, après que le pouvoir royal autorisa le trafic direct entre la Louisiane et les Caraïbes en 1737, les navires se mirent à décharger leurs cargaisons dans les îles et ne prirent plus la peine de se rendre au Mississippi. Ils raccourcissaient ainsi d'environ 3 000 kilomètres leur voyage – puisque la ville se trouvait à 9 100 kilomètres de La Rochelle ou Rochefort contre 4 850 pour Québec et 6 600 pour Saint-Pierre en Martinique – tout en évitant la navigation dans le golfe du Mexique, que les vents rendaient difficile et qui pouvait prendre presque autant de temps que le voyage depuis la métropole. De surcroît, les bateaux étaient sûrs de trouver une cargaison de retour composée de marchandises avec une forte valeur ajoutée. Les produits métropolitains qui ne trouvaient pas preneurs dans les Antilles étaient ensuite convoyés et vendus en Louisiane par des marchands des îles. Ce système avait pour conséquence d'allonger le temps d'attente des marchandises de France, d'en réduire la quantité disponible et d'en alourdir le prix, mais il créait un trafic entre les deux colonies. En retour, les colons louisianais exportaient aux îles du Vent des denrées alimentaires (riz, maïs et haricots) et surtout des planches, des briques, du goudron et du brai.

Le bois provenait des nombreuses cyprières situées dans la vallée du Mississippi ; le goudron et le brai étaient produits principalement dans la région de La Mobile où l'on trouvait de nombreux pins. Dès le début du siècle, des importations de bois de cyprès avaient été faites dans les îles : ce bois avait la faveur des planteurs antillais car il résistait bien aux insectes et au climat tropical qui faisait pourrir très rapidement les autres espèces. La production de bois devint ainsi une importante activité d'appoint pour de nombreux planteurs et fermiers et la première source de revenus de la colonie. Elle servait à approvisionner les marchés intérieur et antillais, et permettait d'utiliser la main-d'œuvre servile durant l'automne et l'hiver. Dans les années 1730, le planteur Dubreuil tenta même de développer un commerce de bois de marine et la construction navale pour l'exportation vers la France, mais l'opération fut stoppée en raison de son manque de rentabilité.

En plus des échanges avec la métropole et les Antilles françaises, se développa également un commerce avec les colonies espagnoles. Ce commerce avait été l'une des justifications à l'origine de la fondation de la colonie et il représenta toujours une priorité des autorités. Il concernait les postes espagnols situés juste à proximité des établissements louisianais (le poste des Adayes près des Natchitoches et celui de Pensacola près de La Mobile) et les ports espagnols plus éloignés de la colonie (Veracruz et La Havane). C'était surtout le commerce avec ces ports de la Nouvelle-Espagne et des Antilles qui était intéressant car il permettait d'obtenir des piastres. Soit les navires français se rendaient à Veracruz ou à La Havane, soit les autorités laissaient les bateaux espagnols venir à La Nouvelle-Orléans. Après 1739, les Français tentèrent de profiter des hostilités entre les Espagnols et les Britanniques, en essayant de remplacer ces derniers dans leur trafic de contrebande avec les colonies hispaniques, mais ce commerce était extrêmement aléatoire en raison des risques de confiscation de la part des autorités espagnoles. En outre, il profitait peu à la colonie et il se fit même à son détriment car les marchands français préféraient vendre leurs marchandises contre des piastres dans les colonies espagnoles qu'en Louisiane où ils n'étaient pas assurés d'obtenir de cargaisons de retour.

Le commerce entre Québec, Louisbourg et les Antilles

La Louisiane ne fut pas la seule colonie française d'Amérique du Nord à établir des liens commerciaux avec les îles de la mer des Caraïbes. S'il n'en eut probablement pas l'idée, l'intendant Talon fut responsable en 1667 du démarrage d'un commerce entre le Canada et les Antilles. Mais celui-ci s'interrompit avec le début de la guerre de Hollande, la Couronne se désintéressant alors de ses colonies nord-américaines. Dans le dernier quart du XVIIᵉ siècle, les voyages entre Québec et les îles du Vent furent très rares. En revanche, dès 1708, ils reprirent en raison de la guerre de Succession d'Espagne

qui interrompit la régularité des relations entre la métropole et ses colonies, et des mauvaises récoltes enregistrées
en France, notamment suite au terrible hiver de 1709. À
partir des années 1720, les échanges se multiplièrent et
devinrent réguliers, malgré la durée du voyage (36 à 94
jours entre Québec et les Antilles) et la courte saison de
navigation. Le Canada expédiait aux Caraïbes des bois,
des farines et des pois, nécessaires à l'alimentation des
esclaves (et des soldats), contre du tafia, de la guildive,
du sucre et d'autres produits tropicaux. Ces échanges
s'inséraient dans le cadre d'un commerce intercolonial
ou triangulaire entre la métropole, Québec et les Antilles.
Le circuit triangulaire se faisait plutôt dans le sens
France-Québec-Antilles-France   que   France-Antilles-
Québec-France car les produits canadiens étaient plus
demandés dans les îles qu'inversement. Ce circuit permettait en outre d'écouler la production sucrière dans le
royaume, principalement depuis le port de Bordeaux qui
prit une part de plus en plus importante dans les
échanges avec le Saint-Laurent dans les années 1730-
1740 au détriment de La Rochelle.

Dès la fondation de la colonie de l'île du Cap-Breton,
le Canada commença aussi à y exporter des farines et des
biscuits, qui servaient à l'alimentation des pêcheurs, des
marins et des soldats, Louisbourg prenant la place de
Plaisance que Québec avait secouru pendant la guerre de
Succession d'Espagne. Ces exportations étaient essentielles pour l'île Royale qui dépendait totalement de
l'extérieur pour sa subsistance. Elles n'étaient pas non
plus négligeables pour l'économie canadienne. La première prise de Louisbourg par les Anglais en 1745 provoqua ainsi un effondrement du prix du blé sur le marché
de Québec. Mais les relations commerciales entre le
Canada et l'île du Cap-Breton ne se cantonnaient pas à
ces envois de farines et de biscuits. Progressivement, un
grand nombre des bateaux qui apportaient des produits

de France à Québec s'arrêtèrent à Louisbourg. Le port était situé à la même latitude que Rochefort et La Rochelle, ce qui était un avantage certain à une époque où l'on ne savait pas calculer la longitude. Il était libre de glace toute l'année, contrairement au port de Québec gelé entre le début décembre et la fin avril. Les bateaux évitaient les terribles difficultés de la navigation dans le golfe et le fleuve du Saint-Laurent, encore plus périlleuse que celle dans l'Atlantique. En témoigne l'attitude des marins, rapportée par Pehr Kalm, lorsqu'ils arrivaient à la hauteur de Beaupré où avait été édifiée dès le milieu du XVIIᵉ siècle une chapelle à Sainte-Anne, la patronne des navigateurs : « Dès qu'un navire de France est parvenu, dans sa remontée du Saint-Laurent, à l'endroit où on peut apercevoir à l'œil nu l'église Sainte-Anne, il tire des coups de canon qui signifient sa joie de n'avoir plus rien à craindre désormais de ce voyage sur le fleuve et d'avoir évité tous les dangers représentés par les nombreux bancs de sable qui s'y trouvent [3]. » Outre ces bancs de sable, les navires pouvaient également être confrontés à des rochers non localisés, à des vents contraires, à de violents orages et surtout au brouillard. Dans ces conditions, dix à douze jours étaient nécessaires pour relier Québec depuis Gaspé. Les marchandises étaient débarquées à Louisbourg, puis transportées à Québec dans de petites embarcations possédées localement dans les deux colonies.

Non seulement Louisbourg servait d'entrepôt et de port de redistribution entre la France et le Canada, mais à partir des années 1720 il remplit de plus en plus cette fonction entre Québec et les Antilles. Un commerce entre Louisbourg et les Caraïbes s'était, en effet, très vite développé. Contre de la morue, du bois et du charbon, Saint-Domingue, la Martinique et la Guadeloupe envoyaient à l'île Royale du sucre, des mélasses, du rhum, du café et d'autres produits tropicaux. La morue servait à nourrir les très nombreux esclaves des larges plantations caraïbéennes. Progressivement, Louisbourg prit aussi partiellement en charge l'exportation des produits canadiens vers les Antilles. Cela permettait aux marchands québecois ou domingois de faire deux voyages par an entre leur colonie et Louisbourg. Les capitaines des bateaux antillais n'avaient plus à redouter la navigation sur le Saint-Laurent. Pour les négociants canadiens qui ne disposaient pas de beaucoup de capitaux, le commerce entre Québec et Louisbourg était attractif car il ne requérait que des petits bâtiments et des équipages réduits et permettait de rentrer plus rapidement dans ses fonds. Il constituait donc pour eux une source d'enrichissement plus facile et moins risqué, même s'il réduisait leurs bénéfices sur les exportations vers les Caraïbes.

L'île du Cap-Breton ne limitait pas son commerce intercolonial aux échanges avec les autres colonies françaises. Louisbourg redistribuait aussi les produits antillais en Nouvelle-Angleterre (en particulier à Boston). Elle y exportait également du charbon produit sur place, ainsi que des produits métropolitains, contre des denrées alimentaires, des matériaux de construction et des bateaux. Enfin, l'Acadie sous souveraineté britannique fournissait à l'île Royale des produits alimentaires périssables, du bétail, des fourrures et des poissons et recevait en échange des produits manufacturés. Louisbourg devint ainsi la plaque tournante du commerce entre la France, les Antilles, la Nouvelle-Angleterre, le Canada et l'Acadie continentale, dans l'ordre d'importance des différents partenaires commerciaux de la colonie. Ce commerce intercolonial engendrait un immense trafic qui profitait peu à l'île car le transport de ces marchandises se faisait sur des bateaux qui n'étaient pas possédés localement.

Dans le cadre du système mercantiliste, ce commerce entre colonies françaises et britanniques pourrait étonner. Il avait commencé à se développer dès 1714, l'approvisionnement en subsistance de la nouvelle colonie depuis la métropole n'étant pas suffisant, et il se poursuivit tout au long de la période car il était plus facile et moins onéreux de se fournir en denrées alimentaires ou en autres produits auprès de ces établissements voisins. À plusieurs reprises, le gouvernement français rappela que les échanges avec la Nouvelle-Angleterre et la Nouvelle-Écosse étaient en principe interdits, mais les ordonnances autorisaient le commerce avec l'étranger en cas de nécessité. Les autorités locales, soucieuses de la défense des intérêts des pêcheurs et des marchands, mais aussi des leurs, puisqu'elles investissaient elles-mêmes dans la pêche et le commerce, profitèrent de ces brèches dans la législation pour délivrer des permis aux négociants britanniques, de telle sorte que ces derniers n'eurent pas besoin de pratiquer la contrebande. De leur côté, les autorités du Massachusetts eurent des velléités pour interdire ce trafic car elles considéraient l'île Royale comme une menace, mais les intérêts des marchands l'emportèrent aussi.

Dans les années 1740 et 1750, le commerce avec la Nouvelle-Angleterre eut même tendance à se renforcer. On constate alors, en effet, un déclin de la production de morues séchées, probablement en raison d'un épuisement des bancs. Comme la population continuait à augmenter, il fallut accroître les importations de denrées alimentaires et de produits manufacturés, ce qui entraîna des difficultés dans la balance des paiements avec la France. En outre, une succession de mauvaises récoltes et les impératifs de la guerre mirent un terme aux exportations canadiennes de farine en 1749. C'est pourquoi l'île Royale se tourna de plus en plus vers la Nouvelle-Angleterre. Afin de payer ces importations de denrées alimentaires depuis la colonie britannique, elle eut recours à deux moyens : elle lui vendit en contrebande des morues séchées en quantités plus importantes et elle accrut ses réexportations de produits antillais. Cela fut possible grâce à l'essor très important que connurent les Antilles dans les années 1730-1740. Comme il fallait nourrir les esclaves noirs en nombre croissant, Louisbourg expédia davantage de morues dans les îles du Vent, se fournissant en retour en mélasses et rhum qu'elle vendait en Nouvelle-Angleterre. Une sorte de commerce triangulaire se mit en place entre les trois colonies, au détriment des échanges entre la France et l'île Royale. Au moment de sa cession, l'île avait une économie qui reposait ainsi largement sur un commerce intercolonial dépassant les frontières impériales.

*

À la veille de la guerre de Sept Ans, chacune des colonies françaises d'Amérique du Nord connaissait une situation économique qui lui était propre, mais toutes avaient légèrement divergé par rapport au modèle mercantiliste imposé à l'origine par la Couronne. L'île du Cap-Breton était la seule colonie dont les exportations en métropole jouèrent un rôle important dans le commerce extérieur français. Son économie était celle qui avait la plus forte orientation commerciale. Les conditions climatiques y avaient empêché tout développement d'une agriculture de subsistance. La contrepartie était une totale dépendance de l'île vis-à-vis de l'extérieur pour son approvisionnement en denrées alimentaires et produits manufacturés. Cette dépendance ne constituait néanmoins pas un handicap tant que ses activités commerciales étaient suffisamment florissantes pour qu'elle puisse financer ses importations.

À l'opposé, la colonie du Mississippi cumulait toutes les difficultés. Son commerce extérieur était dérisoire, la Louisiane n'ayant pas réussi à surmonter les contraintes que représentaient son très faible peuplement, son éloignement et son isolement. Elle n'avait donc pas les moyens d'acheter sa subsistance à l'extérieur, alors qu'elle dépendait encore des secours de métropole. Cependant, la colonie avait progressé dans son objectif d'autosuffisance alimentaire, grâce aux échanges interethniques dans le Bas-Mississippi et aux envois de farines et de lards du Pays des Illinois. Des relations commerciales s'étaient également développées avec les Antilles.

Indépendamment du commerce des pelleteries, le Canada subvenait aux besoins alimentaires de ses populations civiles et de ses troupes grâce à la multiplication d'exploitations familiales dégageant des surplus. En outre, un commerce de denrées alimentaires et de bois s'était mis en place avec Louisbourg et les îles du Vent. La colonie canadienne devait pourtant faire face à de nombreux handicaps : un calendrier agricole serré et la faiblesse de la population, limitant ses capacités productives, mais aussi son éloignement, son isolement et le ralentissement des communications dans la vallée du Saint-Laurent durant six mois en hiver.

Même si toutes les colonies n'en profitaient pas également et si les échanges étaient dominés par les ports de Louisbourg et des Antilles, le développement de ces commerces intercoloniaux contribua à diversifier et à dynamiser leurs économies. L'Empire colonial français n'avait ainsi pas seulement une réalité géopolitique, mais existait aussi de manière limitée sur le plan économique. Au lieu de renforcer les liens avec le centre impérial, ces échanges intercoloniaux auraient pu pousser, à plus long terme, les colonies françaises d'Amérique du Nord à remettre en cause leurs liens de subordination avec la métropole. Louisbourg était d'ailleurs la colonie la plus engagée dans cette voie, celle qui contrôlait le plus son économie.

S'il faut légèrement relativiser le contrôle exercé par la métropole sur le développement économique de ses colonies, il convient aussi de s'interroger sur le rôle que les autorités locales jouèrent à l'intérieur de chaque colonie dans leur organisation territoriale et leur dynamisme économique. La correspondance administrative est à cet égard trompeuse : les intendants étaient soucieux de se donner le beau rôle et s'attribuaient l'origine de toutes les initiatives afin de se faire bien voir du ministre et de faire progresser leur carrière. À la suite de Marcel Trudel et d'autres historiens, il faut ainsi, par exemple, « réévaluer à la baisse » le rôle joué par l'intendant Talon entre 1665-1667 et 1669-1672 [4]. De manière générale, Louise Dechêne estime que « l'historiographie a beaucoup exagéré le rôle du gouvernement comme promoteur, employeur et client des entreprises coloniales, au point que toute l'activité économique semble émaner du pouvoir public [5] ». À côté, avec ou contre les autorités, les paysans, les traiteurs de pelleteries, les marchands, les planteurs, mais aussi les esclaves et les Amérindiens n'étaient pas de simples acteurs statiques et passifs ; ils surent s'adapter, évoluer, tirer parti des opportunités offertes par les différentes situations coloniales et réagir aux sollicitations des marchés qui s'ouvraient à eux.

10

ESCLAVES ET ESCLAVAGE

Le « rêve américain » des Européens partis s'installer au Nouveau Monde, leur « poursuite du bonheur » et de la liberté, leur recherche de meilleures conditions de vie, eurent un prix : la déportation et l'exploitation d'une main-d'œuvre servile d'origine africaine dans presque toutes les Amériques[1]. Pour autant, l'esclavage ne s'y développa pas de manière uniforme. Il est ainsi possible de distinguer les « sociétés avec esclaves » des « sociétés esclavagistes » en fonction du poids démographique et économique du système esclavagiste[2]. Si l'esclavage prit peu d'importance au Canada, il n'en fut pas de même dans la vallée du Mississippi. En Louisiane, toute la société fut transformée et façonnée par le développement de cette « institution particulière » qui concernait bien davantage les Africains et les Afro-créoles que les Amérindiens. La colonie se distinguait en cela du reste de l'Amérique française continentale et s'apparentait aux autres sociétés de plantation américaines, même si les conditions de vie et de travail des esclaves n'étaient pas aussi dures qu'aux Antilles où régnait le système de la grande plantation sucrière esclavagiste.

L'étude de la Louisiane n'a attiré l'attention des historiens étatsuniens que depuis les années 1990 et de vifs débats existent parmi eux à propos des rapports entre esclavage et race dans cette colonie. Les chercheurs n'arrivent pas à se mettre d'accord sur l'importance des idées et des pratiques raciales dans le fonctionnement du système esclavagiste dans la basse vallée du Mississippi. Il existe ainsi presque autant d'interprétations sur le sujet que d'historiens ! Les deux positions extrêmes sont incarnées par Gwendolyn M. Hall et Thomas N. Ingersoll. La première présente une société fluide et ouverte, dépourvue de racisme, dans laquelle les Africains et les Afro-créoles bénéficiaient d'une grande autonomie au plan économique et culturel ; le second la conçoit comme une société biraciale, avec un antagonisme à la fois de race et de classe entre Européens et Africains. Il importe donc de confronter et d'évaluer ces interprétations divergentes.

Quelques années seulement après le début de la traite en provenance d'Afrique en 1719, la Couronne promulgua en 1724, dans la colonie du Mississippi, une version modifiée du Code Noir qui avait été originellement rédigé pour les petites Antilles en 1685. Cette publication précoce témoignait de la volonté des autorités métropolitaines et locales de développer une société esclavagiste. Le Code Noir réglementait le statut des esclaves et des libres de couleur, ainsi que les relations entre maîtres et esclaves. Il ne fut cependant que partiellement appliqué. Les circonstances locales – notamment le quasi-arrêt de la traite transatlantique après 1731 – jouèrent un rôle plus important pour déterminer les caractéristiques du système esclavagiste louisianais. Face aux planteurs en position de force, les hommes et les femmes asservis n'étaient pas totalement passifs et impuissants. Privés de leur liberté, ils n'en conservaient pas moins une certaine capacité d'action et luttaient pour survivre, échapper à la violence, accéder à des ressources, forger des relations de solidarité et obtenir leur liberté.

Des vies quotidiennes contrastées

Le cadre de vie

Les conditions de vie et les relations entre maîtres et esclaves dépendaient étroitement du contexte dans lequel se déroulait l'existence des esclaves. À Montréal – ville peuplée d'une immense majorité de blancs –, une esclave noire, vivant dans une maisonnée qui ne comprenait par ailleurs que des engagés ou des domestiques blancs, menait une vie très différente de celle d'un esclave noir évoluant dans une plantation du Mississippi parmi plusieurs dizaines d'esclaves noirs. Les relations personnelles entre l'esclave montréalaise et son maître étaient sans doute plus étroites. La vie urbaine offrait à cette femme davantage d'opportunités pour nouer des relations interpersonnelles avec de nombreux blancs. Elle avait, en revanche, plus de difficultés que l'esclave d'une plantation louisianaise à maintenir vivantes sa langue et sa culture africaines et à trouver un conjoint de même origine.

Au Canada, les propriétaires disposant d'une dizaine d'esclaves, noirs ou amérindiens, étaient très rares : près des deux tiers n'en possédaient qu'un. La plupart des esclaves vivaient toutefois en ville, à Montréal et dans une moindre mesure à Québec, où ils se rencontraient aisément. Au Pays des Illinois, la possession d'esclaves était plus largement répandue puisque, au milieu du XVIIIe siècle, quasiment la moitié des feux comprenait des esclaves. La très grande majorité, cependant, n'en possédait pas plus de cinq. Mais comme les esclaves de cette région vivaient au sein de villages nucléaires et non sur des plantations isolées, ils pouvaient facilement entretenir des relations entre eux. Dans la basse vallée du Mississippi, où le nombre moyen par propriétaire était plus important qu'en Haute-Louisiane, les esclaves étaient concentrés à La Nouvelle-Orléans et dans sa région environnante. La majorité faisait partie de moyennes ou de grandes habitations. Les esclaves des plantations ne vivaient pas totalement isolés car ils se déplaçaient fréquemment, de jour comme de nuit, entre les propriétés et entre les habitations et la ville.

Par ailleurs, un certain nombre d'esclaves étaient loués par leurs maîtres à d'autres habitants, à la journée ou durant le temps nécessaire pour effectuer une tâche précise, telle que la construction d'une maison. Cela donnait l'occasion à l'esclave loué de rencontrer d'autres esclaves et d'autres blancs que ses maîtres. Les habitants du Pays des Illinois en louaient aussi dans la capitale pour une durée d'un an, du départ au retour du convoi entre La Nouvelle-Orléans et Kaskaskia. Ces esclaves servaient d'abord comme rameurs, puis étaient employés à des tâches agricoles dans le poste des Illinois. De telles pratiques contribuaient à maintenir des liens entre les communautés serviles de Haute- et de Basse-Louisiane.

Des conditions de vie médiocres

Selon le Code Noir, les maîtres avaient l'obligation de nourrir, de vêtir et d'entretenir leurs esclaves et ils devaient en prendre soin s'ils étaient blessés ou malades. L'ordonnance autorisait les esclaves à déposer une plainte auprès du procureur du roi au cas où ces obligations n'auraient pas été respectées, le procureur pouvant alors poursuivre le maître fautif en justice. Mais aucune procédure de ce type ne fut toutefois engagée, les autorités étant trop soucieuses de défendre les intérêts des planteurs.

En Basse-Louisiane, les difficultés d'approvisionnement pesaient sur l'alimentation des esclaves. Leur nourriture était insuffisante en quantité comme en qualité, compte tenu des tâches physiques pénibles qu'ils devaient effectuer durant de longues heures. Maïs, riz, pommes de terre ou fèves formaient leur ordinaire qu'ils amélioraient par la chasse et la pêche, l'élevage ou tout bonnement le vol de volailles, de cochons ou de bœufs. Au Pays des Illinois, où le maïs et le lard étaient abondants, l'alimentation des esclaves posait moins de problèmes. Cela dépendait néanmoins des maîtres, certains d'entre eux cherchant à réduire leurs frais au minimum, tel cet officier, nommé de Gruy, dont deux esclaves accusés de marronnage en 1748 se plaignirent au juge qu'il ne les nourrissait pas assez [3]. En Basse-Louisiane, chaque famille se faisait à manger ou bien une ou plusieurs femmes étaient chargées de cuisiner pour tous les esclaves de la plantation. Le premier système donnait aux esclaves plus d'autonomie, tandis que le second leur permettait de bénéficier véritablement de leur temps de repos sans avoir à s'occuper de piler et de faire cuire leurs vivres.

Afin de se décharger partiellement de l'approvisionnement en nourriture de leurs esclaves, ce qui contrevenait au Code Noir, certains maîtres les autorisaient à élever des volailles et des cochons et à cultiver de petits lopins individuels (des « déserts »), situés à proximité de leurs cabanes, durant les samedis, dimanches et jours de fête. Ils suivaient de la sorte une coutume développée dans plusieurs autres colonies : les Antilles françaises et anglaises, le Brésil et la Caroline du Sud – mais peu en Virginie, où les esclaves se consacraient pourtant, comme bien souvent en Louisiane, à la culture du tabac [4]. L'ancien planteur Antoine-Simon Le Page du Pratz notait que cela permettait en outre de tenir les esclaves occupés sur l'habitation durant ces jours chômés et donc d'éviter les rassemblements et les troubles. Absente du Pays des Illinois, cette pratique semblait assez répandue en Basse-Louisiane. Elle procurait de nombreux avantages : indépendance accrue, meilleur régime alimentaire, sans parler des surplus (fruits, légumes, tabac, coton, œufs…) écoulés sur les marchés de La Nouvelle-Orléans. Des maîtres laissaient également à leurs esclaves la possibilité de se louer eux-mêmes à d'autres blancs ou les récompensaient pour le travail qu'ils leur fournissaient les samedis et dimanches. Des esclaves utilisaient encore leur temps libre pour porter de l'eau ou faire des fagots qu'ils vendaient à la ville… Toutes ces activités leur permettaient de se constituer un petit pécule et de participer à l'économie monétaire de la colonie. D'ailleurs, les maîtres n'hésitaient pas à déclarer auprès de la justice royale les vols dont étaient victimes leurs esclaves, alors même que, selon le Code Noir, ils étaient censés ne rien posséder [5]. En 1738, Pierrot, un esclave emprisonné pour ivresse, expliqua ainsi qu'il avait pu acheter du tafia chez le dénommé Ruard : un dimanche il avait coupé beaucoup de bois et son maître lui avait donné une petite somme pour le récompenser [6]. En 1764, un autre esclave appelé Pierre raconta qu'il allait souvent boire en ville un filet chez Mme Carpentras et dans d'autres endroits, en échange de volailles et d'œufs [7]. Avec l'argent qu'ils gagnaient, les esclaves se procuraient fréquemment de l'eau-de-vie dans les tavernes et les auberges de La Nouvelle-Orléans. Les autorités essayèrent à plusieurs reprises d'interdire la vente d'alcool aux esclaves, en raison des désordres que cela occasionnait, mais ce trafic ne fut jamais éradiqué car il faisait vivre les soldats et les blancs de petite condition. En outre, certains maîtres procuraient eux-mêmes du tafia à leurs esclaves, malgré les interdictions du Code Noir : ils pouvaient diminuer de la sorte leur approvisionnement en nourriture et les maintenir plus facilement dans un état de sujétion. Un employé des magasins du roi à La Nouvelle-Orléans rapporta que le garde-magasin lui-même avait ordonné de donner de l'eau-de-vie matin et soir aux esclaves qui y travaillaient [8].

L'argent gagné par les esclaves leur permettait aussi d'améliorer leur tenue vestimentaire dont la Compagnie des Indes et les maîtres se préoccupaient peu. La Compagnie, en particulier, n'importa jamais en Louisiane d'habits et de tissus en quantité suffisante, notamment de toile de Guinée réservée aux esclaves. Certains maîtres ne donnaient des vêtements que comme rétribution de petits travaux effectués par les esclaves durant leur temps libre. Ces derniers n'hésitaient pas à voler, tant leur apparence vestimentaire comptait pour eux, car elle leur permettait d'afficher une certaine dignité. Les hommes offraient souvent à leur compagne ou maîtresse un morceau de tissu, un jupon, un mouchoir, un ruban ou encore un bijou. « Le jour de Bonjour Bonne Année », l'esclave Jupiter fit cadeau à Marie-Joseph, sa maîtresse, de toile de Guinée en guise d'étrennes, pour en faire deux jupons ; à une autre occasion il lui donna une petite croix en argent [9]. Les esclaves portaient, en général, une chemise, une culotte, une veste ou un capot en hiver, éventuellement un chapeau ou un bonnet pour les hommes, un corsage et une jupe pour les femmes. À l'occasion, les hommes récupéraient des habits de soldat ; certains arrivaient même à se procurer des bas et des souliers. Mais les habits de rechange faisaient presque toujours défaut.

Le logement des esclaves était rudimentaire : on ne parlait d'ailleurs pas de maisons, mais de « cabanes à nègres » ou de « loges à nègres ». En ville, ils dormaient dans la cuisine extérieure ou à l'intérieur de la maison du maître. Contrairement à certains esclaves urbains des Antilles ou des Treize Colonies à la même époque, ils n'avaient pas la possibilité de louer des logements indépendants. Dans les plantations louisianaises, les esclaves logeaient dans des cabanes groupées, parfois entourées par une palissade, à l'instar du « camp des Nègres » de la Compagnie des Indes. Cette organisation était préconisée par Le Page du Pratz, qui avait dirigé l'habitation de la Compagnie. Il recommandait aussi de placer le camp à quelque distance au nord de la plantation afin de pouvoir surveiller les esclaves sans être incommodé par leurs « odeurs »… Ces cabanes, parfois très rustiques avec des toits en palmes, abritaient une ou deux familles. Au Pays des Illinois, il s'agissait de cabanes souvent en mauvais état, situées dans l'enclos entourant le terrain du maître et constituées de poteaux en terre avec un toit de paille ou de bardeaux, certaines disposant tout de même d'une cheminée en pierre. En 1735, à Cahokia, les prêtres du séminaire des Missions étrangères faisaient vivre leurs esclaves dans trois cabanes, l'une destinée à une famille amérindienne, la deuxième à une famille africaine et la dernière à quatre noirs célibataires. L'attribution d'une cabane à chaque famille n'était toutefois pas systématique. Partout, l'ameublement était réduit au minimum : des paillasses avec des couvertures, un ou plusieurs coffres, enfin des chaudières et des marmites comme ustensiles de cuisine.

La nourriture insuffisante et le manque de vêtements et de chauffage rendaient les esclaves plus vulnérables aux maladies. Parce qu'ils ne pouvaient se permettre de les perdre, les maîtres n'hésitaient pas à faire appel aux chirurgiens blancs pour les soigner, même si certains d'entre eux profitaient du savoir médical africain, à l'instar de Le Page du Pratz qui utilisa les services d'« un médecin nègre qui était sur l'habitation du roi quand j'en pris la régie [10] ». Les grandes concessions employaient un chirurgien en permanence et disposaient de leur propre hôpital. Autre recours possible, l'Hôpital du roi, qui était dirigé par les ursulines et qui employait des esclaves noires pour les soins. Le planteur Dubreuil confia même à l'Hôpital un jeune esclave créole nommé Louis pour qu'il apprenne le métier de chirurgien. Au Canada, les esclaves malades étaient souvent envoyés par leurs propriétaires dans les hôpitaux de la colonie.

Quand ils étaient trop « usés » pour continuer à les servir, ils étaient parfois mis en pension à l'Hôpital général. La famille Guillet paya ainsi une pension de 150 livres pour placer la Panisse Catherine à l'Hôpital général de Montréal, geste qui témoignait d'une affection réelle du maître envers son esclave [11].

Un labeur incessant

Dans la basse vallée du Mississippi, les maîtres faisaient travailler tous leurs esclaves autant que possible. Manquant de main-d'œuvre, ils les mettaient à la tâche dès leur arrivée dans la colonie, sans leur laisser un temps suffisant d'adaptation, ce qui occasionnait une forte mortalité. À Saint-Domingue en revanche, au XVIIIᵉ siècle, la période d'acclimatation durait souvent entre six et vingt-quatre mois, temps nécessaire pour que l'esclave se remette du « passage du milieu », se familiarise avec son nouvel environnement et avec le régime alimentaire américain, commence à apprendre le créole, enfin accepte le système esclavagiste – tant le travail que la discipline et les punitions. Les autorités néo-orléanaises n'agissaient pas autrement que les planteurs : elles réquisitionnaient immédiatement les esclaves pour les travaux publics.

Hommes et femmes, ensemble, travaillaient aux champs et y accomplissaient les mêmes tâches, ce qui était le cas dans tous les systèmes de plantation aux Amériques [12]. Selon l'ancien officier Dumont de Montigny, les femmes qui allaitaient amenaient avec elles leurs enfants, qu'elles portaient sur le dos. Pourtant, Le Page du Pratz recommandait plutôt de confier la garde des enfants à une vieille esclave. La mesure était prise à la fois pour préserver les enfants et ne pas divertir les parents de leur labeur. Au bout de quelques années, les enfants eux-mêmes étaient mis au travail, en étant d'abord employés à de petites besognes, comme garder des

champs de pois contre les étourneaux [13]. Quant aux
vieillards, Le Page du Pratz conseillait de les utiliser en
les faisant pêcher. D'une manière générale, il estimait
que s'il fallait ménager les esclaves à leur arrivée ou en
cas de maladie, il était nécessaire de toujours les occuper.
Au final, il est probable que le taux d'activité des esclaves
ait été extrêmement élevé, de l'ordre de 75 à 80 %,
comme dans toutes les sociétés esclavagistes [14].

Pendant la plus grande partie de l'année, les esclaves
étaient employés à l'entretien des canaux de drainage et
des levées et aux dures tâches agricoles, sous la surveillance d'économes blancs et, de plus en plus souvent,
de commandeurs noirs. Le travail était néanmoins moins
pénible sur les plantations de tabac ou d'indigo que sur
celles dévolues à la culture de la canne à sucre, comme
dans les Antilles ou au Brésil [15]. Selon le Code Noir, les
esclaves louisianais devaient chômer les dimanches et
jours de fête, mais tous les maîtres ne respectaient pas
cette prescription. Les autres jours, ils travaillaient du
lever au coucher du soleil. La plupart du temps, ils prenaient un déjeuner rapide et, pour dîner, faisaient une
pause d'environ une heure et demie à deux heures au
milieu de la journée. Il était d'usage de laisser les femmes
quitter le travail deux heures avant la nuit, de sorte
qu'elles aient le temps de préparer à manger, ce qui
constituait une amélioration considérable des conditions
de vie en comparaison avec d'autres systèmes esclavagistes.

En Basse-Louisiane, les esclaves n'étaient pas cantonnés aux travaux de force. Parce que la colonie manquait
d'artisans qualifiés, nombre d'entre eux étaient formés
comme apprentis d'artisans blancs et servaient comme
charpentiers, menuisiers, maçons, forgerons ou bien serruriers. En 1733, une esclave nommée Angélique, âgée
de dix-huit ans, fut même envoyée en France par
Antoine Bruslé, conseiller et directeur de la Compagnie

des Indes à La Nouvelle-Orléans, sous la garde de sa femme, pour y apprendre un métier qu'elle devait choisir elle-même [16]. D'autres, en particulier les femmes, étaient employés comme domestiques, cuisiniers ou lavandières. Ceux-là vivaient plus fréquemment en ville et entretenaient des relations plus étroites avec leurs maîtres. Techniciens, artisans qualifiés ou domestiques occupaient, avec les commandeurs noirs, une place privilégiée au sein de la hiérarchie servile. Ils pouvaient bénéficier de faveurs. Un vacher raconta ainsi qu'il demandait simplement de l'argent à son maître quand il avait envie de tabac et qu'il le faisait acheter en ville par l'esclave chargé d'y vendre le lait [17].

Certaines activités économiques laissaient aux esclaves une grande liberté de mouvement. Quelques-uns étaient autorisés à vendre les produits de la plantation sur les marchés de La Nouvelle-Orléans, ce qui les mettait en contact avec de nombreux autres blancs. Quant aux esclaves qui coupaient du bois ou fabriquaient du goudron dans les cyprières autour de la capitale, ils travaillaient seuls pendant une ou plusieurs journées. Tous les propriétaires ne faisaient pas preuve de la même confiance : le dénommé Cézard s'enfuit en 1764 parce que son maître l'avait envoyé travailler à sa goudronnerie avec des menottes et des fers aux pieds [18]. À l'instar de ces bûcherons ou fabricants de goudron, les vachers gardant leur bétail dans les prés et les bois travaillaient sans surveillance. De même, les esclaves chargés de chasser, de pêcher ou de récolter des huîtres, circulaient librement dans les forêts et marais alentour. Cela ne signifiait pas pour autant qu'ils pouvaient faire ce qu'ils voulaient : lors d'un procès, un vacher expliqua ainsi qu'il ne quittait jamais son bétail dans la journée, même pour aller dîner avec d'autres esclaves, parce que son maître avait menacé de le fouetter et tenait « quatre piquets de préparés pour lui » – les esclaves étant écartelés à terre et leurs bras et jambes attachés à quatre piquets pour être fouettés – s'il perdait une bête [19].

Les propriétaires confiaient des fusils aux chasseurs, sans respecter l'obligation de leur donner un billet d'autorisation. Malgré les exhortations répétées des autorités, les planteurs ne récupéraient pas systématiquement les armes au retour de la chasse et laissaient les esclaves les conserver dans leurs cabanes, ce qui témoigne d'un certain climat de confiance. Cela occasionnait néanmoins des incidents. En 1739, M. d'Ausseville perdit ainsi deux jeunes esclaves à cause des armes à feu. L'un fut tué d'un coup de fusil par le second qui décida de s'enfuir. Le planteur rendit son économe responsable : il lui avait rappelé, en effet, à plusieurs reprises que le Code Noir interdisait de laisser des armes aux esclaves. Il lui signifia notamment que l'hiver précédent, à l'occasion d'un incident similaire, il avait assemblé tous ses esclaves en leur défendant de conserver des armes et lui avait alors dit de ne leur en remettre que le temps de la chasse [20]. En dépit de ces précautions qui n'étaient visiblement pas respectées, des esclaves parvenaient de surcroît à se procurer et à conserver des fusils de manière clandestine. En tant que chasseurs et détenteurs d'armes, ils occupaient une place privilégiée et prestigieuse au sein de la communauté servile.

Au Pays des Illinois, les esclaves bénéficiaient de conditions de travail moins difficiles, mais souffraient d'une autonomie économique plus faible. À la différence de la basse vallée du Mississippi où l'on cultivait du tabac et de l'indigo, on y pratiquait une agriculture de type européen. En conséquence, les tâches des esclaves et l'organisation de leur travail tout au long de l'année n'étaient pas très différentes de celles des paysans français ou canadiens. L'effort était surtout important au moment des gros travaux : labours, semailles, moissons… Le reste de l'année, les esclaves étaient employés

à couper du bois, à charroyer et à chasser. Ils ne participaient pas à de gros travaux publics. Seule l'exploitation
des mines de plomb et de sel constituait un travail dur
et pénible. Ces tâches concernaient toutefois peu
d'esclaves et étaient également effectuées par des Franco-
Canadiens, à leur compte ou comme engagés. Tant pour
le travail des mines que pour celui des champs, il n'existait pas, en effet, de ségrégation entre Européens et Africains, car les habitants ne possédaient pas assez d'esclaves
pour qu'ils puissent se dispenser de travailler eux-mêmes.
Ce que Henry M. Brackenridge, un Américain élevé au
Pays des Illinois, écrivait à propos du calendrier agricole
à Sainte-Geneviève à l'époque de la domination espagnole s'avère ainsi valable pour la période française : « Le
travail commence au mois d'avril quand *les habitants et
leurs esclaves* sont vus aller et revenir, chaque matin et
chaque soir, pour huit à dix jours, avec leurs charrues,
charrettes, chevaux, etc. [21]. » Cependant, contrairement
à ce qui se passait en Basse-Louisiane, les esclaves
n'étaient qu'exceptionnellement formés et employés
comme artisans. Ce type de travail demeura au Pays des
Illinois l'apanage des blancs.

La formation de nombreuses familles

Les esclaves noirs bénéficiaient aussi d'une certaine
autonomie dans le domaine des relations familiales et
sociales. Partout en Louisiane, ils réussirent, en effet, à
former de nombreuses familles, et ce malgré le sex-ratio
défavorable aux femmes. Contrairement à ce qui se passait aux Antilles ou au Brésil, les maîtres favorisaient la
constitution de familles au sein des plantations. C'est
qu'ils avaient intérêt à ce que les esclaves fissent le plus
d'enfants possible en raison du quasi arrêt de la traite en
provenance d'Afrique après 1731. Selon Le Page du
Pratz, toujours moralisateur, donner une femme à un
esclave permettait en outre d'éviter le « libertinage ».

De surcroît, les esclaves de différentes plantations formaient des unions et les hommes des habitations rurales environnantes entretenaient également des liaisons avec des femmes de La Nouvelle-Orléans. Ils se rejoignaient alors la nuit, le dimanche ou pendant les fêtes. En 1741, un certain Sans Souci déserta parce qu'il refusait la femme que son maître voulait lui donner et persistait dans son désir de rendre visite tous les jours à sa bien-aimée qui appartenait à un autre propriétaire[22]. On le voit, les planteurs tentaient de décourager ces unions « extérieures ». Maintenir des liens familiaux dans de telles conditions n'était pas chose facile. Un esclave poursuivi en justice à qui le magistrat demandait qui étaient ses parents et où ils se trouvaient répondit de la sorte : « qu'il *croit* que Scipion nègre à M. La Frénière est son père et sa mère se nomme Diguery ou Marie qui est chez son maître le Sr. Boisclair[23] ».

En raison du faible nombre de femmes noires, se formèrent aussi quelques unions mixtes entre esclaves noirs et autochtones, dont les enfants étaient appelés « griffes ». Le plus souvent, cependant, les Amérindiennes ne constituaient pas d'unions stables avec d'autres esclaves. Elles servaient fréquemment de concubines à leurs maîtres, qui parfois les affranchissaient et les épousaient.

Par ailleurs, comme dans toutes les sociétés esclavagistes, des relations sexuelles se développèrent entre blancs et noirs, qu'elles fussent volontaires, dans le cadre d'unions ponctuelles ou durables, ou involontaires, du fait du viol des esclaves par leurs maîtres ou par d'autres blancs. Parce que le pouvoir royal s'inquiétait du développement d'un groupe important de libres de couleur dans les îles du Vent, il introduisit dans le Code Noir de Louisiane certaines dispositions qui n'existaient pas dans le texte promulgué aux Antilles en 1685 : les mariages interraciaux (pas seulement ceux entre libres et esclaves) étaient prohibés ; le concubinage avec un(e) esclave était interdit aussi bien aux blancs qu'aux noirs affranchis ou libres ; une forte amende était prévue pour les parents d'enfants nés de telles unions ainsi que pour le propriétaire de l'esclave coupable ; quand un enfant naissait de l'union d'un maître et de son esclave, la femme et l'enfant devaient être confisqués au profit de l'hôpital, sans possibilité d'affranchissement. Ces mesures, qui visaient à distinguer non seulement les libres et les esclaves, mais aussi à séparer les blancs et les noirs, participaient à la racialisation de la société esclavagiste.

En Basse-Louisiane, l'interdiction des mariages mixtes fut respectée, à une exception près. Comme en témoigne la catégorisation raciale des enfants esclaves dans les registres paroissiaux de La Nouvelle-Orléans, le métissage était cependant plus fréquent qu'aux Antilles en raison d'une proportion plus grande de blancs au sein de la population coloniale. Il est cependant impossible de déterminer si ces enfants mulâtres ou métis étaient le fruit de viols ou de relations sexuelles consensuelles. La pratique du concubinage entre blancs et noires est attestée. Mais ces relations étaient le plus souvent cachées et n'étaient révélées au grand jour que dans des circonstances particulières [24]. Le colon Louis Jourdan entretint ainsi une longue union avec une esclave nommée Catherine ; après lui avoir rendu visite pendant plusieurs mois sur sa plantation, il l'enleva et la ramena à La Nouvelle-Orléans ; Jourdan ne fut pas condamné pour ce concubinage, mais le maître demanda des dommages et intérêts pour les jours de travail perdus et pour la perte qu'il ferait si l'esclave marronne était condamnée à une peine corporelle [25].

Ces liaisons mixtes concernaient systématiquement un homme blanc et une femme noire. Les archives n'évoquent pratiquement jamais la situation inverse, sans doute inadmissible. Pourtant, à l'occasion du procès d'un esclave pour marronnage et vols, une veuve de La Nouvelle-Orléans rapporta que l'accusé, César, qu'elle connaissait pour l'avoir employé, avait tenté de pénétrer chez elle à plusieurs reprises durant la nuit. Une fois, il lui cria « ouvre donc bougresse, ouvre, il y a assez long-temps que tu as couché avec ton nègre, ouvre » et « ouvre donc, il s'en va jour, nous aurons encore le temps de nous divertir, ouvre, est-ce que tu serais fâchée d'avoir un nègre couché avec toi ? parle donc bougresse ». L'esclave reconnut lui avoir dit « mille sottises », sans que cette femme s'en offusquât [26]. Il est difficile de déterminer si ce type de relations entre blanches et noirs existait davan-tage que ne le laissent entrevoir les sources ou bien si l'esclave ne cherchait ici qu'à transgresser un tabou.

De manière générale, les relations personnelles entre maîtres et esclaves étaient beaucoup plus étroites avec les esclaves de sexe féminin. Outre les fonctions de domes-tiques ou de concubines, les femmes noires remplis-saient, en effet, celle de nourrices pour les enfants blancs. Le Page du Pratz déconseillait pourtant une telle pra-tique. Il recommandait d'empêcher les enfants blancs de s'approcher des esclaves « à cause du mauvais air et parce qu'ils n'en peuvent jamais apprendre rien de bon, ni par les mœurs, ni par l'éducation, ni par la langue ». Si la mise en nourrice auprès d'une esclave africaine était inévitable, il fallait choisir « des Sénégals car elles ont le sang le plus pur [27] ». En dépit des réticences de Le Page du Pratz, cette coutume contribuait probablement à créer des liens durables entre les maîtres et les esclaves, les planteurs devenus adultes gardant souvent une tendresse particulière pour leur nourrice et leurs frères ou sœurs de lait, ainsi que pour les autres esclaves avec qui ils avaient joué enfants.

Au Pays des Illinois, les relations sexuelles entre blancs et noires furent encore moins importantes qu'en Basse-Louisiane, en raison de la préférence accordée par les habitants aux Amérindiennes. Au cours des premières décennies du XVIIIe siècle, nombre d'entre eux contractèrent des mariages chrétiens avec des Illinoises. Même si ces mariages furent moins nombreux par la suite, ils persistèrent jusqu'à la fin du Régime français. Fréquentes étaient aussi les relations de concubinage entre des habitants (ou des soldats) et des esclaves autochtones. C'est d'ailleurs la raison pour laquelle les missionnaires défendaient les unions mixtes sanctionnées par des mariages chrétiens. Certaines femmes esclaves ou leurs enfants furent affranchis et intégrés dans la société européenne comme les autres Amérindiennes qui y étaient entrées libres. En 1742, à Kaskaskia, Martial Bardoux épousa ainsi Élisabeth « fille sauvagesse libérée par son maître M. Blot [28] ». En 1747, Jean-Baptiste Déguire dit Larose, maître tailleur, racheta pour une centaine de livres à Joseph Buchet, garde-magasin, deux enfants qu'il avait eus avec l'une de ses esclaves amérindiennes. L'attitude de Déguire était néanmoins exceptionnelle, la plupart des blancs se désintéressant de leurs enfants naturels métis. Quant à sa fille, Marie-Joseph Déguire-Larose, ses origines serviles et métisses ne lui portèrent pas préjudice et elle épousa à deux reprises un Français [29].

Au Canada, les esclaves, pourtant tous baptisés ou presque, se marièrent peu devant l'Église, les Amérindiens, en particulier, ayant une préférence pour les unions libres. Les noces étaient subordonnées à l'autorisation du maître, qui renâclait souvent quand le ou la futur(e) appartenait à un autre propriétaire. Un homme d'origine africaine, nommé Louis-Antoine, âgé de vingt ans et libre depuis son enfance, accepta même de retomber dans la condition servile afin de pouvoir épouser une esclave africaine du nom de Marie-Catherine Baraca, âgée de dix-huit ans et appartenant au marchand Dominique Gaudet [30]. En outre, les esclaves ou les libres de couleur ne se mariaient pas seulement entre eux, même si les registres paroissiaux n'attestent que d'un petit nombre (45) de mariages mixtes. Ces unions étaient contractées par presque autant de femmes que d'hommes d'origine européenne, ce qui témoigne d'une plus grande fluidité des relations interethniques qu'en Louisiane. Le Canada ressemblait de ce point de vue à la Nouvelle-Angleterre et correspondait ainsi parfaitement au modèle des sociétés avec esclaves décrit par Philip D. Morgan [31]. Comme au Pays des Illinois, la préférence donnée par les Franco-Canadien(ne)s aux Amérindien(ne)s plutôt qu'aux Africain(e)s reflète toutefois le respect de la hiérarchie raciale qui partout semblait se mettre en place.

La créolisation de la communauté servile

En raison de la formation de nombreuses familles et de l'arrêt presque total de la traite après 1731, la communauté servile de Basse-Louisiane se créolisa de plus en plus : les esclaves afro-créoles, nés dans la colonie, devinrent majoritaires ; les langues, cultures et religions africaines tendirent à disparaître ou à se transformer. L'usage de prénoms africains pouvait ainsi se perpétuer d'une génération à l'autre. En 1748, un jeune homme accusé de meurtre affirma ainsi « se nommer Charlot comme son maître l'appelle, que son papa et maman l'appellent Karacou [32] ». Au Pays des Illinois, le maintien des noms africains était beaucoup plus rare. Au Canada, certains esclaves, en particulier ceux d'origine africaine, purent porter, outre leur prénom chrétien, un patronyme, le plus souvent celui du maître. Comme le port d'un prénom sans nom de famille situait la personne au bas de la hiérarchie sociale, c'était là une manière de promotion sociale dont ne bénéficièrent pas les esclaves en Louisiane. Un certain nombre d'entre eux n'avaient pas appris à parler français et avaient besoin d'interprètes pour se faire entendre dans les procès. Mais la communauté servile se francisa de plus en plus avec le temps. Les unions, en effet, ne réunissaient pas forcément des esclaves de mêmes origines ethniques : il était plus facile pour l'enfant d'apprendre le français, dont il avait de toute façon besoin pour communiquer avec le maître, que les deux langues de ses parents. Certains historiens, telle Gwendolyn M. Hall, soutiennent que se développa en Louisiane, comme dans les Antilles, un idiome créole dès le Régime français. Les créoles sont des langues nées et développées dans les sociétés esclavagistes, dont le lexique relève pour l'essentiel d'une langue européenne, alors que leurs phonologie et syntaxe originales empruntent des traits aux langues africaines. Pourtant, comme l'a montré Thomas M. Ingersoll, il semble difficile de conclure à partir des archives judiciaires que les esclaves louisianais parlaient un créole, même si leur maîtrise du français était parfois approximative, notamment en matière grammaticale. Ce n'est vraisemblablement qu'à la fin du XVIIIe et au début du XIXe siècle, avec l'arrivée des réfugiés de Saint-Domingue à La Nouvelle-Orléans, que se développa un créole louisianais. En revanche, quelques esclaves, comme Jupiter dit Gamelle, parlaient le mobilien.

Certaines croyances et pratiques religieuses africaines, telles que la connaissance et l'utilisation d'herbes et de poisons, et la création de charmes et d'amulettes, demeurèrent vivaces parmi les esclaves. À la suite de la disparition d'un jeune planteur, Corbin, un esclave de l'habitation voisine témoigna ainsi que des pratiques magiques avaient été employées pour l'assassiner. Jannot, cet esclave, avait d'abord fait part de son histoire à son maître qui prévint la justice royale. Le procureur général eut quelques hésitations, mais interrogea tout de même Jannot sur ses allégations. L'esclave raconta que, deux mois jour pour jour avant la mort du planteur, il se serait

tenu un « service à la mode des nègres » durant lequel il
aurait été chanté en « langue nègre » la mort de Corbin.
Il est possible que Jannot ait inventé cette histoire en
utilisant les peurs et les fantasmes des Européens à l'égard
des pratiques religieuses et culturelles des noirs pour
menacer implicitement son maître d'un sort identique
s'il continuait à le maltraiter [33].

La christianisation de la population servile se renforça
avec le temps. En Basse-Louisiane, tous les esclaves
n'étaient cependant pas baptisés. Les maîtres ne respectaient pas toujours l'obligation que le Code Noir leur
imposait d'instruire leurs esclaves dans la religion catholique, soit par indifférence religieuse, soit faute de
prêtres, les esclaves vivant dans des plantations éloignées
de La Nouvelle-Orléans. Le baptême des esclaves était
beaucoup plus systématique au Pays des Illinois, ce que
favorisaient la vie en villages groupés et la présence active
des jésuites. Ces derniers organisaient chaque dimanche
deux séances de catéchisme : l'une pour les enfants
blancs, l'autre pour les enfants noirs et amérindiens. Les
missionnaires procédèrent aussi à la célébration de très
nombreux mariages chrétiens entre esclaves, alors que
cette pratique était peu répandue en Basse-Louisiane.

Selon Emily Clark, les ursulines, arrivées en 1727 dans
la colonie, jouèrent un rôle fondamental dans la christianisation de la population servile de La Nouvelle-
Orléans [34]. Elles faisaient des classes spéciales pour les
esclaves amérindiennes et africaines l'après-midi et en
prenaient même en pension, telle cette Marie Charlotte,
une mulâtresse, pour laquelle son maître, M. de St Jul-
lien, devait presque 500 livres, soit deux années de pension, aux religieuses [35]. Celles-ci furent aidées par une
confrérie féminine fondée en 1730, réunissant 85
femmes de toutes origines sociales, y compris quelques
noires libres ou esclaves. Les femmes blanches de cette
confrérie servaient fréquemment de marraines aux

esclaves, tant pour les baptêmes individuels de nourrissons que pour ceux de groupes d'adultes qui avaient lieu deux fois l'an, durant la semaine de Pâques et la Pentecôte. Leur prosélytisme visait principalement les femmes ; en conséquence, le nombre de baptêmes féminins fut proportionnellement plus élevé. Sur la côte de Sénégambie, d'où elles provenaient pour la plupart, les femmes jouaient un rôle essentiel dans les cultes religieux et les mères étaient responsables de l'éducation des filles. Adopter le christianisme ne constituait donc pas pour elles un acte de soumission à une religion nouvelle, mais leur permettait de perpétuer leur rôle traditionnel dans la sphère religieuse.

Les hommes résistèrent davantage à l'évangélisation car ils vivaient sur des plantations isolées comme travailleurs aux champs, tandis que les femmes étaient davantage employées comme domestiques en ville et, de fait, plus exposées à la culture française. En outre, il n'exista pas d'ordre missionnaire chargé spécifiquement de les convertir. Dans les années 1750, les hommes furent de plus en plus nombreux à être baptisés, sans doute sous l'influence de leurs compagnes déjà christianisées. Le nombre de mariages chrétiens parmi les esclaves noirs eut aussi tendance à augmenter. Dans les décennies suivantes, des esclaves noirs furent choisis de manière croissante comme marraines et parrains des esclaves noirs baptisés. Cela traduisait probablement une adoption moins superficielle du christianisme sur le plan des pratiques, comme sur celui des croyances. Cette parenté fictive permettait aux esclaves de recréer les liens familiaux et sociaux détruits par la traite et l'esclavage, de promouvoir leurs intérêts individuels et collectifs et de renforcer la cohésion de la communauté servile.

Divertissements et tensions

L'autonomie culturelle des esclaves se manifestait également par l'existence d'une sociabilité particulière, qu'elle se développât ou non selon des clivages ethniques, parmi les différentes nations africaines, d'une part, et entre les Africains et les créoles, d'autre part. Au sein de chaque habitation, les esclaves se retrouvaient le soir autour du feu, les hommes fumant leur pipe, les femmes égrenant le maïs. Il en était de même dans les villages du Pays des Illinois et à La Nouvelle-Orléans où certaines esclaves recevaient à l'occasion un groupe d'amis à souper. Dans les années 1760, deux esclaves marrons, Louis et César, furent souvent invités chez Mama Comba ou Louison pour manger, avec d'autres camarades et amis bambaras, un gumbo ou un autre plat [36]. Les esclaves de plantations différentes se rassemblaient volontiers le samedi soir, en cachette ou avec l'autorisation de leurs maîtres, pour boire ou danser au rythme des tambours selon des traditions africaines. Un samedi de l'été 1765, Louis donna ainsi « un divertissement aux nègres du voisinage » avec un tierson d'eau-de-vie volé [37]. Les esclaves des environs de La Nouvelle-Orléans se retrouvaient également dans la capitale les dimanches et fêtes pour se distraire. En 1744, devant le juge qui l'accusait de se saouler fréquemment les jours chômés, Jean, esclave du roi, reconnut qu'il allait boire avec ses camarades quelques quarts de guildive chez Fabre, sergent suisse, et chez le soldat Dabouc [38].

Dans les tavernes et les auberges, mais aussi chez les particuliers, se développait ainsi autour de l'alcool une sociabilité interethnique réunissant noirs, libres ou esclaves, colons défavorisés, soldats et matelots. Jacques Judice, habitant de La Nouvelle-Orléans, rapporta qu'il avait alerté le sieur Pradel en ces termes : « Votre nègre [Jupiter] a beaucoup de familiarité avec des matelots du petit vaisseau qui est devant chez M. Prévost, je les ai vus ensemble à leur table, ils prennent des raves, se tutoient et est père et compagnon avec eux, prenez garde à lui et méfiez-vous-en. Sur quoi le Sr. Pradel lui dit je ne suis point de ces hommes qui se formalisent quand on les avertit de ces sortes de choses, mais il me rend bon compte et j'en suis content [39]. » Tous les blancs n'avaient donc pas le même avis sur la nécessité ou non d'établir une stricte séparation entre eux et les noirs. D'ailleurs, les sieurs Chavannes, Gérald et La Hamelin se délassaient en compagnie du libre de couleur Semion en buvant et en chantant [40].

Des bagarres et des disputes éclataient parfois durant ces moments de sociabilité. Le faible nombre de femmes provoquait des rivalités entre hommes. En 1766, Francisque, un esclave créole de Philadelphie, fut mal accueilli dans une assemblée d'esclaves originaires de Louisiane. L'esclave Démocrite raconta :

> « qu'un samedi soir ce nègre Francisque fut danser chez eux [...], qu'il payait grassement le tambour et faisait la cour aux négresses, que tous disaient voilà un nègre bien riche, qu'il dansa et s'en fut ensuite [...], qu'une autre fois il fut encore danser, mais qu'il faisait l'impertinent et insultait les négresses, ce qui fit que le nègre Hector lui dit voilà un b. qui vient ici faire le fanfaron, que nous ne connaissons point, retire toi, va-t'en, nous n'avons pas besoin que tu payes le tambour, garde ton argent et retire toi, sur quoi Francisque lui dit si tu étais à la levée je t'éventrerais, alors Hector lui arracha un bâton qu'il avait et lui en donna une bonne volée, lui disant que la première fois qu'il reviendrait chez eux il le ferait amarrer pour lui donner le fouet à quatre piquets, que depuis ce temps-là ils ne l'avaient pas vu jusqu'à un jour qu'il le rencontra près de chez M. La Houssaye, que lui déposant étant avec un autre nègre l'entendirent qu'il babillait avec une négresse et qu'il dit alors voilà le nègre qui faisait tant le fanfaron chez nous, il est marron il faut l'arrêter... » Il rajouta « que lorsqu'il allait

danser, il était comme un Monsieur, chemise garnie, une veste bleue, un chapeau blanc et trois ou quatre mouchoirs à son col et autour de lui, [...] qu'il payait le tambour avec de l'argent blanc et qu'il avait des gros billets » [41].

Francisque suscita la jalousie et la désapprobation des autres esclaves parce qu'il était étranger à la colonie, qu'il étalait avec ostentation sa richesse et les concurrençait auprès des femmes.

Des dissensions existaient aussi entre esclaves africains et créoles. Charlot dit Karacou, esclave créole de Louisiane, accusé du meurtre d'un jeune soldat, dénonça un autre esclave, nommé Pierrot, comme étant son complice. Il raconta que ce dernier avait aussi caché sa sœur quand celle-ci s'était enfuie. Lors de la confrontation, Pierrot nia toute implication dans l'assassinat. Aussi Charlot lui rétorqua-t-il : « Tiens Monsieur lui mentir toujours et il disait toujours non à mon maître quand lui cacher ma sœur dans sa cabane, c'est bambara et lui toujours mentir [42]. » Pierrot affirma quant à lui, lors d'un autre interrogatoire, qu'il n'allait pas dans la cabane de Charlot et « que lui n'est pas camarade des créoles [43] ».

Enfin, les conflits pouvaient résulter de la place particulière tenue par certains esclaves au sein de chaque plantation ou dans la société dans son ensemble. Un commandeur noir fut ainsi probablement empoisonné par un esclave qui avait voulu se venger d'une punition à coups de fouet [44]. Quant au bourreau noir, il était l'objet de l'hostilité de tous les esclaves de la colonie. Cette fonction était confiée à un Africain parce qu'elle était considérée comme déshonorante et infamante, tant chez les blancs que chez les esclaves. Au Canada, un esclave noir, appelé Mathieu Léveillé, fut même spécialement acheté à la Martinique pour servir de bourreau, les autres détenteurs de la charge étant des criminels blancs qui obtinrent de cette façon une remise de peine. En

Louisiane, pour lui faire accepter cet emploi, la Compagnie des Indes fut obligée d'accorder sa liberté au dénommé Louis Congo. En raison de sa fonction et de ses origines ethniques (comme son nom l'indique, il venait d'Afrique centrale, alors que la majorité des esclaves louisianais étaient originaires d'Afrique de l'Ouest), celui-ci fut victime à deux reprises de voies de fait : en 1726, trois esclaves amérindiens déserteurs tentèrent de l'assassiner à son domicile ; en 1737, étant à la chasse, il fut attaqué par deux esclaves noirs qui voulurent lui prendre son fusil et le maltraitèrent [45]. La violence entre esclaves n'était donc pas inexistante, mais ce sont surtout les châtiments des maîtres que redoutaient les hommes et les femmes réduits à la condition servile.

La violence des maîtres et des autres blancs à l'encontre des esclaves

Toute société esclavagiste est beaucoup plus violente qu'une société où il n'existe que des hommes libres. L'esclavage est précisément fondé sur la violence, la privation de la liberté, la contrainte par la force, la domination d'un individu sur un autre et celle d'un groupe sur un autre. Cette institution est cependant minée par la contradiction suivante : les esclaves étaient à la fois considérés en droit comme des biens meubles et des êtres dont l'humanité ne pouvait être ignorée des maîtres. Ces derniers, pour imposer leur volonté aux esclaves, ne pouvaient se cantonner à la violence, ils devaient aussi nécessairement négocier [46].

Une violence quotidienne et omniprésente

Les interrogatoires d'esclaves marrons dans les archives judiciaires révèlent la manière dont la violence était utilisée par les maîtres afin d'obliger les esclaves à accepter leur condition. Cette violence semblait omniprésente. Les maîtres y avaient recours pour punir l'esclave qui ne partait pas assez tôt au travail, prenait trop de temps pour déjeuner, refusait de faire son travail parce qu'il était malade ou bien le faisait mal, découchait pour aller voir sa maîtresse ou pour aller danser, tenait tête au commandeur, volait, etc. Ils en usaient aussi sans raison apparente. Les différentes formes de châtiment étaient les coups de bâton, les coups de fouet, parfois pendant plusieurs jours, les fers aux pieds et aux mains, la privation de nourriture et le ligotage durant des heures ou même des jours… Ces punitions étaient imposées par le maître lui-même, par l'économe blanc ou bien par le commandeur noir. La femme du planteur pouvait intervenir à l'occasion. Une esclave nommée Marguerite raconta qu'elle s'était enfuie parce que « son maître et sa maîtresse la battaient toujours, qu'elle était malade et que la maîtresse étant venue voir au bout de quatre jours, elle lui dit « Mademoiselle tu fais la malade » et que dans l'instant elle lui donna des coups de bâton et l'envoya travailler et défricher dans la cour et qu'elle la menaçait que si elle n'allait pas travailler qu'elle allait appeler des nègres pour la conduire sur la place pour lui faire donner cent coups de fouet et que tous les soirs ils la faisaient renfermée comme dans un couvent [47]. »

Ce sont ces mauvais traitements ou la peur des châtiments que les esclaves marrons invoquent presque toujours devant le juge pour expliquer leur fuite. En 1764, l'économe de l'habitation de M. Macarty, Joseph Verret, raconta comment il avait dû sévir contre des esclaves :

« il se serait aperçu que les nègres n'allaient que très tard au travail, qu'il les avait avertis nombre de fois, que par ses paroles ne pouvant venir à bout il fut obligé ce matin de faire donner quelques coups de fouet à ceux qu'il aperçut les plus paresseux, que le lendemain faisant froid il les avait

avertis qu'ils n'iraient au travail que quand la cloche sonne-
rait, que vers les huit heures il fit sonner la cloche, nonob-
stant plusieurs d'entre eux ne bougeaient, ce qui l'obligea
de les faire sortir et de faire compter quelques coups de
fouet aux plus mutins en passant la barrière, que peu de
temps après il aperçut lesdits nègres de l'autre côté de la
barrière qui ne travaillaient point, au contraire avaient
allumé un grand feu, que pour lors il fut couper une perche
et leur en donna sans ménagement et sans distinction, [...],
que cinq d'entre eux nommés Samba, Mathurin, François
Dindon, François et Joseph, raisonnèrent beaucoup et lui
dirent que ce n'était pas là le moyen de les faire travailler,
qu'il verrait qu'ils en feraient moins et dirent ça est bon, ça
est bon, qu'en effet ils s'en furent marrons le lendemain [48] ».

Selon les esclaves, en revanche, Verret ne leur avait pas
laissé assez de temps pour déjeuner avant de partir et ils
n'avaient pu travailler à couper la canne parce qu'elle
était gelée. Samba rapporta comment ils avaient décidé
de s'enfuir : « En s'en revenant de travailler le nègre
nommé Bois Gras avait dit "qu'est-ce que nous avons
fait pour qu'on nous frappe comme ça" et qu'il ne voulait
pas souffrir ce mauvais traitement et qu'en disant cela ils
se déterminèrent tous unanimement à s'en aller
marron [49] ». Ce qui apparaissait aux yeux de l'économe
comme un moyen acceptable de faire travailler davantage
les esclaves était perçu par ces derniers comme relevant
de l'arbitraire.

La violence était un instrument de menace et de terreur, les maîtres obtenant ainsi ce qu'ils souhaitaient sans
même avoir à exercer réellement de brutalités. La peur
explique le comportement de l'esclave Jupiter dit
Gamelle, qui aboutit à sa condamnation à mort par la
justice royale pour une série de vols avec effraction dans
des maisons de particuliers de La Nouvelle-Orléans en
1744. À plusieurs reprises, Jupiter affirma au juge que
s'il avait volé c'était parce que son maître l'envoyait

chaque jour vendre du lait, des œufs et des légumes en ville et que, malgré toutes ses représentations, il lui en donnait beaucoup trop à vendre et à un prix trop élevé pour le marché. S'il ramenait une partie de ses marchandises, il se faisait gronder et parfois fouetter (« parce que valet n'est pas maître »). Pour éviter ces mauvais traitements, il s'était mis à voler. Il rapportait de la sorte la somme d'argent attendue par son maître, même s'il n'avait pas pu écouler tous ses légumes et s'il avait dû les donner à des soldats ou les jeter dans le fleuve. Il raconta aussi l'histoire d'une petite esclave appartenant à un autre planteur, morte depuis, à qui son maître faisait avaler les légumes qu'elle n'avait pas vendus en les fourrant de force dans sa bouche. C'est donc la crainte des mauvais traitements qui avait conduit Jupiter à sa perte et qui contraignait la plupart des esclaves à se soumettre [50].

« On ne fouette pas des Français comme les nègres »

Les formes prises par la violence exercée par les maîtres sur leurs esclaves noirs ne furent pas sans effet sur la violence existant entre les colons. Dans l'esprit de certains blancs, les relations de domination inhérentes à l'esclavage s'exprimaient précisément dans la violence abusive et les mauvais traitements qu'un maître pouvait imposer à son esclave. C'est pourquoi l'exercice d'une violence considérée comme excessive et injustifiée entre blancs équivalait pour la victime à être réduite au statut social le plus bas, celui d'esclave noir. L'extrême violence était perçue comme une atteinte à l'intégrité physique, mais aussi morale de la personne : elle blessait son honneur et correspondait à une remise en cause de sa place dans la hiérarchie sociale et ethnique. En 1726, deux employés blancs de la concession Paris-Duvernay déposèrent ainsi une plainte pour

mauvais traitements contre son directeur, le sieur Verteuil. Le chirurgien major déclara qu'à l'occasion d'un
différend avec Verteuil, celui-ci « s'[était emporté] contre
lui en le menaçant et le traitant moins qu'un nègre, ce
qui est ordinaire avec tous les blancs de la concession, se
croyant le plus absolu de tous les hommes ». Le second
plaignant, un engagé, rapporta que « l'autre a dit hautement qu'il l'allait faire venir les fers aux pieds et aux
mains et ensuite le faire châtier par les nègres, ce qui
pourrait peut-être arriver, le connaissant capable de le
faire ». La violence exercée par ce directeur à l'encontre
de ses employés blancs leur était d'autant plus insupportable que son caractère excessif et les moyens utilisés (les
fers aux mains et aux pieds) les ravalaient à la condition
servile. Ils considéraient aussi qu'il était particulièrement
humiliant d'être châtié par des esclaves noirs[51]. La même
raison fut alléguée par un forçat bohémien qui servait de
domestique auprès de M. Dorgon, commandant du
poste des Natchez, pour justifier sa tentative de suicide
lors de son arrestation à la suite d'un certain nombre
d'incidents. Il affirma « que c'était dans la colère lorsqu'il
entendit que M. Dorgon voulait le faire amarrer par un
nègre, c'est ce qui le porta à ce désespoir n'ayant pas
mérité et ne devant pas être maltraité par des nègres ».
Cet homme condamné à la déportation au Mississippi,
et dont le statut se rapprochait de celui d'esclave, se
considérait néanmoins comme supérieur aux esclaves
noirs[52].

En 1741, une autre affaire témoigne encore du mépris
dans lequel les esclaves noirs étaient tenus du fait de la
violence qu'on pouvait leur faire subir. Elle mit aux prises
deux habitants français de Pointe Coupée, liés pourtant
par des relations familiales ou amicales. Le premier,
Louis Faugère, qui entrait dans la maison du second,
Herbert, pour lui rendre un service, se fit brusquement
mettre sur le lit et déculotter avant de recevoir une fessée.

Il fut ensuite placé dans un tonneau de goudron dans lequel un complice tenta de l'enfoncer jusqu'aux épaules, tandis qu'Herbert essayait de lui faire boire de l'alcool de force, tout en rameutant le voisinage afin qu'ils pussent tous rire de son humiliation. Des voisins assistèrent, en effet, à la scène. Selon l'un d'entre eux, Herbert « a pris [ensuite] un fouet à nègre pour en vouloir fouetter ledit Faugère, le nommé Abel canadien dit « Finissez M. Herbert on ne fouette pas des Français comme les nègres » et lui arracha le fouet et le jeta sur le grenier ». Jusqu'alors l'assistance était restée passive, malgré les appels à l'aide de Faugère. Deux hommes finirent par intervenir, parce que la situation était devenue à leurs yeux intolérable et la violence excessive, Herbert ayant recours à un instrument habituellement utilisé contre les esclaves noirs (« le fouet à nègre ») [53].

Le paternalisme des maîtres

Si le recours à la violence était constant, cela ne signifiait pas que les maîtres et les blancs en général pouvaient tout se permettre à l'encontre de leurs esclaves. La société mettait certaines limites qui étaient définies par les coutumes, les usages et l'opinion. Un bail mentionnait ainsi : « Si le preneur maltraitait lesdits [nègres] sans sujet sans raison ou avec excès et outrance et *comme il ne convient pas* de traiter des nègres et que pour cette raison les nègres fissent les marrons, le preneur sera tenu de la perte ou dommage qui s'en pourra résulter et en arriver [54]. »

Plusieurs procédures enclenchées par des maîtres contre leurs économes montrent qu'une cruauté abusive et gratuite était condamnée. En 1730, par exemple, M. d'Ausseville, un ancien membre du Conseil supérieur, poursuivit en justice son économe nommé Charpentier qu'il accusait d'être un tortionnaire de la pire espèce. Il lui reprochait de ne pas donner aux esclaves les vivres nécessaires, de les faire travailler de façon excessive, y compris les femmes enceintes, d'abuser sexuellement de toutes les esclaves, d'avoir provoqué un suicide et deux avortements, d'avoir laissé un homme mourir sans soin, assassiné un autre à coups de pilon et blessé grièvement une femme. Même s'il avait intérêt à noircir le tableau pour obtenir l'assentiment des juges et le remboursement de ses esclaves perdus, l'attitude de Charpentier apparaissait clairement à d'Ausseville comme inadmissible. Dans une lettre à son économe, il écrivait : « Je ne puis comprendre votre procédé, vous ne cherchez par votre *férocerie* qu'à faire révolter les nègres ou les faire précipiter dans la rivière [...] comment donc prétendez-vous qu'ils soient affectionnés au travail, qu'ils soient fidèles. » Dans une requête, il parlait aussi de la « violente *passion* [de son économe] de maltraiter les nègres ». Il condamnait donc cette violence pour des raisons à la fois morales et pratiques. Elle conduisait, en effet, les esclaves à la révolte, au suicide ou au marronnage, le maître perdant ainsi son capital et sa force de travail[55]. Dans l'intérêt du propriétaire, Le Page du Pratz conseillait pareillement à ses lecteurs de faire travailler les esclaves sans excès, de les châtier avec mesure et d'en prendre grand soin, même s'il fallait également s'en méfier. Il estimait que « les nègres sont une espèce d'hommes qu'il faut gouverner autrement que les Européens, non pas parce qu'ils sont noirs, ni parce qu'ils sont esclaves, mais parce qu'ils pensent tout autrement que les blancs[56] ».

Cette vision de l'autorité du propriétaire et des relations entre maîtres et esclaves avait pour modèle la conception monarchique du pouvoir. D'ailleurs, selon le Code Noir, les maîtres devaient se comporter en « bon père de famille », ce qui n'excluait absolument pas le recours à une très grande violence, de la même manière que le roi était le père de ses sujets et exerçait (ou tentait d'exercer) sur eux un pouvoir absolu. Cette puissance paternelle pouvait se caractériser par sa modération, sa capacité à faire preuve de clémence ou, au contraire, par sa sévérité et sa capacité à punir rigoureusement. Sous l'Ancien Régime, la justice royale était marquée précisément par cette dualité : une grande indulgence à l'égard de la plupart des prévenus, illustrée par les lettres de grâce ou de rémission du roi, et une sévérité impitoyable envers les individus considérés comme irrécupérables par la société. Cette clémence et cette sévérité avaient pour objectif commun la réduction à l'obéissance des sujets. Il en était de même entre les maîtres et les esclaves. Bien nourrir les esclaves ou les fouetter sans merci en cas de faute visait le même but : leur faire accepter leur condition et bénéficier au maximum de leur force de travail. Ce système paternaliste se développa très rapidement en Louisiane parce que les esclaves n'y furent jamais transportés en grand nombre et parce que les habitants blancs n'avaient pas les moyens de s'en procurer facilement. Après 1731, les maîtres eurent d'autant plus besoin de ménager leur main-d'œuvre servile que la quasi-interruption de la traite en provenance d'Afrique rendait impossible son remplacement. Les planteurs de Louisiane ne pouvaient donc exploiter à mort leurs esclaves, comme le faisaient ceux des Antilles. Mais si globalement la société louisianaise adhérait à ce système paternaliste, cela ne signifiait certes pas qu'il n'existât aucun maître violent ou même sadique. La situation des esclaves variait considérablement selon leurs propriétaires. Joseph Chaperon par exemple était un planteur connu pour sa cruauté. Selon l'officier Bossu, il assassina un de ses esclaves en le faisant brûler dans un four. Il ne fut pourtant pas mis au ban de la société. Si l'opinion publique réprouvait toute violence excessive à l'encontre des esclaves, cette condamnation n'avait aucune répercussion sur l'intégration sociale des tortionnaires parce que l'on considérait que chacun était maître chez soi. Ces excès, par leur valeur dissuasive, servaient peut-être aussi les intérêts des maîtres plus modérés et mesurés.

La faiblesse du contrôle étatique

L'État mettait également certaines limites à la violence des propriétaires, au moins sur le plan théorique. Le Code Noir interdisait aux maîtres ou aux économes de soumettre leurs esclaves à la torture, de les mutiler ou de les tuer, sous peine de poursuite criminelle. Ils avaient seulement le droit « lorsqu'ils croiront que les esclaves l'auront mérité, de les faire enchaîner et battre de verges ou de cordes ». Comme les planteurs étaient les seuls à pouvoir juger de l'opportunité et du bien-fondé d'un châtiment, cela leur laissait une importante marge de manœuvre. Cette mesure n'avait pas pour objectif de protéger les esclaves, elle visait simplement à assurer le monopole de l'État sur la violence et la prééminence de la justice royale. Tout au long de l'Ancien Régime, la Couronne œuvra, en effet, à l'affirmation et au renforcement de son pouvoir absolu. Le champ d'application de la justice royale, de fait, eut tendance à s'accroître toujours plus jusqu'à atteindre la sphère privée. Or le système esclavagiste était fondamentalement en contradiction avec une telle évolution, en ce qu'il reposait sur un usage constant de la violence par les propriétaires à l'encontre de leurs esclaves. Les maîtres exerçaient ainsi, en pratique, une forme de justice privée permanente dans le cadre de leurs plantations. Parce que le système esclavagiste servait aussi les intérêts du pouvoir royal, le roi acceptait néanmoins de déléguer une partie de son pouvoir judiciaire aux planteurs, tout en cherchant à se réserver l'application des peines les plus graves.

Cependant, aucun procès criminel ne fut jamais intenté en Basse-Louisiane contre un propriétaire ayant maltraité ses esclaves. L'État n'avait pas les moyens financiers, policiers et judiciaires de faire appliquer les dispositions du Code Noir contre les mauvais maîtres et il ne pouvait pas s'aliéner les habitants de cette colonie lointaine qui jouait un rôle stratégique important dans les rivalités franco-anglaises. Aussi le Conseil n'ordonna-t-il qu'une seule et unique fois la confiscation d'une esclave à son maître et sa vente aux enchères à un particulier au profit de l'Hôpital de la Charité, et cela en raison des violences et des avortements provoqués par son propriétaire. Il reste qu'il n'y eut apparemment pas de poursuite criminelle[57]. Seuls les économes étaient passibles de procès pour mauvais traitements, mais la justice royale choisissait toujours de ne les poursuivre qu'au civil. Intenter un procès pénal à ces tortionnaires aurait pu constituer un précédent susceptible d'être retourné contre les maîtres eux-mêmes.

En outre, pour protéger les intérêts des propriétaires, les autorités judiciaires étaient obligées d'intervenir dans les affaires relatives à des brutalités commises par des blancs à l'encontre d'esclaves ne leur appartenant pas et sur lesquels ils n'avaient aucun droit. Un certain nombre de procès virent s'opposer des blancs parce que l'un d'entre eux, lui-même possesseur d'esclaves le plus souvent, avait maltraité ou puni l'esclave de l'autre, qu'il accusait de lui avoir porté préjudice : en volant un cochon, en laissant du bétail paître sur sa propriété, en couchant avec l'une de ses esclaves, etc.[58]. Il s'agissait toujours de procédures civiles. Au-delà des dédommagements réclamés, ce qui était en jeu dans ces affaires était des questions de pouvoir et de territoire. Frapper l'esclave d'un autre propriétaire, quand on était soi-même un maître, c'était usurper le pouvoir de punir de ce propriétaire et, en quelque sorte, pénétrer sans son accord sur sa propriété privée.

D'autres affaires concernant des conflits entre blancs se réglaient à travers des insultes et des coups donnés à l'esclave de l'un d'entre eux. Un esclave qui était allé glaner des épis de maïs cassés par le mauvais temps fut ainsi pris à parti par Joseph Chaperon, un voisin de son maître. Chaperon lui dit : « Autrefois que tu étais au Sr. Chamilly, tu étais honnête homme parce que ton maître l'était, mais à présent que tu es à Brosset tu es aussi coquin que lui. » Il le frappa ensuite à coups de bâton et lui cassa un bras. Brosset, lors du procès, affirma au juge que Chaperon médisait continuellement à son encontre et réclama des dommages pour le bras cassé. Dans une autre de ces procédures, l'esclave cuisinier du chevalier de Morand alla à la boucherie d'un certain Pierrot pour acheter de la viande pour son maître. Il vit que l'on délivrait un beau morceau à une esclave de M. de Bellile et à l'instar des autres clients présents réclama de la viande de même qualité. Le boucher frappa alors l'esclave sur la main et lui dit « Va te faire f… toi et ton maître ». Le chevalier réclama des dommages car son esclave se trouvait désormais dans l'impossibilité de travailler. Outre la compensation financière, ce qui était cette fois en jeu était l'honneur des maîtres. Ces affaires révélaient des conflits et des rivalités entre propriétaires : entre deux voisins (Chaperon et Brosset), entre un boucher et son client (Pierrot et le chevalier de Morand) ou même entre deux nobles (le chevalier de Morand et M. de Bellile). Les esclaves catalysaient ainsi une violence verbale et physique qu'il aurait été encore plus grave d'exprimer directement entre blancs. Les dommages demandés devaient à la fois réparer la perte matérielle (le temps de travail de l'esclave blessé) et restaurer l'honneur bafoué [59].

Presque aucun blanc ne fut donc poursuivi au criminel par la justice royale pour des mauvais traitements infligés à un esclave, que cet individu fût sa propriété ou non. Seuls deux soldats furent condamnés à être pendus pour avoir assassiné un ou plusieurs esclaves, en 1752 et en 1764. Les militaires étaient, en effet, situés au plus bas de la hiérarchie sociale des blancs et la justice royale était beaucoup plus sévère à leur égard. Par ailleurs, dans le premier cas, le soldat était un récidiviste et avait tué deux esclaves noires appartenant aux ursulines et au roi. Il les avait agressées dans un accès d'ivresse à coups de baïonnette, alors qu'il n'avait rien à leur reprocher : il reconnut au contraire que ces femmes, qui travaillaient à l'Hôpital du roi, avaient pris bien soin de lui quand il avait été malade. Ce soldat fut exécuté, malgré le refus des religieuses de porter plainte. Elles déclarèrent « qu'elles ne voulaient en aucune façon se mêler de cette affaire ni en demandant, ni en défendant, qu'au contraire si elles pouvaient sauver la vie de cet homme elles la demanderaient et qu'elles aimaient mieux perdre leur négresse que de rien faire contre la charité de son pro- chain [60] ». Bien qu'aux yeux des ursulines la vie de ce soldat fût plus précieuse que celle de leur esclave, la jus- tice considéra qu'assassiner deux esclaves du roi consti- tuait une atteinte au pouvoir royal lui-même et qu'il était hors de question de faire preuve de clémence.

Les résistances à l'esclavage

Face à la violence des maîtres, les esclaves n'étaient pas des victimes impuissantes : ils tentaient au contraire de trouver des solutions, individuelles ou collectives, quoti- diennes ou exceptionnelles, pour améliorer leur condition.

Négociations

Les esclaves ne laissaient pas les maîtres leur imposer leur volonté et les maltraiter sans rien dire. Ils s'effor- çaient de discuter, de négocier, de présenter leur point de vue pour obtenir un lopin individuel à cultiver, un arrêt de travail en cas de maladie ou pour éviter une punition. Si la voie de la persuasion échouait, ils recouraient à des moyens plus drastiques. Afin d'expliquer son marronnage d'une dizaine de jours, l'esclave nommé Pierrot raconta au juge que son maître l'avait envoyé chez le chirurgien alors qu'il était malade, mais qu'il l'avait ensuite enjoint d'aller travailler, en le traitant de fainéant, alors qu'il n'était pas encore soigné. Il s'exécuta par crainte de mauvais traitements, mais son mal de tête revenant, et son maître lui ordonnant à nouveau d'aller travailler, il décida finalement de s'enfuir[61].

S'ils ne parvenaient pas à obtenir gain de cause, les esclaves essayaient de faire appel à une tierce personne : ils se plaignaient, par exemple, de leur économe qui gérait la plantation ou du colon à qui ils avaient été loués à leur maître, qui jouait un rôle d'arbitre. Dans une lettre à son économe, un propriétaire écrivait : « Voilà Bonnet qui est venu se plaindre que vous l'avez maltraité parce qu'il n'avait pas voulu vous donner un cochon de lait [...] Lafleur et Brunet ont dit au S. Terrebonne que bientôt je n'aurais plus de nègres, qu'ils demandent qu'on les tue plutôt que les frapper injustement. Lafleur ne veut boire ni manger, il ne fait que pleurer, il se plaint que vous avez rudement battu sa femme quoiqu'elle soit enceinte[62]. » De même, une esclave nommée Marie, dont le propriétaire, Joseph Larche, était décédé, avait été louée à Joseph Chaperon, nouvel époux de la veuve de son maître, par le frère de celui-ci, Jacques Larche, et cela en attendant le règlement de la succession. Désespérée de son sort, elle alla rejoindre Jacques Larche. Celui-ci « lui demanda pourquoi elle abandonnait ainsi sa petite maîtresse, elle répondit qu'elle n'était là que pour faire à manger aux nègres de Chaperon et qu'elle était maltraitée continuellement tous les jours sans savoir la raison, qu'elle ne pouvait absolument pas retourner chez

Chaperon ou bien qu'elle était morte, que preuve que ce n'est pas mauvaise volonté que l'on n'avait qu'à la louer qu'à d'autre s'il ne voulait pas la reprendre, que l'on verrait qu'ils en seraient contents ». C'est pourquoi il prit son parti et la loua à une autre personne [63]. Malheureusement pour elle, son nouvel employeur ne la traita pas beaucoup mieux, puisqu'une plainte fut bientôt déposée à propos de son enfant qui agonisait par manque de soins [64]. En 1748, deux esclaves nommés Bayou et Mamourou, appartenant à de Gruy, officier en poste au Pays des Illinois, cherchèrent même à se rendre à La Nouvelle-Orléans afin de retrouver Mme Aufrère, la belle-mère de leur maître, « parce que quand ils se plaignaient là-haut on ne les écoutait point [65] ».

Mécontents de leur propriétaire, les esclaves tentaient encore d'en changer à l'aide des moyens légaux à leur disposition. Comme Bayou et Mamourou, certains essayaient de persuader leur maître de les vendre ou de les échanger. À force de doléances et de mauvaise volonté au travail, un esclave réussit ainsi en 1737 à se faire échanger contre l'esclave d'un autre maître afin de rejoindre sa concubine, dont il avait deux enfants [66]. Les esclaves pouvaient aussi tenter de se faire confisquer par les autorités selon les prescriptions du Code Noir dont ils avaient connaissance. Ils avaient cependant peu de chance de réussir. Une esclave du Pays des Illinois de passage à La Nouvelle-Orléans fut mise en prison par son maître parce qu'elle marronnait depuis leur arrivée dans la capitale. Auparavant, elle l'avait menacé de se faire confisquer parce qu'elle disait être enceinte de lui, ce que la justice choisit d'ignorer [67].

Suicides et infanticides

Privés de tout espoir, les esclaves menaçaient parfois de se suicider. La dénommée Junon, dont la possession était un sujet de litige entre le notaire Mélisan et le commandant de La Mobile, Henry de Loubocy, menaça « de se noyer avec son négrillon si on la laissait plus longtemps entre les mains dudit Mélisan attendu les mauvais traitements qu'il lui faisait ainsi qu'à ses deux enfants depuis que le mari et la femme ont compris qu'elle ne leur resterait pas [68] ». Certains passèrent à l'acte en se noyant, en se pendant ou en se coupant la gorge. Les maîtres eux-mêmes expliquaient ces suicides par les brutalités de l'économe ou de la personne ayant loué l'esclave. De telles affirmations sont néanmoins sujettes à caution puisque le propriétaire avait intérêt à prouver le suicide pour obtenir le remboursement de la valeur de l'esclave [69]. Le pouvoir royal intervenait également dans ces affaires car le suicide était considéré comme un crime. En 1765, le Conseil supérieur fit ainsi le procès du cadavre de Baptiste, esclave amérindien qui, mis en prison pour vol, s'était pendu. Il condamna sa mémoire à perpétuité et ordonna le châtiment suivant : « Le cadavre sera attaché par l'exécuteur de la haute justice au derrière d'une charrette et traîné sur une claie la tête en bas et la face contre terre par les rues de cette ville jusqu'à la place où il sera pendu par les pieds à une potence qui sera pour cet effet plantée audit lieu et après qu'il y aura demeuré 24 heures jeté à la voirie [70]. »

Si elles ne pouvaient pas elles-mêmes échapper à l'esclavage, les femmes avaient le moyen de faire en sorte de ne pas avoir d'enfants en avortant. Il est cependant impossible de déterminer la fréquence d'une telle pratique. Une affaire survenue en 1748 au Pays des Illinois révèle par ailleurs un cas possible d'infanticide. Les circonstances du drame ne sont pas très claires. Une esclave noire, nommée Marie-Jeanne, âgée de vingt ans environ, créole de La Nouvelle-Orléans, fut louée par Jérôme Matis. En l'engageant, ce dernier lui avait demandé si elle était enceinte, ce à quoi elle avait répondu par la négative. Peu après, travaillant dans une étable, elle fut prise de douleurs comme si elle allait accoucher. Selon ses dires, elle s'évanouit, revint à elle difficilement et alla porter un morceau de chair à la Dame Brazeau, chez qui Matis vivait. Celle-ci fit chercher la sage-femme qui déclara que ce n'était qu'une « môle [71] ». Quelques jours plus tard, elle trouva devant sa porte un bras d'enfant et un morceau de crâne, appartenant visiblement à un bébé, qui avaient été déterrés par des animaux. Une fosse avec des traces de sang fut découverte dans l'étable. Marie-Jeanne, sur le témoignage d'une petite esclave autochtone qui ne parlait pas français, fut accusée d'avoir accouché d'un enfant qu'elle avait étranglé, puis découpé en morceaux. Elle se défendit en accusant l'Amérindienne de mensonges et en affirmant qu'elle n'était pas assez mauvaise pour tuer son enfant. Elle fut envoyée à La Nouvelle-Orléans pour être jugée devant le Conseil supérieur. Faute de preuves, celui-ci cassa la procédure faite au Pays des Illinois, ordonna la poursuite de l'enquête durant un an et renvoya l'esclave à sa maîtresse. Deux ou trois ans avant cet incident, Marie-Jeanne avait déjà fait une fausse couche. Au moment du second procès dans la capitale, elle était à nouveau enceinte de trois mois. Bien sûr, il n'est pas question de déduire de ce cas particulier l'état d'esprit de toute la population servile. Le cas de Marie-Jeanne laisse présumer, néanmoins, que l'infanticide pouvait exister [72].

Vols et marronnage

Les vols constituaient une forme de résistance beaucoup plus courante. Les esclaves allaient ainsi à l'encontre de l'interdiction de ne rien posséder et essayaient d'améliorer leur quotidien. Il s'agissait toujours de larcins car il ne leur était pas possible de cacher des objets volumineux. Les maîtres se chargeaient eux-mêmes de punir leurs propres esclaves, mais se tournaient vers les autorités quand les vols étaient apparemment commis par des personnes extérieures à l'habitation. Tout au long de la période française, les autorités et les colons se lamentèrent des vols endémiques qui étaient commis tant en ville que dans les plantations. En 1765, par exemple, un officier se plaignit d'une série de vols, disant que « tout l'été on n'a fait que piller chez lui et les autres et que la côte est toujours remplie de ces brigands [73] ». De manière presque systématique, on rendait les esclaves, et en particulier les esclaves marrons, responsables de tous les vols qui pouvaient se produire. Dans une plainte au sujet de bestiaux tués depuis plusieurs mois, le procureur Fleuriau écrivait « sans avoir pu savoir par qui sinon que l'on dit qu'il faut que ce soit par des nègres marrons qui pillent les habitations de cette concession [74] ». Si l'État poursuivait et punissait sévèrement les esclaves marrons, c'était notamment parce qu'ils étaient soupçonnés de vols commis pour survivre durant leur fuite. En 1764, le procureur La Frénière justifiait sa demande d'interrogatoire d'un esclave par le fait qu'il était coupable d'un long marronnage de trois mois et ajoutait que « d'ailleurs pendant une si longue absence ledit nègre [devait] avoir volé dans les différents endroits où il s'est retiré [75] ».

Le marronnage, en effet, constituait un moyen extrêmement répandu de résistance à l'esclavage. Le terme provient de l'espagnol *cimmaron* qui signifie « animal domestique redevenu sauvage ». Le marronnage était facilité en Basse-Louisiane par le climat subtropical et l'environnement marécageux qui permettaient aux esclaves de se cacher et de survivre plus facilement. À l'instar de toutes les villes des sociétés esclavagistes, La Nouvelle-Orléans constituait également un lieu de refuge pour les fuyards, qui pouvaient passer inaperçus dans la foule et trouver du travail, en particulier à la fin du Régime français lorsque la cité avait atteint une certaine taille. Comme partout en Amérique, les esclaves marrons étaient surtout des hommes, peut-être parce que les femmes avaient des enfants à charge. Les Amérindiens s'enfuyaient plus fréquemment que les Africains : ils connaissaient mieux le terrain, parvenaient toujours à se nourrir et pouvaient trouver refuge plus aisément dans les villages autochtones environnants. Il arrivait, certes assez rarement, qu'esclaves noirs et indiens partissent ensemble. En 1743, un groupe d'esclaves chercha ainsi à quitter le Pays des Illinois et à rejoindre les Padoucas. Il comprenait plus de treize Africains (dont deux femmes) et deux Amérindiens, qui appartenaient tous à différents maîtres [76]. À l'instar de ces treize esclaves, les Africains avaient tendance à partir en petit groupe, alors que le marronnage des Afro-créoles se faisait davantage sur le mode individuel.

Il ne se forma pas en Louisiane de villages marrons durables comme dans les Antilles, au Brésil, en Guyane ou dans l'Amérique continentale espagnole. Il s'agissait donc le plus souvent de « petit marronnage », temporaire, de quelques jours ou de quelques semaines, et non pas de « grand marronnage », définitif. Certains esclaves pouvaient néanmoins réussir à fuir durant des mois, voire des années. En général, ils demeuraient à proximité de leur habitation, car leur plus grande difficulté était de se nourrir. C'est pourquoi ils commettaient de nombreux vols afin de se procurer de la nourriture, ainsi que des armes et des vêtements. Ils bénéficiaient souvent du soutien d'autres esclaves qui les abritaient dans leurs cabanes et leur fournissaient à manger. Cette solidarité n'était cependant pas automatique et les fuyards pouvaient être dénoncés et arrêtés par les autres esclaves. En 1764, François, un déserteur, fut d'abord logé et nourri par l'esclave d'un autre maître, en échange du pillage quotidien du maïs, mais son protecteur le livra après l'avoir surpris avec sa femme [77] ! Certains survivaient aussi grâce à la complicité de planteurs qui, contre du travail, leur fournissaient le vivre et le coucher, ce qui contribuait à entretenir le marronnage.

En 1764, le fuyard Augustin Poliche rapporta au juge que lorsqu'il fut arrêté « il allait chercher quelqu'un pour demander la grâce à son maître [78] ». De telles demandes de grâce étaient fréquentes, les maîtres récupérant ainsi leur précieuse main-d'œuvre et les esclaves échappant de la sorte à de très durs châtiments s'ils étaient pris de force par leur propriétaire. Le planteur Dumont de Montigny rapporte, en effet, dans son journal que lorsqu'un esclave marron était capturé, il était étendu ventre au sol, ses deux jambes serrées et ses bras écartés ; ses membres étaient attachés à des piquets de telle sorte qu'ils forment un Y. On lui donnait alors cent à deux cents coups de fouet, on le marquait au fer rouge sur le visage, puis on recouvrait ses plaies de poivre et de vinaigre. Finalement, il était enchaîné et enfermé et on le faisait jeûner jusqu'à ce que lui fût arrachée la promesse de ne plus s'enfuir.

Ces demandes de grâce étaient l'objet de négociations conduites par l'entremise d'un tiers. Le déserteur choisissait un autre esclave, souvent le commandeur noir, ou parfois un blanc qui avait sa confiance. Le sieur Battard, capitaine de vaisseau, fut ainsi poursuivi en justice parce qu'une esclave mulâtresse nommée Charlotte s'était réfugiée à son domicile en son absence. Elle fut trouvée dans son lit, vêtue d'une simple jupe. Elle se défendit en affirmant qu'elle était venue chez lui pour qu'il aille demander sa grâce à Mme de Vaudreuil, la femme du gouverneur, car elle redoutait une punition excessive de la part de son maître. Cette esclave vivait probablement en ville, servait comme domestique et avait pu développer des relations privilégiées avec certains blancs de l'entourage de son propriétaire. La procédure n'étant pas complète, on ne sait si le sieur Battard fut condamné à payer des dommages et si l'esclave fut réellement graciée[79]. À plusieurs reprises, Vaudreuil lui-même fut sollicité par des esclaves qui venaient lui demander de l'aide contre leurs maîtres qui les maltraitaient. En 1743, le gouverneur et le commissaire-ordonnateur accordèrent une amnistie générale aux esclaves marrons de Basse-Louisiane, parce qu'ils avaient appris que certains souhaitaient retourner dans leurs plantations, sans oser le faire par crainte des châtiments. Il ne s'agissait pas alors d'accorder une faveur à titre individuel, mais de tenter de mettre fin à un phénomène menaçant l'ordre social de la colonie.

La justice royale
face à la « criminalité » des esclaves

Responsables de la sécurité publique, les autorités s'impliquèrent fortement dans la répression du marronnage et des vols commis par les esclaves déserteurs. À plusieurs reprises, elles organisèrent des expéditions armées, composées de noirs libres, afin de capturer des fuyards. Le pouvoir royal s'appuyait aussi sur les Amérindiens alliés qui recevaient une récompense en marchandises pour chaque esclave ramené. Il espérait ainsi empêcher toute union entre les Amérindiens et les Africains, union qui aurait été fatale aux Français. Mais les autochtones ne collaboraient pas toujours et certains esclaves marrons trouvèrent refuge au sein des villages amérindiens environnants. En juin 1764, enfin, fut mise en place une patrouille armée chargée de surveiller les rues de La Nouvelle-Orléans durant la nuit.

Le financement de telles mesures pesant sur le budget de la Louisiane, il fut envisagé à plusieurs reprises, comme aux Antilles, d'instituer une capitation, c'est-à-dire un impôt levé en fonction du nombre d'esclaves possédés. Ce projet, toutefois, ne fut jamais appliqué, car il risquait de ralentir le développement économique de la colonie. Les difficultés financières expliquent que les autorités se préoccupèrent tout de même des mauvais traitements infligés aux esclaves. Dans les interrogatoires pour marronnage, le juge cherchait toujours à savoir quelles étaient les causes de la fuite et si le maître ou son économe en était responsable. En mars 1728, le gouverneur Périer écrivait ainsi à propos du financement des récompenses remises aux Amérindiens quand ils capturaient des fuyards : « Il ne serait pas juste que tous les habitants payassent ce qu'il en coûterait aux sauvages pour les nègres marrons, souvent un habitant est lui-même la cause du marronnage de son nègre par le mal-traitement inhumain qu'il lui fait, il est juste ainsi qu'il paye seul ce qu'il en aura coûté pour les avoir, trop heureux encore de l'avoir retrouvé. Vous nous direz aussi qu'il y en a qui se rendent marron par fantaisie cela est vrai, mais cela ne doit pas nous autoriser à jeter sur tous les habitants ce qu'il en aura coûté pour avoir ce nègre [80]. » Cependant, les autorités ne prirent aucune mesure pour punir les maîtres fautifs. La contradiction entre les intérêts du pouvoir royal et ceux des planteurs était résolue à l'avantage de ces derniers. Seuls les économes ou les personnes ayant loué des esclaves pouvaient être poursuivis au civil comme responsables du marronnage. C'est la raison pour laquelle le sieur Péry, chargé de l'administration de l'habitation de M. Coustillas, s'empressa de faire déclarer au greffe la mort d'un esclave, attestant qu'il avait été châtié « des coups de fouet convenable à la faute qu'il avait faite », qu'il n'avait pas été « fouetté mal à propos ni hors de raison », que cet esclave désertait souvent sans motif et qu'il était mort de froid et de faim durant son dernier marronnage [81].

Si les autorités considéraient que les maîtres étaient parfois responsables de la désertion de leurs esclaves, elles

les accusaient aussi de ne pas les surveiller convenablement et de ne pas respecter les mesures préventives du
Code Noir, qui visaient à éviter la criminalité des esclaves
en leur interdisant de s'assembler, de circuler librement,
de porter des armes ou de vendre des marchandises sans
billet de leurs maîtres. En 1751, le gouverneur Vaudreuil
menaça les planteurs de ne pas les laisser châtier eux-
mêmes leurs esclaves à l'avenir s'ils ne faisaient pas
preuve de plus de sévérité. Il promulgua un nouveau
règlement sur la police des esclaves qui reprenait et
aggravait certaines dispositions du Code Noir et exigea
sa stricte observance afin que l'ordre fût rétabli dans la
colonie. Si le gouverneur réagit aussi vigoureusement
c'est parce qu'avait eu lieu un énorme scandale concernant la vente d'alcool aux esclaves, dans lequel était
impliqué le lieutenant général du roi en Louisiane. Il
lui fallut prendre des mesures énergiques pour rétablir
l'autorité royale, bafouée par un de ses représentants.
Néanmoins, ce règlement ne modifia pas fondamentalement l'attitude des propriétaires, faute de moyens
contraignants pour l'imposer.

Les planteurs continuèrent à ne pas collaborer systématiquement avec la justice royale. Ils ne respectaient
pas toujours leur obligation de déclarer leurs esclaves
marrons et dénonçaient très rarement les vols domestiques. Le maître de l'esclave poursuivi devait, en effet,
payer les frais d'emprisonnement et de procès et rembourser la valeur des objets volés, s'il ne l'abandonnait
pas à la justice. Son esclave risquait en outre de perdre
de sa valeur s'il était mutilé et il pouvait même être exécuté. En cas de condamnation à mort, le prix de l'esclave
était auparavant estimé par deux experts et la somme
était remise à son propriétaire, mais celui-ci perdait sa
force de travail et avait du mal à la remplacer.

Les maîtres qui se tournaient vers la justice royale le
faisaient quand ils ne pensaient plus être en mesure de

punir eux-mêmes leurs esclaves. Cela arrivait en cas de long ou de fréquent marronnage ou encore de complot de désertion. Le recours à la justice du roi intervenait aussi lorsque les esclaves s'en étaient pris physiquement à leurs maîtres ou bien dans les affaires d'homicides entre esclaves, soit des affaires très graves pour lesquelles, selon les prescriptions du Code Noir, les esclaves risquaient la mort. Les maîtres cherchaient alors à se débarrasser d'éléments particulièrement dangereux et souhaitaient obtenir une punition sévère et publique pour créer un effet dissuasif.

Dans une affaire exceptionnelle, survenue en 1753, un planteur fit emprisonner un de ses esclaves sous le prétexte qu'il n'arrivait pas à en venir à bout. En réalité, il souhaitait éviter une condamnation trop grave qui lui aurait fait perdre son bien. Ledit planteur, M. Dubreuil, un des plus riches habitants de la colonie, qui passait de nombreux contrats avec les autorités pour la construction de bâtiments publics, adressa au procureur Raguet une lettre pour lui signifier qu'il envoyait en prison un esclave nommé Joseph : ce « coquin » avait volé à plusieurs reprises des volailles et autres effets, emprunté des chevaux la nuit pour circuler librement et rejoindre ses camarades, insulté la femme d'un officier et enfin menacé de mort un esclave qui ne voulait pas lui laisser sa pirogue. À la fin de sa missive, il écrivait : « Enfin, comme il est juste de ne plus souffrir ses coquineries je voudrais bien pour l'arrêter que vous eussiez la bonté de faire en sorte de lui faire couper le jarret. Il n'y a que cela qui l'arrêtera car il est si alerte qu'il court comme un chevreuil et il nage si bien que quand il est poursuivi il se jette à l'eau et va ressortir à plus de deux arpents ». Le planteur fixait ainsi lui-même la punition à imposer ! Dans sa déposition, le commandeur de l'atelier de M. Dubreuil dit de Joseph « qu'il y a plus de quatre ou cinq ans qu'il fait ce métier, que son maître ni eux n'en peuvent venir à bout, qu'on a beau le fouetter et le mettre au fer cela ne le corrige pas, [...] que c'est un misérable qui débauche tous les autres et qui mériterait d'être pendu et que s'il sort de prison il est capable de faire un mauvais coup contre quelque Français. » Ce commandeur était encore plus sévère que son maître et Joseph risquait en effet une sentence capitale en raison de ses récidives. Pourtant, dans son réquisitoire, le procureur demanda seulement que Joseph fût fouetté et eût le jarret coupé, avec défense de recommencer ses forfaits sous peine de mort. Le Conseil aggrava la condamnation : Joseph devait avoir les deux jarrets coupés et purger quinze jours de prison. Dubreuil avait ainsi réussi à utiliser sa position socio-économique et ses liens privilégiés avec les autorités pour conserver son esclave, tout en semblant respecter la législation et la procédure judiciaire. Qui plus est, l'arrêt du Conseil ne fut alors que partiellement respecté. En 1755, Joseph continuait ses « coquineries » et fut à nouveau arrêté pour vol. Le procureur réclama alors que le châtiment corporel auquel l'esclave avait été condamné deux ans plus tôt fût réellement exécuté : la première fois, le bourreau, peu au fait de ce type de peine, n'avait pas su couper les jarrets. On ne sait si cette fois-ci la punition fut réellement appliquée [82].

Cette affaire est intéressante à un autre titre, parce qu'elle montre que dans certains cas les maîtres pouvaient se tourner vers les autorités locales, mais sans avoir recours à la voie judiciaire légale. En effet, avant d'être arrêté et jugé en 1753, Joseph avait déjà été envoyé en prison par son maître pour vol, y avait passé quelques mois, s'en était échappé et avait obtenu la grâce de son maître, tout cela sans procès. Lorsqu'il le renvoya devant la justice, Dubreuil écrivit ainsi au procureur : « Je vous serais obligé de le recommander à la prison afin que le geôlier ne retombe pas dans le cas de l'avoir déjà laissé évader avec un autre en plein midi [83] » !

En dehors de ces procédures où l'esclave était jugé suite à la plainte de son maître, l'État, en tant que garant de l'ordre public dans la colonie, devait aussi chercher à protéger les habitants des crimes commis par des esclaves ne leur appartenant pas. Mais ce n'est véritablement qu'au début des années 1760, avec la nomination d'un nouveau procureur, que fut déclenchée une vaste campagne répressive à l'encontre des esclaves marrons et voleurs. Nicolas Chauvin de La Frénière, premier procureur d'origine créole, était le fils d'un des plus riches planteurs de la Louisiane. Il avait vécu plusieurs années en France pour étudier le droit, avant d'être nommé à ce poste en janvier 1763. En 1764-1765, en l'espace de quelques mois, il fit condamner sévèrement une vingtaine d'esclaves. Il n'hésita pas à utiliser la torture pour obtenir des aveux et à demander des peines corporelles atroces et plusieurs condamnations à mort, les esclaves étant rompus vifs sur la roue. Au même moment, en métropole, la torture et les mutilations avaient pourtant tendance à disparaître de l'appareil répressif de la justice royale. Les peines corporelles avaient pour but de punir, d'empêcher la récidive (jarrets coupés) et de permettre l'identification immédiate des repris de justice (oreilles coupées, lettre *v* ou fleur de lys marquées au fer). En outre, elles se voulaient exemplaires et dissuasives. Cette volonté de réduction à l'obéissance transparaissait aussi dans la publicité et le cérémonial des exécutions.

Paradoxalement, c'est au moment où Louis XV venait de perdre la guerre de Sept Ans et avait décidé d'abandonner la Louisiane à deux monarchies concurrentes, que la justice royale se fit pour la première fois particulièrement sévère dans la colonie. Il n'est pas anodin que cette vague répressive ait été l'œuvre du premier procureur créole du roi. La Frénière se servit de son rôle de représentant du ministère public pour défendre ses propres ambitions politiques et favoriser les intérêts des élites créoles désireuses, en cette période de vulnérabilité, de renforcer leur contrôle sur la communauté servile.

Violence et révoltes des esclaves

La vague répressive qu'imposa le procureur du roi témoignait peut-être d'une peur de réactions violentes de la part des esclaves noirs. Elle intervint, en effet, dans le contexte d'une série de révoltes secouant d'autres colonies françaises, les Antilles (à la fin des années 1750) et la Guyane (au début des années 1760). Pourtant, la violence des esclaves à l'encontre de leurs maîtres ou d'autres blancs, qu'elle prît des formes individuelles ou collectives, fut dans l'ensemble peu courante en Louisiane. Il était très rare qu'un esclave frappât ou tuât son maître, car la simple voie de fait, en vertu du Code Noir, était passible de mort. Il fallait qu'il fût réduit au désespoir pour en arriver là.

Avant d'être physique, la violence des esclaves contre leur maître pouvait être verbale. En 1727, Mme Lambermond, une habitante du poste des Natchez, fut témoin, en allant laver son linge à la rivière, de l'insolence d'un esclave envers son économe à qui il déclara d'aller se « faire foutre ». Lorsqu'elle le gronda, il lui répondit qu'il ne la connaissait pas, sous-entendant qu'elle n'avait rien à lui dire [84]. En dehors de ces insultes, les esclaves proféraient parfois des menaces beaucoup plus graves. Au cours d'une longue période, le dénommé Jannot menaça ainsi de mettre le feu à sa cabane et de tuer son maître. Finalement, il déserta quelques jours « parce que sa maîtresse voulait l'emmener à la ville pour le faire fouetter pour les mauvaises paroles et raisonnements qu'elle disait qu'il avait eus à l'égard de son mari [85] ». Aux yeux des planteurs, la violence verbale des esclaves était tout aussi intolérable que leur violence physique parce qu'elle créait un climat de tensions insupportable et était considérée comme un acte de mutinerie et de rébellion.

Les voies de fait des esclaves contre leurs maîtres n'étaient pourtant souvent que des tentatives pour se défendre. Un certain Bastien, par exemple, résident du Pays des Illinois, porta plainte contre Jean Baxé, un esclave faisant partie d'une habitation qu'il avait prise à ferme, pour l'avoir frappé et mordu. L'esclave se défendit en disant qu'il avait seulement cherché à se protéger des coups de Bastien, que celui-ci s'était lui-même blessé en tombant contre une porte durant la lutte et qu'il le tenait à bras le corps simplement « pour se garantir et laisser passer [sa] colère ». L'esclave fut condamné à être fouetté trois jours de suite, à faire réparation à genoux devant le colon et à s'incliner par la suite devant lui chaque fois qu'il le croiserait. Baxé était ainsi violemment rappelé à sa condition d'esclave [86].

Au Canada, la violence des esclaves contre leurs maîtres était encore plus exceptionnelle. Et pourtant, l'un des deux incendies dont souffrit Montréal en 1734 fut causé par une esclave noire qui avait mis le feu à la maison de sa propriétaire pour s'en venger. Cette esclave, Marie-Joseph Angélique, appartenait à Mme de Francheville, une dame de la haute société. Malgré de dures conditions de vie, elle bénéficiait d'une grande liberté de mouvement et entretenait des relations d'amitié avec des Français et avec des Amérindiens. Elle s'entendait néanmoins très mal avec sa maîtresse qui la grondait et la battait. Celle-ci céda bien à ses instances pour congédier une servante blanche qu'elle ne supportait pas, mais Angélique finit par s'enfuir avec un domestique canadien du nom de Claude Thibault. Le couple fut arrêté avant de pouvoir rejoindre la Nouvelle-Angleterre : Claude passa quelque temps en prison, tandis qu'Angélique fut

rendue à sa maîtresse. C'est alors que Mme de Francheville décida de la vendre aux Antilles dès le retour des
bateaux à Québec. Devant cette terrible menace, Angélique, par vengeance préventive, déclencha le fameux
incendie. Elle fut condamnée à mort, torturée, puis
pendue avant d'être brûlée [87].

Dans la vallée du Mississippi, des esclaves amérindiens
cherchèrent aussi à se venger de leurs propriétaires en
faisant appel aux autochtones ennemis des Français. En
1752, des habitants du Pays des Illinois partis à la chasse
furent attaqués par un groupe d'Amérindiens : un
homme fut tué et deux autres faits prisonniers. Il s'agissait des enfants de deux riches habitants, Mercier et
Beauvais, lesquels étaient prêts à payer une forte rançon
pour récupérer leurs fils. Les Chicachas étaient soupçonnés d'être responsables de l'attaque ; ils auraient été
accompagnés par un esclave autochtone de Beauvais, qui
avait déserté parce « qu'on l'avait mis en prison, que son
maître n'avait pas voulu qu'il se vengeât d'un coup de
casse-tête d'une sauvagesse qu'il avait abusée étant saoul,
qu'il voulait s'en venger [88] ». En Basse-Louisiane, en
1748, un esclave renard nommé Cocomina s'enfuit de
même, son maître refusant de lui donner une femme et
voulant le vendre à un Français qu'il ne connaissait pas.
Il se joignit à un parti de Chactas qui souhaitaient attaquer des Français, mais l'embuscade échoua [89].

Les agissements de ces quelques esclaves autochtones
eurent peu de conséquences. En revanche, les blancs
redoutaient énormément les révoltes d'esclaves noirs. En
novembre 1729, des esclaves africains, dont un commandeur bambara, se joignirent aux Natchez qui s'étaient
soulevés en massacrant environ 250 colons. Afin de dissuader toute nouvelle entente entre Amérindiens et Africains, le gouverneur Périer remit à ses alliés chactas les
trois leaders noirs de la révolte, qui furent brûlés vifs. En
juin 1731, une vaste rébellion fut organisée par plusieurs

centaines d'esclaves bambaras de la colonie. Seuls ceux du Pays des Illinois refusèrent d'y participer. La révolte fut toutefois éventée avant d'être exécutée. La répression fut très sévère : une femme fut pendue et huit hommes rompus vifs sur la roue. Quelques mois plus tard, au moment de Noël, se répandirent des rumeurs selon lesquelles une nouvelle conspiration devait avoir lieu. Mais il n'en fut rien et aucune autre rébellion ne se produisit durant le reste de la période française.

La violence extrême des blancs avait persuadé la communauté servile que cette forme de résistance collective semblait vouée à l'échec. Les esclaves furent d'autant plus convaincus de la supériorité militaire des blancs que de nouvelles troupes renforcèrent la colonie dans les décennies suivantes. Parallèlement, la proportion d'esclaves noirs par rapport aux blancs diminua. Qui plus est, la quasi-cessation de la traite après 1731 conduisit à la formation de nombreuses familles que les esclaves souhaitaient protéger et à une plus grande stabilité de la communauté servile. Au Pays des Illinois, il n'y eut tout simplement aucune rébellion durant tout le Régime français, ce que l'on peut attribuer à l'isolement, aux mauvaises relations entre Indiens et Africains, mais aussi à de meilleures conditions de vie. En l'absence de révolte, le seul moyen pour un esclave de sortir définitivement de sa condition, en sus du grand marronnage et du suicide, était l'affranchissement. Ce phénomène donna naissance à une petite communauté de libres de couleur.

Les libres de couleur

De rares affranchissements

Le Code Noir imposait des restrictions à l'affranchissement des esclaves, placé sous le contrôle du pouvoir

royal. Tout maître souhaitant libérer son esclave devait
en demander l'autorisation auprès du gouverneur et du
commissaire-ordonnateur. Cette obligation était motivée
par le désir des autorités de limiter le nombre de noirs
libres et elle fut respectée. De fait, les propriétaires de
Louisiane affranchirent très peu leurs esclaves, dans la
mesure où ils eurent beaucoup de mal à les rembourser
auprès de la Compagnie des Indes et où ils ne purent
plus s'en procurer facilement après 1731.

Les manumissions auxquelles procédèrent quelques
maîtres étaient motivées par des relations personnelles et
affectives entretenues avec leurs esclaves, qu'il s'agisse de
concubines, d'enfants mulâtres, de nourrices ou encore
de domestiques. Parfois, une condition était mise à
l'affranchissement : les esclaves libérés devaient demeurer
au service de leurs maîtres jusqu'au décès de ces derniers
qui s'assuraient ainsi d'un soutien durant leur retraite.
Une partie de ces affranchissements était le fait des élites
de la colonie : elles en avaient les moyens et faisaient
preuve de la sorte d'une générosité et d'une libéralité qui
seyaient à leur rang et à leur titre.

Contrairement à ce qui se passait dans les colonies
espagnoles et portugaises, le Code Noir interdisait aux
esclaves de se racheter eux-mêmes grâce à l'argent gagné
durant leur temps libre. L'objectif de cette interdiction
était de prévenir la criminalité servile que cette pratique
risquait d'engendrer. Si certaines esclaves ne se rache-
tèrent pas elles-mêmes, elles le furent par le labeur de
leur conjoint. John Mingo était un Noir libre parvenu
en Louisiane en 1726 après s'être échappé d'une plantation de Caroline du Sud. Un planteur du nom de Darby
accepta de lui vendre une de ses esclaves, Thérèse, que
Mingo avait choisi comme femme. En 1730, les deux
hommes se disputèrent à propos de la valeur des verse-
ments de tabac destinés à rembourser l'achat de Thérèse.
Le Conseil supérieur donna raison à Darby, mais il

ordonna que Thérèse restât en possession de Mingo. Cela était d'autant plus important que le couple avait pris à ferme une plantation que Mingo ne pouvait exploiter sans l'aide de sa femme et qui lui servait à rembourser son prix [90]. De même, en 1744, François Tiocier, un esclave affranchi, obtint la liberté de sa femme Marie Aram, après que tous deux eurent travaillé pour l'Hôpital de la Charité durant onze ans, sans que lui reçoive de salaire [91].

En Basse-Louisiane, quelques esclaves noirs obtinrent leur affranchissement en servant comme soldats lors des campagnes militaires contre des Amérindiens. En 1729-1730, le gouverneur Périer employa des esclaves noirs pour contrebalancer le soutien que d'autres avaient apporté aux Natchez. Mais une douzaine seulement furent ensuite affranchis. Dès cette époque, les autorités locales eurent l'idée de former une compagnie de milice de libres de couleur. Différents facteurs – le faible nombre de noirs libres, l'acceptation du service dans la milice par les colons, l'envoi de troupes de métropole durant les périodes de guerre, et l'absence de batailles dans la basse vallée du Mississippi – expliquent toutefois que cette compagnie ne fut institutionnalisée que dans les dernières années de la guerre de Sept Ans. Au Pays des Illinois, en revanche, les esclaves noirs ne participèrent à aucune opération militaire, parce que les soldats, les miliciens et les alliés illinois étaient suffisamment nombreux.

La liberté sans l'égalité

Ces affranchissements conduisirent à la formation d'une petite population de libres de couleur en Basse-Louisiane, alors que seulement trois d'entre eux fréquentèrent le poste des Illinois. Néanmoins, on ne compterait dans la basse vallée du Mississippi qu'à peine 200 libres de couleur à la fin du Régime français, dont 80 % de mulâtres. C'est pourquoi la société louisianaise, contrairement à celles des Antilles, demeura biraciale (si l'on ne tient pas compte des Amérindiens). Elle ne se stratifia en trois couches – blancs, libres de couleur et esclaves noirs – que durant la période espagnole, avec la croissance des manumissions, et plus encore sous le Régime américain, après l'arrivée des réfugiés de Saint-Domingue (dont beaucoup de libres de couleur) au début du XIXe siècle. À l'époque française, certains noirs libres étaient de petits fermiers, d'autres des voyageurs-engagés sur le Mississippi. La plupart étaient employés comme commandeurs, charretiers, chasseurs, artisans et domestiques sur les plantations. En général, ils demeurèrent pauvres, ce qui les rapprochait des esclaves.

Le statut des noirs affranchis et libres, tel que défini par le Code Noir, était très fragile. Les affranchis avaient les mêmes droits que les personnes nées libres, mais ils restaient liés par l'interdiction faite aux esclaves de recevoir des donations de la part des blancs et devaient toujours faire preuve d'une déférence particulière envers leurs anciens maîtres. En 1743, avant son départ en France, Bienville accorda ainsi sa liberté à Zacarie dit Jacob, fils de « la vieille Marie » qu'il avait déjà affranchie, « moyennant qu'il porte le respect à tous ceux à qui il le doit et par préférence à son maître et à ses descendants, lesquels il regardera toujours comme ses protecteurs [92] ». Le fait d'avoir été esclave vous marquait pour la vie et l'infériorité associée à l'esclavage ne disparaissait pas par simple affranchissement. Le Code visait à maintenir de la sorte une barrière entre blancs et noirs, qu'ils fussent esclaves ou affranchis.

En outre, les libres de couleur devaient être punis plus sévèrement que les blancs, en cas de vol qualifié ou d'aide apportée à des esclaves marrons. Le pouvoir royal craignait, en effet, que des liens de solidarité raciale unissent

les noirs, esclaves et libres, contre les blancs. Cette sévérité à l'encontre des libres de couleur n'était pas seulement théorique : certains, accusés de vols ou d'autres
crimes, furent effectivement réduits de nouveau à la
condition servile. Jeannette, esclave créole du Mississippi, par exemple, avait été libérée grâce au testament
de son maître, M. de Coutillas. En septembre 1746, le
Conseil supérieur l'admonesta pour avoir tenu des
assemblées de nuit et donné à souper à plusieurs esclaves
domestiques de La Nouvelle-Orléans. Quelques mois
plus tard, en avril 1747, elle fut convaincue de vol et
condamnée à être vendue comme esclave au profit de
l'Hôpital de la Charité [93]. Vingt ans plus tôt, le riche
planteur Jean-Baptiste Faucon Dumanoir chercha même
à réduire en esclavage un noir libre nommé Raphaël Bernard, venu avec lui dans la colonie comme domestique
salarié, alors qu'il n'avait pourtant commis aucun crime.
Il refusa simplement de payer à Raphaël ses gages durant
deux années consécutives, le mit un mois aux fers et lui
flanqua une volée de coups de bâton à chaque fois qu'il
tentait de réclamer son salaire. Cependant, Raphaël
porta plainte devant le Conseil supérieur, qui condamna
son maître à lui verser ses gages [94].

Une procédure judiciaire révèle aussi qu'en raison du
faible nombre de libres de couleur, les noirs étaient
presque toujours assimilés à des esclaves. Elle opposa
trois soldats à Étienne Larue, un mulâtre libre, natif du
Sénégal, fils d'un marchand d'esclaves en Afrique et venu
dans la colonie en tant que pilote sur un bateau. Les
quatre hommes se rencontrèrent aux environs de la ville.
En croisant les soldats, Larue les salua de son chapeau.
L'un d'entre eux lui répondit « Bonjour Seigneur
Négritte », à quoi Larue répliqua par un « Bonsoir Seigneur Jeanfoutre ». Une bagarre s'ensuivit et Larue fut

arrêté. Il fut trouvé en possession d'un pistolet, contrevenant ainsi au Code Noir qui interdisait le port d'armes
aux esclaves et aux noirs libres.

Ce qui avait provoqué la première remarque sarcas-
tique des soldats était le fait que Larue, qu'ils prenaient
a priori pour un esclave, s'était comporté comme un
blanc en les saluant amicalement, tel un grand seigneur,
avec son chapeau. L'expression « Seigneur Négritte »
montre qu'ils lui reprochaient de sortir de son rang et de
se placer sur un pied d'égalité, voire de supériorité avec
eux. Leur susceptibilité tenait aussi probablement au fait
que, comme soldats, ils se situaient au bas de l'échelle
sociale des blancs. De fait, ils utilisèrent une violence à
la fois verbale et physique pour rabaisser Larue. Celui-ci
fut reconnu coupable de port d'armes illicite et
condamné par le Conseil supérieur à être blâmé et admo-
nesté publiquement, à verser 100 livres d'amende aux
pauvres et 10 livres au roi, à se faire confisquer ses armes
et à payer les dépenses du procès. Mais ni le procureur
ni le Conseil ne souhaitèrent le sanctionner pour insultes
et voies de fait, ce qui montrait la piètre estime dans
laquelle les soldats étaient tenus par les élites coloniales [95].

*

Un tel conflit montre toute la complexité des relations
sociales dans la colonie du Mississippi. Contrairement
à ce que soutient Gwendolyn M. Hall, il témoigne du
développement d'idées et de pratiques raciales. Si les
esclaves louisianais bénéficiaient de conditions de vie et
de travail meilleures qu'aux Antilles, ils n'en subissaient
pas moins le rapport de domination, d'humiliation et
de violence, qui était inhérent à la condition servile. Le
processus de racialisation de la société esclavagiste prit
des formes multiples. Cela ne signifie pas que le système

de domination raciale qui se mit en place n'était pas contesté, que l'identification des individus et des groupes se faisait toujours sur une base raciale, ou encore que les interactions sociales étaient toujours informées par la pensée raciale et donnaient lieu à des formes d'exclusion raciale. Les barrières entre les deux groupes étaient beaucoup plus perméables que ne l'affirme Thomas N. Ingersoll. Les relations interraciales, sans être complètement fluides et ouvertes, n'étaient pas totalement figées, ni monolithiques : elles s'adaptaient en fonction des circonstances et des nécessités de la société dans son ensemble, des intérêts particuliers des groupes sociaux et des individus.

11

Des sociétés nouvelles

La nobilière : c'est ainsi que Jacques de La Chaise, commissaire du roi à La Nouvelle-Orléans entre 1722 et 1731, nomma son domaine sur le Mississippi [1] En 1735, le père Mercier, missionnaire à Cahokia, envoya à Québec un « plan de la *seigneurie* et établissement de la mission des Tamarois », alors que le régime seigneurial avait été proscrit de Louisiane par la Couronne. Ces appellations sont symptomatiques de la prégnance du modèle social d'Ancien Régime parmi les administrateurs, les missionnaires et les colons de Nouvelle-France. Pourtant, La Chaise et les prêtres du séminaire des Missions étrangères mirent en valeur leurs concessions grâce à des esclaves africains, alors qu'en théorie l'esclavage ne pouvait exister dans le royaume [2]. Davantage que des seigneurs, ils étaient des planteurs. L'administrateur, les prêtres et les esclaves participaient ainsi à la mise en place progressive d'une société nouvelle qui se situait dans la filiation de la société mère, tout en s'en différenciant. Nouvelle-France, le nom même donné aux territoires dépendant du gouvernement général de Québec en Amérique du Nord, est d'ailleurs révélateur du processus duel en œuvre dans la genèse des sociétés coloniales. Le projet royal n'était pourtant pas de reproduire à l'identique la société française sur les rives du Saint-Laurent ou du Mississippi ; il ne s'agissait pas non plus de créer des sociétés entièrement neuves d'inspiration utopiste. En fait, la Couronne cherchait à transplanter outre-mer une société française corrigée et transformée dans une optique absolutiste. Mais elle dut tenir compte des circonstances spécifiques au Nouveau Monde. Pour expliquer le développement de ces sociétés nouvelles, il importe donc de déterminer ce qui relevait du modèle métropolitain, d'une part, et ce qui constituait des innovations liées à la vocation coloniale de ces territoires et aux conditions de vie américaines, d'autre part.

La créolisation de sociétés d'Ancien Régime

En Nouvelle-France, la stratification sociale était beaucoup moins complexe qu'en métropole et variait d'une colonie à l'autre, en fonction de leur ancienneté et de l'importance de leur population. La société canadienne était ainsi plus élaborée que celles de Louisiane et de l'île Royale. Partout, les différentes catégories sociales ne se retrouvaient pas dans les mêmes proportions que dans la société mère : en dehors de l'évêque de Québec, d'ailleurs souvent absent, le haut clergé n'était pas représenté ; la haute aristocratie et la haute bourgeoisie, en particulier en Louisiane, comptaient peu de membres ; le système seigneurial était absent de la colonie du Mississippi et de l'île du Cap-Breton ; durant certaines périodes au Canada et tout au long du Régime français à l'île Royale, le nombre de soldats était proportionnellement bien plus considérable qu'en France. Il existait toutefois dans les colonies des groupes sociaux absents de métropole : les voyageurs et les coureurs de bois, les esclaves amérindiens et africains, les libres de couleur, ainsi que certains autochtones vivant en marge des sociétés européennes. La Louisiane, sur ce point, se distinguait plus nettement de la métropole que le Canada, même si quelques esclaves vécurent aussi dans la vallée du Saint-Laurent.

En outre, à l'exception de l'île Royale qui accueillait de nombreux soldats et émigrants temporaires de France pour la pêche, les sociétés coloniales se créolisèrent rapidement : le nombre de personnes nées en Amérique devint, en effet, très vite majoritaire (dès 1680 au Canada), bien que subsistât toujours une minorité importante de Français (l'essentiel des administrateurs, les soldats, les engagés, etc., qui formaient 20 % de la population canadienne en 1700). Le processus de créolisation se traduisit également par une transformation et une adaptation des structures et des valeurs sociales au nouveau cadre de vie.

En dépit de leurs caractères originaux, ces nouvelles sociétés partageaient des points communs avec la société française d'Ancien Régime. Si la fortune était nécessaire pour tenir son rang, en particulier pour les nobles, elle ne constituait pas le critère principal de distinction sociale ; c'était la naissance, le service du roi et la dignité attachée à telle ou telle occupation qui primaient. Dans toute la Nouvelle-France, on admettait le principe d'une hiérarchie naturelle entre les ordres et les corps, et la noblesse demeurait le modèle social auquel aspirait l'ensemble de la société. Cet attachement très fort au rang se manifestait par le choix du douaire dans les contrats de mariage [3], par d'incessantes querelles de préséance et par le mépris des gens de qualité pour les personnes de condition inférieure qu'ils n'hésitaient pas à battre à coups de bâton en cas de différend. Ces sociétés nouvelles ne se formèrent donc pas *ex nihilo*. Les immigrants vinrent avec un modèle social et un bagage culturel qui marquèrent durablement leurs mentalités et leur comportement. Ils bénéficièrent, néanmoins, de possibilités de mobilité sociale beaucoup plus fortes qu'en métropole, notamment au cours des premières décennies ; le pouvoir royal prit de surcroît un certain nombre de mesures qui réduisirent le poids des privilèges. En conséquence, la richesse acquit davantage d'importance qu'en France.

Des élites canadiennes dominées par la noblesse

La société canadienne était dominée par quelques centaines d'individus, ne constituant pas plus de 3 à 4 % de la population. Lors de son séjour à Québec en 1720, le jésuite Charlevoix décrivait les élites de la capitale canadienne de la façon suivante : « On y trouve un petit monde choisi où il ne manque rien de ce qui peut former une société agréable. Un gouverneur général avec un état-major, de la noblesse, des officiers et des troupes. Un intendant avec un conseil supérieur et les juridictions subalternes ; un commissaire de Marine, un grand prévôt, un grand-voyer et un grand maître des eaux et forêts dont la juridiction est assurément la plus étendue de l'univers ; des marchands aisés qui vivent comme s'ils l'étaient ; un évêque et un séminaire nombreux ; des Récollets et des Jésuites ; trois communautés de filles bien composées [4]. » Il faisait ainsi un seul groupe des élites ecclésiastiques, militaires et administratives, d'une part, et des négociants, d'autre part. Un débat existe parmi les historiens à ce sujet : la noblesse et la haute bourgeoisie constituaient-elles deux groupes distincts, avec chacun leurs caractéristiques et leurs valeurs propres ou un groupe élitaire uni, formant une seule classe de « bourgeois-gentilshommes [5] » ? Comme en métropole et de manière croissante au XVIIIe siècle, la noblesse et la haute bourgeoisie canadiennes nouaient des alliances matrimoniales et partageaient des intérêts économiques communs, ces phénomènes étant accentués dans la colonie par les spécificités du marché matrimonial et de l'économie. Il semble, cependant, que l'ensemble de la société reconnaissait la supériorité de la noblesse. Il en était d'ailleurs de même en Louisiane, selon Marcel Giraud, malgré le très faible nombre de nobles.

Partout, le service du roi distinguait les élites du reste du corps social. Au Canada, les officiers d'épée et de plume étaient pour la plupart des nobles. Venaient s'adjoindre à eux les membres des communautés religieuses, nobles pour 43 % d'entre eux ; le service de Dieu leur conférait une place à part dans la société. Les nobles étaient en général de noblesse relativement récente. Les administrateurs civils étaient issus de la noblesse de robe, alors que les militaires étaient pour la plupart des hobereaux de province.

La noblesse canadienne se forma essentiellement par l'immigration, mais l'anoblissement d'une poignée d'habitants contribua à l'étoffer. Le pouvoir royal se montra d'abord favorable à l'augmentation du nombre de nobles dans la colonie : il considérait, selon les termes de l'intendant Talon, que la vocation du second ordre était de « bien soutenir, ainsi qu'il est naturellement obligé, l'autorité du Roi, et ses intérêts en toutes choses[6] ». C'est pourquoi il anoblit quelques hommes qui jouèrent un rôle éclatant dans la colonisation : Guillaume Couillard, le gendre de Louis Hébert et l'un des plus anciens habitants du Canada, Robert Giffard, le premier seigneur-colonisateur, et Pierre Boucher, le gouverneur de Trois-Rivières, furent les trois premiers anoblis. L'ascension de ce dernier fut particulièrement remarquable : fils de menuisier, il servit d'abord de domestique aux jésuites entre 1637 et 1641, devint ensuite interprète, puis capitaine à Trois-Rivières, avant d'y être finalement élevé au poste de juge et de gouverneur, ce qui lui valut d'être anobli dès 1661. Après 1680, devant faire face à la misère dans laquelle vivaient de nombreuses familles nobles et les aider financièrement, la Couronne adopta une attitude beaucoup moins favorable à l'accroissement du groupe nobiliaire et concéda des anoblissements avec une extrême parcimonie, ne récompensant dorénavant que ceux qui avaient fait fortune.

Au XVIIe siècle, le groupe de nobles augmenta aussi par agrégation illicite. Certaines personnes, qui se distinguèrent par leur valeur personnelle, occupèrent des charges administratives ou militaires et firent de bons mariages : elles réussirent ainsi à prendre le titre d'écuyer et à se faire considérer comme nobles. Louis Rouer de Villeray, par exemple, était le fils d'un valet de chambre de la reine. Il débarqua dans la colonie vers 1650 ou 1651 comme soldat. Puis il exerça les charges de secrétaire du gouverneur et notaire. Son mariage avec Catherine Sevestre lui permit d'hériter de plusieurs terres et de deux charges administratives. Il fut ensuite nommé conseiller au Conseil supérieur. Vers 1680, il commença à se parer du titre d'écuyer, ce qui ne fut pas sans déclencher au départ quelques remous [7].

En métropole, ce long processus d'agrégation à la noblesse par adoption, sur plusieurs générations, du mode de vie nobiliaire avait longtemps été le moyen principal d'accéder au second ordre, mais il avait alors tendance à décliner au profit des voies d'accès contrôlées par le pouvoir royal, soit l'attribution de lettres de noblesse et l'achat d'offices anoblissants. Contrairement à ce qu'il faisait en France à la même époque, Louis XIV se préoccupa peu de surveiller l'accès à la noblesse coloniale, même si fut promulguée au Canada en 1684 une ordonnance royale qui imposait une amende importante aux usurpateurs. Les officiers militaires jouaient, en effet, un rôle trop important pour la colonie. En 1691, l'intendant Champigny soutenait à cet égard qu'« il croit que cela [le fait que plusieurs habitants prennent la qualité de noble] est dangereux pour le pays mais [qu'il] n'a pas cru les devoir faire rechercher à cause de la guerre [8] ». En outre, les grandes enquêtes de noblesse qui furent lancées dans le royaume dès 1661 étaient principalement motivées par une raison fiscale : faire payer au plus grand nombre la taille dont étaient exemptés le clergé et la noblesse. Or, dans la colonie, personne ne réglait cet impôt royal. La perte de ce privilège important rendait d'ailleurs la noblesse coloniale moins prestigieuse. Elle n'en représentait pas moins un modèle pour le reste de la société.

Comme en métropole, le second ordre avait conscience de former un groupe social distinct. Il se singularisait tout d'abord par des comportements démographiques originaux liés à l'importance des alliances matrimoniales dans le maintien des individus et du groupe au-dessus du reste de la société. Le taux de célibat des nobles était de 22 % pour les garçons et de 33 % pour les filles, contre 10 % pour l'ensemble de la population française ou canadienne. Pour ne pas diviser le patrimoine familial ou à défaut de partis convenables, on incitait, en effet, les jeunes filles à entrer au couvent, ce qui se traduisait par des vocations religieuses beaucoup plus nombreuses dans la noblesse que dans les autres groupes sociaux. Quatre des six filles (sur onze enfants nés entre 1653 et 1679) de Charles d'Ailleboust des Musseaux et de Catherine Le Gardeur de Repentigny, entrèrent ainsi dans différentes communautés religieuses et une ne se maria jamais [9]. Quant aux hommes demeurés célibataires, peu d'entre eux intégraient l'Église coloniale, dans laquelle les carrières s'avéraient moins attrayantes. Les jeunes gens choisissaient donc surtout le métier des armes et étaient de ce fait victimes d'une surmortalité précoce. De plus, faute de places en nombre suffisant dans les troupes canadiennes, 15 % d'entre eux émigrèrent hors de la colonie pour faire une carrière militaire soit en en métropole, soit aux Antilles, en

Guyane ou en Louisiane. Ces deux phénomènes, surmortalité et émigration, contribuent à rendre compte de
l'importance du célibat parmi les femmes du second
ordre.

Les hommes de la noblesse se mariaient plus tardivement que le reste de la population masculine (à trente
ans contre vingt-sept ans en moyenne pour l'ensemble
de la population). Ils épousaient des femmes plus jeunes,
au début de leur vingtaine, l'écart entre les époux étant
ainsi toujours très élevé. Cet âge tardif était lié à la nécessité d'être bien établi avant de convoler en justes noces
et à la difficulté de faire un bon mariage. L'idylle brisée
entre René-Ovide Hertel de Rouville et Louise-
Catherine André de Leigne, fille du lieutenant-général
de la Prévôté de Québec, en témoigne. Dans un premier
temps, le père de la jeune fille avait chassé le soupirant,
ne le considérant pas comme un bon parti : « ce père
surpris de la demande de ce jeune homme, lui dit fort
sérieusement qu'il n'y pensait pas, de lui faire une pareille
demande, à l'âge qu'il avait, sans bien, sans fortune et
sans emploi, qui pût le faire subsister avec une femme ;
qu'un pareil établissement demandait au moins quelque
commencement de fortune, et un âge plus avancé et plus
mûr, et le renvoya sans l'écouter davantage, lui disant
qu'il le priait de ne plus rendre de si fréquentes visites à
sa fille. » Le mariage ayant toutefois été célébré, la mère
de René-Ovide en demanda la dissolution, arguant de
l'absence de consentement parental malgré la minorité
de son fils [10]. Au XVIIIe siècle, une partie des familles
nobles (15 % d'entre elles) réduisirent le nombre de naissances. Dans le même temps, la pratique de la mise en
nourrice à la campagne se généralisa, ce qui eut pour
effet un accroissement considérable de la mortalité infantile. Ces différents facteurs – comportements malthu-
siens et surmortalité infantile –, joints à l'émigration
masculine, conduisirent à une stagnation à partir de

1700 et même à une diminution du nombre de nobles après 1745, en dépit de l'arrivée de nombreux officiers militaires de métropole au début de la guerre de Sept Ans. Alors que la noblesse canadienne comptait pour 3,5 % de la population à son climax au début du XVIIIᵉ siècle, elle n'en représentait plus que 1,1 % à la fin des années 1750.

Outre ces comportements démographiques particuliers, le second ordre se distinguait également par son mode de vie. Si la définition de la noblesse évolua au cours de l'Ancien Régime, demeura toujours comme critère essentiel la nécessité de tenir son rang et de vivre noblement. Un noble ne devait pas pratiquer de travail manuel, ni exercer de professions considérées comme avilissantes ; il était tenu, en revanche, de servir le roi, en particulier par les armes, ainsi que de faire preuve d'ostentation, de générosité et de libéralité. Les vêtements et les coiffures étaient révélateurs de ce souci de l'apparence : perruques bouclées et poudrées, habits galonnés, manchettes de dentelles, bas de soie, souliers à boucle d'or ou d'argent... La mode vestimentaire, qui suivait celle de Paris avec un an de retard, était ainsi décrite par Pehr Kalm :

« Les Français du Canada diffèrent de bien des façons des Anglais. Les hommes sont très bien habillés : ceux qui sont très âgés et distingués portent des perruques bouclées ; les plus jeunes ont des perruques, ou leurs propres cheveux, en forme de bourse. Peu de gens distingués portent leurs cheveux en forme de queue. Ils les poudrent toujours. On a l'habitude de mettre des galons aux habits, en particulier sur le gilet. Les personnes du commun portent souvent une très longue chevelure flottante [11]. »

Pour sortir, les cannes à pommeau d'or ou d'argent et les éventails durant la saison estivale étaient de rigueur. Ces derniers étaient fabriqués, selon le voyageur suédois, « avec la queue des dindons sauvages. On la prend dès qu'on a tué l'animal, on l'étend [...], on la laisse sécher dans cette position, et elle garde ensuite continuellement la même forme. J'ai vu des femmes ainsi que des hommes de qualité en avoir de semblables en main au cours d'une promenade en ville [12] ».

Les nobles vivaient en ville et ne faisaient que de courts séjours sur leurs seigneuries. Occupés parfois durant de longs mois dans les postes de l'intérieur pour le service des armes, ils laissaient en ville femme et enfants. Leurs habitations étaient de véritables hôtels particuliers, luxueusement meublés, avec des lits de plume, des tapisseries, des miroirs à cadre doré, des pendules, des bibelots, des services d'argenterie, de la vaisselle en faïence et en porcelaine, des tables à jouer (pour le billard, le quadrille et le trictrac...), du linge en abondance, etc.

Comment ce mode de vie dispendieux était-il financé ? Comme en France, la terre était au fondement de la fortune nobiliaire. Sa possession conférait un grand prestige social, d'autant que les domaines concédés aux nobles et aux communautés religieuses – avaient été érigés en seigneuries. Contrairement aux nobles de métropole à qui la rente foncière apportait des revenus considérables, ceux du Canada tiraient, cependant, peu de profits de leurs seigneuries, du moins jusqu'au milieu du XVIIIe siècle. Leurs revenus provenaient de leurs appointements comme officiers civils et militaires et surtout de faveurs royales : pensions, congés pour la traite des pelleteries, commandement d'un poste de l'intérieur, marchés passés pour l'achat des vivres des garnisons, etc. Aussi les nobles étaient-ils extrêmement dépendants des relations qu'ils entretenaient avec les autorités royales, lesquelles s'assuraient par ces gratifications des réseaux de fidélités.

En 1685, le roi autorisa les nobles des colonies à pratiquer le négoce et le commerce au détail sans déroger, alors qu'en métropole ils ne pouvaient s'adonner qu'au grand commerce. En dehors de la traite des pelleteries, ils se consacraient ainsi à diverses entreprises commerciales et industrielles, telles que les pêcheries du Saint-Laurent au Labrador, le commerce intercolonial, le grand commerce, la construction navale, les forges du Saint-Maurice, l'entreprise de construction de fortifications, etc. Quant aux femmes, elles participaient à ces activités économiques à l'instar de Marie-Charlotte Denys de La Ronde (1688-1742), épouse du gouverneur de Montréal, Claude de Ramezay, et de sa fille Louise, célibataire, qui possédaient et dirigeaient elles-mêmes plusieurs entreprises industrielles (scieries, briqueteries, tuileries, tanneries, moulins).

Les fortunes nobiliaires s'accrurent aussi grâce à des mariages avec des filles de la haute bourgeoisie. Dans la noblesse, les unions étaient conclues par les familles, car elles permettaient de procurer au lignage appui et soutien. Elles furent également contrôlées par les autorités. En 1689, le roi décida, en effet, que les officiers militaires ne pourraient désormais se marier sans le consentement du gouverneur, celui-ci devant se référer au ministre de la Marine pour les seuls cas litigieux. En 1720, le mariage de Gaspard Adhémar de Lantagnac, officier militaire et neveu du gouverneur Vaudreuil, et de Geneviève-Françoise Martin de Lino, suscita un grave conflit entre l'État et l'Église. En janvier 1721, suite à la plainte de Vaudreuil, le Conseil de Marine accusa l'évêque de Québec d'avoir célébré la cérémonie sans l'accord du gouverneur : « Il [l'évêque] vient de marier le Sr Adhémar de Lantagnac son neveu lieutenant dans les troupes avec une fille sans bien et sans naissance dont il a vu la mère servir chez son père qui tenait cabaret, quoiqu'il l'eût prié de ne pas le faire. » Le père, Mathieu-François-Martin de Lino, était en réalité un agent de la Compagnie des Indes et un membre du Conseil supérieur. Le prélat se défendit en disant que Vaudreuil lui avait pourtant donné sa parole et qu'il ne comprenait pas pourquoi le gouverneur l'avait auparavant autorisé à marier Bégon « frère de l'intendant qui ne s'est allié qu'à une famille fort au-dessous de la sienne, et trouv [ait] mauvais que son neveu s'allie à une des premières et des plus distinguées du pays ». Les jeunes époux, finalement, furent exilés à l'île Royale, mais ils se réinstallèrent rapidement à Québec [13].

Cette affaire montre que l'on attendait des futures qu'elles aient de la « distinction », c'est-à-dire de la fortune, mais pas forcément qu'elles fussent nobles. De fait, l'endogamie sociale des nobles au Canada fut beaucoup plus faible qu'en métropole. Dans leur très grande majorité, les conjoints roturiers provenaient du monde des marchands et de l'élite coloniale non noble formée d'individus occupant des postes de prestige et de pouvoir. Cela ne mettait pas pour autant la haute bourgeoisie et la noblesse au même niveau. Le sentiment de commettre une mésalliance est perceptible dans l'union conclue entre Pierre Gaultier de La Vérendrye, de bonne noblesse, et une Dandonneau du Sablé, issue d'une riche famille probablement roturière. Lui n'avait ni poste ni fortune, mais il lui apportait un nom. C'est pourquoi la mère du conjoint put imposer ses conditions dans le contrat de mariage et précisa que sans cela « ledit mariage n'aurait été fait ni accompli. » De la même façon, à propos d'Anne Gasnier, veuve d'un ancien officier noble, qui épousa en secondes noces l'ingénieur et seigneur Jean Bourdon, un roturier, Marie de l'Incarnation déclara significativement : « elle se ravala de condition [14] ».

Ce mépris des gens de qualité pour la roture existait aussi en Louisiane. Dans cette colonie, le second ordre était pourtant plus faiblement représenté qu'au Canada. Parmi les officiers d'épée, bien peu étaient de véritables nobles, même si beaucoup prétendaient l'être. Ils avaient encore plus de difficultés à survivre que leurs homologues de la vallée laurentienne. La vie, en particulier à La Nouvelle-Orléans, était extrêmement chère et leurs maigres appointements ne leur permettaient pas de tenir leur rang. Ils essayaient d'y suppléer soit en vendant des marchandises de France qu'ils avaient pu amener avec eux ou qu'ils obtenaient à crédit au magasin de la Compagnie ou du roi, soit en faisant la traite avec les Amérindiens, soit, plus rarement, en ouvrant des habitations. Contraints de se déplacer pour leur service dans les différents postes de la colonie, beaucoup préféraient investir dans l'achat d'esclaves plutôt que d'exploiter une plantation, car ils pouvaient facilement amener leurs esclaves avec eux et les louer à prix fort.

Dans les années 1720 et 1730, en raison de l'absence d'importantes fortunes en Basse-Louisiane, les mariages que les officiers militaires louisianais pouvaient conclure ne leur permettaient guère de s'enrichir. Au Pays des Illinois, ils épousaient de préférence des filles et des veuves d'officiers, ainsi que des filles d'administrateurs. Pour des motifs pécuniaires, ils durent aussi nouer des alliances matrimoniales avec les filles de riches habitants, y compris des métisses nées des nombreuses unions entre coureurs de bois et Amérindiennes. Quatre des descendantes (filles et petites-filles) de l'Illinoise Marie Rouensa et de Michel Philippe, un ancien voyageur devenu l'un des plus riches habitants du poste, se marièrent ainsi avec des officiers militaires [15].

Les stratégies matrimoniales des nobles ou des officiers militaires roturiers montrent que les membres de la haute administration d'origine roturière faisaient également partie du groupe des élites. Au Canada, les officiers de plume dans leur ensemble bénéficiaient d'un statut social qui les positionnait au-dessus des négociants et des marchands. Comme le clergé et la noblesse, ils étaient

exemptés du logement des gens de guerre, des impositions et des corvées pour les fortifications, et échappaient
aux levées de la milice ; ils bénéficiaient de surcroît d'une
place d'honneur dans les cérémonies officielles. Parmi ces
officiers, les gens de robe se mariaient plutôt entre eux
et formaient un groupe assez fermé. Tous adoptaient un
mode de vie qui les rapprochait de la noblesse, ce qui les
conduisait souvent à s'endetter car leurs traitements
étaient inférieurs à ceux des officiers militaires. Certains,
comme Charles Bazire, François-Étienne Cugnet, Nicolas Lanoullier de Boisclerc, Jacques Imbert et Jacques-
Michel Bréard, se servirent du patronage de l'intendant
et de leurs charges de directeur du Domaine, d'agent des
trésoriers généraux de la Marine ou de contrôleur de la
Marine, pour se lancer dans les affaires. En dessous de
ces membres de la haute administration canadienne gra-
vitait un groupe de petits « fonctionnaires » : les écrivains
employés dans les différents bureaux de la Marine, les
commis et brigadiers du Domaine du roi, les greffiers et
huissiers des tribunaux, auxquels s'ajoutaient les notaires.
Quelques-uns parvinrent à s'extraire de leur condition
grâce à l'appui des plus hautes autorités. Michel Bénard,
par exemple, le fils d'un cuisinier du roi, était au départ
un simple écrivain au service de l'intendance à Québec.
Il devint ensuite premier secrétaire de l'intendant Gilles
Hocquart et épousa Marie-Geneviève Lanoullier de Boisclerc, fille du receveur du Domaine, Nicolas, qui était
aussi membre du Conseil supérieur. Avec le soutien de
l'intendant et de son beau-père, il obtint la charge de ce
dernier, puis sa place au Conseil supérieur [16].

Les négociants et les marchands au Canada

Dans la capitale laurentienne, d'après le portrait qu'en
a fait Kathryn Young, la bourgeoisie commerciale formait une communauté unie par de nombreuses alliances

familiales [17]. Parmi les marchands résidant à Québec entre 1717 et 1745, on en comptait pourtant presque autant nés en métropole qu'au Canada. Certains marchands français, appelés forains ou pacotilleurs, ne restaient que quelques mois ou hivernaient sur place. D'autres, en revanche, qui servaient d'agents à la Couronne ou de facteurs pour une ou plusieurs sociétés privées établies en France, demeuraient dans la colonie en général plusieurs décennies, à l'instar de François Havy et de Jean Lefebvre, deux jeunes marchands normands et protestants qui s'établirent à Québec en 1732 comme employés de Robert Dugard et Cie de Rouen et qui y vécurent durant un quart de siècle. Ils étaient salariés par leur société, alors que la plupart des facteurs étaient rétribués par un pourcentage sur les importations et sur les exportations. Tous les facteurs travaillaient également pour leur propre compte. Ils étaient à l'occasion secondés par leurs épouses et parentes qui jouaient un rôle significatif dans le commerce de la colonie. Ces agents de firmes métropolitaines représentaient presque 38 % des marchands de Québec entre 1717 et 1745, contre 16 % d'officiers-marchands et 46 % de marchands nés dans la colonie. Si les négociants français gardaient des liens étroits avec la métropole où ils espéraient revenir, leur long séjour dans la colonie, les mariages que la plupart d'entre eux contractèrent avec des Canadiennes, leur participation à la vie publique et leurs investissements dans des entreprises coloniales suscitaient une certaine identification avec les Canadiens. En 1747, Havy et Lefebvre parlaient ainsi ironiquement de « ces petits Messieurs les forains » ; en 1763, le premier, alors retourné en France, écrivait encore à un Canadien : « J'ai toujours aimé votre pays et ses habitants [18]. »

Natifs du royaume ou du Canada, les négociants de Québec spécialisés dans l'import-export se distinguaient du reste de la société par leur influence et leur richesse, probablement bien plus considérable que celle des nobles. C'était particulièrement vrai dans la première moitié du XVIIIe siècle des créoles qui étaient des fils (ou des filles) de marchands et qui avaient hérité de leurs parents. Cette situation contrastait avec celle du royaume où les plus grosses fortunes se rencontraient dans la haute aristocratie. C'est dans ce groupe de négociants qu'étaient notamment recrutés les membres du Conseil supérieur de Québec. Ils cherchaient à se rapprocher de la noblesse, en obtenant des charges d'officiers de milice en ville et en achetant ou en se faisant concéder des seigneuries. Leurs vastes demeures en pierre, situées souvent à proximité de la place Royale, témoignaient de leur prospérité, ainsi que de leur attachement à la métropole : elles reflétaient la mode parisienne et le même « goût de l'intime » alors en plein essor en France au XVIIIe siècle. En même temps, elles comprenaient des éléments proprement coloniaux, tels que les toits fortement pentus, les poêles en fer, des peaux de caribou, etc.

Ces négociants vendaient leurs marchandises importées de métropole à des marchands au détail canadiens, localisés à Québec ou à Montréal, à l'instar de Pierre Guy, le correspondant de Havy et Lefebvre. Les caboteurs sur le fleuve et les marchands de fourrures de Montréal se situaient au même niveau que ces marchands au détail. Vers le milieu du XVIIIe siècle, comme les nobles, les marchands de la deuxième ville du Canada retardaient leur âge au mariage (trente et un ans pour les hommes et vingt-cinq ans pour les femmes). Mais, selon le portrait qu'en a dressé Louise Dechêne, s'ils vivaient dans des maisons de pierre confortables et bien chauffées en hiver, ils avaient un mode de vie dépourvu d'ostentation, tant en matière d'ameublement que d'habillement. Contrairement aux nobles, ils n'investissaient guère leur argent dans la terre. Ils menaient une vie paisible mais active et participaient aux affaires publiques en devenant marguilliers et en faisant d'importants dons à la paroisse.

Les grands planteurs de Louisiane

On peut rattacher à cette même sphère sociale les grands planteurs de Basse-Louisiane. Les négociants et les marchands se réduisaient dans cette colonie à quelques individus. Mais certaines familles, venues du Canada ou de France – tels les trois frères Chauvin ou Dubreuil, installés aux Tchoupitoulas à proximité de La Nouvelle-Orléans – réussirent à faire fortune grâce à l'élevage, à l'agriculture commerciale destinée à l'exportation et à l'exploitation de scieries travaillant pour la construction publique. La société locale se développa sur la base d'unions entre les anciennes familles, souvent originaires du Canada, et de nouvelles familles arrivées de France durant la régie de la Compagnie des Indes. L'ascension sociale de ces lignées fut sanctionnée par des commissions d'officiers de milice et par des postes au Conseil supérieur de La Nouvelle-Orléans. L'un des frères Chauvin, Nicolas Chauvin de La Frénière, fils d'un meunier, fut ainsi nommé conseiller en 1732. C'est son fils qui, en 1763, fut le premier créole à devenir procureur du roi. Soucieuses de marquer leur rang, selon Sophie White, ces élites cherchaient à se distinguer, mais aussi à entrer en compétitition entre elles en maintenant un mode de vie et une culture matérielle proches du modèle métropolitain, malgré de nécessaires adaptations au climat local. Dans le domaine vestimentaire, par exemple, elles prétendaient suivre la mode française et n'hésitaient pas à se faire fabriquer habits et perruques à Paris ou à La Rochelle.

Au Pays des Illinois, il existait également un groupe d'habitants tenant le haut du pavé, en dessous des officiers d'épée et de plume. Ils possédaient des domaines

fonciers très importants, des moulins et de nombreux
esclaves. Ils se faisaient construire des maisons en pierre
et bénéficiaient d'un confort matériel proche de celui des
élites, portant des cannes à pommeau et des tabatières
d'or ou d'argent, mangeant dans de la porcelaine et de
l'argenterie… Tout en veillant à diversifier leurs activités,
ils avaient surtout fait fortune grâce au commerce de
denrées alimentaires avec la Basse-Louisiane. Sans pratiquer une endogamie sociale stricte, ils se mariaient de
préférence entre eux ou essayaient d'unir leurs filles aux
officiers d'épée et de plume. Comme en Basse-Louisiane,
les relations privilégiées que certains grands propriétaires
réussirent à établir avec les autorités civiles et militaires
furent certainement la clé de leur ascension sociale.
Grâce à ce patronage et à leur fortune, ils monopolisaient
toutes les fonctions de direction et de pouvoir auxquelles
ils pouvaient prétendre. Ils dominaient l'assemblée des
habitants et étaient nommés ou élus comme officiers de
milice, marguilliers, recouvreurs de dîme, syndics ou
encore gardes-magasins à Kaskaskia. Ces charges, par les
prérogatives qui s'y attachaient, leur donnaient une certaine fierté. En 1752, Boré, capitaine de milice à Kaskaskia, se plaignit ainsi au gouverneur de Louisiane que le
commandant du poste assujettissait les officiers de
milice, à l'instar des simples habitants, au logement des
troupes et à la réquisition de chevaux, contrairement à
ce qui se passait au Canada. Boré terminait sa requête
en ces termes : « Je me flatte, Monsieur, que votre équité
naturelle nous fera jouir amplement des privilèges qui
sont accordés aux nouvelles colonies que l'on établit [19]. »
Certains habitants, une fois leur fortune faite, quittaient
le Pays des Illinois pour s'installer en Basse-Louisiane et
goûter à la société plus policée de La Nouvelle-Orléans.
Ce fut le cas notamment d'Antoine Bienvenu, débarqué
de France dans les années 1720 avec sa mère et son père,
un maître menuisier recruté par la Compagnie des Indes.

Quelques années plus tard, grâce à l'héritage familial et au mariage contracté avec une veuve fortunée, il constitua un immense domaine foncier et devint le plus gros possesseur d'esclaves du Pays des Illinois. Dans les années 1750, il s'établit en Basse-Louisiane où il avait acquis une plantation conjointement avec le gouverneur Vaudreuil. Il fut alors nommé capitaine de milice garde-côte [20]. En 1759, de la même façon, Louis Boré vendit tous ses biens pour la somme de 90 000 livres, avant de quitter la région [21].

La fortune de ces grands planteurs reposait sur l'esclavage. Le développement de cette institution contribua à différencier la société coloniale de celle de la métropole de manière beaucoup plus accentuée en Louisiane qu'au Canada. Pourtant, le pouvoir absolu exercé par le maître sur son esclave conférait au premier une supériorité sociale qui pouvait le rapprocher de la noblesse, dont la vocation naturelle était de commander. En Basse-Louisiane, en 1727, un maître d'origine noble, le capitaine de Merveilleux, poursuivit d'ailleurs en justice son économe pour avoir puni de manière excessive un de ses esclaves, alors qu'il lui avait interdit de s'occuper des problèmes de discipline, « ne le pens[ant] pas capable et apte à cela [22] ». De leur côté, les élites canadiennes, et notamment les officiers militaires, cherchèrent à se procurer des esclaves africains pour les utiliser comme domestiques, bien que le travail servile n'avait qu'une faible justification économique dans la vallée laurentienne. Il s'agissait d'une dépense ostentatoire qui leur permettait d'affirmer leurs prétentions sociales.

Selon les théories acceptées par le plus grand nombre sous l'Ancien Régime, la supériorité de la noblesse sur la roture était justifiée par des qualités innées, transmises par le sang, même si elles devaient être confortées par l'éducation. Cette notion de noblesse de sang ou de « race » (au sens de lignée) persista durant toute la période moderne. Or, au XVIIIᵉ siècle, des penseurs tels que Buffon et Voltaire commencèrent à formuler l'idée d'une hiérarchie entre les « races » humaines en identifiant l'inégalité naturelle entre les ordres sociaux à celle qui était censée exister entre les peuples, cette inégalité pouvant servir à justifier l'esclavage. En 1756, dans l'*Essai sur les mœurs*, Voltaire écrivait ainsi : « la race des nègres est une espèce d'hommes différente de la nôtre, comme la race des épagneuls l'est des lévriers[23] ». Le philosophe opposait le lévrier, l'animal aristocratique par excellence, à l'épagneul, chien familier et docile, qui symbolisait la roture. On le voit, l'esclavage était intégré à l'idéologie dominante qui considérait l'inégalité sociale comme naturelle et reconnaissait la supériorité de la noblesse.

Pour les grands planteurs de Louisiane, les esclaves constituaient vraisemblablement bien davantage qu'un capital économique ; ils avaient une valeur symbolique qui leur permettait de se rapprocher des élites. Dans les années 1740, lorsque le gouverneur Vaudreuil envisagea d'interdire l'importation d'esclaves noirs au Pays des Illinois, afin de les réserver aux plantations de Basse-Louisiane, productrices des denrées exotiques exportées en métropole, il présenta pourtant les habitants du poste comme de simples paysans qui devaient cultiver seuls leurs terres afin de satisfaire les besoins de l'État et ne pas mollir « dans l'oisiveté et la paresse[24] ». Mais on peut penser que les plus grands propriétaires d'esclaves et de terres se considéraient comme des planteurs plutôt que comme des paysans, d'autant qu'ils n'étaient pas soumis au régime seigneurial.

Apparemment, le développement de l'esclavage contribua à ériger la fortune en critère majeur de distinction, l'achat et le contrôle de cette main-d'œuvre servile permettant de s'enrichir et de s'élever dans la hiérarchie sociale. Toutefois, le nombre peu élevé d'esclaves disponibles fit que les autorités eurent tendance à les distribuer prioritairement aux officiers militaires, aux administrateurs et aux religieux, soit aux élites sociales qui, de la sorte, voyaient leur position dominante confortée. De simples habitants réussirent néanmoins à s'en procurer : ils détenaient alors un statut social qui ne correspondait pas seulement à leur niveau de fortune, mais reposait aussi sur le pouvoir qui s'attachait à la possession d'êtres humains. La supériorité reconnue au second ordre dans la société d'Ancien Régime traditionnelle s'étendait ainsi à un groupe social beaucoup plus large, celui des propriétaires d'esclaves. Cependant, même les « petits blancs » non possesseurs d'esclaves estimaient qu'ils étaient supérieurs aux Africains et aux Afro-créoles : la hiérarchie sociale, encore pensée sur le modèle métropolitain, se combinait à une hiérarchie raciale en formation.

Les artisans urbains

En Nouvelle-France, les artisans constituaient une part essentielle de la population urbaine. Les colonies ne connaissant pas de jurandes, ni de système de maîtrise, l'esprit de corps n'était maintenu au Canada que par le regroupement de certains artisans en confréries professionnelles qui organisaient des célébrations le jour de leur saint patron. Mais ces confréries étaient très peu nombreuses et beaucoup moins importantes qu'en métropole : à Montréal, par exemple, elles ne concernaient que les chirurgiens, les armuriers, les cordonniers et les marchands. En outre, les autorités cherchèrent de plus en plus à les contrôler. En Louisiane, ces associations religieuses réservées aux gens de métier étaient même totalement inexistantes.

En l'absence de corporations, les métiers s'exerçaient beaucoup plus librement. Il n'était pas rare au Canada de cumuler plusieurs emplois et de combiner, par exemple, une activité artisanale avec celle de cabaretier ou de navigateur. À l'intérieur de chaque métier, la hiérarchie très forte qui existait en métropole entre maîtres, compagnons et apprentis ne se retrouvait pas en Nouvelle-France, car n'importe qui tenant boutique et engageant un apprenti pouvait prendre le titre de maître. La plupart des ateliers étaient des entreprises familiales regroupant un maître, un apprenti et un domestique. Certains métiers, comme celui des charpentiers de navire et des entrepreneurs maçons, se transmettaient de père en fils, ce qui conduisit à la formation de véritables monopoles familiaux. Les jeunes entraient en apprentissage vers seize ou dix-sept ans pour une période de trois à quatre années. Logés et nourris chez le maître, ils apprenaient sous sa direction dans des conditions souvent très strictes. Pour compléter les revenus du ménage, les femmes qui aidaient leur époux à surveiller les apprentis pouvaient prendre des locataires, faire des travaux de couture ou de blanchisserie ou bien servir comme domestiques.

Dans le royaume, il existait une hiérarchie rigide des métiers établie par les juristes selon des critères de fonction et de prestige. Elle fut considérablement assouplie dans la colonie. Au sommet de l'échelle se trouvaient les chirurgiens, orfèvres, arquebusiers-armuriers, maîtres de barque et entrepreneurs maçons, alors qu'à l'autre extrémité le métier de ramoneur n'inspirait que mépris. Les artisans se différenciaient aussi par leur niveau de richesse. Globalement, ceux des villes bénéficiaient d'un confort matériel supérieur à celui des paysans, avec des maisons un peu plus spacieuses, chauffées avec un poêle, pourvues de meubles plus nombreux et mieux décorées. Mais il existait de grandes disparités de situations. Au XVIIe et au début du XVIIIe siècle, les artisans du fer connurent quelques succès financiers grâce à la demande

constante en armes et en outils. Au XVIIIᵉ siècle, en
raison du développement du commerce intercolonial et
des contrats d'État, les tonneliers, les boulangers, les
bouchers, les transporteurs maritimes et surtout les
entrepreneurs de construction, tels Jean Maillou dit Des-
moulins qui laissa à sa mort en 1753 environ 100 000
livres, purent amasser d'importantes fortunes [25]. Dans
l'ensemble toutefois, la plupart des artisans ne faisaient
que vivoter.

Les paysans

Au Canada, la vie des premiers pionniers qui se consacrèrent au travail de la terre fut extrêmement difficile.
Leur équipement domestique était rudimentaire et réduit
au strict nécessaire. Leur niveau de vie, à la fin du
XVIIᵉ siècle, équivalait à celui des journaliers agricoles
en France. Le confort matériel de ces paysans progressa
néanmoins au cours du XVIIIᵉ siècle : les maisons en bois
s'agrandirent légèrement, elles furent divisées en plusieurs pièces grâce au chauffage au poêle et on les éclaira
dorénavant à la chandelle ; dans le mobilier, les tables
et les chaises se généralisèrent, les armoires furent plus
nombreuses, les literies devinrent plus douillettes. Les
habitudes vestimentaires, quant à elles, se modifièrent
peu à peu au XVIIᵉ siècle. Jusque dans les années 1660,
les colons firent preuve d'un grand conformisme en
s'habillant comme en métropole. Aux Amérindiens, ils
n'empruntèrent d'abord que les mocassins, les souliers
français ne convenant pas à la marche en raquettes. Ils
n'avaient que peu recours au cuir et à la fourrure que
l'on associait aux miséreux. Certains habits de marin, tels
le capot (surtout capuchonné, porté par mauvais temps)
ou le tapabord (calotte de drap avec un couvre-nuque et
une visière qui pouvaient se rabattre par mauvais temps),
commencèrent toutefois à se répandre. Mais parce qu'ils

étaient aussi des objets de traite avec les autochtones, on les percevait souvent négativement comme des insignes de la « sauvagerie ». La remise en cause des habitudes vestimentaires métropolitaines ne se fit donc pas facilement. Au XVIIIe siècle, les femmes continuèrent même à s'habiller à la française ; l'habit masculin « à la canadienne », de son côté, ne s'imposa qu'à partir du dernier tiers du XVIIe siècle [26].

Ce costume d'hiver, qui s'ajoutait aux vêtements habituels (chemise, bas, culotte, camisole ou chemisette et caleçon), était principalement composé d'un capot bleu taillé comme un justaucorps et porté avec une ceinture. Il était tellement représentatif des Canadiens que l'expression « capot bleu » devint l'un des surnoms pour les « habitués et enfants du pays » [27]. Les habitants se coiffaient de tapabords ou de bonnets fourrés. Ils portaient aussi des mitaines (moufles) et des mitasses (guêtres amérindiennes), et se chaussaient de mocassins transformés par rapport à ceux fabriqués par les autochtones car réalisés à partir de cuir tanné. L'hiver on y glissait des nippes (chaussons en laine) et on y accrochait des grappins (fers) pour ne pas glisser sur le verglas. Les Canadiens se mirent aussi à porter des fourrures, comme l'observa l'officier et ingénieur militaire Louis Franquet lors d'un voyage par terre et sur les glaces entre Québec et Montréal en février 1753 : « Quand les Canadiens voyagent l'hiver, ils se précautionnent beaucoup contre le froid ; à cet effet, ils prennent des souliers sauvages, faits seulement de peau de chevreuil et garnis en dedans d'un chausson de laine, portent des bas drapés, se couvrent le corps d'un capot de castor, le poil en dehors, et la tête d'un casque de peau de marte [28]. » Grâce à cet habit qui s'adaptait aux besoins locaux en combinant des apports européens, amérindiens et maritimes, les habitants purent affronter les rigueurs de l'hiver auxquelles certains Français de passage avaient du mal à s'habituer.

Au début du XVIIIe siècle, le père Charlevoix déplorait :
« C'est quelque chose de fort triste, que de ne pouvoir
sortir au-dehors, sans être glacé, à moins que d'être
fourré comme les Ours [29]. » Ce costume, cela dit, n'était
porté que par les paysans et les coureurs de bois, parfois
aussi par les soldats, comme l'avait suggéré Louis XIV
lui-même.

L'habit à la canadienne n'était pas la seule particularité
commune aux paysans et aux militaires. On prête très
souvent aux soldats l'habitude d'utiliser des surnoms,
mais Marcel Trudel a montré que cet usage était aussi
largement répandu dans la population civile. Le second
patronyme pouvait indiquer le lieu d'origine (Anseau dit
Berry, Chesne dit Saintonge, Rodrigue dit Leportu-
gais…), la profession (Gueretin dit Lesabotier, Pierre
Soumandre dit Letaillandier..), une qualité, bonne ou
mauvaise, associée à un individu ou à une famille (Rousseau dit Larhétorique, Petit dit Milhomme, Blanchard
dit Danse-à-l'ombre, Causaubon dit Ladébauche…) ou
dénoncer une attitude hautaine et orgueilleuse (Fortin
dit Lagrandeur, David dit Pontife, Bellinier dit Leprince-
de Galles…). Il pouvait encore se rapporter à des plantes
(Arnauld dit Larose, Blouin dit Laviolette, Cordeau dit
Deslauriers…), des oiseaux (Beau dit Lalouette) et à la
maison (Barbarin dit Grandmaison, Coquineau dit Mai-
sonblanche…), susciter la protection de son saint patron
(Séverin Ameau dit Saint-Séverin, Martin Boutet dit
Saint-Martin…) ou enfin constituer un jeu de mots
(Dubois dit Brisebois, Vincent Poirier dit Bellepoire) [30].

Les paysans bénéficièrent globalement d'une amélioration de leur niveau de vie au cours du Régime français,
mais il existait entre eux des différences notables. Pendant très longtemps, les historiens ont pourtant présenté
les paysans canadiens comme un groupe relativement
homogène de propriétaires autosuffisants pratiquant une
agriculture familiale, en raison de la facilité qu'ils avaient

d'accéder à la terre et d'une mentalité supposée non capitaliste. Or comme l'ont récemment montré certains chercheurs en s'appuyant sur les inventaires après décès, il existait d'importantes inégalités entre ces paysans, liées à la structure par âge des familles [31]. Leur fortune mobilière et la taille de leur exploitation avaient, en effet, tendance à augmenter avec la durée du mariage, puis à diminuer lorsque les vieux couples commençaient à distribuer leurs biens à leurs enfants. La rupture précoce des unions, suite au décès de l'époux, pouvait précipiter dans la misère les femmes demeurées veuves avec des enfants en bas âge.

Les inégalités entre paysans étaient également liées à la possibilité pour une minorité de producteurs de répondre à la demande du marché et d'accumuler des biens grâce à la commercialisation de surplus. Au bas de la hiérarchie paysanne se trouvait *a contrario* un groupe d'individus qui ne parvenaient même pas à produire suffisamment pour assurer leur propre subsistance. De fait, la donation de l'exploitation familiale, pour en préserver la viabilité, à un héritier privilégié engendrait des exclus : ils avaient droit à une légitime importante, mais devaient souvent attendre longtemps avant que le donataire ne leur réglât. Pour se faire concéder une terre, ces exclus devaient migrer dans de nouvelles zones de colonisation, parfois éloignées des marchés urbains où étaient commercialisés les surplus agricoles, et, faute d'avoir accès au crédit offert par les marchands, ils manquaient du capital nécessaire pour défricher et mettre en valeur leur tenure. Ils ne survivaient qu'en travaillant comme journaliers.

Au Pays des Illinois, la société paysanne n'était pas plus égalitaire que celle du Canada. Tous les habitants ne pouvaient pas produire de denrées en quantité importante pour les marchés de Basse-Louisiane. Cela dépendait étroitement des capitaux qu'ils pouvaient investir dans l'achat d'esclaves d'origine africaine, la main-d'œuvre servile étant indispensable à l'accroissement de la production. Il existait aussi un groupe important d'hommes sans terre qui survivaient comme engagés et étaient logés chez les habitants. En Louisiane, une hiérarchie s'établit pareillement parmi les planteurs, en fonction de la taille des exploitations et surtout du nombre d'esclaves possédés. En outre, entre les maîtres et les esclaves, se forma sur les plantations un groupe intermédiaire d'employés blancs, servant comme directeurs, économes, chirurgiens ou indigotiers.

Le menu peuple des villes

Un incident survenu dans la famille (accident de travail, maladie, décès du père, etc.) ou des difficultés conjoncturelles (disettes et chômage) liées à de mauvaises récoltes ou à la guerre, faisaient facilement basculer les artisans les moins aisés dans la frange la plus pauvre des citadins. Au Canada, faisaient partie de ce groupe les manœuvres et les journaliers qui n'avaient pas de travail stable, les engagés, les jeunes filles des campagnes environnantes employées comme domestiques, ainsi que les esclaves. Les salaires relativement élevés pourraient suggérer que ces journaliers ne vivaient pas si mal. Les autorités s'émouvaient pourtant de leur sort. En 1693, le gouverneur Frontenac et l'intendant Champigny écrivaient à ce sujet : « Il est vrai que les salaires des ouvriers sont forts, mais il est nécessaire en même temps de considérer qu'ils ne peuvent travailler que cinq mois de l'année à cause de la rigueur de l'hiver et qu'il faut durant ces temps qu'ils gagnent de quoi subsister durant les autres sept autres mois, ainsi nous ne croyons pas qu'il y ait rien à leur retrancher ayant peine à vivre [32]. » En fait, Louise Dechêne a montré que les salaires étaient à peine suffisants en temps normal pour payer le pain quotidien et la location d'une chambre à feu. Aussi, en période de crise, de hausse des prix et de chômage, ces journaliers tombaient-ils rapidement dans l'extrême pauvreté et la mendicité. En 1683, le Conseil souverain se plaignait des mendiants qui refusaient de servir comme domestiques et préféraient vivre dans des cahutes qu'ils construisaient au pied des fortifications de la ville [33].

Aux mendiants se joignaient les gens « sans aveu, ni feu, ni lieu », soit les vagabonds. C'est ainsi qu'en août 1725 l'ancien soldat Étienne Dubois, dit Saint-Étienne, fut mis en prison après avoir erré pendant plusieurs semaines dans la ville de Montréal. Il était arrivé à pied de Québec où il avait été congédié des troupes parce qu'il souffrait du « Haut Mal » (épilepsie). Pendant son voyage, il mendiait en faisant le manchot, « ayant la manche de son capot pendante et son bras dedans et demandant la charité en cet état », et en proclamant qu'il avait quatre enfants à nourrir. Quant à Jean-Baptiste Caron, ancien maître d'école dans le Bourbonnais, il fut déporté au Canada pour faux saunage. Il vagabondait dans la colonie, sans domicile fixe, vivant des leçons qu'il donnait aux enfants des habitants qui l'hébergeaient pour quelque temps. En raison de sa vie errante, les autorités le condamnèrent au bannissement de la Nouvelle-France pour neuf ans [34]. En 1742, le gouverneur Beauharnois ordonna de faire arrêter tous les mendiants et vagabonds de la ville de Québec et fit patrouiller à cet effet pendant deux mois un détachement de miliciens. De la même façon, à plusieurs reprises, les autorités louisianaises envisagèrent l'expulsion de ces indésirables de La Nouvelle-Orléans.

Les veuves et les femmes abandonnées par leur mari constituaient une autre catégorie de pauvres. Elles ne survivaient à la misère qu'en mendiant et en servant occasionnellement comme servantes. En 1753, dans la ville de Montréal, la veuve de Pierre Marcil, Charlotte

Dumesnil dite La Musique, faisait du porte-à-porte en demandant l'aumône « pour une pauvre femme bien malade qui a cinq enfants [35] ». L'extrême pauvreté poussait aussi certaines de ces femmes aux vols et à la prostitution. En Louisiane, dès 1716, le gouverneur Cadillac notait que certaines femmes installées sur l'île Dauphine se vendaient au tout-venant, aussi bien aux Indiens qu'aux blancs [36]. Dans les années 1750, Marie-Louise Baudin alias Desjardins, dont le mari Pierre Thibault dit Saint-Jean était « absent du pays, à la Martinique », ne survivait qu'en volant du linge. Un soldat convint qu'elle était connue pour « une toupie [femme peu vertueuse] qui roule dans la ville avec les autres comme elles [37] ». Il le savait d'autant mieux que les militaires, alors fort nombreux, étaient des clients privilégiés des prostituées.

Les soldats

Dans toute la Nouvelle-France, les soldats se rattachaient aux couches populaires de la société. Ils étaient tenus en piètre estime par le reste de la population. Contrairement aux officiers qui se créolisèrent, les soldats étaient originaires de France (ou d'autres pays européens pour une minorité d'entre eux). Au Canada, ils logeaient chez l'habitant. Celui-ci avait l'obligation de leur fournir une couche pour dormir, une cuillère et une marmite, une place à son feu et la chandelle. Il n'était pas censé les nourrir, mais en pratique les soldats remettaient leur ration à leur logeur et mangeaient à sa table. Cette vie chez l'habitant leur donnait une grande liberté de mouvement. En 1673, les habitants de Montréal décidèrent de louer une maison commune pour loger les militaires en attendant la construction de casernes, mais il fallait encore loger les troupes irrégulières de passage en ville [38]. En 1748, des casernes furent aussi édifiées à Québec, en contrepartie du paiement d'une imposition. Sur l'île

Royale et en Louisiane, les soldats, en revanche, furent presque immédiatement logés dans des casernes. Cette vie collective en chambrées contribuait à créer des liens de solidarité entre les hommes. Ce n'est qu'en 1755, avec l'arrivée de nombreuses troupes de terre à l'île Royale, que les habitants de Louisbourg furent contraints d'héberger des militaires.

Certains colons ne se pliaient pas facilement à cette obligation. En 1748, à Québec, le marchand Nicolas Jacquin dit Philibert refusa d'accueillir l'officier Pierre Le Gardeur de Repentigny, malgré son billet de logement. Devant l'entêtement de l'officier, le marchand essaya de le mettre à la porte à coups de bâton. Bien mal lui en prit car Repentigny répliqua en le tuant avec son épée [39]. Même quand ils acceptaient de loger les militaires, la vie commune pouvait occasionner quelques différends. En novembre 1755, à Trois-Rivières, un soldat d'origine parisienne, Benoît Leroy de Saint-Martin dit Lionais, hébergé par billet chez le boucher Bolvin, voulut étendre sa paillasse près du feu. Il en fut empêché par la fille de son hôte, Marie-Joseph, alors seule à la maison. Le soldat en colère se mit à bousculer la jeune femme qui fut secourue par un passant attiré par les cris. Ce dernier souffleta Lionais, qui, en retour, le traita de « Jean foutre de Canadien », insulte révélatrice du fossé qui pouvait séparer les habitants canadiens des soldats français [40].

La ration et l'habillement des soldats étaient déduits de leur solde, pourtant peu élevée. Pour augmenter leurs revenus, les militaires s'engageaient comme journaliers auprès des habitants, contribuant ainsi à pallier le manque de main-d'œuvre. En 1731, le gouverneur Périer et le commissaire-ordonnateur Salmon notaient à propos du Pays des Illinois : « Le pays est si peu peuplé que sans l'assistance des soldats qui travaillent aux récoltes, les habitants laisseraient la moitié de leurs grains sans les cueillir, et qu'il est même arrivé qu'on a brûlé des blés, faute d'hommes pour les couper et les serrer [41]. » À Louisbourg, les soldats étaient payés pour leur travail aux fortifications, ce qui leur permit d'améliorer considérablement leur sort. Mais au début des années 1730, les officiers, chargés de les approvisionner en marchandises, contrôlèrent désormais leur solde et leurs gages. À la même époque, des cantines furent ouvertes pour l'approvisionnement des soldats en alcool. Ces derniers s'endettaient auprès des officiers qui vendaient les marchandises et les boissons à des prix exorbitants. Un tel système donna donc lieu à une exploitation abusive à laquelle le pouvoir royal tenta en vain de remédier.

La durée d'engagement était en général de six ans, mais les autorités rapatriaient rarement les soldats en métropole, prolongeant de force leur temps de service. Certains, en particulier au Canada, obtenaient néanmoins leur congé afin de se marier et de s'établir. En 1732, un ancien soldat, arrêté pour vol, révéla qu'il avait quitté les troupes « par finesse », après avoir affirmé qu'il avait épousé une Canadienne [42]. Durant la guerre de Sept Ans, 15 % des soldats des bataillons de la Sarre et du Royal Roussillon, venus avec le marquis de Montcalm, se marièrent dans la colonie. Les militaires ne trouvaient pourtant pas toujours facilement des conjointes.

« Nous avons beaucoup d'hommes qui ne trouvent pas à s'établir faute de filles, affirma en 1752 le commandant du Pays des Illinois, les créoles de ce pays ne daignent pas regarder un soldat, l'aisance leur fait donner de haute vue [43]. » À l'île Royale, ce furent certains officiels qui s'opposèrent à l'établissement de soldats, le gouverneur Drucour affirmant en 1756 que les soldats ayant reçu l'autorisation de se marier étaient les « les plus mauvais sujets de la garnison » et leurs épouses « les catins et les ivrognesses du pays [44] ». Malgré tout, le mariage et la vie familiale permettaient à ces soldats d'échapper à une misère matérielle, morale et sexuelle, qui était le lot du plus grand nombre au sein de l'armée française à cette époque.

La vie de relations

Des familles indispensables

Dans l'Amérique française, comme partout en Occident, la famille était l'unité de base de la société, la cellule dans laquelle se déroulait l'essentiel de la vie d'un individu et qui lui fournissait sécurité et protection. Cette famille était le plus souvent nucléaire, réunissant un couple parental et des enfants. Dans les régions de Nouvelle-France souffrant d'un déséquilibre des sexes, certains hommes, habitants, voyageurs ou soldats, s'associaient, mettant tous leurs biens en commun et partageant dettes et profits : ils suppléaient ainsi à l'impossibilité de former une union conjugale. Au milieu du XVIIᵉ siècle, la société conclue entre deux colons nommés Perrin et Jarry ne se termina pourtant pas au mariage de ce dernier : Perrin continua à vivre avec le couple, fut le parrain de leur premier enfant et devint même le père du quatrième après la mort de Jarry[45]. Un individu isolé ne pouvait, en effet, réussir à s'établir outre-mer. Les immigrants, majoritairement célibataires, cherchaient à se constituer sur place une famille. Au Canada, la vie coloniale – l'isolement initial, la faiblesse originelle des relations de voisinage et de parenté, et l'absence durable d'institutions collectives, telles que les corporations, les communes urbaines et les communautés villageoises – rendait la famille encore plus indispensable. Aussi le célibat définitif (après cinquante ans) était-il encore moins fréquent (5 % pour les femmes et 8 % pour les hommes à Québec en 1744) qu'en métropole où il n'était déjà pas très répandu (4 % pour les hommes et 7 % pour les femmes en 1660-1664 et respectivement 8,5 % et 11,5 % en 1765-1769).

Contrairement à la France où l'exogamie géographique était faible, 42 % des mariages célébrés dans le gouvernement de Québec au XVIIIe siècle se faisaient avec un conjoint étranger à la paroisse. Ce phénomène était lié au mode d'occupation des terres qui impliquait des phénomènes successifs d'ouverture et de fermeture de la communauté. En revanche, l'endogamie sociale était forte. Dans tous les milieux, le mariage était, en effet, considéré comme une affaire d'intérêt. La motivation socio-économique était essentielle, même si elle n'excluait pas une dimension affective qui demeurait toutefois au second plan. Parmi les élites, les mariages étaient souvent arrangés par les parents, alors que dans les milieux populaires ils relevaient probablement davantage de décisions individuelles et laissaient une place plus grande aux sentiments. Cependant, comme l'a souligné Denise Lemieux, la présence d'une endogamie locale et de métier chez certaines catégories d'artisans, de mariages doubles (entre deux frères et deux sœurs, par exemple) et de renchaînements d'alliance (l'union de conjoints appartenant à deux lignées familiales ayant déjà conclu de tels mariages) chez les artisans et les paysans, témoignerait de stratégies matrimoniales visant à préserver la famille et le patrimoine [46].

Les mineurs ne pouvaient se marier sans autorisation de leurs parents. Ils essayaient parfois de s'en passer en recourant au « mariage à la gaumine » : cette pratique, peu fréquente, qui existait aussi en France, consistait pour un couple à échanger devant témoins leur consentement mutuel au cours de la messe. Raphaël Beauvais, habitant de Montréal, relate une de ces cérémonies :

« Hier matin, le 30 octobre 1715, j'entendais la messe de cinq heure célébrée par monsieur de Belmont lorsque, à la préface, je vis un homme et une femme se lever et aller se mettre à genoux au balustre. Ensuite, je les vis se lever debout et l'homme dire à haute voix : "Messieurs je vous prends à témoin que je prends Catherine" ; sur ce l'homme fut interrompu par le bedeau qui servait la messe et qui lui dit par plusieurs fois : "Taisez-vous !" Il se tut effectivement, ils sortirent du balustre et furent se mettre à genoux au milieu de l'église. Monsieur de Belmont appela alors le bedeau, il ne sait pas ce qu'il lui dit, mais le bedeau alla parler à l'homme et la femme, qu'il a appris être le nommé Lafrance et la nommée Catherine dit Lapoitevine qui sortirent aussitôt que le bedeau leur eut parlé. »

Les deux amoureux furent accusés de concubinage, mais la justice, après enquête, accepta leur mariage, qui fut célébré le 1er décembre suivant [47].

Comme en métropole, les femmes, une fois mariées, tombaient sous la domination juridique de leur époux. Les conditions de vie spécifiques aux colonies, le fait notamment que certains maris s'absentent fréquemment pour le commerce et la traite des pelleteries ne conduisirent pas à une amélioration de leur statut, contrairement à ce qu'ont affirmé certains historiens. En se mariant, elles passaient de la tutelle de leur père à celle de leur conjoint : elles ne pouvaient gérer alors leurs biens propres, ni témoigner en justice sans autorisation de ce dernier. Elles prenaient néanmoins part aux décisions familiales, accompagnant leur mari chez le notaire pour une vente, un bail ou la mise en apprentissage d'un enfant, et travaillant aux côtés de leur époux. Une fois veuves, elles choisissaient souvent de poursuivre les entreprises commerciales et industrielles familiales, ce qui montre qu'elles y étaient associées auparavant. Certaines participaient même aux voyages de traite des pelleteries. De manière générale, les veuves avaient beaucoup plus de liberté que les femmes mariées. Marie-Anne Babel, par exemple, était fille et femme de marchand. En

1723, elle avait épousé à l'âge de dix-neuf ans Jean-Louis Fornel. Entre 1724 et 1741, ils eurent quatorze enfants, dont trois seulement survécurent à leur mère. Du vivant de son mari, Marie-Anne agit déjà comme fondé de pouvoir. Devenue veuve en 1745, elle reprit ses affaires : elle organisa des expéditions aux Antilles et au Labrador, s'engagea dans la traite des pelleteries à Tadoussac, investit dans l'immobilier et établit une fabrique de poterie, devenant ainsi une négociante importante de la colonie [48]. De la même façon, il n'est pas surprenant que Mme de La Peltrie, Marie de l'Incarnation et Marguerite d'Youville fussent toutes des veuves qui, libérées du mariage, purent se consacrer à des œuvres charitables – le couvent des ursulines de Québec et l'Hôpital général de Montréal.

La domination que les hommes exerçaient sur les femmes était aussi physique. On considérait, en effet, que le mari avait un droit de correction sur son épouse : il pouvait la battre modérément si une raison valable l'y poussait, à condition que les coups ne portassent pas atteinte à sa vie. Face à des maris brutaux et débauchés, les femmes devaient montrer « le respect, l'obéissance, la douceur et la patience à souffrir [leurs] défauts et [leurs] mauvaises humeurs [49] ». Ce modèle de l'épouse idéale était enseigné au sein de la confrérie de la Sainte-Famille. Instituée en 1664, cette association religieuse, strictement féminine, existait dans la moitié des paroisses du gouvernement de Québec. Confrontées à l'alcoolisme, à la violence ou à l'incapacité économique de leurs conjoints, quelques femmes se résolvaient à demander une séparation de biens ou, plus rarement, de corps et de biens. La plupart étaient issues des couches supérieures ou moyennes de la société urbaine. Elles se résignaient d'autant plus difficilement à cette démarche que les femmes séparées ne pouvaient se remarier – leur mariage n'étant pas annulé – et risquaient de tomber dans la pauvreté et la solitude. La justice royale n'accordait ces séparations que dans les cas les plus graves et dans la mesure où l'attitude de l'épouse avait été irréprochable.

Les femmes étaient chargées de l'éducation des enfants jusqu'à sept à huit ans. À partir de cet âge, les hommes prenaient le relais de leurs conjointes, du moins pour les garçons. Comme la plupart des mères allaitaient elles-mêmes leurs nourrissons et que la mise en apprentissage des enfants, à l'exception des orphelins et des petits domestiques, se faisait au Canada à un âge élevé (seize ans en moyenne), en plus d'être moins fréquente qu'en métropole, l'essentiel de l'enfance et de l'adolescence se déroulait au sein des familles. En revanche, les élites nobles et bourgeoises passaient moins de temps avec leur progéniture. Ils mettaient, en effet, leurs enfants en nourrice à la campagne et les plaçaient souvent en pension ou chez un membre de leur parenté pour leur donner une bonne éducation. La séparation n'empêchait toutefois pas le développement de sentiments entre parents et enfants.

Mme Bégon, qui avait envoyé son fils en métropole auprès de sa sœur pour lui faire apprendre un métier, se vit d'ailleurs reprocher ouvertement l'éducation « à la canadienne » qu'elle lui avait donnée [50]. À l'instar de sa sœur, Mme Tilly, plusieurs administrateurs et voyageurs ont souligné que les parents canadiens étaient beaucoup moins sévères à l'égard de leurs enfants que leurs homologues français. Ce plus grand laxisme aurait été adopté au contact des Amérindiens. Ces derniers n'avaient pas recours à la contrainte, n'inculquaient pas la peur et ne châtiaient pas physiquement leurs enfants pour imposer leur autorité ; ils refusaient de s'en séparer et leur témoignaient un « amour extraordinaire [51] ». En 1706, l'intendant Raudot écrivait ainsi : « Les habitants de ce pays ont une folle tendresse pour leurs enfants, imitant en cela les Sauvages, ce qui les empêche de les corriger et de leur former l'honneur [52]. » Il n'est pas sûr qu'il faille accorder du crédit aux affirmations de ces observateurs qui exagéraient également l'esprit d'indépendance des adultes canadiens. L'assouplissement des relations entre parents et enfants au Canada serait lié au repli sur la famille nucléaire, au rôle essentiel de la main-d'œuvre familiale, au moindre recours à la mise en nourrice et au déclin de l'apprentissage, davantage qu'à l'influence autochtone.

Dans tous les milieux, la famille étendue était essentielle pour s'occuper des orphelins. À la mort du père ou de la mère, en effet, on réunissait un conseil de tutelle afin d'élire un tuteur et un subrogé tuteur. En l'absence de parents, il était fait appel aux amis et voisins ou aux parrains et marraines. En 1741, au Pays des Illinois, Pierre Texier décéda en laissant trois enfants mineurs : c'est Hubert Finé, parrain de l'une des enfants, Marie-Joseph, qui fut nommé tuteur, tandis que Jean-Baptiste Béquet accepta d'élever son frère Pierre jusqu'à l'âge de dix-huit ans et de lui apprendre le métier de serrurier, sa femme étant la marraine du garçon [53]. On préférait toutefois recourir à un membre de la parenté de sang ou d'alliance : un oncle, un frère aîné plus âgé, un beau-frère époux d'une sœur aînée, voire un beau-père en cas de remariage de la veuve. Dépourvues de telles attaches familiales, certaines femmes, veuves démunies, mais aussi filles-mères ou épouses abandonnées, étaient réduites à placer leurs enfants comme domestiques.

L'État ou l'Église participait à l'entretien des orphelins. En Louisiane, la Compagnie des Indes délivrait une ration alimentaire aux ménages qui recueillaient un orphelin. Après 1729, les ursulines s'occupèrent également d'une trentaine de filles qui avaient perdu leurs parents dans le massacre des Natchez. Pour chacune d'entre elles, les religieuses recevaient de la Couronne une somme deux fois moins élevée que celle donnée par les familles pour une pensionnaire. Aussi ces pupilles étaient-elles l'objet du mépris des religieuses qui les considéraient comme mal élevées et qui les faisaient manger et suivre des classes à l'écart des autres élèves.

À partir de 1706, au Canada, le pouvoir royal dut s'impliquer également dans la prise en charge des enfants abandonnés que l'on appelait, pour cette raison, les « enfants du roi ». Le phénomène de l'exposition des enfants commença dans la vallée du Saint-Laurent durant les premières décennies du XVIIIe siècle. Il s'agissait le plus souvent de nourrissons de quelques jours ou de quelques semaines, déposés en ville, de nuit, à la porte d'une maison privée ou d'une communauté religieuse. Ils étaient originaires de la ville et de la campagne environnante. Le procureur du roi devait rapidement faire baptiser le nouveau-né, puis le confier à une nourrice jusqu'à l'âge de dix-huit mois et lui trouver ensuite une famille d'accueil. La misère était souvent à l'origine de ce phénomène. En témoigne le contrat d'engagement de septembre 1730 du jeune Simon, qui avait été abandonné à un an et cinq mois, à Montréal. Comme tous les enfants trouvés, il n'avait pas de nom de famille. Pourtant, le notaire indique dans la marge du document que les parents sont bien connus : son père « est vagabond et fugitif dans le Mississippi Pays des Illinois et sa mère dans une extrême pauvreté réduite à mendier son pain [54] ». En outre, il est probable que de nombreux enfants du roi aient été le fruit d'unions illégitimes. En janvier 1701, un nourrisson fut exposé sous le portail du séminaire des Sulpiciens. Une enquête révéla que la mère, Élisabeth Campon, âgée de dix-huit ans, vivait sur la rivière Saint-Pierre, près de l'île de Montréal. Elle servait de domestique chez le seigneur du Cap-de-la-Trinité, Nicolas Lemoyne dit Deneau. Son maître parvint à la séduire après des promesses répétées de mariage, mais, une fois la grossesse connue, il ne fut plus question d'épousailles. La jeune fille décida alors d'abandonner son bébé pour ne pas attirer le déshonneur sur elle et sa famille [55]. Le sort de ces enfants était tragique : 88 % n'atteignaient pas l'âge d'un an en raison de la négligence des nourrices à qui ils étaient confiés.

Au Canada, avant 1730, on comptait 2 % de naissances illégitimes en ville et 1 % dans les campagnes, ce qui correspondait à la situation française. Elles étaient favorisées par la présence importante de soldats et leur logement chez l'habitant. En 1693, une ordonnance de l'évêque rappelait aux curés l'ampleur des désordres :

> « Ayant remarqué que plusieurs jeunes gens, et particulièrement les gens de guerre, sous prétexte de rechercher des filles en mariage, se comportent d'une manière fort licencieuse avec lesdites filles, qui se laissent souvent abuser, sous l'espérance de les épouser, dans la persuasion que les fautes et les accidents qui leur peuvent arriver en ce sujet, seront autant de motifs à leurs parents de poursuivre leurs dits mariages aussi bien qu'aux personnes de qui dépendent les gens de guerre, de leur accorder sans peine la permission ; ce qui ne contribue pas peu à entretenir le libertinage et le désordre parmi la jeunesse, au grand scandale du public… Défendons… de marier les personnes ci-dessus [56]. »

À Louisbourg, qui comptait une forte présence militaire, le taux d'enfants naturels montait à 4,5 %. Au Pays des Illinois, en revanche, de telles naissances hors mariage étaient rares, mais deux affaires survenues en 1725 et 1726 révèlent que les unions adultères permettaient peut-être d'en limiter le nombre. Deux habitants furent ainsi condamnés à payer une amende et à se charger de l'éducation d'un enfant qu'ils avaient eu avec une femme mariée. L'un des enfants avait été conçu alors que le mari était absent à La Nouvelle-Orléans, ce qui lui avait causé un « grand chagrin [57] ».

Comme en France, on assiste au Canada au cours du XVIIIe siècle à un vieillissement de la population. Afin de prendre en charge ce nombre croissant de personnes âgées de plus de soixante ans, les donations se multiplièrent : un couple, un veuf ou une veuve faisait don de la totalité ou de la moitié de ses biens (terres, maison, bâtiments de ferme, animaux) à un fils – ou plus rarement à un gendre – en contrepartie de l'entretien (gîte, couvert, chauffage, éclairage, blanchissage et raccommodage) ou d'une pension alimentaire. Ce système visait aussi à préserver l'intégrité du patrimoine familial. Les longs délais de paiement accordés par les cohéritiers au donataire privilégié pour le règlement de leurs légitimes témoigneraient, selon Sylvie Dépatie, d'une éthique familiale se poursuivant au-delà de la période de cohabitation. Les parents donateurs vivaient seuls ou partageaient le domicile du donataire, la seconde situation étant la plus courante pour les veufs et les veuves [58]. Cette obligation des enfants de prendre soin de leurs vieux parents était perçue comme la contrepartie des efforts fournis pour leur éducation et de l'aide dont ils avaient pu bénéficier comme jeunes mariés. Pourtant, les enfants ne remplissaient pas toujours leurs obligations envers leurs parents âgés : ils encouraient alors des sanctions judiciaires et la désapprobation sociale. En Louisiane, les propriétaires d'esclaves ne dépendaient pas de leur descendance car ils pouvaient compter sur leurs esclaves pour s'occuper d'eux durant leur vieillesse. C'était d'ailleurs l'un des arguments avancés par l'intendant Bégon pour réclamer une augmentation du nombre d'esclaves africains dans la vallée du Saint-Laurent : ils devaient permettre aux parents d'éviter ces donations qui les plaçaient dans la dépendance de leurs enfants et les exposaient à leur ingratitude [59].

Au Canada, les hommes pauvres ou sans famille, notamment les anciens soldats, pouvaient finir leur existence à l'Hôpital général. Ils avaient aussi la possibilité de s'engager comme « donnés » auprès d'une institution religieuse : ils servaient comme domestiques sans gages, mais étaient logés et nourris jusqu'à la fin de leur vie. Au Pays des Illinois, certains voyageurs ou engagés se donnaient de même « corps et biens » auprès de particuliers : ils leur délaissaient tout ce qu'ils possédaient en marchandises et en argent et travaillaient pour eux jusqu'à la fin de leurs jours, les donataires prenant en contrepartie soin d'eux [60]. À partir de 1747, date à laquelle Marguerite d'Youville remplaça les frères Charron à la direction de l'Hôpital général de Montréal, l'institution accueillit également des pensionnaires, en majorité des veuves issues de la noblesse et de la bourgeoisie, à l'instar de Thérèse Dupré, veuve du riche marchand Raymond Baby, qui réglait chaque année une pension de 500 livres. Ces pensionnaires bénéficiaient de conditions de vie particulières. Monsieur de La Corne, qui payait 1 150 livres de pension annuelle, disposait ainsi de sa propre chambre avec un poêle à bois [61]. Ces membres des élites coloniales venaient trouver à l'hôpital un confort matériel et un réconfort spirituel, à un moment de leur vie, où, selon les enseignements de l'Église, ils devaient se préparer à la mort.

Dévotion des Canadiens, impiété des Louisianais ?

Comme en métropole, la religion occupait une place essentielle dans la vie des habitants de la Nouvelle-France. Tous les grands moments de la vie – la naissance, le mariage et la mort – étaient marqués par un sacrement. Malgré la dispersion des habitations dans la vallée du Saint-Laurent, l'Église réussit d'ailleurs à imposer que la très grande majorité des nouveau-nés fussent baptisés le jour même de leur naissance ou dans les jours suivants. Le calendrier religieux rythmait la vie des habitants. En 1744, il fut modifié par l'évêque qui fit passer de 89 à 72 le nombre de jours chômés. Dans un mandement, Mgr de Pontbriand justifia ces changements par la nécessité de tenir compte du calendrier agricole extrêmement serré au Canada :

« Par la visite presque générale des paroisses, nous avons reconnu, Nos très chers frères, qu'un grand nombre de peuples était très souvent dans l'obligation indispensable de vaquer même les jours de fête aux travaux ordinaires. Les temps qui y sont convenables sont si rares qu'à peine peut-on pour les semences, pour la récolte, pour le labour des terres, trouver dans l'année six mois entiers. La fonte des neiges est tardive, les semences sont précipitées, la quantité de fourrages qui se consument pendant six mois d'hiver redouble les travaux. La récolte s'ouvre tout à coup et exige du laboureur toute promptitude. Succèdent les préparations des terres que les neiges et les gelées n'arrêtent que trop souvent. [...] À ces causes, le saint nom de Dieu invoqué, après avoir pris l'avis de plusieurs personnes éclairées, et spécialement de nos vénérables frères les Dignitaires et Chanoines de notre église cathédrale, nous avons ordonné et ordonnons qu'à commencer au mois de janvier mil sept cent quarante-cinq les fêtes suivantes seront solennisées les dimanches [62]. »

L'Église contrôlait et surveillait étroitement les croyances et les pratiques religieuses des Canadiens, qui devaient se conformer au *Catéchisme* et au *Rituel* publiés par Mgr de Saint-Vallier en 1702-1703 [63]. L'historienne M.-A. Cliche a montré que les pratiques de dévotion des habitants du gouvernement de Québec ne se distinguaient pas de celles des métropolitains : prières du matin et du soir, récitation des litanies en voyage, stations à l'église et devant les croix des chemins, port des reliques et du scapulaire, aumônes faites aux pauvres et participation aux offices religieux. Motivées par la recherche d'une protection, ces pratiques, déjà fréquentes en temps normal, se multipliaient au moment de la mort et des grands fléaux (épidémies et guerres), que les autorités et la population interprétaient comme des signes envoyés par la Providence pour punir les hommes de leurs péchés. Certains notables, issus de la noblesse ou de la haute bourgeoisie, se distinguaient par leurs activités charitables, comme fondateurs de messes, bienfaiteurs des maisons religieuses ou directeurs des confréries et de l'Hôpital général. S'ils suivaient les prescriptions de l'Église, les habitants avaient leurs préférences parmi les confréries dans lesquelles ils pouvaient entrer et choisissaient eux-mêmes les saints à qui ils voulaient rendre un culte particulier. La chapelle de Sainte-Anne-du-Petit-Cap sur la côte de Beaupré était ainsi le lieu de pèlerinage le plus visité du Canada.

Le clergé veillait à limiter le développement de croyances et de pratiques qui relevaient à ses yeux de la superstition. Malgré l'action des clercs, les colons et les soldats avaient recours occasionnellement à la divination pour retrouver un objet perdu ou à la magie pour guérir, charmer une personne, rendre un rival impuissant (par « nouage d'aiguillette », une pratique qui consistait à prononcer une incantation au-dessus d'une corde comportant trois nœuds), etc. Plusieurs affaires montrent aussi que les habitants (et les religieuses) craignaient les maléfices et les sortilèges des sorciers. En revanche, l'Église réussit à éviter la transplantation en Amérique des fontaines miraculeuses (où les malades se baignaient dans l'espoir de recouvrer la santé) ou des sanctuaires à répit (où l'on ressuscitait un bref instant les enfants morts sans baptême afin de leur administrer ce sacrement et leur permettre ainsi d'accéder à la vie éternelle). Œuvrant dans un pays neuf, le clergé n'eut pas, en effet, à lutter contre les coutumes séculaires qu'il considérait comme répréhensibles et qui étaient associées à des lieux de culte pré-chrétiens.

Dans la vallée du Saint-Laurent, l'obligation d'assister à la grande messe dominicale était largement respectée. Les habitants vivant dispersés et isolés une grande partie de l'année en raison des conditions climatiques, cette messe constituait le moment fort de la sociabilité. Il ne s'agissait pas seulement d'une cérémonie religieuse, c'était aussi l'occasion de conclure un marché, de préparer un mariage et d'établir toutes sortes de relations. À la sortie de la messe, outre la proclamation des ordonnances royales, on procédait parfois aux ventes à l'encan. Les circonstances étaient aussi propices à l'expression des conflits et des tensions qui n'avaient pas trouvé d'autres moments pour éclater. Deux incidents survenus à la sortie de la messe dominicale à La Prairie en témoignent. En 1722, Jacques Heurtaut dit Saint-Pierre rencontra son beau-frère, Benoît Plamondon, qui l'accabla « d'injures atroces et diffamantes », le traita de « bougre de fripon et bougre de voleur », se précipita sur lui, lui déchira ses vêtements et jeta à terre son chapeau et ses perruques, portant ainsi gravement atteinte à son honneur. En 1731, de la même façon, Louis Gervais fut accosté par le nommé Charles Deneau qui l'accusa « d'avoir été faire ses ordures » dans la maison de la veuve Bouchard, sa tante, et le cribla de coups de poing [64].

En Louisiane, le respect des obligations religieuses fondamentales était moins prononcé en raison d'un plus faible encadrement ecclésiastique. Dans les années 1720, le père Raphaël estimait que, dans la basse vallée du Mississippi, plus de la moitié des habitants vivant à proximité d'une église ne communiaient pas et ne se confessaient pas lors des fêtes pascales ; il se lamentait également qu'ils fussent encore moins nombreux à assister aux messes dominicales [65]. En 1764, au moment de leur expulsion, les jésuites dressaient pareillement un bilan plutôt mitigé du degré de religiosité des colons en Haute-Louisiane :

> « Dans les trois paroisses françaises du pays des Illinois, on pourrait compter un assez grand nombre de véritables chrétiens ; […] ; on y voyait beaucoup de personnes très sobres, malgré la foule des ivrognes parmi ceux qui pervertissaient les sauvages par l'eau-de-vie qu'ils leur fournissaient. Il y en avait plusieurs autres qui aimaient mieux se priver des provisions les plus nécessaires que de faire un commerce si pernicieux. On voyait, il est vrai, des pères de famille qui négligeaient beaucoup le soin de leurs enfants et de leurs esclaves, mais on en voyait aussi beaucoup d'autres qui leur donnaient par eux-mêmes ou qui leur procuraient les instructions nécessaires, et qui savaient les contenir dans le devoir : il y avait des chrétiens qui semblaient avoir oublié les préceptes du jeûne et de l'abstinence, de la communion, de la confession, et l'obligation même d'entendre la messe ; mais d'autres en grand nombre étaient très fidèles à ces devoirs et fréquentaient les sacrements [66]. »

L'impression d'impiété que laissent transparaître les multiples plaintes du clergé louisianais doit cependant être tempérée. L'action de la confrérie des Dames Enfants de Marie donne, en effet, une toute autre image de la ferveur religieuse des habitants. L'association fut fondée à La Nouvelle-Orléans en 1730 et réunissait plus du tiers des femmes et des jeunes filles blanches de la colonie. Ces consœurs de toutes conditions avaient une triple vocation : servir la Vierge Marie par leurs prières et leur comportement moral irréprochable ; visiter les malades et soulager les pauvres ; enfin instruire les enfants et les esclaves.

Dans toute l'Amérique française, comme d'ailleurs en métropole, même lorsqu'ils se rendaient régulièrement à la messe, les paroissiens faisaient souvent montre d'un comportement répréhensible aux yeux du clergé. En 1725, les officiers de la garnison de La Nouvelle-Orléans, insatisfaits des places que le curé leur avait attribuées à l'église, n'hésitèrent pas à déclencher un tel tapage que la location aux enchères des bancs fut interrompue ; dans les semaines suivantes, ils continuèrent à manifester leur mécontentement en déplaçant le lutrin avant le service religieux [67]. Au lieu d'écouter la messe en silence, dans une attitude de recueillement, il arrivait souvent aux fidèles de discuter, de plaisanter, de laisser les enfants courir dans le bâtiment ou de sortir durant le sermon pour fumer sur le parvis, etc. [68]. En 1726, le procureur Fleuriau, sa femme et celle de Perry, un membre du Conseil supérieur de La Nouvelle-Orléans, se mirent à bavarder et à rire durant l'office. Malgré plusieurs rappels à l'ordre, ils ne cessèrent de perturber la cérémonie. Le frère Hyacinthe leur demanda en vain de sortir. Fleuriau se mit même en colère contre le prêtre, lui enjoignant de ne pas faire tant d'histoires. De tels incidents étaient apparemment courants puisque le Conseil supérieur, peu de temps auparavant, avait promulgué un règlement contre les conversations à voix haute durant le culte, menaçant même les contrevenants d'emprisonnement [69].

Tout en faisant preuve d'une grande piété, les Canadiens mettaient d'étroites limites aux velléités de contrôle de l'Église, ce en quoi ils ne se distinguaient aucunement des métropolitains. Outre leur attitude indisciplinée durant la messe dominicale, les colons persistèrent à organiser des festivités profanes à l'occasion de la fête de Sainte-Anne et de celle du patron de la paroisse, malgré toutes les tentatives des autorités ecclésiastiques et civiles pour mettre fin à de tels débordements populaires. Au cours des assemblées et foires qui suivaient les processions organisées lors de ces fêtes, les habitants manifestaient leur joie bruyamment et buvaient abondamment. L'Église tenta aussi sans succès de réglementer les habitudes vestimentaires des Canadiens. Elle ne put contraindre les paysans à porter autre chose qu'un brayet (une sorte de pagne), avec une chemise et des mitasses, durant l'été, ou les femmes des élites à couvrir leur « gorge et [leurs] épaules découvertes ou simplement couvertes d'une toile transparente » durant l'office [70]. De la même façon, rien ne put dissuader les Canadiens, y compris les dames de la confrérie de la Sainte-Famille, de s'adonner avec frénésie aux plaisirs de la danse.

Plaisirs, loisirs et distractions

En ville, il existait, en effet, toute une vie mondaine faite de visites, promenades, jeux, dîners, bals et autres fêtes. Les élites appréciaient tout particulièrement les banquets. En 1685, l'intendant de Meulles affirmait qu'au Canada on « fai[sait] aussi bonne chère » qu'en France. Dans les années 1750, l'officier Louis Guillaume Parscau du Plessis disait de la table de l'intendant Bigot qu'elle était « toujours ouverte et splendidement servie [71] ». La sociabilité à Québec s'organisait autour du gouverneur et de l'intendant qui rivalisaient pour offrir les plus somptueuses festivités. En 1710, le major John Livingstone, venant de Nouvelle-Angleterre et de passage dans la capitale canadienne, rapporte dans son journal :

« 10 décembre : j'ai soupé chez l'intendant où je fus reçu avec munificence. Le gouverneur, les gentilshommes et les dames de la ville y avaient été également conviés. Nous avons soupé au son de la musique, puis nous avons dansé. 11 décembre : j'ai rendu quelques visites en ville ; le soir, le gouverneur a donné chez l'intendant une superbe réception. J'ai passé une excellente soirée avec musique et danse, puis j'ai eu les tambours et la musique à ma porte. 25 décembre : le gouverneur général a donné un souper où au moins cinquante personnes distinguées avaient été invitées, la soirée fut absolument splendide. 26 décembre : le gouverneur général et moi-même avons été invités chez l'intendant où il y avait de nombreuses personnes, de tout en grande quantité, de la danse et de la musique à ravir [72]. »

À La Nouvelle-Orléans, les fêtes données par le gouverneur étaient des événements qui dépassaient le seul cercle restreint des notables. Un esclave vivant sur une plantation avoua qu'il n'était jamais venu en cachette dans la capitale, à l'exception du jour où M. de Vaudreuil avait donné un bal pour carnaval[73].

Au Canada, les bals étaient particulièrement nombreux entre le Jour de l'an et le Mardi gras. Les lettres d'Élisabeth Bégon à son gendre en témoignent. En janvier 1749, elle mentionne plusieurs parties fines réunissant des officiers et leurs épouses dans l'hôtel réputé de Nicolas Morand dit Lagrandeur, qui était un haut lieu d'amusement à Montréal. Elle écrit ainsi : « On a dansé tout l'après-midi et M. de Longueuil, pour donner plus de liberté aux demoiselles, a fait porter un beau dîner à ce que l'on dit chez M. de Lantagnac où il est avec M. Varin et M. de Noyan, sans oublier Deschambault qui y a de bons vins, si bien que l'on assure qu'il y a de belle besogne faite : on y chante sauvage et on se prépare à aller au bal couler son menuet[74]. » Cette période était aussi l'occasion de visites et de rencontres mondaines à l'extérieur. Au début du XVIIIe siècle, Bacqueville de La Potherie décrit la première semaine de janvier comme « un mouvement si grand de gens de pied et de carrioles pendant huit jours qu'il semble que tout est en trouble[75] ». Selon la saison, les promenades au Canada se faisaient à pied, en calèche, en canot ou en traîneau.

La haute société se divertissait également de plaisirs plus intellectuels. À partir du milieu du XVIIe siècle, des pièces de théâtre de Corneille, Racine et Molière furent jouées d'abord au magasin de la Compagnie des Cent-Associés, puis chez le gouverneur. En 1693, la représentation de *Nicomède* et de *Mithridate* par des officiers rencontra un grand succès. Mais les autorités ecclésiastiques désapprouvaient ces spectacles. Un observateur écrivait ainsi :

« On a vu à Québec des acteurs d'une comédie qu'on jouait au collège et qui tous étaient des séminaristes, aller tout habillés avec les danseurs et les violons, représenter leur pièce au parloir des trois communautés religieuses, où s'assemblait bien du monde, et où ils étaient comme de raison bien régalés. Là, derrière la grille, toute la communauté gravement assemblée au son de la cloche, voyait la comédie et riait de bon cœur. Il est vrai que M. Lacroix de Saint-Vallier, évêque, n'approuvait pas ce spectacle et que son prédécesseur Mgr de Laval, prélat d'une piété éminente, le condamna hautement dès qu'il parut en Canada [76] »

En 1694, lorsque l'évêque apprit que *Tartuffe* devait être monté chez Frontenac, il réagit encore plus vigoureusement, excluant les dames de la confrérie de la Sainte-Famille qui avaient accepté l'invitation du gouverneur. Cette intervention mit un coup d'arrêt au développement du théâtre à Québec.

Comme leurs homologues de métropole, les élites tenaient salon et pratiquaient l'art de la conversation. Le jésuite Charlevoix trouva à Québec « des cercles aussi brillants, qu'il y en ait ailleurs, chez la gouvernante, et chez l'intendante. Voici ce me semble, pour toutes sortes de personnes de quoi passer le temps fort agréablement. [...] on politique sur le passé, on conjecture sur l'avenir ; les Sciences et les Beaux Arts ont leur tour et la conversation ne tombe point [77] ». La curiosité scientifique des participants était nourrie par les études botaniques et zoologiques et les observations astronomiques que faisaient les jésuites, les médecins et les ingénieurs du roi. Au Canada, Michel Sarrazin et Jean-François Gaultier, et, en Louisiane, Louis et Jean Prat, Bernard-Alexandre Vielle et Pierre Baron, servaient de correspondants à divers académiciens français, tels Tournefort, Réaumur ou Jussieu, et fournissaient des spécimens pour le Jardin et la Ménagerie du Roi. Ils étaient soutenus dans leur œuvre de naturalistes par les autorités locales, comme l'a montré Kathryn A. Young dans le cas du médecin Sarrazin et de l'intendant Bégon, d'autant que leurs travaux n'étaient pas seulement dictés par la curiosité scientifique, mais aussi par la recherche de profits économiques – en témoignent les écrits de Sarrazin sur les animaux à fourrure. Ils prenaient donc part à cette véritable « machine coloniale » que constituait l'infrastucture scientifique, bureaucratique et centralisée mise en place par la monarchie au cours des XVIIe et XVIIe siècles et qui incluait l'Académie Royale des Sciences, l'Académie Royale de Marine, l'Observatoire Royal, le Jardin du Roi, la Société Royale de Médecine, la Société Royale d'Agriculture et la Compagnie des Indes[78]. Ceux qui participaient à ces cercles discutaient également volontiers de leurs lectures. À côté des bibliothèques des communautés religieuses, notamment celle des jésuites, les notables canadiens possédaient les collections de livres les plus prestigieuses : les bibliothèques de l'intendant Dupuy ou du directeur du Domaine Cugnet comportaient plus d'un millier d'ouvrages, tandis que celle du procureur général Verrier atteignait trois mille volumes.

Les membres des autres couches sociales se réunissaient pareillement autour d'un repas ou d'un verre, lors d'un bal ou d'une promenade. À La Nouvelle-Orléans, toute la population se retrouvait sur la levée. En hiver, au Canada, les gens du commun ne pouvaient se promener en calèche, mais faisaient du traîneau et du patin. On louait des voitures à l'occasion des grands événements tels que les baptêmes et les mariages. Les fêtes suivant les bénédictions nuptiales pouvaient durer deux à trois jours et comprenaient toujours un grand banquet. Dans toute la Nouvelle-France, le carnaval donnait lieu à de joyeuses festivités. Les dimanches et fêtes, les Canadiens allaient assister aux exercices militaires. À Québec, ils se retrouvaient pour jouer sur la terrasse de l'évêché. En 1731, Mgr Dosquet se plaignit ainsi : « on y a la tête rompue du bruit qu'y font ceux qui jouent aux quilles et à la boule ». Il dénonçait les réunions populaires nocturnes qui s'y tenaient aussi : « c'est sous mes fenêtres que s'assemble le bas peuple des deux sexes après leur souper, ils chantent et tiennent des discours libres que j'entends comme s'ils étaient chez moi je ne parle pas de leurs actions indécentes, c'est où les personnes ivres viennent cuver leur vin et des personnes ivres les ont plusieurs fois découvertes avec la dernière indécence [79] ».

La jeunesse se distinguait par des divertissements spécifiques. Selon Pehr Kalm, au cours de l'été canadien, alors que les habitants plus âgés prenaient le frais sur le pas de leur porte, les jeunes gens des deux sexes allaient par grappes, bras dessus bras dessous, dans les rues des villes, en parlant et riant bruyamment. À la faveur de l'obscurité, ils jouaient divers tours aux passants : ils plaçaient des voitures au milieu de la rue ou y creusaient des trous, remplissaient les loquets d'ordures ou clouaient des morceaux de bois au travers des portes pour faire tomber l'habitant ; l'hiver, ils s'amusaient à lancer des boules de neige sur les passants ou sur les vitres des maisons [80]. Au Canada, il semble que la plantation de mai, qui était en France une occasion de courtiser les jeunes filles, devint une fête communautaire au cours de laquelle on honorait le seigneur, le curé ou le capitaine de milice : des salves de fusil étaient tirées et un banquet organisé. Partout, un mariage mal assorti (entre un vieil homme et une jeune fille) ou un remariage trop rapide (d'ailleurs fréquent au Canada au XVIIe siècle, le délai de viduité étant souvent écourté en raison du déséquilibre des sexes) pouvait donner lieu à un charivari : durant la nuit, les jeunes hommes manifestaient bruyamment leur désapprobation à l'aide d'ustensiles de cuisine et de trompettes ; ils ne cessaient de chanter et de danser qu'après avoir reçu quelque récompense du mari tourné en ridicule. Au Pays des Illinois, la jeunesse des villages célébrait la Guignolée : au Jour de l'an, une procession de jeunes gens déguisés frappait à toutes les portes en chantant une chanson particulière pour demander des dons en nourriture en prévision de l'Épiphanie.

Dans les villes et villages de l'Amérique française, il y avait un grand nombre de tavernes dans lesquelles se retrouvaient tous les groupes sociaux et ethniques. Leur activité était strictement réglementée. Certains de ces cabarets étaient autorisés, d'autres clandestins. En 1746, les autorités louisianaises réduisirent ainsi le nombre d'estaminets de La Nouvelle-Orléans à six, les établissements retenus étant ceux qui offraient les aumônes les plus importantes (environ 800 livres) à l'Hôpital de la Charité [81]. À Montréal et à Québec, seules quelques-unes des tavernes existantes avaient le droit de vendre de l'alcool aux Amérindiens. Avant que cette mesure ne fût imposée, les cabaretiers avaient coutume de verser dans un tonneau tous les fonds de verre, quelle que fût la boisson, et de servir ces mélanges aux autochtones. À La Nouvelle-Orléans, les tenanciers vendaient fréquemment de l'eau-de-vie aux esclaves noirs, en dépit de la prohibition.

Les cabarets avaient l'obligation de fermer durant le service divin les dimanches et les jours de fête, mais cette prescription était rarement respectée. Le 21 décembre 1725, le procureur général Fleuriau inspecta les tavernes de La Nouvelle-Orléans durant la grande messe et fit ce compte rendu :

> « chez le nommé Coupart menuisier avons trouvé trois soldats dont les noms nous sont inconnus attablés dans un petit cabinet sur la rue dont les volets étaient fermés dans lequel cabaret ayant trouvé lesdits trois soldats avec du vin sur la table leur avions demandé ce qu'ils faisaient là et Coupart et sa femme tenant une poêle à frire nous a dit qu'ils partaient pour La Balise et qu'elle leur faisait déjeuner étant en marché pour vendre la maison et l'un des soldats

nous a dit aussi qu'ils allaient partir pour La Balise, ce que nous avons pris pour mauvaises raisons et les avons obligés de sortir [82] ».

On jouait dans ces auberges et cabarets au billard, aux cartes et aux dés. Comme en métropole à la même époque, les jeux de hasard connaissaient une vogue extraordinaire dans toute la société. Le peuple jouait au « picquet », les élites au « quadrille » ou au « pharaon ». Malgré les interdictions, tous ces jeux donnaient lieu à des mises en argent d'où pouvaient naître de fortes dettes. Aussi les autorités dénonçaient-elles régulièrement la boisson et le jeu comme des vices à proscrire.

Une petite violence quotidienne

En ville, c'était dans les tavernes que très souvent éclataient les tensions entre les colons ou les soldats. La rivalité au jeu et l'ivresse conduisaient facilement aux insultes et à la bagarre. Un mauvais coup, une chute malencontreuse ou un coup de fusil parti par inadvertance pouvait transformer une simple dispute en homicide involontaire. À Québec, une partie de billard au cabaret entre deux cordonniers dégénéra ainsi en rixe lorsque l'un accusa l'autre de tricher : les deux hommes se sautèrent dessus, roulèrent par terre et se mordirent ; l'un eut deux doigts coupés, l'autre un morceau de la joue arraché [83] ! Ces conflits à la taverne pouvaient aussi se solder par un duel, phénomène qui apparut au Canada avec la venue des troupes dans le dernier tiers du XVIIᵉ siècle. Les duels concernaient essentiellement les militaires, officiers et soldats, et n'étaient pas réservés aux gentilshommes, même si l'on ne se battait qu'entre militaires de même rang. En janvier 1751, deux sergents en garnison à Montréal passèrent la journée ensemble à se promener en carriole et à se saouler. Ils s'arrêtèrent pour manger et continuer à boire dans une auberge. C'est là qu'ils se disputèrent et décidèrent de régler leur différend à l'épée. Le duel eut lieu dans un terrain écarté, à l'abri des autorités, et l'un des deux sergents trouva la mort. Dans la moitié des duels, l'offensé se contentait pourtant habituellement de blesser son adversaire, ce qui suffisait à réparer son honneur [84].

Dans les campagnes, les frictions de voisinage pouvaient aussi déclencher insultes et voies de fait. Au Canada, ces conflits étaient particulièrement fréquents en été, saison où s'intensifiaient les relations sociales, alors que durant le long hiver les gens s'enfermaient chez eux en famille. À l'instar des paysans de métropole, les habitants de la Nouvelle-France avaient, en effet, « la tête près du bonnet » : ils recouraient vite à la violence, s'injuriant et se battant au moindre prétexte. En 1725, deux habitants de Basse-Louisiane, Bourbeau et Joseph Chaperon, se disputèrent à propos de l'usage d'un chemin fait par les esclaves du second sur le terrain du premier afin de transporter du bois coupé pour le compte de la Compagnie des Indes : ils échangèrent « de grosses paroles injurieuses » et Chaperon menaça Bourbeau de coups de bâton [85]. De la même façon, en 1749, à proximité de Montréal, deux habitants se bagarrèrent parce qu'ils s'étaient retrouvés face à face en carriole et que celui qui, selon la coutume, devait céder le chemin refusa de le faire, sans doute parce qu'il revenait d'une noce et qu'il avait trop bu [86]. La divagation des animaux, le grappillage de fruits sauvages dans les champs du voisin, les questions de prêt, de clôture, de bornage de terre et de creusage des fossés, formaient autant d'occasions pour de telles altercations.

Le fait de lancer des insultes était pris très au sérieux dans une société fortement marquée par l'honneur. Tant qu'elles n'avaient pas été retirées par la personne qui les avait proférées, elles stigmatisaient leur destinataire et sa famille. Leur choix était extrêmement révélateur des

valeurs et des mentalités de l'Ancien Régime. Comme en
métropole, les injures remettaient en cause l'honnêteté
des hommes, traités de « voleurs », de « coquins » ou de
« fripons », et la moralité sexuelle des femmes, qualifiées
de « putains », de « gueuses » ou de « coquines[87] ». Au
Pays des Illinois, à la sortie de la messe, le dénommé
Antoine Chêneau dit Sans Chagrin, pris de boisson,
invectiva la femme d'un riche habitant, Jean-Baptiste
Richard, en proclamant qu'elle était allée « faire son tour
de prairie » avec un certain Dany[88]. À La Nouvelle-
Orléans, en 1724, l'honneur des dames de la ville ne fut
pas blessé par des paroles, mais par des vers, œuvre d'un
certain Pantin Cadot qui faisait circuler ses libelles scandaleux et qui fut pour cela condamné à un mois de
prison[89].

On ne plaisantait pas, en effet, sur les questions
d'honneur, d'autant que la moralité sexuelle des femmes
était un sujet sensible à La Nouvelle-Orléans où de nombreuses filles de mauvaise vie avaient été déportées. S'il
était fréquent en France de traiter quelqu'un de « pen-
dard » ou de « gibier de potence »[90], les insultes, dans
les colonies où avaient été relégués des criminels et des
prostituées, trouvaient matière dans la suspicion jetée sur
les origines des migrants. En 1725, à Fort de Chartres,
Marie Morice Medan, femme d'Henry Biron, accusa
ainsi Blanche, épouse d'Antoine Tambour, d'avoir été
marquée et fustigée par le bourreau ; de la même façon,
en 1739, à Kaskaskia, La Chesnay fut traité de voleur et
accusé de s'être sauvé de son pays pour échapper à la
corde[91]. De telles accusations pouvaient avoir de graves
conséquences. En 1730, à La Nouvelle-Orléans, Jacques
Carrière Malozé rompit sa promesse de mariage avec
Charlotte Corentine Milon lorsqu'il apprit qu'en France
« il lui était arrivé des malheurs et qu'elle avait badiné,
qu'elle avait eu un enfant et qu'il était mort, ce qu'était
cause qu'elle était venue en cette province ». Selon la

jeune fille, ces calomnies avaient été répandues par sa future belle-mère qui refusait le mariage. Elle obtint gain de cause : Malozé dut lui payer 3 000 livres de dommages et intérêts, soit une somme considérable, la dame Carrière devant quant à elle reconnaître publiquement que Charlotte était « une fille de bien et d'honneur [92] ».

Au Canada, la plupart des affaires qui passaient en justice concernaient cette petite violence quotidienne, verbale ou physique. Au XVIIIe siècle, un tiers seulement des accusés étaient poursuivis pour meurtre, infanticide, duel, faux-monnayage ou plus fréquemment encore pour vol. Comme en métropole, les criminels étaient généralement de jeunes hommes célibataires et de condition modeste. Dans la vallée du Saint-Laurent comme sur l'île Royale, les trois quarts d'entre eux étaient des immigrants et la moitié des soldats, soit les personnes les moins bien intégrées socialement. Le peuple pouvait à l'occasion défier les autorités en cachant ou en faisant libérer ces criminels. En 1741, au moment de l'exécution de leur sentence, l'évasion de deux soldats, Printemps et Bontemps, fut ainsi facilitée par l'action de la foule montréalaise qui leur criait unanimement « Sauve ! », considérant que les peines infligées (fouet, flétrissure et cinq années de galères) étaient trop sévères [93]. Cependant, la plupart des habitants, comme la justice royale, souhaitaient exclure ces criminels qui menaçaient l'ordre social. Globalement, partout en Nouvelle-France, la criminalité (du moins sa répression) était néanmoins très peu élevée et elle se produisait majoritairement en ville [94]. Dans la vallée du Saint-Laurent, la faiblesse de la criminalité était liée, selon André Lachance, à plusieurs facteurs : la dispersion de la plus grande partie de la population, son enfermement durant les longs mois d'hiver et son éloignement des villes où étaient concentrés les moyens répressifs, le rôle essentiel joué par la

famille comme institution de régulation sociale, la possibilité enfin pour les jeunes, soit les personnes les plus
enclines à transgresser les lois, d'échapper aux contraintes
sociales grâce à la course dans les bois.

L'émergence d'identités nouvelles ?

Sous l'Ancien Régime, la France ne connaissait pas
d'unité nationale, tant d'un point de vue juridique, linguistique que culturel. Malgré sa diversité, elle se serait
pourtant très tôt constituée en nation. Dès la fin du
Moyen Âge, un sentiment national apparut ainsi à
l'occasion de la guerre de Cent Ans. À partir du
XIVe siècle, en temps de crise, les rois firent appel à plusieurs reprises à la communauté nationale, ce qui suppo-
sait l'existence de celle-ci. Cependant, l'adhésion à l'idée
nationale portée par la monarchie était surtout le fait des
élites sociales [95]. La plupart des Français ne se définissaient pas comme tels, mais s'identifiaient d'abord à leur
paroisse, puis à leur province. Ils n'avaient guère de
conscience identitaire commune, si ce n'est celle d'être
des sujets du Roi Très-Chrétien. Qu'en fut-il dans les
colonies françaises d'Amérique du Nord ? L'expérience
partagée de la migration et de l'installation outre-mer, le
développement de modes de vie partiellement différents
de ceux de métropole et la formation de sociétés créoles
conduisirent-ils à l'émergence d'identités nouvelles,
comme le soutiennent de nombreux historiens canadiens ?

La francisation linguistique des populations
coloniales

Avec l'uniformisation administrative et juridique et la
participation de tous les hommes à la milice, l'homogénéisation linguistique contribua à donner une cohésion

aux sociétés de la Nouvelle-France. Les colons d'Acadie, du Canada et de Louisiane seraient-ils devenus ainsi plus français que les Français de métropole ?

Très rapidement, dès le dernier quart du XVIIe siècle, les auteurs de récits de voyage ou d'histoires de colonie au Canada furent frappés, en effet, par l'usage généralisé d'un français très pur parmi la population coloniale. Le père Allard, qui séjourna dans la vallée laurentienne en 1670, affirma au récollet Chrestien Le Clercq qu'il y avait trouvé « un langage plus poli [que dans les autres provinces de France], une énonciation nette et pure, une prononciation sans accent. » À la fin du XVIIe siècle, Bacqueville de La Potherie proclamait qu'« on parle ici parfaitement bien, sans mauvais accent. Quoi qu'il y ait un mélange de presque toutes les provinces de France, on ne saurait distinguer le parler d'aucune dans les Canadiennes ». En 1720, le père Charlevoix observait de son côté : « nulle part ailleurs on ne parle plus purement notre langue » et « on ne remarque même ici aucun accent. » Quant à Pehr Kalm, il notait en 1749 : « Tous ici tiennent pour assuré que les gens du commun parlent ordinairement au Canada un français plus pur qu'en n'importe quelle province de France et qu'ils peuvent même rivaliser avec Paris [96]. » Le contraste était grand avec la métropole où il fallut attendre l'instruction obligatoire, à la fin du XIXe siècle, pour que se généralisât le français.

Provenant en majorité du Bassin parisien et des milieux urbains, plus fréquemment alphabétisés que l'ensemble de la population française, la plupart des immigrants au Canada connaissaient déjà le français avant de quitter la métropole. Dès l'origine, le français fut ainsi la langue parlée par le plus grand nombre, en plus d'être la langue du pouvoir. Cependant, certains s'exprimaient aussi (voire exclusivement, pour une petite minorité) en patois [97]. Dans les premières décennies du XVIIe siècle, il existait donc au Canada une multiplicité de parlers : plusieurs formes de français (le français central, celui des élites ou celui des couches populaires, et les français régionaux) et une variété de dialectes qui relevaient pour la plupart du domaine de la langue d'oïl. La petitesse des effectifs, l'étroitesse de la zone habitée, les unions matrimoniales qui réunissaient rarement des conjoints de la même région d'origine (pensons aux filles du roi, recrutées principalement dans la région parisienne), les relations de voisinage, les assemblées religieuses, le service dans la milice, les petites écoles, etc., tout cela suscita maintes occasions de confrontations et de brassages. Progressivement, grâce à un mode de transmission social et non pas familial, un processus d'homogénéisation linguistique se mit en place, de telle sorte qu'à la diversité initiale succéda une situation de monolinguisme et une francisation générale de la population coloniale, atteinte dès le tournant du XVIIe siècle. Le français central normé s'imposa pour la morphologie, la syntaxe, comme pour la prononciation.

Les idiomes laissèrent néanmoins des traces importantes, encore visibles dans le français québécois actuel, tant en matière de prononciation que de vocabulaire, certains termes issus des patois s'imposant au lieu de leurs équivalents dans le français des élites. L'expression « flasquer le linge » pour « repasser », en usage jusqu'au XIXe siècle, et le terme de « batte-feu » pour « briquet » proviennent, par exemple, de la région Poitou-Charentes ; ceux de « haler » pour « tirer », de « bouette » pour parler de la « nourriture des cochons », de « bleuet » pour désigner une sorte de myrtille ou de « gadelle » pour groseille sont des emprunts normands. On se servit également du vocabulaire militaire ou maritime pour qualifier les variations du climat canadien : une « bordée » était une tempête de neige, une « poudrerie » une chute légère. En décembre 1748, Mme Bégon écrivait ainsi :

« Pour le coup, mon cher fils, je suis toute étourdie du temps qu'il fait. […] Ce matin, il poudre neige et fait un froid et une poudrerie comme je n'en ai jamais vu [98]. » En outre, la langue de la colonie s'enrichit de mots autochtones, tels que « tabagie », « caribou », « sagamité », « ouragan » (pour désigner un plat de bois ou d'écorce), « maringouin » (pour un moustique), etc. Remarquons d'ailleurs que, réciproquement, les langues amérindiennes empruntèrent des mots au français afin de désigner des réalités matérielles et spirituelles nouvelles, apportées par les colonisateurs [99].

En Acadie, le poids des migrants originaires de l'Aunis, du Poitou et de Saintonge et la moins grande diversité des dialectes en présence expliquent que, si la colonie connut le même phénomène de francisation qu'au Canada, le français s'y différenciait de celui du Québec. En revanche, l'uniformisation linguistique fut moins poussée à l'île Royale où l'on trouvait, outre quelques Bretons s'exprimant en gaélique, un groupe minoritaire de plusieurs centaines de marchands et de pêcheurs basques, certains ne parlant pas du tout ou très peu le français. À plusieurs reprises, ces derniers firent appel au pouvoir royal pour obtenir un prêtre capable d'officier en basque. Sur l'île du Cap-Breton demeurait aussi en garnison un groupe de soldats germanophones appartenant au régiment de Karrer.

La colonie du Mississippi accueillit pareillement des familles et des militaires originaires de Suisse et surtout d'Allemagne. À partir de 1729, les habitants de la côte des Allemands furent assistés par un père capucin originaire le plus souvent de Lorraine, de Luxembourg ou de Flandre : il devait donc parler à la fois le français et l'allemand. Les Allemands de Louisiane, cependant, s'assimilèrent aisément à la population francophone. Cette intégration aurait même pu être plus rapide si des familles alsaciennes n'étaient venues s'implanter dans la colonie dans les années 1750. Le processus d'assimilation commença avec la francisation des noms germaniques et se poursuivit grâce à la formation de nombreuses unions mixtes, les Allemands n'étant pas assez nombreux pour se marier entre eux. Ces mariages favorisèrent l'adoption de la langue et des coutumes françaises, même si l'allemand ne disparut pas totalement.

Cette francisation des populations coloniales dans toute l'Amérique du Nord, toutefois, ne nourrissait pas forcément le sentiment d'appartenir à la même « communauté imaginée », pour reprendre la célèbre expression de Benedict Anderson. Autrement dit, ce n'est pas parce que les colons parlaient la même langue qu'ils partageaient une identité commune, d'autant qu'en métropole la langue française n'était pas alors considérée comme « une composante essentielle de l'identité nationale ». Cependant, en Nouvelle-France, la politique de francisation que l'État et l'Église cherchèrent à imposer aux Amérindiens au XVIIe siècle conduisit les autorités coloniales à mieux définir, implicitement, les conceptions qu'elles se faisaient de l'identité française. Or, à côté de la religion chrétienne, de certaines coutumes et pratiques, et de la soumission à l'autorité royale, la langue – le français central normé – constituait un élément essentiel de cette identité [100]. Il reste qu'il est impossible de savoir si ces conceptions étaient partagées par les simples colons.

La canadianité dans le discours des autorités locales

Dans l'ensemble de la Nouvelle-France, presque tous les habitants d'origine européenne se francisèrent donc. Le paradoxe est que parallèlement à cette francisation linguistique certains ne furent plus considérés comme « français ». Alors que les blancs nés en Louisiane ne reçurent jamais d'ethnonyme particulier et furent toujours qualifiés de Français – on ne parlait pas des Louisianais à cette époque –, ceux natifs du Canada furent rapidement appelés « Canadiens ». Cette dénomination spécifique serait révélatrice de la formation précoce d'une identité canadienne. Dès la fondation de la colonie du Mississippi au début du XVIIIe siècle, la correspondance administrative distingue ainsi clairement les « Canadiens » des Français venus de métropole.

En revanche, les officiels à Québec utilisaient très peu le terme de « créoles » pour désigner les habitants nés dans la vallée du Saint-Laurent. Le mot « créole », qui vient du portugais *criollo*, désignait à l'origine les esclaves nés dans les chaînes pour les différencier des Africains réduits en esclavage après avoir connu une vie d'hommes (ou de femmes) libres. Il fut ensuite appliqué aux blancs afin de distinguer les Portugais ou les Espagnols nés en Amérique des péninsulaires. En Louisiane, sous le Régime français, les usages du terme créole étaient multiples. Pour les colons d'origine européenne, il s'agissait d'une identité assignée : ils ne s'identifiaient pratiquement jamais eux-mêmes comme tels, alors qu'ils pouvaient être décrits comme des créoles par des administrateurs, des missionnaires ou des auteurs de relations de voyage s'adressant à un correspondant ou à un public métropolitain. En revanche, lorsque les esclaves d'ascendance africaine mais nés aux Amériques devaient décliner leur identité devant un juge, ils se présentaient comme créoles, mais précisaient aussi leur lieu de naissance, indiquant ainsi qu'elle ou il était « Créole de cette colonie », « Créole de La Mobile » ou encore « Créole du Cap Français ».

D'après Gervais Carpin qui a retracé l'histoire du mot « Canadien », Jacques Cartier fut le premier, en 1535, à utiliser ce vocable pour donner un nom aux habitants iroquoiens de la région de Stadaconé. Dans la première moitié du XVIIe siècle, le terme était toujours utilisé pour qualifier un groupe particulier d'Amérindiens ou les autochtones de manière générale. À partir des années 1660, le mot en vint à désigner les colons nés sur les bords du Saint-Laurent. Marie de l'Incarnation écrivait en 1666 : « Nos *nouveaux Chrétiens Sauvages* suivent l'armée Française avec tous nos jeunes *François-Canadois* qui sont très-vaillants, et qui courent dans les bois comme des *Sauvages* [101]. » L'usage du terme « Canadien » se généralisa dans les années 1680. On s'en servait, comme la mère supérieure des ursulines, pour distinguer les natifs de la colonie d'origine européenne des Amérindiens, d'une part, et des métropolitains, d'autre part, mais aussi pour attribuer aux colons des traits physiques et socioculturels particuliers. Le gouverneur Denonville affirmait au ministre en 1685 : « Nos *Canadiens* ont assez de dispositions à être bons pilotes, en leur donnant le moyen d'apprendre. [...] Les *Canadiens* sont tous grands bien faits et bien plantés sur leurs jambes, accoutumés dans les nécessités à vivre de peu, robustes et vigoureux, mais fort volontaires et légers, et portés aux débauches. Ils ont de l'esprit et de la vivacité [102]. »

Un tel discours, sous la plume d'un serviteur de l'État, n'avait rien de surprenant. Cet officiel aurait pu tenir des propos comparables sur les habitants de n'importe quelle province française. De fait, les intendants de métropole, dans leurs mémoires au roi, décrivaient de la même façon les sujets de chacune de leurs généralités en leur imputant tel ou tel caractère ethnique. En 1698, en réponse à un questionnaire du duc de Beauvillier, l'intendant Baville caractérisait ainsi les Provençaux : ils « sont extrêmement sobres, surtout lorsqu'ils vivent à leurs dépens, assez vaillants, mais inconstants, doubles ; on ne peut se bien assurer sur leur bonne foi ; ils sont trop grands parleurs, se plaisant à faire des contes qu'ils composent d'eux-mêmes [...]. Ils s'estiment au possible arrogants plus qu'on ne peut le dire dans leur pays principalement. Ils n'ont point de respect pour leur seigneur et ceux qui sont élevés en dignité au-dessus d'eux ; jusque là en divers temps, ils ont indignement tué ou massacré ceux qui les commandaient et fort sujets par conséquent à la révolte [103] ».

Au Canada, les autorités locales, qui étaient en majorité des métropolitains de passage dans la colonie, se mirent pareillement à dresser un portrait à la fois essentialiste et critique des Canadiens. Ils contribuaient ainsi de l'extérieur à leur forger une identité fictive. Aux yeux des administrateurs, si les créoles apparaissaient vigoureux, courageux et hospitaliers, ils faisaient aussi souvent preuve de vanité, d'insolence et d'indépendance et étaient trop facilement enclins à l'oisiveté. Ces jugements de valeur relevaient en fait d'un discours élitaire. L'insistance sur le goût des Canadiens pour la liberté révélait l'exaspération des officiels incapables d'imposer aux colons l'ordre défini par la monarchie. Il fallait se justifier auprès du ministre de l'impossibilité de faire appliquer de manière systématique les directives de métropole, alors que la correspondance administrative laisse penser que la Couronne considérait les colons comme des marionnettes qui auraient dû se soumettre immédiatement à toutes ses exigences, sans considération de leurs propres intérêts.

Les recommandations de deux gouverneurs de Louisiane à propos du comportement qui devait être celui du commandant de Fort de Chartres envers les habitants du poste, en majorité d'origine canadienne, sont pleinement représentatives de la manière dont les autorités de Nouvelle-France cherchaient à valoriser leur attitude face à cette indocilité. Dans les années 1730, Bienville écrivait qu'il fallait pour le Pays des Illinois « un officier intègre et de gouvernement doux » car « les Canadiens sont

naturellement un peu mutins, il leur faut un command-
dant en qui ils aient de la confiance » ; « le gouvernement
des habitants ne demande pas moins de talents [que celui
des Indiens]. Ils ont presque tous été coureurs de bois et
ils conservent un esprit d'indépendance qui les porterait
facilement à la révolte pour peu qu'ils fussent inquiétés.
Il leur faut un commandant qui sache se faire estimer et
respecter sans chercher à se faire craindre » [104]. En 1752,
Vaudreuil prévenait pareillement le commandant
Macarty qui venait de faire face à un mouvement de
révolte : « Mais je suis bien aise de vous observer encore
pour éviter toute insubordination de la part de ces habitants et pour ne point vous trouver dans ce cas avec eux
de n'en rien exiger qu'avec beaucoup de réflexion,
comme par les prendre par la voie de douceur cependant
toujours avec fermeté, vous en tirerez par là une
meilleure part, qu'avec beaucoup de rigueur. Le Canadien est haut, comme vous savez, mais il est brave et
entreprenant, il ne s'agit pas que de le prendre par les
sentiments d'honneur et de raison pour en venir facilement à bout [105]. » Bienville et Vaudreuil, qui étaient
pourtant nés au Canada, avaient ainsi fait leur, comme
membres des élites coloniales, le discours stéréotypé des
métropolitains.

Cet « esprit d'indépendance », perçu comme une
caractéristique « naturelle » des Canadiens, provenait
selon les deux hommes de la course dans les bois et, en
corollaire, de la fréquentation des Amérindiens. En
1732, Salmon, commissaire-ordonnateur de La Nouvelle-
Orléans, écrivait aussi à propos du Pays des Illinois :
« les habitants y sont insolents, parce qu'une bonne
partie a fait, et fait tous les jours des alliances avec les
Sauvages ». Ce point de vue était partagé par le gouverneur Périer qui estimait que les Franco-Canadiens de
Haute-Louisiane étaient devenus par ces unions mixtes
des « sauvages » très difficiles à gouverner [106]. En 1744,

le père Charlevoix considérait de la même façon que
« l'air qu'on respire dans ce vaste continent y contribue
[à l'esprit d'indépendance], mais l'exemple et la fréquentation de ces habitants naturels, qui mettent tout leur
bonheur dans la liberté et l'indépendance sont plus que
suffisants pour former ce caractère [107] ». Dans un esprit
similaire, les habitants de Québec, qualifiés par les Montréalais de « moutons », traitaient ces derniers de
« loups » parce qu'ils auraient assimilé maints traits des
autochtones avec lesquels ils étaient davantage en
contact. En 1749, Pehr Kalm différenciait pareillement
les femmes de Montréal de celles de Québec : « Les
femmes nées à Montréal sont accusées par une grande
partie des Français nés en France et venus s'installer ici
de manquer dans une grande mesure de la bonne éducation et de la politesse française d'origine ; on les dit pous-
sées par un certain orgueil et comme contaminées par
l'esprit imaginatif des Sauvages d'Amérique ; ceux qui
sont inamicaux à leur endroit leur donnent le nom de
demi-sauvage ; on dit, par contre, que les femmes de
Québec ressemblent tout à fait, dans leur façon d'être,
aux femmes de France, en ce qui concerne à la fois l'éducation et la politesse. En ce domaine, elles surpassent
largement celles de Montréal [108]. »

À la suite des administrateurs et des observateurs de
l'époque, de nombreux historiens considèrent que l'expérience dans les Pays d'en Haut, le contact avec la nature
et l'interaction avec les Amérindiens ont participé à l'avènement d'une identité canadienne. Dans le prolongement des travaux de Frederick J. Turner, dans les années
1920, s'est développée au Canada une théorie qui fait de
la « frontière » le creuset de la nation canadienne, théorie
qui perdure jusqu'à nos jours.

Cependant, et sans négliger pour autant les formes
d'indianisation à l'œuvre surtout dans les Pays d'en
Haut, il semble qu'il faille, à l'instar de Louise Dechêne

et de Thomas Wien, relativiser l'impact de la course dans les bois et des relations avec les Amérindiens dans la formation d'une identité canadienne. Une minorité d'habitants seulement participèrent à la traite plus ou moins activement à un moment donné de leur vie ; la majorité d'entre eux se consacraient exclusivement à une agriculture de subsistance. Si les Canadiens, dans leur ensemble, adoptèrent certains éléments matériels de la culture amérindienne et apprirent à pratiquer la guerre à la façon des autochtones, seule une poignée de coureurs de bois s'indianisèrent réellement. Au Pays des Illinois, contrairement à ce qu'affirmaient les autorités, les habitants ne se transformèrent pas en « sauvages ». Avant 1720, certes, les unions mixtes furent très nombreuses et les coureurs de bois eurent tendance à s'indianiser. Mais, dès les premières années du siècle, certains abandonnèrent les voyages et la traite pour s'établir, pratiquer une agriculture de type européen et perpétuer un mode de vie français. Par la suite, avec l'arrivée des officiels et de nouveaux colons en provenance de France, le nombre d'unions mixtes diminua. La société blanche se développa et se structura de plus en plus selon le modèle français et métropolitain. Le métissage culturel fut beaucoup moins important que dans les Pays d'en Haut. Les femmes amérindiennes et leurs enfants métis n'étaient intégrés au sein de la société française qu'au prix d'une christianisation et d'une francisation (au moins partielle). En outre, attribuer l'esprit d'insubordination des Canadiens à leur assimilation des valeurs culturelles autochtones ne tient pas compte de la culture politique des pionniers originaires de métropole. Tout au long du XVIIᵉ siècle, les paysans français multiplièrent, en effet, les révoltes contre l'augmentation de la fiscalité et le renforcement du pouvoir central. Se manifestait ainsi par l'action une opinion publique populaire en formation. Durant le règne de Louis XIV, la réduction à l'obéissance des sujets ne se fit pas sans résistance. Au siècle suivant, comme l'a montré l'historien Jean Nicolas, si les grands soulèvements contre la monarchie cessèrent, les mouvements séditieux demeurèrent courants [109]. Une culture de la contestation et de la rébellion faisait ainsi partie du bagage culturel des immigrants en Nouvelle-France. Davantage qu'un caractère ethnique, « l'esprit d'indépendance » des Canadiens constituait un comportement typique d'une société d'Ancien Régime et une forme de résistance sociopolitique à la volonté des autorités, encore plus grande qu'en métropole, de contrôler tous les aspects de la vie coloniale et d'imposer un pouvoir extrêmement centralisé.

De surcroît, si les Canadiens résistèrent de manière individuelle et passive aux contraintes imposées par l'État, ils ne se révoltèrent pas fréquemment, montrant finalement assez peu d'insubordination et acceptant donc globalement l'autorité royale. L'Église joua un rôle fondamental à cet égard. Elle contribua également à maintenir le loyalisme envers la France. Cette fidélité était entretenue par la célébration des événements concernant la famille royale et le royaume : outre les actions de grâces pour remercier Dieu d'une bonne récolte ou de l'arrivée des bateaux à Québec, des *Te Deum* étaient ainsi chantés à l'occasion de la naissance d'un enfant du roi, de la guérison d'un membre de la famille royale ou encore des victoires militaires françaises en Europe. À cette occasion, on illuminait les villes, on faisait tirer des salves d'artillerie et des feux d'artifice, on allumait des feux de joie. Lors des *Te Deum* chantés pour la naissance du duc de Bourgogne en 1752 et la convalescence du Dauphin en 1753, le commandant de l'île Royale fit même distribuer du vin de son propre cellier aux soldats et aux habitants de Louisbourg [110]. La célébration de la fête Saint-Louis, chaque année au mois

d'août, était aussi particulièrement importante. Ces cérémonies qui, selon Kenneth J. Banks, étaient néanmoins
moins nombreuses qu'en France, maintenaient les liens
entre le roi et ses sujets canadiens, et compensaient l'éloignement entre la colonie et la métropole.

En outre, comme le souligne Christophe Horguelin,
le clergé s'adressait, lors de ces prêches et de ces célébrations, non pas aux « Canadiens » mais à ses « très chers
frères ». De manière similaire, les ordonnances du gouverneur et de l'intendant évoquaient les « habitants »,
« colons », « marchands », « bourgeois », etc. Si, dans leur
correspondance administrative avec le ministre, les autorités coloniales présentaient les natifs de la vallée du
Saint-Laurent comme différents, autres, ils n'adoptaient
pas la même attitude dans leurs rapports directs avec ces
derniers [111]. Les intendants d'Aix, de Clermont-Ferrand
ou de Québec pouvaient trouver des particularités
ethniques aux Provençaux, aux Auvergnats ou aux Canadiens, ils les considéraient et les traitaient néanmoins
avant tout comme des sujets chrétiens du roi de France,
ce qui conférait une identité commune aux habitants de
toutes ces provinces françaises, qu'elles fussent situées en
métropole ou en Amérique.

L'opposition entre colons et métropolitains

Si les colons et les métropolitains partageaient cette
identité minimale, ils n'avaient pas forcément les mêmes
intérêts et le pouvoir royal dut souvent servir d'arbitre
entre les deux groupes. Les habitants domiciliés s'insurgèrent tout d'abord contre l'emprise des métropolitains
sur le commerce et notamment sur la traite des pelleteries. En témoigne cette requête reçue par le gouverneur
Frontenac en 1674 :

> « Sur la requête à nous présentée par les principaux habi
> tants de Montréal contenant qu'il aurait plu à Sa Majesté

de gratifier les seuls et véritables habitants de ce pays du droit et privilège de traiter avec les Sauvages, à l'exclusion des marchands forains qui venant de France et apportant des marchandises qu'ils peuvent donner à meilleur marché que lesdits habitants qui les achètent d'eux, leur ôtent par ce moyen tout le profit qu'ils pourraient faire de la traite […], parce que lesdits marchands entreprennent de traiter avec les Sauvages sous différents prétextes frauduleux, achetant des habitations de nulle valeur qu'ils ne tiennent compte d'entretenir, ni augmenter, ou s'associent avec quelques habitants, et se servant de leurs noms pour faire la traite, ce qui avait été défendu [112] ».

Pourtant les bénéfices des maisons canado-rochelaises qui dominaient le commerce des fourrures se partageaient entre la colonie et la France et ne se faisaient donc pas totalement au détriment des négociants domiciliés. En revanche, les petits marchands et les traitants occasionnels de Montréal souffraient véritablement de la concurrence des forains et de celle des habitants de Québec. C'est pourquoi ils réclamèrent l'augmentation de la valeur de la propriété qu'il fallait posséder pour avoir le droit de traiter à Montréal, même si cette mesure ne dissuadait pas les plus importants marchands étrangers à la ville.

Le commerce du blé constituait un autre point de divergence entre colons et forains. Les négociants de Québec ne cessèrent de dénoncer auprès des autorités les capitaines de vaisseaux et les pacotilleurs qui arrivaient dans la colonie à la fin de l'été et repartaient avant l'hiver ou l'année suivante après avoir bradé leurs produits manufacturés à bas prix et emporté toutes les récoltes des campagnes. Un placet de 1719 réclamait ainsi : « Jetez aussi les yeux, nos Seigneurs, sur l'état florissant où a été cette colonie auparavant que les forains se soient emparés du commerce en détail, qu'ils font comme des frelons qui viennent dévorer le miel que des pauvres abeilles ont amassé avec tant de soin [113]. » Même si ces accusations semblent infondées, elles furent répétées inlassablement jusqu'en 1735, date à laquelle le ministre fit savoir de manière définitive qu'il ne prendrait aucune mesure contre les forains.

Cependant, les autorités locales prenaient parfois le parti des marchands de la colonie contre ceux de France auprès desquels ils étaient endettés. En 1734, une requête de négociants français à la chambre de commerce de La Rochelle témoigne de leur mécontentement à l'égard de l'intendant et du Conseil supérieur : « Il se trouve […] entre ces marchands [canadiens] quelques-uns d'assez mauvaise foi pour (après avoir joui pendant plusieurs années des avances qu'on leur fait) se révolter contre ces usages, […] qui se servent de toute sorte de chicane pour s'en soustraire, oubliant tout principe de reconnaissance et s'appuyant de crédit qu'ils ont au Conseil supérieur de Québec [114]. » Les pétitionnaires mentionnaient ensuite plusieurs litiges relatifs à des dettes non réglées qu'ils avaient présentés au Conseil supérieur. L'intendant, qui dirigeait le Conseil, ou les conseillers, parmi lesquels se trouvaient plusieurs marchands de la colonie, avaient refusé de se prononcer, prétextant qu'ils attendaient de nouvelles instructions de la Cour. L'action de l'intendant et du Conseil permettait ainsi aux marchands canadiens d'obtenir quelque délai supplémentaire.

Contrairement aux protestations d'ordre commercial, les revendications concernant les charges et les honneurs n'étaient formulées que par les créoles. L'État et l'Église ne satisfirent que partiellement leur demande. Les charges administratives, peu nombreuses, étaient, en effet, surtout confiées à des Français. En 1725, le roi rejeta la candidature de Charles Le Moyne de Longueuil et choisit Charles de La Boische, marquis de Beauharnois, pour être son représentant en Nouvelle-France. À ce propos, le ministre Pontchartrain notait : « Le gouverneur général ne doit point être canadien ni avoir de parents au Canada, mais être envoyé de France, être un homme de qualité, officier général qui n'ait point d'enfants, ni une jeune femme mondaine [115]. » La Couronne voulait éviter que des liens trop étroits ne se développent entre ses représentants et les élites créoles. Au XVIIIe siècle, les métropolitains étaient ainsi largement majoritaires parmi les conseillers et les procureurs généraux nommés au Conseil supérieur de Québec, ainsi que dans l'ensemble du personnel judiciaire du Canada.

En revanche, en 1691, le roi accepta d'ouvrir les rangs d'officiers des troupes coloniales aux nobles canadiens. En 1710, il donna la possibilité aux jeunes nobles de servir comme cadets à partir de dix-sept ans, puis de quinze ans. La noblesse canadienne, relativement peu fortunée, n'aurait pas pu faire carrière en France dans l'armée de terre, les charges y étant vénales (ce qui n'était pas le cas dans les compagnies franches de la Marine en garnison dans les colonies). En conséquence, dès 1720, la presque totalité des officiers étaient des Canadiens de naissance.

La canadianisation des communautés religieuses féminines fut encore plus précoce : dès 1690, les natives de la colonie y étaient majoritaires. Il n'en fut pas de même pour les congrégations masculines. Les jésuites et les sulpiciens n'ouvrirent presque jamais leurs portes aux Canadiens et continuèrent durant tout le Régime français à recruter la plupart de leurs nouveaux membres en métropole, peut-être pour s'assurer de leur niveau intellectuel. Cependant, les récollets intégrèrent des Canadiens dans leur communauté, d'abord timidement, puis de manière croissante après 1725, les prêtres français devenant alors minoritaires. Le clergé séculier accueillit plus encore les Canadiens qui comptaient pour 80 % des prêtres séculiers de la colonie en 1765. Mais on les reléguait aux tâches inférieures. La ville de Québec, où se réunissaient les élites ecclésiastiques, était ainsi principalement desservie par des prêtres français.

C'est surtout à la fin du Régime français que les Canadiens émirent des revendications en matière de charges. Mais, faute de presse et d'imprimeries dans la colonie, ces doléances ne purent prendre une dimension publique et collective, contrairement à ce qui prévalut en Amérique espagnole. Le « créolisme », soit la revendication créole par rapport aux péninsulaires et à la métropole, donna naissance au Mexique et au Pérou dès le XVIIᵉ siècle à toute une littérature à la fois théorique et concrète, qui dénonçait parfois au cas par cas les spoliations dont s'estimaient victimes les colons. Les créoles produisirent de nombreux textes dans lesquels ils exaltaient les bienfaits, la beauté et la richesse de leurs pays, et célébraient la grandeur de leur civilisation, comparable, sinon supérieure à celle de l'Europe. Dans ce but, ils cherchèrent à réhabiliter les élites indigènes et à s'approprier le passé des Amérindiens. En 1790, par exemple, la représentation dans la capitale de Nouvelle-Espagne d'une pièce de théâtre intitulée *Mexico se rebelle*, qui racontait la captivité et l'exécution du dernier souverain aztèque, divisa l'assistance : les Espagnols étaient furibonds, tandis que les créoles applaudirent avec force. Ces derniers s'opposaient ainsi au mépris dans lequel les tenaient de nombreux péninsulaires qui se considéraient comme supérieurs, parce qu'ils soupçonnaient les créoles d'être métissés. En outre, les métropolitains adhéraient à la théorie des climats, à l'œuvre dans les ouvrages de Buffon ou de Cornelius de Pauw, qui attribuaient des caractéristiques physiques et morales en fonction de la latitude à laquelle vivaient les populations, les régions les plus favorables étant celles correspondant au milieu tempéré ; ils acceptaient également la théorie de la dégénérescence de ces mêmes auteurs, selon laquelle les êtres

et les institutions s'abâtardissaient en raison de l'air
humide et vicié qui régnait partout en Amérique.

Si leurs motivations étaient différentes, les Français
adoptèrent une attitude similaire à l'égard des colons du
Saint-Laurent. La piètre estime dans laquelle étaient
tenus les Canadiens transparaît à l'évidence dans le jugement de ce commissaire de guerre, formulé en 1758, au
sujet du choix de l'officiel qui devait diriger les opérations militaires durant la guerre de Sept Ans : « Si l'on
veut sauver et établir solidement le Canada, que sa
Majesté en donne le commandement à M. le marquis de
Montcalm. Il possède la science politique comme les
talents militaires. Homme de cabinet et de détail, grand
travailleur, juste, désintéressé jusqu'au scrupule, clair-
voyant, actif, il n'a d'autre vue que le bien ; en un mot,
c'est un homme vertueux et universel. Quand M. de
Vaudreuil aurait de pareils talents en partage, il aurait
toujours un défaut originel : il est Canadien [116]. » Les
tensions entre Français et créoles s'exacerbèrent, en effet,
à l'occasion de ce conflit, du moins au niveau des états-
majors [117]. Le chevalier de Bougainville en vint même à
penser que :

> « Les Canadiens et les Français, quoique ayant la même
> origine, les mêmes intérêts, les mêmes principes de religion
> et de gouvernement, un danger pressant devant les yeux, ne
> peuvent s'accorder. Il semble que ce soient deux corps qui
> ne peuvent s'amalgamer ensemble. [...] Il semble que nous
> soyons d'une nation différente, ennemie même [118]. »

Victimes de cette méfiance, voire de ce mépris des
métropolitains, les élites canadiennes prirent probablement conscience, par un effet de miroir, de leur différence et de leur particularisme. En 1749, le procureur
Pellet écrivait que les élèves du séminaire de Québec
emportaient chez eux les livres prêtés par l'établissement,
prétendant « que cela leur appartenait mieux qu'au séminaire parce que les prêtres qui le composaient étaient des

étrangers », en l'occurrence des Parisiens. À la même date, l'hospitalière Duplessis de Sainte-Hélène présentait sa sœur née à Québec comme une « canadienne de nation », soulignant néanmoins qu'elle était « toute française d'inclination » [119]. Ces réflexions témoignent de ce que la canadianité n'était pas seulement une représentation imposée de l'extérieur par les autorités. Elle pouvait se construire en réaction aux injustices dont se sentaient victimes les Canadiens, même si elle n'était pas forcément exclusive du maintien d'un attachement à la France. En 1719, des habitants écrivaient ainsi dans une requête au Conseil de Marine : « Des domiciliés ont eu dans cette colonie : trisaïeux, bisaïeux, aïeux, leurs pères [...]. Ils y ont leurs familles, dont la plupart sont nombreuses ; qu'ils ont contribué à l'établir [la colonie], qu'ils y ont ouvert et cultivé les terres, bâti les églises, arboré des croix, maintenu la religion, fait construire de belles maisons, contribué à fortifier les villes, soutenu la guerre tant contre les nations sauvages que contre les autres ennemis de l'État [120]. » Dans cette déclaration transparaît à la fois un sentiment de patriotisme à l'égard de la colonie devenue la terre des ancêtres et la reconnaissance du rattachement de cette colonie à la France : les Anglais, en effet, ne sont pas présentés comme des ennemis des Canadiens en tant que peuple, mais comme ceux de « l'État », c'est-à-dire du gouvernement royal.

Si l'on peut constater les prémices d'un particularisme en formation, il semble donc abusif d'affirmer que les Canadiens dans leur ensemble auraient formé au cours du Régime français une identité distincte. Il est probable que leur sentiment identitaire était beaucoup plus complexe et multiforme, et qu'il variait considérablement selon les groupes sociaux. La force de ce sentiment parmi les milieux populaires, en particulier, est difficile à mesurer. Les habitants, dans les actes notariés ou les procédures judiciaires, ne se qualifiaient pas de Canadiens, mais indiquaient seulement, comme en France, leur paroisse de naissance. Des différences culturelles par rapport à la société mère ne suffisent donc pas à faire du Canada français un « peuple » ou une « nation » différente, d'autant que la société canadienne partageait de nombreux traits communs avec celle de métropole. Cela serait, de surcroît, adhérer au discours ethnicisant des élites de l'époque et faire de la construction nationale un processus essentiellement culturel, sans reconnaître le rôle primordial du politique. L'adhésion de la population à un modèle politique et social d'Ancien Régime joua un rôle important dans le maintien du loyalisme envers le roi et du sentiment identitaire français. Le fait que la Couronne assouplisse légèrement ses positions mercantilistes et fasse bénéficier les élites canadiennes de la faveur royale ralentit aussi probablement la transformation du phénomène de créolisation en créolisme. Ce n'est qu'après la Conquête anglaise que se forgea réellement cette identité canadienne. L'identité acadienne commença de la même façon à se construire avec la déportation de 1755 ; celle des créoles blancs de Louisiane se développa essentiellement après l'arrivée massive de migrants anglo-américains et la vente de la Louisiane en 1803.

12

LA CHUTE D'UN EMPIRE

En 1763, le traité de Paris, entérinant la prise de Québec (1759) puis de Montréal (1760) par les troupes britanniques, sonne le glas de la Nouvelle-France. Une partie de l'Empire colonial français disparaissait. Le scénario de cette chute n'était pas écrit à l'avance, en dépit de ce que l'on a parfois suggéré, en présentant par exemple le traité d'Utrecht de 1713 comme le prélude du traité de Paris. Les colonies anglaises d'Amérique du Nord, certes, étaient vingt fois plus peuplées vers 1750 que la Nouvelle-France, et leur expansion continentale semblait conditionnée par la conquête de celle-ci. Mais le Canada était loin d'être terrassé. Pehr Kalm, en 1749, reprenant le discours d'un vieil habitant du Saint-Laurent, lui annonçait même un avenir radieux : « le Canada deviendra dans un proche avenir un pays extrêmement puissant » ; il le comparait volontiers à la Rome antique, confiant aux « provinces anglaises » le rôle moins inspiré des Carthaginois [1]. Ce qui est certain, c'est que les Canadiens avaient prouvé par le passé, et ils le firent encore durant les premières années de la guerre de Sept Ans, de 1754 à 1757, qu'ils étaient supérieurs militairement aux colons britanniques. C'est l'européanisation du conflit américain, à partir de 1758, qui scella le sort de la Nouvelle-France, lorsque la Grande-Bretagne décida d'investir toutes ses forces dans la bataille pour le continent [2].

Deux Empires s'affrontent, mais aucun ne forme un bloc monolithique. Chaque Empire colonial est un puzzle traversé de tensions internes et où s'expriment des aspirations diverses. Il faut distinguer la métropole de ses colonies, mais aussi tenir compte des différences à l'intérieur du monde colonial. Les Treize colonies britanniques détiennent incontestablement la palme de la désunion. Dans le cas français, plusieurs acteurs doivent être distingués – même si le procédé est parfois délicat : les Français, les Canadiens, les Acadiens, les colons de Louisiane, et bien sûr les Indiens qui, depuis la fin du XVIIe siècle, jouent un rôle déterminant dans les guerres coloniales.

La question acadienne, principale source de frictions entre les deux Empires après 1713, retiendra d'abord notre attention. Puis, nous nous plongerons dans les péripéties de la guerre de Sept Ans : ce conflit multiforme, qui se joua sur trois continents et deux océans, mérite d'autant plus qu'on s'attarde sur son volet nord-américain que son prologue fut écrit, à l'encre de sang, dans un vallon de l'Ohio, lorsqu'un « Demi-Roi » iroquois, en présence du futur premier président des États-Unis, fracassa de son tomahawk le crâne d'un officier français. Cet épisode singulier survint le 28 mai 1754, deux ans avant le déclenchement officiel des hostilités en Europe. Tout en analysant les différentes étapes du conflit, nous nous interrogerons sur les forces respectives de chaque Empire et les diverses raisons pouvant rendre compte de l'échec militaire français.

L'après-Utrecht : premières questions, premières tensions

Le désir des colonies anglaises de voir disparaître la Nouvelle-France ne date pas des années 1750 ; il naît dès la fin du XVIIᵉ siècle, au cours de la guerre de la Ligue d'Augsbourg (1689-1697), pour rebondir de plus belle durant la guerre de Succession d'Espagne (1702-1713). Cette dernière guerre n'a pas été perdue par la Nouvelle-France, mais le traité d'Utrecht qui la clôt se révèle douloureux : il livre à l'Angleterre la baie d'Hudson, Terre-Neuve et, plus grave, l'Acadie, véritable porte d'entrée d'un Canada soudain très vulnérable. La paix franco-anglaise perdura de 1713 à 1744, soit l'espace d'une génération, mais elle est qualifiée à juste titre par Guy Frégault de « paix armée ». En 1725, le gouverneur Rigaud de Vaudreuil écrit à la Cour en guise d'avertissement : « Nous devons être persuadés que cette Colonie sera toujours l'objet de la Jalousie des Anglais [...] Nous n'avons point d'ennemi plus dangereux à craindre[3]. » Avec la fondation de la Louisiane en 1699 et la constitution d'une chaîne de postes entre le golfe du Mexique et celui du Saint-Laurent, les colonies anglaises voyaient peser sur elles une menace d'encerclement. La question de l'Acadie, territoire placé à l'extrémité septentrionale de cette chaîne et, plus fondamentalement, niché entre le Canada et la Nouvelle-Angleterre, était de loin la plus sensible.

L'Acadie est-elle britannique ?

L'Acadie, ou Nouvelle-Écosse, était devenue officiellement britannique en 1713 en vertu du traité d'Utrecht, mais elle se déroba pendant plusieurs décennies à cette nouvelle souveraineté, les Indiens micmacs et les Acadiens refusant de faire acte de soumission. Dès le début du XVIIIᵉ siècle, les autorités anglaises s'efforcèrent de trouver la meilleure façon d'absorber au sein de l'Empire ces populations rétives. Certains proposaient, déjà, d'expulser les Acadiens, tout en assimilant les Micmacs ; d'autres prévoyaient plutôt d'angliciser les premiers et de repousser au loin les Indiens. Assimiler, convertir, expulser, voire annihiler, ces diverses méthodes ont tour à tour été envisagées et débattues tout au long du XVIIIe siècle par des Britanniques soucieux de créer en Nouvelle-Écosse une colonie protestante homogène [4].

Le traité d'Utrecht n'avait pas clairement établi si les Micmacs relevaient ou non (selon la théorie coloniale) de l'Empire britannique. Or, à l'instar des Abénaquis, leurs voisins et alliés, ils n'avaient pas renoncé à leur territoire, et cela d'autant moins qu'on ne les avait nullement consultés. Ils choisirent en outre de rester fidèles à la France. Sous l'influence des missionnaires jésuites, les Micmacs s'étaient convertis à la religion catholique et, surtout, ils n'avaient jamais eu de bons rapports avec les colons anglophones. À la fin des années 1670, par exemple, s'étaient déroulés des heurts violents avec des pêcheurs du Massachusetts. Par ailleurs, le refus anglais d'adopter les méthodes françaises, c'est-à-dire de s'adapter aux rituels indiens du don et du contre-don et de former des interprètes – les colons britanniques dépendaient, pour communiquer avec les Micmacs, des missionnaires français et des Acadiens –, empêcha tout rapprochement avec les autochtones.

En 1715, des Micmacs, refusant de prêter le serment d'allégeance à la Couronne britannique, déclarèrent qu'ils « avaient leur roi naturel et qu'Onontio, M. le marquis de Vaudreuil était leur chef, que le roi de France était son père parce qu'il lui procurait des missionnaires pour les instruire [5] ». À des Britanniques qui se prévalaient du traité d'Utrecht pour affirmer leurs droits de propriété dans la région de la rivière Saint-Jean, des Abénaquis, de la même façon, avaient exprimé en 1716 une fin de non-recevoir. Voici le rapport du gouverneur Vaudreuil :

> « les sauvages leur ont répondu que cette terre leur avait toujours appartenu, qu'ils n'étaient point sujets des Français

mais seulement leurs alliés et leurs amis, que les Français n'avaient pas pu donner aux Anglais une terre qui appartenait aux sauvages et qu'ils n'en sortiraient point[6] »

En 1722, pour marquer leur refus de la souveraineté britannique et de la colonisation de peuplement, les Micmacs lancèrent une guerre de raids. Deux traités, l'un en 1725 (dans le Maine), l'autre l'année suivante (à Annapolis-Royal), mirent fin à ce conflit, en reconnaissant le droit des Indiens à se gouverner eux-mêmes. Les autorités de la Nouvelle-Écosse révélaient leur impuissance à assujettir les Micmacs et à les empêcher de fréquenter les Français. Cette paix dura jusqu'en 1744.

Les Anglais n'étaient pas capables non plus de soumettre à leurs désirs la population acadienne d'ascendance française qui vivait en Nouvelle-Écosse et qui y était largement majoritaire par rapport aux colons britanniques (10 000 contre 500 en 1744). La génération acadienne d'après Utrecht, si elle ne se sentait pas nécessairement française, affichait généralement son refus de l'anglicisation. Son statut, et la façon de l'intégrer ou non au sein de l'Empire, relevaient du casse-tête pour les autorités britanniques.

Le traité d'Utrecht stipulait que les Acadiens disposaient d'une année pour décider s'ils voulaient demeurer ou non en Nouvelle-Écosse, ceux qui choisissaient de rester devenant alors des sujets britanniques – à qui on garantissait toutefois le droit au culte catholique. Les Acadiens ne prirent pas le chemin de l'exil, et vers 1730 tous les hommes avaient prêté serment de fidélité à la monarchie britannique. Mais la plupart avaient exprimé au même moment leur refus de la conscription. Il n'était pas question, pour la grande majorité des Acadiens, de prendre les armes contre la France. Les autorités britanniques, de fait, s'interrogèrent dans les décennies suivantes sur la validité de ce serment... En refusant d'appartenir clairement à l'Empire britannique, les Acadiens renonçaient aussi, juridiquement parlant, à leurs droits de propriété. Après 1744, les anglophones les qualifiaient toujours de « *French* », ou bien de « *French Neutrals* » (« Français neutres »). Il faudrait nuancer : le comportement des Acadiens n'était pas uniforme. Si certains se montraient plutôt hostiles à la présence britannique, d'autres – et particulièrement ceux vivant près d'Annapolis-Royal – s'en accommodaient, jusqu'à servir dans l'administration ou jouer un rôle d'informateurs. Une minorité d'Acadiens avait ainsi prêté un serment d'allégeance inconditionnel à l'*Union Jack*.

La tâche britannique était d'autant plus difficile que le roi de France n'avait pas abandonné l'espoir de récupérer cette région, et qu'il déployait tous les efforts pour s'octroyer, au nez et à la barbe des Anglais, l'allégeance des Acadiens et des Micmacs. Pour réagir au traité d'Utrecht, les Français avaient fondé Louisbourg sur l'île Royale en 1714 : cette ville-forteresse devait faire contrepoids à l'influence anglaise. Recouvrer l'Acadie, c'était compléter le dispositif stratégique tissé par la chaîne de positions fortifiées entre Louisbourg et La Nouvelle-Orléans. À tout le moins, il convenait de réduire la Nouvelle-Écosse à la péninsule et de maintenir la liaison entre Québec et Louisbourg. L'isthme de Chignectou reliant le continent à la presqu'île acadienne constituait à cet égard une zone stratégique que les Indiens, en partie grâce à l'activité des missionnaires, étaient censés aider à contrôler.

La guerre de Succession d'Autriche, les Acadiens et les Indiens

La question acadienne fut réactivée dans le contexte de la guerre de Succession d'Autriche. Celle-ci éclata en Europe à l'été 1744, pour se terminer quatre années plus

tard avec le traité d'Aix-la-Chapelle. Elle opposait
l'Autriche et l'Angleterre à la France et à la Prusse. Les
autorités de l'île Royale saisirent l'opportunité de ce
conflit pour repousser les frontières de la Nouvelle-
Écosse et réintégrer les Acadiens et les Micmacs au sein
de l'Empire français. Avec le concours de Micmacs, les
Français attaquèrent avec succès l'établissement anglais
de Canseau, situé au nord-ouest de la péninsule. Mais
cette offensive entraîna la riposte immédiate de la colonie
du Massachusetts, qui envoya des renforts à Annapolis-
Royal et qui déclara officiellement la guerre aux Micmacs. En octobre 1744, la Cour générale du Massachusetts offrait 100 livres (anglaises) pour le scalp d'un
homme micmac, 50 pour celui d'une femme ou d'un
enfant. Cette politique eut pour effet de mettre en relief
la question des métis et de leur identité en Acadie. En
janvier 1745, des députés acadiens vinrent présenter une
pétition aux autorités britanniques en leur demandant si
les métis étaient considérés comme des Indiens et s'ils
étaient donc concernés ou non par les primes de scalps.
Il fut décidé que les fermiers, marchands et pêcheurs qui
parlaient français et possédaient un mode de vie de style
européen y échapperaient. C'était une manière pour les
Anglais, remarque Geoffrey Plank[7], de séparer plus clairement les Acadiens des Micmacs et d'opérer à leur avantage les classifications ethniques dans une région qui,
depuis le XVIe siècle, se définissait à travers un fort métissage et donc des identités plurielles.

Quelques mois plus tard, Louisbourg fut assiégée et
finit par se rendre le 17 juin 1745. Les puritains salu-
èrent cette victoire comme le fruit de la Providence. Un
vieux pasteur venu spécialement de Boston, pour mieux
célébrer la défaite des « papistes », abattit à l'aide d'une
hache les images et l'autel de l'église. Quant aux habitants de l'île Royale, ils furent déportés en France. Les

Franco-Canadiens, les Micmacs et les Abénaquis restèrent actifs militairement dans la péninsule durant toute la guerre et, comme lors des conflits passés, semèrent aussi la terreur sur les frontières de la Nouvelle-Angleterre. Le village de Saratoga, par exemple, fut dévasté en 1745. Les Français encourageaient les Micmacs à leur ramener, moyennant finance, les scalps des soldats britanniques. Louis XV décida aussi d'apporter son soutien, au prix d'un effort considérable – et mal récompensé : le duc d'Anville, placé à la tête d'une importante escadre de plus de 8 000 hommes, fut chargé de reprendre l'Acadie et l'île Royale. La flotte appareilla de Rochefort en juin 1746, mais une épidémie de peste et des tempêtes empêchèrent l'expédition d'être menée à son terme.

La paix d'Aix-la-Chapelle, signée en juillet 1748, permit toutefois à la France de recouvrer l'île Royale, et donc Louisbourg, au grand ressentiment du Massachusetts. Ce retour au statu quo n'empêcha pas la région, jusqu'au déclenchement d'une nouvelle guerre en 1754, de demeurer très instable, une instabilité marquée notamment par les dissensions au sein des communautés micmaques et acadiennes. Les Français déportés en 1745 revinrent à Louisbourg avec des forces accrues. La France, plus que jamais, était déterminée à mener une politique impérialiste : son but était de créer une nouvelle Acadie.

C'est dans l'isthme de Chignectou que se focalisa de plus en plus la tension franco-britannique. Pour contrôler cet isthme, les Français y érigèrent le fort Beauséjour – en face d'un poste anglais, le fort Lawrence – et le fort Gaspareau. Comme ils l'avaient fait après 1713, ils essayèrent aussi de faire migrer les Acadiens et les Micmacs en dehors de la péninsule. Les autorités canadiennes chargèrent le chevalier de La Corne et le prêtre Le Loutre de bloquer l'isthme et de favoriser l'émigration des Acadiens installés en Nouvelle-Écosse vers Beauséjour. Ces derniers, attachés aux terres qu'ils avaient mises en valeur, se montrèrent toutefois réticents. Ils furent parfois forcés à la migration sous la pression des Micmacs qui, à l'instigation de Le Loutre, menaçaient de les molester. L'intendant du Canada, François Bigot, en rend clairement compte : « Les sauvages étant en guerre avec l'Anglais ont aussi contribué à la transplantation des Acadiens sur les terres françaises. Ils en ont même forcé à rompre toute liaison avec lui [8]. »

En 1749, Edward Cornwallis, le nouveau gouverneur de la Nouvelle-Écosse, pouvait fulminer : « Il y a 34 ans qu'on la désigne sous le nom de province anglaise, et le roi n'a pas un seul vrai sujet en dehors du fort d'Annapolis [Port Royal]. Je n'y peux trouver la moindre trace d'un gouvernement anglais [9]. » Halifax, fondée la même année, devait servir à la fois de base militaire pour conquérir Louisbourg et de nouveau point de départ de la colonisation protestante en Nouvelle-Écosse. Cornwallis, par ailleurs, remit à l'ordre du jour les primes pour scalps contre les Micmacs. La politique britannique consistait de plus en plus à éliminer toute présence indienne en Acadie.

La stratégie française, à cet égard, était tout autre. Dans les Pays d'en Haut pourtant, l'alliance franco-amérindienne fut sévèrement ébranlée durant la guerre de Succession d'Autriche. Les Français, comme l'illustre la situation acadienne, avaient besoin du soutien militaire des Indiens pour mieux résister aux Britanniques. Mais furent-ils capables, en cette période troublée, de préserver leur amitié ? Au cours des années 1740, des nouvelles inquiétantes parvenaient en effet à Québec : des villages multi-ethniques s'établissaient entre le lac Érié et l'Ohio, villages qui composaient selon les officiers français autant de « républiques [10] ». Refusant l'autorité d'Onontio, ces Indiens, parmi lesquels des Miamis et des Hurons, étaient perçus comme une menace par les Français. En 1747, la situation s'aggrava singulièrement : dans les Pays d'en Haut et le Pays des Illinois, un vent de « révolte » paraissait souffler en effet sur la nuque d'Onontio. Il ne s'agissait pas d'une « conspiration » générale des Indiens, comme le craignaient les autorités de Québec, mais les meurtres de Français se multipliaient et les Miamis allèrent jusqu'à piller le poste installé parmi eux.

Cette situation, selon Richard White, était le fruit des maladresses françaises. En coupant à vif dans le budget des présents et en augmentant le coût des marchandises, en partie à cause du blocus de la Royal Navy qui, de 1744 à 1748, empêchait la colonie d'être correctement approvisionnée, les Français provoquèrent le mécontentement des Indiens. La traite pelletière était perturbée, la générosité d'Onontio prise à défaut. La fin de la guerre de Succession d'Autriche ne mit pas un terme à l'insatisfaction des alliés. Le gouverneur La Galissonnière (1747-1749), encouragé par Rouillé, le nouveau ministre de la Marine, ne respectait pas en effet le protocole habituel de l'alliance, qui exigeait du « père » français qu'il soit magnanime avec ses « enfants » autochtones. En 1750-1751, son successeur, Jacques-Pierre de Taffanel de La Jonquière, en pardonnant les meurtres commis et en restaurant la politique des présents, parvint pour sa part à dissiper les tensions.

La situation demeurait toutefois inquiétante dans le sud des Pays d'en Haut, où lesdites « républiques », en plus d'échapper au cercle de l'alliance franco-indienne, ouvraient leurs portes aux traiteurs virginiens et pennsylvaniens. Le village miami de Pickawillany, sous l'influence du chef La Demoiselle, constituait vers 1750 le centre de la « révolte » antifrançaise. En 1749, George Croghan, un marchand d'origine irlandaise, y avait établi un comptoir. Sa tête fut bientôt mise à prix par des Français décidés à restaurer leur influence partout dans l'intérieur du continent.

La guerre de Sept Ans en Amérique du Nord : les succès franco-indiens (1754-1757)

La guerre de Sept Ans fut un conflit mondial. Les Français, d'une part – placés à la tête d'une coalition qui comprenait notamment les Autrichiens –, et les Britanniques, d'autre part – qui s'étaient rapprochés des Prussiens –, s'affrontèrent en effet sur plusieurs théâtres : l'Europe, la Méditerranée, mais aussi l'Amérique du Nord, les Antilles et les Indes orientales. Des quatre conflits qui opposèrent les Français aux Britanniques pour la maîtrise du continent américain, c'est le seul qui eut une origine locale. Ce n'est pas un trône qui était en jeu, mais un territoire niché au cœur du Nouveau Monde. L'affrontement franco-anglais s'engagea dès 1754, deux ans avant le déclenchement officiel du conflit sur le Vieux Continent. Il se termina aussi plus tôt pour le Canada que pour la France : quand, en novembre 1762, les préliminaires de paix de Fontainebleau furent signés, la colonie laurentienne subissait depuis deux années la loi militaire britannique.

Souvent nommée « guerre de la Conquête » par les historiens québécois et *French and Indian War* (« guerre franco-indienne ») ou encore « grande guerre pour l'Empire » par l'historiographie anglo-américaine, la guerre de Sept Ans mettait en jeu la capacité de la Nouvelle-France à résister à l'Empire britannique et donc à faire preuve d'une parfaite coordination : entre les autorités de Québec et la métropole, entre les différents officiers chargés d'établir la stratégie militaire, mais aussi entre les Français et leurs alliés indiens.

French and Indian War... L'appellation, également réservée aux guerres franco-anglaises précédentes, est révélatrice de l'importance des alliances autochtones pour la Nouvelle-France. Celle-ci, avec le soutien parfois déterminant des Indiens, multiplia les victoires pendant quatre années, si l'on met de côté pour l'instant l'Acadie, écrasée par les Britanniques dès 1755. Les succès franco-indiens ne constituaient pas une surprise, ni pour les Français ni pour les Anglais. C'était plutôt la norme depuis la guerre de la Ligue d'Augsbourg. L'infériorité démographique de la Nouvelle-France ne faisait pas de doute, mais comme l'attestait en 1755 un article du *London Magazine*, plein d'amertume devant les dissensions intra-coloniales britanniques, les Français avaient d'autres atouts : « l'union, une bonne position géographique, une solide politique indigène, une meilleure connaissance du territoire et de la suite dans les idées n'auront pas de peine à contrebalancer la supériorité numérique de populations désunies [11] ». Le nombre, dans les guerres, ne faisait pas tout en effet. La stratégie, la tactique et les circonstances du combat avaient aussi leur importance.

1754 : la Belle Rivière, clé du continent

L'Ohio, ou « Belle Rivière », soit la partie méridionale des Pays d'en Haut, fut le point de cristallisation du conflit. Cette rivière n'était pas mentionnée par le traité d'Utrecht, mais les Français et les Anglais, dès le début du XVIIIe siècle, prirent conscience de son importance pour le commerce et pour la domination du continent. Dans un mémoire de 1726, le père de Beaubois, missionnaire jésuite dans le Pays des Illinois, explique à la Compagnie des Indes le rôle vital de l'Ohio pour l'équilibre de la Nouvelle-France : si les Anglais s'en rendent maîtres, dit-il en substance, ils risquent d'entraver les communications entre le Canada et la Louisiane. En 1732, le sieur Vincennes établit un petit poste au confluent de la Ouabache et de l'Ohio, et treize ans plus tard le gouverneur de la Louisiane, Vaudreuil, réclame qu'on érige sur cet emplacement un véritable fort. « Ce fort sera la clef de la colonie et une barrière à l'ambition des Anglais, qui ne manqueront point de faire quelque établissement sur cette rivière, si nous tardons plus long-temps à nous y placer [12]. » Malgré les appels répétés des autorités de la Louisiane, ce fort ne fut toutefois pas construit, en raison des problèmes financiers de la Couronne, accaparée par la guerre de Succession d'Autriche. Dans les années 1750, le pouvoir royal se décida plutôt à reconstruire le fort de Chartres, ce qui s'avéra être un mauvais choix stratégique : il eût certainement été préférable d'ériger un fort sur l'Ohio.

Les Virginiens, aimantés par la traite des pelleteries mais aussi par la possibilité de réaliser de fructueuses spéculations foncières, aiguisaient en effet leur regard en direction de la Belle Rivière. En 1744, par le traité de Lancaster, ils affichèrent auprès des Iroquois leurs ambitions territoriales, et quatre ans plus tard fut créée l'*Ohio Company*. Des traiteurs, tel George Croghan, commencèrent alors à se rendre dans la vallée de l'Ohio. L'idée d'un affrontement avec les Français paraissait, de fait, plus ou moins inévitable aux Virginiens, comme d'ailleurs au roi d'Angleterre, qui ne pouvait tolérer à terme l'expansion française dans cette région.

Les Français et les Anglais se proclamaient propriétaires de l'Ohio, mais, outre qu'ils n'en connaissaient pas bien les limites, ils sous-estimaient la volonté des autochtones (Delawares, Chaouanons, Mingos) d'y conserver leur souveraineté. Ce que les Européens savaient, toutefois, et au premier chef les Français, c'est que la maîtrise de l'Ohio était étroitement tributaire de l'alliance – ou de la neutralité – de ces Indiens. La ligue iroquoise,

constituée depuis l'agrégation des Tuscaroras en 1722 de
six nations, se réservait aussi un droit de regard sur cette
région, puisqu'elle considérait les Delawares, les Chaouanons et les Mingos comme des nations « clientes » au
sein du réseau d'alliance appelé la Chaîne du Covenant.
Les Iroquois des Six Nations, par ailleurs, n'étaient pas
sans pressentir le danger de la colonisation de peuplement. C'est ce qu'exprimait le chef Hendrick en 1754 :
« Frères, le gouverneur de la Virginie et le gouverneur du
Canada se disputent les terres qui nous appartiennent ;
cette querelle peut amener notre destruction ; ils se
battent pour savoir qui aura la terre [13]. »

Un autre chef iroquois fut l'un des principaux prota-
gonistes du déclenchement américain de la guerre de
Sept Ans. Le Tsonnontouan Tanaghrisson, appelé le
« Demi-Roi » par les Anglais, était le représentant de la
ligue iroquoise dans la région de l'Ohio. Il entendait
maintenir l'influence des Six Nations sur les Indiens de
cette région en favorisant l'implantation des Anglais, et
il déniait fermement aux Français le droit de s'y installer.
En septembre 1753, il s'adressa de la sorte à Joseph
Marin de La Malgue, un officier français rompu aux
affaires indiennes : « Quoique je sois petit, le Maître de
la Vie ne m'a pas moins donné du courage pour soutenir
à l'opposition des Établissements, c'est la première et
dernière demande que nous vous en ferons, et je frappe-
rai sur celui qui ne nous écoutera pas [14]. » Ce n'était pas
une menace voilée.

Or, les Français avaient pris l'initiative de faire ces
« Établissements » sans même attendre la décision des
commissaires chargés, à la suite du traité d'Aix-la-
Chapelle (1748), de délimiter les frontières de l'Ohio. Le
gouverneur La Galissonnière entendait consolider la
ligne de forts dans l'intérieur du continent pour encer-
cler les colonies anglaises et, en vertu d'une théorie coloniale des dominos, il transforma la Belle Rivière en clé

du continent. À l'été 1749, il dépêcha Céloron de Blain-
ville avec 200 hommes pour le « renouvellement de possession [...] de ladite rivière Oyo [15] ». Cette expédition,
infructueuse, permit surtout aux Français de constater
leur manque de crédit dans la région. Trois ans plus tard,
un raid brutal eut beaucoup plus d'effet. Le 21 juin
1752, au petit matin, un officier, le métis franco-
outaouais Charles-Michel Mouet de Langlade, placé à la
tête d'un parti de 210 Outaouais et de 30 soldats français, surgit brutalement dans la bourgade de Pickawillany. La plupart des guerriers miamis étaient absents et
Langlade épargna les traiteurs britanniques. En revanche,
les femmes furent capturées et le chef La Demoiselle,
qui était présent, fut torturé et mangé. Cette expédition
sanglante fit que les Miamis renoncèrent à l'engagement
proanglais de La Demoiselle et rejoignirent l'alliance
française. Elle suscita en outre un vent de panique dans
l'arrière-pays de la Pennsylvanie. Ce n'était qu'un début.

Le gouverneur Duquesne, arrivé dans la colonie à l'été
1752, envoya l'année suivante une véritable armée sur la
Belle Rivière. L'expédition, commandée par Marin de la
Malgue, était forte de 2 000 Franco-Canadiens et de 200
Indiens. Elle avait pour objectif d'établir une chaîne de
forts du lac Érié à l'Ohio et de trouver par la même
occasion le chemin le plus rapide entre le Canada et la
Louisiane. Trois postes furent édifiés : le fort de la Presqu'île, en août, sur la rive sud du lac Érié, le fort de la
Rivière-au-Bœuf, le mois suivant, puis le fort Machault,
près d'un village delaware. Les autochtones de l'Ohio
restaient sourds aux sollicitations des Britanniques et de
Tanaghrisson. Celui-ci, avec trois Mingos, fut le seul
Indien à accompagner George Washington lors de sa
mission de 1753. Ce jeune homme de 22 ans, appelé à
un grand destin, n'avait guère d'expérience et se montrait
très condescendant à l'égard des autochtones. Lieutenant-
colonel dans les milices de Virginie, il était mandaté

pour intimer l'ordre aux Français de se retirer. C'est le message qu'il transmit en décembre à Le Gardeur de Saint-Pierre, le commandant du fort de la Rivière-au-Bœuf. Saint-Pierre, on s'en doute, n'obtempéra pas. Au printemps suivant, le 16 avril 1754, un petit détachement britannique de quarante hommes, dirigé par le capitaine Trent, qui établissait un fortin au confluent des rivières Alleghany et Monongahéla (ou « Mal-engueulée »), fut surpris par l'officier français Pécaudy de Contrecœur, qui n'eut pas de mal, avec ses mille hommes, à le déloger et à le faire fuir. C'est à cet emplacement que fut construit le fort Duquesne, qui complétait le dispositif militaire des Français dans cette région.

Contrecœur, qui commandait le fort, chargea l'enseigne Coulon de Villiers de Jumonville de sommer Washington, qui avait été envoyé dans la région pour secourir le capitaine Trent, de se retirer des « terres du Domaine du Roi [16] ». Washington, accompagné de Tanaghrisson, tendit une embuscade le 28 mai à Jumonville et à sa trentaine d'hommes. L'officier français essaya de lire la sommation dont il était porteur, mais les Virginiens avaient déjà tiré. Tanaghrisson, se rapprochant alors de Jumonville, lui souffla : « Tu n'es pas encore mort, mon père [17] », avant de lui planter son tomahawk dans le crâne. Tous les Français furent tués et scalpés. Tanaghrisson agissait en guerrier qu'il était, mais aussi, peut-être, en homme conscient d'avoir échoué dans sa tentative pour rallier les Indiens de l'Ohio à sa cause. Il devait mourir quelques mois plus tard, frappé par la maladie.

Les Français tinrent Washington pour responsable de la mort de Jumonville et crièrent à l'assassinat. Le gouverneur Duquesne écrivait ainsi à l'adresse de Contrecœur : « ce meurtre est unique et ne peut Se laver que par une effusion de Sang, Si l'Anglais ne Se presse pas de m'envoyer les meurtriers pour preuve de son Désaveu [18] ». Voltaire lui-même fit part quelque temps plus tard de son indignation quand on lui apprit l'événement : « J'étais Anglais alors », notait-il au marquis de Courtivron, « je ne le suis plus depuis qu'ils assassinent nos officiers en Amérique [19] ». C'est le propre frère de Jumonville, Louis Coulon de Villiers, alors commandant du fort de Chartres, qui fut chargé par Contrecœur d'organiser une expédition punitive. Il était accompagné de 600 soldats et miliciens – du Canada et du Pays des Illinois – et d'une centaine d'Indiens domiciliés. Villiers n'eut pas de mal à s'emparer du fort Necessity le 4 juillet, et Washington, dans l'acte de capitulation, dut reconnaître qu'il avait « assassiné » Jumonville. Le fort fut détruit, et l'influence française d'autant mieux rétablie sur l'Ohio que les Indiens de la région semblaient rejoindre la famille d'Onontio. L'initiative de Duquesne ne fut pourtant pas saluée par la Cour, qui conseilla au gouverneur de s'en tenir à la prudence. Cette affaire avait en tout cas alerté les diplomates européens. En février 1755, le ministre de la Marine, Machault, écrivait à Duquesne : « Les mouvements [...] qu'il y a eu l'année dernière du côté de la Belle rivière ont fait beaucoup de bruit en Europe ; et l'expédition du S. de Villiers a occasionné une fermentation particulière en Angleterre [20]. » Les mois suivants allaient prouver qu'une nouvelle guerre franco-anglaise s'était bien déclenchée en Amérique.

1755 : déroute britannique sur la Mal-engueulée

Les colonies britanniques, à l'étroit sur le littoral atlantique, ressentaient fortement la menace d'encerclement de la Nouvelle-France.

« Les forts français sont si nombreux », estime une brochure londonienne de 1754, « que le Canada est en passe de nous dépouiller des neuf-dixièmes » du continent. Dans un article de *The New York Gazette*, l'année suivante, un colon écrit qu'il souhaite que les Britanniques « frappent maintenant un grand coup, qu'ils se rendent maîtres de toute l'Amérique du Nord, qu'ils en chassent les Français de tous les coins [21] ». William Shirley de son côté, le gouverneur du Massachusetts, s'il ne parle pas en 1755 de la conquête du Canada, préconise au moins de déloger les Français de tout le littoral atlantique et des Grands Lacs. La Grande-Bretagne réagit promptement à la capitulation de Washington au fort Necessity. Dès l'automne 1754, elle envoie en Amérique, sous l'autorité de Edward Braddock, un corps expéditionnaire dont l'objectif est à la fois d'expulser les Français de la vallée de l'Ohio, de « nettoyer » le lac Ontario et le lac Champlain, et d'imposer la *Pax Britannica* dans l'isthme de Chignectou, en Acadie. Or, Braddock ne parvint à rien faire de tout cela.

C'est pourtant une armée formidable, avec ses 2 200 hommes et ses lourds canons, qui s'ébranla à l'été 1755, partie d'Alexandria (Virginie) en direction des fourches de l'Ohio. Pour Braddock, la prise du fort Duquesne ne faisait aucun doute... Le généralissime britannique, une fois la barrière des Appalaches – péniblement – franchie, engagea sa campagne sur une fausse note diplomatique. Par l'entremise de George Croghan, il avait reçu une proposition d'aide de chefs de guerre delawares, mingos et chaouanons, mais, incapable de mesurer la valeur militaire des Indiens, il ne sut nullement en profiter. Il se montra même si dédaigneux à l'égard des chefs autochtones que ces derniers, irrités, quittèrent pour la plupart le parti anglais pour rejoindre le camp français. Seuls huit Mingos accompagnaient la légion de Braddock le 9 juillet 1755, alors qu'elle progressait, confiante, avec ses couleurs vives (rouge pour les troupes régulières, bleu pour les Virginiens) et ses drapeaux au vent, à quelques encablures du fort Duquesne.

Contrecœur, qui commandait le fort français, savait qu'il n'avait aucune chance de résister à une telle armée si celle-ci, prenant position, procédait à un siège en forme. Il disposait de 1 600 hommes (y compris les Indiens), mais le fort ne pouvait contenir que 200 défenseurs. Aussi décida-t-il, au matin du 9 juillet, tandis que les troupes de Braddock étaient annoncées à moins de quinze kilomètres, d'envoyer un parti pour leur couper la route. Cette décision paraissait d'autant plus logique que c'était pour Contrecœur la meilleure façon d'utiliser les alliés indiens, dont il savait qu'ils n'auraient pas défendu le fort. Commandé par Daniel-Hyacinthe-Marie de Beaujeu, la troupe franco-indienne était composée de 36 officiers, de 72 soldats de la Marine, de 146 Canadiens et de 637 autochtones, essentiellement des Outaouais, des Saulteux, des Hurons et des Poutéouatamis.

À une heure de l'après-midi, quand l'avant-garde britannique, forte de 300 hommes, surprit le corps français, Beaujeu leva son chapeau et cria « vive le roi » en commandant le feu. Mais les Anglais rispostèrent derechef, et l'officier français s'écroula à la troisième décharge. Sa troupe se replia dans un désordre apparent, les Canadiens et les Indiens se positionnant dans la forêt, sur les flancs de l'armée britannique. Cachés derrière les arbres, de chaque côté de la route, ils purent aisément cribler l'ennemi de balles. Prises entre deux feux, au milieu d'une fumée épaisse qui s'échappait des canons, confrontées à un adversaire invisible, épouvantées par les cris de guerre indiens, les Tuniques rouges offraient une cible d'autant plus aisée qu'elles combattaient en serrant les rangs, à la manière européenne. La boucherie dura quatre heures. Braddock, sabre au clair, vit quatre chevaux s'écrouler sous lui avant d'être mortellement blessé, et deux tiers de ses officiers connurent un sort identique. Il y eut en tout 977 tués ou blessés sur les 1 500 hommes de la colonne britannique, contre seulement 23 morts et 16 blessés côté franco-indien.

La défaite de Braddock sur les bords de la Monongahela cristallisait, sur le sang des Anglais, le triomphe de l'alliance franco-indienne. Il s'agissait d'abord d'un triomphe tactique, celui de la « petite guerre » sur les méthodes européennes [22] : le terrain et les circonstances se prêtaient à la manière de combattre des Indiens – et des Canadiens –, fondée sur l'effet de surprise, sur la mobilité et sur l'habileté à se mettre à couvert derrière les arbres. Pour les autochtones, les soldats européens « sont des fous ; ils lèvent leurs fusils à moitié de hauteur d'homme, et lâchent leur coup au hasard : nous au contraire, nous visons le nôtre et le manquons rarement [23] ».

Le triomphe était également stratégique et, oserons-nous dire, culturel. Alors que Braddock, à l'image de la grande majorité des officiers supérieurs britanniques [24], sous-estimait et dédaignait la valeur militaire des autochtones, Bougainville pouvait écrire qu'« au milieu des bois de l'Amérique on ne peut pas plus se passer d'eux [les Indiens] que de la cavalerie en plaine » ; il notait aussi que les Canadiens, qui les avaient imités, « sont forts bons dans le bois, adroits à tirer [et] se battent en s'éparpillant et en se couvrant de gros arbres [25] ». L'officier se montrait ici plus réaliste qu'admirateur, car, formé en Europe, il partageait les codes et les valeurs de Braddock. Il avait néanmoins compris, au contact des Canadiens, qu'on ne pouvait à cette époque gagner de guerre en Amérique du Nord sans l'aide – ou du moins la prise en compte – des Indiens. Pour lui, la colonie serait « perdue » sans l'alliance des autochtones : « nous ne nous soutenons que par la faveur des Sauvages [26] ». Redoutables pisteurs, infatigables coureurs et canoteurs, ces derniers excellaient dans les missions de reconnaissance et dans les combats de harcèlement. Dans le registre psychologique, qui plus est, leur réputation de cruauté n'était pas sans offrir d'éminents avantages aux Français. C'était l'avis, par exemple, du chevalier de Raymond, qui écrivait à propos des Anglais : « La terreur panique qu'ils ont des Sauvages doit nous porter à mettre tout en usage pour nous conserver fidèles toutes nos nations sauvages [27]. » Dans les mois qui suivirent la déroute de Braddock, les Franco-Canadiens et les Indiens multiplièrent les raids en Pennsylvanie et en Virginie, y semant une véritable terreur, et renforçant la vision des Britanniques selon laquelle les Français du Canada, en plus d'être d'affreux papistes, étaient de véritables « sauvages ». L'alliance des Indiens, jusqu'en 1757-1758 tout au moins, fut l'un des principaux atouts de la Nouvelle-France au cours de cette guerre. Mais les autochtones étaient des guerriers, non des soldats, et les officiers français se plaignaient souvent de ce que leur culture appréciait comme de l'inconstance. « Excellents pour un coup de main, observe Bougainville, ils ne savent ce que c'est que de rester six mois en campagne [28]. » Les Indiens en effet, une fois leurs objectifs de guerre atteints – ramener des captifs et des trophées (scalps, objets) –, filaient à l'anglaise pour retrouver leur communauté. Écoutons encore Bougainville : « Ils s'ameutent, délibèrent entre eux et délibèrent lentement, veulent aller faire coup tous ensemble et du même côté parce qu'ils aiment des gros bataillons. Entre la résolution prise et l'exécution, il se passe un temps considérable ; tantôt une nation arrête la marche, tantôt une autre. Il faut que tous aient le temps de s'enivrer […], ils partent enfin et dès qu'ils ont frappé, n'eussent-ils fait qu'une chevelure ou un prisonnier ils reviennent et repartent pour leurs villages. Alors, pendant un intervalle considérable, l'armée reste sans Sauvages [et] les opérations de la guerre en souffrent [29]. » Ainsi, en juillet 1755, les Indiens qui avaient terrassé l'armée de Braddock, munis de leur « butin », quittèrent aussitôt le fort Duquesne, soudain rendu vulnérable face à des Britanniques qui, s'ils en avaient eu le cœur, disposaient encore d'assez de soldats sur l'Ohio pour le prendre aux Français.

Triomphe tactique, stratégique, mais aussi, plus ponctuellement, diplomatique. L'alliance franco-autochtone sortit renforcée en effet de la victoire de la Monongahela, poussant la plupart des Indiens de l'Ohio dans la famille d'Onontio. Les Iroquois eux-mêmes, à l'exception notable des Agniers, se détachaient clairement des Anglais en réaffirmant aux Français leur neutralité. Comme le remarque Fred Anderson dans son ouvrage *Crucible of War*, les appétits fonciers d'hommes comme Washington ne pouvaient à terme que rendre caduque toute possibilité d'entente entre les Anglo-Américains et les Amérindiens.

La nouvelle de la défaite de Braddock parvint à Montréal au moment où le baron Jean Armand de Dieskau, à la tête d'une armée de 4 000 hommes, gagnait la région du lac Champlain pour défendre le fort Saint-Frédéric – qu'il croyait menacé – et attaquer le fort Edward, situé sur le fleuve Hudson. Mais à l'initiative de ses alliés autochtones, il décida finalement d'assaillir le camp de William Henry, localisé au bout du lac George et moins solidement fortifié. En dépit de pertes anglaises très élevées, cet assaut, donné le 8 septembre 1755, s'avéra un échec.

Quelques mois plus tard, le 17 mai 1756 précisément, l'Angleterre, après s'être rapprochée diplomatiquement de la Prusse, déclarait la guerre à la France, alliée quant à elle à l'Autriche, son ennemie depuis deux siècles et demi. Elle entendait riposter à l'invasion française de

Minorque. Cette déclaration officielle fut une simple formalité : depuis plusieurs mois, les navires britanniques harcelaient la Marine française, sans parler du conflit qui s'étendait en Amérique du Nord, des fourches de l'Ohio à la péninsule acadienne.

« Mais quoi, tu es petit, mon père... » : l'entrée en scène du marquis de Montcalm

Au même moment, le marquis de Montcalm débarquait dans la colonie pour remplacer Dieskau, gravement blessé et fait prisonnier. Montcalm, aristocrate distingué de quarante-quatre ans, était un soldat de métier ayant combattu aux quatre coins de l'Europe pendant la guerre de Succession d'Autriche. Il avait d'ailleurs toujours perdu, ce qui n'était peut-être pas un bon signe pour le Canada ! Vaniteux, nerveux et impulsif, la plume volontiers caustique pour railler et dénoncer, Montcalm avait hérité d'un physique rondelet et d'une petite taille qui étonna beaucoup les Indiens. Suite à la victoire qu'il avait obtenue à Oswego en 1756, des Outaouais s'adressèrent à lui de la sorte : « Mon père, quand nous avons entendu parler des grandes choses que tu as faites, nous comptions te trouver grand comme les plus grands pins des forêts. Mais quoi, tu es petit, mon père, et c'est dans tes yeux que nous trouvons la grandeur des plus hauts pins et la vivacité des aigles [30]. »

Montcalm arrivait en Amérique avec des idées arrêtées sur la façon de conduire la guerre qui suscitèrent le mécontentement des officiers canadiens des troupes de la Marine. Les divergences de vues entre Français et Canadiens furent personnifiées par le vif conflit opposant Montcalm au gouverneur Vaudreuil, un homme de la Nouvelle-France, né à Québec, et qui avait gouverné la Louisiane avant de diriger le Canada. Pour Montcalm, la Nouvelle-France n'avait pas connu de vraie guerre avant 1755, car la guerre, à ses yeux, ne pouvait s'entendre que « sur le pied Européen », avec « des projets de campagne, des armées, de l'artillerie, des sièges, des batailles ». Le marquis dénigrait quelque peu la façon de combattre des Canadiens, jugés indisciplinés. Péremptoire, il notait : « Il ne s'agit pas de faire coup, mais de conquérir ou d'être conquis [31]. » « Être conquis » ? Montcalm, comme le soutiennent de nombreux historiens canadiens, accorda-t-il plus d'importance à la manière de conduire la guerre qu'à son résultat ?

À l'instar de Bougainville, son aide de camp, il reconnaissait l'importance des Indiens, et il n'avait de toute façon d'autre choix que de les utiliser. Mais il était beaucoup moins enclin que Vaudreuil à le faire et méconnaissait les bienfaits de la « petite guerre ». Pour le gouverneur de la colonie, les autochtones étaient précieux grâce à leurs raids de harcèlement qui désorganisaient l'ennemi. C'est en effet ce type de guerre qui avait permis au Canada de résister à l'Empire britannique lors des précédents conflits, car il obligeait l'ennemi à défendre ses frontières et donc limitait ses possibilités d'invasion. Montcalm conçut vite un grand mépris pour Vaudreuil, et un fossé réel, plus généralement, paraissait diviser les Français et les Canadiens. Bougainville, envisageant la défaite du Canada, allait jusqu'à prévoir, non sans naïveté, « deux capitulations : une pour les troupes françaises et l'autre pour les Canadiens [32] ».

Montcalm, bien que réticent, et sur les conseils insistants d'officiers des troupes de la Marine, dirigea l'armée qui enleva le poste britannique d'Oswego (Chouaguen), sur le lac Ontario, à la mi-août 1756. Les soldats anglais furent faits prisonniers et ne se virent donc pas accorder les honneurs de la guerre, ce qui aurait été leur permettre de quitter Oswego drapeaux déployés, avec leur matériel, un canon – symbolique – et l'obligation morale de ne pas participer aux hostilités pendant quelques mois. On leur promit néanmoins qu'ils seraient protégés des Indiens, mais Montcalm ne parvint pas à empêcher les 260 autochtones qui l'accompagnaient de tuer ou de capturer quelques dizaines de Britanniques. Cet assaut sanglant annonçait le fameux « massacre » du fort William Henry, perpétré une année plus tard.

« La prise de Chouegen [Oswego] fit le plus grand effet sur toutes les nations sauvages, explique l'officier Pierre Pouchot. […] On pourrait dire depuis cet événement qu'ils redoublèrent d'attachement et d'amitié pour les Français qu'ils aiment généralement plus que les Anglais, à cause de leur aisance dans le commerce de la vie, et de leur gaieté ; mais le principal motif de leur conduite vient de ce qu'ils connaissent très bien l'avantage de se mettre du côté du plus fort[33] ». Les raids franco-indiens se poursuivirent durant l'été et l'automne 1756 sur les frontières occidentales des colonies anglaises, la Pennsylvanie et le New York étant les plus touchés. Des centaines de « chevelures » et de prisonniers étaient ramenées au fort Duquesne et à Niagara. En un an, le commandant du premier poste pouvait compter 500 scalps et plusieurs centaines de captifs en provenance de la Pennsylvanie.

« Massacre » au fort William Henry

Échaudé par ces revers, William Pitt, le nouveau Premier ministre anglais, fixa pour objectif, avant la prise de Québec, la conquête de Louisbourg. Lord Loudoun, qui avait remplacé Braddock comme commandant en chef des armées britanniques en Amérique du Nord, fut chargé de faire tomber ces deux forteresses l'une après l'autre, mais des contraintes logistiques le forcèrent à renoncer. Les Français en profitèrent pour concentrer leurs troupes sur le front du lac Champlain plutôt qu'à

Québec, Vaudreuil ayant pour ambition de prendre le fort William Henry et le fort Edward. Le gouverneur, comme il l'avait fait l'année précédente contre Oswego, commença par affaiblir le fort William Henry durant l'hiver. À la mi-mars, une colonne de 1 500 hommes, placée sous la direction de Rigaud, son propre frère, harcela le fort pendant quatre jours, détruisant notamment des bateaux et des entrepôts situés à proximité. Avec l'artillerie adéquate, les Français étaient désormais en mesure d'enlever la place.

Le fort Carillon, à partir du printemps, devint un étonnant et bouillant carrefour culturel. C'est là qu'affluaient en effet, par centaines, les guerriers indiens des Pays d'en Haut et de la colonie. Bougainville en rendait compte le 25 juin 1757 : « Il nous arrive tous les jours des canotées de Sauvages. Le nombre de ceux qui sont venus des pays d'en haut passe maintenant à celui de mille [34]. » Certainement impressionnés par la prise d'Oswego, qui faisait suite au succès de la Monongahela, les autochtones étaient d'autant plus nombreux qu'aucune épidémie ne s'était déclarée durant l'hiver. L'année précédente, en effet, 500 Indiens de l'Ouest devant prendre part à l'attaque d'Oswego avaient rebroussé chemin à cause de la variole. Au total, en juillet 1757, 979 Indiens de l'Ouest – Outaouais, Ménominis, Sakis, Winnebagos, Poutéouatamis, Renards, Saulteux, Mississagués, Iowas, etc. –, et 820 domiciliés (Algonquins, Abénaquis, Hurons, Iroquois, Népissingues), soit 1 799 guerriers, se joignirent aux quelque 6 000 hommes de l'armée franco-canadienne [35].

Le nombre d'Indiens alliés, dans la chaleur de l'été 1757, dépassait tout ce que Vaudreuil avait pu imaginer et espérer. Montcalm, lui, fut plus que circonspect. L'armée qu'il avait – ou qu'il croyait avoir – entre les mains, loin d'être le corps homogène et discipliné dont il rêvait, constituait une troupe bigarrée et cosmopolite ou se côtoyaient des Canadiens, des soldats des régiments récemment débarqués en Amérique, et des Indiens de 33 nations différentes, avec leurs langues particulières, leurs costumes, leurs parures, et leurs manières de faire la guerre. Tout en renvoyant à Montcalm l'image de ce qu'était la Nouvelle-France sur le plan diplomatico-militaire – une vaste confédération multiculturelle –, le rassemblement de Carillon constituait le zénith de l'alliance militaire franco-indienne, née en 1609 lors de la première expédition de Champlain contre les Iroquois. Au début du XVIIe siècle, c'étaient les Français qui accompagnaient les Indiens ; au milieu du XVIIIe, et selon une logique à l'œuvre dès les années 1680-1690, c'est l'inverse qui prévalait plutôt.

Les autochtones, certes, n'étaient pas devenus des mercenaires au sens strict. Les autorités coloniales avaient bien envisagé de créer des « compagnies sauvages » – l'idée fut notamment formulée par Lamothe Cadillac, au début du XVIIIe siècle – mais les Indiens, en définitive, ne se sont enrôlés ni dans la milice ni dans l'armée française. C'est la lutte contre la colonisation de peuplement des Britanniques qui les encourageait à combattre aux côtés d'Onontio, comme les motivait, plus prosaïquement, la possibilité de faire la guerre, puisque cette dernière – des anthropologues comme Pierre Clastres et Emmanuel Désveaux l'ont bien montré [36] – les définissait sociologiquement. Il reste qu'objectivement les autochtones servaient de plus en plus d'auxiliaires dans des luttes d'empire dont la portée leur échappait. Selon Denys Delâge, avec la prise en charge matérielle des guerriers indiens et de leurs familles – armes, habillement –, les primes offertes pour les scalps ennemis (une pratique que l'on retrouve en Louisiane comme au Canada) ou l'argent reçu en échange de la restitution de prisonniers, on assiste même au développement d'un marché économique de la guerre dans le courant du XVIIIe siècle [37].

Montcalm, bien que peu enthousiasmé par la tactique de Vaudreuil, se résolut à attaquer le fort William Henry. La garnison britannique, que dirigeait le lieutenant-colonel Monro, était forte de 1 100 hommes et dotée d'une bonne artillerie. Elle était capable de résister plusieurs jours, mais pas davantage, sauf à recevoir le soutien du fort Edward, commandé par le général Webb. Or, celui-ci ne bougea pas. Cet épisode américain de la guerre de Sept Ans, immortalisé, bien plus tard, par le roman à succès de J. Fenimore Cooper, *Le Dernier des Mohicans* (1826), marqua fortement les esprits dans les colonies britanniques. Le siège débuta le 3 août. Montcalm, rapporte Bougainville, fit « dire au commandant du fort que l'humanité l'obligeait à l'avertir qu'une fois nos batteries établies et le canon tiré, peut-être ne serait-il plus en pouvoir d'arrêter la cruauté d'une foule de sauvages de tant de nations différentes » ; ce à quoi Monro, « comme il le devait », fit répondre « que ses troupes étaient déterminées à se défendre jusqu'à l'extrémité ». Pendant ces pourparlers, de nombreux Indiens, défiant leur adversaire, vinrent parader à proximité du fort. Un Abénaqui, dans un mauvais français, toutefois compréhensible pour les Anglais, leur lança : « Ah toi, ne pas te rendre [...] ; eh bien ! tire le premier, mon père tirera ensuite ses gros fusils [canons] : alors, toi te bien défendre, car si je te prends, point de quartier à toi [38] ! »

Après quelques jours de bombardements, le moral des Anglais déclina au point que, le 9 août, Monro fut contraint d'accepter les articles de la capitulation que lui proposait Montcalm. La garnison, contre sa parole de ne pas reprendre les combats avant 18 mois, se vit promettre de partir sous escorte française pour gagner le fort Edward, les blessés devant être rapatriés un peu plus tard. Mais les Indiens se sentirent lésés : pour définir cet

accord, ils n'avaient nullement été consultés par Montcalm, qui les considérait comme des auxiliaires encom-
brants. Les autochtones, au cours du siège, avaient déjà
fait observer à leur « père » français qu'ils n'appréciaient
pas le peu d'écoute dont ils bénéficiaient dans les choix
tactiques : « Mon père, lança un chef indien le 5 août,
[…] tu as apporté dans ces lieux l'art de la guerre de ce
monde qui est au-delà du grand lac [l'océan Atlantique] ;
nous savons que dans cet art tu es un grand maître,
mais pour la science et la ruse des découvertes, pour la
connaissance de ces bois et la façon d'y faire la guerre
nous l'emportons sur toi. Consulte-nous, et tu t'en trou-
veras bien [39]. » Or, Montcalm ne prêta guère d'attention
à cette doléance. Il se contenta d'informer les chefs de la
capitulation, une fois celle-ci agréée par Monro. Ces
chefs savaient pertinemment que leurs guerriers n'écou-
teraient pas. En refusant de traiter les Indiens comme
de véritables partenaires, Montcalm brisait les règles de
l'alliance : un père, en effet, ne devait pas ignorer les
requêtes de ses enfants. Les Français étaient victimes de
leur succès : il y avait à leurs yeux plus d'Indiens que ne
nécessitait la prise du fort William Henry et il était difficile et de les approvisionner et de les contenir. « Il vau-
drait mieux n'avoir à la fois qu'un nombre réglé de ces
maringouins qui fussent ensuite relevés par d'autres, de
manière qu'il y en eût toujours », pestait Bougainville.
Dans l'après-midi du 9 août commença ce qui sera bientôt qualifié de « massacre du fort William Henry », c'est-
à-dire la mise à mort d'une partie de la garnison anglaise
par les Indiens alliés aux Français. Alors que les soldats
bien portants s'installaient dans un camp retranché – le
départ vers le fort Edward était fixé au lendemain – les
autochtones se précipitèrent dans le fort abandonné où
se trouvaient encore quelques dizaines de blessés. Bougainville note que « malgré une garde de nos troupes que
nous y avons mise on n'a pu empêcher les Sauvages d'y

pénétrer et d'y piller [...] Tout a été employé pour les arrêter : conseil avec les chefs, caresses de notre part, autorité qu'ont sur eux les officiers et interprètes qui leur sont attachés. Nous serons heureux si nous obtenons qu'il n'y ait point de massacre [40]. »

Les Français ne parvinrent pas à sauver tout le monde : plusieurs soldats, y compris dans le camp retranché, furent victimes en effet de la guerre indienne. Le lendemain, à l'aube, les autochtones s'en prirent à la colonne anglaise qui partait en direction du fort Edward, tuant, scalpant et capturant à nouveau sans que les Français aient pu s'interposer efficacement. Selon Ian K. Steele [41], il y eut au total 185 soldats tués, et entre 300 et 500 capturés au cours des deux journées. Tous les Indiens (à l'exception de 300 Abénaquis et Népissingues), satisfaits de leurs prises de guerre, quittèrent alors l'armée de Montcalm sans coup férir pour regagner leurs villages.

Les autorités britanniques crièrent au scandale, accusant les Français de perfidie et de sauvagerie. Louis XV fut personnellement tenu par Loudoun pour responsable des atrocités commises à William Henry. S'agissait-il effectivement d'un « massacre » ? L'historiographie a longtemps eu tendance à réserver ce terme pour les victoires indiennes, quand il ne se serait agi que de « batailles » en cas de succès des Européens. Le terme massacre, en l'occurrence, n'est certes pas usurpé : les Anglais, y compris les malades et les blessés, n'étaient guère en état de se défendre. Mais les autochtones n'en agissaient pas moins, de leur point de vue, en vrais guerriers. La notion d'honneur, telle qu'entendue par les Européens, n'avait absolument aucun sens pour des Indiens que certains historiens ont maladroitement comparés à des chevaliers médiévaux. Les autochtones ne sous-estimaient pas la bravoure, qui tenait une place centrale dans leur *ethos* guerrier, mais celui-ci ne leur interdisait nullement d'achever des blessés et de les scalper. Les actes perpétrés les 9 et 10 juillet 1757, s'ils ont cristallisé, plus que tout autre événement, le dégoût des Britanniques pour les pratiques « sauvages », ne présentaient pas d'originalité intrinsèque. Les *French and Indian Wars* s'étaient toujours déroulées de cette façon. Les Anglais n'avaient d'ailleurs guère de leçons à donner. À titre d'exemple, leur seul succès de l'année précédente (1756) fut l'attaque et le pillage d'un village delaware, raid destructeur, remarque Fred Anderson, qu'ils se gardèrent d'appeler « massacre »[42].

Dans les semaines suivantes, des partis pro-français de Loups, de Mississagués et d'Iroquois menacèrent Albany et se rapprochèrent à quatre journées de New York. La Nouvelle-France paraissait imbattable. En juin 1757, Robert Hunter Morris, le gouverneur de la Pennsylvanie, notait amèrement : « les Français nous battent partout, quoique vingt fois moins nombreux que nous ». Certains Britanniques songèrent même à abréger la guerre. Lord Chesterfield, défaitiste, écrivait par exemple : « Une mauvaise paix pour nous, sans aucun doute, et cependant meilleure que celle que nous aurons l'année qui suivra[43]. » La Nouvelle-France n'était pourtant pas en position de force. Vaudreuil savait que l'attaque de Louisbourg et de Québec, projetée par Pitt et Loudoun, n'était que partie remise, et, pour compenser les mauvaises récoltes des années 1756 et 1757, il sollicita une aide accrue de la métropole. Selon Guy Frégault, le Canada, contrairement aux apparences, était « au bord du désastre[44] ». Il est vrai qu'à cette date le désastre s'était déjà engagé : l'Acadie, dès 1755, avait été ébranlée par le « Grand dérangement ».

Le Grand Dérangement : la déportation des Acadiens

Le destin tragique des Acadiens a été mythifié au milieu du XIXe siècle par le poème de l'Américain Henry Wadsworth Longfellow, *La Légende d'Évangéline*. L'héroïne éponyme de cette épopée fut séparée de son fiancé, Gabriel, le jour de leur mariage, à cause de la déportation de 1755, et elle ne devait le retrouver que des décennies plus tard, à Philadelphie, juste le temps, puisqu'il était sur le point de mourir, de lui avouer son amour éternel. Elle décéda à son tour peu après, et ils furent enterrés côte à côte. Évangéline reste aujourd'hui le symbole de la singularité et du courage du peuple acadien, dont l'identité collective s'est forgée lors du « Grand dérangement ». La dispersion des Acadiens dans les colonies britanniques constitue l'un des épisodes les plus célèbres de la guerre de Sept Ans et, plus généralement, de l'histoire de l'Amérique française. Il sert de conclusion brutale à l'imbroglio créé en Acadie par le traité d'Utrecht.

Au début des années 1750, sous l'impulsion des autorités de Québec, les Français étaient en train d'édifier une nouvelle Acadie. Pour certains administrateurs britanniques, le seul recours devait être la force. Avant même le déclenchement des hostilités dans la vallée de l'Ohio, des plans furent échafaudés pour expulser les Français de l'isthme de Chignectou. Charles Lawrence, le gouverneur de la Nouvelle-Écosse, préconisait en 1754 de déporter les Acadiens. Il s'agissait à vrai dire d'un projet ancien, clairement formulé dès 1721, et envisagé à nouveau en 1745 à la suite de la prise de Louisbourg. Mais faute de moyens financiers et de troupes pour le mettre en œuvre, ce plan avait été rejeté par Londres à plusieurs reprises. En 1749, Cornwallis avait évoqué une autre solution : modifier en faveur des Britanniques la composition ethnique de l'Acadie, et favoriser un tel processus – assimilationniste – en développant les mariages entre Acadiens et protestants. Mais Lawrence privilégia l'idée d'une déportation, tout en l'agrémentant d'une nouveauté : il ne s'agissait pas d'expulser les Acadiens au Canada ou à l'île Royale et de renforcer par la même occasion les milices ennemies, mais de les transférer dans les colonies britanniques. La déportation était ainsi assortie d'un désir d'assimilation. Les autorités métropolitaines acquiescèrent.

L'argument juridique sur lequel reposait le projet de Lawrence était le suivant : puisque les Acadiens refusaient de devenir des sujets britanniques, en particulier de se soumettre au service militaire, ils n'avaient pas le droit de vivre sur les terres qu'ils exploitaient, et étaient passibles d'un châtiment collectif. Geoffrey Plank a bien analysé la logique britannique d'éradication qui préside dans les années 1750 au destin des populations acadiennes : créer en Nouvelle-Écosse une société indifférenciée de colons entreprenants, protestants et anglophones, qui soit partie prenante de l'Empire. Il fallait déporter les Acadiens pour mieux les absorber. Quant aux Indiens, ils n'avaient aucunement leur place dans un tel projet de société. Les autorités britanniques avaient alors renoncé à les intégrer.

La première étape consistait pour les Britanniques à effacer toute trace de souveraineté française dans l'isthme, en s'emparant en particulier du fort Beauséjour qui n'était défendu que par une soixantaine de soldats réguliers. Lawrence lança ainsi sa campagne d'Acadie alors que tous les yeux étaient tournés vers l'Ohio. Le 2 juin 1755, une force comprenant 2 000 provinciaux et 250 soldats gagna le fort Lawrence. Le 16 juin, Beauséjour capitulait, Gaspareau tombant dès le lendemain. Le

commandant de Beauséjour, Louis du Pont du Cham-
bon de Vercors, mis au courant de l'approche des
Anglais, avait pourtant réussi à faire venir de nombreux
Acadiens à la rescousse. Ces derniers, par crainte des
représailles britanniques, exigèrent de lui un ordre écrit
indiquant qu'ils acceptaient de porter les armes sous la
contrainte. Soumis au feu ennemi, les Acadiens épouvan-
tés ne voulurent bientôt plus se battre et beaucoup
s'enfuirent avant même la capitulation. Les Anglais leur
accordèrent le « pardon », ce qui signifiait simplement
qu'ils auraient la vie sauve. Ainsi s'effondrait l'Acadie
française de l'isthme de Chignectou.

Au début du mois suivant, Lawrence reçut à Halifax
des députés acadiens de la région de la baie de Fundy et
les enjoignit de jurer une allégeance inconditionnelle à
George II. Leur refus servit de prétexte à la déportation,
jugée d'autant plus impérative par les autorités britanniques qu'il convenait de profiter de la présence du corps
expéditionnaire venu de Nouvelle-Angleterre. La tactique employée fut de capturer les hommes, et de laisser
aux femmes – et aux enfants – le choix de les suivre ou
non. Il s'agissait d'obtenir ainsi la « coopération » des
épouses dans le processus de déportation. Pendant l'été
et l'automne 1755, environ 6 000 personnes – sur un
total de 12 000 à 15 000 – furent déportées et dissémi-
nées dans dix des Treize colonies, du Massachusetts à la
Géorgie. L'espoir des autorités impériales était que les
Acadiens, immergés dans la société anglo-américaine,
adopteraient progressivement la langue et la religion de
leurs « hôtes ». C'est en réalité l'inverse qui prévalut : le
choc de la déportation fut tel, en effet, qu'il renforça,
pour la plupart des Acadiens, leur sentiment identitaire.
Il faut dire que leur réception dans les colonies fut très
négative : les gouvernements locaux, que Londres n'avait
pas consultés, les rejetèrent parfois ou firent tout pour
s'en débarrasser au plus vite et, de façon générale,

compte tenu de l'anticatholicisme et de la francophobie
du monde anglo-protestant, ils furent « traités virtuelle-
ment comme des prisonniers de guerre [45] ».

Certains Acadiens échappèrent pour l'heure à la
déportation, en gagnant l'île Saint-Jean, l'île Royale, le
Nouveau-Brunswick actuel, ou même l'archipel de Saint-
Pierre-et-Miquelon. D'autres, notamment dans la région
de la rivière Saint-Jean, résistaient militairement avec le
soutien des Indiens. Lawrence, de son côté, peinait à
recruter des colons. Il fallut en fait attendre la chute de
Louisbourg, en juillet 1758, pour que les Anglais
imposent totalement leur main-mise. L'opération de
déportation engagée trois ans plus tôt fut alors réactivée.
Trois mille cinq cents Acadiens de l'île Royale furent capturés puis déportés, mais cette fois en France et non dans
les colonies britanniques. « Si les événements de 1755
ont porté à l'Acadie un coup mortel, ceux de 1758 lui
donnent le coup de grâce », explique Guy Frégault [46].
Les Micmacs quant à eux, diminués et affaiblis après
seize années de guerre, furent contraints de négocier la
paix en 1761-1762, alors que se poursuivait le « Grand
dérangement » et que s'amorçait un mouvement de peuplement anglophone, grâce à des immigrants venus du
Massachusetts, du Rhode Island, du New York et du
Connecticut. Le nouveau gouverneur de la Nouvelle-
Écosse, Montague Wilmot, pouvait écrire en 1764,
année au cours de laquelle des centaines d'Acadiens se
réfugièrent à l'île Saint-Pierre ou aux Antilles : « Nous
voici en bonne voie d'être soulagés de ces gens, qui ont
toujours été la peste de la colonie et la terreur de ses
établissements [47]. »

Le triomphe de l'Empire britannique (1758-1760)

L'année 1758, en plus de porter le coup de grâce à l'Acadie, fut celle du retournement général de la guerre en faveur des Britanniques. Pendant trois années, jusqu'à la capitulation de Montréal (septembre 1760), ces derniers multiplièrent les succès, en particulier grâce à un investissement sans précédent de la métropole. L'Angleterre gagna la guerre en faisant de l'Amérique du Nord son principal champ d'action. Ce ne fut pas le choix de la France.

1758 : la prise décisive de Louisbourg

Le retournement qui s'opère en 1758 s'explique en grande partie par la mise en œuvre de la stratégie de William Pitt : celui-ci décide de subordonner la guerre européenne au conflit américain, c'est-à-dire de combattre les Français sur le terrain colonial. Le ministre anglais qui, en Europe, s'appuie sur ses alliés prussiens, se fixe comme objectif de faire chuter le Canada. Pour lui, c'est la maîtrise des mers et la possession de l'Amérique qui déterminent la prospérité et la puissance de l'Empire britannique. Pour parvenir à ses fins, Pitt exigea de son pays un effort financier colossal. La conquête du Canada coûta en effet deux milliards de livres (de France) à l'Angleterre. Benjamin Franklin estimait qu'il eût été moins cher d'acheter la Nouvelle-France que de la conquérir !

Pitt disposait d'un atout important : la Royal Navy était supérieure à la flotte française, au moins en nombre de vaisseaux et, à partir de 1755, elle intercepta de nombreux navires ennemis chargés de ravitailler le Canada. De sorte que les Canadiens, en plus de devoir se défendre, furent confrontés pendant la guerre à un problème qui n'effleura guère les Anglais : subsister. Le manque de nourriture, de matériel militaire et bien sûr de recrues qui affectait le Canada fut donc en partie le fruit de la suprématie maritime de la Grande-Bretagne. Pitt, en outre, eut l'intelligence de mettre fin aux divisions qui avaient entravé l'effort de guerre britannique de 1754 à 1757, créant une sorte d'union sacrée entre la métropole et ses colonies pour vaincre l'ennemi. Loudoun, commandant en chef depuis la mort de Braddock, fut remercié et les nouveaux commandants désignés par Pitt ne cherchèrent plus à inféoder brutalement les recrues provinciales dans l'armée britannique. De façon générale, il s'agissait désormais de solliciter l'aide des assemblées coloniales, non de l'exiger comme Loudoun l'avait fait. Par ailleurs, Pitt promit que les colonies seraient remboursées par la Couronne de leurs efforts. Il parvint par cet ensemble de mesures à obtenir une coopération massive des forces coloniales jusqu'en 1760.

L'objectif de la campagne britannique de 1758, quant à lui, n'avait pas changé. Comme l'année précédente, il consistait ni plus ni moins en la conquête du Canada, au grand plaisir des colons anglo-américains qui entendaient en finir avec leur encombrant voisin du Nord. Pitt disposait de 50 000 hommes pour mener à bien une triple offensive contre Louisbourg, Montréal et le fort Duquesne. Le Canada pouvait aligner de son côté environ 16 000 combattants, sans compter les alliés indiens. Ceux-ci, au vrai, ne vinrent pas en nombre soutenir les Français durant l'année 1758, ce qui était un autre indice de l'européanisation croissante du conflit. Ce désistement avait deux causes directes : les autochtones s'estimaient floués par l'attitude de Montcalm lors de la campagne du fort William Henry ; et, plus important, une terrible épidémie de variole s'était déclarée durant l'hiver dans les villages des Pays d'en Haut, les guerriers indiens ayant ramené des microbes destructeurs de leur campagne de l'été 1757. Ils attribuaient ce malheur à la sorcellerie des Français et, localement, semblaient remettre en cause l'alliance avec Onontio. Bougainville parle en mai 1758 d'une « grande fermentation parmi les Sauvages des pays d'en haut [...]. Les Ours [probablement les Outaouais Kiskakons] tiennent de mauvais propos ; les Poutéouatamis paraissent indisposés ; enfin toutes les nations sont sur la pente. Quelle en est la cause ? La grande perte qu'ils ont fait par la petite vérole, mauvaise médecine que leur ont jetée les Français [48]. »

La prise de Louisbourg fut le grand tournant de la guerre. « C'est à la France à sauver l'île Royale par une escadre », s'exclamait Montcalm en mai 1758 [49]. Or, la France n'était plus en mesure d'empêcher aux Anglais l'accès de Louisbourg comme elle l'avait fait l'année précédente. Le corps expéditionnaire dirigé par Jeffery Amherst et l'imposante flotte de guerre qui l'épaulait composaient au total une armada de 28 000 hommes. La forteresse française résista sept semaines, avant de capituler le 26 juillet. Les Britanniques, qui n'avaient pas oublié l'épisode du fort William Henry, refusèrent à la garnison les honneurs de la guerre. Les soldats furent transportés en Angleterre et la population civile expédiée en France. Quant aux Indiens alliés, ils furent tués et scalpés par les Rangers, unités de combattants angloaméricains spécialisées dans la guerre de raids. Louisbourg avait chuté, mais sa longue résistance empêcha les Anglais de mettre en œuvre la suite de leur plan, soit la prise de Québec : la saison était trop avancée. Les troupes britanniques se contentèrent de détruire les établissements de pêche de la côte gaspésienne.

Québec était sauvée, et Montréal, finalement, ne fut pas menacée. Contre toute attente, la campagne anglaise du lac Champlain se solda en effet par un terrible échec. Le commandant en chef Abercromby disposait de troupes autrement supérieures à celles de Montcalm : 6 000 Tuniques rouges et 10 000 provinciaux, contre

3 500 Franco-Canadiens – et seulement 15 Indiens ; mais, le 8 juillet, Abercromby attaqua Carillon de façon précipitée et fut repoussé. C'était une véritable humiliation. Montcalm, de son côté, fut célébré à Versailles et dans la colonie comme le sauveur du Canada. Une autre surprise, moins favorable celle-là, attendait toutefois les Français. Une armée britannique de 3 000 hommes s'empara en effet du fort Frontenac le 27 août : le poste fut pillé et brûlé, et les navires qui composaient la flotte française des Grands Lacs, détruits. Niagara tenait toujours, mais les communications entre la colonie et les Pays d'en Haut étaient perturbées.

Le troisième volet du plan élaboré par Pitt prévoyait la prise du fort Duquesne. C'est le général Forbes qui fut chargé de cette délicate entreprise. Celui-ci ne voulait pas rééditer les erreurs de Braddock trois années plus tôt. Il savait qu'il ne pourrait parvenir à ses fins sans faire vaciller au préalable l'alliance franco-indienne. Forbes, remarque Fred Anderson, fut l'un des rares officiers britanniques du haut commandement à saisir l'importance stratégique des autochtones. Il estimait nécessaire de convaincre les Indiens ou de rejoindre le camp anglais ou, pour le moins, de rester neutres. Lors du traité d'Easton (Pennsylvanie) d'octobre 1758, qui se tint en présence des Iroquois, les autochtones de la vallée de l'Ohio acceptèrent de se retirer du conflit. En échange, ils se virent promettre que les colons britanniques, une fois les Français délogés, ne menaceraient pas leur territoire. En novembre 1758, c'est en vain que Ligneris, le commandant du fort Duquesne, sollicita l'aide des Delawares. Il perdit aussi assez vite le soutien des autochtones du nord-ouest. En effet, dans l'espoir de ralentir la progression de Forbes – placé à la tête de 7 000 hommes –, et de l'acculer à la retraite, il incita ses alliés à multiplier les raids de harcèlement. Or, le 14 octobre, les Indiens

obtinrent une éclatante victoire contre un gros détachement anglais, succès qui conduisit, assez ironiquement,
à leur départ : satisfaits de leurs captifs et de leurs scalps,
ils abandonnèrent Ligneris. Désespéré, isolé et à court de
vivres, celui-ci dispersa ses hommes à Détroit et dans le
Pays des Illinois, et ne garda avec lui que 200 soldats.
« Je suis dans la plus triste situation qu'on puisse imaginer [50] », écrivait-il au gouverneur Vaudreuil le 23
octobre. Le 25 novembre, Forbes parvint devant un fort
en ruine : Ligneris et ses hommes, incapables de résister,
s'étaient précipitamment repliés vers le fort Machault.

Bien avant la perte de l'Ohio, les administrateurs du
Canada avaient tiré la sonnette d'alarme. Le 29 septembre 1758, Bougainville observait : « La Cour doit
traiter aujourd'hui le Canada comme un malade qu'on
soutient par des cordiaux [51]. » Montcalm et Vaudreuil
s'accordaient pour estimer la paix nécessaire si l'on voulait éviter la chute de la colonie. Mais, par ailleurs, leur
conflit personnel se durcissait… et il tourna à l'avantage
du premier. C'est au service de Montcalm que Bougainville, à la fin de l'année, fut reçu par Berryer, le ministre
de la Marine. Celui-ci décida de subordonner Vaudreuil
à Montcalm dans la conduite des opérations militaires.
Il donnait ainsi sa préférence à une stratégie défensive.
Vaudreuil, en effet, entendait avant tout maintenir le
contrôle français sur les Grands Lacs, en préservant
Oswego et Niagara (sa priorité), mais aussi en restaurant
le fort Frontenac et en n'évacuant pas l'Ohio. Montcalm,
au contraire, suggérait de restreindre le périmètre défensif au Saint-Laurent, en particulier à Québec. Il eut donc
l'assentiment de Berryer. C'était une posture défaitiste.
Montcalm convenait qu'il fallait continuer à se battre,
mais moins dans l'espoir de vaincre l'ennemi que dans
la prévision d'un traité de paix qui serait mieux négocié
si les Français avaient encore un pied au Canada. Il envisageait en outre d'autant mieux l'échec militaire qu'en

cas de perte il se serait battu jusqu'au bout. On pouvait perdre le Canada, mais il n'était pas question de sacrifier son honneur de soldat.

La mission de Bougainville, par ailleurs, ne fut pas d'un grand secours pour la colonie. Le ministre Berryer lui aurait même lancé cette boutade : « Quand le feu est à la maison, on ne s'occupe pas des écuries [52]. » Les écuries, c'était évidemment le Canada. Pitt cherchait à conquérir un empire. Louis XV, quant à lui, souhaitait avant tout conserver ses positions dans le Vieux Continent.

1759 : « l'année des Anglais »

Le duc de Choiseul, secrétaire d'État français aux Affaires étrangères, caressait en 1759 l'ambition de battre l'Angleterre en l'envahissant. Pitt, tenu au courant, ne dérogea pas à sa ligne de conduite : vaincre l'ennemi en Amérique en frappant au cœur, c'est-à-dire en s'emparant de Québec. La France, bien qu'ayant délaissé ses « écuries », parvint toutefois à les réapprovisionner au printemps. Une vingtaine de navires, qui avaient réussi à déjouer les escadres anglaises, atteignirent en effet Québec à la mi-mai. Bougainville était de retour avec plus de 300 recrues et un ravitaillement suffisant pour attendre la prochaine récolte. Autant le dire : la Nouvelle-France était encore loin d'être à terre.

C'est à James Wolfe que revint le rôle de conquérir la capitale du Canada. Cet officier était un va-t-en-guerre obsédé par le désir de victoire et soucieux d'en découdre au plus vite. Il annonçait clairement la couleur lors de son départ d'Angleterre : « J'aurais plaisir, je l'avoue, à voir la vermine canadienne saccagée, pillée et justement rétribuée de ses cruautés inouïes [53]. » Wolfe était un être irritable, trait de caractère qu'accentuaient de graves problèmes de santé. Il arriva aux abords de Québec à la fin du mois de juin à la tête d'une flotte imposante de 190 navires portant 30 000 marins et 9 000 soldats, et décidée à mettre en œuvre la guerre « amphibie » de la Royal Navy, qui avait déjà été récompensée à Louisbourg. Du côté des défenseurs, on comptait plus de 15 000 hommes : les milices, les troupes régulières et les autochtones – au nombre de mille –, des Abénaquis, des Hurons de Lorette, mais aussi des Indiens des Grands Lacs [54]. Montcalm était en position favorable pour sauver Québec. Il ne lui fallait pas battre les Anglais mais, en profitant de sa position fortifiée, les neutraliser jusqu'à l'arrivée de l'hiver. Sans une grave erreur tactique de sa part, au matin du 13 septembre, il y serait parvenu.

Le général français concentra ses forces à Beauport, sur la rive gauche du Saint-Laurent, où il fit ériger des retranchements. Wolfe, de son côté, plutôt que de chercher à débarquer bien en amont de la capitale, se positionna en aval et, conscient qu'il était difficile d'accéder à la rive gauche du fleuve, s'efforça pour commencer de ravir la Pointe de Lévis, située juste en face de Québec. L'opération lancée le 30 juin fut un succès. Dans la nuit du 8 au 9 juillet, les Anglais tentèrent un autre débarquement, cette fois sur la rive gauche, au-dessous de la rivière Montmorency. Montcalm, soucieux de camper sur ses positions, ne réagit pas. Wolfe tâtonnait. Il eut toutefois le plaisir de constater que ses canons pouvaient atteindre Québec depuis la Pointe de Lévis. À partir du 12 juillet, il fit procéder au bombardement de la ville, semant l'effroi dans la population. La canonnade se poursuivit durant deux mois, mais bien qu'elle détruisît la ville à 80 %, elle ne se révéla pas décisive du point de vue militaire. Du côté de la rivière Montmorency, le 25 juillet puis surtout le 31 juillet, les Anglais subirent de lourdes pertes face aux Canadiens et aux Indiens.

Dépité et irrité, Wolfe décida au début du mois d'août d'intensifier les bombardements de Québec. Un officier anglais pouvait écrire : « Nous ne prendrons peut-être pas la ville, mais au moins nous la laisserons en ruine [55]. » Au même moment, pour couper les vivres de la cité assiégée, des unités britanniques procédaient à la dévastation des campagnes, jusqu'à provoquer l'écœurement de certains officiers. « Nous avons brûlé et détruit au-delà de 1 400 belles fermes, rapporte l'un d'entre eux, car durant le siège, nous étions maîtres d'une grande partie du pays le long du fleuve et nous tenions des détachements occupés à ravager les campagnes, de sorte qu'il faudra un demi-siècle pour réparer le dommage [56]. » En cas de résistance, les prisonniers étaient tués et scalpés. C'est le sort qui fut par exemple réservé à trente paroissiens de Sainte-Anne le 23 août. Dans un registre paroissial de la côte sud, observe Gaston Deschênes, une page manque, mais le curé a indiqué que c'était celle de « l'année des Anglais », soit l'année 1759 [57].

Le 2 septembre, Wolfe exprimait à Pitt son pessimisme sur l'issue de la campagne. L'hiver approchait, et les pertes, les maladies comme les désertions avaient diminué son armée de moitié. Mais il était déterminé à tenter un dernier coup de poker. Contre l'avis de ses officiers supérieurs, il décida de débarquer à l'Anse au Foulon, à quatre kilomètres seulement en amont de Québec. Son plan, plus qu'audacieux, était suicidaire. Ravagé par la maladie, Wolfe débarqua dans la nuit du 12 au 13 septembre avec 4 800 hommes en déjouant l'attention de l'ennemi. L'armée gravit silencieusement la falaise et, à 6 heures du matin, elle avait pris position sur les plaines d'Abraham, à la plus grande stupéfaction des Français. Montcalm, qui n'avait d'abord pas cru ce qu'on lui avait annoncé, dut se rendre à l'évidence.

La journée du 13 septembre a été baptisée par Guy Frégault « la Journée des fautes ». En se présentant devant un adversaire plus nombreux, Wolfe prenait un risque énorme. Son armée, sans réelle possibilité de

retraite, paraissait piégée. Le général anglais n'avait
d'autre plan que de venir se placer ainsi devant les murs
de Québec. Il était prêt à sacrifier ses hommes et à
mourir en héros. Mais il avait de la chance : Montcalm
se montra encore plus maladroit que lui. Disposant de
4 500 hommes, dont 2 500 miliciens, celui-ci avait la
possibilité d'attendre Bougainville, qui commandait une
brigade mobile composée d'hommes d'élite, mais aussi
Vaudreuil, qui se pressait d'arriver avec des renforts. Or,
plutôt que de faire preuve de patience pendant deux ou
trois heures, et d'avoir ainsi la possibilité de prendre
l'ennemi entre plusieurs feux, Montcalm décida de passer
à l'action. Il entendait repousser les Anglais à la mer,
voulant absolument éviter qu'ils ne se retranchent et qu'il
ne lui soit plus possible de les déloger. Mais les Anglais
ne se retranchaient pas… Le comte de Malartic, acteur
de la bataille, regrettait l'absence de Lévis, qui avait
quitté Québec le 9 août pour coordonner les actions de
guerre à Montréal : « Si M. le marquis de Levis […] eût
été à l'armée le 13 septembre 1759, observait-il, il se
serait opposé à ce que nous attaquassions ; il y avait dix à
parier contre un que l'armée attaquante serait battue [58]. »

La bataille des Plaines d'Abraham dura une vingtaine
de minutes. Il était dix heures du matin quand Montcalm, perché sur son cheval noir, brandit son épée et
donna le signal du combat à ses troupes. Les miliciens,
qui n'entendaient rien à la guerre européenne, se mirent
à courir spontanément et rendirent la charge désordonnée. À un peu plus de cent mètres de l'ennemi, les
troupes de Montcalm posèrent un genou à terre et
ouvrirent le feu. En face, les troupes disciplinées de
Wolfe ne ripostèrent pas encore. Les Français conti-
nuaient d'avancer, toujours dans le désordre. Les miliciens, après chaque tir, se mettaient ventre à terre pour
recharger, manœuvre qui, selon Malartic, « a rompu tous
les bataillons [59] ». La force de tir collective, affaiblie par

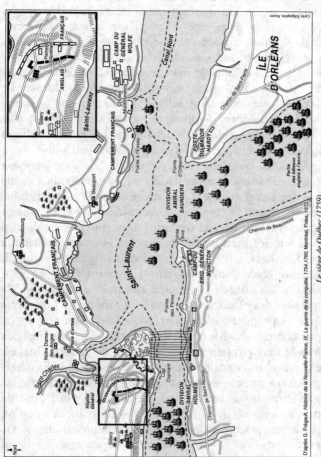

Le siège de Québec (1759)

D'après G. Frégault, *Histoire de la Nouvelle-France, IX, La guerre de la conquête, 1754-1760*, Montréal, Fides, 1975.

Carte: Édigraphie, Rouen.

le manque de cohésion, ne pouvait ébranler la masse
britannique. Lorsque les deux armées se retrouvèrent à
une cinquantaine de mètres l'une de l'autre, le premier
rang français fut littéralement fauché par le tir des
Anglais. Les deuxième et troisième rangs ripostèrent,
mais il fallut rapidement se replier, les Tuniques rouges
sur les talons. Les Canadiens et les Indiens, placés sur
les côtés du champ de bataille, retardèrent l'échéance en
provoquant des pertes importantes dans l'armée de
Wolfe. Celui-ci, atteint à l'aine puis en pleine poitrine,
eut la satisfaction d'apprendre, avant de mourir, que la
victoire était acquise. Montcalm fut lui aussi touché, à
la cuisse et à l'aine, et il s'éteignit la nuit suivante.

Québec, pourtant, tenait toujours. L'armée française
était repoussée, mais non défaite, beaucoup d'éléments
n'ayant pas participé à la bataille. En outre, les Britanniques étaient encore très vulnérables, ce que l'état-major
français ne sut déceler toutefois. Bougainville, arrivé trop
tard sur les plaines d'Abraham, et estimant la bataille
perdue, décida de se replier avec sa brigade. Vaudreuil,
de son côté, convoqua dans l'après-midi du 13 septembre un conseil de guerre au cours duquel, sous la
pression des officiers français, il dut renoncer à l'offensive
qu'il se proposait d'effectuer. Mais Lévis, qui arrivait en
provenance de Montréal et héritait des pouvoirs de
Montcalm, estimait encore possible de sauver Québec,
en attaquant la position anglaise sur les plaines. Sa déter-
mination ne fut pas suffisante : le chevalier de Ramezay,
à qui Vaudreuil avait confié les clés de la ville, capitula
précipitamment le 18 septembre. « Il est inouï que l'on
rende une place, sans qu'elle soit ni attaquée ni investie »,
s'indigna Lévis [60]. Sans artillerie pour assiéger la ville, il
dut se replier vers Montréal.

L'année 1759 fut marquée pour les Français par
d'autres désillusions. La première concernait les Pays
d'en Haut, dont le centre névralgique, Niagara, fut

enlevé le 25 juillet par les troupes anglo-américaines de sir William Johnson, soutenues par un millier de guerriers des Six Nations iroquoises. Cette perte était une catastrophe pour le Canada. Les Français n'eurent d'autre choix que de se retirer des forts Machault, la Presqu'Île et Rivière-au-Bœuf, abandonnant ainsi leurs espoirs de reconquête de l'Ohio. Les Britanniques complétèrent leur emprise en reprenant Oswego sur le lac Ontario. Ce n'était pas tout : les Français devaient aussi renoncer, sur le lac Champlain, aux forts Carillon et Saint-Frédéric, qui furent successivement abandonnés les 27 et 31 juillet afin de mieux défendre Montréal, désormais protégée par le seul poste de La Présentation.

La situation française était rendue d'autant plus précaire que William Johnson s'efforçait de faire vaciller les alliances franco-indiennes. Le surintendant aux Affaires indiennes, surnommé *Warraghiyagey* (« meneur de grandes affaires ») par les Iroquois, était à l'instar des officiers français un excellent connaisseur du monde amérindien. Bougainville explique ainsi que « ce général s'est fait adopter par ces nations [iroquoises] : il parle leur langue, a leur ton, leurs manières, est peint et mataché comme eux, il a même une cabane dans leurs villages [61]. » Johnson multiplia les démarches auprès des Iroquois domiciliés pour les inciter à renoncer à l'alliance française, au risque, s'ils s'y refusaient, de subir la foudre des représailles britanniques. Dès l'automne 1759, des domiciliés, sur les conseils des Six Nations, témoignèrent de leur intention d'abandonner les Français. Dans l'ensemble, les démarches britanniques provoquèrent beaucoup de tergiversations dans les villages indiens du Saint-Laurent. Durant l'hiver 1759-1760, les domiciliés étaient encore officiellement dans le camp français, mais les Anglais avaient montré qu'ils n'hésiteraient pas à employer la terreur. En octobre 1759, pour avoir refusé les offres de neutralité des Britanniques, les Abénaquis d'Odanak furent la cible des troupes du major Rogers, qui ravagèrent leur village et tuèrent plusieurs dizaines de personnes.

1760 : la capitulation de Montréal

La bataille des Plaines d'Abraham du 13 septembre 1759, si elle resta la plus célèbre de la guerre de Sept Ans, ne fut pas la plus décisive. Le Canada, en effet, n'était pas encore terrassé. Il était même apte à se redresser, mais il y avait à cela deux conditions : d'une part, que la France expédie des secours – ou bien signe la paix ; d'autre part, que les Indiens continuent de soutenir les Français. Le chevalier de Lévis s'était replié à l'automne 1759 avec l'intention de reprendre la capitale l'année suivante. Les Anglais tenaient Québec, mais pour combien de temps ? James Murray, qui y commandait la garnison britannique, avait perdu beaucoup d'hommes durant l'hiver, à cause de maladies et du froid glacial – on imagine les souffrances des soldats écossais, qui ne portaient rien d'autre, ou presque, que leur kilt. Il disposait au début du printemps d'un peu moins de 4 000 hommes en état de combattre.

Lévis se trouvait, lui, à la tête de plus de 7 300 hommes, dont 270 Indiens – il en avait espéré 1 000 – et, sans l'aide de la Marine française, il fut néanmoins sur le point de reprendre Québec. Parti de Montréal le 20 avril, il vit sa route barrée le 27 par les troupes anglaises à une dizaine de kilomètres de Québec, sur les hauteurs de Sainte-Foy. Murray cherchait à gagner du temps, et il se déroba en disposant son armée sur les plaines d'Abraham. C'est là que se déroula, le 28 avril, la deuxième bataille de Québec. Lévis esquissa un mouvement de fuite qui aspira les Tuniques rouges, soudainement arrêtées par une charge à la baïonnette et par les tirs de Canadiens embusqués. Lévis prit à revers l'armée anglaise, mais l'une des brigades chargées d'envelopper l'ennemi, à cause d'un ordre mal rendu, se rendit à l'autre extrémité du front. Cette méprise sauva les Anglais. La bataille se solda par de très lourdes pertes chez les Britanniques, mais ils purent néanmoins se réfugier derrière les murs de la ville.

On était convaincu que le sort de Québec dépendait désormais de la couleur du pavillon qui flotterait au grand mât du prochain navire. Au début de sa campagne, Lévis avait estimé que si une escadre française quittait la France en février, elle pourrait atteindre le Canada en avril ou mai et participer à la reconquête de Québec. Mais le petit convoi prévu à ce dessein, suite aux hésitations du ministre Berryer, ne quitta Bordeaux que le 10 avril. Pris en chasse par la flotte britannique à l'entrée du golfe du Saint-Laurent, il fut détruit un peu plus tard au large de la Nouvelle-Écosse. Le 9 mai, la frégate qui se présenta devant Québec arborait l'Union Jack. Le 16, Lévis fut contraint de lever le siège et de se replier à nouveau à Montréal. Il déplora « que les secours envoyés de France [...] ne soient pas arrivés dans le moment critique ». « Quelque médiocres qu'ils fussent, joints au succès qu'ont eu les armes du roi le 28 avril, je crois pouvoir assurer que Québec aurait été repris [62] ».

À ce stade de la guerre, les Français avaient d'infimes chances de retourner la situation. Seul un traité de paix franco-anglais pouvait encore sauver le Canada de la conquête. Mais ce traité se fit attendre. Il restait aux Britanniques à s'emparer de Montréal. La dernière position française importante devait être prise en étau par trois armées d'invasion : celle de Murray à partir de Québec, celle d'Haviland par le Richelieu, enfin celle d'Amherst par le Haut-Saint-Laurent. L'échec de Lévis face à Québec eut d'importantes conséquences pour l'alliance franco-indienne [63]. Dans les mois suivants,

William Johnson se chargea en effet d'obtenir la neutralité des domiciliés. Le 14 août, les 600 Indiens que
Vaudreuil avait rassemblés pour empêcher la descente des
troupes d'Haviland se retirèrent du conflit ; et le 30, la
voie du Saint-Laurent fut ouverte à Amherst grâce au
traité conclu dans le village iroquois d'Oswegatchie (La
Présentation) entre les Britanniques et les domiciliés. Ces
derniers s'engageaient à rester neutres, Johnson leur promettant en contrepartie d'oublier les hostilités passées et
de les traiter en amis – les Indiens obtenaient aussi la
liberté de s'adonner au culte catholique, l'assurance que
leurs terres seraient respectées et les autres privilèges dont
ils disposaient sous le Régime français.

Amherst, cinq jours avant de conclure ce traité, s'était
déjà emparé du fort Lévis, Haviland ravissant aux Français l'île aux Noix le 27 août et le fort Saint-Jean le 30.
Murray, qui se trouvait à Longueuil, sur la rive sud de
Montréal, rencontra les Hurons de Lorette, qui venaient
de prendre connaissance du traité d'Oswegatchie. Le 5
septembre, il leur délivra un certificat – auquel la Cour
suprême du Canada, en 1990, a donné valeur de traité
– qui offrait aux Hurons la protection des Britanniques
et des garanties relatives à la religion catholique, à leurs
coutumes et à la liberté de commerce avec les garnisons
anglaises. Selon Alain Beaulieu, il ne s'agissait pas d'un
traité à proprement parler, mais d'un simple « certificat
de protection » remis à son initiative par Murray, et qui
permettait aux Hurons de rentrer sans encombre jusqu'à
leur village [64].

La situation de Vaudreuil, à Montréal, était désespérée. Privée du secours des Indiens mais également des
miliciens, qui préférèrent aller protéger leurs familles
dans les paroisses environnantes, protégée par une
modeste muraille et dénuée d'importantes provisions, la
ville, confrontée à une armée de 18 000 hommes, ne
pouvait guère résister. Le 6 septembre au soir, Vaudreuil

fit agréer à ses officiers un projet de capitulation. Amherst accepta la plupart des conditions du gouverneur français (la promesse que les Canadiens ne seraient pas déportés ou maltraités, la garantie de leurs propriétés, le droit de pratiquer le culte catholique, etc.), mais son refus d'accorder les honneurs de la guerre aux troupes françaises provoqua l'indignation de certains officiers, dont Lévis. Le commandant en chef britannique, qui n'avait pas oublié le fort William Henry, entendait humilier ses ennemis, comme il l'avait fait à Louisbourg. Lévis annonça dans un premier temps à Vaudreuil qu'il préférait résister jusqu'à la mort plutôt que de subir l'affront d'Amherst. Le gouverneur, pour sa part, estimait plus important de protéger les habitants de la colonie que de sauver l'honneur du roi, et il signa l'acte de capitulation le 8 septembre. « L'impossibilité de résister étant démontrée, écrivit-il plus tard, devais-je sacrifier tout un peuple et les troupes plutôt que de subir des conditions sans doute peu honorables aux armes mais dont la dureté est en quelque sorte balancée par les intérêts conservés de la colonie et des colons [65]. » Lévis, comme d'autres officiers, se contenta de briser la lame de son épée au lieu de la rendre. Louis XV, l'année suivante, critiqua vertement Vaudreuil qui aurait dû selon lui résister jusqu'au bout pour faire honneur aux armes françaises ; comme si, pour le roi, la manière dont le Canada avait été perdu l'émouvait davantage que le fait même qu'il l'eût été. Dans les années suivantes, Vaudreuil devint même l'un des boucs émissaires de la défaite.

Eu égard aux alliances indiennes, la situation était complètement retournée. Privés du soutien des Indiens de l'Ohio depuis le traité d'Easton (1758), de celui des Indiens des Pays d'en Haut depuis la campagne de William Henry (1757), enfin de l'aide des domiciliés à partir de l'été 1760, les Français étaient d'autant moins à même de résister aux Britanniques. Ces derniers, en outre,

purent compter sur les Iroquois des Six Nations en 1759
comme en 1760. Onontio, le père français, paraissait
avoir perdu ses enfants. Une semaine après la capitulation de Montréal, un autre traité vint couronner la diplomatie de William Johnson. Par ce traité, négocié à
Kahnawake les 15 et 16 septembre, les Indiens domiciliés devenaient officiellement les alliés des Britanniques,
étape supplémentaire dans la dislocation des alliances
franco-indiennes. L'intégration, au sein de l'Empire, des
autochtones de l'intérieur du continent devait toutefois
se révéler beaucoup plus délicate que celle des domiciliés.

La Louisiane isolée

Les Britanniques avaient conquis le Canada, mais ils
ne s'emparèrent pas de la Louisiane, dont l'importance
stratégique était secondaire. Les établissements du Bas-
Mississippi et ceux du Pays des Illinois, à vrai dire, ne
furent pas attaqués pendant la guerre. La Nouvelle-
Orléans, inviolée, put mériter le surnom de « pucelle »
qui lui resta[66]. William Pitt, en 1759, avait bien prévu
une offensive par terre et par mer, mais le projet fut laissé
de côté. Seul le poste des Illinois participa activement à
la guerre, en apportant son soutien logistique aux forts
des Pays d'en Haut, mais aussi en prenant part à des
actions armées dans la région de l'Ohio.

La Louisiane, par ailleurs, fut envisagée comme terre
de repli stratégique par certains militaires. En 1758-
1759, alors que le vent de la guerre tournait en faveur
des Anglais, des officiers français proches de Montcalm,
tel Bougainville, évoquèrent la possibilité d'un repli de
l'armée vers La Nouvelle-Orléans, à l'aide d'une flottille
de canots. L'exploit serait digne de la retraite des Dix
Mille, cette odyssée grecque narrée par Xénophon dans
l'*Anabase*. À la fin de 1758, un fonctionnaire alla jusqu'à
déposer aux bureaux de la Marine un projet, peu réaliste,

de « transmigration » de la population canadienne dans les vallées de l'Ohio et du Mississippi… Quelques-uns, toutefois, se réfugièrent effectivement en Louisiane. Le prêtre sulpicien François Picquet, par exemple, parvint à La Nouvelle-Orléans à la fin de l'année 1760, avant de rentrer en France.

Le chevalier de Kerlérec chercha à rallier dans le camp français les Cherokees, mais sa politique indienne était handicapée par la pénurie de marchandises – et donc de présents. « Nous manquons de tout et le mécontentement des Sauvages laisse tout à craindre », écrit-il en 1757. Au grand dépit du gouverneur, la colonie demeura en effet complètement isolée pendant de longues années : de juin 1756 à août 1758, puis de décembre 1759 à avril 1762, aucun navire ne vint la ravitailler. En juin 1760, Kerlérec note que la « colonie a été à deux doigts de sa perte par les intrigues et les mesures bien concertées que les Anglais avaient prises de concert avec la nation des Chactas pour enlever le fort de Tombekbé », mais il se réjouit de ce que les Cherokees se soient finalement soulevés contre les Britanniques [67]. Accaparé par le Canada – sans parler du théâtre militaire européen –, le pouvoir royal semblait se désintéresser quelque peu du Mississippi. Entre 1758 et 1762, seule *La Biche*, une flûte d'abord destinée au Saint-Laurent, se rendit à La Nouvelle-Orléans après avoir appris la chute de Québec. Le duc de Choiseul avait pourtant l'intention de préserver la colonie. Ses services écrivaient à l'automne 1761 que « dans les circonstances où se trouve […] la Louisiane depuis la perte du Canada, il est important de prendre les mesures les plus promptes pour y faire passer des secours de toute espèce : troupes, munitions de guerre, habillement et marchandises de traite pour les sauvages [68] ». Louis XV acquiesça et, en avril 1762, trois navires accostèrent à La Nouvelle-Orléans avec des renforts en hommes (le régiment d'Angoumois) et en munitions pour protéger la colonie d'une attaque anglaise, redoutée avec beaucoup d'inquiétude par les habitants du lieu.

Mais le 7 avril 1763, Kerlérec reçut une dépêche de Paris datée du 30 novembre 1762 qui lui annonçait la fin officielle du conflit et le transfert de la Louisiane aux Britanniques et aux Espagnols. Le sieur d'Abbadie, commissaire de la Marine, débarqua à La Nouvelle-Orléans en juin 1763 avec le titre de « Directeur de la Louisiane » pour s'occuper de cette cession. Il était aussi chargé de procéder à l'expulsion des jésuites : en vertu d'un arrêt du Parlement de Paris – foyer janséniste qui leur était hostile –, les membres de la Compagnie de Jésus étaient en effet exclus du territoire métropolitain et de toutes les colonies [69].

« Arpents de neige » ou îles à sucre ?

La conquête du Canada avait été effectuée sur le terrain, en 1760 ; restait à l'entériner officiellement par un traité. Mais les hostilités continuèrent sur d'autres théâtres (en Europe, dans les Antilles, en Inde) pendant deux années supplémentaires. En août 1761, le duc de Choiseul parvint à impliquer l'Espagne dans la guerre en restaurant, par le « Pacte de famille », l'alliance des Bourbons. L'entrée en guerre de l'Espagne ne fut guère concluante toutefois, les Britanniques s'emparant notamment de La Havane en août 1762. La démission en octobre 1761 de William Pitt, obsédé par son désir d'anéantir la France maritime et coloniale, favorisa le succès des négociations. Le 3 novembre 1762 furent signés les préliminaires de paix de Fontainebleau, accords ratifiés le 10 février suivant par le traité de Paris.

Ce traité mettait fin à la présence officielle des Français sur le continent. La France, en effet, abandonnait à l'Angleterre le Canada – jusqu'à la mer de l'Ouest –, les pêcheries de Terre-Neuve et du golfe du Saint-Laurent, mais aussi toutes ses « possessions » situées à l'est du Mississippi. La partie ouest de ce fleuve, ainsi que La Nouvelle-Orléans, furent cédées secrètement à l'Espagne lors des Préliminaires de Fontainebleau. C'était le compromis trouvé par le duc de Choiseul pour que l'Espagne acceptât d'offrir la Floride – c'est-à-dire, à cette époque, le territoire compris entre le Mississippi et la Géorgie – à l'Angleterre, en échange de l'île de Cuba perdue pendant la guerre.

L'article 6 des Préliminaires de Fontainebleau comportait une curieuse mention : les Britanniques annexaient en effet la partie occidentale de la Louisiane « à l'exception de la Nouvelle-Orléans et de l'île dans laquelle elle est située ». Une île ? Cette aberration topographique ne manqua pas d'accentuer l'amertume des colons louisianais. Le procureur Chauvin de La Frénière exprima ainsi son désarroi en présence des officiers de la colonie : « Sa majesté ne sait pas la situation de ce pays qu'il donne à un autre comme on donne un bibelot dont on ne veut plus, comme on donne un pain à un gueux. En quatre-vingts ans Versailles n'a pas appris la carte de la Louisiane, une carte qui a pourtant été dessinée avec du sang et des tombes. Une île messieurs, que dites-vous de cette ignorance [70] ?»

La France, par ailleurs, renonçait à toute prétention sur l'Acadie et ne préservait en Amérique du Nord que le petit archipel de Saint-Pierre-et-Miquelon (215 km^2) ainsi que ses droits de pêche sur le *French shore* de Terre-Neuve. « La Nouvelle-France redevenait ce qu'elle avait été au XVIe siècle, écrit John A. Dickinson : une grande pêcherie qui assurait la prospérité des armateurs malouins et granvillais tout en demeurant la pépinière de la marine [71]. » Les Français conservaient en outre, dans le secteur antillais, Saint-Domingue, la Guadeloupe – conquise par les Anglais en 1759 –, la Martinique

– perdue en 1762 – et Sainte-Lucie. Ils devaient en revanche céder à la Grande-Bretagne Marie-Galante, la Désirade, la Dominique, Saint-Vincent, Grenade et Tobago.

L'Angleterre avait fait le choix du Canada – renonçant ainsi à la Guadeloupe, riche île à sucre –, ce qui ne se fit pas sans d'âpres débats dans les cercles du pouvoir britannique. George III voulait avant tout éviter la possibilité pour les Français de reprendre pied en Amérique du Nord. Les planteurs de la Jamaïque, eux, par crainte de toute concurrence sucrière, firent pression pour que la Guadeloupe ne devienne pas anglaise. Ces vues se conciliaient avec celles de Choiseul, dont l'objectif était de préserver les îles tropicales, bases du grand commerce colonial. Pour le secrétaire d'État, le traité de Paris constituait un succès diplomatique d'autant plus important que, compte tenu des infortunes militaires des années 1758-1762, il s'avérait inespéré.

Une bonne partie de l'opinion française ne se froissa pas de la perte du Canada. On connaît les mots terribles de Voltaire, qui parlait volontiers, à propos de cette colonie, d'« arpents de neige » ou de « déserts glacés »[72]. En mai 1758, il notait : « Je voudrais que le Canada fût au fond de la mer Glaciale, même avec les révérends pères jésuites de Québec, et que nous fussions occupés à la Louisiane à planter du cacao, de l'indigo, du tabac et du mûrier[73]. » En septembre 1762, le philosophe écrivait aussi au ministre de la Marine : « Je suis comme le public, j'aime beaucoup mieux la paix que le Canada, et je crois que la France peut être heureuse sans Québec[74]. » L'intérêt de Voltaire pour le commerce négrier, ainsi que sa haine des jésuites, expliquent en partie ses railleries contre le Canada. Si l'officier Pierre Pouchot, révolté par de tels propos, en parlait comme d'un « langage d'une cynique ignorance[75] », beaucoup cependant partageaient le point de vue de Voltaire. Le peu d'intérêt de Choiseul pour cette colonie – pêcheries exceptées – fut mis en relief quelques années plus tard, en 1768, alors que la France s'apprêtait à entrer en possession de la Corse. Fier de son succès, il écrivait au roi : « je crois que la Corse peut assurer à votre Majesté et à l'Espagne cette domination dans la Méditerranée et que cette île est plus essentielle au royaume, la dépense qu'elle coûte ou qu'elle a coûtée, moins onéreuse que ne l'aurait été une île en Amérique [...]. Je crois que je puis même avancer que la Corse est plus utile de toutes manières à la France que ne l'était ou ne l'aurait été le Canada [76] ».

D'aucuns, dans l'opinion française, s'étaient pourtant montrés favorables à la conservation du Canada, avec différents arguments à la clé. La Galissonnière, quinze années avant le traité de Paris, estimait que c'étaient les hommes, « richesse bien plus estimable pour un grand Roi que le sucre et l'indigo, ou si l'on veut que tout l'or des Indes », qui donnaient sa valeur à la Nouvelle-France [77]. Le marquis de Silhouette, ancien collaborateur de La Galissonnière, partageait quant à lui les vues de William Pitt sur l'importance du continent américain et sur le fait qu'un grand État moderne avait besoin de colonies. Il écrivait au début de l'année 1759 : « le débat est aujourd'hui entre la France et l'Angleterre pour la prépondérance en Amérique [78] ». Certains marchands pétitionnèrent également contre la cession du Canada pour essayer de défendre leurs intérêts particuliers. En 1761, la chambre de commerce de La Rochelle, soutenue par les négociants marseillais et bordelais, tâcha de mettre en avant l'importance de la colonie pour l'industrie, la pêche et le commerce du royaume, mais ce fut peine perdue. Choiseul ne regretta pas davantage la Louisiane qui, selon lui, coûtait « à la France 800 000 livres par an sans lui rapporter un écu [79] ». Plus encore que le Canada, la colonie mississippienne lui servit lors des négociations de simple objet de transaction. En

France, seul Le Moyne de Bienville semble s'en être
ému : en 1762, alors âgé de 82 ans, il se rendit à Versailles pour demander à Choiseul d'intercéder auprès de
Louis XV afin de conserver la colonie qu'il avait longuement gouvernée. Il aurait éclaté en sanglots quand le
ministre lui déclara : « c'est moi qui ai conseillé au Roi
la cession de la Louisiane [80] ».

Choiseul se consola d'autant plus facilement de la
perte de la Nouvelle-France qu'elle constituait une véritable « bombe à retardement [81] » pour l'Empire britannique. Ce qui maintenait en effet les Treize colonies dans
le giron métropolitain, c'était la peur de la puissance
militaire canadienne. Celle-ci terrassée, le lien entre
Londres et ses provinces nord-américaines ne pouvait
que se distendre, à court ou moyen terme. En décembre
1758, le marquis de Capellis observait que l'abandon du
Canada à l'Angleterre « sera une Cause de plus qui peut-
être accélérera Sa ruine, en avançant la défection de Ses
Colonies dans l'Amérique septentrionale ; elles surpasse-
ront bientôt en richesses La Vieille Angleterre, et Secoue-
ront indubitablement le joug de leur Métropole [82] ».

« Nous les tenons », aurait déclaré Choiseul à son
entourage lors de la signature du traité de Paris [83]. Prophétique, il précisait : « Il n'y aura que la révolution
d'Amérique, qui arrivera mais que nous ne verrons vraisemblablement point, qui remettra l'Angleterre dans
l'état de faiblesse où elle ne sera plus à craindre en
Europe [84]. » L'un des objectifs du traité de Paris fut donc
de faire éclater l'Empire colonial anglais. Les Français
furent d'autant plus sensibles à cette question qu'elle
concernait aussi potentiellement le Canada, eût-il été
gardé. C'est ce que révèle Bougainville en 1759, relatant
l'un des arguments des « personnes [...] qui pensent qu'il
est peu important à la France de conserver le Canada » :
« Quand le Canada sera bien établi, il essuiera bien des
révolutions, n'est-il pas naturel qu'il s'y forme des

royaumes et des républiques qui se sépareront de la France [85] ?»

Le monde britannique, sur cette question, était partagé. Ceux qui entendaient restituer le Canada à la France insistaient sur la faible valeur économique de cette colonie mais aussi sur le risque de voir l'Amérique anglaise se détacher de la mère-patrie. « Si nous allions prendre le Canada, nous trouverions bientôt l'Amérique du Nord trop puissante et trop populeuse pour être gouvernable d'aussi loin », s'exclamait un marchand anglais [86]. James Murray, l'un des acteurs de la conquête, partageait cette vision, comme l'illustre cette discussion de juin 1760 tenue avec l'officier français Malartic :

— Croyez-vous [demande Murray] que nous vous rendions le Canada ?
— Je ne suis pas assez versé dans la politique pour voir les choses de si loin.
— Si nous sommes sages nous ne le garderons pas. Il faut que la Nouvelle-Angleterre ait un frein à ronger et nous lui en donnerons un qui l'occupera en ne gardant pas ce pays-ci [87].

Mais c'est l'avis, entre autres, de Benjamin Franklin, qui emporta la décision. De passage en Angleterre, en 1760, celui-ci argumenta contre l'idée d'une rébellion des colonies. Il ne pouvait pas imaginer que celles-ci, si désunies habituellement, puissent se liguer – n'avaient-elles pas refusé en 1754 son « projet d'union » ? –, et qui plus est contre « leur propre nation [88] ». Il faudrait que l'Angleterre se comporte de façon très hostile avec les colonies pour envisager un tel scénario. Par exemple en remettant à la France le Canada.

13

FAIRE RENAÎTRE LA NOUVELLE-FRANCE ?
(1763-1803)

La période 1763-1803 est marquée par l'intégration du Canada dans l'Empire britannique, par la lente prise en main de la Louisiane (occidentale) par les Espagnols, par la naissance et la montée en puissance des États-Unis – pays avec lequel la France entretient des relations contrastées –, et par d'importants mouvements migratoires affectant parfois le destin de l'ex-Nouvelle-France : retour des élites coloniales françaises en métropole ; diaspora des Acadiens ; reprise de la traite en provenance d'Afrique ; planteurs, esclaves et libres de couleur de Saint-Domingue trouvant refuge à La Nouvelle-Orléans (ou ailleurs) ; aristocrates et prêtres réfractaires fuyant la Révolution française et s'exilant aux États-Unis ; première poussée des colons américains en direction du Mississippi ; mais aussi groupes autochtones (des Péorias et des Kaskaskias du Pays des Illinois, des Chaouanons et des Delawares de la vallée de l'Ohio, ainsi que des Cherokees et des Miamis) s'installant en Haute-Louisiane (théoriquement) espagnole afin de fuir l'avancée de la frontière américaine et de trouver de nouveaux terrains de chasse. Le visage ethnique de la Louisiane, dans ce contexte, se modifie sensiblement : aux Indiens – dont

la population commence alors à augmenter de nouveau –, aux blancs descendant des colons venus sous le
Régime français, aux libres de couleur et aux esclaves,
s'ajoutent en effet des migrants espagnols, des Acadiens
mais aussi des réfugiés domingois, tant blancs que noirs.
Dans l'ancienne Amérique française, privée de ses représentants traditionnels, on continue à parler la langue de
Voltaire, mais les loyautés et les identités se brouillent.

L'histoire de la Nouvelle-France, dans ce contexte,
n'est peut-être pas définitivement terminée. Au cours des
premières années du XIXᵉ siècle fleurissait en France un
prénom à la mode pour les jeunes filles et... les juments :
Atala. C'est le titre, on le sait, du célèbre roman de Chateaubriand, lequel notait dans la préface, en 1801 : « si,
par un dessein de la plus haute politique, le gouvernement français songeait un jour à redemander le Canada
à l'Angleterre, ma description de la Nouvelle-France
prendrait un nouvel intérêt [1] ». Cette « plus haute politique » ne fut jamais envisagée pour le Canada, mais elle
le fut pour la Louisiane, qui était même sur le point,
alors que Chateaubriand rédigeait ces lignes, de redevenir
française. L'idée consistant à faire renaître la Nouvelle-
France, en effet, ne fut pas simplement une lubie
d'écrivain.

« Prends courage mon père, n'abandonne pas tes enfants »

Le sommeil du roi de France

« Les sauvages aiment toujours les Français et font à
leurs nouveaux maîtres tout le mal qu'ils peuvent », écrivait Mme de Pompadour à la suite de la défaite française
en Amérique du Nord. La maîtresse de Louis XV était
persuadée qu'il n'existait aucune autre nation « qui possède si bien l'art de se faire haïr que les Anglais », et que

par conséquent le retour éventuel des Français serait bien accueilli par les peuples indiens [2]. L'alliance franco-amérindienne, surtout chez les autochtones, a en effet nourri l'espoir d'une résurgence de la Nouvelle-France, et pour le comprendre, un petit retour en arrière s'impose.

Les garnisons françaises, dans les mois suivant la capitulation de Montréal, durent abandonner les postes des Pays d'en Haut, comme Détroit et Michillimakinac, qui n'avaient pas été conquis par les Anglais. De nombreux Canadiens continuèrent cependant de vivre dans l'Ouest, les Indiens étant réduits pour leur part à l'expectative. Le gouverneur de la Louisiane, Kerlérec, écrivait ainsi au printemps 1761 : « la possession qu'ils [les Britanniques] ont pris de tous les postes, fait le plus mauvais effet parmi les nations sauvages de ce continent, qui disent que tous les Français sont devenus les esclaves des Anglais [3] ». À l'amertume se joignait l'interrogation : le départ d'Onontio était-il définitif ? Les autochtones de l'intérieur du continent voulaient croire que non. Pour eux, la guerre n'était pas terminée. Le 28 novembre 1760, les Indiens de Détroit (Hurons, Outaouais, Poutéouatamis, Ouiatanons, Saulteux) informèrent le sieur de Bellestre, dont la garnison se faisait relever par un détachement britannique, que la reddition des Français ne les concernait pas, et qu'ils ne reconnaîtraient jamais le souverain anglais comme leur père, espérant « que le roi leur maître les retirera de l'esclavage [4] ». Certains promirent même à Bellestre qu'ils enverraient des messages à diverses nations indiennes, et notamment aux Iroquois, pour préparer la guerre au printemps suivant contre les Anglais. Bellestre leur répondit qu'ils avaient raison de se méfier des Britanniques et que le roi, à qui il parlerait, prendrait ses enfants en pitié.

Le soulèvement envisagé n'eut toutefois pas lieu en 1761. Cette année-là, un commerçant anglais nommé Alexander Henry partit de Montréal pour rejoindre les

Pays d'en Haut, guidé par des voyageurs canadiens. Il raconte comment il fut contraint de se vêtir comme ses compagnons pour ne pas être pris pour ce qu'il était : un Britannique. « L'hostilité des Indiens était exclusivement tournée contre les Anglais », écrit-il, tout en constatant la bonne entente entre autochtones et Canadiens [5]. À Michillimakinac, son identité fut découverte et, alors qu'il craignait le pire, un chef saulteux vint lui déclarer : « Anglais ! Vous avez vaincu les Français, mais vous ne nous avez pas encore vaincus ! ». « Nous savons que notre père, le roi de France, est vieux et infirme ; nous savons que, fatigué de vous faire la guerre, il s'est endormi. Son sommeil vous a permis de conquérir le Canada. Mais ce sommeil tire à sa fin. J'entends déjà notre père s'éveiller et s'informer du sort de ses enfants, les Indiens. Et quand il va se réveiller, que va-t-il advenir de vous ? Il vous détruira complètement [6] ! »

La guerre « de Pontiac »

Les rumeurs d'un retour du roi français prirent plus de consistance entre 1763 et 1765, lors du soulèvement panindien dit « de Pontiac [7] ». Cette guerre autochtone contre les Britanniques répondait à la politique désastreuse de Jeffery Amherst – le commandant des troupes britanniques en Amérique du Nord –, qui, sourd aux recommandations de William Johnson et de George Croghan, se refusa à agir comme l'avaient fait les Français, c'est-à-dire en pourvoyeurs de marchandises. Amherst, loin de vouloir approvisionner les Amérindiens, était déterminé à les détruire, parlant d'eux comme d'une « vermine pernicieuse » contre laquelle « il faudrait lâcher les chiens » [8]. Les officiers anglais, qui se comportaient en occupants et non en alliés, signifiaient aux autochtones qu'ils devraient avoir honte d'accepter comme ils l'avaient fait la « charité » des Français. Cette attitude hautaine et méprisante, qui tranchait radicalement avec celle des agents d'Onontio, choquait les autochtones. Les nouvelles règles commerciales, en particulier l'interdiction du crédit, pratique qui permettait aux Indiens de se faire avancer pour l'hiver des marchandises, mais aussi le fait de restreindre la traite aux seuls postes et, plus encore, la décision de réduire de façon drastique la quantité de présents, contribuèrent à alimenter leur mécontentement. Brutale et arrogante, la politique d'Amherst fit renaître de ses cendres l'alliance franco-amérindienne dans les Pays d'en Haut.

La nouvelle du traité de Paris détermina les Indiens à déterrer la hache de guerre. Ils savaient qu'ils n'avaient pas été battus et ne pouvaient concevoir qu'Onontio cédât aux Anglais leur propre territoire. Pontiac, un chef de guerre outaouais de Détroit, fut l'un des principaux acteurs du soulèvement déclenché en mai 1763. Il rallia à sa cause la plupart des membres de sa nation, mais aussi les Poutéouatamis, les Hurons, les Saulteux, les Miamis, les Tsonnontouans, les Chaouanons, les Delawares et plusieurs autres groupes des Pays d'en Haut. Cette confédération parvint à s'emparer de neuf forts entre la baie des Puants et l'Ohio – trois seulement lui échappèrent : Détroit, Niagara et Pittsburgh (Fort Pitt) –, non sans semer la terreur dans l'arrière-pays de la Pennsylvanie, de la Virginie et du Maryland. Or, des rumeurs faisant état d'un retour des Français se diffusèrent lors de cette guerre. L'état-major britannique se persuada même que c'étaient les Français qui avaient manigancé un tel soulèvement. En réalité, il ne s'agissait pas d'une conspiration française mais plutôt d'une tentative indienne d'utiliser la France pour faire barrage à l'expansion britannique.

Le panindianisme qui présidait à ce soulèvement d'envergure s'alimentait à deux sources. Il s'agissait d'abord d'un legs de la période française, la *Pax Gallica*, depuis la fin du XVIIe siècle, ayant servi de ferment unitaire. Ensuite, cette unité fut rendue possible par l'activité d'un prophète delaware nommé Neolin, qui prêchait pour un retour aux sources de la tradition indienne et pour le rejet de tout ce qu'avaient pu apporter les Européens aux autochtones. Ce discours nativiste – auquel se mêlaient des concepts chrétiens – alimenta la guerre contre les Britanniques. Gregory E. Dowd a montré que le discours anti-européen de Neolin épargnait généralement les Français. « Pourquoi souffrez-vous que les hommes blancs vivent parmi vous ? », disait à ses frères le prophète delaware. « Et quant à ces Anglais – ces chiens vêtus de rouge qui sont venus voler vos terrains de chasse – vous devez lever la hache contre eux. Effacez-les de la face de la terre [9]. » En décembre 1763, Neyon de Villiers, le commandant de Fort de Chartres, dans une lettre à d'Abbadie, successeur de Kerlérec, évoquait l'existence de Neolin, « esprit prophétique » à qui le « Maître de la vie » aurait révélé : « je vous avertis que si vous souffrez l'Anglais chez vous, vous êtes morts. Les maladies, la picotte [petite vérole] et leur poison [l'alcool], vous détruiront totalement [10] ». Neolin fournissait à Pontiac une doctrine de combat contre les Tuniques rouges. Selon Robert Navarre, un Canadien de Détroit, les Français étaient les seuls blancs autorisés par le prophète à vivre parmi les Indiens.

S'ils n'avaient pas fomenté ce soulèvement, plusieurs Canadiens y avaient participé, soit en approvisionnant les Indiens, soit en se tenant directement à leurs côtés. Robert Navarre – qui tâchait de jouer un rôle de médiateur – servit même de secrétaire à Pontiac en rédigeant certains messages envoyés par le chef outaouais au commandant britannique de Détroit. Ce soutien de Canadiens était un moyen utilisé par les autochtones pour matérialiser leur rêve d'un retour d'Onontio. À cet effet, ils utilisaient aussi des drapeaux blancs à fleur de lys, et ils « ressuscitèrent » leur ancien « père » de Détroit, Bellestre, en adoptant comme son successeur son propre demi-frère, Antoine Cuillerier, en mai 1763.

Les autorités françaises de la Louisiane, et au premier chef du Pays des Illinois, furent appelées à jouer un rôle important dans cette guerre contre les Anglais. Les Indiens, en les impliquant, avaient une chance de restaurer concrètement l'influence d'Onontio. La guerre retarda en effet l'arrivée d'une garnison britannique dans le Pays des Illinois. Fort de Chartres demeurait un centre de la *Pax Gallica* et constitua un foyer de la résistance aux Anglais. Pierre-Joseph Neyon de Villiers, son commandant, écrivait ainsi en octobre 1763 : « Les sauvages s'applaudissent de me voir encore ici [...]. Ils me disent sans cesse : "Prends courage mon Père, n'abandonne pas tes enfants, les Anglais ne viendront jamais ici tant qu'il y aura un homme rouge" [11]. » Les Illinois refusaient en effet d'imaginer les Britanniques prendre possession du fort. En mars 1764, Neyon de Villiers notait encore : « il y a lieu de craindre que MM. les Anglais, usant avec ces Indiens de leur hauteur et mépris ordinaire, ils ne trouvent encore bien des difficultés pour pénétrer jusqu'ici [12] ». Le mois suivant, Pontiac se rendit en personne à Fort de Chartres pour solliciter l'aide des Illinois mais aussi celle des Français : « Mon père, dit le chef outaouais à Neyon de Villiers, je viens pour t'inviter, toi et tes alliés, à venir avec moi faire la guerre aux Anglais [13]. » Neyon de Villiers, qui n'avait d'autre instruction que celle de faire respecter les termes du traité de Paris, et donc de préparer la venue d'une garnison anglaise, refusa d'apporter son soutien à Pontiac, non sans être impressionné par son charisme : « il a su dans une heure détruire dans l'esprit de nos domiciliés [Illinois] ce que je croyais leur avoir inculqué en huit mois [14] ».

Louis Saint-Ange de Bellerive, qui succéda à Neyon de Villiers en juin 1764, fut aussi embarrassé que lui par les sollicitations des Indiens. Par centaines, des deux rives du Mississippi, les autochtones venaient lui rendre visite, en quête de présents et désireux d'en découdre avec les Anglais. L'officier français leur disait alors « que l'attachement qu'ils avaient pour les Français ne devait pas les engager à continuer la guerre aux Anglais, que leur père voulait qu'ils missent bas les armes ». Mais « ils sont inflexibles sur ce point, précise Saint-Ange, et répètent dans toutes leurs harangues qu'ils ne renonceront jamais à voir leur premier Père qui les a toujours traités avec douceur, et qu'ils ne continuent cette guerre que pour le conserver, que d'ailleurs ils ne trouveront point les mêmes avantages avec les Anglais, ni les mêmes bontés sous leur gouvernement, ayant déjà éprouvé le ton de maître de leur part » [15]. Pour les Indiens de l'Ouest, il est clair que ni la capitulation de Montréal ni le traité de Paris n'avaient mis fin à leur guerre contre les Britanniques.

Le chef chaouanon Charlot Kaské, « Sauvage francisé et élevé à la religion catholique [16] », s'affirmait dans le Pays des Illinois comme le leader de la faction antibritannique. Porteur d'un collier de wampum à cinq branches contenant « les noms de 47 villages qui veulent mourir attachés aux Français en défendant leurs terres jusqu'à la dernière goutte de leur sang [17] », il s'était rendu à La Nouvelle-Orléans en décembre 1764 pour solliciter l'aide de d'Abbadie. Celui-ci, s'en tenant à la lettre des traités, déclina cependant toute demande d'assistance. En février suivant, Kaské obtint une audience de Charles Philippe Aubry, le successeur de d'Abbadie, et essuya le même refus. En entrant dans son bureau, il eut la surprise de croiser quelques officiers anglais en visite à La Nouvelle-Orléans.

Les Britanniques s'efforçaient de convaincre les autochtones que le roi d'Angleterre était à même de remplacer leur père français. Au cours de l'année 1765, ils tâchèrent d'établir enfin leur contrôle sur le Pays des Illinois. Parti de La Mobile, le lieutenant John Ross, accompagné de l'interprète Hugh Crawford, parvint à Fort de Chartres en février. Il fut bien accueilli par Saint-Ange, mais lors d'un conseil tenu en présence d'Illinois (Kaskaskias, Péorias, Cahokias, Metchigamias), de Missouris et d'Osages, un chef kaskaskia nommé Tamarou s'insurgea : « Pourquoi toi Anglais ne restes-tu pas sur tes terres, toutes les nations rouges restent sur les leurs. Celles-ci sont à nous, nous les tenons de nos ancêtres [...] Va-t'en, va-t'en et dis à ton chef que tous les hommes rouges ne veulent pas d'Anglais ici [18]. » Ross et Crawford obtempérèrent, prenant la poudre d'escampette.

En avril 1765, le lieutenant Alexander Fraser, en provenance de Pittsburgh, gagna à son tour Fort de Chartres, mais lui et sa poignée d'hommes se retrouvèrent vite à la merci de Pontiac. Charlot Kaské, de retour en mai de La Nouvelle-Orléans, contribua à affaiblir davantage la position de Fraser qui s'échinait à convaincre les Indiens de faire la paix. Accompagné d'un convoi de ravitaillement destiné aux Français et se présentant comme l'envoyé du gouverneur Aubry, Kaské prétendit que les autorités de la Louisiane continueraient de soutenir les autochtones de la région contre les Britanniques. Fragilisé par cette rumeur, sa vie menacée, Fraser se décida finalement à fuir (le 29 mai), sur les conseils mêmes de Pontiac.

Le chef outaouais, comme beaucoup d'autres Indiens, se désespérait du retour d'Onontio, et le manque de ravitaillement en marchandises européennes lui faisait souhaiter la reprise de la traite des pelleteries, donc la paix avec les Britanniques. Entre le 23 août et le 4 septembre 1765, une série de conférences tenues entre le commandant de Détroit et les représentants de plusieurs nations indiennes des Pays d'en Haut permit finalement de mettre fin au conflit qui avait éclaté en 1763.

Les Britanniques purent ainsi occuper les postes du Pays des Illinois. Le 9 octobre 1765, c'est avec un certain soulagement que Saint-Ange vit arriver à Fort de Chartres les cent *Highlanders* du capitaine Thomas Sterling, dépêchés de Pittsburgh pour investir, plus de deux ans et demi après la signature du traité de Paris, ce territoire où flottait encore le pavillon à fleur de lys. Le transfert d'autorité eut lieu le lendemain. Mais dans les jours qui suivirent, Saint-Ange, ses soldats et la plupart des habitants de la région laissèrent derrière eux leurs maisons et leurs champs et traversèrent le Mississippi pour élire domicile en territoire « espagnol », à Sainte-Geneviève et à Saint-Louis, deux bourgades qui prospérèrent rapidement grâce à la traite des pelleteries et qui conservèrent un fort caractère canadien-français, au moins jusqu'au début des années 1820. Sainte-Geneviève, dernier village du Pays des Illinois à apparaître sous le Régime français, était né dans les années 1740. Quant au village de Saint-Louis, situé un peu au sud de l'embouchure du Missouri, il avait été créé au début des années 1760 par des chasseurs canadiens (la date généralement retenue pour sa fondation est 1764, sous les auspices du Béarnais Pierre Laclède et de son jeune commis, Auguste Chouteau), et fut commandée par Saint-Ange de 1765 à 1770 (date de la prise en charge effective de la bourgade par un lieutenant-gouverneur espagnol).

Charlot Kaské lui aussi se rendit sur la rive droite du Mississippi. À la différence de Pontiac, il avait espéré jusqu'au bout pouvoir tirer Onontio de son sommeil. Pontiac, qui avait perdu son aura des années 1763-1765, n'avait toutefois pas oublié son « père » français : lorsqu'en avril 1769 il rendit visite à Saint-Ange à Saint-Louis, il était vêtu d'un uniforme français qui lui avait été donné en cadeau par le marquis de Montcalm. Repassant sur la rive gauche, à Cahokia, il fut assassiné quelques jours plus tard par un Indien péoria qui, semble-t-il, se vengeait de la grave blessure infligée par Pontiac à son oncle trois années plus tôt.

« Mourir avec les Français » ?

En Basse-Louisiane orientale également, c'est-à-dire sur la rive gauche du Bas-Mississippi, le transfert de souveraineté en faveur des Britanniques suscita de nombreuses difficultés, même s'il n'y eut pas de soulèvement comme dans les Pays d'en Haut. D'Abbadie, chargé par le roi de la cession, avait pour instruction de faire passer les sujets français sur les territoires de la rive droite ou à La Nouvelle-Orléans. La cession définitive de la Louisiane occidentale à l'Espagne, en effet, était toujours tenue secrète.

À partir de juillet 1763, Kerlérec (qui regagna la France en novembre) et d'Abbadie avaient donné des ordres pour que s'opère l'évacuation de La Mobile et des autres postes de la rive orientale (Biloxi, Natchez, Yazous…). Le major anglais Farmar se rendit à La Mobile à partir du 30 septembre, mais les Chactas et les Alibamons, comme l'avait prévu le gouverneur, se montrèrent réticents. Kerlérec, écrit d'Abbadie, « a fait porter des paroles aux nations sauvages […], afin de les prévenir que nous allions quitter ces terres pour nous retirer sur celles de la rive droite du fleuve Mississippi et dans l'île de La Nouvelle-Orléans, et les engager à recevoir avec bonté et amitié les Anglais qui allaient nous remplacer. Ce changement de Gouvernement n'a pas été pris par ces Indiens avec la modération qu'on désirait ». « Ils disent hautement qu'ils ne sont pas encore tous morts, que le Français n'est pas en droit de les donner », rapporte Kerlérec [19]. D'Abbadie tint une conférence avec 3 000 Chactas et Alibamons en novembre 1763 pour les inciter à accepter l'installation des Britanniques.

Ces derniers, que le commissaire décrivait comme « des gens enivrés de leur succès et qui se regardent comme les maîtres du monde », vinrent aussi occuper le poste de Tombecbé, où des Français choisirent de rester vivre parmi les Chactas, et le fort Toulouse, dont la cession s'avéra douloureuse. Comme l'explique d'Abbadie, « la garnison n'était composée que de soldats qui habitaient ce poste depuis son établissement et qui s'y étaient successivement remplacés de père en fils ; leurs habitudes et leurs liaisons avec les sauvages les en avaient fait adopter d'une façon si particulière, qu'il a fallu des ménagements [...] pour faire évacuer ce poste sans accident [20] ». C'est une véritable communauté franco-indienne qui se trouvait brisée par le transfert de souveraineté. Les Anglais durent accepter, à la demande des Alibamons, de ne pas laisser de garnison fixe, et de n'envoyer que des traiteurs. Le commandant La Noue noya les poudres, détruisit les canons, puis revint à La Mobile accompagné de 130 personnes. Des Indiens choisirent de suivre les Français sur la rive occidentale du Mississippi : d'Abbadie parle ainsi de « sauvages Biloxis qui me dirent que leurs intentions étaient de mourir avec les Français et qu'ils voulaient quitter leurs établissements pour passer sur ceux de la rive droite [...]. Ils doivent se joindre dans cette émigration aux Pascagoulas, autre petite nation sur le lac Pontchartrain [21] ».

Le Canada
dans la guerre d'indépendance américaine

« Vive le Québec libre »

Suite à la prise de Québec de 1759, puis après la défaite de septembre 1760, quelque 4 000 individus quittèrent le Canada pour la France : aux officiers militaires, forcés de s'embarquer par les clauses de la capitulation, s'ajoutaient les administrateurs civils qui pour la plupart préférèrent aller poursuivre leur carrière outre-Atlantique. C'est donc une bonne partie des élites coloniales qui émigra, les « petites gens », quant à eux, demeurant généralement dans la vallée du Saint-Laurent. En vertu du traité de Paris de 1763, les Canadiens disposaient d'une période d'un an pour choisir entre le départ et l'acceptation de la qualité de sujet britannique, et moins de 300 gagnèrent la France en 1764 [22].

Par la proclamation de George III du 7 octobre 1763, le Canada, resserré sur la vallée du Saint-Laurent – et donc amputé des Pays d'en Haut –, fut rebaptisé « *Province of Quebec* ». Il constituait désormais une portion de l'Empire britannique. À la fin de l'année 1759, le chevalier de Lévis pouvait écrire à propos des « Canadiens » : « ils ne seront pas longtemps à s'accoutumer au gouvernement anglais, à cause de la facilité qu'ils trouveront dans le commerce [23] ». Il est vrai que les dernières années du Régime français avaient été terribles, du fait des pénuries et de la guerre. Mais les Canadiens, entre 1760 et 1763, espérèrent un retour de la Couronne française, et c'est souvent avec tristesse qu'ils apprirent la teneur du traité de Paris. Une religieuse hospitalière écrivait ainsi : « la paix est conclue et nous en gémissons, en voyant perdre à cette infortunée colonie le glorieux titre de la Nouvelle-France », ajoutant qu'on ne peut « dépeindre au naturel la douleur et l'amertume qui s'est emparée de tous les cœurs à la nouvelle de ce changement de domination ; on se flatte que quelque révolution que la Providence suscitera nous remettra dans nos droits [24] ». Quant aux ursulines, elles s'inquiétèrent pour leurs anciennes élèves. L'une d'elles notait en 1766 : « Les Anglais agrègent tous les jours des demoiselles françaises par des mariages contractés selon les lois anglaises [25]. »

Dans un premier temps, l'espoir des autorités coloniales britanniques est d'assimiler les Canadiens en leur imposant la langue, la religion et les coutumes britanniques – un projet, à vrai dire, que les administrateurs jugent vite irréaliste. Les habitants qui veulent occuper des fonctions publiques sont toutefois sommés d'abjurer le catholicisme en faveur du protestantisme : c'est le serment du *Test*, que les anciens colons français refusent. La stratégie d'anglicisation, de fait, échoue et en 1774 Londres décrète le *Quebec Act*, qui gratifie les Canadiens d'un certain nombre de garanties. De la langue, il n'est pas encore question ; sans statut officiel, le français continuera naturellement d'être utilisé dans une province où la population restera très majoritairement francophone, même après l'arrivée de six mille Loyalistes – Américains restés fidèles à la Couronne – après 1783. L'*Acte du Québec* ne crée pas non plus d'assemblée législative, mais reconnaît officiellement le culte catholique, et donc la possibilité pour les Canadiens d'accéder aux fonctions publiques ; il rétablit l'usage des lois civiles françaises ; il assure le maintien du régime seigneurial ; enfin il élargit la province de Québec à l'échelle de l'ancien Canada, du Labrador à l'Ohio et au Mississippi, faisant ainsi renaître, mais sous souveraineté britannique, le territoire (revendiqué) de la défunte Nouvelle-France...

Cette mesure accordée en faveur des Canadiens catholiques par le roi d'Angleterre suscita la colère des colons anglo-américains. Ils avaient déjà été irrités par la proclamation royale du 7 octobre 1763 qui, en créant – de façon provisoire – un vaste « Territoire indien » au-delà des Appalaches, leur interdisait de s'installer dans l'Ouest : aucune terre ne pouvait en effet être acquise auprès des autochtones sans l'accord de la Couronne, au grand dam évidemment des spéculateurs fonciers. Le *Quebec Act* de 1774, qui verrouillait à nouveau la Frontière, cette fois au profit des « papistes », fut l'une des « Lois intolérables » – aux yeux des Patriotes – qui conduisirent à la guerre d'Indépendance.

Cette guerre, comme on le sait, ne laissa pas indifférente la monarchie française. Dès 1765, celle-ci observa avec attention l'évolution des relations entre la Grande-Bretagne et ses colonies nord-américaines. Des espions furent dépêchés en Amérique afin de vérifier la prédiction de Choiseul : bien que Louis XVI fût peu favorable à l'idée de soutenir des sujets révoltés contre leur souverain, la Couronne française, en cas de rupture entre Londres et les Treize colonies, était prête à s'allier avec celles-ci pour s'emparer du commerce américain. Or, cette rupture intervint dès 1775, beaucoup plus rapidement que ne l'avait imaginé le négociateur français du traité de Paris. L'heure de la revanche avait-elle sonné pour la France ? Dans les milieux militaires français, et en particulier chez d'anciens officiers canadiens retirés en métropole après la guerre de Sept Ans, l'idée de venger la perte du Canada se manifesta nettement. Telle était par exemple la motivation du marquis de La Rouërie qui, avec d'autres officiers, avait rejoint dès 1776 l'armée de George Washington. La Cour, toutefois, ne voulait pas entendre parler d'une éventuelle réoccupation de l'ancienne colonie. En 1778, elle s'engagea, par un traité d'alliance et d'assistance militaire, à combattre du côté des *Insurgents* contre les Anglais, tout en promettant de ne faire aucune conquête pour elle-même en Amérique. Un accord secret prévoyait que la province de Québec devait rester dans le giron anglais. C'était dans l'intérêt de la France de ne pas laisser les Américains envahir le Canada. Selon les instructions secrètes transmises par le ministre Vergennes au sieur Gérard, ambassadeur français à Philadelphie, le Canada devait « demeurer colonie britannique, afin de constituer dans le voisinage des États-Unis une menace permanente qui les contraigne à rester fidèles à l'alliance et permette à la France de jouir des fruits de son assistance politique et militaire, c'est-à-dire l'acquisition du plantureux commerce que la

Grande-Bretagne aura perdu par l'indépendance américaine [26] ».

Vergennes était d'ailleurs persuadé que les Américains
n'étaient pas en mesure de conquérir le Canada. Ils
avaient bien occupé Montréal pendant quelques mois,
en 1775, mais, incapables de s'emparer de Québec, ils
furent contraints de lever le siège. Si les Canadiens
avaient fait preuve d'une neutralité bienveillante à leur
égard au début de cette occupation, refusant d'être enrôlés dans les troupes britanniques et acceptant de loger et
d'approvisionner l'armée américaine, ils devinrent plus
circonspects par la suite quand les Patriotes n'eurent plus
les moyens de payer leur soutien logistique. L'envoi d'un
important contingent britannique les dissuadait quoi
qu'il en soit de toute révolte. Dans les années suivantes,
le projet de conquête revint plusieurs fois à l'ordre du
jour du Congrès américain, en partie, il faut le souligner,
à l'instigation de La Fayette. Le jeune marquis, au nom
de la liberté, s'était engagé dès 1777 comme volontaire
aux côtés des Américains, et il conçut l'année suivante
un plan d'invasion du Canada. L'amiral Jean-Baptiste
d'Estaing pour sa part, qui dirigeait la flotte française,
était au courant de la politique secrète de Vergennes et
tenu par ses instructions : « Refus que je dois faire de
contribuer à la conquête du Canada autrement que par
une croisière et par des attaques de poste ; mais dans le
cas où je serais convaincu que les États réussiraient dans
ces attaques, autorisation de donner des déclarations au
nom du roi pour promettre aux Canadiens et aux sauvages la protection de Sa Majesté s'ils cessent de reconnaître la suprématie de l'Angleterre [27]. »

Marcel Trudel a montré que le célèbre « Vive le
Québec libre » lancé par le général de Gaulle du balcon
de l'hôtel de ville de Montréal en juillet 1967 avait eu
un précédent historique. D'Estaing, chargé par
Louis XVI de faire appel aux « Français d'Amérique »,

émit en effet de Boston le 28 octobre 1778 une « Déclaration adressée au nom du roi à tous les anciens Français de l'Amérique septentrionale », proclamation pour le moins équivoque qui ne promettait à aucun moment une reconquête au profit de la France, mais parlait simplement de la « protection » et de l'« appui » de la France en cas de révolte des Canadiens – révolte, d'ailleurs, que le texte ne sollicitait pas explicitement. Il ne s'agissait donc pas d'un engagement précis de la part de la France, qui n'entendait nullement récupérer le Canada [28].

L'invasion de la province, souhaitée par La Fayette, fut en fait remise d'année en année. En 1779, le bouillant marquis envisagea à nouveau une intervention, cette fois contre la Nouvelle-Écosse, mais son cœur le portait aussi à la (re)conquête du Canada, comme il s'en explique à Vergennes : « L'idée d'une révolution en Canada paraît charmante à tout bon Français, et si des vues politiques la condamnaient, vous avouerez, Monsieur le Comte, que c'est en résistant aux premiers mouvements du cœur [...]. Rendrons-nous la liberté à nos frères opprimés pour retrouver à la fois le commerce des fourrures, la correspondance des sauvages, tous les profits de nos anciens établissements [29] ? » Les Canadiens, à vrai dire, satisfaits par le *Quebec Act*, n'étaient pas forcément tentés par le retour du pavillon à fleur de lys. Outre que les élites avaient vu leurs privilèges confirmés, les marchands étaient désormais dépendants du crédit des négociants britanniques, d'où leurs démonstrations de loyalisme envers la Grande-Bretagne.

En 1780, la France envoya en Amérique des forces considérables, alimentant les rumeurs d'invasion du Canada. Les Américains escomptaient en tout cas entretenir les Britanniques dans cette idée pour faire diversion. La Fayette fut même chargé de rédiger une proclamation fictive aux Canadiens annonçant l'arrivée d'une flotte française sur le Saint-Laurent, et dans laquelle il invitait le clergé, la noblesse et le peuple à accueillir les Français en sauveurs… Ce texte, à vrai dire, n'était pas destiné aux Canadiens mais aux Britanniques, et deux espions canadiens furent même engagés pour en avertir la population québécoise. Somme toute, le seul fait d'armes français dans l'ancien Canada fut l'attaque de La Pérouse dans la baie d'Hudson – perdue par la France en 1713. L'officier de marine, rééditant les exploits passés de Le Moyne d'Iberville, s'empara du fort Churchill, mais il se contenta de le piller. L'alliance franco-américaine eut également des incidences au Pays des Illinois, qui avait été intégré en 1774, mais pour peu de temps, dans la province de Québec. En juillet 1778, le général américain George Rogers Clark, avec 150 hommes, parvint en effet à établir son autorité sur Kaskaskia. Il se présenta à la population locale, d'ascendance française, comme un libérateur, mandaté par le Congrès américain mais agissant aussi au nom de la France, alliée aux Insurgents : « Le roi de France vient de joindre ses armes puissantes à celles de l'Amérique et la guerre sera bientôt finie. Vous êtes libres de vous joindre à nous si vous le souhaitez [30]. » On lui fit bon accueil, et il parvint par l'entremise de deux habitants de Kaskaskia, le père Gibault et le docteur Lafont, à obtenir aussi le ralliement du poste de Vincennes. Mais l'occupation américaine, brutale, suscita rapidement le mécontentement des habitants – qui envoyèrent à ce sujet, en 1780, une pétition à La Luzerne, l'ambassadeur français à Philadelphie – et la colère de nombreux Indiens.

Les Indiens se souviennent…

Les autochtones, qui avaient joué un rôle important lors de la guerre de Sept Ans – au point de la prolonger sous les auspices de Pontiac et de Neolin –, participèrent aussi à la guerre d'Indépendance américaine. Les Américains et les Britanniques s'efforcèrent d'obtenir leur allégeance, et l'intervention des Français fit renaître l'espoir d'un retour du Grand Onontio, enfin réveillé de sa longue torpeur. Dès 1776, à la suite de rumeurs, des Outaouais, Chaouanons et Cherokees s'étaient réunis en évoquant le retour imminent des Français, qui seuls étaient à même, pensaient-ils, de les aider à faire barrage à l'expansion anglo-américaine. Les Patriotes, assez paradoxalement, jouèrent d'ailleurs de l'influence française pour gagner les Indiens à leur cause. En 1778, une fois le traité d'alliance conclu avec la France, les Américains en répandirent la nouvelle au Canada, pour toucher les Canadiens bien sûr, mais plus encore les autochtones – et en particulier ceux des Iroquois qui s'étaient ralliés aux Anglais.

Au printemps 1778, George Washington, qui commandait l'armée américaine, et qui avait appris à ses dépens, quelque 25 ans plus tôt, la valeur de l'alliance franco-indienne, envoya à Pittsburgh deux officiers français, le chevalier de Failly et le capitaine Pierre de La Colombe, pour rallier les Delawares et les Chaouanons. La Fayette, de son côté, se rendit durant l'hiver 1777-1778 chez les Onneiouts et les Tuscaroras, deux des Six Nations iroquoises. Accueilli comme le « grand chef de guerre de notre ancien père Ononthio », il fut adopté par ses hôtes et se vit décerner le nom d'un guerrier célèbre, *Kayewla* (Cavalier redoutable). Le marquis, qui cherchait surtout à instrumentaliser de vieilles amitiés au service de la cause américaine, leur offrit quelques louis en guise de médailles. « L'amour du sang français mêlé à l'amour des louis d'or français, a engagé ces Indiens à promettre de venir avec moi », s'enthousiasme-t-il dans ses *Mémoires* [31]. Les Britanniques étaient évidemment préoccupés par ce retour des Français sur la scène indienne. En janvier 1780, le général Haldimand écrivait que l'amitié des autochtones pour la Grande-Bretagne

> « décline chaque jour, particulièrement depuis que les Américains se sont alliés aux Français, avec lesquels ils ont un vieux et tenace attachement [32] ».

L'alliance franco-américaine, du point de vue des Indiens, recelait pourtant une profonde contradiction. Les officiers français utilisés par les Insurgents se comportaient comme ils l'avaient fait du temps de la Nouvelle-France, réendossant la défroque paternelle du protecteur et du pourvoyeur, mais il en était tout autrement des colons américains. Ces derniers voulaient s'installer sur les terres indiennes et ils n'hésitaient pas à les accaparer avec violence. Comme le remarque Gregory E. Dowd, le roi de France se réveillait, mais il choisissait mal ses alliés. Le colonel français Augustin Mottin de La Balme, qui s'efforçait de gagner à la cause franco-américaine les Indiens de la vallée de l'Ohio et du Pays des Illinois, fit part de son écœurement face à la conduite des Américains qui, loin de vouloir nouer des rapports d'alliance avec les Indiens, entendaient les exterminer. En août 1780, de la même façon, lors d'une conférence à Newport, un chef indien déclara au comte de Rochambeau, qui participa l'année suivante à la victoire américaine de Yorktown :

> « Mon père, il est bien étonnant que le roi de France notre père envoie ses troupes pour protéger les Américains dans une insurrection contre le roi d'Angleterre leur père [33]. »

L'espoir du retour d'Onontio vacilla donc, non sans resurgir, ici et là, jusqu'à la fin du XVIIIe siècle. En 1784, un an après le traité de Versailles qui reconnaissait l'indépendance des États-Unis, La Fayette se rendit à nouveau en Amérique pour une tournée triomphale. En octobre il assista au fort Stanwix à une grande conférence entre

les autorités américaines et les délégués de la ligue iroquoise, déchirée durant la guerre d'Indépendance entre
partisans de l'Angleterre (cas des Agniers et de la plupart
des Onontagués, des Goyogouins et des Tsonnontouans)
et des Patriotes (Onneiouts et Tuscaroras). Il rendit
compte à Vergennes de ce congrès, parlant d'un « traité
sauvage […] où l'on a cru que je pouvais être de quelque
utilité. Il est impossible de ne pas jouir de l'attachement
que ces nations ont conservé pour nous. » La Fayette
invita ses hôtes iroquois à accepter les exigences américaines (le traité imposait d'importantes cessions territoriales) et leur promit que « sur l'autre bord du grand lac,
je recevrai avec plaisir de vos nouvelles. Jusqu'au moment
où nous fumerons ensemble, où nous coucherons encore
sous la même écorce, je vous souhaite bonne santé. » Le
chef agnier Ocksicanehiou (vraisemblablement le fameux
Joseph Brant, dont la sœur avait épousé William
Johnson) se leva alors, et lui dit : « Kayewla, mon père,
nous sentons que tes paroles sont celles de la vérité […],
nous nous rappelons les paroles que tu nous a dites et
envoyées il y a sept ans […], que l'alliance entre la France
et l'Amérique serait une chaîne indissoluble. » Le chef La
Sauterelle pour sa part, « orateur des nations amies », lui
offrit un collier de wampum que lui avait donné Montcalm vingt ans plus tôt, collier selon lequel « nos pères
[…] nous dirent que chacun devait en tenir un bout, et
qu'un jour leurs voix seraient encore entendues parmi
nous [34] ».

La Fayette, soucieux de faire scintiller l'étoile de la
France dans le miroir des alliances indiennes passées, participait d'un discours ancien sur l'amitié singulière entre
Français et autochtones en Amérique du Nord, déjà
entonné par Lescarbot et Charlevoix, discours qui sera
repris avec l'excès que l'on sait, un siècle plus tard, par
les historiens colonialistes de la IIIe République. Mais le
fougueux marquis, en l'occurrence, n'affabulait pas.

Dans le contexte de l'invasion de leurs terres par les colons américains, les autochtones, y compris les Iroquois, étaient naturellement conduits à idéaliser la période française.

En 1798-1799, des rumeurs faisant état d'un retour d'Onontio circulèrent encore dans les villages indiens des Pays d'en Haut. Et si l'espoir finit par se dissiper totalement, notamment après la vente de la Louisiane en 1803, la nostalgie indienne, elle, ne s'éteignit pas. En 1809, le général américain Harrison en rendait clairement compte à l'issue d'une rencontre avec des Indiens des Grands Lacs : « Le bonheur dont ils jouissaient grâce à leur relation avec les Français est leur thème perpétuel : c'est leur âge d'or. Ceux qui sont assez âgés pour s'en rappeler en parlent avec extase [35] ». En 1797, exilé volontaire en Amérique, Louis-Philippe d'Orléans avait lui aussi invoqué cette ancienne affection. Quand il rendit visite aux Cherokees, le futur monarque (1830-1848), accompagné de ses deux frères, le duc de Montpensier et le comte de Beaujolais, jugeait volontiers que l'hospitalité dont il bénéficia était le fruit de sa nationalité. Le duc de Montpensier écrivit ainsi à sa sœur Adélaïde : « Notre qualité de Français a beaucoup contribué à cette bonne réception [36]. » En 1798, les trois hommes gagnèrent La Nouvelle-Orléans : sous souveraineté espagnole, la ville suscitait alors un intérêt renouvelé de la part des autorités françaises.

La Louisiane restera-t-elle française ?

La Louisiane n'avait pourtant jamais été une priorité dans la politique coloniale française. Choiseul s'en était servi comme simple monnaie d'échange lors des négociations du traité de Paris. Vingt ans plus tard, même si

Bonaparte crut pouvoir faire renaître une Nouvelle-France sur le Mississippi, la situation n'avait finalement guère changé. Ballottés d'une souveraineté à l'autre (française, puis espagnole, puis à nouveau française, enfin américaine), les Franco-Louisianais, dont la population était de plus en plus composite – descendants des premiers colons venus sous le Régime français, Acadiens, réfugiés de Saint-Domingue –, n'avaient pas oublié la France, mais leur sentiment d'appartenance, au fil des années et des recompositions démographiques (aux francophones blancs s'ajoutaient en outre les libres de couleur, les esclaves d'origine africaine, les Indiens et les Espagnols), s'était modifié. Le patriotisme français s'était progressivement évanoui pour se muer en un patriotisme du sol.

Entre la France et l'Espagne

D'Abbadie ne fut officiellement informé de la cession de la Louisiane occidentale à l'Espagne – prévue par la convention secrète du 3 novembre 1762 – que le 30 septembre 1764, lorsqu'il prit connaissance d'une lettre du roi datée du 21 avril précédent. La transition entre les deux régimes fut particulièrement laborieuse. Les colons qui ne souhaitaient pas rester sous la domination espagnole étaient invités à migrer en France ou dans les autres colonies, mais la monarchie française conservait sur place des représentants officiels. D'Abbadie, qui disposait du titre de « directeur de la Louisiane », était secondé par le capitaine Aubry – qui lui succéda à partir de février 1765 – et par l'ordonnateur Foucault. Quant aux autorités espagnoles, avec à leur tête Don Antonio de Ulloa, elles n'arrivèrent à La Nouvelle-Orléans qu'en mars 1766 – et ne gagnèrent Sainte-Geneviève et Saint-Louis qu'à l'automne 1767. Ulloa, cependant, n'était accompagné que de 90 hommes, un contingent insuffisant pour pouvoir faire régner l'ordre et procéder à une véritable prise de possession. Les autorités françaises devant donc demeurer sur place, il en résulta un véritable imbroglio administratif.

La Cour, en vérité, se préoccupait bien peu de la Louisiane. C'est tout juste si elle se souvenait que le drapeau français flottait toujours à La Nouvelle-Orléans et dans les postes situés sur la rive ouest du Mississippi. Elle finit toutefois par enjoindre Aubry de remettre définitivement la colonie aux Espagnols. Mais le commandant par intérim pouvait-il laisser Ulloa, dont la plupart des soldats avaient déserté, gouverner une colonie sans le soutien de troupes ? « Ma position est des plus extraordinaire, écrivait Aubry ; je commande pour le Roi de France, et en même temps gouverne la colonie comme si elle appartenait au roi d'Espagne [37]. » On hissa le pavillon espagnol aux quatre coins de la colonie, mais on ne pouvait encore parler de prise de possession.

Quelques mois plus tard, en 1768, une « révolution » éclata à La Nouvelle-Orléans contre l'Espagne. L'événement permet de s'interroger sur l'existence ou non d'un irrédentisme français en Louisiane. En 1765, les colons avaient délégué en France le plus riche négociant de La Nouvelle-Orléans, Jean Milhet, pour aller supplier le roi d'annuler l'acte de cession. Milhet sollicita sur place l'appui de Le Moyne de Bienville, l'ancien gouverneur de la Louisiane, alors âgé de 86 ans, pour mieux plaider sa cause devant la Cour. Mais le roi ne les reçut pas personnellement, et Choiseul se contenta d'ânonner de bien vagues promesses. Il n'était évidemment pas question pour le ministre de revenir sur le traité de cession, et Milhet, à la fin de l'année 1767, regagna la Louisiane avec une certaine amertume.

Le négociant fut alors l'un des animateurs de la révolte qui se déclencha l'année suivante contre l'occupation espagnole. Le 28 octobre 1768, quelques colons, à l'instigation du procureur général Chauvin de La Frénière, tentèrent en effet un coup de force. La Frénière se rendit chez l'ordonnateur Foucault – qui était de mèche – muni d'une requête demandant la tenue d'un conseil extra-ordinaire pour enjoindre Ulloa, accusé de despotisme, de quitter la Louisiane, et pour mettre fin aux restrictions commerciales imposées par l'Espagne. Les insurgés espé-raient ainsi forcer la main du roi pour qu'il reprenne en charge la colonie. Aubry, qui condamna la sédition, rapporte que le 29 octobre, « jour du conseil », « il se trouva sur la place près de mille hommes en armes avec le pavillon blanc, criant tous généralement : "Vive le Roi de France", et ne voulant pas d'autre Roi [38] ». « Dans le même instant, rapporte encore le négociant Pierre Car-resse, on hisse le pavillon, mille cris de Vive le Roi se répètent, on voit couler des larmes de joie dont le plaisir le plus pur est la source. Que les rois seraient heureux s'ils pouvaient être les témoins des sentiments aussi vive-ment exprimés [39] ». Sous la pression de La Frénière, le Conseil supérieur décida l'expulsion d'Ulloa dans les trois jours et décréta qu'il n'y aurait pas de prise de pos-session espagnole « sans de nouveaux ordres de Sa Majesté Très Chrétienne [40] ». Ulloa n'eut d'autre choix que de fuir à bord d'une frégate espagnole.

Dirigée par nombre des élites de la colonie, la révolte fut soutenue par une large partie de la population blanche. En se proclamant « citoyens français », en dénonçant la « haine » manifestée par Ulloa envers la « nation française » et en présentant Louis XV comme leur « souverain naturel » [41], les insurgés puisèrent dans un nouveau langage de la nation en train de s'imposer de part d'autre de l'Atlantique. La culture politique de l'époque était, en effet, en proie à d'importantes transfor-mations qui s'exprimaient dans une politisation des concepts de « nation », « patrie » et « société ». Ces chan-gements reflétaient les débats en cours sur les rapports entre l'autorité royale et la nation conçue comme une communauté politique, le partage du pouvoir exécutif et législatif entre la Couronne et les Parlements, et la définition du bien commun.

Chauvin de La Frénière et les autres leaders de la révolte se saisirent d'abord de cette rhétorique patriotique pour exprimer des revendications d'ordre économique. Ils réagissaient au décret espagnol du 5 mars 1768 qui imposait aux Louisianais le régime de l'Exclusif. Celui-ci ne les autorisait qu'à un commerce direct et sans escale avec les ports espagnols. Il n'était donc pas possible de trouver de débouchés aux pelleteries, qui n'intéressaient pas le marché espagnol, ni de poursuivre les relations commerciales avec La Rochelle et Bordeaux, soit les deux principaux ports métropolitains. Aux acclamations en faveur du roi, le 29 octobre, se mêlaient d'ailleurs d'évocateurs « Vive le vin de Bordeaux ! À bas le poisson de Catalogne [42] ! ». Les restrictions commerciales imposées étaient jugées irrecevables par des commerçants louisianais dont le rêve était de constituer La Nouvelle-Orléans en port franc entre l'Europe et l'Amérique.

Aux griefs économiques s'ajoutaient des revendications d'ordre politique. Les rebelles stigmatisaient l'arbitraire du gouvernement espagnol, tout en s'interrogeant sur la légitimité de la cession de la Louisiane par la Couronne puisque, la colonie n'ayant pas été conquise par les armes, cette cession contrevenait aux lois fondamentales du royaume. La Frénière parlait, en substance, du nécessaire consentement des gouvernés et du droit des peuples à décider des affaires concernant leur bien-être. Il mettait en avant le rôle des Parlements et des Conseils supérieurs comme dépositaires des lois sous l'auspice desquelles le peuple devait vivre heureux [43]. Cette rhétorique, inspirée par la révolte parlementaire qui secouait alors le royaume de France, étendait ainsi le débat politique en cours sur les liens entre le roi et ses sujets à la question de la situation des colonies par rapport au royaume et aux relations entre empire et nation. Face à l'indifférence que Louis XV manifestait à leur égard, les insurgés en vinrent même à envisager de fonder une république indépendante, devenant ainsi les premiers colons à exprimer une telle aspiration [44].

Les leaders de la révolte avaient, en effet, vite compris qu'il n'y avait rien à espérer de la France. Lorsque les délégués mandatés par La Frénière débarquèrent à La Rochelle en avril 1769, les dés étaient déjà jetés. Ulloa s'était rendu en Espagne en février, et Madrid et Versailles s'étaient mis d'accord pour que soit respecté l'entente de 1762. Choiseul reçut les mandataires, mais en pure forme, sans leur accorder d'audience officielle, et sans leur permettre de rencontrer Louis XV. Celui-ci condamna le comportement d'Ulloa, tout en estimant que le Conseil supérieur avait outrepassé ses pouvoirs. Pour la monarchie française, il fallait absolument conforter la mainmise espagnole sur la Louisiane afin d'éviter qu'elle ne tombât entre les mains des Britanniques (souverains à l'est du Mississippi). Le roi d'Espagne chargea Alexandre O'Reilly, un officier d'origine irlandaise, d'aller reprendre le contrôle de la colonie. O'Reilly débarqua à La Nouvelle-Orléans en juillet 1769 à la tête de 3 000 soldats, et mit fin par la répression à la révolte des colons louisianais. Bien que leur ayant promis le pardon pour mieux pouvoir débarquer, il fit arrêter et juger les meneurs. Six furent condamnés à mort, dont La Frénière et Milhet, cinq autres emprisonnés. Cette répression ne provoqua aucune réprobation officielle en France, mais les exécutés devinrent des « martyrs » pour la communauté louisianaise, qui commença alors à prendre conscience d'elle-même. O'Reilly s'efforça toutefois d'instaurer une coexistence avantageuse entre Français et Espagnols, en respectant par exemple l'usage du français. Lui-même se maria avec une femme de culture française. Le Régime espagnol par ailleurs, avant comme après cette douloureuse prise de possession, s'appuya sur les élites locales pour gouverner. La Couronne madrilène satisfit ainsi partiellement leur aspiration à participer davantage à la gestion politique et administrative de la colonie avec l'instauration à La Nouvelle-Orléans d'un *cabildo*, ou conseil municipal – il n'en existait aucune version sous le Régime français, les notables urbains ne participant alors à l'administration coloniale qu'en tant que membres du Conseil supérieur. Ce sont aussi d'anciens officiers ou des colons d'ascendance française qui occupèrent les charges administratives dans les postes de l'intérieur. La garnison espagnole envoyée à Sainte-Geneviève fut d'abord dirigée par un habitant du cru, Louis Dubreuil de Villars, fils de l'un des plus riches et entreprenants planteurs du Régime français ; quant à la milice de ce village, elle fut placée sous l'autorité d'un notable local d'origine canadienne, François Vallé. Au poste des Arkansas, la fonction de commandant, souvent à la demande même des Quapaws – et des habitants français – fut successivement confiée, de 1766 à 1770, à Legros de Grandcour, à Alexandre de Clouet puis à François Desmazellières ; de 1776 à 1782, c'est à nouveau un commandant « français », Balthazar de Villiers, qui fut investi. Il faut dire que, selon Bossu, les Quapaws avaient appris le transfert de souveraineté à l'Espagne avec quelque regret : « Ces peuples m'ont paru consternés par cette cession [et] fort étonnés de voir que nous les avions abandonnés [45] ».

L'immigration acadienne :
aux origines du pays cajun

Si la Louisiane devenait officiellement espagnole, elle demeurait plus francophone qu'hispanophone [46]. Cette situation fut accentuée par l'immigration de plusieurs milliers de réfugiés français : dans les années 1790, il s'agissait de Royalistes effrayés par les événements révolutionnaires, ou de colons, blancs ou libres de couleur – accompagnés de leurs esclaves – fuyant la révolution de Saint-Domingue. Mais il faut surtout nous arrêter ici sur les Acadiens et la complexité de leur diaspora au cours des années 1763-1785.

Ceux qui avaient été déportés dans l'Amérique britannique en 1755 et qui étaient toujours vivants (plusieurs milliers périrent à cause de la malnutrition et d'épidémies durant la traversée puis du fait de mauvais traitements dans les colonies) avaient généralement refusé toute forme d'assimilation et ne s'étaient de fait guère acclimatés. La vie misérable, l'ostracisme, la francophobie et l'antipapisme virulents qu'ils durent subir dans le contexte de la guerre de Sept Ans, eurent pour effet de renforcer la cohésion de la communauté acadienne. Or, un article du traité de Paris (1763) leur permettait de quitter dans les dix-huit mois les colonies anglaises. La plupart, sans surprise, s'exécutèrent. Certains, comme l'illustre le roman d'Antonine Maillet, *Pélagie-la-Charrette* (1979), s'installèrent clandestinement dans la région de la rivière Saint-Jean ou sur le pourtour de la baie des Chaleurs (Nouveau-Brunswick), donnant naissance à l'Acadie actuelle ; une partie se rendirent à Québec ou bien dans l'archipel de Saint-Pierre-et-Miquelon, qui accueillit aussi quelques Micmacs ; d'autres, enfin, choisirent d'élire domicile en France ou encore en Louisiane.

La première vague d'immigration des Acadiens dans le delta du Mississippi s'effectua entre 1765 et 1769, alors que la colonie était théoriquement passée sous souveraineté espagnole. Quelque 800 des Acadiens de Pennsylvanie et du Maryland rejoignirent par exemple La Nouvelle-Orléans en passant sur des navires marchands britanniques. Avec l'espoir, transfiguré dans la légende d'Évangéline, de retrouver des proches, ils s'installèrent surtout dans les bayous du sud-ouest de la Louisiane, par exemple aux Attakapas, à Saint-Jacques de Cabannocé ou aux Opelousas, une région qui devint plus tard le pays des « Cadiens » (Cajuns).

En 1785, un nouvel afflux de réfugiés acadiens, cette fois en provenance de la France, contribua également à cet état de fait. De 1758 à 1764, environ 3 000 Acadiens (certains après un passage en Angleterre) s'éparpillèrent dans les provinces maritimes du royaume (régions de Saint-Malo, de Cherbourg, du Havre, de Morlaix, de Rochefort et de La Rochelle, etc.). Le roi avait promis d'assurer leur « subsistance » en attendant qu'ils soient bien installés. De façon générale toutefois, cet exil ne tint pas ses promesses. L'État les entretenait chichement, et Choiseul, conscient qu'il serait difficile de leur trouver des terres disponibles comparables à celles dont ils disposaient en Acadie, pensa les envoyer dans d'autres colonies. Plusieurs centaines se rendirent en Guyane en 1763, mais l'expédition tourna au désastre (quelques survivants furent rapatriés en 1765) ; d'autres tentèrent leur chance dans les îles Malouines. Au sein du royaume, que ce soit dans le Poitou, en Lorraine, en Bretagne ou en Corse, les Acadiens ne parvinrent guère à s'implanter. À partir de 1773, la monarchie essaya par exemple d'intégrer des familles au sein de la paysannerie poitevine, mais l'insuffisance des terres disponibles (d'importants travaux de mise en valeur étaient nécessaires) et l'absence de titres de propriété entraînèrent l'échec du projet. L'espoir d'un retour en Amérique, et en particulier vers la Louisiane, d'où parvenaient des nouvelles de proches et de parents, joua également contre l'enracinement local des Acadiens. En 1785, Louis XVI accorda finalement son autorisation pour une émigration vers l'ancienne colonie mississippienne, les autorités espagnoles prenant à leur charge les frais de transport. Répartis dans sept navires, 1 600 individus (soit les trois quarts de la population acadienne vivant en France, les autres choisissant de demeurer à Saint-Malo, à Nantes ou à Belle Île…) se rendirent en 1785 en Louisiane, où ils s'installèrent en particulier dans le bayou Lafourche. Avec l'immigration des années 1765-1769, ce nouvel afflux portait à 3 000 le nombre de réfugiés acadiens en Louisiane.

Selon Carl. A. Brasseaux, l'implantation avortée dans la mère-patrie, très douloureuse, conduisit au sein de la population acadienne de Louisiane à l'effacement du sentiment identitaire français. Cette communauté, en s'adaptant à la société du Bas-Mississippi – une créolisation symbolisée par l'acquisition d'esclaves noirs –, acquit progressivement, au cours du XIXe siècle, une identité cadienne (cajun).

Bonaparte…
ou trois semaines de souveraineté française

Napoléon, après Waterloo (1815), envisagea de s'exiler aux États-Unis, comme l'avaient fait avant lui, pendant la Révolution, nombre d'aristocrates. Plusieurs plans furent élaborés, mais l'ex-empereur paraît avoir finalement renoncé à ce projet, comme s'il n'était pas digne de lui de fuir comme un vagabond… Quinze ans plus tôt, alors Premier Consul, il s'était déjà intéressé à l'Amérique, et en particulier à Saint-Domingue et à la Louisiane.

Les liens s'étaient pourtant fortement distendus entre la France et son ex-colonie au cours des années 1770-1780. Pour les créoles louisianais, abandonnés à leur sort par Choiseul en 1768-1769, il devenait sans doute de plus en plus difficile de s'identifier à la France. Qui plus est, passée la répression de 1769, la politique espagnole s'avérait très tolérante à leur égard et la Louisiane connut une période de croissance économique et démographique. Quant à la France, si l'on excepte une poignée de nostalgiques, elle n'avait plus aucune raison de s'intéresser au Mississippi.

La Louisiane connut une certaine agitation durant la Révolution française. Les élites coloniales, soucieuses de maintenir l'institution de l'esclavage, se préoccupèrent d'une possible contagion de l'insurrection de Saint-Domingue, d'autant que les planteurs de l'île réfugiés à La Nouvelle-Orléans étaient venus avec de nombreux esclaves. Le risque était d'autant plus grand que la communauté servile de Louisiane avait été réafricanisée avec la reprise de la traite : or, parmi les esclaves, ceux nés en Afrique étaient toujours plus enclins à se rebeller que les créoles. De fait, après une première conspiration en juillet 1791, une seconde tentative de révolte servile, plus grave, fut éventée à La Pointe Coupée au printemps 1795. Elle fut attribuée par le gouverneur espagnol à des rumeurs répandues par des agents jacobins, selon lesquelles il se refusait à publier un édit royal d'émancipation. Des libres de couleur participèrent également à ces complots. Par ailleurs, le lieutenant Pedro Bailly, membre des *Companía de Pardos de la Nueva Orleans* [47] (Compagnie des mulâtres de La Nouvelle-Orléans) fut accusé en 1791, puis en 1794, d'avoir tenté de fomenter une révolte parmi les *pardos* (mulâtres libres) qui demeurèrent toutefois fidèles à la Couronne espagnole. En 1795, un nouveau complot fut découvert, qui impliquait des miliciens *morenos* (noirs libres) et des soldats français.

Les esclaves et les libres de couleur, en effet, n'étaient pas les seuls à s'agiter. La Révolution française ne suscita pas que des oppositions parmi les blancs de Louisiane. Les troubles s'accrurent en particulier après la proclamation de la République en septembre 1792 et l'exécution du roi en janvier 1793. La situation devint particulièrement tendue lorsque l'Espagne entra en mars 1793 dans la première Coalition contre la France révolutionnaire qu'elle combattit jusqu'en juillet 1795. Les autorités espagnoles, déjà inquiètes d'une possible invasion de l'ancienne métropole, durent faire face à des manifestations de partisans français – le public du théâtre réclamant que *La Marseillaise* soit jouée par l'orchestre, en plus des « Ça ira, Ça ira, les aristocrates à la lanterne » chantés dans les rues de la capitale – et à la création d'un club jacobin. C'est dans ce contexte que refit surface l'idée d'un retour de la Louisiane dans le giron français. Déjà en 1790, l'Assemblée Constituante avait reçu une pétition des habitants de La Nouvelle-Orléans qui demandaient à être réunis à la « mère-patrie ». En 1793, George Rogers Clark, héros de la Révolution américaine qui s'était illustré dans le Pays des Illinois, complota avec Edmond-Charles Genêt, le ministre plénipotentiaire français à Philadelphie, pour restituer la Louisiane à la France. Les Girondins répondirent favorablement à cette requête, soucieux d'œuvrer à « la délivrance de leurs anciens frères [48] », mais le président Washington mit fin au projet en exigeant le rappel en France du remuant *Citizen Genêt*. L'année suivante, une nouvelle pétition d'habitants de La Nouvelle-Orléans réclamait « les secours de la Convention nationale pour être réunis à la mère-patrie dont ils ont été séparés par la trahison du ministre Choiseul [49] ». Le Comité de Salut public, sans y donner suite, s'intéressa de près à la question. De leur côté, les autorités espagnoles expulsèrent de la capitale louisianaise 68 suspects de sympathie jacobine et tentèrent, une fois encore, de calmer les esprits par la publication de proclamations et de pamphlets dénonçant les horreurs de la Révolution française :

> « Habitants de la Louisiane, écrivait ainsi le gouverneur, connaissez le danger qui vous menace, prêt à tomber dans le piège que d'infâmes séducteurs répandus parmi vous, vous rendent depuis un an ; ouvrez enfin les yeux à la vérité la plus évidente, et instruits par les meurtres, les incendies, la dévastation de la France, et de ses colonies ; évitez par votre

fermeté le même sort que vous préparent les scélérats qui chassés de l'île de Saint-Domingue, dont ils ont causé la ruine, ont été envoyés sur l'Ohio par le prétendu Ministre de la Convention, Genêt, pour renouveler les mêmes scènes d'horreur parmi vous. [...] Vous laisserez vous éblouir par l'espoir trompeur d'une liberté, d'une égalité qui n'ont pas pu s'établir en France, ni dans ses colonies, malgré les torrents de sang qui coulent depuis quatre ans, parce qu'elles ne peuvent exister sur la terre [50]. »

Sous le Directoire, le gouvernement français manifesta un intérêt redoublé pour la Louisiane, suite à de nouvelles pétitions de ses habitants. Parmi certains dirigeants s'imposait de plus en plus l'idée d'un retour sur les rives du Mississippi. En juillet 1795, le plénipotentiaire français aux négociations de Bâle fut chargé de demander à l'Espagne la rétrocession de l'ancienne colonie. Il n'obtint pas gain de cause sur ce sujet, mais la France annexa en revanche la partie espagnole de Saint-Domingue. Le Directoire demanda en outre à Pierre-Auguste Adet, l'ambassadeur de France à Philadelphie, « de faire parvenir au gouvernement tous les renseignements qu'il pourra se procurer sur les États qui s'étendent à l'Ouest et sur la Louisiane et sur les dispositions de leurs habitants [51] ». En mars 1796, Adet dépêcha le général Georges-Henri-Victor Collot et son aide de camp Warin dans les « Territoires de l'Ouest » pour une tournée d'inspection. L'un des objectifs de cette expédition tenue secrète était de préparer une éventuelle reprise en main de la Louisiane. Collot rassembla de nombreuses informations tout au long d'un périple qui le mena de Philadelphie à La Nouvelle-Orléans en passant par la vallée de l'Ohio et le Pays des Illinois. Il fut finalement expulsé sur ordre du baron de Carondelet, le gouverneur espagnol de la Louisiane. En 1803, Collot rédigea un manuscrit, *Voyage dans l'Amérique septentrionale*, dans lequel il révélait l'opération secrète de 1796, mais sa publication fut repoussée (elle n'intervint qu'en 1826, à titre posthume) afin de ne pas heurter les États-Unis.

Le projet mis en place sous le Directoire, en réalité, ne prit corps qu'avec Bonaparte, parvenu au pouvoir en 1799. Le Premier Consul, dont les idées coloniales étaient d'Ancien Régime, avait pour ambition de reconstituer l'Empire français d'Amérique. Ce rêve colonial procédait en partie de son incapacité à conserver l'Égypte et l'Orient. Il fut en outre influencé par des membres de son gouvernement et ses conseillers au nouveau ministère des Colonies : François Barbé-Marbois, qui avait été intendant à Saint-Domingue en 1789 ; Pierre Malouet, propriétaire dans l'île, qui était membre du club Massiac (un lobby favorable au maintien de l'esclavage) en 1791 et qui avait mené les négociations en 1793 lorsque les planteurs cherchèrent à offrir cette colonie aux Britanniques ; et Médéric-Louis Élie Moreau de Saint-Méry, un noble créole originaire de Martinique ayant fait carrière comme juriste à Saint-Domingue, où il s'était intéressé au problème de codification des lois coloniales, tout en défendant la cause esclavagiste. La lecture que Bonaparte fit de l'abbé Raynal, remarque Raphaël Lahlou [52], a pu aussi jouer un rôle pour déclencher sa vocation louisianaise. Dans son *Histoire des deux Indes* (1770), Raynal approuvait en effet la cession du Canada de 1763 mais estimait qu'il n'avait pas été convenable de renoncer à la Louisiane, région subtropicale et pleine de richesses.

Saint-Domingue, la « Perle des Antilles », devait demeurer le centre de l'Empire – comme elle l'était déjà au temps de la Nouvelle-France –, un Empire des Caraïbes fondé sur la production de denrées exotiques et sur l'esclavage (que Bonaparte rétablit en 1802 en Guadeloupe et en Guyane). L'objectif était de retrouver la première place dans le commerce des denrées coloniales que la France avait perdue avec l'insurrection des esclaves de l'île. La Louisiane, dans ce cadre, devait tenir le rôle d'une colonie d'appoint. Le plan de Bonaparte, explique le ministre du Trésor Barbé-Marbois, « consistait d'abord à soumettre la colonie révoltée, en y envoyant des forces considérables […]. Une fois les rebelles réduits, une partie de l'armée devait être transférée en Louisiane […]. La Louisiane avait été destinée à fournir à l'autre colonie des approvisionnements, du bétail et du bois[53] ».

Bonaparte demanda à Joseph Delfau de Pontalba, un riche créole de La Nouvelle-Orléans passé en France, de lui concocter un mémoire sur l'ancienne colonie française, mémoire qu'il se vit remettre le 15 septembre 1800, alors que de nouvelles négociations étaient engagées entre la France et l'Espagne. Le 1ᵉʳ octobre 1800, en effet, le roi d'Espagne Charles IV signa le traité secret de San Ildefonso par lequel il acceptait, contre un agrandissement du duché de Parme, de rétrocéder à la France la portion occidentale de la Louisiane (avec La Nouvelle-Orléans). Charles IV préférait assurément avoir pour voisin – au nord du Mexique – ses amis français aux Américains. Ces derniers, depuis 1783, avaient supplanté les Britanniques à l'est du Mississippi (exception faite des Florides, cédées à l'Espagne) et, très entreprenants, avaient obtenu des Espagnols, en 1795, le droit pour leurs négociants de circuler librement sur le Mississippi et d'entreposer des marchandises à La Nouvelle-Orléans. Pour ne pas froisser les Américains, la rétrocession de 1800 fut gardée secrète le plus longtemps possible. Le transfert de souveraineté pouvait s'opérer quand Bonaparte le jugerait bon.

Comme le souligne Allan Potofsky, les années 1800-1803 voient fleurir en France des publications qu'inspire la perspective d'une renaissance de la Louisiane française[54]. La mémoire coloniale du Mississippi semble resurgir à travers une fièvre éditoriale qui constitue comme un écho à la littérature de propagande qui avait prospéré à l'époque du Système de Law. Cette redécouverte littéraire prend l'aspect de tableaux géographiques, économiques et parfois historiques. Un mémoire anonyme de 1803, intitulé *Mémoire sur la question : Est-il avantageux à la France de prendre possession de la Louisiane ?*, soulève une interrogation à laquelle la majorité des auteurs répond par l'affirmative.

« Nous allons entrer en possession de la Louisiane », s'enthousiasme par exemple Louis-Narcisse Baudry des Lozières, dans *Voyage à la Louisiane* (1802). Ancien planteur de Saint-Domingue ayant rejoint la métropole en 1792 pour fuir la révolte des esclaves, puis à nouveau contraint de s'exiler l'année suivante, cette fois aux États-Unis, pour échapper à la Terreur, Baudry des Lozières insiste sur l'intérêt stratégique que présente une reprise de la Louisiane. Dans *Vue de la Colonie Espagnole du Mississippi* (1803), le créole Berquin-Duvallon joue la carte du patriotisme lorsqu'il rappelle la violente prise de possession de la Louisiane par les Espagnols en 1769, « une époque bien douloureuse […] par la manière violente dont furent rompus […] les nœuds qui avaient, jusqu'à ce temps, uni cette région à la France ». Dans son *Mémoire sur la Louisiane* (1803), l'ancien évêque de Cayenne Nicolas Jacquemin suggère quant à lui de rebaptiser la Louisiane la « Napoléone » [55]. Ces écrits rejoignent un flot de publications consacrées aux États-Unis dont les auteurs sont d'ex-réfugiés politiques ayant fui la Révolution pour les grandes villes de l'Est américain. Le *Voyage dans les États-Unis d'Amérique* de La Rochefoucauld-Liancourt est édité en 1798, et le *Tableau du climat et du sol des États-Unis d'Amérique* du comte de Volney en 1803. Volney est l'un des seuls auteurs à ne pas partager l'entrain suscité par l'idée d'un retour de la Louisiane vers la « mère-patrie ». Il dresse même le constat d'échec de la colonisation française : « J'ai cru m'apercevoir dans mes voyages aux États-Unis que les

Français n'ont pas la même aptitude à y former des établissements, que les immigrants d'Angleterre, d'Irlande et d'Allemagne [56]. » Mais l'ouvrage le plus inattendu est celui d'un certain Antoine Milfort, qui avait vécu pendant vingt années chez les Indiens creeks, où il était devenu un chef de guerre réputé sous le nom de Tastanégy. Milfort, en 1802, publia un mémoire intitulé *Coup d'œil rapide sur mes voyages parmi les peuplades sauvages de l'Amérique septentrionale*, ouvrage qu'il dédia à Bonaparte. En 1796, déjà, de retour d'Amérique, il s'était fait l'avocat, auprès des membres du Directoire, d'une alliance entre la France et les Creeks pour reprendre le contrôle de la Louisiane. Il réitérait sa proposition dans son mémoire de 1802, où il mettait en avant sa connaissance intime du territoire et des Indiens, et qu'il terminait en ces lignes : « je n'attends, dans ce moment [...] que les ordres du gouvernement français pour retourner parmi ces sauvages, dont la bonne foi et la franchise conviennent parfaitement à mon caractère [57] ». Le Premier Consul ne prêta guère d'attention au projet de Milfort, cet « Indien blanc ».

Pour mettre à exécution ses projets coloniaux outre-Atlantique, Bonaparte devait négocier une paix avec l'Angleterre : ce furent les Préliminaires de Londres d'octobre 1801, prélude à la paix d'Amiens du 26 mars 1802. L'objectif principal du Premier Consul était de reprendre le contrôle de l'île de Saint-Domingue, où le gouverneur noir Toussaint Louverture, sans sortir formellement de l'Empire français, avait établi une quasi-indépendance. Il s'agissait, écrivait Bonaparte, « d'anéantir à Saint-Domingue le gouvernement des noirs » et d'y rétablir l'esclavage [58]. Dès l'automne 1801, il dépêcha un corps expéditionnaire de 23 000 hommes, avec à sa tête le général Leclerc, son beau-frère. Une partie de cette armée, une fois l'île pacifiée, devait rejoindre la Louisiane. L'expédition tourna cependant au désastre : les

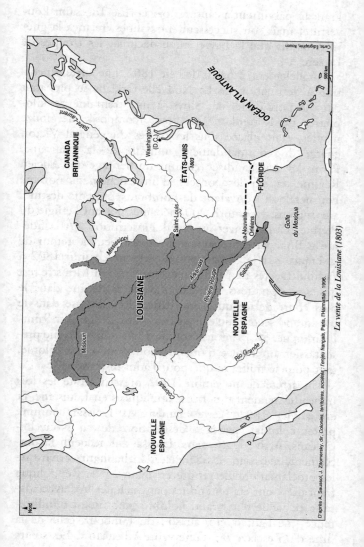

La vente de la Louisiane (1803)

D'après A. Saussol, J. Zitomersky, dir. *Colonies, territoires, sociétés : l'enjeu français*, Paris, l'Harmattan, 1996.

CANADA BRITANNIQUE

Saint-Laurent

Washington (D.C.)

ÉTATS-UNIS
1803

FLORIDE

Golfe du Mexique

La Nouvelle-Orléans

Saint-Louis

Mississippi

Missouri

LOUISIANE

Arkansas

Rivière Rouge

Sabine

NOUVELLE ESPAGNE

Rio Grande

Colorado

NOUVELLE ESPAGNE

OCÉAN ATLANTIQUE

Nord

500 km

Français parvinrent à capturer par la ruse Toussaint Louverture, mais son successeur, Dessalines, relança la guérilla, tandis que la fièvre jaune décimait les troupes de Leclerc.

Parallèlement, à partir de l'été 1802, une autre expédition à destination de La Nouvelle-Orléans se préparait dans le port d'Helvoet Sluys, à une trentaine de kilomètres de Rotterdam. La flotte, composée de douze navires, était placée sous les ordres du général Victor, chargé du commandement militaire de la Louisiane. Parmi les marchandises, comme un héritage de l'Ancien Régime, et sur les conseils d'un truchement nommé Fournerel, se trouvaient de nombreux présents destinés aux Indiens, y compris 200 médailles portant l'effigie du Premier Consul, avec au revers l'inscription « À la fidélité ». Bonaparte préparait minutieusement le retour de la France sur le Mississippi. Il écrivait en juin 1802 à l'amiral Decrès : « Mon intention, Citoyen Ministre, est que nous prenions possession de la Louisiane dans le plus court délai ; que cette expédition se fasse dans le plus grand secret ; qu'elle ait l'air d'être dirigée sur Saint-Domingue. [...] Enfin je voudrais [...] que vous me présentassiez un projet d'organisation pour cette colonie, tant pour le militaire que pour l'administration [59]. »

Un arrêté de novembre 1802 prescrivit que les lois françaises seraient désormais appliquées en Louisiane, et en janvier 1803 Pierre-Clément de Laussat, nommé préfet colonial, partit à destination de La Nouvelle-Orléans. Arrivé le 26 mars, Laussat fut accueilli favorablement, mais sans exubérance. Un habitant écrivit que les proclamations de reprise en main par la République française « ont été entendues par quelques-uns avec tristesse et par le plus grand nombre avec autant d'indifférence que l'aurait été, au son du tambour, celle de la fuite d'un esclave ou d'une vente à l'encan ». Les sœurs ursulines choisirent même de se réfugier à Cuba durant le séjour du préfet, ce représentant de la Révolution et de la République… Si Laussat reçut deux adresses de bienvenue, l'une de la part des habitants de La Nouvelle-Orléans, l'autre des cultivateurs de la Côte des Allemands, les Acadiens, de leur côté, accueillirent très froidement la nouvelle de la rétrocession. Ils écrivirent un mémoire dans lequel ils déploraient le retrait programmé des Espagnols. Il faut dire que les Franco-Louisianais, dans l'ensemble, ne se sentaient plus guère Français. La mère-patrie s'était officiellement éclipsée plus de trente ans auparavant et, comme l'explique Marie-Jeanne Rossignol, « ce long isolement avait atrophié le sentiment d'appartenance "secondaire", politique et abstrait, qui lie le citoyen, le sujet, à l'État, tout en exacerbant leur sentiment d'appartenance "primaire" à la communauté immédiate, à son sol et à ses habitants [60] ». Les Indiens furent-ils plus enthousiastes ? Le rêve d'un retour du « père » français se réalisait-il enfin ? Un chef séminole, Tastiki, déclara à Laussat : « J'ai souvent pensé qu'un gros nuage couvrait notre horizon, mais qu'un vent s'élèverait, soufflant de l'autre côté du grand lac, qui le dissiperait. » [61]

Laussat prit ses quartiers, s'informa sur le pays – il reçut par exemple des nouvelles du Pays des Illinois de la part du marchand de Saint-Louis Pierre Chouteau –, mais il s'impatientait de l'arrivée des troupes. Or, la flotte d'Helvoet Sluys n'appareilla jamais. Alors qu'elle s'apprêtait à partir, dans l'attente de vents favorables, un courrier de Bonaparte lui signifia le 3 mai l'abandon de l'expédition. « Trois années de négociations, dix mois de préparatifs aboutissaient à un échec lamentable » écrivait voici un siècle l'historien Marc de Villiers du Terrage [62]. Le Premier Consul, en effet, faisait marche arrière. Le 11 avril précédent, il s'était décidé à tirer un trait sur la Louisiane en la cédant aux États-Unis.

Ce pays vivait avec inquiétude les projets coloniaux de la jeune République française, qui menaçaient sa prospérité future. Le président Thomas Jefferson, élu en 1800, s'alarma fortement lorsqu'il eut vent de la rétrocession à partir du printemps 1801. Les Français, à la différence des Espagnols, étaient en effet capables d'établir une véritable puissance au cœur du continent, en particulier grâce à leurs liens avec les populations locales, qu'il s'agisse des descendants des colons français ou des Amérindiens. À l'époque du Directoire déjà, le ministre américain du Trésor, Oliver Wolcott Jr., estimait que les Français étaient « les pires et les plus dangereux voisins que nous [puissions] avoir comme le sont les fourmis et les fouines dans nos granges et nos greniers[63] ». Pour Jefferson, à vrai dire, ce sont les Britanniques qui constituaient la plus grande menace pour les États-Unis. Si l'éventuelle mainmise de Bonaparte sur le Mississippi était vécue par le président avec fébrilité, c'est surtout parce qu'elle risquait de détacher l'Ouest trans-appalachien de l'Union. La décision prise par l'intendant espagnol de La Nouvelle-Orléans, en octobre 1802, de fermer aux Américains l'accès au port, pourtant vital aux habitants de l'Ouest, durcit la tension entre la France et les États-Unis. Un éditorialiste du *New York Evening Post* écrivait ainsi en janvier 1803 : « il appartient de droit aux Américains de diriger le continent nord-américain […]. Le pays est à nous ; nous avons le droit à ses fleuves et à toutes les sources d'opulence, de puissance et de bonheur futurs, qui sont éparpillées à nos pieds[64] ».

Jefferson, toutefois, n'avait nullement l'intention pour l'heure d'acquérir l'ensemble de la Louisiane. Il se satisfaisait parfaitement de la souveraineté espagnole à l'ouest du Mississippi. Il lui importait en revanche d'annexer tous les territoires situés à l'est du fleuve : soit l'« île » de

La Nouvelle-Orléans et les deux Florides. Au pire, Jefferson entendait sortir de cette crise en obtenant de Bonaparte qu'il n'occupât pas la capitale louisianaise. En cas de refus, il menaçait de s'allier aux Britanniques contre la France. S'il était prêt à la guerre, le président américain, lucide, estimait que le contexte, défavorable aux Français – déboires de Leclerc à Saint-Domingue, imminence d'un nouveau conflit franco-britannique –, pousserait le Premier Consul à négocier.

Jefferson dépêcha à Paris un envoyé extraordinaire, James Monroe, dont les instructions recoupaient celles de Robert Livingston, le représentant des États-Unis dans la capitale française depuis 1801 (comme celles de Charles Pinckney, l'ambassadeur américain à Madrid). Il ne s'agissait pas pour ces diplomates d'acquérir toute la Louisiane ; leur mission consistait à acheter La Nouvelle-Orléans, et si possible les Florides. Mais lorsque Monroe arriva sur place le 12 avril 1803, Bonaparte avait déjà chargé Barbé-Marbois et le ministre des Relations extérieures Talleyrand d'engager les négociations avec Livingston. Incrédule, ce dernier ne se voyait pas seulement offrir une ville, La Nouvelle-Orléans, mais toute la Louisiane occidentale, soit un morceau de continent.

Dans les deux semaines suivantes, c'est essentiellement sur le montant de la transaction que portèrent les négociations. Barbé-Marbois fit débuter les enchères à 100 millions de francs. Bonaparte lui avait fait savoir qu'il voulait au minimum 50 millions : « Si je réglais mes conditions sur ce que ces vastes territoires vaudront aux États-Unis, les indemnités n'auraient pas de bornes. Je serai modéré en raison même de l'obligation où je suis de vendre. Mais retenez bien ceci : Je veux cinquante millions, et à moins de cette somme, je ne traiterai pas [65]. » Le traité fut conclu le 30 avril 1803. Toute la Louisiane occidentale devenait américaine moyennant la somme de 80 millions de francs (15 millions de dollars), dont 20 millions qui furent retenus par le gouvernement américain pour dédommager leurs marchands qui avaient perdu des navires à cause de la guerre de course française. Livingston et Monroe n'avaient guère hésité, même si l'offre française excédait le cadre de leurs instructions : leur pays devait dépenser une somme près de trois fois plus élevée que celle qui leur était allouée par Jefferson. L'achat, qui suscita aux États-Unis le scepticisme de l'opposition fédéraliste [66], fut loin de déplaire au président. Celui-ci se réjouissait en particulier de l'établissement d'une souveraineté sans partage sur le Mississippi. En achetant la Louisiane, il limitait par ailleurs les risques d'une implantation britannique à l'ouest du fleuve. Quant aux Florides, il jugeait raisonnablement qu'elles finiraient par revenir à son pays.

Les États-Unis, d'un trait de plume, doublaient l'étendue théorique de leur territoire. Mais cet achat spectaculaire tenait moins aux ambitions continentales de Jefferson qu'au pragmatisme de Bonaparte. « Je connais tout le prix de la Louisiane, aurait affirmé le Premier Consul, et j'ai voulu réparer la faute du négociateur qui l'abandonna en 1763. Quelques lignes d'un traité me l'ont rendue et, à peine je l'ai recouvrée, que je dois m'attendre à la perdre [67]. » Pourquoi Bonaparte a-t-il ainsi vendu un territoire qu'il venait tout juste d'acquérir ? Une simple « bonne affaire », selon le mot de Talleyrand [68] ? Certes 60 millions, c'était une belle somme qui permettait de préparer le conflit contre l'Angleterre. Le prix peut aujourd'hui paraître dérisoire au regard de la surface cédée, mais il ne l'était pas : la terre avait peu de valeur si elle ne pouvait être correctement exploitée, or la population coloniale de cette « Grande Louisiane » était alors relativement insignifiante. Le Premier Consul, cela étant, fit surtout preuve de réalisme politique. Soutenu par Barbé-Marbois, et en dépit des avis contraires de son ministre de la Marine, Decrès, mais aussi de ses frères Joseph et Lucien, Bonaparte estima que le contexte diplomatique et militaire ne se prêtait plus à l'aventure louisianaise.

C'est le fiasco haïtien qui explique au premier chef le revirement du futur empereur : informé en janvier de la mort de Leclerc et de la dégradation de la situation militaire à Saint-Domingue, il envoya sur place Rochambeau et de nouvelles troupes, mais son enthousiasme pour la « Perle des Antilles » et pour la Louisiane s'émoussa, tandis que la guerre allait reprendre avec l'Angleterre. « Maudit sucre, maudit café, maudites colonies », aurait-il fulminé : l'Empire des Caraïbes dont il avait rêvé s'évanouissait [69]. La rupture de la paix d'Amiens fut officiellement consommée le 12 mai 1803. Il paraissait donc imprudent de laisser partir de nouvelles troupes, y compris le convoi d'Helvoet Sluys, et il convenait surtout de ne pas jeter les États-Unis dans les bras de leur ancienne mère-patrie. Le Premier Consul faisait sienne la politique de Choiseul, dont la priorité fut toujours la lutte contre les Britanniques. En décuplant la puissance américaine, Bonaparte entendait par contrecoup affaiblir l'Angleterre et surtout l'empêcher d'avoir l'opportunité de prendre le contrôle de la Louisiane. « Les Américains ne me demandent qu'une ville de la Louisiane, lança-t-il, mais je considère déjà la colonie comme perdue toute entière et il me semble que dans cette puissance naissante, elle sera plus utile à la politique et même au commerce de la France que si je tentais de la garder [70]. » La colonie était une proie facile pour les Anglais comme pour les Américains, et la France n'était même pas certaine de pouvoir la conserver sous sa souveraineté. « Je ne garderai pas, dit Bonaparte à l'un de ses ministres, une possession qui ne serait pas en sûreté dans nos mains, qui me brouillerait peut-être avec les Américains, ou me placerait en état de froideur avec eux. Je m'en servirai, au contraire, pour me les attacher, pour les brouiller avec les Anglais, et je créerai à ceux-ci des ennemis qui nous vengeront un jour, si nous ne réussissons pas à nous venger nous-mêmes [71]. »

Barbé-Marbois, qui inspira Bonaparte, se montrait pragmatique : « Il ne faut pas hésiter à faire le sacrifice de ce qui va nous échapper [...]. La Louisiane est ouverte aux Anglais, par le nord et par le sud. Cette conquête serait encore plus facile aux Américains ». Et de poursuivre : « Si, devenue colonie française, elle prend des accroissements et de l'importance, il y aura dans sa prospérité même un germe d'indépendance qui ne tardera pas à se développer. » « Ces colons, précise-t-il plus loin, ont perdu le souvenir d'être Français ». Par ailleurs, il estimait que des « comptoirs » étaient « aujourd'hui préférables aux colonies » ; « et même à défaut de comptoirs laissez faire le commerce ! », s'exclamait-il. Son diagnostic sur la colonisation française, en effet, de la même teneur que celui de Volney, était sans appel : « Les Français ont tenté d'établir des colonies dans les diverses parties du continent de l'Amérique. Partout leurs essais ont avorté [72] ».

« On allait encore une fois disposer de la Louisiane sans que ses habitants eussent été consultés », notait encore Barbé-Marbois [73]. La nouvelle parvint à La Nouvelle-Orléans le 7 août 1803. On peut imaginer le visage décomposé de Laussat, qui préparait le terrain de la reprise en main depuis plusieurs mois. Dans un premier temps, il pensa à une bourde et en fit part au ministre Decrès, lui parlant d'une « cabale », d'un « mensonge invraisemblable et impudent [74] ». Mais une dépêche officielle, quelques jours plus tard, lui fit ouvrir les yeux. Laussat, dont la position devenait assez risible aux yeux des Louisianais, devait accomplir sa mission, avec toute la solennité requise par la diplomatie : prendre possession de la Louisiane au nom de la France, puis la céder aux Américains. « Je savais sans doute qu'on n'empêcherait pas l'exécution du traité, écrit-il, mais il ne fallait pas qu'elle devînt l'occasion d'un désagrément pour la France dans une contrée peuplée de Français [...] : il ne fallait pas qu'on pût y rire de l'embarras ou de l'abandon dans lequel on serait parvenu à jeter le commissaire du gouvernement français ; il ne fallait pas que les Américains et l'Europe puissent tourner en plaisanterie notre reprise de possession [75]. »

Le 8 frimaire de l'an XII (30 novembre 1803) fut le jour fixé pour cette prise de possession. Laussat parvint à réunir sous les armes, pour l'occasion, quelques centaines de « citoyens français » issus des milices locales. Certains étaient vêtus d'uniformes et d'emblèmes de l'Ancien Régime, comme un pied de nez – volontaire ? – à la République française. Sur la place de l'Hôtel-de-Ville, et en présence des officiels espagnols, on hissa le drapeau bleu-blanc-rouge et l'on baissa celui des Ibériques.

Les instructions de Bonaparte à Laussat prévoyaient que les deux prises de possession (celle de la France puis celle des États-Unis) auraient lieu le même jour, mais les troupes américaines n'arrivèrent à La Nouvelle-Orléans que le 18 décembre. Le transfert de souveraineté fut célébré le 20, en présence du représentant des États-Unis, désormais gouverneur général de la Louisiane, William C. C. Claiborne. Le traité de cession fut lu en français et en anglais et, après deux brefs discours de Laussat puis de Claiborne, l'on remplaça le drapeau français par celui des États-Unis. « À trois heures de l'après-midi, écrit Villiers du Terrage, Laussat réunit à dîner quatre cent cinquante personnes. Avec le madère, on but à la santé des États-Unis et de Jefferson ; avec du malaga et du vin des Canaries, à Charles IV et à l'Espagne ; avec du champagne rose et blanc, à la République française et à Bonaparte. Enfin, le dernier toast porté fut au bonheur éternel de la Louisiane pendant que se terminait une salve de soixante-trois coups de canon[76]. » Ces cérémonies, dans l'esprit du Premier Consul, étaient destinées à sceller l'amitié entre la France et les États-Unis.

*

La Louisiane était donc demeurée officiellement française l'espace de trois semaines... Ses quelque 50 000 habitants (Indiens et esclaves d'origine africaine exceptés), descendants des premiers colons français, mais aussi Acadiens et Espagnols, devenaient des citoyens américains, et les États-Unis, qui doublaient leur superficie, se transformaient en une véritable puissance continentale. Une scène hautement symbolique se déroula le 9 mars 1804 à Saint-Louis. Ce jour-là, on déploya la bannière tricolore et, le lendemain, c'est le drapeau rayé et étoilé des Américains qui fut solennellement hissé. Parmi les témoins de ces cérémonies se trouvaient deux Virginiens qui s'apprêtaient à rallier le Pacifique : Meriwether Lewis et William Clark.

Cette expédition, qui avait été commanditée par le président Jefferson avant même la rétrocession, reposait en partie sur des savoirs cartographiques et ethnographiques accumulés par des Français, des Franco-Canadiens ou des Franco-Louisianais. Au cours de l'hiver 1803-1804, Lewis et Clark préparèrent en effet leur périple en interrogeant les « *Frenchmen* » de Saint-Louis, alors une bourgade francophone de quelque 2500 habitants, dont l'économie reposait sur le commerce des pelleteries pratiqué avec plusieurs peuples indiens de la vallée du Missouri, dont les Osages. De fait, les deux capitaines américains purent s'informer sur le territoire qu'ils allaient parcourir. Le Canadien Antoine Soulard leur montra ainsi les cartes qu'il avait dressées quelques années plus tôt à la demande des autorités espagnoles. Lewis et Clark avaient aussi dans leurs bagages un exemplaire de la traduction anglaise de l'*Histoire de la Louisiane* de Le Page du Pratz, probablement pour ses cartes et ses illustrations, et des extraits traduits de la riche relation de Jean-Baptiste Truteau, un voyageur de Saint-Louis qui s'était rendu parmi les Arikaras en 1794.

En outre, parmi les guides, chasseurs, interprètes et bateliers recrutés par les deux explorateurs dans le Pays des Illinois se trouvaient de nombreux Canadiens, quelques-uns étant de mère indienne, tels les Franco-omahas Pierre Cruzatte et François Labiche ou le Franco-Chaouanon George Drouillard (orthographié « Drewyer » dans les journaux de l'expédition). Toussaint Charbonneau, époux de la Shoshone Sakakawea, fut quant à lui engagé comme interprète en novembre 1804 lors du séjour du « Corps de la Découverte » chez les Mandanes (dans l'État actuel du Dakota du Nord), auxquels La Vérendrye avait rendu visite dès 1738. Plus à l'ouest, des lieux appelés à entrer dans l'imaginaire collectif du *Far West* avaient déjà été nommés [77] par des Français, ainsi les « Côtes noires » (Black Hills) ou la rivière « Roche Jaune » (Yellowstone).

Dans la première moitié du XIXe siècle, avec l'essor des entreprises de collecte pelletière, les Plaines et les Rocheuses sont parcourues par de nombreux traiteurs et chasseurs de langue française, employés notamment par des compagnies commerciales de Saint-Louis. En 1832, le peintre George Catlin, guidé dans les Plaines par deux Canadiens, « Ba'tiste et Bogard », note que « les commerçants de la fourrure de ce pays sont presque tous Français ». Dans les années 1840, Francis Parkman écrit de la même façon que les chasseurs et traiteurs de l'Ouest américain sont « tous d'extraction canadienne », et un employé de l'*American Fur Company*, James Abbott, se plaint de ce que ladite firme soit composée « principalement de Français-Canadiens », lesquels proclament « aux Indiens du Haut-Missouri que les Français sont les propriétaires des États-Unis » [78] !

ÉPILOGUE
« JE ME SOUVIENS »

Archambault, Bissonnette, Boudreaux, Boucher, Colombe, Cordier, Cottier, Dion, Dubray, Ducheneaux, Douville, Garneau, Giroux, Janis, Landeaux, LaPlante, Lebeau, Menard, Mousseau, Peltier, Pineaux, Pourier, Roubideaux, Trudell… De tels patronymes semblent directement issus d'un annuaire français, belge ou québécois. Or c'est dans le Dakota du Sud qu'on les répertorie : ils désignent des familles sioux-lakota de la réserve de Pine Ridge [1]. De nombreux autochtones d'Amérique du Nord – des Sioux, mais aussi des Arikaras, des Saulteux (Ojibwés), des Hurons-Wendats, etc. –, ont ainsi des noms d'origine française. Ce sont autant d'indices des métissages franco-indiens qui ont prospéré au temps de la Nouvelle-France, puis, dans son sillage, et notamment dans l'Ouest transmississippien, au cours du siècle qui a suivi. Pourvu qu'on les dépoussière, de nombreux autres patronymes américains dévoilent d'ailleurs une origine semblable. Chez les Sioux, certes – Brewer dérivé de Brughière, Veo de Veau ou Deloria de Deslauriers –, mais pas uniquement : Bush issu de Boucher, O'Clair de Auclair, Bilow de Bilodeau, Carter de Cartier, Fairfield de Beauchamp, Stone de Desrochers, Willard de Ouellet, Snow d'Arsenault, Sun de Beausoleil, Ready de Paré, Waterhole de Trudeau, etc. [2]. Sait-on en outre que plusieurs groupes autochtones de l'Ouest américain sont aujourd'hui connus dans la langue anglaise-américaine sous des appellations françaises – ainsi les *Nez Percés*, les *Gros Ventres*, les *Cœur d'Alêne*, les *Pend d'Oreille* ou encore les *Brûlé* (sous-groupe lakota) ? Ou, dans un autre registre, que sur le drapeau officiel de l'État du Minnesota, en lettres d'or sur fond rouge, s'inscrit en français la devise *L'Étoile du Nord* ?

Mais la marque la plus tangible de l'histoire française de l'Amérique du Nord est bien sûr l'existence actuelle de plusieurs communautés francophones vivantes et dynamiques. Au début du XXIᵉ siècle, le Canada et les États-Unis comptent près de 20 millions d'individus de souche française, majoritairement assimilés, toutefois, à la culture anglo-américaine. L'histoire des francophones d'Amérique du Nord a donc pu être présentée, depuis 1763, comme celle d'une « survivance ». « Que ça soit au Missouri, en Louisiane, ou au Québec, écrit le chanteur et poète louisianais Zacharie Richard, de vivre en français en Amérique est un acte de résistance, voulu ou non, conscient ou non [3]. »

L'idéologie de la survivance s'est enracinée au Bas-Canada à partir des années 1830-1840, au moment où l'augmentation de la population d'ascendance britannique remettait en cause la majorité canadienne-française. La volonté de couper le lien colonial avec l'Empire britannique a conduit en 1837-1838 aux rébellions des Patriotes, qui ont souvent été interprétées comme des mouvements de libération nationale. Ces révoltes, durement réprimées, ont contribué à asseoir l'idéologie de la survivance, marquée par un culte vibrant du passé : l'époque de la Nouvelle-France est devenue aux yeux des nationalistes canadiens-français « le symbole d'une pureté originelle [4] », avec ses gestes fondateurs, ses pionniers héroïques, ses femmes courageuses et ses saints martyrs. De la publication en 1845 de la première histoire nationale du Canada par François-Xavier Garneau jusqu'aux années 1960, l'historiographie canadienne-française a été dominée par la vision d'une collectivité homogène forgeant dans l'adversité (la nature, les Iroquois, les Anglais) une société terrienne et catholique. Le Régime français des XVII\ :sup:-XVIII\ :sup: siècles, exalté et mythifié, personnifiait au mieux l'identité canadienne-française menacée par la prédominance des Anglo-Américains.

Le discours de la survivance postulait en outre la continuité entre le Canada français et la France [5], thème dont s'est nourri Charles de Gaulle lors de sa fameuse visite au Québec en 1967. Dans l'esprit de de Gaulle, écrit Jean Lacouture, la « prépondérance du monde anglosaxon [...] à l'endroit d'un fragment du peuple français [les Québécois], de ce fossile à l'état pur des siècles des Valois et des Bourbons qui parle la langue du *Médecin malgré lui*, n'est pas supportable ». En juillet 1967, installé à bord du croiseur *Colbert*, le président français traverse l'Atlantique et remonte l'embouchure du Saint-Laurent, tel Jacques Cartier ou Samuel de Champlain. Lors d'un discours tenu le 23 juillet au Château Frontenac de Québec, il n'hésite pas à caresser le nationalisme local dans le sens du poil : « On assiste ici, comme en maintes régions du monde, à l'avènement d'un peuple qui veut, dans tous les domaines, disposer de lui-même et prendre en main ses destinées ». Le lendemain, entre Québec et Montréal, de Gaulle prend le *chemin du Roy* en suivant la rive gauche du Saint-Laurent, et le voyage, dans sa voiture découverte, se transforme en bain de foule ponctué çà et là par *La Marseillaise*. Arrivé à Montréal, il s'adresse de façon plus ou moins improvisée, depuis le balcon de l'hôtel de ville, aux 15 000 personnes massées sur la place Jacques-Cartier, et il lance son célèbre « Vive le Québec libre ! » – le slogan des souverainistes –, provoquant, après quelques dixièmes de seconde de stupeur, un véritable tonnerre d'applaudissements. Le gouvernement fédéral canadien s'indigna évidemment d'une telle tirade et de Gaulle rentra directement en France sans passer par Ottawa, la capitale. Dans l'avion qui le ramenait à Paris, il se fit dire par l'un de ses collaborateurs, Jean-Daniel Jurgensen : « Mon général, vous avez payé la dette de Louis XV[6]. » À l'arrivée à Orly, il s'adressa comme suit à ses ministres venus l'attendre à l'aéroport en plein milieu de la nuit, et un peu interloqués par son attitude au Québec : « Il fallait que je parle aux Français du Canada. Nos rois les avaient abandonnés[7]. » De Gaulle pensait à la France et à sa « grandeur ». Quelques phrases prononcées en terre québécoise, jugeait-il sans doute, pouvaient racheter l'abandon de la Nouvelle-France, une « erreur » que Napoléon lui-même n'avait su rectifier[8].

Le « Vive le Québec libre ! » contribua au développement de la coopération franco-québécoise et donna un formidable coup de pouce au nationalisme québécois. En 1968 naquit le PQ (Parti québécois), avec pour objectif la création d'un État souverain perçu comme le moyen le plus sûr de garantir la survie de la francophonie en Amérique du Nord. Ce parti fut porté au pouvoir en 1976 et, deux ans plus tard, la devise « Je me souviens » – succédant à celle de « La Belle Province » – fut inscrite sur les plaques d'immatriculation des automobiles. Cette expression sibylline, qui revêtait un caractère officiel depuis la fin du XIXe siècle, a souvent été interprétée par les nationalistes comme un rappel du caractère français du Canada, et même, plus précisément, comme une invitation à se remémorer le traumatisme de la défaite des Plaines d'Abraham. Mais selon Gaston Deschênes[9], « Je me souviens » traduit plus certainement le culte de la mémoire qui fait partie intégrante de la culture québécoise, dans ce « pays » où la généalogie fait figure de passion nationale. « Le Québec est un pays de rêve pour un historien de la mémoire, s'enthousiasme Pierre Nora. Il retrouve là, dans cette province dont la devise même est fondée sur le culte du souvenir, toute la panoplie des déterminations historiques qui condamnent une communauté menacée à ce que le poète Paul Éluard appelait le "dur désir de durer" [10] ».

Les années 1960 furent marquées au Québec par la « Révolution tranquille », expression consacrée pour désigner les bouleversements socio-culturels qui ont modernisé la province, en provoquant notamment le déclin de l'influence séculaire du clergé catholique. C'est à cette époque que la langue française s'est instituée comme « ciment et comme étendard de la société » québécoise, et qu'a éclaté, contre l'anglais, une véritable bataille linguistique [11]. En 1977, la Charte de la langue française, dite Loi 101, a fait du français la seule langue officielle du Québec – imposant ainsi, dans l'affichage, sa primauté sur l'anglais – et a obligé les immigrants à inscrire leurs enfants dans une école francophone. Les Québécois, cependant, restent divisés sur la question épineuse de la souveraineté politique. Les référendums leur demandant s'ils souhaitaient transformer leur province en État indépendant se sont soldés pour le PQ par deux échecs successifs : en 1980, le non l'a emporté avec plus de 59 %, et en 1995 avec seulement 50,6 %. Le concept de « nation » est aujourd'hui l'objet d'intenses débats au sein de la société québécoise, qui, à côté d'une très large majorité francophone, juxtapose des anglophones, des autochtones et d'autres communautés culturelles issues de l'immigration récente (Italiens, Grecs, Haïtiens, Algériens, Chinois, etc.) [12].

Si le Québec est, on le sait, le cœur de la « Franco-Amérique [13] » (il regroupe 85 % des francophones du Canada), il n'en constitue néanmoins qu'une expression. Dans les années 1960, avec le développement du mouvement souverainiste dans la « Belle Province », l'hétérogénéité de la francophonie a éclaté au grand jour. Lors de la réunion des États généraux du Canada français à Montréal en 1967, où se trouvaient des délégués du Québec et de toute la francophonie canadienne, un clair désaccord s'est exprimé sur le concept d'État-nation. Cette scission s'est concrétisée en 1975 avec la création de la Fédération des francophones hors-Québec. La francophonie canadienne n'est pas une, mais multiple : elle est constituée d'identités plurielles dispersées aux quatre vents d'un immense territoire, de l'Acadie au Yukon en passant par le Québec et les Prairies [14]. Chaque communauté s'est repliée sur son identité provinciale, comme l'ont mis en évidence les géographes Dean Louder et Eric Wadell, qui parlent de l'Amérique (États-Unis compris) francophone comme d'un « archipel [15] ».

La francophonie, dans l'Acadie des Maritimes, est centrée sur le Nouveau-Brunswick, dont le tiers de la population parle français. La renaissance – ou « Grand Réveil » – des Acadiens date de la seconde moitié du XIXe siècle : elle fut marquée par l'adoption de plusieurs symboles nationaux comme une fête (le 15 août, jour de l'Assomption de la Vierge Marie), un hymne (l'*Ave Maris Stella*) et un drapeau (le tricolore, comme témoignage de l'origine française des Acadiens, avec une étoile jaune – couleur du pape – sur le bleu) ; plusieurs journaux acadiens firent aussi leur apparition, parmi lesquels *L'Évangéline*, qui parut de 1887 à 1982. Les Acadiens du Nouveau-Brunswick disposent aujourd'hui d'un solide réseau institutionnel en langue française : écoles, enseignement supérieur – l'Université francophone de Moncton a fêté en 2003 son quarantième anniversaire –, hôpital, caisse populaire, presse écrite, etc. La province, depuis les années 1960, mise sur le bilinguisme : celui-ci est officiel dans l'administration depuis 1968, et la Loi 88, en 1981, a consacré l'égalité de l'anglais et du français. Cette loi a été intégrée à la constitution canadienne en 1993 [16].

Il existe aussi des communautés francophones dans les anciens Pays d'en Haut : les Franco-Ontariens (l'Ontario regroupe 7,7 % des francophones canadiens), et plus à l'ouest, dans les Prairies et par-delà, les « Francos de l'Ouest » qui se désignent depuis les années 1960-1970 selon leur province d'appartenance : Franco-Manitobains (Manitoba), Fransaskois (Saskatchewan), Franco-Albertains (Alberta), Franco-Colombiens (Colombie britannique) et Franco-Yukonnais (territoire du Yukon) [17], autant de petites enclaves francophones qui luttent pour le développement de leurs droits linguistiques. En 1985, par exemple, la Cour suprême du Canada a obligé le gouvernement provincial du Manitoba à traduire toutes ses lois en français. Cette province, soulignons-le, est née en 1870 à la suite du soulèvement des Métis francophones et catholiques qui, conduits par Louis Riel, défendaient leurs territoires, leur culture et leur mode de vie menacés par l'afflux d'immigrants anglophones. Riel, qui fut pendu à l'issue d'une seconde rébellion, en 1885, devint le martyr de la cause francophone [18]. Il subsiste aujourd'hui de petites communautés métisses dans l'immensité des Prairies, et l'on y parle encore parfois le mitchif, un mélange de cri et de français [19].

Une francophonie en lambeaux survit également aux États-Unis. En Nouvelle-Angleterre, lieu d'une importante immigration québécoise entre 1840 et 1930, les « Franco-Américains » ont été progressivement assimilés par la culture dominante [20], et c'est l'État de Louisiane qui reste aujourd'hui le foyer principal de la francophonie états-unienne.

L'identité culturelle « française » de la Louisiane n'avait guère été remise en cause durant le Régime espagnol – l'immigration hispanophone ayant été insignifiante – et l'arrivée des Américains, après 1803, ne modifia guère cette situation dans un premier temps : elle contribua même plutôt, par réaction, à cristalliser le sentiment identitaire des francophones [21]. La collectivité franco-louisianaise était pourtant extrêmement disparate : aux Français venus s'installer avant 1763 (dont les descendants furent qualifiés de créoles après 1803) et à leurs esclaves francisés se sont ajoutés des Acadiens (devenus Cadiens), mais aussi des réfugiés de Saint-Domingue entre 1791 et 1809 (des colons, blancs et libres de couleur, et leurs esclaves) et des Français de France, que l'on appelait « *Foreign French* », très nombreux à émigrer dans les années 1830-1840 [22]. Conséquence de ces divers mouvements migratoires, les francophones demeurèrent majoritaires à La Nouvelle-Orléans jusqu'au milieu du XIXe siècle. Mais ils ne formaient d'aucune façon une communauté unie [23]. Les gens de couleur libres, dont le nombre augmenta de manière importante durant la période espagnole et qui vinrent en masse de Saint-Domingue via Cuba, n'hésitèrent ainsi pas à utiliser la culture française pour lutter contre l'ordre racial rigide que voulaient imposer les élites blanches, tant anglo-américaines que créoles après 1803. La guerre de Sécession (1861-1865) mit encore en relief les intérêts divergents des Franco-Louisianais. Les créoles blancs et les créoles noirs eurent en effet une attitude divergente durant le conflit, les premiers, par intérêt de classe, faisant cause commune avec les planteurs anglo-américains, tandis que les gens de couleur libres prenaient le parti du Nord abolitionniste [24].

Au lendemain de la guerre de Sécession, et selon un processus amorcé dès les années 1840-1850, les Franco-Louisianais se sont fondus de plus en plus dans le groupe anglo-américain. L'usage du français, banni du système d'éducation par la constitution de l'État de 1921, s'est irrésistiblement étiolé. À l'image des petits Bretons, les écoliers cadiens étaient alors sévèrement punis s'ils s'exprimaient dans leur langue maternelle [25].

Il faut attendre les années 1960 pour assister à une renaissance culturelle de la francité louisianaise [26]. La création du CODOFIL (Conseil pour le développement du français en Louisiane [27]), en 1968, y contribue fortement, en favorisant l'institution officielle du bilinguisme dans cet État – bien que ce bilinguisme n'ait en réalité « aucune existence effective [28] » – et, à partir des années 1980, en développant des programmes scolaires d'« immersion » française. Depuis 1971, la région méridionale de la Louisiane, qui correspond historiquement au pays cadien, est officiellement nommée *Acadiana,* et la ville de Lafayette, qui abrite le siège social du CODOFIL, en constitue le cœur. Le terme « Cadien », de fait, réfère souvent désormais à l'ensemble des Franco-Louisianais, leur conférant une homogénéité qui n'existe pas, et cela au mépris des créoles, blancs et noirs, mais aussi des Indiens houmas [29].

En 2003, on estimait que 25 % des Louisianais étaient d'origine française, et que 7 % d'entre eux, soit 250 000 personnes, parlaient « français » (en plus de l'anglais) [30]. « Lâche pas la parole ! » est devenu le mot d'ordre des défenseurs de la francophonie. Mais la culture franco-louisianaise ne s'enracine plus dans la langue française, qui a tendance à tomber en désuétude ; elle se fonde sur un certain nombre de valeurs et de pratiques promues notamment par le tourisme [31] : la joie de vivre, le goût de la fête, la musique traditionnelle, cadienne ou zydeco, les bals populaires appelés « fais-dodo », les plats typiques, de plus en plus à la mode aux États-Unis – l'écrevisse cuite à l'étouffée, le gumbo févi, les fèves plates au jambon ou la jambalaya… –, le Mardi gras, célèbre dans le monde entier, etc., autant de particularismes culturels qui s'accordent avec le multiculturalisme américain. Cette stratégie, aux yeux des militants, n'a rien à voir avec un processus de folklorisation : loin de disparaître, la culture cadienne se revitaliserait en utilisant le tourisme, écrit Sara Le Menestrel, « comme facteur de reconnaissance [32] ». Être cadien n'est plus vécu de façon honteuse comme c'était encore le cas il y a une trentaine d'années ; on n'hésite pas, au contraire, tout en manifestant son amour pour le drapeau américain, à afficher son identité francophone, quitte à rechercher ses racines en réactivant sa mémoire familiale. On assiste ainsi, comme au Québec, à un véritable engouement de la part des Cadiens pour les recherches généalogiques.

Les villes nord-américaines sont loin de renier leur héritage français, et des commémorations, au cours des dernières années, ont contribué à en assurer la visibilité [33]. En 1999, La Nouvelle-Orléans a fêté le tricentenaire de la fondation de la colonie par Le Moyne d'Iberville. Cette « Franco-Fête » a aussi servi de cadre à la réunion du deuxième congrès mondial acadien et permis de resserrer les liens entre la Louisiane et les provinces maritimes du Canada. La ville de Détroit, en juillet 2001, a également célébré en grande pompe le tricentenaire de sa création. Plus de deux millions de personnes ont participé aux différentes festivités de cette commémoration, parmi lesquelles une reconstitution de l'arrivée de la flottille de canots du Gascon Lamothe Cadillac et... un concert de Stevie Wonder, autre héros local. Des certificats furent distribués aux personnes susceptibles de prouver qu'ils étaient les descendants des premiers colons franco-canadiens et, en gage de l'amitié franco-américaine, une statue de bronze de Cadillac fut offerte à la municipalité par une délégation française emmenée par Raymond Forni, alors président de l'Assemblée nationale [34]. L'année 2003, elle aussi, a marqué un anniversaire important, celui du bicentenaire de l'achat de la Louisiane à la France napoléonienne, anniversaire contrarié toutefois par les tensions franco-américaines nées du conflit en Irak. En avril 2003, l'une des conservatrices du Museum of Art de La Nouvelle-Orléans, Victoria Cook, inquiète du développement de la francophobie, et soucieuse de mettre en valeur l'héritage français de l'Amérique du Nord, expliquait : « Nos racines françaises sont très profondes, et s'en prendre à la France, c'est un peu s'en prendre à nous-mêmes [35]. » Trois ans plus tard, en 2006, les tensions s'étaient apaisées et le rappel du passé français de la ville prit une tout autre connotation. Lors de la célébration du premier Mardi-Gras après l'ouragan Katrina qui avait dévasté la ville à la fin de l'été précédent, la flotte du *Krew of PAN* (l'une des confréries organisant un défilé) comportait une pancarte sur laquelle était inscrite « Buy us back, Chirac [36] » ! Elle demandait que le président français revînt sur l'Achat de la Louisiane de 1803. Douze ans plus tard, en 2018, le tricentenaire de la fondation de La Nouvelle-Orléans a encore été autant l'occasion de célébrer la reconstruction de la ville après Katrina que ses origines françaises.

Notes

Introduction

1. I. Surun *et al.*, « Historiographie et débat », in *Les Sociétés coloniales à l'âge des Empires, 1850-1960*, Paris, Atlande, 2012, p. 31-50 ; P. Singaravélou, dir., *Les Empires coloniaux (XIXᵉ-XXᵉ siècle)*, Paris, Points, 2013.

2. J. Zitomersky, « In the Middle and on the Margin : Greater French Louisiana in History and in Professional Historical Memory », in C. Feral, dir., *Alizés*, numéro spécial : *Le Citoyen dans l'empire du milieu. Perspectives comparatistes*, faculté des lettres et des sciences humaines, université de la Réunion, mars 2001, p. 217-218. Sur l'histoire coloniale en France, voir aussi G. Havard, « L'historiographie de la Nouvelle-France en France au cours du xxᵉ siècle : nostalgie, oubli et renouveau », in T. Wien, C. Vidal et Y. Frénette, éd., *De Québec à l'Amérique française. Histoire et mémoire*, Québec, Presses de l'université Laval, 2006, p. 95-124 ; C. Vidal, « The Reluctance of French Historians to Address Atlantic History », *The Southern Quarterly, Special Issue : Imagining the Atlantic World*, vol. 43, n° 4, 2006, p. 153-189.

3. É. Lauvrière, *Histoire de la Louisiane française, 1673-1939*, Baton Rouge, Louisiana State University Press, 1940, p. 7.

4. Sur l'aphasie ou le silence qui a longtemps pesé sur le passé colonial et esclavagiste, cf. M.-R. Trouillot, *Silencing the Past : Power and the Production of History*, New York, Beacon Press, 1995 ; M. Ferro, dir., *Histoire des colonisations, des conquêtes aux indépendances, XIIIᵉ-XXᵉ siècle*, Paris, Seuil, 2004, p. 11-12 ; A. L. Stoler, « Colonial Aphasia : Race and Disabled Histories in France », *Political Culture*, vol. 23, n° 1, 2011, p. 121-156.

5. M. Cottias, « Esclavage : enjeux » et E. Saada, « Passé colonial », in C. Delacroix, F. Dosse, P. Garcia et N. Offenstadt, dir., *Historiographies. Concepts et débats*, Paris, Folio Histoire, 2010, vol. 2, p. 1011-1026 et 1150-1161.

6. L'annonce faite au Panthéon par le président de la République Emmanuel Macron, le 27 avril 2018, à l'occasion de la cérémonie commémorative du 170e anniversaire de l'abolition de l'esclavage dans les colonies françaises, de la création prochaine d'une Fondation nationale pour la mémoire de l'esclavage, témoigne de cet intérêt collectif pour l'histoire de la traite transatlantique et de l'esclavage colonial. Sur l'historiographie de l'esclavage dans la Caraïbe française, cf. D. Rogers, « Les Antilles à l'époque moderne : tendances et perspectives d'un demi-siècle de recherches francophones et anglophones en histoire sociale », in C. Vidal et F.-J. Ruggiu, dir., *Sociétés, colonisations et esclavages dans le monde atlantique. Historiographie des sociétés américaines des XVIe-XIXe siècles*, Bécherel, Les Perséides, 2009, p. 243-281 ; D. Bégot, dir., *Guide de la recherche en histoire antillaise et guyanaise : Guadeloupe, Martinique, Saint-Domingue, Guyane, XVIIe-XXIe siècle*, Paris, CTHS et Académie des sciences d'outre-mer, 2011.

7. C. Zytnicki, « "La maison, les écuries". L'émergence de l'histoire coloniale en France (des années 1880 aux années 1930) », in S. Dulucq et C. Zytnicki, dir., *Décoloniser l'histoire ? De « l'histoire coloniale » aux histoires nationales en Amérique latine et en Afrique (XIXe-XXe siècles)*, Paris, Publication de la Société française d'histoire d'outre-mer, 2003, p. 9-23 ; C. Liauzu, dir., *Colonisation : droit d'inventaire*, Paris, Armand Colin, 2004, p. 4.

8. R. et M. Cornevin, *La France et les Français outre-mer*, Paris, Tallandier, 1990 ; B. Lauzanne, dir., *L'Aventure coloniale de la France*, Paris, Denoël, 1987-1993, 5 vol. ; P. Pluchon et D. Bouche, *Histoire de la colonisation française*, Paris, Fayard, 1991, 2 vol. ; J. Thobie et al., *Histoire de la France coloniale,* Paris, Armand Colin, 1991, 2 vol.

9. S. Belmessous, « Être français en Nouvelle-France : Identité française et identité coloniale aux dix-septième et dix-huitième siècles », *French Historical Studies*, vol. 27, n° 3, p. 540.

10. Cité par M. Trudel, *Histoire de la Nouvelle-France*, X : *Le Régime militaire et la disparition de la Nouvelle-France, 1759-1764*, Montréal, Fides, 1999, p. 415.

11. Nous employons indistinctement les termes « Indiens », « Amérindiens » et « autochtones » pour désigner les premiers habitants de l'Amérique.

12. T. Herzog, *Defining Nations. Immigrants and Citizens in Early Modern Spain and Spanish America*, New Haven et Londres, Yale University Press, 2003, p. 207.

13. M. N. Bourguet, « Le Sauvage, le colon et le paysan », in G. Therrien, dir., *Figures de l'Indien*, Montréal, Typo, p. 233-257 ; S. Belmessous, *op. cit.*, p. 507-540.

14. F. R. de Chateaubriand, *Œuvres romanesques et voyages*, Paris, Gallimard, 1969, p. 33.

15. D. Louder et É. Waddell, dir., *Du continent perdu à l'archipel retrouvé : Le Québec et l'Amérique française*, Québec, Presses de l'université Laval, 1983 ; D. Louder, J. Morisset et É. Waddell, dir., *Visions et visages de la Franco-Amérique*, Sillery, Septentrion, 2001.

16. Voir P. P. Boucher, *Les Nouvelles Frances/France in America, 1500-1815 : An Imperial Perspective*, Providence, The John Carter Brown Library, 1989, traduit en 2004 : *Les Nouvelles-Frances*, Sillery, Septentrion ; J. Pritchard, *In Search of Empire. The French in the Americas, 1670-1730*, Cambridge, Cambridge University Press, 2004 ; Y. Frénette, C. Vidal et T. Wien, *op. cit.*

17. C. Vidal, *Caribbean New Orleans : Empire, Race, and the Making of a Slave Society*, Chapel Hill, University of North Carolina Press, 2019.

18. J. Butler, *The Huguenots in America. A Refugee People In New World Society*, Cambridge, Ma, Harvard, University Press, 1983 ; B. Van Ruymbeke, *From New Babylon to Eden. The Huguenots and their Migration to Colonial South Carolina*, Columbia, The University of South Carolina Press, 2006 ; B. Van Ruymbeke, « Le refuge huguenot, 1562-1780 », in Y. Frenette, E. Rivard et M. St-Hilaire, dir., *Atlas historique du Québec. La francophonie nord-américaine*, Québec, Presses de l'université Laval, 2012, p. 59-63.

19. Voir A. Greer, *Brève histoire des peuples de la Nouvelle-France*, Montréal, Boréal, 1998, p. 138.

1. Le XVIe siècle : le temps des tâtonnements

1. A. Thevet, *Les Singularités de la France Antarctique* (1557), éd. F. Lestringant, Paris, Chandeigne, p. 293.

2. Sous la plume des cartographes français du milieu du XVIe siècle, l'expression désignait le plus souvent le golfe du Maine. Nous remercions Laurier Turgeon de ses conseils.

3. F. Braudel, « La double faillite coloniale de la France (XVe-XVIe siècle) », *Annales ESC*, 4, 1949, p. 451-456 ; P. Chaunu, *Conquête et exploitation des nouveaux mondes (XVe siècle)*, Paris, PUF, 1987 (1969), p. 345 ; M. Trudel, *Histoire de la Nouvelle-France*, I : *Les Vaines Tentatives, 1524-1603*, Montréal, Fides, 1963.

4. Cité par O. P. Dickason, *Le Mythe du sauvage*, Sillery, Septentrion, 1984, p. 144. Nous avons choisi de respecter l'orthographe des citations issues de la langue du XVI⁰ siècle. En revanche, les citations utilisées dans les chapitres suivants, consacrés aux XVII⁰ et XVIII⁰ siècles, ont été modernisées.

5. Cité par J. A. Dickinson et L. R. Abenon, *Les Français en Amérique*, Lyon, Presses universitaires de Lyon, 1993, p. 143.

6. Cité par O. P. Dickason, *op. cit.*, p. 147.

7. Cité par M. Trudel, *op. cit.*, p. 47.

8. Cité par *ibid.*, p. 69.

9. J. Cartier, *Relations*, éd. M. Bideaux, Montréal, Presses universitaires de Montréal, « Bibliothèque du Nouveau Monde », 1986, p. 110-112.

10. *Ibid.*, p. 114.

11. *Ibid.*, p. 116.

12. *Ibid.*, p. 113.

13. *Ibid.*, p. 101.

14. Cité par M. Trudel, *op. cit.*, p. 62.

15. J. Cartier, *op. cit.*, p. 147, 150 et 156.

16. *Ibid.*, p. 176-177.

17. *Ibid.*, p. 247-248.

18. *Ibid.*, p. 195. Nous remercions Peter Cook de nous avoir procuré sa communication, « Kin(g) ship : the Ideological Foundations of French-Native Alliances in Northeastern North America, 1534-1629 », présentée au Champlain Saint-Lawrence Seminar, Plattsburgh, N-Y, 17 février 2003.

19. J. Cartier, *op. cit.*, p. 198.

20. *Ibid.*, p. 206. Il y aurait eu 35 tués.

21. Cité par O. P. Dickason, *op. cit.*, p. 190.

22. Cité par F. Lestringant, *Le Cannibale. Grandeur et décadence*, Paris, Perrin, 1994, p. 25.

23. B. Van Ruymbeke, « Le refuge huguenot, 1562-1780 », *op. cit.* Nous remercions vivement Bertrand Van Ruymbeke pour ses conseils.

24. F. Lestringant, *Le Huguenot et le Sauvage. L'Amérique et la controverse coloniale, en France, au temps des guerres de Religion (1555-1589)*, Paris, Klincksieck, 1999, p. 24. Voir aussi F. Lestringant, éd., *Les Singularités de la France antarctique [par André Thevet]*, Paris, Chandeigne, 1997. La permanence, au XVI⁰ siècle, doit toutefois être aussi trouvée du côté du Canada avec les pêcheries « terre-neuviennes ».

25. Ainsi nommée parce qu'elle était située au sud de l'équateur.

26. J. de Léry, *Histoire d'un voyage faict en la terre de Brésil* (1578), présenté et annoté par F. Lestringant, Paris, Bibliothèque classique, Le Livre de Poche, 1994, p. 80, 180-1, 370, 429, 469.

27. Voir F. Lestringant, *Le Huguenot et le Sauvage*, p. 32-37 ; Lestringant, *Le Cannibale* ; Montaigne, *Les Essais*, Paris, Quadrige, PUF, 1992, II p. 430, I p. 205.

28. Voir M. Augeron et L. Vidal, « Réseaux ou refuges ? Logiques d'implantation du protestantisme aux Amériques au XVIe siècle », in Martinière, D. Poton, et F. Souty, dir., *D'un rivage à l'autre. Villes et protestantisme dans l'aire atlantique (XVIe-XVIIe siècles)*, Paris, Imprimerie nationale, 1999, p. 31-62. B. Van Ruymbeke (*op. cit.*) estime que le Refuge huguenot en Amérique du Nord ne s'est pas imposé avant les années 1620. Voir aussi : B. Van Ruymbeke, « Un refuge avant le refuge ? La Floride huguenote et les origines de la Caroline du Sud », in M. Acerra et G. Martinière, dir., *Coligny, les protestants et la mer*, Paris, Presses universitaires de Paris-Sorbonne, 1997, p. 235-245.

29. Cité par O. P. Dickason, *op. cit.*, p. 211.

30. « La complète et véridique découverte de la Terra Florida », in S. Lussagnet, éd., *Les Français en Amérique pendant la deuxième moitié du XVIe siècle*, II : *Les Français en Floride*, Paris, PUF, 1958, p. 10.

31. *Ibid.*, p. 14.

32. *Ibid.*, p. 25.

33. *Ibid.*, p. 24.

34. « L'histoire notable de la Floride », in *ibid.*, p. 80.

35. *Ibid.*, p. 79.

36. *Ibid.*, p. 85. 38.

37. *Ibid.*, p. 158.

38. « Discours de l'histoire de la Floride », in *ibid.*, p. 207.

39. F. Lestringant, « Une Saint-Barthélemy américaine : l'agonie de la Floride huguenote (septembre-octobre 1565) d'après les sources espagnoles et françaises », *Bulletin de la Société de l'histoire du protestantisme français*, 138 (1992), p. 459-473.

40. Cité par S. Lussagnet, *op. cit.*, p. 232, n. 1.

41. « L'histoire notable de la Floride », in *ibid.*, p. 197.

42. F. Lestringant, *Le Huguenot et le Sauvage*, p. 37.

43. « L'histoire notable de la Floride », in S. Lussagnet, *op. cit.*, p. 187.

44. « Histoire mémorable de la reprise (*sic*) de l'Isle de la Floride », in *ibid.*, p. 243.

45. « L'histoire notable de la Floride », in *ibid.*, p. 197.

46. « Discours de l'histoire de la Floride », in *ibid.*, p. 205.

47. Concernant la pêche et le commerce des fourrures, nous nous appuyons pour l'essentiel sur L. Turgeon, « Bordeaux and the Newfoundland Trade during the Sixteenth Century », *International Journal of Maritime History*, IX, n° 2, 1997, p. 1-28 ; *id.*, « French Fishers, Fur Traders and Amerindians during the 16th Century : History and Archaeology », *William and Mary Quarterly*, 60, 4, 1998, p. 585-610 ; B. Allaire, *Pelleteries, manchons et chapeaux de castor. Les fourrures nord-américaines à Paris, 1500-1632*, Sillery/Paris, Septentrion/Presses de l'université Paris-Sorbonne, 1999 ; D. B. Quinn, *North America from Earliest Discovery to First Settlements : the Norse Voyages to 1612*, New York, Norton, 1977 ; B. G. Trigger, *Les Indiens, la Fourrure et les Blancs*, Montréal, Paris, Boréal/Seuil, 1990 ; J. Meyer, *Histoire de la France coloniale*, I : *La Conquête*, Paris, A. Colin, 1991, p. 13-54. Voir aussi A. Lespagnol, « Ah ! Si les Français avaient conquis l'Amérique ! », *L'Histoire*, n° 146, juillet/août 1991, p. 70-75.

48. Ce voyage demeure toutefois controversé, faute de sources sûres.

49. Voir B. G. Trigger, *Les Indiens, la Fourrure et les Blancs*, p. 172.

50. B. Allaire, *op. cit.*

51. Rien à voir avec le « Royaume du Saguenay ».

52. Cité par M. Trudel, *op. cit.*, p. 217.

53. Cité par S. de Champlain, *Des Sauvages*, éd. A. Beaulieu et R. Ouellet, Montréal, Typo, 1993, p. 207-208.

54. E. Thierry, « La paix de Vervins et les ambitions françaises en Amérique », in J. F. Labourdette, J. P. Poussou et M. C. Vignal, dir., *Le Traité de Vervins*, Paris, Presses de l'université Paris-Sorbonne, 2000, p. 373.

55. *Ibid.*, p. 384.

56. Cité par *ibid.*, p. 384-385.

57. Cité par M. Trudel, *op. cit.*, p. 232.

58. *Ibid.*, p. 236.

59. J. A Dickinson et L. R. Abenon, *op. cit.*, p. 28.

60. Cité par Champlain, *op. cit.*, p. 214-215.

61. *Ibid.*, p. 218.

62. F. Lestringant, *Le Huguenot et le Sauvage*, p. 22.

63. L'échange d'informations, à vrai dire, était réciproque : l'ambassadeur d'Angleterre à Paris, à la demande d'Henri de Navarre, lui fit ainsi parvenir en 1585 le récit de voyage de la circumnavigation de Francis Drake (1577-1580). Nous remercions Mickaël Augeron pour cette précision et sa relecture du chapitre I.

2. Les étapes de la colonisation

1. B. Barbiche, « Henri IV et l'outre-mer : un moment décisif », in D. Vaugeois et R. Litalien, dir., *Champlain. La naissance de l'Amérique française*, Sillery, Septentrion, 2004, p. 30.

2. B. Barbiche, *op. cit.*, p. 31-32.

3. P. Deyon, « Mercantilisme », in L. Bély, dir., *Dictionnaire de l'Ancien Régime*, Paris, PUF, 1996.

4. Louis XIV, *Mémoires de Louis XIV*, éd. J. Longnon, Paris, Tallandier, 1978, p. 179-180.

5. J. Meyer *et al.*, *Histoire de la France coloniale, I, La conquête*, Paris, A. Colin, 1991, p. 49.

6. *Ibid.*

7. Cité par G. Frégault, *Le XVIIIᵉ siècle canadien, Études*, Montréal, H.M.H, 1968, p. 162.

8. S. de Champlain, *Des Sauvages*, A. Beaulieu et R. Ouellet, éd., Montréal, Typo, 1993, p. 95-104. Selon A. Beaulieu (« La naissance de l'alliance franco-amérindienne », in D. Vaugeois et R. Litalien, *op. cit.*, p. 153-161), Anadabijou parlait au nom des trois nations indiennes, tandis que M. D'Avignon (« Henri IV et Anadabijou : aux origines des alliances franco-amérindiennes », in J. K. Bisanswa et M. Tétu, éd., *Francophonie en Amérique, quatre siècles d'échanges Europe-Afrique-Amérique*, Actes du colloque, université Laval, 26-29 mai 2003, Québec, Année francophone internationale/université Laval, 2005, p. 61-70) juge qu'il parlait uniquement pour les Montagnais.

9. S. de Champlain, *Des Sauvages*, p. 206.

10. Cité par C. Girard et E. Gagné, « Première alliance interculturelle. Rencontre entre Montagnais et Français à Tadoussac en 1603 », *Recherches amérindiennes au Québec*, vol. 25, nº 3, 1995, p. 10-11.

11. *The Works of Samuel de Champlain*, éd. sous la direction de H. P. Biggar, Toronto, The Champlain Society, 1922-1936, vol. 1, p. 304.

12. Cité dans E. Thierry, *Marc Lescarbot (vers 1570-1641). Un homme de plume au service de la Nouvelle-France*, Paris, Honoré Champion, 2001, p. 100.

13. *Ibid.*, p. 135-140 ; E. Thierry, « Une création de Champlain : l'ordre de Bon Temps », in D. Vaugeois et R. Litalien, dir., *op. cit.*

14. M. Lescarbot cité par E. Thierry, *Marc Lescarbot*, p. 135.

15. *Ibid.*, p. 157.

16. L'île de Maranhão fut effectivement occupée par les Français à partir de 1612, mais trois ans plus tard les Portugais mirent fin à cette « France équinoxiale ».

17. Nous remercions pour ses remarques Mathieu d'Avignon. Voir son livre *Champlain et les fondateurs oubliés. Les figures du père et le mythe de la fondation*, Québec, Presses de l'université Laval, 2008.

18. *The Works of Samuel de Champlain*, t. 3, p. 31.

19. *Ibid.*, t. 2, p. 106.

20. *Ibid.*, t. 3, p. 77.

21. *Ibid.*, t. 2, p. 34.

22. *Ibid.*, t. 2, p. 326-332.

23. J. A. Dickinson et L. R. Abenon, *Les Français en Amérique*, Lyon, Presses universitaires de Lyon, 1993, p. 43.

24. D. Deslandres, *Croire et faire croire. Les missions françaises au XVIIᵉ siècle*, Paris, Fayard, 2003, p. 281.

25. Cité dans G. MacBeath, « Razilly, Isaac de », *Dictionnaire biographique du Canada* (DBC), Presses de l'université Laval, 1966, t. 1, p. 581.

26. Arrivé dans la colonie en 1636, Montmagny avait été nommé gouverneur avant même la mort de Champlain.

27. J. A. Dickinson, « Les Amérindiens et les débuts de la Nouvelle-France », in G. Dotoli, éd., *Canada ieri e oggi*, Atti del 6ᵉ convegno internazionale di studi canadesi, « Bibliotheca della Ricerta, Cultura Straniera, 13 », Bari, Schena editore, 1987, p. 92-93.

28. A. Beaulieu, « Ne faire qu'un seul peuple ? Iroquois et Français à l'« âge héroïque » de la Nouvelle-France, 1600-1660 », thèse de doctorat, université Laval (Québec), 1992.

29. G. Laflèche, « Les maudits sauvages et les saints martyrs canadiens », in G. Thérien, dir., *Figures de l'Indien*, Montréal, Typo, 1995, p. 173-191.

30. Cité par C. Jaenen, dir., *Les Franco-Ontariens*, Ottawa, Presses de l'université d'Ottawa, 1993, p. 14.

31. J. A. Dickinson, « La guerre iroquoise et la mortalité en Nouvelle-France, 1608-1666 », *Revue d'histoire de l'Amérique française*, n° 35, vol. 1, 1982, p. 31-54 ; J. A. Dickinson, « Annaotaha et Dollard vus de l'autre côté de la palissade », *Revue d'histoire de l'Amérique française*, vol. 35, n° 2, 1981, p. 163-178.

32. C. Horguelin, *La Prétendue République. Pouvoir et société au Canada, 1645-1675*, Sillery, Septentrion, 1997, p. 28.

33. J. A. Dickinson, « Les Amérindiens et les débuts de la Nouvelle-France », p. 98.

34. Cité par M. Trudel, *Histoire de la Nouvelle-France*, IV : *La Seigneurie de la Compagnie des Indes occidentales, 1663-1674*, Fides, 1997, p. 7.

35. A.C., C11A, vol. 2, f. 143-145. Voir G. Havard, *Empire et métissages : Indiens et Français dans le Pays d'en Haut, 1660-1715*,

Sillery/Paris, Septentrion/Presses de l'université de Paris-Sorbonne, 2003, p. 60-95.

36. P. Margry, éd., *Découvertes et établissements des Français dans l'ouest et dans le sud de l'Amérique septentrionale, 1614-1754. Mémoires et documents originaux*, Paris, D. Jouaud, 1876-1886, t. 1, p. 257.

37. Voir C. Jaenen, « Colonisation compacte et colonisation extensive aux XVIIe et XVIIIe siècles en Nouvelle-France », in A. Saussol et J. Zitomersky, éd., *Colonies, territoires, sociétés : l'enjeu français*, Paris, L'Harmattan, 1996, p. 15-22.

38. C. C. Bacqueville de La Potherie, *Histoire de l'Amérique septentrionale*, Paris, Brocas, 1753 (1722), t. 2, p. 86.

39. P. Margry, *op. cit.*, t. 1, p. 82.

40. R.A.P.Q., 1926-1927, p. 18.

41. C. Dupré, « Cavelier de La Salle », *DBC*, t. 1, p. 178.

42. P. Margry, *op. cit.*, t. 2, p. 181-183.

43. C. Vidal, « De Champlain, "père de la Nouvelle-France", à Cavelier de La Salle, "père de la Louisiane" : Historiographie et mémoire de l'explorateur du Mississippi », in G. Martinière et D. Poton, dir., *Le Nouveau Monde et Champlain*, Paris, Les Indes Savantes, 2008, p. 119-128.

44. R. G. Thwaites, éd., *The Jesuit and Allied Documents : Travels and Explorations of the Jesuit Missionaries in New-France, 1610-1791*, Cleveland, Ohio, 1896-1901, vol. 53, p. 44. Cité ensuite comme J. R. (Jesuit Relations).

45. C. C. Bacqueville de La Potherie, *op. cit.*, t. 2, p. 93, p. 91.

46. J.R., vol. 55, p. ; F. X. de Charlevoix, *Histoire et description générale de la Nouvelle-France, avec le journal historique d'un voyage fait par ordre du roi dans l'Amérique septentrionale (1744)*, Ottawa, Élysée, 1976, t. 1, p. ; C. C. Bacqueville de La Potherie, *op. cit.*, t. 2, p. 124 et 128.

47. Voir M. Saint-Pierre, *Saint-Castin, baron français, chef amérindien, 1652-1707*, Sillery, Septentrion, Atlantica, 1999.

48. G. Filteau, *Par la bouche de mes canons. La ville de Québec face à l'ennemi*, Sillery, Septentrion, 1990, p. 48-49.

49. L. A. de Lom d'Arce, baron de Lahontan, *Œuvres complètes* (1703), Montréal, Presses de l'université de Montréal, 1990, p. 463-464.

50. L'expression est citée par P. Moogk, « Île Royale : The Other New France », in A. B. J. Johnson, dir., *Essays in French Colonial History*, East Lansing, Michigan State University Press, 1997, p. 48.

51. Lettre du 10 février 1715, citée par C. de La Morandière, *Histoire de la pêche française de la morue dans l'Amérique septentrionale*, Paris, Maisonneuve et Larose, 1962, t. 2, p. 652.

52. J. Zitomersky, « Ville, état, implantation et société en Louisiane française », *op. cit.*, p. 26.

53. Cité par G. Frégault, *Le XVIIIᵉ siècle canadien. Études*, Montréal, H.M.H, 1968, p. 25.

54. M. Giraud, *Histoire de la Louisiane française*, Paris, PUF, 1953, t. 1, p. 22.

55. Cité *ibid.*, t. 1, p. 35.

56. Cité par Ch.-A. Julien, *Les Français en Amérique au XVIIᵉ siècle*, Paris, Sedes, CDU, 1948, p. 257.

57. M. Giraud, *op. cit.*, t. 1, p. 122.

58. *Ibid.*, p. 329 (citation) et 233.

59. Cité par C. Vidal, « Les implantations françaises au pays des Illinois au XVIIIᵉ siècle (1699-1765) », thèse de doctorat, Paris, EHESS, 1995, p. 41, 46.

60. F. Le Maire, *Mémoire sur la Louisiane*, 1717, Bibliothèque nationale de France, Manuscrits français 12105, f. 13.

61. M. Giraud, *op. cit.*, t. 3, p. 153.

62. F. Le Maire, *op. cit.*, f. 5.

63. Cité par C. E. O'Neill, « Le Moyne de Bienville, Jean-Baptiste », *DBC*, t. 3, p. 412.

64. Voir N.-M. Dawson, *L'Atelier Delisle. L'Amérique du Nord sur la table à dessin*, Sillery, Septentrion, 2000, p. 118.

65. P. Berthiaume, « Introduction », in F. X. de Charlevoix, *Journal d'un voyage fait par ordre du roi dans l'Amérique septentrionale* (1744), Montréal, Presses de l'université de Montréal, 1994, p. 7-9.

66. Cité par Ph. Jacquin et D. Royot, *Go West ! Histoire de l'Ouest américain d'hier à aujourd'hui*, Paris, Flammarion, 2002, p. 51.

67. Voir J.-B. Bossu, *Nouveaux Voyages aux Indes occidentales*, Paris, Le Jay, 1768, p. 175-178 ; A. S. Le Page du Pratz, *Histoire de la Louisiane*, Paris, De Bure, Delaguette, Lambert, 1758, t. II, p. 246-250.

68. F. Le Maire, *op. cit.*, f. 7.

69. *Ibid.*, f. 19.

70. A.C., C11E, vol. 15, f. 22v.

71. A.C., C11A, vol. 37, f. 376v-377r.

72. A.C., C11A, vol. 34, f. 37v.

73. A.C., C13A, vol. 3, f. 169.

74. L.-A. de Bougainville, *Écrits sur le Canada. Mémoires-Journal-Lettres*, Pelican/Klincksieck, 1993, p. 50.

3. Pouvoirs et institutions

1. J. Zitomersky, « Ville, État, implantation et société en Louisiane française », *op. cit.* , p. 29 et p. 32.

2. L.-A. Bougainville, *Écrits sur le Canada. Mémoires-Journal-Lettres*, Montréal, Pélican/Klincksieck, 1993, p. 194-195.

3. A.C., C11A, vol. 6, f. 246.

4. En revanche, une affaire du même type fut portée devant l'Officialité de Québec en 1730.

5. Cité par G. Frégault, *Le XVIIIe siècle canadien. Études*, Montréal, H.M.H., 1968, p. 171.

6. Newberry Library, Ayer Ms 257, Dumont de Montigny, *Mémoire… contenant les événements qui se sont passés à la Louisiane depuis 1715 jusqu'à présent…*, p. 288.

7. P. Margry, éd., *Découvertes et établissements*, *op. cit.*, t. 5, p. 140 ; A.C., C11A, vol. 13, f. 150-151.

8. Cité par G. Frégault, *op. cit.*, p. 165.

9. A.C., C11A, vol. 122, f. 102rv, mémoire de Raudot.

10. G. Frégault, *La Civilisation de la Nouvelle-France (1713-1744)*, Montréal, Éditions Pascal, 1944, p. 140.

11. *Ibid.*, p. 143.

12. L. A. de Lom d'Arce, baron de Lahontan, *Œuvres complètes* (1703), Montréal, Presses de l'université de Montréal, 1990, p. 274.

13. Cité par G. Lanctot, *Histoire du Canada*, t. 3, Montréal, Librairie Beauchemin Limitée, 1964, p. 40.

14. A.C., A, 23, 2479, f. 27, 7 novembre 1719, ordonnance du roi qui défend aux gouverneurs et intendants des colonies d'y avoir des habitations.

15. Cité par G. Frégault, *La Civilisation de la Nouvelle-France*, p. 20.

16. Remarquons qu'aucun membre de l'Église ne faisait partie des Conseils supérieurs de l'île Royale et de la Louisiane.

17. Les conseillers enregistraient immédiatement les édits et ordonnances qui satisfaisaient leurs intérêts, mais prenaient davantage de temps quand les textes les desservaient. Les édits de Marly de 1711, qui imposaient la réunion au domaine du roi des seigneuries non mises en valeur, ne furent enregistrés, par exemple, que trente ans plus tard. Voir C. Nish, *Les Bourgeois gentilshommes de la Nouvelle-France, 1729-1748*, Montréal, Fides, 1968, p. 103-106 et 126-127.

18. P. Moogk, *La Nouvelle-France. The Making of French Canada – A Cultural History*, East Lansing, Michigan State University Press, 2000, p. 73.

19. J.-P. Garneau, « Devenir porte-parole durant l'ère des révolutions : le lent et (parfois) difficile parcours des avocats du Québec colonial », Criminocorpus [En ligne], Histoire des avocats, Articles, mis en ligne le 26 octobre 2016, consulté le 29 avril 2019. URL : http://journals.openedition.org/criminocorpus/3391

20. Un exempt était un officier de police présidant aux arrestations.

21. R.A.P.Q., 1926-1927, p. 25.

22. Cité par L. Dechêne, *Le Partage des subsistances au Canada sous le Régime français*, Montréal, Boréal, 1994, p. 163-164.

23. G. Frégault, *La Civilisation de la Nouvelle-France*, p. 131-132.

24. Le propriétaire d'un esclave accusé de crime, s'il abandonnait ce dernier à la justice, recevait en cas de condamnation à mort un dédommagement qui variait selon la valeur de l'esclave. Celle-ci était estimée par le syndic qui se chargeait aussi de répartir entre les propriétaires d'esclaves leur contribution pour le paiement de ce dédommagement.

25. A.C., C13A, vol. 11, f. 66-103, 30 mars 1728, La Nouvelle-Orléans, Périer et La Chaise à la Compagnie des Indes.

26. A.C., C13A, vol. 21, f. 104-108, 5 septembre 1736, La Nouvelle-Orléans, Bienville et Salmon au ministre ; A.C., C13A, vol. 38, f. 20-22, 27 août 1751, Instruction pour le Sieur Saucier, ingénieur allant aux Illinois pour le rétablissement du poste des Kaskaskias ; V.P., LO 327, 15 janvier 1752, les Illinois, Macarty et Buchet à Vaudreuil ; V.P., LO 329, 20 janvier 1752, F. Saucier à Vaudreuil.

27. A. J. B. Johnston, *Control and Order in French Colonial Louisbourg*, 1713-1758, East Lansing, Michigan State University Press, 2001, p. 251.

28. Ce n'est qu'en 1762 que Denis Braud, un marchand de La Nouvelle-Orléans, déposa une requête auprès du roi pour obtenir l'autorisation d'ouvrir une imprimerie et une librairie. Il n'obtint son aval qu'en 1764, grâce à l'intervention de d'Abbadie, mais il avait probablement commencé à faire fonctionner sa presse avant cette date. Voir F. M. Jumonville, « Frenchmen at Heart : New Orleans Printers and their Imprints, 1764-1803 », *Louisiana History*, vol. 32, n° 3, été 1991, p. 279-315.

29. Cité par L. Groulx, *Histoire du Canada français*, t.1 : *Le Régime français*, Montréal, Fides, 1960, p. 71.

30. A.C., C11A, vol. 7, f. 91, 13 novembre 1685, lettre du gouverneur général, citée par L. Dechêne, *Habitants et marchands de Montréal au XVIIᵉ siècle*, Montréal, Boréal, 1988 (1ʳᵉ éd. 1974), p. 372.

31. Le commandant « could bestow many favors on them, such as giving contracts for furnishing provisions, or performing public works ; by employing them in his trade, or by making their children cadets, who were allowed pay and provisions, and could when they were grown up recommend them for commissions », in P. Pittman, *The Present State of the European Settlements of the Mississippi*, reproduction de l'édition de 1770, introduction par R. R. Rea, Gainesville, University of Florida Press, 1973, p. 54.

32. Cité par L. Dechêne, *Le Partage des subsistances*, p. 161.

33. Cité par L. Dechêne, *ibid.*, p. 165.

34. Les paysans demandaient que le prix des marchandises fût fixé autoritairement par l'intendant en fonction du celui du blé.

35. Cité par L. Dechêne, *Le Partage des subsistances*, p. 116.

36. Cité par A. J. B. Johnston, *La Religion dans la vie à Louisbourg 1713-1758*, Hull (Québec), Service canadien des parcs d'environnement Canada, 1988 (1re édition anglaise 1984), p. 15.

37. D. Deslandres, *Croire et faire croire, Les Missions françaises au XVIIe siècle*, p. 63.

38. *Ibid.* p. 230.

39. *Ibid.* p. 287.

40. F. Le Maire, *op. cit.*, f. 12.

41. Cité par C. A. Julien, *Les Français en Amérique de 1713 à 1784*, Paris, SEDES, CDU, s.d., p. 209.

42. A.C., C13A, vol. 12, f. 259-268, 1729, Mémoire de Beaubois sur les missions de la Louisiane.

43. L. Lavallée, *La Prairie en Nouvelle-France 1647-1760. Étude d'histoire sociale*, Montréal et Kingston, McGill-Queen's University Press, 1993, p. 161-162.

44. L'application de cette décision fut reportée jusqu'en janvier 1744 en raison de la guerre de Succession d'Autriche et de la disette qui sévissait alors dans la colonie. Voir R.C.S.L., 1738/11/02/02, 1744/01/05/01.

45. Cité par L. Dechêne, *Habitants et marchands de Montréal au XVIIe siècle*, p. 464.

46. Cité par L. Choquette, « Ces Amazones du Grand Dieu » : Women and Mission in Seventeenth-Century Canada, *French Historical Studies*, vol. 17, n° 3, 1992, p. 627-655.

47. L'établissement fut cependant fermé dans les décennies suivantes.

48. Cité par Le Collectif Clio, *L'Histoire des femmes au Québec depuis quatre siècles*, Montréal, Quinze, 1982, p. 93.

49. A. J. B. Johnston, *La Religion dans la vie à Louisbourg*, p. 126.

50. K.M., 41 : 4 :28 :2, 41 : 4 :28 :3 ; R.C.S.L., 1741/01/17/01, 1741/04/04/01, 1741/04/28/01, 1741/07/15/01.

51. Sur le traitement de la prostitution en Louisiane, voir C. Vidal, *Caribbean New Orleans : Empire, Race, and the Making of a Slave Society*, Chapel Hill, University of North Carolina Press, 2019, p. 166 et 253-254.

52. M. Trudel, *Initiation à la Nouvelle-France*, Montréal/Toronto, Holt, Rinehart et Winston Ld, 1968, p. 172.

53. A.C., C13A, vol. 28, f. 31-39, 4 février 1743, La Nouvelle-Orléans, Bienville au ministre.

54. A.C., C13A, vol. 38, f. 197, 12 juillet 1754, La Nouvelle-Orléans, Simars de Bellisle au ministre.

55. Une première mutinerie avait eu lieu sur l'île Royale dès 1714, en raison de conditions de vie très difficiles dans les débuts de la nouvelle colonie.

56. A. Greer, « Mutiny at Louisbourg, December 1744 » in E. Krause *et al.*, éd., *Aspects of Louisbourg. Essays on the History of an Eighteenth Century French Community in North America Published to Commemorate the 275th Anniversary of the Founding of Louisbourg*, Sydney, Nova Scotia, The University College of Cape Breton Press, The Louisbourg Institute, 1995, p. 70-109.

57. A. Greer, « Another Soldiers'Revolt in île Royale, June 1750 », in E. Krause *et al.*, éd., *op. cit.*, p. 110-114.

58. L. Dechêne, *Habitants et marchands, op. cit.*, p. 356.

59. Il en était de même pour le logement des gens de guerre et pour les impositions et les corvées de fortifications, dont étaient aussi dispensés les nobles.

60. P. Kalm, *Voyage de Pehr Kalm au Canada en 1749*, traduction annotée du journal de route par J. Rousseau et G. Béthune, Montréal, Pierre Tisseyre, 1977, f. 931.

61. Cité par L. Dechêne, *Habitants et marchands, op. cit.*, p. 360.

62. V.P., LO 338, 18 mars 1752, Kaskaskia, Macarty à Vaudreuil.

63. Cité par A. Charbonneau *et al.*, *Québec, ville fortifiée du XVIIe au XIXe siècle*, Québec, Éditions du Pélican, 1982, p. 261.

4. Un peuplement multi-ethnique : Amérindiens, Européens et Africains

1. R.C.S.L., 1744/03/01, interrogatoire de Jupiter dit Gamelle.

2. F. Jennings, *The Invasion of America. Indians, Colonialism and the Cant of Conquest*, Williamsburg, University of North Carolina Press, 1975, p. 15.

3. F. X. de Charlevoix, *Journal d'un voyage fait par ordre du roi dans l'Amérique septentrionale* (1744), éd. P. Berthiaume, Montréal, Presses de l'université de Montréal, 1994, p. 252 ; F. Le Maire, *op. cit.*, f. 3v.

4. R. Thornton, *American Indian Holocaust and Survival : a Population History since 1492*, Norman, University of Oklahoma Press 1987. Les estimations des anthropologues américains James Mooney

et Alfred Kroeber, qui penchaient pour environ un million d'Indiens, sont aujourd'hui rejetées. À l'opposé, un auteur comme Henry Dobyns a proposé en 1966 le chiffre, largement débattu depuis, de 12 millions. L'évaluation des chercheurs actuels de la Smithsonian Institution s'avère beaucoup plus faible que celle de Dobyns et de Thornton, puisqu'ils la fixent entre 1,2 et 2,6 millions.

5. J.R., vol. 61, p. 154, 148 ; P. Margry, éd., *Découvertes et établissements, op. cit.*, t. 1, p. 114.

6. Cité par D. Delâge, *Le Pays renversé. Amérindiens et Européens en Amérique du Nord-Est*, Montréal, Boréal Express, 1985, p. 97.

7. J.R., vol. 25, p. 108.

8. Cité par R. Viau, *Femmes de personne. Sexes, genres et pouvoirs en Iroquoisie ancienne*, Montréal, Boréal, 2000, p. 86.

9. A.C., C11A, vol. 7, f. 180r.

10. J. Kay, « The Fur Trade and Native American Population Growth », *Ethnohistory*, vol. 31, n° 4, 1984, p. 265-287.

11. J. P. Sawaya, *La Fédération des sept feux de la vallée du Saint-Laurent , XVIIᵉ-XIXᵉ siècle*, Sillery, Septentrion, 1998, p. 29.

12. D. H. Usner, de son côté, compte 67 000 Indiens pour l'année 1700 (*American Indians in the Lower Mississippi Valley : Social and Economic Histories*, Lincoln et Londres, University of Nebraska Press, 1998, p. 33-55).

13. A.M., 2JJ56, 2x13, f.7 ; Charlevoix, *Journal*, p. 789.

14. Newberry Library (Chicago), Ayer Ms 262, P. Du Ru, « Journal d'un voyage », f. 37.

15. Newberry Library, Ayer Ms 293, *France colonies 1702-1750*, p. 337.

16. Newberry Library, Ayer Ms 293, *ibid.*, p. 105-106.

17. « Rapport du Chevalier de Kerlérec, gouverneur de la Louisiane française sur les peuplades des vallées du Mississippi et du Missouri (1758) » in *Congrès international des américanistes*, XVᵉ session, [Québec, 1906], Nendeln, Klaus reprint, 1968, p. 85.

18. H. Charbonneau *et al.*, *Naissance d'une population. Les Français établis au Canada au XVIIᵉ siècle*, Paris-Montréal, INED/Presses de l'université de Montréal/PUF, 1987, p. 108 et 110.

19. H. Charbonneau *et al.*, *ibid.*, p. 1.

20. Commencé à la fin des années 1960, le Programme de recherche en démographie historique (PRDH) de l'université de Montréal, dirigé par Hubert Charbonneau et Jacques Légaré, a étudié l'immigration pionnière ou fondatrice. Dans cet objectif et dans celui plus large de reconstituer la population de la vallée laurentienne des origines à 1800, il a créé un registre informatisé de la population du Québec ancien. L'essentiel du registre est formé des 700 000 actes de

baptême, mariage et sépulture contenus dans les registres paroissiaux québécois avant 1800 (dont plus de 300 000 pour la période du Régime français). Il a été complété avec des informations provenant d'autres sources. Ce registre informatisé constitue un outil de travail sans équivalent dans l'étude des phénomènes migratoires et démographiques.

21. Extrait de la correspondance de mère C. de Sainte-Croix cité dans *Une folle aventure en Amérique : la Nouvelle-France*, Dossier de la Documentation photographique, 1977.

22. L'exemple est cité par L. Choquette, « La mobilité de travail en France et l'émigration vers le Canada (XVIIᵉ-XVIIIᵉ siècles) », in Y. Landry *et al.*, dir., *Les Chemins de la migration en Belgique et au Québec XVIIᵉ-XXᵉ siècles*, Louvain-la-Neuve et Beauport, Éditions Academia/Publications MNH, 1995, p. 202-203.

23. Cité in L. Dechêne, *Habitants et marchands, op. cit.*, p. 60, et repris par Y. Landry, dir., *Pour le Christ et le Roi. La vie au temps des premiers Montréalais*, Montréal, Libre Expression/Art Global, 1992, p. 142-143.

24. Cité par P. Moogk, *La Nouvelle-France. The Making of French Canada. A Cultural History*, East Lansing, Michigan State University Press, 2000, p. 137.

25. Cité par Y. Landry, « L'émigration française au Canada avant 1760 : premiers résultats d'une microanalyse », in A. Courtemanche et M. Pâquet, éd., *Prendre la route. L'expérience migratoire en Europe et en Amérique du Nord du XIVᵉ au XXᵉ siècle*, Hull, Qc, Éditions Vents d'Ouest, 2001, p. 86.

26. Cité par Y. Landry, dir., *Pour le Christ et le Roi*, p. 89-90.

27. Y. Landry, « L'émigration française au Canada avant 1760 », *op. cit.*, p. 85.

28. Cité par P. Moogk, *op. cit.*, p. 142.

29. Les censitaires étaient les paysans auxquels le seigneur avait concédé une terre sur sa seigneurie en contrepartie de laquelle ils devaient payer un certain nombre de redevances seigneuriales, dont le cens.

30. Archives de Maître Debray à Tourouvre, document cité dans *Une folle aventure en Amérique : la Nouvelle-France*.

31. Cité par L. Choquette, « Recruiting of French Emigrants to Canada 1600-1760 », in I. Altam et J. Horn, éd., *To Make America. European Emigration in the Early Modern Period*, Berkeley, University of California Press, 1991, p. 132.

32. Cité par M. Giraud, *Histoire de la Louisiane française*, vol. 3 : *L'Époque de John Law (1717-1720)*, Paris, PUF, 1966, p. 275.

33. Cité par P. Moogk, *op. cit.*, p. 116.

34. *Nouveaux voyages de M. Le Baron de Lahontan dans l'Amérique septentrionale* (1703), cité par Y. Landry, *Orphelines en France, pionnières au Canada. Les filles du roi au XVIIe siècle*, Montréal, Leméac, 1992, p. 28.

35. Cité par Y. Landry, *ibid.*, p. 129.

36. A.C., C13A, vol. 3, f. 125-140, 15 juillet 1713, Fort Louis, Duclos au ministre ; A.C., F3, vol. 24, f. 61-69, 15 juillet 1713, Fort-Louis, Duclos au ministre.

37. Y. Landry, *Orphelines en France, pionnières au Canada*, p. 142.

38. A. Farge et M. Foucault, éd., *Le Désordre des familles. Lettre de cachet des archives de la Bastille*, Paris, Gallimard/Julliard, Collection Archives, 1982, p. 293.

39. Cité par M. Giraud, *op. cit.*, p. 257.

40. Cité *ibid.*, p. 261 et 265.

41. Cité par P. Pluchon, *Histoire de la colonisation française*, t. 1 : *Le Premier Empire colonial, des origines à la Restauration*, Paris, Fayard, 1991, p. 357.

42. L. Choquette, « Recruiting of French Emigrants to Canada 1600-1760 », *op. cit.*, p. 160.

43. A. Prévost d'Exiles, *Histoire du chevalier Des Grieux et de Manon Lescaut* (1731), Paris, Gallimard, coll. Folio, 2002, p. 222.

44. C'est le chiffre qu'avance Leslie Choquette, alors que Robert Larin parle de 3 000 émigrants protestants au Canada, dont un tiers, soit un millier, se serait établi sur place. Cf. L. Choquette, *De Français à paysans. Modernité et tradition dans le peuplement du Canada français*, Paris, Presses de l'université de Paris-Sorbonne/Septentrion, 2001, p. 114 ; R. Larin, *Brève histoire des protestants en Nouvelle-France et au Québec (XVIe-XIXe siècle)*, Saint-Alphonse-de-Granby, Les Éditions de la Paix, 1999 (nouvelle éd.), p. 115-137 et 175-176.

45. P. Moogk, *op. cit.*, p. 123.

46. H. Joutel, « Relation », p. 491 ; Deliette, *Mémoire*, in Th. C. Pease et R. C. Werner, éd., *The French Foundations 1680-1693*, Collection of the Illinois State Historical Library, Séries françaises, vol. I, Springfield, Illinois, 1934, p. 302 ; A. Pénicaut, « Relation », in P. Margry, *op. cit.*, t. 5, p. 489 ; A.C., F3, vol. 24, f. 55-56, 1709, Extrait du mémoire du Sieur Mandeville, enseigne de la compagnie de Vaulezard à la Louisiane sur la Louisiane ; M. Bossu, *Nouveaux voyages, op. cit.*, p. 145-146.

47. A.C., C13A, vol. 15, f. 166-167, 17 juillet 1732, Salmon au ministre.

48. V.P., LO 9, vol. II, 2 novembre 1748, Vaudreuil à la Cour.

49. Mémoire de de Meulles (1684), A.C., F3, vol. 2, f. 204v., cité par L. Dechêne, *op. cit.*, p. 112.

50. Cité par Y. Landry, dir., *Pour le Christ et le Roi*, p. 105.

51. *Ibid.*, p. 146.

52. Voir M. Trudel (avec la collaboration de Micheline d'Allaire), *Deux siècles d'esclavage au Québec*, Montréal, Éditions Hurtubise, 2004.

53. Marcel Trudel avance le chiffre précis de 308 esclaves noirs répertoriés pour le Régime français au Canada sur un total de 1443 jusqu'au début du XIXe siècle. Les dates de 277 esclaves n'ont cependant pas été retrouvées, ce qui pourrait accroître d'autant le total pour la période française. Cf. M. Trudel, *op. cit.*, p. 86.

54. P. Lachance, « Métissage : Myth, Metaphor and Reality », *Plantation Society in the Americas*, vol. 6, no 2 et 3, automne 1999, p. 273-289.

55. A.C., C13A, vol. 26, f. 138-139, 25 avril 1741, La Nouvelle-Orléans, Salmon au ministre.

5. Enfants et alliés : les Indiens et l'Empire français

1. C. Fohlen, *Les Indiens d'Amérique du Nord*, Paris, PUF, 1985, p. 7.

2. J. Meyer *et al.*, *Histoire de la France coloniale, des origines à 1914*, t. 1, Paris, Armand Colin, 1991 ; P. Pluchon, *Histoire de la colonisation française*, t. 1, Paris, Fayard, 1991.

3. F. Parkman, *The Jesuits in North America in the Seventeenth Century*, Little, Brown et Compagny, Boston, Toronto, 1963 (1867), p. 131.

4. F. R. de Chateaubriand, *Œuvres romanesques et voyages*, Paris, Gallimard, 1969, p. 721.

5. L. N. Baudry des Lozières, *Voyage à la Louisiane et sur le continent de l'Amérique septentrionale, fait dans les années 1794 à 1798*, Paris, p. 9-10.

6. Cité par E. Thierry, *Marc Lescarbot (vers 1570-1641). Un homme de plume au service de la Nouvelle-France*, Paris, Honoré Champion, 2001, p. 182.

7. A.C., C13A, vol. 2, f. 171 ; F. X. de Charlevoix, *Histoire et description générale de la Nouvelle-France, op. cit.*, t. 1, p. vij.

8. G. Louis-Jaray, *L'Empire français d'Amérique (1534-1803)*, Paris, Armand Colin, 1938, p. 320.

9. G. Hardy, *Histoire sociale de la colonisation française*, Paris, Larose, 1953 (Avant-propos).

10. R. et M. Cornevin, *La France et les Français outre-mer*, Paris, Tallandier, 1990, p. 24.

11. G. Frégault, *La Civilisation de la Nouvelle-France, 1713-1744*, Bibliothèque québécoise, 1990 (1969), p. 49 ; M. Saint-Pierre, *Saint-Castin, baron français, chef amérindien, 1652-1707*, Sillery, Septentrion/Atlantica, 1999, p. 60.

12. J. A. Dickinson, « French and British Attitudes to Natives Peoples in Colonial North America », *Storia Nordamericana*, vol. 4, n° 1-2, 1987, p. 41-56 ; S. Belmessous, « D'un préjugé culturel à un préjugé racial. La politique indigène de la France au Canada », thèse de doctorat d'histoire, Paris, EHESS, 1999, p. 18, 103.

13. A.C., C13A, vol. 2, f. 96.

14. A.C., C11A, vol. 26, f. 54v ; A.C., C11A, vol. 65, f. 136.

15. A.C., C11A, vol. 28, f. 5.

16. C. C. Bacqueville de La Potherie, *Histoire de l'Amérique septentrionale*, Paris, Brocas, 1753 (1722), t. 3, p. 262.

17. A.C., C11A, vol. 17, f. 64.

18. A.C., C11A, vol. 19, f. 232.

19. L.-A. Bougainville, *Écrits sur le Canada. Mémoires-Journal-Lettres*, Pélican/Klincksieck, 1993, p. 96.

20. Cité par H. Gourmelon, *Le Chevalier de Kerlérec. L'affaire de la Louisiane, un déni de justice sous le règne de Louis XV*, Saint-Jacques-de-la-Lande et Paris, Les Portes du large et Keltia Graphic, 2003, p. 223.

21. Cité par A. Balvay, « L'épée et la plume : Amérindiens et soldats des troupes de la Marine en Louisiane et au Pays d'en Haut (1683-1763) », thèse de doctorat d'histoire, université Paris I, université Laval, 2004, p. 231.

22. P. Margry, éd., *Découvertes et établissements, op. cit.*, t. 1, p. 589-592.

23. L. A. de Bougainville, *op. cit.*, p. 220, p. 253, p. 293.

24. Cité par P. Cook, « Vivre comme frères. Le rôle du registre fraternel dans les premières alliances franco-amérindiennes au Canada (vers 1580-1650) », *Recherches amérindiennes au Québec*, vol. 31, n° 2, 2001, p. 58.

25. A.C., C11A, vol. 6, f. 7v.

26. N. Perrot, *Mémoire sur les mœurs, coustumes et relligion des sauvages de l'Amérique septentrionale* (env. 1715), Montréal, Éditions Élysée, 1973 (1864), p. 78.

27. P. Pouchot, *Mémoires sur la dernière guerre de l'Amérique septentrionale*, Sillery, Septentrion, 2003, p. 142, 144.

28. A.C., C11A, vol. 29, f. 43v-44r.

29. « Journal du marquis de Montcalm », in *Collection des manuscrits du maréchal de Lévis*, Québec, Imprimerie de L. J. Demers et frère, 1895, vol. 6, p. 261.

30. Chevalier de Raymond, « Mémoire sur les postes du Canada », publié par A. Fauteux, Québec, 1929, p. 12.

31. F. Le Maire, *Mémoire sur la Louisiane, op. cit.*, , f. 10.

32. P. Kalm, *Voyage de Pehr Kalm au Canada, op. cit.,* p. 434.

33. A.C., C13A, vol. 16, f. 206.

34. R.A.P.Q., t. 41, 1963, p. 291.

35. « Journal du marquis de Montcalm », p. 215.

36. Chevalier de Kerlérec, « Rapport du Chevalier de Kerlérec, gouverneur de la Louisiane française sur les peuplades des vallées du Mississippi et du Missouri (1758) » in *Congrès international des américanistes, XV e session* [Québec, 1906], Nendeln, Klaus reprint, 1968, p. 80.

37. Cité par A. Dubé, « Limbourgs, fusils et festins. L'approvisionnement des "sauvages" de la Louisiane, 1731-1752 », in A. Beaulieu, dir., *Guerre et paix en Nouvelle-France*, Québec, Gid, 2003, p. 176.

38. J. de Brébeuf, *Écrits en Huronie* (1635-1649), Bibliothèque québécoise, 1996, p. 155 ; Kerlérec, *op. cit.*, p. 77.

39. A.C., C11A, vol. 29, f. 44v, d'Aigremont au ministre, Québec, 14 novembre 1708.

40. A.C., C13A, vol. 16, f. 207-208.

41. Voir R. White, *The Roots of Dependency : Subsistence, Environment, and Social Change among Choctaws, Pawnees, and Navajos*, Lincoln, University of Nebraska Press, 1983.

42. Kerlérec, *op. cit.*, p. 80 ; A.C., C11A, vol. 31, f. 24, 83v.

43. A.C., C11A, vol. 6, f. 135v.

44. Bougainville, *op. cit.*, p. 91.

45. C. C. Bacqueville de La Potherie, *op. cit.*, t. 4, p. 255-256.

46. R.A.P.Q., t. 41, 1963, p. 294-295, p. 298.

47. Newberry Library (Chicago), Ayer Ms 293, France-colonies 1702-1750, p. 129.

48. P. Margry, *op. cit.*, t. 5, p. 245-246 et 256.

49. L. A. de Bougainville, *op. cit.*, p. 196 ; « Journal de Montcalm », p. 188-189.

50. Voir S. Savoie, « L'alliance franco-abénakise à l'époque de Nescambiouit », in A. Beaulieu, *op. cit.*, p. 146-147.

51. *Mercure de France*, décembre 1725, « Relation de l'arrivée en France de quatre Sauvages de Missicipi, de leur séjour, et des audiences qu'ils ont eues du Roi », f. 2830.

52. J. B. Bossu, *Nouveaux voyages en Louisiane, 1751-1768*, présenté par Ph. Jacquin, Paris, Aubier-Montaigne, 1980, p. 94.

53. *Mercure de France, op. cit.*, f. 2849-2852.

54. J. B. Bossu, *op. cit.*, p. 93.

55. *Ibid.*, p. 93-94 ; A.C., C13A, vol. 40, f. 135-136 (cité par C. Vidal, « Les implantations françaises au pays des Illinois au XVIIIe siècle, 1699-1765 », thèse de doctorat, Paris, EHESS, 1995, p. 465).

56. Cité par Y. Durand, *L'Ordre du monde. Idéal politique et valeurs sociales en France du XVIe au XVIIIe siècle*, Paris, SEDES, 2001, p. 13.

57. *Ibid.*, p. 13.

58. J. Cornette *et al.*, *La Monarchie entre Renaissance et Révolution, 1515-1792*, Paris, Seuil, 2000, p. 246.

59. B. P. Levack, *The Formation of the British State. England, Scotland and the Union 1603-1707*, Oxford, Clarendon Press, 1987, p. 17 ; B. Cottret, *Histoire d'Angleterre. XVIe-XVIIe siècle*, Paris, PUF, Nouvelle Clio, 1996, p. 254.

60. Voir P. Goubert, *Mazarin*, Paris, Fayard, 1990, p. 58-68.

61. J. Cornette, *op. cit.*, p. 202, p. 248.

62. C. Vidal, *op. cit.*, p. 492 et 498 ; K. Saadani, « Une colonie dans l'impasse : la Louisiane française, 1731-1743 », thèse de doctorat, Paris, EHESS, 1993, p. 225.

63. Communication personnelle de Denys Delâge, mars 2003. Nous l'en remercions.

64. Voir D. Delâge et J. P. Warren, « La rencontre de l'éthique bourgeoise et de l'éthique autochtone. Modernité, postmodernité et amérindianisme », *Recherches amérindiennes au Québec*, vol. 31, n° 3, 2001, p. 111.

65. Cité par M. Morin, *L'Usurpation de la souveraineté autochtone. Le cas des peuples de la Nouvelle-France et des colonies anglaises de l'Amérique du Nord*, Montréal, Boréal, 1997, p. 71.

66. A.C., C11A, vol. 5, f. 344-345.

67. A.C., B, vol. 19, f. 85, Mémoire du Roi pour les sieurs de Frontenac et de Champigny, Versailles le 26 mai 1696 ; A.C., C11A, vol. 36, f. 44, Mémoire instructif des intentions de Sa Majesté pour le Canada, 1716.

68. A.-S. Le Page du Pratz, *Histoire de la Louisiane*, Paris, De Bure, Delaguette, Lambert, 1758, t. 1, p. 52-53.

69. Cité par O. P. Dickason, *Canada's First Nations*, Toronto, McCleland et Stewart, 1992, p. 166.

70. W. Herbert cité par É. Hinderacker et P. C. Mancall, *At the Edge of Empire. The Backcountry in British North America*, Baltimore, Johns Hopkins University Press, 2003, p. 3.

71. Nous remercions Bertrand Van Ruymbeke pour ses judicieuses remarques. Voir A. Gallay, *The Indian Slave Trade. The Rise of the*

English Empire in the American South, 1670-1717, New Haven, Yale University Press, 2002, p. 355 ; E. Marienstras, *Nous le Peuple. Les origines du nationalisme américain*, Paris, Gallimard, 1988, p. 37 ; M. Leroy Oberg, *Dominion & Civility. English Imperialism & Native America, 1585-1685*, Ithaca, Cornell University Press, 1999 ; J. Axtell, *The Invasion Within. The Contest of Cultures in Colonial North America*, New York, Oxford University Press, 1985 ; B. Van Ruymbeke, *From New Babylon to Eden...*, chap. VIII.

72. D. Delâge, « L'histoire des autochtones d'Amérique du Nord : acquis et tendances », *Annales HSS*, sept-oct. 2002, n° 5, p. 1344-1345 ; D. Delâge et J. P. Sawaya, *Les Traités des sept feux avec les Britanniques. Droits et pièges d'un héritage colonial au Québec*, Sillery, Septentrion, 2001, p. 40-41.

73. D. Delâge, « L'histoire des autochtones d'Amérique du Nord : acquis et tendances », p. 1345.

74. J. Zitomersky, « Espace et société en Amérique coloniale française dans le contexte comparatif du Nouveau Monde », in R. Creagh, éd., *Les Français des États-Unis d'hier à aujourd'hui*, Actes du colloque international sur les Français des États-Unis, Montpellier, 1994, p. 66.

75. Ch. de Raymond, *op. cit.*, p. 16.

76. Ch. de Kerlérec, *op. cit.*, p. 72.

77. A.C., C11E, vol. 14, f. 180v.

78. R. White, *The Middle Ground. Indians, Empires and Republics in the Great Lakes Region, 1650-1815*, Cambridge, Cambridge University Press, 1991, p. 75-93.

79. A.C., F3, vol. 24, f. 157r.

80. Cité par C. Jaenen, « Rapport historique de la nation huronne-wendat », in D. Vaugeois, dir., *Les Hurons de Lorette*, Sillery, Septentrion, 1996, p. 191.

81. Cité par H. Gourmelon, *op. cit.*, p. 120-122.

82. « Journal du marquis de Montcalm », p. 221.

83. J. Grabowski, « The Common Ground. Settled Natives and French in Montreal, 1667-1760 », Ph. D, département d'histoire, université de Montréal, 1993 ; D. Delâge et E. Gilbert, « Les Amérindiens face à la justice coloniale française dans le gouvernement de Québec, 1663-1759. I. Les crimes capitaux et leurs châtiments », *Recherches amérindiennes au Québec*, vol. 33, n° 3, 2003, p. 79-90 ; id., « Les Amérindiens... II. Eau de vie, traite des fourrures, endettement, affaires civiles », *Recherches amérindiennes au Québec*, vol. 34 n° 1, 2004, p. 31-42.

84. A.C., C11A, vol. 34, f. 32, cité par A. Beaulieu « Les Hurons de Lorette, le "traité Murray" et la liberté de commerce », in D. Vaugeois, dir., *Les Hurons de Lorette*, Sillery, Septentrion, 1996, p. 276.

85. Les Indiens « domiciliés » transportaient des pelleteries à Albany et ramenaient des étoffes de laine et d'autres produits anglais à Montréal.

86. Cité par D. Delâge, « Les Hurons de Lorette dans leur contexte historique en 1760 », in D. Vaugeois, éd., *op. cit.*, p. 117.

87. J. C. B. (Bonnefons), *Voyage au Canada fait depuis l'an 1751 jusqu'en l'an 1761*, Paris, Aubier Montaigne, 1978, p. 122.

88. Cité par D. Delâge, *op. cit.*, p. 117.

89. L. A. de Bougainville, *op. cit.*, p. 233.

90. J.-G. Pelletier, « Coulon de Villiers, Nicolas-Antoine », *Dictionnaire biographique du Canada*, vol. 2, Québec, PUL, 1969, p. 163.

91. A. C., C11A, vol. 50, f. 378-379.

92. Voir G. Havard, « Un Américain à Rochefort (1731-1732) : le destin de Coulipa, Indien renard », in Mickaël Augeron et Pascal Even, éd., *Les Étrangers dans les villes-ports atlantiques. Expériences françaises et allemandes, XVᵉ-XIXᵉ siècle*, Paris, Les Indes Savantes, 2010, p. 143-155.

93. A. C., C11A, vol. 59, f. 13 ; É. Marienstras, « Guerres, massacres ou génocides ? Réflexions historiographiques sur la question du génocide des Amérindiens », in D. El Kenz, dir., *Le Massacre, objet d'histoire*, Paris, Gallimard, Folio Histoire, 2005, p. 275-302.

94. Cité dans H. Gourmelon, *op. cit.*, p. 87.

95. Cité par D. S. Standen, « Beauharnois de la Boische, Charles de », *Dictionnaire biographique du Canada*, Québec, Presses de l'université Laval, vol. 3, 1974, p. 48. Sur cette guerre, voir D. R. Edmunds et J. L. Peyser, *The Fox Wars : The Mesquakie Challenge to New France*, Norman, University of Oklahoma Press, 1993.

96. Voir M. Giraud, *A History of French Louisiana, vol. 5 : The Company of the Indies, 1723-1731*, Baton Rouge, Louisiana State University Press, 1991, p. 388-430 ; P. Galloway et J. Baird Jackson, « Natchez and Neighboring groups », in R. D. Fogelson, dir., *Handbook of North American Indians,* vol. 14, *Southeast,* Washington, Smithsonian Institution, 2004, p. 598-615.

97. Newberry Library, Ayer Ms 257, Dumont de Montigny, *Mémoire... contenant les événements qui se sont passés à la Louisiane depuis 1715 jusqu'à présent...*, p. 399 ; Le Page du Pratz, *op. cit.*, t. 1, p. 178.

98. Dumont de Montigny, *op. cit.*, p. 155.

99. Ayer MS 530, f. 64-65, Anonyme, cité par A. Balvay, *op. cit.*, p. 224.

100. Le Page du Pratz, *op. cit.*, t. 1, p. 203.

101. Dumont de Montigny, *op. cit.*, p. 194 et 214-215.

102. *Ibid.*, p. 223.

103. F. X. de Charlevoix, *Histoire et description générale de la Nouvelle-France, op. cit.*, t. 2, p. 468.

104. A. Baillardel et A. Prioult, *Le Chevalier de Pradel. Vie d'un colon français en Louisiane au XVIIIᵉ siècle*, Paris, Librairie orientale et américaine, Maisonneuve frères, 1928, p. 64, p. 70.

105. Bossu, *op. cit.*, p. 164.

6. Un monde franco-indien

1. L. Nicolas, « Histoire naturelle des Indes », Bibliothèque nationale (Paris), Manuscrits français 24225, f. 100 ; Le Page du Pratz, *op. cit.*, t. 1, p. 186,188.

2. J. Adair, *The History of the American Indians Particulary those Indian Nations Adjoigning to the Mississippi*, Londres, 1775, p. 285, p. 289 ; T. Mante, *The History of the Late War in North America*, Londres, 1772, p. 479.

3. A.C., C11A, vol. 99, f. 391-392.

4. J. B. Bossu, *Nouveaux voyages en Louisiane, op. cit.*, p. 166.

5. Il y eut toutefois certaines tensions, mais surtout à partir des années 1740. Voir W. C. Wicken, « Re-examining Mi'kmaq-Acadian Relations », in S. Dépatie *et al.*, *Vingt ans après Habitants et marchands. Lectures de l'histoire des XVIIᵉ et XVIIIᵉ siècles canadiens*, Montréal/Kingston/Londres/Buffalo, Mc Gill-Queen's University Press, 1998, p. 93-114.

6. A.C., C11A, vol. 49, f. 442.

7. Chevalier de Kerlérec, « Rapport du Chevalier de Kerlérec, gouverneur de la Louisiane française sur les peuplades des vallées du Mississippi et du Missouri (1758), *op. cit.*, p. 63.

8. A.C., C11A, vol. 34, f. 67.

9. G. de Malartic, *Journal des campagnes au Canada de 1755 à 1760 par le comte des Marès de Malartic*, Dijon, 1890, p. 118.

10. A.C., F3, vol. 2, f. 304 ; A.C., C11E, vol. 14, f. 118v-119r ; A.C., C11E, vol. 15, f. 162 ; A.C., C11A, vol. 21, f. 75.

11. *Mercure de France*, décembre 1725, « Relation de l'arrivée en France de quatre Sauvages de Missicipi, de leur séjour, et des audiences qu'ils ont eues du Roi », f. 2832-2833.

12. A.C., C13A, vol. 16, f. 213 ; C. Vidal, « Les implantations françaises au pays des Illinois au XVIIIᵉ siècle, *op. cit.*, p. 288, 472.

13. A.C., C13A, vol. 3, f. 269.

14. P. Le Jeune, *Un François au « pays des bestes sauvages »*, Comeau et Nadeau, Agone, 1999, p. 133.

15. « A Letter from Louisbourg, 1756 », *Acadiensis*, 10, 1, 1980, p. 118-119 (notre traduction).

16. W. R. Jacobs, éd., *Indians of the Southern Colonial Frontier. The Edmond Atkin Report and Plan of 1755*, éd., University of South Carolina Press, 1954, p. 8-9. Nous remercions Arnaud Balvay qui a porté ce document à notre attention.

17. A.C., C13A, vol. 16, f. 242.

18. J.R., vol. 51, p. 258, 264.

19. J. Cartier, *Relations*, éd. M. Bideaux, Montréal, Presses universitaires de Montréal, « Bibliothèque du Nouveau Monde », 1986, p. 199.

20. *The Works of Samuel de Champlain*, éd. sous la direction de H. P. Biggar, Toronto, The Champlain Society, 1922-1936, vol. 2, p. 188.

21. P. Galloway, « Talking with Indians : Interpreters and Diplomacy in French Louisiana », in W. D. Jordan et S. L. Skemp, dir., *Race and Family in the Colonial South : Essays*, Jackson, University Press of Mississippi, 1987, p. 109-129.

22. P. Deliette, *Mémoire (Memoir of De Gannes Concerning the Illinois Country)*, Collections of the Illinois Historical Library, vol. 23, p. 306-307.

23. A.C., C11A, vol. 28, f. 125v.

24. P. Margry, éd., *Découvertes et établissements, op. cit.*, 1, p. 214.

25. Newberry Library, Ayer Ms 262, Paul Du Ru, « Journal d'un voyage », f. 9.

26. Kerlérec, *op. cit.*, p. 83 ; Ayer Ms 262, *ibid.*, f. 73.

27. J. Zitomersky, « Espace et société en Amérique coloniale française dans le contexte comparatif du Nouveau Monde », *op. cit.*, p. 69.

28. F. X. de Charlevoix, *Journal d'un voyage fait par ordre du roi dans l'Amérique septentrionale* (1744), éd. P. Berthiaume, Montréal, Presses de l'université de Montréal, 1994, p. 464.

29. P. Pouchot, *Mémoires sur la dernière guerre de l'Amérique septentrionale*, Sillery, Septentrion, 2003, p. 144.

30. L-A. Bougainville, *op. cit.*, p. 107.

31. M. Lescarbot, cité par E. Thierry, *Marc Lescarbot (vers 1570-1641). Un homme de plume au service de la Nouvelle-France*, Paris, Honoré Champion, 2001, p. 139.

32. A.C., C13A, vol. 3, f. 266.

33. F. X. de Charlevoix, *Histoire et description générale de la Nouvelle-France, avec le journal historique d'un voyage fait par ordre du*

roi dans l'Amérique septentrionale (1744), Ottawa, Élysée, 1976, t. 2 p. 214.

34. « Journal du marquis de Montcalm », in *Collection des manus crits du maréchal de Lévis*, Québec, Imprimerie de L. J. Demers e frère, 1895, vol. 6, p. 257.

35. Newberry Library, Ayer Ms 257, Dumont de Montigny *Mémoire... contenant les événements qui se sont passés à la Louisian depuis 1715 jusqu'à présent...*, p. 390 et 394.

36. M. Lescarbot, cité par E. Thierry, *op. cit.*, p. 140.

37. Ayer Ms 262, Paul Du Ru, « Journal d'un voyage », f. 57.

38. Bossu, *op. cit.*, p. 83.

39. Bougainville, *op. cit.*, p. 214.

40. Dumont de Montigny, *op. cit.*, p. 378.

41. J. Grabowski, « Le petit commerce entre les Trifluviens et le Amérindiens en 1665-1667 », *Recherches amérindiennes au Québec* vol. 28, n° 1, 1998, p. 116.

42. P. Kalm, *Voyage de Pehr Kalm au Canada en 1749*, traductio annotée du journal de route par J. Rousseau et G. Béthune, Montréa Pierre Tisseyre, 1977, p. 446 ; D. de Montigny, *op. cit.*, p. 214.

43. C. C. Bacqueville de La Potherie, *Histoire de l'Amérique sep tentrionale*, Paris, Brocas, 1753 (1722), t. 1, p. 364-365.

44. Bossu, *op. cit.*, p. 72.

45. *The Works of Samuel de Champlain*, éd. sous la direction d H. P. Biggar, Toronto, The Champlain Society, 1922-1936, vol. 3 p. 145.

46. Cité par C. Jaenen, *Les Relations franco-amérindiennes e Nouvelle-France et en Acadie*, Ottawa, Affaires indiennes et du Nord Canada, 1985, p. 49.

47. Cité *ibid.*, p. 72.

48. Colbert (1674) cité par A. Jacob, *Le Travail, reflet des cultures Du Sauvage indolent au travailleur productif*, Paris, PUF, Économi en liberté, p. 203-204 ; Colbert (1668, 1679) et De Meulles cité pa S. Belmessous, « D'un préjugé culturel à un préjugé racial. La poli tique indigène de la France au Canada », thèse de doctorat d'histoire Paris, EHESS, 1999, p. 177-178, 184.

49. Cité par Jaenen, *op. cit.*, p. 75 ; voir M. E. Chabot, « Guyar Marie, dite de l'Incarnation », *DBC*, vol. 1, 1966, p. 364.

50. A. C., C11E, vol. 14, f. 40 A. C., C11E, vol. 14, f. 40.

51. De Meulles cité par S. Belmessous, *op. cit.*, p. 184 ; A. D Raudot, *Relation par lettres de l'Amérique septentrionale, 1709-171(texte établi et présenté par C. de Rochemonteix, Paris, Letouzey e Ané, 1904, p. 62.

52. Cité par S. Belmessous, *op. cit.*, p. 354.

53. F. X. Charlevoix, *Histoire et description générale de la Nouvelle-France*, *op. cit.*, t. 2, p. 98.

54. J.R., vol. 59, p. 142.

55. Chateaubriand, *Œuvres romanesques et voyages*, Paris, Gallimard, 1969, p. 859.

56. Cité par D. Delâge, *Le Pays renversé. Amérindiens et Européens en Amérique du Nord-Est, 1600-1664*, Montréal, Boréal, 1985, p. 199.

57. Cité par M. Jetten, *Enclaves amérindiennes. Les « réductions » du Canada, 1637-1701*, Sillery, Septentrion, 1994, p. 106.

58. L. Hennepin, *Description de la Louisiane nouvellement découverte au Sud Ouest de la Nouvelle-France par ordre du Roy*, Paris, Veuve Sébastien Huré, 1683, p. 39, 100-101.

59. Charlevoix, *Journal*, p. 746.

60. Lejeune, *op. cit.*, p. 113.

61. Bossu, *op. cit.*, p. 96-97

62. Kalm, *op. cit.*, p. 265-266, 294-295 ; Franquet cité in C. Jaenen, « Rapport historique sur la nation huronne-wendat », *op. cit.*, p. 187 ; Murray cité in A. Beaulieu, « Les Hurons de Lorette, le "traité Murray" et la liberté de commerce », in D. Vaugeois, *op. cit.*, p. 271 ; A. Beaulieu, *Les Autochtones du Québec*, Montréal, Musée de la Civilisation et éditions Fides, 1997, p. 81.

63. Bougainville, *op. cit.*, p. 197.

64. G. Havard, *The Great Peace of Montreal of 1701 : French-Native Diplomacy in the Seventeenth Century*, Montreal, Kingston, Mc Gill-Queen's University Press, 2001, p. 138.

65. A.C., C11A, vol. 17, f. 101v.

66. L'indianisation n'est certes pas un phénomène spécifique à la Nouvelle-France – pensons aux *Indian traders*, *White Indians*, *backwoodsmen* et autres *renegades* du monde anglo-américain –, mais elle y prit sans doute une ampleur singulière.

67. Kalm, *op. cit.*, p. 414.

68. Margry, *op. cit.*, t. 1, p. 150 ; D. de Montigny, *op. cit.*, p. 363-364.

69. Ayer Ms 262, Paul Du Ru, « Journal d'un voyage », f. 87.

70. Le Page du Pratz, *op. cit.*, t. 1, p. 135-136, p. 208-209.

71. Dumont de Montigny, *op. cit.*, p. 127-128, p. 367.

72. Charlevoix, *Journal*, p. 709-711.

73. Bougainville, *op. cit.*, p. 96.

74. Raymond, *op. cit.*, p. 35.

75. Voir G. Havard, « D'un Callières l'autre, ou comment le protocole diplomatique louis-quatorzien s'adaptait aux Amérindiens », in

Ph. Joutard et T. Wien, dir., *Mémoires de Nouvelle-France. De France en Nouvelle-France*, Rennes, PUR, 2005, p. 103-104.

76. Margry, *op. cit.*, t. 3, p. 404-405.

77. *Ibid.*, t. 3, p. 149.

78. Ayer Ms 262, Paul Du Ru, « Journal d'un voyage », f. 23.

79. L. Hennepin, *Description de la Louisiane, nouvellement découverte au sud-ouest de la Nouvelle-France par ordre du Roy*, Paris, Veuve Sébastien Huré, 1683, p. 230, p. 244-245, p. 247.

80. A.C., C13A, vol. 38, f. 122-124.

81. Ph. Jacquin, « L'indianisation des blancs : "Nous sommes tous des sauvages…". Regard sur une séduction oubliée », in UNESCO, éd., *Destins croisés : cinq siècles de rencontres avec les Amérindiens*, Paris, Albin Michel, 1992, p. 217-225 ; 225 (citation de Sagard) ; De Crèvecœur, *Lettres d'un cultivateur américain*, Paris-Genève, 1979, p. 333.

82. Citation in Margry, *op. cit.*, t. 1, p. 520 ; E.Y. Monin, « Du paganisme au néo-paganisme européen », *L'Originel*, avril 1996.

83. Ayer Ms 262, Paul Du Ru, « Journal d'un voyage », f. 56.

84. P. Kalm, *op. cit.*, p. 251.

85. Montaigne, *Les Essais*, Paris, Quadrige/PUF, livre III, chapitre XIII, p.1096 ; Montesquieu, *De l'esprit des lois*, cité par A. Jouanna, *Le Devoir de révolte. La noblesse française et la gestation de l'État moderne*, Paris, Fayard, p. 42.

86. Bougainville, *op. cit.*, p. 107.

87. Nicolas, *op. cit.*, f. 126.

88. J. Cornette, *Le Roi de guerre : essai sur la souveraineté dans la France du Grand Siècle*, Paris, Payot, 1993.

89. A.C., F3, vol. 2, f. 441v ; Raudot, *Relation*, p. 96, p. 102, 114, 128 et 147.

90. A.C., C11A, vol. 10, f. 66v ; A.C., C11A, vol. 7, f. 89v-90r.

91. J.R., vol. 65, p. 74.

92. A. Jouanna, *Le Devoir de révolte*, p. 21.

93. Cité par A. Jacob, *Le Travail, reflet des cultures*, p. 31-34.

94. J. F. Lafitau, *Mœurs des sauvages américains* (1724), Paris, Maspero, 1983, t. 1, p. 183.

95. M. Sahlins, *Âge de pierre, âge d'abondance*, Paris, Gallimard, 1972.

96. R. Guénon, *La Crise du monde moderne*, Paris, Gallimard, 1973, p. 160-161.

97. « Journal du marquis de Montcalm », p. 186.

98. Selon le témoignage de Jean-François Bertet de la Clue cité par A. Balvay, *op. cit.*, p. 186.

99. Bossu, *op. cit.*, p. 76-77 et 102-103 ; Dumont de Montigny, *op. cit.*, p. 369 et 375.

100. R.A.P.Q., 1926-1927, p. 39.

101. Charlevoix, *Journal*, p. 528.

102. J.R., vol. 59, p. 132-136.

103. Ph. Beaussant, *Louis XIV artiste*, Paris, Payot, 1999, p. 22.

104. Voir les références dans G. Havard, « D'un Callières l'autre ».

105. D. de Montigny, *op. cit.*, p. 396.

106. « A Letter from Louisbourg, 1756 », *Acadiensis*, 10, 1, 1980, p. 120 (notre traduction).

107. A.C., C13A, vol. 2, f. 400.

108. J. R., vol. 5, p. 210, vol. 8, p. 48 ; G. Havard, « "Nous ne ferons plus qu'un peuple". Le métissage en Nouvelle-France à l'époque de Champlain », in G. Martinière et D. Poton, dir., *Le Nouveau-Monde et Champlain*, Paris, Les Indes Savantes, 2008, p. 85-107 ; P. Cook, « Vivre comme frères. Le rôle du registre fraternel dans les premières alliances franco-amérindiennes au Canada (vers 1580-1650) », *Recherches amérindiennes au Québec*, vol. 31, n° 2, 2001, p. 63-64.

109. Cité par G. Aubert, « "The Blood of France" : Race and Purity of Blood in the French Atlantic World », *William and Mary Quarterly*, 3d Series, vol. LXI, n° 3, 2004, p. 452.

110. J. Lawson cité par C. G. Calloway, *New Worlds For All. Indians, Europeans, and the Remaking of Early America*, Baltimore et Londres, Johns Hopkins University Press, 1997, p. 179 ; O. P. Dickason, « From "One Nation" in the Northeast to the "New Nation" in the Northwest. A Look at the Emergence of the Metis », in J. S. H. Brown et J. Peterson, éd., *The New Peoples : Being and Becoming Metis in North America*, Lincoln, University of Nebraska Press, p. 36 (note 64) ; G. B. Nash, « The Hidden History of Mestizo America », *Journal of American History*, vol. 82, n° 3, 1995, p. 943 ; D. D. Smits, « "Abominable Mixture". Toward the Repudiation of Anglo-Indian Intermariage in Seventeenth-Century Virginia », *Virginia Magazine of History and Biography*, vol. 95, n° 2, 1987, p. 157-192.

111. A.C., B, vol. 20, f. 279-280.

112. A.C., C11A vol. 30, f. 50, 81 ; A.C., C13A, vol. 3, f. 823.

113. Voir A. Jouanna, « Race », in L. Bély, dir., *Dictionnaire de l'Ancien Régime*, Paris, PUF, 1996 ; A. Jouanna, *Le Devoir de révolte*, p. 19-20.

114. A.C., C13A, vol. 2, f. 565.

115. A.-S. Le Page du Pratz, *op. cit.*, t. 1, p. 343, cité par G. Aubert, « "The Blood of France" », p. 477 ; G. Sayre, « Plotting

the Natchez Massacre. Le Page du Pratz, Dumont de Montigny, Chateaubriand », *Early American Literature*, vol. 37, n° 3, 2002, p. 385.

116. J.R., vol. 54, p. 178

117. P. E. Radisson, *Voyage chez les Onnontagués*, éd. Aurélien Boisvert, Les éditions 101, Montréal, 1998, p. 56.

118. Newberry Library, Ayer Ms 293, France colonies 1702-1750, p. 342.

119. J.R., vol. 65, p. 230-234, p. 240.

120. Margry, *op. cit.*, t. 5, p. 146.

121. Bossu, *op. cit.*, p. 131. C11A, vol. 122, f. 1v, mémoire de Raudot.

122. Champlain, *op. cit.*, t. 3, p. 47.

123. E. Thierry, *op. cit.*, p. 146-147.

124. Newberry Library, Ayer Ms 530, Relation de la Louisiane, p. 79-80 (première citation). Nous remercions Gordon Sayre, qui nous a fourni la référence de l'autre document (Bibliothèque nationale, Ms n.a. fr. 2550, p. 115-116). Voir aussi G. Sayre, *op. cit.*, p. 399, 409.

125. Dumont de Montigny, *op. cit.*, p. 372.

126. Cité dans Havard, *Empire et métissages*, p. 651-652.

127. « A Letter from Louisbourg, 1756 », *Acadiensis*, 10, 1, 1980, p. 122 (notre traduction) ; M. Saint-Pierre, *Saint-Castin, baron français, chef amérindien*, 1652-1707, Sillery, Septentrion/Atlantica, 1999.

128. Dumont de Montigny, *op. cit.*, p. 400 ; Bossu, *op. cit.*, p. 87.

129. J.R., vol. 65, p. 196.

130. A.-S. Le Page du Pratz, *op. cit.*, t. 1, p. 7 ; Louis Dubroca, *L'itinéraire des Français dans la Louisiane, contenant l'histoire de cette colonie française, sa description, le tableau des mœurs des peuples qui l'habitent*, Paris, 1802, p. 78-79.

131. L. Franquet, *Voyages et mémoires sur le Canada (1752-1753)*, Montréal, Élysée, 1974, p. 38, 107 ; Kalm, *op. cit.*, p. 250.

132. A.C., C11A, vol. 22, f. 36.

133. À Saint-Christophe, en Guadeloupe et en Martinique, les Indiens caraïbes du XVIIe siècle n'avaient pas grand-chose à offrir aux colons français (les hamacs, par exemple, n'avaient certainement pas la même valeur économique que les pelleteries), une absence de dépendance qui explique en partie la conquête brutale dont ils furent les victimes. Philip P. Boucher estime toutefois que les Indiens préféraient les Français aux Anglais, parce que les premiers disposaient de truchements et de missionnaires. Voir P. P. Boucher, « Why the Island caribs "loved" the French and "hated" the English », in F. Lestringant, dir., *La France-Amérique*, Paris, Honoré Champion, 1998, p. 465-473.

7. Les villes de l'Amérique française

1. Mandement du 15 octobre 1742 de Mgr de Pontbriand, cité par A. Lachance, *La Vie urbaine en Nouvelle-France*, Montréal, Boréal, 1987, p. 118-119.

2. L. Dechêne, *Habitants et marchands, op. cit.*, p. 128.

3. J. C. B. (Bonnefons), *Voyage au Canada…*, p. 28-29, cité par A. Lachance, *op. cit.*, p. 72-73.

4. Description citée in L. Groulx, *Histoire du Canada français*, Montréal, Fides, 1960, p. 37, et reprise par J. Hare *et al.*, *Histoire de la ville de Québec 1608-1871*, Montréal, Boréal/Musée canadien des civilisations, 1987, p. 16.

5. Édits et ordonnances, II, p. 258, cité par A. Lachance, *op. cit.*, p. 32.

6. Ordonnance de M. Bégon, 8 juillet 1721, cité *ibid.*, p. 82.

7. O. Goerg et X. Huetz de Lemps, « La ville européenne outre-mer », in J.-L. Pinol, dir., *Histoire de l'Europe urbaine*, Paris, Seuil, 2003, t. II, p. 365.

8. N. Fauchère et E. d'Orgeix, « Les architectures du pouvoir » in L. Vidal et E. D'Orgeix, dir., *Les Villes françaises du Nouveau Monde. Des premiers fondateurs aux ingénieurs du roi (XVIe-XVIIIe siècles)*, Paris, Somogy éditions d'art, 1999, p. 61.

9. Cité par J. Pritchard, *In Search of Empire : The French in the Americas, 1670-1730*, New York, Cambridge University Press, 2004, p. 112-113.

10. M. M. Hachard, *Relation du voyage des Dames religieuses ursulines de Rouen à La Nouvelle-Orléans*, Rouen, A. Le Prévost, 1728, p. 103, cité par G.-A. Langlois, *Des villes pour la Louisiane française. Théorie et pratique de l'urbanistique coloniale au XVIIIe siècle*, Paris, L'Harmattan, 2003, p. 327.

11. Ces lignes prennent une résonnance particulière après le passage, en août et septembre 2005, des *hurricanes* Katrina et Rita sur La Nouvelle-Orléans. Elles montrent que dès sa fondation la ville fut confrontée à ce risque de catastrophe naturelle. En fait, la colonie subit sept ouragans entre 1717 et 1750.

12. A. L. Leymarie, « Lettres de Mère Marie-Andrée Duplessis de Sainte-Hélène, supérieure des Hospitalières de l'Hôtel-Dieu de Québec », *Nova Francia*, vol. III, n° 1, octobre 1927, p. 56, à Mme Hecquet, 23 octobre 1730, cité in J. Hare *et al.*, *op. cit.*, p. 23.

13. Cité par K. J. Banks, *Chasing Empire Across the Sea. Communications and the State in the French Atlantic, 1713-1763*, Montréal et Kingston, McGill-Queen's University Press, 2002, p. 86.

14. *Aventures du sieur C. Lebeau*, 1723, cité par J. Mathieu, *La Nouvelle-France, Les Français en Amérique du Nord XVIe-XVIIIe si ècle*, Paris/Québec, Belin/Les Presses de l'université Laval, 1991, p. 84.

15. Cité par L. Dechêne, *op. cit.*, p. 172.

16. S. Courville, « Espace, territoire et culture en Nouvelle-France : Une vision géographique », *Revue d'histoire de l'Amérique française*, vol. 37, n° 3, décembre 1983, p. 421-422.

17. D. Gauvreau, *Québec. Une ville et sa population au temps de la Nouvelle-France*, Sillery, Presses de l'université du Québec, 1991, p. 13.

8. L'exploitation du territoire

1. C. J. Jaenen, « Colonisation compacte et colonisation extensive aux XVII^eet XVIIIe siècles en Nouvelle-France », *op. cit.*

2. Dans le dernier quart du XVIIe siècle, des seigneuries furent néanmoins distribuées par le pouvoir royal dans les Pays d'en Haut et notamment au Pays des Illinois. Il s'agissait en fait de concessions s'apparentant aux monopoles concédés à des compagnies privés. Elles n'impliquaient aucune mise en valeur agricole et donnaient simplement le droit de traiter avec les Indiens. L'immense « seigneurie » que La Salle obtint au Pays des Illinois disparut avec le départ de Tonty et de La Forest en 1703.

3. S. Courville, « Espace, territoire et culture en Nouvelle-France : Une vision géographique », *Revue d'histoire de l'Amérique française*, vol. 37, n° 3, décembre 1983, p. 419.

4. L. Dechêne, *Habitants et marchands de Montréal au XVIIe siècle*, Paris et Montréal, Plon, 1974, p. 242.

5. Chaque seigneurie comprenait deux parties : le domaine (ou la réserve) exploité directement par le seigneur et les censives concédées à des paysans en contrepartie notamment du paiement du cens.

6. L. Dechêne, *op. cit.*, p. 247-258 ; S. Dépatie *et al.*, *Contributions à l'étude du régime seigneurial canadien*, La Salle, Québec, Hurtubise HMH, 1987.

7. Cité par L. Dechêne, *op. cit.*, p. 258.

8. « Réponse à la requête des habitants de la prairie Saint-Lambert », juillet 1672, fonds Élisée Choquers, ANQM, cité par L. Lavallée, *La Prairie en Nouvelle-France 1647-1760. Étude d'histoire sociale*, Montréal et Kingston, McGill-Queen's University Press, 1993, p. 96.

9. ANQ-Q, E21/17-20, Ministère des Terres et Forêts, Aveux et dénombrements, Régime français, vol. 1, « Fief d'Yamaska », 3 juin 1723, f. 89r, cité par J. Mathieu *et al.*, « L'accaparement foncier et la reproduction sociale dans la vallée du Saint-Laurent au XVIIIe siècle », in R. Bonnain, G. Bouchard et J. Goy, éd., *Transmettre, hériter, succéder. La reproduction familiale en milieu rural, France-Québec XVIIIe-XXe siècle*, Lyon/Paris, Presses universitaires de Lyon/EHESS, 1992, p. 126.

10. J. Mathieu *et al.*, « Peuplement colonisateur au XVIIIe siècle dans le gouvernement de Québec » in J. Mathieu et S. Courville, dir., *Peuplement colonisateur aux XVIIe et XVIIIe siècles*, Cahiers du Célat n° 8, novembre 1987, p. 29.

11. J. Mathieu, « Mobilité et sédentarité : stratégies familiales en Nouvelle-France », *Recherches sociographiques*, vol. XXVIII, n° 2-3, 1987, p. 211.

12. Un arpent équivaut à un tiers d'hectare.

13. R.C.S.L., 1729/11/20/01, 1730/09/30/02.

14. En Nouvelle-France, le terme d'habitant ne renvoie pas seulement à une personne résidant dans un lieu donné. Si sa signification a évolué au cours du temps, il en est venu à désigner un colon établi à demeure dans la colonie. Une habitation était une exploitation agricole.

15. V.P., LO 413, 8 décembre 1752, Kaskaskia, Macarty à Vaudreuil.

16. A. C., C11A, vol. 29, f. 41.

17. Cité par G. Havard, *Empire et métissages : Indiens et Français dans le Pays d'En Haut, 1660-1715*, Sillery/Paris, Septentrion/Presses de l'université de Paris-Sorbonne, 2003, p. 303.

18. L. Franquet, *Voyages et mémoires, op. cit.*, p. 163.

19. Champigny, *Mémoire instructif sur le Canada*, 1691, cité par J. Mathieu, *op. cit.*, p. 84.

20. K.M., 1743.

21. T. Wien, « La ruée vers la fourrure » in Y. Landry, dir., *Pour le Christ et le Roi. La vie au temps des premiers Montréalais*, Montréal, Libre Expression, Art Global, 1992, p. 198-200.

22. Cité par C. de La Morandière, *Histoire de la pêche française de la morue dans l'Amérique septentrionale*, Paris, G.-P. Maisonneuve et Larose, 1962, t. II, p. 673.

23. N. Denys, *Histoire naturelle des peuples de l'Amérique septentrionale*, Paris, 1672, p. 551, cité par J.-F. Brière, *La Pêche française en Amérique du Nord au XVIIIe siècle*, Montréal, Fides, 1990, p. 52.

24. Mémoire Saint-Malo 1786, Ms n° 31, p. 29, Bibliothèque du ministère de la Marine, cité *ibid.*, p. 49.

9. Échanges, transports et commerce

1. A.-J.-H. de Maurès de Malartic, *Journal des Campagnes au Canada de 1755 à 1760*, publié par G. de Maurès de Malartic et P. Gaffarel, Dijon, 1890, p. 55, cité par L. Dechêne, *Le Partage des subsistances au Canada sous le régime français*, Montréal, Boréal, 1994, p. 60.

2. J. B. Bossu, *Nouveaux Voyages aux Indes occidentales*, Paris, 1768, Lettre VII, p. 145-146.

3. Cité par M.-A. Cliche, *Les Pratiques de dévotion en Nouvelle-France. Comportements populaires et encadrement ecclésial dans le gouvernement de Québec*, Québec, Les Presses de l'université Laval, 1988, p. 45.

4. M. Trudel, « L'intendant Jean Talon : une réévaluation à la baisse », *Mythes et réalités dans l'histoire du Québec*, Montréal, HMH, Cahiers du Québec, coll. Histoire, 2001, p. 103-123.

5. L. Dechêne, *op. cit.*, p. 123.

10. Esclaves et esclavage

1. David Brion Davis souligne que pour chaque migrant européen débarqué aux Amériques, au moins deux esclaves y ont été déportés de 1500 à 1820. Cf. D. B. Davis, « Looking at Slavery from Broader Perspectives », *American Historical Review*, vol. 105, n° 2, 2000, p. 455.

2. Comme il a été indiqué dans le chapitre IV, selon la définition de P. D. Morgan, une « société esclavagiste » comprenait plus de 20 % d'esclaves, alors que dans une « société avec esclaves », ceux-ci comptaient pour moins du cinquième de la population totale. Dans le premier cas, l'esclavage jouait un rôle fondamental dans l'organisation socio-économique. Cf. P. D. Morgan, « British Encounters with Africans and African-Americans circa 1600-1780 », in B. Bailyn et P. Morgan, dir., *Strangers within the Realm. Cultural Margins of the First British Empire*, Chapel Hill, University of North Carolina Press, 1991, p. 163.

3. R.C.S.L., 1748/06/09/03, 1748/06/11/01, 1748/06/11/02, 1748/06/24/02.

4. Philip D. Morgan explique le moindre développement de cette coutume en Virginie par le fait que les esclaves disposaient de peu de temps libre pour leurs propres travaux et par la plus grande attention

que les maîtres portaient aux cultures vivrières. Cf. P. D. Morgan, *op. cit.*, p. 211-212.

5. R.C.S.L., 1744/12/26/04, 1746/11/27/01.

6. R.C.S.L., 1738/04/24/02.

7. R.C.S.L., 1764/08/02/01.

8. R.C.S.L., 1744/02/22/01.

9. R.C.S.L., 1744/03/05/01, 1744/03/11/01.

10. Cité par P. Galloway, « Rhetoric of Difference : Le Page du Pratz on African Slave Management in Eighteenth-Century Louisiana », *French Colonial History*, vol. 3, 2003, p. 5.

11. Cité par A. Lachance, « Les esclaves aux XVIIe et XVIIIe siècles », in A. Lachance, dir., *Les Marginaux, les Exclus et l'Autre au Canada aux XVIIe et XVIIIe siècles*, Montréal, Fides, 1996, p. 206.

12. Parce que les activités spécialisées étaient réservées aux hommes, les femmes étaient souvent majoritaires parmi les travailleurs des champs. Cf. H. S. Klein, *African Slavery in Latin America and the Caribbean*, Oxford et New York, Oxford University Press, 1986, p. 61-63.

13. R.C.S.L., 1747/01/08/01.

14. H. S. Klein, *op. cit.*, p. 61.

15. Voir I. Berlin et P. D. Morgan, dir., *Cultivation and Culture : Labor and the Shaping of Slave Life in the Americas*, Charlottesville, University of Virginia Press, 1993.

16. R.C.S.L., 1733/03/07/01. Il est possible cependant que cette déclaration n'ait eu pour but que d'éviter la perte d'Angélique puisque l'édit royal de 1716 ne permettait aux planteurs d'amener leurs esclaves avec eux en métropole que pour les instruire dans la religion catholique ou leur apprendre un métier. À cette fin, les maîtres devaient obtenir la permission du gouverneur, puis faire enregistrer ce permis au greffe du Conseil supérieur de leur colonie, ainsi qu'à celui de l'Amirauté du port où ils débarquaient en métropole. Si ces conditions n'étaient pas remplies, l'esclave arrivé sur le sol de France pouvait déposer une pétition afin de réclamer sa liberté. Cf. S. Peabody, « *There Are No Slaves in France.* » *The Political Culture of Race and Slavery in the Ancien Régime*, Oxford et New York, Oxford University Press, 1996, p. 16-17.

17. R.C.S.L., 1748/01/11/01.

18. R.C.S.L., 1764/07/08/01.

19. R.C.S.L., 1748/01/12/01.

20. R.C.S.L., 1739/12/14/05.

21. H. M. Brackenridge, *Views of Louisiana*, Pittsburgh, Carmer, Spear & Eichbaum, 1814.

22. R.C.S.L., 1741/01/16/02.

23. R.C.S.L., 1748/05/18/03.

24. C. Vidal, « Caribbean Louisiana : Church, *Métissage*, and the Language of Race in the Mississippi Colony during the French Period », in C. Vidal (dir.), *Louisiana : Crossroads of the Atlantic World*, Philadelphia, University of Pennsylvania Press, 2013, p. 125-146.

25. R.C.S.L., 1767/07/09/02, 1767/07/12/02, 1767/08/08/04.

26. R.C.S.L., 1764/07/10/02, 1764/07/14/03. ·

27. Le Page du Pratz, *Histoire de la Louisiane*, chapitre XXV.

28. M. Faribeault-Beauregard, *La Population des forts français d'Amérique (XVIIIe siècle)*, Montréal, Bergeron, 1982-1984, p. 78.

29. Cité par C. J. Ekberg, *Colonial Sainte Genevieve*, Gerald, Missouri, The Patrice Press, 1985, p. 115-116.

30. Cité par M. Trudel, « Quand les Québécois pratiquaient l'esclavage », *Mythes et réalités de l'histoire du Québec*, Montréal, HMH, Cahiers de Québec, coll. Histoire, 2001, p. 188-189.

31. P. D. Morgan, *op. cit.*, p. 164 et 169.

32. R.C.S.L., 1748/01/05/04.

33. R.C.S.L., 1743/09/09/04, 1743/09/10/01, 1743/09/10/02.

34. E. Clark, « "By All The Conduct of Their Lives" : A Laywomen's Confraternity in New Orleans, 1730-1744 », *William and Mary Quarterly*, 3d Series, vol. LIV, n° 4, octobre 1997, p. 769-794 ; Clark et V. M. Gould, « The Feminine Face of Afro-Catholicism in New Orleans, 1727-1852 », *William and Mary Quarterly*, 3d Series, vol. LIX, n° 2, avril 2002, p. 409-448.

35. R.C.S.L., 1737/07/29/02.

36. R.C.S.L., 1764/07/14/04.

37. R.C.S.L., 1765/09/09/02.

38. R.C.S.L., 1744/02/22/02.

39. R.C.S.L., 1744/04/24/01.

40. R.C.S.L., 1738/04/12/01.

41. R.C.S.L., 1766/07/29/04.

42. R.C.S.L., 1748/01/10/01.

43. R.C.S.L., 1748/01/12/01.

44. R.C.S.L., 1729/10/25/01.

45. R.C.S.L., 1726/08/17/03, 1737/01/24/04.

46. Voir P. D. Morgan, *Slave Counterpoint, Black Culture in the Eighteenth-Century Chesapeake and Lowcountry*, Chapel Hill, University of North Carolina Press, 1998, p. 257.

47. R.C.S.L., 1764/10/23/01.

48. R.C.S.L., 1764/01/28/01.

49. R.C.S.L., 1764/01/25/01.

50. R.C.S.L., 1744/03/03/01, 1744/03/05/01, 1744/03/12/01, 1744/03/14/01, 1744/03/14/02, 1744/03/21/01, 1744/03/21/03, 1744/03/21/05.

51. R.C.S.L., 1726/10/14/02.

52. R.C.S.L., 1743/06/18/01, 1743/07/06/01, 1743/07/06/02.

53. R.C.S.L., 1741/01/23/01.

54. K.M., 44 : 11 :22 :1.

55. R.C.S.L., 1730/04/06/01, 1730/04/29/01, 1730/09/05/02, 1730/09/05/05, 1730/09/07/01, 1730/09/18/01.

56. Le Page du Pratz, *op. cit.*, chapitre XXV, p. 333.

57. R.C.S.L., 1737/11/06/05, 1737/11/20/02.

58. R.C.S.L., 1731/10/13/01, 1735/10/31/01, 1737/02/12/01, 1739/04/10/01, 1742/03/13/01, 1745/03/15/02, 1745/06/11/01, 1764/06/11/04.

59. R.C.S.L., 1737/06/03/03, 1743/11/04/02, 1746/08/23/02.

60. R.C.S.L., 1752/06/12/02, 1752/06/13/01, 1752/06/26/01, 1752/06/28/01, 1764/04/14/03.

61. R.C.S.L., 1729/09/05/05.

62. R.C.S.L., 1730/04/29/01.

63. R.C.S.L., 1736/09/18/01, 1736/09/29/01, 1736/10/15/01.

64. R.C.S.L., 1737/09/08/01, 1737/03/08/02.

65. RCSL, 1748/06/09/03, 1748/06/11/01, 1748/06/11/02, 1748/06/24/02.

66. R.C.S.L., 1737/07/10/04.

67. R.C.S.L., 1737/06/29/01.

68. R.C.S.L., 1745/05/20/01.

69. R.C.S.L., 1730/04/29/01, 1741/10/06/01, 1747/06/26/02.

70. R.C.S.L., 1765/11/23/03, 1765/11/23/04, 1765/11/23/05.

71. Selon le dictionnaire de Furetière, une môle est une « chair osseuse, informe et dure qui s'engendre seulement dans la matrice des femmes de sang menstruel fort abondant mêlé avec de la semence froide et mal conditionnée, ou en petite quantité, en sorte qu'il ne peut se faire de parfaite conception. La môle dure quelques fois dans le ventre de la femme trois ou quatre ans, quelques fois toute sa vie. »

72. K.M., 48 : 7 :15 :1, 48 : 7 :16 :1, 48 : 7 :16 :2, 48 : 7 :16 :3, 48 : 7 :17 :1, 48 : 7 :17 :2, 48 : 7 :17 :3 ; R.C.S.L., 1740/97/15/01, 1748/07/16/01, 1748/07/16/02, 1748/07/16/03, 1748/07/17/01, 1748/07/17/02, 1749/05/20/01, 1749/06/16/01, 1749/06/16/02, 1749/06/17/01, 1749/06/21/01, 1749/06/21/02.

73. R.C.S.L., 1765/09/16/02.

74. R.C.S.L., 1737/03/19/02.

75. R.C.S.L., 1764/08/01/01.

76. K.M., 43 : 5 :7 :2.

77. R.C.S.L., 1764/02/17/01.

78. R.C.S.L., 1764/07/06/01.

79. R.C.S.L., 1751/06/15/01, 1751/06/15/02, 1751/06/24/01, 1751/06/24/02.

80. A.C., C13A, vol. 11, f. 66-103, 30 mars 1728, La Nouvelle-Orléans, Périer et La Chaise à la Compagnie des Indes.

81. R.C.S.L., 1738/12/12/01.

82. R.C.S.L., 1753/04/23/01, 1753/04/03/02, 1753/05/04/01, 1753/05/05/04, 1753/05/05/05, 1755/04/27/01.

83. R.C.S.L., 1753/04/23/01, 1753/04/03/02, 1753/05/02/01.

84. R.C.S.L., 172709/20/01.

85. R.C.S.L., 1743/09/09/04, 1743/09/10/01, 1743/09/10/02.

86. K.M., 30 : 12 :20 :1, 30 : 12 :22 :1, 30 : 12 :22 :2, 30 : 22 :3.

87. Cité par A. Greer, *Brève histoire des peuples de la Nouvelle-France*, Montréal, Boréal, 1998, p. 108-111.

88. V.P., LO 412, 7 décembre 1752, Kaskaskia, Macarty à Vaudreuil ; V.P., LO 437, 20 janvier 1753, La Nouvelle-Orléans, Vaudreuil à Beauchamps.

89. R.C.S.L., 1748/05/18/02, 1748/05/18/03, 1748/05/22/01, 1748/05/22/02, 1748/05/26/01.

90. R.C.S.L., 1727/11/28/01, 1727/11/28/02, 1727/11/28/03, 1730/11/21/01, 1730/11/21/03, 1730/11/25/01, 1730/11/25/05.

91. R.C.S.L., 1744/03/06/03.

92. R.C.S.L., 1743/07/16/01.

93. R.C.S.L., 1746/08/23/02, 1747/09/03/05.

94. R.C.S.L., 1724/07/27/01.

95. R.C.S.L., 1747/05/05/01, 1745/05/05/02, 1745/05/06/04, 1745/05/06/07, 1747/05/18/01, 1747/05/18/02, 1747/05/18/03, 1747/05/18/04, 1747/05/19/05, 1747/05/19/06.

11. Des sociétés nouvelles

1. M. Giraud, *A History of French Louisiana*, vol. V, Baton Rouge, Louisiana State University Press, 1987, p. 312.

2. Selon le principe du « sol libre de France » tout esclave entrant dans le royaume devait libre. Ce principe se serait progressivement imposé depuis le Sud-Ouest de la France à partir de la fin du XIVe siècle. Le juriste Jean Bodin le décrivait comme s'appliquant à l'ensemble de la nation française dans *Les Six Livres de la République*, publié en 1576.

3. En Nouvelle-France, les dots étaient fort peu courantes dans les contrats de mariage et ne peuvent donc être utilisées par les historiens pour analyser la hiérarchie sociale comme en métropole. En revanche, ils peuvent avoir recours au douaire. Selon la coutume de Paris, à la mort de son mari, la veuve avait droit à un douaire qui était une pension viagère sur les biens propres de celui-ci. Le douaire était conventionnel ou préfixe quand sa valeur était stipulée par les parties ; autrement, il portait sur la moitié des propres de l'époux et était coutumier. Selon Peter Moogk, le montant du douaire préfixe était déterminé en fonction du statut social plutôt que du niveau de richesse réel. Cf. P. N. Moogk, « Rank in New France : Reconstructing a Society From Notarial Documents », *Histoire sociale – Social History*, vol. VIII, n° 15, mai 1975, p. 34-53.

4. F. X. Charlevoix, *Journal d'un voyage*, 1744, p. 79, cité par A. Lachance, *La Vie urbaine en Nouvelle-France*, Montréal, Boréal, 1987, p. 46-47.

5. C. Nish, *Les Bourgeois-Gentilshommes de la Nouvelle-France, 1729-1748*, Montréal, Fides, 1968.

6. « Mémoire de Talon sur l'état présent du Canada » (1667), R.A.P.Q., 1930-1931, p. 65, cité par L. Gadoury, *La Noblesse de Nouvelle-France. Familles et alliances*, Montréal, Hurtubise HMH, 1992, p. 27-28.

7. Exemple cité *ibid.*, p. 42.

8. A.C., C11A, vol. 11, f. 351, 10 mai 1691, lettre de Champigny au ministre, citée *ibid.*, p. 17.

9. Exemple cité par L. Gadoury, *La Famille dans son intimité. Échanges épistolaires au sein de l'élite canadienne du XVIII* siècle*, Montréal, Hurtubise HMH, 1998, p. 27.

10. Cité par L. Gadoury, *La Noblesse de Nouvelle-France*, p. 89 et 95.

11. P. Kalm, *Voyage de Kalm en Amérique*, 1749, cité par Y. Landry, dir., *Pour le Christ et le Roi. La vie au temps des premiers Montréalais*, Montréal, Libre Expression/Art Global, 1992, p. 228.

12. *Ibid.*, p. 229.

13. Cité par L. Gadoury, *op. cit.*, p. 93-94 et 99.

14. Commentaires cités par M. Trudel, « Du dit au de : noblesse et roture en Nouvelle-France », *Mythes et réalités dans l'histoire du Québec*, Montréal, Hurtubise HMH, 2001, p. 171.

15. C. J. Ekberg et A. Pregaldin, « Marie Rouensa-8cate8a and the Origins of French Illinois », *Journal of the Illinois State Historical Society*, vol. 84, n° 3, automne 1991, p. 146-160.

16. Exemple cité par A. Lachance, *op. cit.*, p. 127-128.

17. K. A. Young, *Kin, Commerce, Community. Merchants in the Port of Quebec, 1717-1745*, New York, Peter Lang, 1995.

18. Cités par D. Miquelon, « Havy and Lefebvre of Quebec : A Case Study of Metropolitan Participation in Canadian Trade, 1730-1760 », *The Canadian Historical Review*, vol. LVI, n° 1, mars 1975, p. 23.

19. V.P., LO 414, 9 décembre 1752, les Illinois, Boré à Vaudreuil.

20. C. Vidal, « Antoine Bienvenu, Illinois Planter and Mississippi Trader : The Structure of Exchange Between Lower and Upper Louisiana Under French Rule », in B. G. Bond, éd., *French Colonial Louisiana and the Atlantic World*, Baton Rouge, Louisiana State University Press, 2005, p. 111-133.

21. K.M., 58 : 8 :18 :1, 59 : 11 :19 :1.

22. R.C.S.L., 1727/07/20/01, 1727/09/02/03, 1727/09/04/01, 1727/09/20/01, 1727/09/21/01, 1727/09/21/02, 1727/09/21/03, 1727/09/27/01, 1727/10/22/01, 1727/11/03/01.

23. Cité par A. Jouanna, « Race », in L. Bély, *Dictionnaire d'Ancien Régime*, Paris, PUF, 1996, p. 1047.

24. V.P., LO 9, vol. I, 4 août 1743, Vaudreuil à Maurepas ; A.C., C13A, vol. 28, f. 82-85, 25 août 1743, La Nouvelle-Orléans, Vaudreuil au ministre ; V.P., LO 9, vol. I, 6 décembre 1744, Vaudreuil à Maurepas ; A.C., C13A, vol. 29, f. 5-10, 4 janvier 1745, La Nouvelle-Orléans, Vaudreuil et Le Normant au ministre ; A.C., F3, vol. 243, f. 13, 1er mai 1747, Ordonnance de Vaudreuil.

25. Cité par J. Hare *et al.*, *Histoire de la ville de Québec 1608-1871*, Montréal, Boréal/Musée canadien des civilisations, 1987, p. 51.

26. F. Back, « La garde-robe des Montréalistes », in Y. Landry, dir., *op. cit.*, p. 120-123.

27. F. Back, « À la mode du pays », *ibid.*, p. 158.

28. L. Franquet, *Voyages et mémoires*, cité par B. Audet, *Avoir feu et lieu dans l'île d'Orléans au XVIIe siècle*, Québec, Les Presses de l'université Laval, 1990, p. 134.

29. Charlevoix, *op. cit.*, p. 165, cité par B. Audet, *ibid.*, p. 65.

30. M. Trudel, *op. cit.*, p. 161-163.

31. C. Dessureault, « L'égalitarisme paysan dans l'ancienne société rurale de la vallée du Saint-Laurent : Éléments pour une réinterprétation », *Revue d'histoire de l'Amérique française*, vol. 40, n° 3, hiver 1987, p. 373-407 ; C. Desbarats, « Agriculture within the Seigneurial Regime of Eighteenth-Century Canada : Some Thoughts on the Recent Literature », *The Canadian Historical Review*, vol. LXXIII, n° 1, mars 1992, p. 1-29.

32. Cité par A. Lachance, *op. cit.*, p. 59.

33. J. Hare *et al.*, *op. cit.*, p. 36 ; A. Lachance, « Les criminels 1712-1759 », in A. Lachance, dir., *Les Marginaux, les Exclus et l'Autre au Canada aux XVIIe et XVIIIe siècles*, Montréal, Fides, 1996, p. 160.

34. A. Lachance, *ibid.*, p. 158 et 160.

35. *Ibid.*, p. 160.

36. A.C., C13A, vol. 4, f. 532, 5 janvier 1716, Cadillac au ministre, cité par C. A. Brasseaux, « The Moral Climate of French Colonial Louisiana, 1699-1763 », *Louisiana History*, Hiver 1986, vol. XXVII, n° 1, p. 31.

37. Cité par A. Lachance, *La Vie urbaine en Nouvelle-France*, p. 61.

38. L. Dechêne, *Habitants et marchands, op. cit.*, p. 356.

39. A. Lachance, *Crimes et criminels en Nouvelle-France*, Montréal, Boréal Express, 1984, p. 35.

40. *Ibid.*, p. 31-32.

41. A.C., C13A, vol. 13, f. 28-30, 5 décembre 1731, Périer et Salmon au ministre.

42. Cité par A. Lachance, « Les criminels, 1712-1759 », p. 158.

43. V.P., LO 328, 20 janvier 1752, Kaskaskia, Macarty à Vaudreuil ; V.P., LO 339, 27 mars 1752, Kaskaskia, Macarty à Vaudreuil ; V.P., LO 376, 2 septembre 1752, Kaskaskia, Macarty à Vaudreuil ; V.P., LO 412, 7 décembre 1752, Kaskaskia, Macarty à Vaudreuil ; V.P., LO 413, 8 décembre 1752, Kaskaskia, Macarty à Vaudreuil.

44. Cité par A. J. B. Johnston, *La religion dans la vie à Louisbourg 1713-1758*, Hull (Québec), Service canadien des parcs d'Environnement Canada, 1988 (1re édition anglaise 1984), p. 137.

45. Exemple cité par L. Dechêne, *op. cit.*, p. 417.

46. D. Lemieux, « La famille en Nouvelle-France : des cadres de la vie matérielle aux signes de l'affectivité », in H. Watelet, dir., *De France en Nouvelle-France. Société fondatrice et société nouvelle*, Ottawa, Presses de l'université d'Ottawa, 1994, p. 55.

47. Cité par A. Lachance, *La Vie urbaine en Nouvelle-France*, p. 108-109.

48. Exemple cité par Le Collectif Clio, *L'Histoire des femmes au Québec depuis quatre siècles*, Montréal, Quinze, 1982, p. 108 et par K. A. Young, *op. cit.*, p. 55-57.

49. Règlements de la Confrérie de la Sainte-Famille, cités par S. Savoie, « Les couples séparés : les demandes de séparation aux XVIIe et XVIIIe siècles », in A. Lachance, dir., *Les Marginaux, les Exclus et l'Autre au Canada aux XVIIe et XVIIIe siècle*, p. 269.

50. D. Lemieux, *Les Petits Innocents. L'enfance en Nouvelle-France*, Institut québécois de recherche sur la culture, 1985, p. 40.

51. J.R., vol. 52, p. 46, Relation de 1667-1668, citée *ibid.*, p. 146-147.

52. Cité par L. Dechêne, *op. cit.*, p. 434.

53. K.M., 41 : 1 :5 :1, 41 : 12 :4 :1.

54. Y. Bouchard, « Les « enfants du roi » dans le gouvernement de Montréal », in A. Lachance, dir., *Les Marginaux, les Exclus et l'Autre au Canada aux XVIIe et XVIIIe siècles*, p. 95.

55. Y. Bouchard, *ibid.*, p. 99-100.

56. *Ibid.*, p. 95.

57. K.M., 25 : 12 :1 :1, 26 : 5 :23 :1.

58. S. Dépatie, « La transmission du patrimoine au Canada (XVIIe-XVIIIe siècle) : Qui sont les défavorisés ? », *Revue d'histoire de l'Amérique française*, vol. 54, n° 4, printemps 2001, p. 557-570 ; D. Léveillé et A. Lachance, « Les vieillards dans le gouvernement de Montréal », in A. Lachance, dir., *Les Marginaux, les Exclus et l'Autre au Canada aux XVIIe et XVIIIe siècles*, p. 39-55.

59. M. Trudel, *Deux siècles d'esclavage, op. cit.* ; P. N. Moogk, *La Nouvelle-France, the Making of French Canada – A Cultural History*, East Lansing, Michigan State University Press, 2000, p. 222.

60. K.M., 37 : 6 :19 :2, 38 : 1 :31 :1, 38 : 8 :10 :1, 44 : 3 :9 :1.

61. D. Léveillé et A. Lachance, *op. cit.*, p. 56-57.

62. Mandement de Henri-Marie Dubreuil de Pontbriand, 24 novembre 1744, cité par J. Mathieu, *La Nouvelle-France. op. cit.*, p. 173.

63. En Louisiane, on utilisait le catéchisme de Paris. Faute d'exemplaires disponibles en nombre suffisant, le Conseil supérieur décida en 1765 d'utiliser le catéchisme rédigé par le R.P. Hilaire et vérifié par le R.P. Dagobert, grand vicaire. Il fut imprimé sur les presses installées l'année précédente en Louisiane. Cf. R.C.S.L., 1765/10/01/01, 1765/10/05/06.

64. L. Lavallée, *La Prairie en Nouvelle-France, op. cit.*, p. 161.

65. Cité par C. A. Brasseaux, *op. cit.*, p. 36.

66. J.R., vol. 70, 3 septembre 1764, Bannissement des jésuites (père Watrin), p. 252-254.

67. A.C., C13A, vol. 8, f. 399-406, Frère Raphaël à l'abbé Raguet, 15 mai 1725, cité par Carl. A. Brasseaux, *op. cit.*, p. 36 ; M. Giraud, *op. cit.*, p. 292.

68. M.-A. Cliche, *Les Pratiques de dévotion, op. cit.*, p. 22.

69. Cité par C. A. Brasseaux, *op. cit.*, p. 36 ; M. Giraud, *op. cit.*, p. 296 et 298.

70. Cité par A. Lachance, *La Vie urbaine en Nouvelle-France*, p. 109.

71. J. Hare *et al.*, *op. cit.*, p. 98.

72. Cité par W. J. Eccles, *La Société canadienne sous le régime français*, Montréal, Harvest House, 1968, p. 54-55.

73. R.C.S.L., 1744/03/03/01.

74. N. Deschamps, éd., *Lettres au cher fils. Correspondance d'Élisabeth Bégon avec son gendre*, Montréal, Hurtubise HMH, 1972, p. 69-70, cité par Y. Landry, dir., *op. cit.*, p. 251-252.

75. J. Hare *et al.*, *op. cit.*, p. 99.

76. M.-A. Cliche, *op. cit.*, p. 218.

77. J. Hare *et al.*, *op. cit.*, p. 95.

78. J. E. McClellan III et F. Regourd, « The Colonial Machine : French Science and Colonization in the Ancien Régime », *Osiris*, vol. 15, 2001, p. 31-50.

79. A.C., C11A, vol. 56, f. 166v-167, 4 septembre 1731, évêque de Québec au ministre, cité par J. Hare *et al.*, *ibid.*, p. 52 et 101.

80. A. Lachance, *La Vie urbaine en Nouvelle-France*, p. 39-40.

81. R.C.S.L., 1746/08/24/01.

82. R.C.S.L., 1725/12/21/01.

83. A. Lachance, *Crimes et criminels en Nouvelle-France*, p. 27.

84. *Ibid.*, p. 33.

85. R.C.S.L., 1725/09/13/01, 1725/09/17/01, 1725/09/17/02.

86. Cité par A. Lachance, « Les criminels, 1712-1759 », p. 152.

87. P. N. Moogk, « "Thieving Buggers" and "Stupid Sluts" : Insults and Popular Culture in New France », *William and Mary Quarterly*, vol. 36, n° 4, octobre 1979, p. 541-542.

88. K.M., 48 : 2 :29 :1, 48 : 3 :1 :1, 48 : 3 :1 :2, 48 : 3 :1 :3, 48 : 3 :1 :4, 48 : 3 :1 :5, 48 : 3 :1 :6, 48 : 3 :1 :7, 48 : 3 :3 :1.

89. R.C.S.L., 1724/02/01/01, 1724/02/05/02, 1724/02/07/02, 1724/03/28/01.

90. P. N. Moogk, « "Thieving Buggers" and "Stupid Sluts"... », p. 544.

91. K.M., 25 : 5 :17 :1, 25 : 6 :2 :1, 25 : 6 :2 :2, 25 : 6 :2 :3, 25 : 6 :2 :4, 25 : 6 :2 :5 ; K.M., 39 : 1 :29 :1, 39 : 1 :29 :2, 39 : 1 :30 :2, 39 : 1 :30 :3, 39 : 1 :31 :2, 39 : 1 :31 :3, 39 : 2 :3 :1, 39 : 2 :5 :3, 39 : 3 :7 :1.

92. R.C.S.L., 1730/08/28/01, 1730/09/02/01, 1730/09/05/01, 1730/09/12/01, 1730/09/13/01, 1730/09/16/01, 1730/09/16/02, 1730/09/16/03.

93. L. Dechêne, *Le Partage des subsistances au Canada sous le Régime français*, Montréal, Boréal, 1994, p. 278 ; A. Lachance, *Crimes et criminels en Nouvelle-France*, p. 126-127 ; A. Lachance, « Les criminels, 1712-1759 », p. 165.

94. Il n'est question ici que de la criminalité des blancs, la criminalité en Louisiane étant globalement différente en raison de la présence d'esclaves en grand nombre.

95. C. Beaune, *Naissance de la nation France*, Paris, Gallimard, 1985 ; A. Burguière et J. Revel, dir., *Histoire de la France. La longue durée de l'État*, Paris, Points Seuil, 2000, p. 361-394 ; J. Cornette, dir., *La Monarchie entre Renaissance et Révolution 1515-1792*, Paris, Seuil, 2000, p. 13-16.

96. Cité par C. Asselin et A. Mc Laughlin, « Les immigrants en Nouvelle-France au XVIIᵉ siècle parlaient-ils français ? », et par P. Laurendeau, « Le concept de patois avant 1790 », in R. Mougeon et E. Beniak, *Les Origines du français québécois*, Sainte-Foy, Presses de l'université Laval, 1994, p. 109-110 et 133 ; ainsi que par Y. Landry, dir., *op. cit.*, p. 94 et 229.

97. Il existe cependant un débat sur ce sujet parmi les linguistes, certains soutenant que tous les migrants étaient déjà francisants avant leur départ.

98. Cité dans M. Plourde, dir., *Le Français au Québec. 400 ans d'histoire et de vie*, Montréal, Fides, 2000, p. 44.

99. Y. Landry, dir., *op. cit.*, p. 94-95 ; R. Mougeon et E. Beniak, « présentation », *op. cit.*, p. 36 ; P. N. Moogk, *La Nouvelle-France*, p. 146.

100. S. Belmessous, « Être français en Nouvelle-France : Identité française et identité coloniale aux dix-septième et dix-huitième siècles », *French Historical Studies*, vol. 27, nᵒ 3, p. 516.

101. Cité par G. Carpin, *Histoire d'un mot. L'ethnonyme Canadien de 1535 à 1691*, Sillery, Les Cahiers du Septentrion, 1995, p. 130.

102. A.C., 11A, vol. 7, f. 94v, 1685, lettre du gouverneur Denonville au ministre, citée *ibid.*, p. 149.

103. Cité par L. Trénard, « Les fondements de l'idée de race au XVIIIᵉ siècle », *L'Information historique*, 1981, vol. 43, nᵒ 4, p. 165.

104. A.C., C13A, vol. 21, f. 181-186, 29 juin 1736, La Nouvelle-Orléans, Bienville au ministre ; A.C., D2c, 50, f. 43-44, 15 octobre 1736, Louisiane, Remplacement (Bienville) ; A.C., C13A, vol. 23, f. 48-51, 26 avril 1738, La Nouvelle-Orléans, Bienville au ministre.

105. V.P., LO 365, 28 avril 1752, La Nouvelle-Orléans, Vaudreuil à Macarty.

106. A.C., C13A, vol. 15, f. 166-168, 17 juillet 1732, La Nouvelle-Orléans, Salmon au ministre ; A.C., C13A, vol. 14, f. 68-72, 25 juillet 1732, La Nouvelle-Orléans, Périer au ministre.

107. Charlevoix, *Journal, op. cit.*, p. 402-403.

108. Cité par D. Delâge, « L'influence des Amérindiens sur les Canadiens et les Français au temps de la Nouvelle-France », *LEKTON*, vol. 2, nᵒ 2, automne 1992, p. 157-158.

109. J. Nicolas, *La Rébellion française. Mouvements populaires et conscience sociale, 1661-1789*, Paris, Éditions du Seuil, 2002.

110. A. J. B. Johnston, *op. cit.*, p. 18-19.

111. C. Horguelin, « Le XVIIIe siècle des Canadiens : discours public et identité », in P. Joutard et T. Wien, dir., *Mémoires de Nouvelle-France…*, *op. cit.*, p. 212-214.

112. Cité par L. Dechêne, *Habitants et marchands, op. cit.,* p. 212.

113. Cité par L. Dechêne, *Le Partage des subsistances*, p. 77.

114. C. Nish, *op. cit.*, p. 127.

115. Cité par G. Lanctot, *Histoire du Canada*, t. 3, Montréal, Librairie Beauchemin Limitée, 1964, p. 38.

116. Cité par J. Mathieu, *op. cit.*, p. 121.

117. Christophe Horguelin fait justement remarquer que l'on ne sait rien de tensions éventuelles aux niveaux inférieurs, entre l'armée française et la milice canadienne.

118. Bougainville, *Écrits sur le Canada, op. cit.*, p. 358.

119. G. Carpin, *op. cit.*, p. 138-139.

120. Cité dans M. Plourde, dir., *op. cit.*, p. 12-13.

12. La chute d'un empire

1. P. Kalm, *op. cit.*, p. 422.

2. A. Greer, *Brève histoire, op. cit.*, p. 140.

3. G. Frégault, *La Civilisation de la Nouvelle-France, 1713-1744*, Bibliothèque québécoise, 1990 (1969), p. 23, p. 28.

4. G. Plank, *An Unsettled Conquest. The British Campaign against the Peoples of Acadia*, Philadelphia, University of Pennsylvania Press, 2001.

5. Cité par C. Jaenen, *Les Relations franco-amérindiennes, op. cit.*, p. 31.

6. A.C., C11A, vol. 36, f. 125.

7. G. Plank, *op. cit.*, chap. 5.

8. Cité par G. Frégault, *Histoire de la Nouvelle-France, IX : La Guerre de la Conquête*, Fides, 1975, p. 237-238.

9. *Ibid.*, p. 238.

10. R. White, *The Middle Ground. Indians, Empires and Republics in the Great Lakes Region, 1650-1815*, Cambridge, Cambridge University Press, 1991, chap. 5.

11. Cité par G. Frégault, *op. cit.*, p. 62.

12. Cité par M. Trudel, « L'affaire Jumonville », *Revue d'histoire de l'Amérique française*, vol. 6, n° 3, 1952, p. 341.

13. Cité par E. Marienstras, *Nous le peuple. Les origines du nationalisme américain*, Paris, Gallimard, 1988, p. 131.

14. F. Grenier, éd., *Papiers Contrecœur, et autres documents concernant le conflit anglo-français sur l'Ohio de 1745 à 1756*, Québec, 1952, p. 56.

15. Cité par M. Trudel, « L'affaire Jumonville », p. 341.

16. *Ibid.*, p. 349.

17. Cité par F. Anderson, *Crucible of War. The Seven Years 'War and the Fate of Empire in British North America, 1754-1766*, New York, Vintage Books, 2000, p. 6.

18. F. Grenier, éd., *op. cit.*, p. 192.

19. Cité par C. de Bonnault, « Les Français de l'Ohio », *Revue d'histoire de l'Amérique française*, 1, 3, 1947, p. 517.

20. Cité par G. Frégault, *op. cit.*, p. 56.

21. *Ibid.*, p. 39, p. 30.

22. La « petite guerre » existait aussi en Europe, mais n'était pas aussi systématisée que dans les forêts nord-américaines.

23. John Long, *Trafiquant et interprète de langues indiennes. Voyages chez différentes nations sauvages de l'Amérique septentrionale, 1768-1787*, Paris, Métaillé, 1980, p. 52.

24. Parmi les exceptions, on peut citer deux superintendants aux Affaires indiennes, William Johnson pour les colonies du nord, Edmond Atkin pour celles du sud.

25. Bougainville, *Écrits sur le Canada. Mémoires-Journal-Lettres*, Pélican/Klincksieck, 1993, p. 96, p. 234.

26. *Ibid.*, p. 83.

27. Chevalier de Raymond, « Mémoire sur les postes du Canada », publié par A. Fauteux, Québec, 1929, p. 20.

28. Bougainville, *op. cit.*, p. 28.

29. *Ibid.*, p. 166.

30. « Journal du marquis de Montcalm », in *Collection des manuscrits du maréchal de Lévis*, Québec, Imprimerie de L. J. Demers et frère, 1895, vol. 6, p. 215 ; Bougainville, *op. cit.*, p. 207.

31. *Ibid.*, p. 419.

32. Cité par G. Frégault, *op. cit.*, p. 23.

33. P. Pouchot, *Mémoires sur la dernière guerre de l'Amérique septentrionale*, Sillery, Septentrion, 2003, p. 51.

34. Bougainville, *op. cit.*, p. 209.

35. 2 570 issus des troupes régulières, 3 470 de la Marine et des milices, enfin 180 canonniers.

36. P. Clastres, *La Société contre l'État*, Paris, Éditions de Minuit, 1974 ; E. Désveaux, *Quadratura Americana, essai d'anthropologie lévis-traussienne*, Genève, Georg, 2001.

37. D. Delâge, « War and the French-Indian Alliance », *European Review of Native American Studies*, vol. 15, n° 1, 1991, p. 15-20.

38. Bougainville, *op. cit.*, p. 244-245.

39. *Ibid.*, p. 248.

40. *Ibid.*, p. 166, 253.

41. I. K. Steele, *Betrayals. Fort William Henry and the « Massacre »*, New York, Oxford University Press, 1990.

42. F. Anderson, *op. cit.*, p. 163-164.

43. Cité par G. Frégault, *op. cit.*, p. 224, 221.

44. *Ibid.*, p. 229.

45. B. Van Ruymbeke et C. Vidal, « Les migrations aux Amériques aux XVIIᵉ et XVIIIᵉ siècles », colloque international « Les Français aux Amériques (XVIIᵉ-XXIᵉ siècles) », 12-14 décembre 2002, Bilan et perspectives, Paris, Centre d'études nord-américaines, EHESS (citation) ; C. A. Brasseaux, *The Founding of New Acadia. The Beginnings of Acadian Life in Louisiana*, 1765-1803, Baton Rouge, Louisiana State University Press, 1987.

46. G. Frégault, *op. cit.*, p. 264.

47. Cité *ibid.*, p. 270.

48. Bougainville, *op. cit.*, p. 279.

49. Cité par G. Frégault, *op. cit.*, p. 300.

50. *Ibid.*, p. 310.

51. Bougainville, *op. cit.*, p. 31.

52. Cité par G. Filteau, *Par la bouche de mes canons. La ville de Québec face à l'ennemi*, Sillery, Septentrion, 1990, p. 97.

53. Cité *ibid.*, p. 83.

54. Parmi les Indiens des Grands Lacs on trouvait même 162 Cris – ce qui était inhabituel. Sept cents autres Indiens, placés sur la frontière du lac Champlain et du Haut-Saint-Laurent, participèrent aussi à la lutte contre les Anglais cette année-là.

55. Cité par G. Filteau, *op. cit.*, p. 134.

56. *Ibid.*, p. 138.

57. G. Deschênes, *L'Année des Anglais. La côte du sud à l'heure de la conquête*, Sillery, Septentrion, 1988.

58. G. de Malartic, *Journal des campagnes au Canada de 1755 à 1760 par le comte des Marès de Malartic*, Dijon, 1890, p. 368.

59. *Ibid.*, p. 285.

60. Cité par G. Filteau, *op. cit.*, p. 180.

61. L. A. de Bougainville, *Écrits sur le Canada*, Sillery, Septentrion, 2003, p. 111.

62. A.C., C11A, vol. 105, f. 183.

63. A. Beaulieu, « Les Hurons et la conquête : un nouvel éclairage sur le "traité Murray" », *Recherches amérindiennes au Québec*, vol. 30, n° 3, 2000, p. 53-63.

64. *Ibid.*

65. A.C., C11A, vol. 105, f. 173-174.

66. Baudry des Lozières, *Voyage à la Louisiane et sur le continent de l'Amérique septentrionale, fait dans les années 1794 à 1798*, Paris, 1802, p. 161-162.

67. Kerlérec cité par H. Gourmelon, *Le Chevalier de Kerlérec...*, p. 140, 221.

68. Cité par *ibid.*, p. 258.

69. Des responsables coloniaux, en outre, furent mis en accusation par le pouvoir royal suite à l'effondrement de l'Empire colonial français. Lally, le gouverneur de l'Inde, fut embastillé en 1762 puis condamné à mort par le parlement de Paris en 1766 (il fut décapité en place de Grève) ; Bigot, l'intendant du Canada, fut banni à perpétuité ; Kerlérec, de son côté, qui quitta la Louisiane pour la France en novembre 1763, subit une longue campagne de dénigrement.

70. cité par H. Gourmelon, *op. cit.*, p. 281.

71. J. A. Dickinson et L. R. Abenon, *Les Français en Amérique*, Lyon, Presses universitaires de Lyon, 1993, p. 105.

72. Voltaire, *Candide et autres contes*, Paris, Gallimard, 1992, p. 81 ; Voltaire, *Précis du siècle de Louis XV*, in *Œuvres complètes*, XV, Paris, Garnier frères, 1898, p. 369.

73. Cité par Ch.-A. Julien, *Les Français en Amérique de 1713 à 1784*, Paris, SEDES, CDU, s.d., p. 242.

74. Cité par G. Filteau, *op. cit.*, p. 184.

75. Pouchot, *op. cit.*, p. 24.

76. Cité par M. Trudel, *La Révolution américaine : pourquoi la France refuse le Canada, 1775-1789*, Sillery, Boréal Express, p. 50.

77. Cité par G. Frégault, *op. cit.*, p. 448.

78. *Ibid.*, p. 320.

79. Cité par M. de Villiers du Terrage, *Les Dernières Années de la Louisiane française*, Paris, éd. E. Guimolto, 1904, p. 152.

80. Cité par H. Gourmelon, *op. cit.*, p. 279.

81. J. Meyer *et al.*, *Histoire de la France coloniale*, I : *La Conquête*, Paris, Armand Colin, 1991, p. 52.

82. Cité par G. Frégault, *op. cit.*, p. 319-320.

83. Cité par D. Vaugeois, *America. L'expédition de Lewis et Clark et la naissance d'une nouvelle puissance*, Sillery, Septentrion, 2002, p. 41.

84. Cité par M. Trudel, *op. cit.*, p. 46.

85. Bougainville, *Écrits sur le Canda*, éd. 1993, p. 50.

86. Cité par G. Frégault, *op. cit.*, p. 418.

87. Malartic, *op. cit.*, p. 331.

88. Cité par G. Frégault, *op. cit.*, p. 411.

13. Faire renaître la Nouvelle-France ? (1763-1803)

1. Chateaubriand, *Œuvres romanesques et voyages*, I, texte établi, présenté et annoté par M. Regard, Paris, Gallimard, 1969, p. 14, p. 22.

2. *Lettres de la Marquise de Pompadour, 1753-1762*, Londres, 1773, vol. 1, p. 149, cité par C. Jaenen, *Les Relations franco-amérindiennes en Nouvelle-France et en Acadie*, op. cit., p. 12.

3. Cité par M. de Villiers du Terrage, *Les Dernières Années de la Louisiane française*, Paris, éd. E. Guimolto, 1904, p. 116.

4. A.C., C11A, vol. 105, f. 356-357.

5. A. Henry, *Travels and Adventures in Canada and the Indian Territories between the Years 1760 and 1776*, éd. J. Bain, New York, Burt Franklin, p. 34.

6. *Ibid.*, p. 43-44.

7. Voir R. White, *The Middle Ground*, op. cit., chap. 7 ; G. E. Dowd, « The French King Wakes Up in Detroit : "Pontiac's War" in Rumor and History », *Ethnohistory*, vol. 34, 1990, p. 254-278 ; G. E. Dowd, *War under Heaven. Pontiac, The Indian Nations & the British Empire*, Baltimore & Londres, The Johns Hopkins University Press, 2002.

8. Cité par E. Marienstras, *Nous le peuple. Les origines du nationalisme américain*, Paris, Gallimard, 1988, p. 137.

9. Cité par *ibid.*, p. 137.

10. Cité par M. Villiers du Terrage, op. cit., p. 178-179.

11. Cité par *ibid.*, p. 179.

12. A.C., C13A, vol. 44, f. 92.

13. Cité par M. Villiers du Terrage, op. cit., p. 187.

14. A.C., C13A, vol. 44, f. 93.

15. A.C., C13A, vol. 44, f. 131-132.

16. A.C., C11A, vol. 105, f. 416-418.

17. Cité par M. Villiers du Terrage, op. cit., p. 200.

18. *Ibid.*, p. 220.

19. A.C., C13A, vol. 44, f. 28-29. Deuxième citation in H. Gourmelon, *Le chevalier de Kerlérec...*, p. 282.

20. Kerlérec cité in Gourmelon, op. cit., p. 299 ; A.C., C13A, vol. 44, f. 25 (D'abbadie).

21. Cité par M. Villiers du Terrage, op. cit., p. 178.

22. M. Trudel, *Histoire de la Nouvelle-France*, X : *Le Régime militaire et la disparition de la Nouvelle-France, 1759-1764*, Montréal, Fides, 1999, p. 492-511.

23. Cité par G. Frégault, *Histoire de la Nouvelle-France*, IX : *La Guerre de la Conquête, 1754-1760*, Montréal, Fides, 1975, p. 362.

24. Cité par M. Trudel, *op. cit.*, p. 426-428.

25. Cité par D. Vaugeois, « La langue d'un pays conquis », in M. Plourde, dir., *Le Français au Québec*, Montréal, Fides, 2000, p. 63.

26. M. Trudel, *Mythes et réalités dans l'histoire du Québec*, Montréal, Hurtubise HMH, 2001, p. 238-239.

27. Cité par *ibid.*, p. 241.

28. Cité par M. Trudel, *La Révolution américaine : pourquoi la France refuse le Canada, 1775-1789*, Sillery, Boréal Express, p. 191-193.

29. Cité par *ibid.*, p. 210.

30. Cité par A. Dureau, « Les Français de l'Illinois de 1778 à 1792 », *Revue d'histoire de l'Amérique française*, vol. 1, n° 3, 1947, p. 497.

31. La Fayette, *Mémoires, correspondance et manuscrits du général Lafayette publiés par sa famille*, Paris, H. Fournier aîné, 1838, t. 1, p. 165 et t. 2, p. 103. Avant de repartir, La Fayette laissa à ses hôtes un officier français nommé Gouvion.

32. Cité par G. E. Dowd, *War under Heaven*, p. 269 (notre traduction).

33. Cité par T. Bach, *Les Français en Amérique pendant la guerre de l'indépendance des États-Unis, 1777-1783*, Paris, A. Sauton, 1872, p. 111.

34. La Fayette, *op. cit.*, t. 2, p. 98-104.

35. Citation (notre traduction) dans R. D. Edmunds, « "Unacquainted with the laws of the civilized world" : American attitudes toward the métis communities in the Old Northwest », in J. Peterson & J. S. H. Brown, *The New Peoples. Being and Becoming Métis in North America*, University of Manitoba Press, 1985, p. 187.

36. Louis-Philippe d'Orléans, *Journal de mon voyage en Amérique*, Paris, Flammarion, 1976, p. 17.

37. Cité par M. Villiers du Terrage, *op. cit.*, p. 247.

38. *Ibid.*, p. 260 ; « Mémoire de Pierre Carresse, négociant, syndic du commerce de la Louisiane, et ancien capitaine de milice bourgeoise », octobre 1769, Kuntz Collection, 600-2-10, Howard-Tilton Memorial Library, Tulane University, La Nouvelle-Orléans.

39. Cité par M. Villiers du Terrage, *op. cit.*, p. 262.

40. « Mémoire de Pierre Carresse », *op. cit.*

41. J. Tarrade, in J. Meyer *et al.*, *Histoire de la France coloniale*, I Paris, A. Colin, 1991, p. 293.

42. Voir J. A. Carrigan, « Old and New Interpretations of the Rebellion of 1768 », reproduit in G. R. Conrad, éd., *The Louisian*

Purchase Bicentennial Series in Louisiana History, vol. I : *The French Experience in Louisiana*, Lafayette, La, Center for Louisiana Studies, University of Southwestern Louisiana, 1995, p. 610-616.

43. Les élites locales poursuivirent ce mouvement durant le Régime espagnol. Lorsqu'en 1776, puis en 1789, Madrid tenta d'imposer en Louisiane de nouvelles lois plus libérales sur l'esclavage, elles résistèrent avec une très grande vigueur ; elles tentèrent également en 1779 d'imposer leur propre Code Noir, beaucoup plus sévère, appelé Loi Municipale.

44. C. Vidal, « De province à colonie et de Français à Louisianais : Le langage de la nation et la construction coloniale de l'empire à La Nouvelle-Orléans en 1768-1769 », in C. Vidal, dir., *Français ? La nation en débat entre colonies et métropole, XVIe-XIXe siècle*, Paris, Éditions de l'EHESS, 2014, p. 71-95.

45. J.-B. Bossu, *Nouveaux voyages dans l'Amérique septentrionale*, Amsterdam, Changuion, 1777, p. 110.

46. L'immigration hispanophone demeura en effet fort réduite. Entre 1777 et 1783, la Louisiane espagnole ne reçut que 100 migrants de Málaga et 2 500 *Islenos* des Canaries.

47. Les Espagnols divisaient les libres de couleur en deux corps : les *morenos*, ou noirs libres, et les *pardos*, ou mulâtres libres. Ils formèrent dans les deux groupes des compagnies de milice.

48. Cité par K. A. Duval, « "Faithful Nations" and "Ruthless Savages" : the Rise and Fall of Indian Diplomacy in the Arkansas River Valley, 1673-1828 », Ph. D, University of California at Davis, 2001, p. 157 ; Rossignol, *Le Ferment nationaliste*, p. 243-244.

49. Cité par Villiers du Terrage, *op. cit.*, p. 371.

50. Circulaire adressée par le gouvernement à tous les habitants de Louisiane, signée par le Baron de Carondelet, 12 février 1794, Kuntz Collection, 600-2-140, Howard-Tilton Memorial Library, Tulane University, La Nouvelle-Orléans.

51. Cité par M.-J. Rossignol, *Le Ferment nationaliste. Aux origines de la politique extérieure des États-Unis : 1789-1812*, Paris, Belin, 1994, p. 244.

52. R. Lahlou, « Le rêve américain et caraïbe de Bonaparte : le destin de la Louisiane française. L'expédition de Saint-Domingue », *Revue du souvenir napoléonien*, 440, avril-mai 2002, p. 3-21.

53. Cité par M.-J. Rossignol, *op. cit.*, p. 246.

54. A. Potofsky, « Geography as Geopolitics : Napoleonic France and the American West », in N. Caron et N. Wulf, dir., *The Lewis and Clark Expedition*, Nantes, Éditions du temps, 2005, p. 158-174.

55. A. Potofsky, *op. cit.*, p. 166 ; Berquin-Duvallon, *Vue de la colonie espagnole du Mississipi, ou des provinces de Louisiane et Floride occidentale*, Paris, Duvallon, 1803, p. 3-4.

56. C. F. De Chassebœuf Volney, *Tableau du climat et du sol des États-Unis…*, Paris, Parmantier, 1825, p. 168.

57. C. Buchet, éd., *Chef de guerre chez les Creeks*, Paris, France-Empire, 1994, p. 215.

58. Cité par Peter Hicks, « Louisiane : l'avoir ou ne pas l'avoir », 2003, in www.napoleon.org.

59. Cité par P. Hicks, *op. cit.*

60. Citations dans M. Villiers du Terrage, *op. cit.*, p. 402, 404, 409 ; M.-J. Rossignol, « Les francophones de Louisiane face à l'arrivée des Américains », in A. Saussol et J. Zitomersky, éd., *Colonies, territoires, sociétés : l'enjeu français*, Paris, L'Harmattan, 1996, p. 101.

61. M. Villiers du Terrage, *op. cit.*, p. 409.

62. M. Villiers du Terrage, *op. cit.*, p. 383.

63. Cité par P. Hicks, *op. cit.*

64. Cité in M.-J. Rossignol, *Le Ferment nationaliste*, p. 250.

65. F. Barbé-Marbois, *Histoire de la Louisiane*, Paris, Firmin Didot, 1829, p. 299, cité par P. Hicks, *op. cit.*

66. Les fédéralistes et les anti-fédéralistes (ou républicains) formaient les deux partis se mettant alors en place aux États-Unis. Après avoir été au gouvernement depuis l'entrée en vigueur de la Constitution fédérale en 1789, les fédéralistes venaient de perdre le pouvoir suite à l'élection à la présidence de Jefferson en 1800, qui marquait la première alternance politique de l'histoire du pays.

67. Cité par M. Villiers du Terrage, *op. cit.*, p. 387.

68. R. Lahlou, *op. cit.*, p. 3.

69. Cité par P. Hicks, *op. cit.*

70. Cité par M. Villiers du Terrage, *op. cit.*, p. 387.

71. Propos rapportés par A. Thiers, *Histoire du Consulat et de l'Empire*, Paris, Paulin éditeur, 1845, t. IV, livre XVI, Mars 1803, p. 320-321, cité par P. Hicks, *op. cit.*

72. Cité par M. Villiers du Terrage, *op. cit.*, p. 387-388.

73. *Ibid.*, p. 390.

74. *Ibid.*, p. 416.

75. *Ibid.*, p. 4204-21.

76. *Ibid.*, p. 434.

77. Ou plutôt « renommés », car ces lieux étaient déjà identifiés par les autochtones, qui possédaient leurs propres toponymes (dont s'inspiraient parfois les Européens).

78. Notre traduction. G. Catlin, *Letters and Notes on the Manners, Customs and Conditions of North American Indians*, New York, Dover, 1973, vol. 1, p. 35, 198 ; F. Parkman, *The Oregon Trail*, New York, Penguin Books, 1982 (1849), p. 109 ; Abbott cité par T. C. Thorne, *Th*

Many Hands of my Relations. French and Indians on the Lower Missouri, Columbia et Londres, University of Missouri Press, 1996, p. 2.

Épilogue. « Je me souviens »

1. W. Powers, « Les premiers contacts entre les Français et les Sioux : témoignage d'un ethnologue adopté par les Indiens », in UNESCO, éd., *Destins croisés : cinq siècles de rencontres avec les Amérindiens*, Paris, A. Michel, 1992, p. 256.

2. J.-D. Casanova, *Une Amérique française*, Documentation française/L'Éditeur officiel du Québec, 1975, p. 76.

3. Z. Richard, « préface », in D. Louder, J. Morisset et E. Waddel, *Vision et visages de la Franco-Amérique*, Sillery, Septentrion, 2001, p. 9.

4. J. Mathieu, *La Nouvelle-France., op. cit.,* p. 234.

5. G. Bouchard, « Le Québec comme collectivité neuve. Le refus de l'américanité dans le discours de la survivance », in G. Bouchard et Y. Lamonde, dir., *Québécois et Américains. La culture québécoise aux XIXe-XXe siècles*, Montréal, Fides, 1995, p. 24.

6. Voir J. Lacouture, *De Gaulle*, t. 3 : *Le Souverain*, Paris, Seuil, 1986, p. 509-536. Cf. aussi J. Portes, *Le Canada et le Québec au XXe siècle*, Paris, A. Colin, 1994, p. 124.

7. Cité par R. Pichette, *L'Acadie par bonheur retrouvée. De Gaulle et l'Acadie*, éditions d'Acadie, 1994, p. 64.

8. Les Québécois, quant à eux, ne goûtèrent que modérément la rhétorique gaullienne qui faisait d'eux des « Français canadiens » plutôt que des « Canadiens français », la nuance est d'importance !

9. G. Deschênes, « La devise "Je me souviens" », in *Encyclopédie de l'Agora*, dossier Québec-État (http://agora.qc.ca/) ; cf. aussi A. Robitaille, « Je me souviens », in *Québec. Espace et sentiment*, Paris, Autrement, coll. Monde, H.S., n° 124, février 2001, p. 147-171.

10. P. Nora, université Laval, juin 1999, cité par A. Robitaille, *ibid.*, p. 147.

11. S. Batigne, « Introduction », in *Québec. Espace et sentiment*, p. 17.

12. Voir M. Venne, dir., *Penser la nation québécoise*, Montréal, Éditions Québec Amérique, 2000. Précisons que les autochtones du Québec ne sont pas favorables à l'indépendance de la province car ils craignent de perdre leurs droits garantis à l'échelon fédéral.

13. Certains auteurs (D. Louder, J. Morisset et E. Waddel, *op. cit.*) parlent plus volontiers de « Franco-Amérique » pour désigner la francophonie nord-américaine. L'expression « Amérique française »,

encore employée de nos jours, peut en effet prêter à confusion, parce qu'elle peut rappeler la Nouvelle-France.

14. G. Allaire, *La Francophonie canadienne. Portraits*, Québec, CIDEF, AFI, 2001.

15. D. Louder et E. Waddel, dir., *Du continent perdu à l'archipel retrouvé : le Québec et l'Amérique française*, Québec, Presses de l'université Laval, 1983.

16. G. Allaire, *op. cit.*, p. 41-74 ; A. Beaulieu et Y. Bergeron, *Amérique française. L'aventure*, Montréal, Fides, 2002, p. 25-30.

17. A. Beaulieu et Y. Bergeron, *op. cit.*, p. 88.

18. A. I. Silver, « Les métis de l'Ouest : les "cousins du Canada" des Québécois », in J. Portes, *Le Fait français et l'Histoire du Canada, XIXᵉ-XXᵉ siècle*, Paris, Société française d'histoire d'outre-mer, 1990, p. 161-177.

19. A. Beaulieu et Y. Bergeron, *op. cit.*, p. 97.

20. Voir F. Weil, *Les Franco-Américains, 1860-1980*, Paris, Belin, 1989.

21. Sur l'arrivée des Américains, voir Marie-Jeanne Rossignol, « Les francophones de Louisiane face à l'arrivée des Américains », A. Saussol et J. Zitomersky, éd., *Colonies, territoires, sociétés : l'enjeu français*, Paris, L'Harmattan, 1996, p. 91-105.

22. Les courants migratoires de France vers les États-Unis, au XIXᵉ siècle, ne se limitèrent pas à la Louisiane. D'autres États, comme la Californie – notamment pour cause de ruée vers l'or (1848) – furent aussi le théâtre d'une implantation française, dont l'héritage est toujours vivant : voir A. Foucrier, *Le Rêve californien. Migrants français sur la côte Pacifique (XVIIIᵉ-XXᵉ siècles)*, Paris, Belin, coll. Histoire et sociétés, Cultures américaines, 1999.

23. M. Polfliet, « Émigration et politisation : Les Français de New York et La Nouvelle-Orléans dans la première moitié du XIXᵉ siècle (1803-1860) », thèse de doctorat, université de Nice et EHESS, 2013 ; M. Bourdelais, *La Nouvelle-Orléans : Croissance démographique, intégrations urbaine et sociale (1803–1860)*, Bern, Peter Lang, 2012.

24. Voir C. C. Bell, *Revolution, Romanticism, and the Afro-Creole Protest Tradition in Louisiana, 1718-1868*, Baton Rouge, Louisiana State University Press, 1997.

25. A. Hirsch et J. Logsdon, *Creole New Orleans. Race and Americanization*, Baton Rouge, Louisiana State University Press, 1992 ; C. A. Brasseaux, *Acadian to Cajun : transformation of a people, 1803-1877*, Jackson, University Press of Mississippi, 1992 ; M. Guer mantes, « "Je me souviens" des Cadiens et… des créoles aussi ! » 22 février 2003, Francosphère-Louisiane (1803-2003) (www.vo

latina. com) ; R. Creagh, *Nos cousins d'Amérique. Histoire des Français aux États-Unis*, Paris, Payot, 1988, p. 406.

26. Sur la Louisiane contemporaine, nous renvoyons à S. Le Menestrel, *La Voie des Cadiens. Tourisme et identité en Louisiane*, Paris, Belin, coll. Histoire et société, Cultures américaines, 1999 ; S. Le Menestrel, *Negotiating Difference in French Louisiana Music : Categories, Stereotypes, and Identifications*, Jackson, University Press of Mississippi, 2015 ; C. Trépanier, « La Louisiane française au seuil du XXIe siècle. La commercialisation de la culture », in G. Bouchard, dir., *La Construction d'une culture. Le Québec et l'Amérique française*, Sainte-Foy, Presses de l'université Laval, 1993, p. 361-394 ; C. Trépanier, « Au fil de la Louisiane », in D. Louder, J. Morisset et E. Waddel, *op. cit.*, p. 225-241.

27. Council for the Development of French in Louisiana. www.codofil.org

28. S. Le Menestrel, *La Voie des Cadiens, op. cit.*, p. 146.

29. Depuis quelques années, les créoles noirs affirment de plus en plus fortement leur identité distincte au sein de la francophonie louisianaise. Sur la question délicate de l'identité des Houmas, cf. D. D. Davis, « A Case of Identity : Ethnogenesis of the New Houmas Indians », *Ethnohistory* vol. 48, n° 3, 2001, p. 473-494.

30. Le cadien, au vrai, est une forme de français parlé qui n'a rien à voir avec le français dit standard.

31. C'est la thèse de S. Le Menestrel, *op. cit.*

32. S. Le Menestrel, *ibid.*, p. 16.

33. La carte des États-Unis est truffée de toponymes français qui datent, pour la plupart, des XVIIe et XVIIIe siècles. Dans les grandes villes comme La Nouvelle-Orléans, Chicago, Détroit, Saint Louis ou Minneapolis, plusieurs monuments ou noms de rue (La Salle street, Montcalm street, Hennepin avenue, Nicollet mall, Pontchartrain park, etc.) rappellent l'existence passée de la Nouvelle-France. La région de Détroit porte la marque de ces souvenirs : Grosse Ile, Belle Ile, Grosse Pointe, Belle River, River Rouge, Sans Souci, etc. (J.-D. Casanova, *op. cit.*, p. 113 ; J. Poirier, « Vers un répertoire des noms de lieux français de l'Amérique du Nord », in S. Courville et Ph. Boucher, éd., *Proceedings of the Eleventh Meeting of the French Colonial Society*, Québec, mai 1985, Lanham, University Press of America, 1987, p. 13).

34. Nous remercions Suzanne Sommerville pour ces informations relatives au tricentenaire de Détroit.

35. « Our French roots are very, very deep, so to bash France would almost be to bash ourselves » (cité par S. Kinzer, « Honoring

Napoleon-Jefferson deal in age of Bush », *The New York Times*, 30 avril, 2003).

36. A. Godet, « "Resilient City" ? The Double Face of the 2006 Mardi Gras Celebrations in New Orleans », E-rea, vol. 14, n°1, 2016.

Chronologie

1524 : Voyage de Giovanni da Verrazano sur le littoral nord-américain.

1534 : Premier voyage de Jacques Cartier au Canada.

1535 : Deuxième voyage de Jacques Cartier au Canada.

1541-1543 : Voyages de Jacques Cartier et de Jean-François de La Roque de Roberval au Canada.

1555-1560 : Tentative d'implantation dans la baie de Guanabara (Rio de Janeiro) sous la direction de Nicolas Durand de Villegagnon.

1562-1565 : Trois expéditions en Floride sous la direction de Jean Ribault et de René Goulaine de Laudonnière.

1581 : Première mention d'un navire équipé pour le commerce des fourrures.

1600 : Fondation par Pierre de Chauvin du premier poste de traite des fourrures en Amérique du Nord.

1603 : Expédition de François Gravé Du Pont, accompagné de Samuel de Champlain, au Canada ; tabagie de Tadoussac.

1604 : Expédition de Pierre Du Gua de Monts, accompagné de Samuel de Champlain et de Jean de Biencourt de Poutrincourt en Acadie.

1605 : Fondation de Port-Royal en Acadie par Pierre Du Gua de Monts.

1608 : Fondation de Québec par Samuel de Champlain.

1609 : Début de l'alliance franco-huronne.

1625 : Arrivée des premiers missionnaires jésuites au Canada.

1627 : Monopole commercial du Canada concédé à la Compagnie des Cent-Associés.

1629-1632 : Occupation de Québec par les frères Kirke pour le compte de l'Angleterre.

1632 : Traité de Saint-Germain-en-Laye : la France récupère le Canada.

1634 : Fondation de Trois-Rivières.

1635 : Mort de Samuel de Champlain.

1637 : Fondation de Sillery, première « réduction » sur le Saint-Laurent.

1639 : Fondation de la *société de Notre-Dame de Montréal pour la conversion des sauvages*.

1641-1645 : Guerre franco-iroquoise.

1642 : Fondation de Ville-Marie, devenue ensuite Montréal, par Paul Chomedey de Maisonneuve.

1645 : Paix de Trois-Rivières entre les Agniers, les Français et leurs alliés indiens.

1648-1650 : Destruction du pays huron par les Iroquois.

1650-1653 : Guerre franco-iroquoise.

1653 : Paix entre les Français et les Cinq Nations.

1654 : Une expédition anglaise s'empare de l'Acadie.

1654-1667 : Occupation anglaise de l'Acadie.

1659 : Médard Chouart des Groseilliers et Pierre-Esprit Radisson atteignent l'extrémité occidentale du lac Supérieur.

1660-1667 : Guerre franco-iroquoise.

1662 : Fondation de la colonie de Plaisance à Terre-Neuve.

1663 : Rétrocession du Canada au pouvoir royal ; seigneurie de Montréal confiée à la compagnie de Saint-Sulpice.

1665 : Début de l'immigration subventionnée par l'État ; arrivée de l'intendant Jean Talon ; première mission jésuite dans les Pays d'en Haut.

1666 : Expéditions du régiment de Carignan-Salières contre les Agniers.

1667 : Paix générale de Québec entre les Français, leurs alliés et les Cinq Nations ; début des migrations iroquoises vers Montréal.

1670 : Réoccupation française de l'Acadie.

1671 : Prise de possession des Pays d'en Haut au Sault-Saint-Marie.

1673 : Fondation du fort Frontenac ; « découverte » du Mississippi par Louis Jolliet et Jacques Marquette.

1679 : René-Robert Cavelier de La Salle fonde le poste de Niagara.

1680 : Établissement du fort Crèvecœur sur la rivière des Illinois.

1681 : Mise en place d'un système de congés pour la traite des pelleteries dans les Pays d'en Haut.

1682 : Expédition de René-Robert Cavelier de La Salle à l'embouchure du Mississippi ; érection du fort Saint-Louis des Illinois.

1684 : Reprise de la guerre franco-iroquoise : expédition de Joseph-Antoine Le Febvre de La Barre contre les Tsonnontouans.

1685 : Expédition de René-Robert Cavelier de La Salle en Louisiane par la mer.

1687 : Expédition de Jacques-René de Brisay de Denonville contre les Tsonnontouans ; mort de René-Robert Cavelier de La Salle.

1689-1697 : Guerre de la Ligue d'Augsbourg.

1689 : Raid iroquois sur Lachine.

1690 : Échec de la prise de Québec par l'amiral Phips.

1694-1697 : Expéditions de Pierre Le Moyne d'Iberville à la baie d'Hudson et à Terre-Neuve.

1696 : Fermeture des postes des Pays d'en Haut ; expédition de Louis Buade de Frontenac contre les Onontagués et les Onneiouts.

1699 : Fondation de la Louisiane par Pierre Le Moyne d'Iberville ; fondation de la mission de la Sainte-Famille à Cahokia par le séminaire des Missions étrangères.

1701 : Grande paix de Montréal entre les Français, leurs alliés indiens et les Iroquois ; fondation de Détroit par Antoine Laumet Lamothe Cadillac.

1702-1713 : Guerre de Succession d'Espagne.

1702 : Fondation de La Mobile ; début de l'alliance entre les Français et les Chactas.

1703 : Abandon du fort Saint-Louis des Illinois ; installation de la mission jésuite de l'Immaculée Conception près de la rivière des Kaskaskias.

1704 : Attaque de Deerfield par les Français et leurs alliés indiens.

1709 : Prise de Port-Royal par les Anglais, qui devient Annapolis-Royal.

1711 : Échec de la prise de Québec par l'amiral Hovenden Walker.

1712 : Monopole commercial de la Louisiane attribué à Antoine Crozat. Début de la guerre contre les Renards.

1713 : Traité d'Utrecht : la France perd l'Acadie, Terre-Neuve et la baie d'Hudson ; fondation de l'île du Cap-Breton ou île Royale ; réouverture des postes des Pays d'en Haut.

1716 : Fondation du fort Rosalie (Natchez) et du fort Saint-Jean-Baptiste (Natchitoches).

1717 : Monopole commercial de la Louisiane attribué à la Compagnie d'Occident, fondée par John Law et devenue ensuite Compagnie des Indes ; rattachement administratif du Pays des Illinois à la Louisiane ; fondation de Fort-Toulouse (Alibamons).

1717-1720 : Vague migratoire en Louisiane.

1718 : Fondation de La Nouvelle-Orléans par Jean-Baptiste Le Moyne de Bienville.

1719 : Guerre contre l'Espagne ; fondation de Fort de Chartres et du village de Prairie du Rocher au Pays des Illinois ; début de la traité négrière en provenance d'Afrique vers la Louisiane.

1720 : Fondation de Louisbourg ; début de la mise en valeur de l'île Saint-Jean ; fuite de John Law et début de la réorganisation de la Compagnie des Indes.

1721 : Fondation du village de Saint-Philippe au Pays des Illinois.

1724 : Promulgation du Code Noir en Louisiane.

1729 : Soulèvement des Natchez.

1730 : Expédition française contre les Natchez ; expédition française contre les Renards.

1731 : Rétrocession de la Louisiane au pouvoir royal ; deuxième expédition contre les Natchez ; quasi-arrêt de la traite des noirs en provenance d'Afrique vers la Louisiane.

1731-1743 : Exploration des La Vérendrye dans les Plaines.

1736 : Première campagne de Jean-Baptiste Le Moyne de Bienville contre les Chicachas.

1738 : Signature d'une paix durable entre les Français et les Renards.

1739-1740 : Deuxième campagne de Jean-Baptiste Le Moyne de Bienville contre les Chicachas.

Années 1740 : Fondation du village de Sainte-Geneviève au Pays des Illinois.

1744-1748 : Guerre de Succession d'Autriche.

1745 : Prise de Louisbourg par les Anglais.

1745-1749 : Occupation anglaise de l'île Royale.

1747 : Crise de l'alliance franco-indienne dans les Pays d'en Haut.

1754 : L'affaire Jumonville déclenche la « guerre de Sept Ans » en Amérique.

1755 : Début de la déportation des Acadiens ; victoire franco-indienne sur la Mal-engueulée.

1756 : Déclenchement officiel de la « guerre de Sept Ans » en Europe.

1757 : Victoire franco-indienne au fort William Henry.

1758 : Chute de Louisbourg.

1759 : Chute de Québec ; mort de Louis-Joseph de Montcalm.

1760 : Chute de Montréal.

1762 : Traité secret de Fontainebleau : la partie occidentale de la Louisiane est cédée à l'Espagne.

1763 : Le traité de Paris met un terme à la guerre de Sept Ans ; début de la guerre de Pontiac.

1764 : Fondation de Saint-Louis.

1765 : Une garnison anglaise parvient à Fort de Chartres (Pays des Illinois) ; début de l'immigration acadienne en Basse-Louisiane.

1768 : « Révolution » antiespagnole à La Nouvelle-Orléans.

1769 : Instauration effective du Régime espagnol en Louisiane.

1772 : Reprise de la traite négrière en provenance d'Afrique vers la Louisiane.

1774 : *Quebec Act*.

1778 : La France s'engage aux côtés des *Insurgents* américains.

1791 : Révolte des esclaves de Saint-Domingue.

1791-1809 : Émigration de réfugiés de Saint-Domingue vers les États-Unis et la Louisiane.

1800 : Traité secret par lequel l'Espagne cède la Louisiane occidentale à la France.

1803 : Rétrocession effective de la Louisiane par l'Espagne à la France et vente de la colonie aux États-Unis.

Bibliographie sélective

Abréviations

A.C. : Archives des colonies
A.M. : Archives de la Marine
J.R. : Relations des jésuites
K.M. : Manuscrits de Kaskaskia
R.A.P.Q. : Rapport de l'archiviste de la province de Québec
R.A.Q. : Recherches amérindiennes au Québec
R.C.S.L. : Registres du Conseil supérieur de Louisiane

Sources

Sources manuscrites

Archives des colonies (Archives nationales, Paris) : séries A (actes du pouvoir souverain) ; B (dépêches du roi, du ministre de la Marine et du conseil d'État aux autorités de la Nouvelle-France) ; C2 (papiers de la Compagnie des Indes) ; C11A (lettres, mémoires, etc., envoyés en France par les administrateurs du Canada et autres personnes) ; C13A (correspondance générale, Louisiane) ; D (troupes) ; E (personnel) ; F1 (fonds des colonies) ; F3 (collection Moreau de Saint-Méry) ; F5A (missions religieuses).

Archives de la guerre (Service historique de l'armée de terre, Vincennes) : série A1 (correspondance et pièces jointes) ; cartes et plans.

Archives de la Marine (Archives nationales, Paris) : séries B1 (délibérations du Conseil de Marine 1715-1721, travail du roi et travail du ministre 1686-1765) ; C7 (personnel individuel) ; JJ (service hydrographique de la Marine).

Archives du ministère des Affaires étrangères (Paris) : Mémoires et documents, Amérique.

Archives d'outre-mer et dépôt des papiers publics des colonies (Archives nationales, Centre des archives d'outre-mer, Aix-en-Provence) : série G1 (recensements).

Bibliothèque nationale de France (Paris) : département des Manuscrits ; département des Cartes et Plans.

Huntington Library (San Marino, Ca) : Loundoun Papers, Papiers du marquis de Vaudreuil.

Louisiana State Museum (New Orleans, La) : Registres du Conseil Supérieur de Louisiane.

Newberry Library (Chicago, Il) : Ayer Collection.

Randolph County Courthouse (Chester, Il) et Chicago Historical Society (Chicago, Il) : Manuscrits de Kaskaskia : archives notariales et judiciaires.

Récits de voyage

BACQUEVILLE DE LA POTHERIE, Claude-Charles Le Roy, *Histoire de l'Amérique septentrionale*, Paris, Brocas, 1753 (1722), 4 tomes.

BAUDRYDES LOZIÈRES, Louis-Narcisse, *Voyage à la Louisiane et sur le continent de l'Amérique septentrionale, fait dans les années 1794 à 1798*, Paris, 1802.

BOSSU, Jean-Bernard, *Nouveaux voyages en Louisiane, 1751-1768*, présenté par Philippe Jacquin, Paris, Aubier-Montaigne, 1980 (pour les œuvres complètes : *Nouveaux voyages aux Indes occidentales*, Paris, Le Jay, 1768 ; *Nouveaux Voyages dans l'Amérique septentrionale*, Amsterdam, Changuion, 1777).

BOUGAINVILLE, Louis-Antoine, *Écrits sur le Canada. Mémoires-Journal-Lettres*, Montréal, Pélican/Klincksieck, 1993 (réédité par Septentrion, 2003).

BRACKENRIDGE, Henry M., *Recollections of Persons and Places in the West*, Philadelphie, J. B. Lippincott & Co., 1868 (2e éd. augmentée).

BRACKENRIDGE, Henry M., *Views of Louisiana*, Pittsburgh, Carmer, Spear & Eichbaum, 1814.

BRÉBEUF, Jean de, *Écrits en Huronie* (1635-1649), Bibliothèque québécoise, 1996.

CARTIER, Jacques, *Relations*, éd. M. Bideaux, Montréal, Presses universitaires de Montréal, « Bibliothèque du Nouveau Monde », 1986.

CHAMPLAIN, Samuel de, *Des Sauvages*, éd. A. Beaulieu et R. Ouellet, Montréal, Typo, 1993.

CHAMPLAIN, Samuel de, *The Works of Samuel de Champlain*, éd. H. P. Biggar, Toronto, The Champlain Society, 1922-1936.

CHARLEVOIX, François-Xavier de, *Histoire et description générale de la Nouvelle-France, avec le journal historique d'un voyage fait par ordre du roi dans l'Amérique septentrionale (1744)*, Ottawa, Élysée, 3 vol., 1976.

CHARLEVOIX, François-Xavier de, *Journal d'un voyage fait par ordre du roi dans l'Amérique septentrionale* (1744), éd. Pierre Berthiaume, Montréal, Presses de l'université de Montréal, 2 vol., 1994.

DELIETTE, « Mémoire », in Th. C. Pease et R. C. Werner, éd., *The French Foundations 1680-1693*, Collection of the Illinois State Historical Library, vol. XXIII, Séries françaises, vol. I, Springfield, Illinois, 1934, p. 302-394.

DENYS, Nicolas, *Description géographique et historique des costes de l'Amérique septentrionale avec l'histoire naturelle du Païs*, Paris, Claude Barbin, 1672, 2 vol.

DUBÉ, Pauline, éd., *La Nouvelle-France sous Joseph-Antoine de La Barre, 1682-1685, Lettres, mémoires, instructions et ordonnances*, Sillery, Septentrion, 1993.

DUMONT DE MONTIGNY, Jean-François-Benjamin, *Mémoires historiques sur la Louisiane*, Paris, J. B. Bauche, 1753, 2 vol.

FRANQUET, Louis, *Voyages et mémoires sur le Canada (1752-1753)*, Montréal, Élysée, 1974.

HENNEPIN, Louis, *Voyage curieux du R. P. Hennepin*, Amsterdam, Pierre Vander, 1704.

KALM, Pehr, *Voyage de Pehr Kalm au Canada en 1749*, traduction annotée du journal de route par J. Rousseau et G. Béthune, Montréal, Pierre Tisseyre, 1977.

LAFITAU, Joseph-François, *Mœurs des sauvages américains* (1724), Paris, Maspero, 1983, 2 vol.

LAHONTAN, Louis-Armand de Lom d'Arce, baron de, *Œuvres complètes* (1703), Montréal, Presses de l'université de Montréal, 1990, 2 vol.

LE PAGE DU PRATZ, Antoine-Simon, *Histoire de la Louisiane*, Paris, De Bure, Delaguette, Lambert, 1758.

MARGRY, Pierre, éd., *Découvertes et établissements des Français dans l'ouest et dans le sud de l'Amérique septentrionale, 1614-1754, Mémoires et documents originaux*, Paris, D. Jouaud, 1876-1886, 6 vol.

PERROT, Nicolas, *Mémoire sur les mœurs, coustumes et relligion des sauvages de l'Amérique septentrionale*, Montréal, Éditions Élysée, 1973 (1864).

POUCHOT, Pierre, *Mémoires sur la dernière guerre de l'Amérique septentrionale* (1781), Sillery, Septentrion, 2003.

PITTMAN, Philip, *The Present State of the European Settlements of the Mississippi* (1770), présenté par Robert R. Rea, Gainesville, University of Florida Press, 1973.

RAUDOT, Antoine-Denis, *Relation par lettres de l'Amérique septentrionale, 1709-1710*, texte établi et présenté par Camille de Rochemonteix, Paris, Letouzey et Ané, 1904.

THWAITES, Reuben Gold, éd., *The Jesuit and Allied Documents : Travels and Explorations of the Jesuit Missionaries in New-France, 1610-1791*, Cleveland, Ohio, 1896-1901, 73 vol.

Ouvrages généraux sur l'histoire coloniale française

CORNEVIN, Robert et Marianne, *La France et les Français outremer*, Paris, Tallandier, 1990.

HAUDRÈRE, Philippe, *L'Aventure coloniale de la France*, t. 1 : *L'Empire des rois, 1500-1789*, Paris, Denoël, 1997.

MEYER, Jean, *et al.*, *Histoire de la France coloniale, des origines à 1914*, t. 1, Paris, Armand Colin, 1991.

PLUCHON, Pierre, *Histoire de la colonisation française*, t. 1, Paris, Fayard, 1991.

SAUSSOL Alain, et ZITOMERSKY, Joseph, éd., *Colonies, territoires, sociétés : l'enjeu français*, Paris, L'Harmattan, 1996.

VIDAL, Laurent, et D'ORGEIX, Émilie, dir., *Les Villes françaises du Nouveau Monde. Des premiers fondateurs aux ingénieurs du roi (XVIe-XVIIIe siècles)*, Paris, Somogy éditions d'art, 1999.

Ouvrages généraux sur la Nouvelle-France

AUGERON, Mickaël, et GUILLEMET, Dominique, dir., *Champlain ou les portes du Nouveau Monde. Cinq siècles d'échanges entre le Centre-Ouest français et l'Amérique du Nord*, La Crèche, Geste éditions, 2004.

BANKS, Kenneth J., *Chasing Empire Across the Sea. Communications and the State in the French Atlantic, 1713-1763*, Montréal et Kingston, McGill-Queen's University Press, 2002.

BOUCHER, Philip P., *Les Nouvelles Frances/France in America, 1500-1815 : An Imperial Perspective*, Providence, The John Carter Brown Library, 1989 ; *Les Nouvelles-Frances*, Sillery, Septentrion, 2004.

BROWN, Craig, éd., *Histoire générale du Canada*, Montréal, Boréal, 1988.

CREAGH, Ronald, *Nos cousins d'Amérique. Histoire des Français aux États-Unis*, Paris, Payot, 1988.

DECHÊNE, Louise, et HARRIS, Richard C., éd., *Atlas historique du Canada*, Montréal, Presses de l'université de Montréal, 1987.

DESLANDRES, Dominique, *Croire et faire croire. Les missions françaises au XVIIe siècle*, Paris, Fayard, 2003.

DICKINSON, John A., et ABENON, Lucien R., *Les Français en Amérique*, Lyon, Presses universitaires de Lyon, 1993.

ECCLES, William J., *France in America*, New York, Harper & Row, 1972.

ECCLES, William J., *The Canadian Frontier, 1534-1760*, Albuquerque, University of New Mexico Press, 1983 (1969).

ECCLES, William J., *Essays on New France*, Toronto, Oxford University Press, 1987.

France/Nouvelle-France, catalogue d'exposition, musée du Château des ducs de Bretagne (Nantes), musée Pointe-à-Callière (Montréal) et Somogy éditions d'art, 2005.

FRÉNETTE, Yves, RIVARD, Étienne, et SAINT-HILAIRE, Marc, dir., *Atlas historique du Québec. La francophonie nord-américaine*, Québec, Presses de l'université Laval, 2012.

GREER, Allan, *The People of New France*, Toronto, University of Toronto Press, 1997 ; *Brève histoire des peuples de la Nouvelle-France*, Montréal, Boréal, 1998.

JOUTARD, Philippe, et WIEN, Thomas, dir., *Mémoires de Nouvelle-France. De France en Nouvelle-France*, Rennes, Presses universitaires de Rennes, 2005.

LESCHEVIN D'ÈRE, Florence et VIARD, Georges, dir., *Les Français à la découverte des premières nations en Nouvelle-France, de 1534 à la Grande paix de Montréal de1701*, Langres-Montréal, Jeanne Mance ANACA/Société historique et archéologique de Langres, 2004.

MARTINIÈRE Guy, et POTON, Didier, dir., *Le Nouveau-Monde et Champlain*, Paris, Les Indes Savantes, 2008.

MATHIEU, Jacques, *La Nouvelle-France. Les Français en Amérique du Nord, XVIe-XVIIIe siècle*, Paris/Québec, Belin/Presses de l'université Laval, 1991.

MIQUELON, Dale, *New France, 1701-1744 : A Supplement to Europe*, Toronto, McClelland & Stewart, 1989.

MOOGK, Peter N., *La Nouvelle-France. The Making of French Canada – A Cultural History*, East Lansing, Michigan State University Press, 2000.

PRITCHARD, James, *In Search of Empire : The French in the Americas, 1670-1730*, Cambridge et New York, Cambridge University Press, 2004.

TRUDEL, Marcel, *Histoire de la Nouvelle-France*, t. 2, *Le comptoir, 1604-1627*, Montréal, Fides, 1966 ; t. 3, *La seigneurie des Cent-Associés, ibid.*, 2 vol., 1979 ; t. 4, *La seigneurie de la Compagnie des Indes Occidentales, 1663-1674, ibid.*, 1997.

TRUDEL, Marcel, *Initiation à la Nouvelle-France*, Montréal/Toronto, Holt, Rinehart et Winston Ld, 1968.

WIEN, Thomas, VIDAL Cécile, et FRÉNETTE, Yves, dir., *De Québec à l'Amérique française. Histoire et mémoire*, Québec, Presses de l'université Laval, 2006.

Le XVIᵉ siècle

ALLAIRE, Bernard, *Pelleteries, manchons et chapeaux de castor. Les fourrures nord-américaines à Paris, 1500-1632*, Sillery/Paris, Septentrion/Presses de l'université de la Sorbonne, 1999.

LESTRINGANT, Frank, *Le Huguenot et le Sauvage. L'Amérique et la controverse coloniale, en France, au temps des guerres de Religion (1555-1589)*, Paris, Aux Amateurs du Livre-Klincksieck, 1990.

LESTRINGANT, Frank, *L'Expérience huguenote au Nouveau Monde (XVIᵉ siècle)*, Genève, Librairie Droz, 1996.

LUSSAGNET, Suzanne, éd., *Les Français en Amérique pendant la deuxième moitié du XVIᵉ siècle*, II : *Les Français en Floride*, Paris, PUF, 1958.

MCGRATH, John T., *The French in Early Florida. In the Eye of the Hurricane*, Gainesville, University Press of Florida, 2000.

TRUDEL, Marcel, *Histoire de la Nouvelle-France*, t. 1, *Les vaines tentatives, 1524-1603*, Montréal, Fides, 1963.

TURGEON, Laurier, « Bordeaux and the Newfoundland Trade During the Sixteenth Century », *International Journal of Maritime History*, vol. 9, nᵒ 2, 1997, p. 1-28.

TURGEON, Laurier, « French Fishers, Fur Traders and Amerindians During the 16ᵗʰ Century : History and Archaeology », *William and Mary Quarterly*, vol. 60, nᵒ 4, 1998, p. 585-610.

L'Acadie et l'île Royale

BRASSEAUX, Carl A., « *Scattered in the Wind* ». *Dispersal and Wanderings of the Acadians, 1755-1809*, Lafayette, La, The Center for Louisiana Studies, University of Southwestern Louisiana, Louisiana Life Series, nᵒ 6, 1991.

DAIGLE, Jean, « Acadia from 1604 to 1763 : An Historical Synthesis », in Jean DAIGLE, éd, *Acadia of the Maritimes : Thematic Studies from the Beginning to the Present*, Moncton, 1995.

GRIFFITHS, Naomi E. S., *The Contexts of Acadian History, 1686-1784*, Montréal, Kingston et Londres, Mc-Gill-Queen's University Press, 1992 ; *L'Acadie de 1686 à 1784 : contexte d'une histoire*, Moncton, Éditions d'Acadie, 1997.

JOHNSTON, A. J. B., *La religion dans la vie à Louisbourg 1713-1758*, Hull (Québec), Service canadien des parcs d'Environnement Canada, 1988 (1re édition anglaise 1984).

JOHNSTON, A. J. B., *Control and Order in French Colonial Louisbourg, 1713-1758*, East Lansing, Michigan State University Press, 2001.

KRAUSE, Eric, *et al.*, éd., *Aspects of Louisbourg. Essays on the History of an Eighteenth Century French Community in North America Published to Commemorate the 275th Anniversary of the Founding of Louisbourg*, Sydney, Nova Scotia, The University College of Cape Breton Press, The Louisbourg Institute, 1995.

PLANK, Geoffrey, *An Unsettled Conquest. The British Campaign against the Peoples of Acadia*, Philadelphie, University of Pennsylvania Press, 2001.

THIERRY, Éric, *Marc Lescarbot (vers 1570-1641). Un homme de plume au service de la Nouvelle-France*, Paris, Honoré Champion, 2001.

La vallée du Saint-Laurent

BELMESSOUS, Saliha, « Être français en Nouvelle-France : Identité française et identité coloniale aux dix-septième et dix-huitième siècles », *French Historical Studies*, vol. 27, n° 3, p. 507-540.

BOUCHARD, Gérard, *Genèse des nations et cultures du Nouveau Monde. Essai d'histoire comparée*, Montréal, Boréal, 2000.

BOUDREAU, Claude, *et al.*, dir., *Atlas historique du Québec. Le Territoire*, Sainte-Foy, Presses de l'université Laval/Archives nationales du Québec, 1997.

CARPIN, Gervais, *Histoire d'un mot. L'ethnonyme Canadien de 1535 à 1691*, Sillery, Les Cahiers du Septentrion, 1995.

CARPIN, Gervais, *Le Réseau du Canada. Étude du mode migratoire de la France vers la Nouvelle-France (1628-1662)*,

Sillery/Paris, Septentrion/Presses de l'université de Paris-Sorbonne, 2001.

CHARBONNEAU, André, *et al.*, *Québec, ville fortifiée du XVIᵉ au XIXᵉ siècle*, Québec, Éditions du Pélican, 1982.

CHARBONNEAU, Hubert, *et al.*, *Naissance d'une population : les Français établis au Canada au XVIIᵉ siècle*, Paris/Montréal, Institut national d'études démographiques/PUF/PUM, 1987.

CHOQUETTE, Leslie, *Frenchmen into Peasants. Modernity and Tradition in the Peopling of French Canada*, Cambridge, Ma, Harvard University Press, 1997 ; *De Français à paysans. Modernité et tradition dans le peuplement du Canada français*, Sillery/Paris, Septentrion/Presses de l'université de Paris-Sorbonne, 2001.

CLICHE, Marie-Aimée, *Les Pratiques de dévotion en Nouvelle-France. Comportements populaires et encadrement ecclésial dans le gouvernement de Québec*, Québec, Presses de l'université Laval, 1988.

COURVILLE, Serge, dir., *Atlas historique du Québec. Population et territoire*, Sainte-Foy, Presses de l'université Laval, 1996.

DECHÊNE, Louise, *Habitants et marchands de Montréal au XVIIᵉ siècle*, Paris et Montréal, Plon, 1974.

DECHÊNE, Louise, *Le Partage des subsistances au Canada sous le Régime français*, Montréal, Boréal, 1994.

DÉPATIE, Sylvie, *et al.*, *Contributions à l'étude du régime seigneurial canadien*, La Salle, Québec, Hurtubise HMH, 1987.

DÉPATIE, Sylvie, *et al.*, *Vingt ans après Habitants et marchands. Lectures de l'histoire des XVIIᵉ et XVIIIᵉ siècles canadiens*, Montréal/Kingston/Londres/Buffalo, Mc Gill-Queen's University Press, 1998.

FRÉGAULT, Guy, *La Civilisation de la Nouvelle-France*, Montréal, Fides, 1944.

FRÉGAULT, Guy, *Le XVIIIᵉ Siècle canadien. Études*, Montréal, HMH, 1968.

FRÉGAULT, Guy, *Histoire de la Nouvelle-France,* t. 9 : *La Guerre de la Conquête*, Montréal, Fides, 1975.

GADOURY, Lorraine, *La Noblesse de Nouvelle-France. Familles et alliances*, Montréal, Hurtubise HMH, 1992.

GAUVREAU, Danielle, *Québec. Une ville et sa population au temps de la Nouvelle-France*, Sillery, Presses de l'université du Québec, 1991.

GREER, Allan, *Peasant, Lord, and Merchant : Rural Society in Three Quebec Parishes, 1740-1840*, Toronto, University of Toronto Press, 1985 ; *Habitants, marchands et seigneurs : la société rurale du bas Richelieu, 1740-1840*, Sillery, Septentrion, 2002.

HAMELIN, Jean, *Économie et société en Nouvelle-France*. Québec, Presses de l'université de Laval, 1970 (3ᵉ édition).

HARE, John, *et al.*, *Histoire de la ville de Québec 1608-1871*, Montréal, Boréal/Musée canadien des civilisations, 1987.

HORGUELIN, Christophe, *La Prétendue République. Pouvoir et société au Canada, 1645-1675*, Sillery, Septentrion, 1997.

JAENEN, Cornelius J., *The Role of the Church in New France*, Toronto, Mc GrawHill Ryerson, 1976.

LACHANCE, André, *Crimes et criminels en Nouvelle-France*, Montréal, Boréal Express, 1984.

LACHANCE, André, *La Vie urbaine en Nouvelle-France*, Montréal, Boréal, 1987.

LACHANCE, André, éd., *Les Marginaux, les Exclus et l'Autre au Canada aux XVIIᵉ-XVIIIᵉ siècles*, Montréal, Fides, 1996.

LAMBERT, Phyllis, et STEWART, Alan M., *Montréal, ville fortifiée au XVIIIᵉ siècle*, Montréal, Centre canadien d'architecture, 1992.

LANCTOT, Gustave, *Histoire du Canada*, t. 3, Montréal, Librairie Beauchemin Limitée, 1964.

LANDRY, Yves, *Orphelines en France, pionnières au Canada. Les filles du roi au XVIIᵉ siècle*, Montréal, Leméac, 1992.

LANDRY, Yves, éd., *Pour le Christ et le Roi. La vie au temps des premiers Montréalais*, Montréal, Libre Expression, Art Global, 1992.

LARIN, Robert, *Brève histoire du peuplement européen en Nouvelle-France*, Sillery, Septentrion, 2000.

LAVALLÉE, Louis, *La Prairie en Nouvelle-France 1647-1760, Étude d'histoire sociale*, Montréal et Kingston, McGill-Queen's University Press, 1993.

LE COLLECTIF CLIO, *L'Histoire des femmes au Québec depuis quatre siècles*, Montréal, Quinze, 1982.

LEMIEUX, Denise, *Les Petits Innocents. L'enfance en Nouvelle-France*, Institut québécois de recherche sur la culture, Montréal, Presses de l'université de Montréal, 1986.

LUNN, Alice Jean E., « Développement économique de la Nouvelle-France, 1713-1760 », thèse de Ph. D., Mc Gill University, 1942.

MATHIEU, Jacques, *Le Commerce entre la Nouvelle-France et les Antilles au XVIII*e *siècle*, Montréal, Fides, 1981.

MATHIEU, Jacques, et COURVILLE, Serge, dir., *Peuplement colonisateur aux XVII*e *et XVIII*e *siècles*, Cahiers du Célat n° 8, novembre 1987.

MOUGEON, R., et BENIAK, E., *Les Origines du français québécois*, Sainte-Foy, Presses de l'université Laval, 1994.

NISH, Cameron, *Les Bourgeois-Gentilshommes de la Nouvelle-France, 1729-1748*, Montréal, Fides, 1968.

PAQUET, Gilles, et WALLOT Jean-Pierre, « Nouvelle-France/Québec/Canada : A World of Limited Identities », in Nicholas CANNY et Anthony PAGDEN, dir., *Colonial Identity in the Atlantic World*, Princeton, Princeton University Press, 1987.

PLOURDE, M., dir., *Le Français au Québec. 400 ans d'histoire et de vie*, Montréal, Fides, 2000.

TRUDEL, Marcel, *Histoire de la Nouvelle-France*, t. 10, *Le Régime militaire et la Disparition de la Nouvelle-France, 1759-1764*, Montréal, Fides, 1999.

TRUDEL, Marcel, *Mythes et réalités dans l'histoire du Québec*, Montréal, Hurtubise HMH, 2001.

VAUGEOIS, Denis, et LITALIEN, Raymonde, *Champlain. La naissance de l'Amérique française*, Sillery, Septentrion, 2004.

Les Pays d'en Haut

BROWN, Jennifer S. H., et PETERSON, Jacqueline, éd., *The New Peoples : Being and Becoming Metis in North America*, Lincoln, University of Nebraska Press, 1985.

DOWD, Gregory E., *War under Heaven. Pontiac, The Indian Nations & the British Empire*, Baltimore et Londres, The Johns Hopkins University Press, 2002.

EDMUNDS, David R., et PEYSER, Joseph L., *The Fox Wars : The Mesquakie Challenge to New France*, Norman, University of Oklahoma Press, 1993.

HAVARD, Gilles, *Empire et métissages : Indiens et Français dans le Pays d'En Haut, 1660-1715*, Sillery/Paris, Septentrion/ Presses de l'université de Paris-Sorbonne, 2003.

HAVARD, Gilles, « La domestication intellectuelle des Grands Lacs dans la seconde moitié du XVIIᵉ siècle », in Charlotte de CASTELNAU et François RÉGOURD, dir., *Connaissances et pouvoirs. Les espaces impériaux*, Bordeaux, Presses universitaires de Bordeaux, 2005, p. 63-81.

JACQUIN, Philippe, *Les Indiens blancs : Français et Indiens en Amérique du Nord, XVIᵉ-XVIIIᵉ siècles*, Paris, Payot, 1987.

JAENEN, Cornelius J., « La présence française dans le Pays d'En Haut », in Ronald CREAGH, éd., *Les Français des États-Unis d'hier à aujourd'hui*, Actes du colloque international sur les Français des États-Unis, Montpellier, 1994, p. 11-24.

JAENEN, Cornelius J., « Colonisation compacte et colonisation extensive aux XVIIᵉ et XVIIIᵉ siècles en Nouvelle-France », in Alain SAUSSOL et Joseph ZITOMERSKY, *Colonies, territoires, sociétés : l'enjeu français*, Paris, L'Harmattan, 1996, p. 15-22.

JAENEN, Cornelius J., éd., *The French Regime in the Upper Country of Canada during the Seventeenth Century*, The Publications of the Champlain Society, Ontario Series, vol. 16, Toronto, 1996.

SLEEPER-SMITH, Susan, *Indian Women and French Men. Rethinking Cultural Encounter in the Western Great Lakes*, Amherst, University of Massachusetts Press, 2001.

WHITE, Richard, *The Middle Ground. Indians, Empires and Republics in the Great Lakes Region, 1650-1815*, Cambridge, Cambridge University Press, 1991.

Le Pays des Illinois

ALVORD, Clarence W., *The Illinois Country, 1673-1818*, Centennial History of Illinois, vol. I, Chicago, A. C. Mc Clurg & Cy., 1920.

BALESI, Charles J., *The Time of the French in the Heart of North America, 1673-1818*, Chicago, Alliance française, 1992.

BELTING, Natalia M., *Kaskaskia under the French Regime*, Urbana, Illinois, The University of Illinois Press, 1948.

BRIGGS, Winstanley, « The Forgotten Colony : Le Pays des Illinois », thèse de Ph. D., University of Chicago, 1985.

BROWN, Margaret K., et DEAN, Lawrie C., *The French Colony in the Mid-Mississippi Valley*, Carbondale, American Kestrel Books, 1993.

BROWN, Margaret K., *The Voyageur in the Illinois Country, The Fur Trade's Professional Boatman in Mid America*, Naperville, Il, Center for French Colonial Studies, 2002.

EKBERG, Carl J., *Colonial Ste. Genevieve*, Gerald, Missouri, The Patrice Press, 1985.

EKBERG, Carl J., *French Roots in the Illinois Country, The Mississippi Frontier in Colonial Times*, Urbana, The University of Illinois Press, 1998.

EKBERG, Carl J., *François Vallé and his World. Upper Louisiana Before Lewis and Clark*, Columbia et Londres, University of Missouri Press, 2002.

HINDERAKER, Eric, *Elusive Empires. Constructing Colonialism in the Ohio Valley, 1673-1800*, Cambridge, Cambridge University Press, 1997.

LESSARD, Rénald, MATHIEU, Jacques, et GOUGER, Lina, « Peuplement colonisateur au pays des Illinois » dans Philip P. BOUCHER et Serge COURVILLE, dir., *Proceedings of the Twelfth Meeting of the French Colonial Historical Society, Ste Genevieve, Missouri, May 1986*, Lanham, University Press of America, 1988, p. 57-68.

VIDAL, Cécile, « Les implantations françaises au pays des Illinois au XVIIIe siècle (1699-1763) », thèse de doctorat d'histoire, Paris, EHESS, 1995.

La Louisiane

ALLAIN, Mathé, « *Not Worth a Straw* » : *French Colonial Policy and the Early Years of Louisiana*, Lafayette, University of Southwestern Louisiana, The Center for Louisiana Studies, 1988.

ARNOLD, Morris S., *Colonial Arkansas, 1686-1804. A Social and Cultural History*, Fayetteville, The University of Arkansas Press, 1991.

AUBERT, Guillaume, « "Français, Nègres et Sauvages" : Constructing Race in Colonial Louisiana », thèse de Ph. D., La Nouvelle-Orléans, Tulane University, 2002.

AUBERT, Guillaume, « "The Blood of France" : Race and Purity of Blood in the French Atlantic World », *William and Mary Quarterly*, 3d Series, vol. LXI, n° 3, 2004, p. 439-478.

BOND, Bradley G., dir., *French Colonial Louisiana and the Atlantic World*, Baton Rouge, Louisiana State University Press, 2005.

BRASSEAUX, Carl A., *The Founding of New Acadia : the Beginnings of Acadian Life in Louisiana, 1765-1803*, Baton Rouge, Louisiana State University Press, 1987.

BRASSEAUX, Carl A., éd., *A Refuge for All Ages : Immigration in Louisiana History*, Lafayette, La, Center for Louisiana Studies, University of Southwestern Louisiana, 1996.

BRASSEAUX, Carl A., éd., *France's Forgotten Legion, A CD-ROM Publication, Service Records of French Military and Administrative Personnel Stationed in the Mississippi Valley and Gulf Coast Region, 1699-1769*, Baton Rouge, Louisiana State University Press, 2000.

CARON, Nathalie, et WULF, Naomi, dir., *The Lewis and Clark Expedition*, Nantes, éditions du Temps, 2005.

CLARK, Emily, « "By All The Conduct of Their Lives" A Laywomen's Confraternity in New Orleans, 1730-1744 » *William and Mary Quarterly*, 3d Series, vol. LIV, n° 4, octobr 1997, p. 769-794.

CLARK, John G., *New Orleans, 1718-1812 : An Economi History*, Baton Rouge, Louisiana State University Press, 1970

CONRAD, Glenn R., éd., *The French Experience in Louisiana*, Lafayette, La, Center for Louisiana Studies, University of Southwestern Louisiana, 1995.

COSSÉ, Caryn, *Revolution, Romanticism, and the Afro-Creole Protest Tradition in Louisiana 1718-1868*, Baton Rouge, Louisiana State University Press, 1997.

DAWDY, Shannon Lee, « La Ville Sauvage : "Enlightened" Colonialism and Creole Improvisation in New Orleans, 1699-1769 », thèse de Ph. D., University of Michigan, 2003.

DIN, Gilbert C., et HARKINS, John E., *The New Orleans Cabildo : Colonial Louisiana's First City Government, 1769-1803*, Baton Rouge, Louisiana State University Press, 1996.

FRÉGAULT, Guy, *Le Grand Marquis, Pierre Rigaud de Vaudreuil et la Louisiane*, Montréal, Fides, 1952.

GIRAUD, Marcel, *Histoire de la Louisiane française*, t. 1, *Le règne de Louis XIV (1698-1715)*, Paris, PUF, 1953 ; t. 2, *Les années de transition (1715-1717)*, 1958 ; t. 3, *L'époque de John Law (1717-1720)*, 1966 ; t. 4, *La Louisiane après le sytème de Law (1721-1723)*, 1974 ; t. 5, *A History of French Louisiana, The Compagny of the Indies, 1723-1731*, Baton Rouge, Louisiana State University Press, 1991.

GOURMELON, Hervé, *Le Chevalier de Kerlérec, 1704-1770. L'affaire de la Louisiane. Un déni de justice sous le règne de Louis XV*, Saint-Jacques-de-la-Lande et Paris, les Portes du large et Keltia graphic, 2003.

HANGER, Kimberley S., *Bounded Lives, Bounded Places : Free Black Society in Colonial New Orleans, 1769-1803*, Durham, NC, Duke University Press, 1997.

HERO, Alfred Oliver, Jr., *Louisiana and Quebec. Bilateral Relations and Comparative Sociopolitical Evolution, 1673-1993*, Lanham/New York/Londres, University Press of America, 1995.

KASTOR, Peter J., *The Nation's Crucible : The Louisiana Purchase and the Creation of America*, New Haven, Yale University Press, 2004.

KASTOR, Peter J., et WEIL, François, dir., *Empires of the Imagination : Transatlantic Histories of the Louisiana Purchase*, Charlottesville, University of Virginia Press, 2009.

KONFERT, Reinhard, *The Germans of Colonial Louisiana 1720-1803*, Stuttgart, H-D Heinz, 1990.

MCDERMOTT, John F., éd., *The French in the Mississippi Valley*, Urbana, University of Illinois Press, 1965.

MCDERMOTT, John F., éd., *Frenchmen and French Ways in the Mississippi Valley*, Urbana, University of Illinois Press, 1969.

O'NEILL, Charles E., *Church and State in French Colonial Louisiana : Policy and Politics to 1732*, New Haven, Yale University Press, 1966.

SAADANI, Khalil, « Une colonie dans l'impasse : la Louisiane française, 1731-1743 », thèse de doctorat d'histoire, Paris, EHESS, 1993.

SPEAR, Jennifer M., « "They Need Wives". Métissage and the Regulation of Sexuality in French Louisiana, 1699-1730 », in Martha HODES, éd, *Sex, Love, Race. Crossing Boundaries in North American History*, New York et Londres, New York University Press, 1999, p. 40-46.

SPEAR, Jennifer, « "Whiteness and Purity of Blood" : Race, Sexuality, and Social Order in Colonial Louisiana », thèse de Ph.D. (histoire), University of Minnesota, 1999.

SPEAR, Jennifer M., « Colonial Intimacies : Legislating Sex in French Louisiana », *William and Mary Quarterly*, 3d Series, vol. LX, n° 1, 2003, p. 75-90.

SURREY, Nancy M., *The Commerce of Louisiana during the French Regime, 1699-1763*, New York, Longmans, Green & Co., 1916.

VAUGEOIS, Denis, *America, 1803-1853 : l'expédition de Lewis et Clark et la naissance d'une nouvelle puissance*, Sillery, Septentrion, 2002.

VIDAL, Cécile, « French Louisiana in the Age of the Companies, 1712-1731 », in Lou H. ROPER et Bertrand VAN-RUYMBEKE, éd., *Constructing Early Modern Empires. Proprietary Ventures in the Atlantic World, 1500-1750*, Leiden, Brill, 2007, p. 153-189.

VILLIERS DU TERRAGE, Marc de, *Les Dernières Années de la Louisiane française*, Paris, E. Guimolto éd., 1904.

WADE, Michael G., éd., *The Louisiana Purchase*, Lafayette La, Center for Louisiana Studies, University of Southwestern Louisiana, 1999.

WHITE, Sophie, « "This Gown… Was Much Admired and Made Many Ladies Jealous". Fashion and the Forging of Elite Identities in French Colonial New Orleans », in Tamara HARVEY et Greg O'BRIEN, éd., *George Washington's South*, Gainesville, University Press of Florida, 2004, p. 86-118.

WILSON, Samuel, *The Architecture of Colonial Louisiana*, Lafayette, La, Center for Louisiana Studies, University of Southwestern Louisiana, 1987.

ZITOMERSKY, Joseph, « Espace et société en Amérique coloniale française dans le contexte comparatif du Nouveau Monde », in Ronald CREAGH, éd., *Les Français des États-Unis d'hier à aujourd'hui*, Actes du colloque international sur les Français des États-Unis, Montpellier, 1994, p. 43-74.

ZITOMERSKY, Joseph, « Ville, État, implantation et société en Louisiane française », in Alain SAUSSOL et Joseph ZITO-MERSKY, *Colonies, territoires, sociétés : l'enjeu français*, Paris, L'Harmattan, 1996, p. 23-48.

ZITOMERSKY, Joseph, « In the Middle and on the Margin : Greater French Louisiana in History and in Professional Historical Memory » in C. FÉRAL, éd., *Alizés, numéro spécial : le citoyen dans l'empire du milieu. Perspectives comparatistes*, Faculté des lettres et des sciences humaines, université de la Réunion, mars 2001, p. 201-264.

Les Indiens

ARNOLD, M. A., *The Rumble of a Distant Drum. The Quapaws and Old World Newcomers, 1673-1804*, Fayetteville, The University of Arkansas Press, 2000.

ANDERSON, Fred, *Crucible of War. The Seven Years' War and the Fate of Empire in British North America, 1754-1766*, New York, Vintage Books, 2000.

BALVAY, Arnaud, « L'épée et la plume : Amérindiens et soldats des troupes de la Marine en Louisiane et au Pays d'en Haut, 1683-1763 », thèse de doctorat d'histoire, université Paris I/université Laval, 2004.

BELMESSOUS, Saliha, « D'un préjugé culturel à un préjugé racial. La politique indigène de la France au Canada », thèse de doctorat d'histoire, EHESS, Paris, 1999.

BEAULIEU, Alain, *Convertir les fils de Caïn. Jésuites et Amérindiens nomades en Nouvelle-France, 1632-1642*, Québec, Nuit blanche, 1994.

BEAULIEU, Alain, *Les Autochtones du Québec*, Montréal, Musée de la civilisation et éditions Fides, 1997.

DELÂGE, Denys, *Le Pays renversé. Amérindiens et Européens en Amérique du Nord-Est*, Montréal, Boréal Express, 1985.

DELÂGE, Denys, « L'influence des Amérindiens sur les Canadiens et les Français au temps de la Nouvelle-France », *Lekton*, n° 2, 1992, p. 103-191.

DESBARATS, Catherine, « The Cost of Early Canada's Native Alliances : Reality and Scarcity's Rhetoric », *William and Mary Quarterly*, vol. 7, n° 4, 1995, p. 609-630.

DICKASON, Olive P., *Le Mythe du sauvage*, Sillery, Septentrion, 1993 (1984).

DICKINSON, John A., « Les Amérindiens et les débuts de la Nouvelle-France », in G. DOTOLI, éd., *Canada ieri e oggi*, Atti del 6e convegno internazionale di studi canadesi, « Bibliotheca della Ricerta, Cultura Straniera, 13 », Bari, Schena editore, 1987, p. 87-108.

DUVAL, Kathleen Anne, « "Faithful Nations" and "Ruthless Savages" : The Rise and Fall of Indian Diplomacy in the Arkansas River Valley, 1673-1828 », thèse de Ph.D., University of California at Davis, 2001.

FOGELSON, Raymond D., dir., *Handbook of North American Indians*, vol. 14, *Southeast*, Washington, Smithsonian Institution, 2004.

GALLAY, Alan, *The Indian Slave Trade, The Rise of the English Empire in the American South, 1670-1717*, New Haven, Yale University Press, 2002.

GALLOWAY, Patricia K., éd., *La Salle and his Legacy, Frenchmen and Indians in the Lower Mississippi Valley*, Jackson, University Press of Mississippi, 1982.

GRABOWSKI, Jan, « Les Amérindiens domiciliés et la "contrebande" des fourrures en Nouvelle-France », *R.A.Q.* vol. 24, n° 3, 1994, p. 45-52.

GRABOWSKI, Jan, « Le petit commerce entre les Trifluviens et les Amérindiens en 1665-1667 », *R.A.Q.*, vol. 28, n° 1, 1998, p. 105-121.

GREER, Allan, *Mohawk Saint : Catherine Tekakwitha and the Jesuits*, New-York et Oxford, Oxford University Press, 2005.

HATLEY, M. Thomas, WASELKOV, Gregory A. et WOOD, Peter H., éd., *Powhatan's Mantle. Indians in the Colonial Southeast*, Lincoln/Londres, University of Nebraska Press, 1989.

HAVARD, Gilles, *La Grande Paix de Montréal de 1701 : les voies de la diplomatie franco-amérindienne*, Montréal, Recherches amérindiennes au Québec, 1992 ; *The Great Peace of Montreal of 1701 : French-Native Diplomacy in the Seventeenth Century*, Montréal/Kingston, Mc Gill-Queen's University Press, 2001.

JAENEN, Cornelius J., *Friend and Foe : Aspects of French-Amerindian Cultural Contact in the Sixteenth and Seventeenth Centuries*, New York, Columbia University Press, 1976.

JAENEN, Cornelius J., *Les Relations franco-amérindiennes en Nouvelle-France et en Acadie*, Ottawa, Affaires indiennes et du Nord-Canada, 1985.

JENNINGS, Francis, *Empire of Fortune. Crowns, Colonies & Tribes in the Seven Years War in America*, New York, Londres, W. W. Norton & Company, 1988.

JETTEN, Marc, *Enclaves amérindiennes. Les réductions du Canada, 1637-1701*, Sillery, Septentrion, 1994.

MORIN, Michel, *L'Usurpation de la souveraineté autochtone. Le cas des peuples de la Nouvelle-France et des colonies anglaises d'Amérique du Nord*, Montréal, Boréal, 1997.

RICHTER, Daniel K., *The Ordeal of the Longhouse : The Peoples of the Iroquois League in the Era of European Colonization*, Chapel Hill, University of North Carolina Press, 1992.

SAWAYA, Jean-Pierre, *La Fédération des Sept-feux de la vallée du Saint-Laurent, XVIIᵉ-XIXᵉ siècle*, Sillery, Septentrion, 1998.

SAYRE, Gordon M., *Les Sauvages Américains. Representations of Native Americans in French and English Colonial Literature*, Chapel Hill et Londres, University of North Carolina Press, 1997.

TRIGGER, Bruce G., dir., *Handbook of North American Indians*, vol. 15, *Northeast*, Washington, Smithsonian Institution, 1978.

TRIGGER, Bruce G., *Les Indiens, la Fourrure et les Blancs*, Montréal/Paris, Boréal/Seuil, 1990 (1985).

TURGEON Laurier, Denys DELÂGE, et OUELLET, Réal, dir., *Transferts culturels et métissages, Amérique/Europe, XVIe-XXe siècle*, Québec, Presses de l'université Laval, 1996.

USNER, Daniel H., Jr, *Indians, Settlers and Slaves in a Frontier Exchange Economy*, Chapel Hill, University of North Carolina Press, 1992.

USNER, Daniel H., Jr., *American Indians in the Lower Mississippi Valley : Social and Economic Histories*, Lincoln/Londres, University of Nebraska Press, 1998.

VAUGEOIS, Denis, dir., *Les Hurons de Lorette*, Sillery, Septentrion, 1996.

WHITE, Richard, *The Roots of Dependency. Subsistence, Environment, and Social Change among the Choctaws, Pawnees, and Navajos*, Lincoln/Londres, University of Nebraska Press, 1983.

ZITOMERSKY, Joseph, « The Form and Function of French-Native American Relations in Early Eighteenth-Century French Colonial Louisiana », in *Proceedings of the Fifteenth Meeting of the French Colonial Historical Society, Martinique and Guadeloupe, May 1989*, Patricia Galloway et Philip P. Boucher, éd., Lanham/New York/Londres, University Press of America, 1992, p. 154-177.

ZITOMERSKY, Joseph, *French Americans-Native American in Eighteenth-Century French Colonial Louisiana. The Population Geography of the Illinois Indians, 1670s-1760s*, Lund Suède, Lund University Press, 1994.

L'esclavage

ALLAIN, Mathé, « Slaves Policies in French Louisiana » *Louisiana History*, printemps 1980, vol. XXI, n° 2, p. 127-138.

BRASSEAUX, Carl A., « The Administration of Slave Regulations in French Louisiana, 1724-1766 », *Louisiana History*, printemps 1980, vol. XXI, n° 2, p. 139-158.

CARON, Peter, « "Of a nation which the others do not understand" : Bambara Slaves and African Ethnicity in Colonial Louisiana, 1718-60 », *Slavery and Abolition*, vol. 18, n° 1, 1997, p. 98-121.

CLARK, Emily, et GOULD, Virginia Meacham, « The Feminine Face of Afro-Catholicism in New Orleans, 1727-1852 », *William and Mary Quarterly*, 3d Series, vol. LIX, n° 2, avril 2002, p. 409-448.

DIN, Gilbert C., *Spaniards, Planters, and Slaves. The Spanish Regulation of Slavery in Louisiana, 1763-1803*, College Station, Texas A&M University Press, 1999.

EKBERG, Carl J., « Black Slavery in Illinois, 1720-1765 », *Western Illinois Regional Studies*, printemps 1989, p. 5-17.

HAAS, Edward F., KEMP, John R., et MACDONALD, Robert R., dir., *Louisiana's Black Heritage*, New Orleans, Louisiana State Museum, 1979.

HALL, Gwendolyn M., *Africans in Colonial Louisiana. The Development of Afro-Creole Culture in the 18 th Century*, Baton Rouge/Londres, Louisiana State University Press, 1992.

INGERSOLL, Thomas N., *Mammon and Manon in Early New Orleans. The First Slave Society in the Deep South, 1718-1819*, Knoxville, The University of Tennessee Press, 1999.

LE GLAUNEC, Jean-Pierre, « Slave Migrations in Spanish and Early American Louisiana : New Sources and New Estimates », *Louisiana History*, vol. XLVI, n° 2, 2005, p. 185-209 et 211-230.

MAC GOWAN, James T., « Creation of a Slave Society. Louisiana Plantations in the 18th Century », thèse de Ph. D., University of Rochester, 1976.

RUSHFORTH, Brett, « "A Little Flesh We Offer You" : The Origins of Indian Slavery in New France », *William and Mary Quarterly*, 3rd series, vol. LX, n° 4, 2003, p. 777-808.

TRUDEL, Marcel (avec la collaboration de Micheline D'Allaire), *Deux siècles d'esclavage au Québec*, Montréal, Hurtubise, Cahiers du Québec, coll. Histoire, 2004.

TRUDEL, Marcel, *Dictionnaire des esclaves et de leurs propriétaires au Canada français*, Montréal, Hurtubise HMH, 1990.

USNER, Daniel H., Jr., « From African Captivity to American Slavery : The Introduction of Black Laborers to Colonial Louisiana », *Louisiana History*, Hiver 1979, vol. XX, n° 1, p. 25-48.

VIDAL, Cécile, « Africains et Européens au pays des Illinois durant la période française (1699-1765) », *French Colonial History*, 2003, vol. 3, p. 51-68.

VIDAL, Cécile, « Private and State Violence Against African Slaves in Lower Louisiana During the French Period, 1699-1769 », in Thomas J. HUMPHREY et John SMOLENSKI, éd., *New World Orders : Violence, Sanction, and Authority in the Colonial Americas*, Philadelphie, University of Pennsylvania Press, 2005, p. 92-110 et 306-310.

VINCENT, Charles, éd., *The African American Experience in Louisiana, From Africa to the Civil War*, Lafayette, La, Center for Louisiana Studies, University of Southwestern Louisiana, 1999.

WHITE, Sophie, « "Wearing three or four handkerchiefs around his collar, and elsewhere about him" : Slaves' Constructions of Masculinity and Ethnicity in French Colonial New Orleans », *Gender and History*, vol. 15, n° 3, 2003, p. 528-549.

ZITOMERSKY, Joseph, « Race, esclavage et émancipation. La Louisiane créole à l'intersection des mondes français, antillais et américain », in M.-C. ROCHMANN, dir., *Esclavage et abolitions. Mémoires et systèmes de représentation*, Paris, Karthala, 2000, p. 283-308.

ZITOMERSKY, Joseph, « Culture, classe ou État ? Comment interpréter les relations raciales dans la Grande Louisiane française avant et après 1803 ? », in Marcel DORIGNY et Marie Jeanne ROSSIGNOL, dir., *La France et les Amériques au temps de Jefferson et de Miranda*, Paris, Société des études robespierristes, 2001, p. 63-89.

Bibliographie complémentaire (2019)

Sources

Sources manuscrites

CAILLOT, « Relation de Voyage de la Louisianne ou Nouv^lle France fait par le Sr CAILLOT en l'année 1730 », Historic New Orleans Collection.

Récits de voyage

BOUCHER, Pierre, *Histoire véritable et naturelle de la Nouvelle-France* [1664], postface de Thomas Wien, Montréal, Almanach, 2014.

CHAMPLAIN, Samuel de, *Les Fondations de l'Acadie et de Québec, 1604-1611*, éd. Éric Thierry, Sillery, Septentrion, 2008.

CHAMPLAIN, Samuel de, *À la rencontre des Algonquins et des Hurons, 1612-1619*, éd. Éric Thierry, Sillery, Septentrion, 2009.

CHAMPLAIN, Samuel de, *Au secours de l'Amérique française, 1632*, éd. Éric Thierry, Sillery, Septentrion, 2011.

CHAMPLAIN, Samuel de, *Espion en Amérique, 1598-1603*, éd. Éric Thierry, Sillery, Septentrion, 2013.

DUMONT DE MONTIGNY, *Regards sur le monde atlantique, 1715-1747*, éd. Carla Zecher, Gordon M. Sayre et Shannon Lee Dawdy, Sillery, Septentrion, 2008.

LE BEAU, Claude, *Avantures du sieur Claude Le Beau, avocat en parlement. Voyage curieux et nouveau parmi les Sauvages de l'Amérique septentrionale*, éd. Andréanne Vallée, Québec, Presses de l'université Laval, 2011

LE MOYNE DE MORGUES, Jacques, *Le Théâtre de la Floride. Autour de la Brève narration des événements qui arrivèrent aux Français en Floride, province d'Amérique, de Jacques Le Moyne de Morgues (1591)*, éd. et commentaire de Frank Lestringant, Paris, Presses universitaires de Paris-Sorbonne, 2017.

NICOLAS, Louis, *The Codex Canadensis and the Writings of Louis Nicolas. The Natural History of the New World. Histoire naturelle des Indes occidentales*, éd. François-Marc Gagnon, Tulsa/Montréal, Gilcrease Museum/McGill Queens University Press, 2011.

PERROT, Nicolas, *Mœurs, coutumes et religion des sauvages de l'Amérique septentrionale*, éd. P. Berthiaume, Montréal, Presses de l'université de Montréal, 2004.

RADISSON, Pierre-Esprit, *Pierre-Esprit Radisson. The Collected Writings*, éd. Germaine Warkentin, Toronto, Champlain Society, 2 vol., 2012-2014.

TRUTEAU, Jean-Baptiste : *A Fur Trader on the Upper Missouri : The Journal and Description of Jean-Baptiste Truteau, 1794-1796*, éd. R. J. DeMallie, D. R. Parks et R. Vézina, Lincoln, University of Nebraska Press, 2017.

VAUGINE DE NUISEMENT, Étienne-Martin de, *Journal de Vaugine de Nuisement*, éd. S. Canac-Marquis et P. Rézeau, Québec, Presses de l'université Laval, 2005.

Ouvrages généraux sur l'histoire coloniale française

BAILEY, Gauvin Alexander, *Architecture and Urbanism in the French Atlantic Empire : State, Church, and Society, 1604 1830*, Montréal, McGill-Queen's University Press, 2018.

BELMESSOUS, Sahila, dir., *Empire by Treaty : Negotiating European Expansion, 1600-1900*, New York, Oxford University Press, 2015.

DZIEMBOWSKI, Edmond, *La Guerre de Sept Ans, 1756 1763*, Québec, Septentrion, 2015.

HODSON, Christopher, *The Acadian Diaspora : An Eighteenth Century History*, Oxford, Oxford University Press, 2012.

HODSON, Christopher, et RUSHFORTH, Brett, « Absolutely Atlantic : Colonialism and the Early Modern French State in Recent Historiography », *History Compass*, vol. 8, n° 1, 2010, p. 101-117.

HOULLEMARE, Marie, « La fabrique des archives coloniales et la conscience impériale (France, XVIIIe siècle) », *Revue d'histoire moderne et contemporaine,* vol. 61, n° 2, 2014, p. 7-31.

HOULLEMARE, Marie, « La qualification du Nouveau Monde dans les textes législatifs français, XVIe-début XVIIe siècle », in Nicolas Lombart, dir., *Les Nouveaux Mondes juridiques. Du Moyen Âge au XVIIe siècle*, Paris, Classiques Garnier, 2015, p. 177-192.

HOULLEMARE, Marie, « (In)justices. Pratiques judiciaires coloniales et administration impériale française au XVIIIe siècle », Manuscrit inédit, Habilitation à diriger des recherches, Sorbonne Université, 2018.

LESUEUR, Boris, *Les Troupes coloniales d'Ancien Régime. Fidelitate per Mare et Terras*, Paris, SPM, coll. Kronos, 2014.

LLINARES, Sylviane, et ULBERT, Jörg, dir., *La Liasse et la Plume. Les bureaux du secrétariat d'État à la Marine sous l'Ancien Régime (1669-1792),* Rennes, Presses universitaires de Rennes, 2017.

LOUDER, Dean R., et WADDELL, Eric, dir., *Franco-Amérique*, Sillery, Septentrion, 2008.

MCCLELLAN III, James E., et REGOURD, François, *The Colonial Machine : French Science and Overseas Expansion in the Old Regime*, Turnhout, Brepols, 2011.

MOUSSETTE, Marcel, et WASELKOV, Gregory A., *Archéologie de l'Amérique coloniale française*, Montréal, Levesque éditeur, 2014.

ORAIN, Arnaud, *La Politique du merveilleux : Une autre histoire du Système de Law (1695-1795)*, Paris, Fayard, 2018.

RUGGIU, François-Joseph, « Une noblesse atlantique ? Le second ordre français de l'Ancien au Nouveau Monde », *Outre-Mers. Revue d'histoire*, vol. 97, n° 362-363, 2009, p. 39-53.

RUGGIU, François-Joseph, « Colonies, Monarchy, Empire and the French Ancien Régime », in Robert Aldrich et Cindy McCreery, dir., *Crowns and Colonies : European Monarchies and Overseas Empires,* Manchester, Manchester University Press, 2016, p. 194-210.

RUGGIU, François-Joseph, « Des Nouvelles France aux colonies. Une approche comparée de l'histoire impériale de la France de l'époque moderne », *Nuevo Mundo, Mundos Nuevos,* 2008.

VIDAL, Cécile, dir., *Français ? La nation en débat entre colonies et métropole, XVIe-XIXe siècle,* Paris, EHESS, 2014.

VUILLEMIN, Nathalie, et WIEN, Thomas, dir., *Penser l'Amérique. De l'observation à l'inscription,* Oxford, Oxford University Press, 2017.

Ouvrages généraux sur la Nouvelle-France

DESBARATS, Catherine, et WIEN, Thomas, dir., « Numéro spécial : La Nouvelle-France et l'Atlantique », *Revue d'histoire de l'Amérique française,* vol. 64, n° 3-4, 2011, p. 5-174.

DESBARATS, Catherine, et GREER, Allan, « Où est la Nouvelle-France ? », *Revue d'histoire de l'Amérique française,* vol. 64, n° 3-4, 2011, p. 31-62.

DESBARATS, Catherine, et GREER, Allan, « North America from the Top Down : Visions of New France », *Journal of Early American History,* vol. 5, n° 2, 2015, p. 109-136.

DESCHÊNES, Gaston, et VAUGEOIS, Denis, dir., *Vivre la Conquête,* 2 vol, Sillery, Septentrion, 2013-2014.

DEWAR, Helen, « "Y establir nostre auctorité" : Assertion of Imperial Sovereignty through Proprietorships and Chartered Companies in New France, 1598-1663 », thèse de doctorat, Toronto, University of Toronto, 2012.

FERLAND, Catherine, *Bacchus en Canada. Boissons, buveurs et ivresses en Nouvelle-France,* Québec, Septentrion, 2010.

FISHER, David Hackett, *Le Rêve de Champlain,* Montréal, Boréal, 2012.

FONCK, Bertrand, et VEYSSIÈRE, Laurent, dir., *La Chute de la Nouvelle-France : de l'affaire Jumonville au traité de Paris*, Québec, Septentrion, 2015.

FOURNIER, Marcel, dir., *Les Officiers des troupes de la Marine au Canada, 1683-1760*, Sillery, Septentrion, 2017.

GAGNÉ, Joseph, *Inconquis. Deux retraites françaises vers la Louisiane après 1760*, Sillery, Septentrion, 2016.

GREER, Allan, *La Nouvelle-Franceet le monde*, Montréal, Boréal, 2009.

GREER, Allan, « National, Transnational, and Hypernational Historiographies : New France Meets Early American History », *Canadian Historical Review*, vol. 91, n° 4, 2010, p. 695-724.

GREER, Allan, *Property and Dispossession : Natives, Empires and Land in Early Modern North America*, New York, Cambridge University Press, 2018.

HAVARD, Gilles, *Histoire des coureurs de bois, Amérique du Nord, 1600-1840*, Paris, Les Indes savantes, 2016.

HAVARD, Gilles, *L'Amérique fantôme. Les aventuriers francophones du Nouveau Monde*, Paris, Flammarion, 2019.

LAVOIE, Michel, *Le Domaine du roi, 1652-1859 : Souveraineté, contrôle, mainmise, propriété, possession, exploitation*, Sillery, Septentrion, 2010.

MAPP, Paul W., *The Elusive West and the Contest for Empire, 1713-1763*, Chapel Hill, University of North Carolina Press, 2011.

MORISSONNEAU, Christian (avec la collaboration de Maryse Chevrette et Isabelle La Fortune), *Le Rêve américain de Champlain*, Montréal, Hurtubise, 2009.

PALOMINO, Jean-François, « L'État et l'espace colonial : savoirs géographiques entre la France et la Nouvelle-France aux XVIIe et XVIIIe siècles », thèse de doctorat, université de Montréal, 2018.

THIERRY, Éric, *La France de Henri IV en Amérique du Nord. De la création de l'Acadie à la fondation de Québec*, Paris, Honoré Champion, 2008.

VAUGEOIS, Denis, LITALIEN, Raymonde, et PALOMINO, Jean-François, *La Mesure d'un continent. Atlas historique de l'Amérique du Nord, 1492-1814*, Sillery, Septentrion, 2007.

Le XVIᵉ siècle

AUGERON, Mickaël, *Les Corsaires de Dieu. Les huguenots et la guerre maritime dans la seconde moitié du XVIᵉ siècle (v. 1550-1598)*, à paraître en 2020.

AUGERON, Mickaël, DE BRY, John, et NOTTER, Annick, dir., *Floride, un rêve français, 1562-1565*, La Rochelle, Musée du Nouveau Monde, 2012.

TURGEON, Laurier, *Une histoire de la Nouvelle-France. Français et Amérindiens au XVIᵉ siècle*, Belin, 2019.

L'Acadie

GRIFFITHS, Naomi E. S., *From Migrant to Acadian : A North American Border People 1604-1755*, Montréal et Kingston, McGill-Queen's University Press, 2005.

LENNOX, Jeffers, *Homelands and Empires : Indigenous Spaces, Imperial Fictions, and Competition for Territory in Northeastern North America, 1690-1763*, Toronto, University of Toronto Press, 2017.

MOUHOT, Jean-François, *Les Réfugiés acadiens en France, 1758-1785. L'impossible réintégration ?*, Sillery, Septentrion, 2011.

La vallée du Saint-Laurent

BESSIÈRE, Arnaud, « La domesticité dans la colonie laurentienne au XVIIᵉ siècle et au début du XVIIIᵉ siècle », thèse d'histoire, université du Québec à Montréal/université Paris Sorbonne, 2007.

DECHÊNE, Louise, *Le Peuple, l'État et la guerre au Canada sous le Régime français*, Montréal, Boréal, 2008.

DESLANDRES, Dominique, « Femmes devant le tribunal du roi : la culture judiciaire des appelantes dans les archives de la juridiction royale de Montréal (1693-1760) », *Les Cahiers des Dix*, vol. 71, 2017, p. 35-63.

DESLANDRES, Dominique, DICKINSON, John A., et HUBERT, Ollivier, dir., *Les Sulpiciens de Montréal. Une histoire de pouvoir et de séduction, 1657–2007*, Montréal, Fides, 2007.

DESSUREAULT, Christian, *Le Monde rural québécois aux XVIIIe et XIXe siècles. Cultures, hiérarchies, pouvoirs*, Fides, 2018.

GALLAND, Caroline, *Pour la gloire de Dieu et du Roi. Les récollets en Nouvelle-France aux XVIIe et XVIIIe siècles*, Paris, Cerf, 2012.

GRENIER, Benoît, *Seigneurs campagnards de la nouvelle France. Présence seigneuriale et sociabilité rurale dans la vallée du Saint-Laurent à l'époque préindustrielle*, Rennes, Presses universitaires de Rennes, 2007.

GRENIER, Benoît, *Brève histoire du régime seigneurial*, Montréal, Boréal, 2012.

HARDY, Jean-Pierre, *Jardins et jardiniers laurentiens, 1669-1800. Creuse la terre, creuse le temps*, Québec, Septentrion, 2017.

LABERGE, Alain, avec la collaboration de Jacques Mathieu et Lina Gouger, *Portraits de campagnes : La formation du monde rural laurentien au XVIIIe siècle*, Québec, Presses de l'université Laval, 2012.

MIMEAULT, Mario, *La Pêche à la morue en Nouvelle-France*, Sillery, Septentrion, 2017.

PARSONS, Christopher M., *A Not-So-New World. Empire and Environment in French Colonial North America*, Philadelphia, University of Pennsylvania Press, 2018.

ROBICHAUD, Léon, « Les réseaux d'influence à Montréal au XVIIe siècle : structure et exercice du pouvoir en milieu colonial », thèse d'histoire, université de Montréal, 2008.

VALLIÈRES, Marc, DESLOGES, Yvon, HARVEY, Fernand, HÉROUX, Andrée, AUGER, Réginald, et LAMONTAGNE, Sophie-Laurence, avec CHARBONNEAU, André, *Histoire de Québec et de sa région*. Vol. 1, *Des origines à 1791*, Sainte-Foy, Presses de l'université Laval, 2008.

Les Pays d'en Haut

ENGLEBERT, Robert, « Merchant Representatives and the French River World, 1763-1803 », *Michigan Historical Review*, 34, 1, 2008, p. 63-82.

ENGLEBERT, Robert, et TEASDALE, Guillaume, dir., *French and Indians in the Heart of North America, 1630-1815*, East Lansing, Michigan State University Press, 2013.

SKINNER, Clairborne A., *The Upper Country : French Enterprise in the Colonial Great Lakes*, Baltimore, Johns Hopkins University Press, 2008.

ST-ONGE, Nicole, GILBERT, Anne, et FRENETTE, Yves, dir., « Les Pays d'en haut : lieux, cultures, imaginaires », *Francophonies d'Amérique*, n° 40-41, automne 2015-printemps 2016.

TEASDALE, Guillaume, *Fruits of Perseverance : The French Presence in the Detroit River Region, 1710-1815*, Montréal et Kingston, McGill-Queen's University Press, 2019.

VÉZINA, Robert, « Le lexique des voyageurs francophones et les contacts interlinguistiques dans le milieu de la traite des pelleteries : approche sociohistorique, philologique et lexicologique », thèse de doctorat, Faculté des lettres, université Laval, 2010.

Le Pays des Illinois

EKBERG, Carl J., et PERSON, Sharon, *St. Louis Rising : The French Regime of Louis St. Ange de Bellerive*, Urbana/Chicago, University of Illinois Press, 2015.

GITLIN, Jay, *The Bourgeois Frontier : French Towns, French Traders, and American Expansion*, New Haven, Yale University Press, 2010.

LEAVELLE, Tracy Neal, *The Catholic Calumet : Colonial Conversions in French and Indian North America*, Philadelphia, University of Pennsylvania Press, 2012.

MORRISSEY, Robert Michael, *Empire by Collaboration : Indians, Colonists, and Governments in Colonial Illinois Country*, Philadelphia, University of Pennsylvania Press, 2015.

PERSON, Sharon, *Standing Up for Indians. Baptism Registers as an Untapped Source for Multicultural Relations in St. Louis, 1766-1821*, St. Louis, The Center for French Colonial Studies, 2010.

La Louisiane

BALVAY, Arnaud, *L'Épée et la Plume. Amérindiens et soldats des troupes de la marine en Louisiane et au Pays d'en Haut (1693-1763)*, Sainte-Foy, Presses de l'université Laval, 2006.

BOELHOWER, William, dir., *New Orleans in the Atlantic World : Betweeen Land and Sea*, New York, Routledge, 2013.

BURTON, H. Sophie, et SMITH, F. Todd, *Colonial Natchitoches : A Creole Community on the Louisiana-Texas Frontier*, College Station, Texas A&M University Press, 2008.

CLARK, Emily, *Masterless Mistresses : The New Orleans Ursulines and the Development of a New World Society, 1727-1834*, Chapel Hill, University of North Carolina Press, 2007.

DAWDY, Shannon Lee, *Building the Devil's Empire : French Colonial New Orleans*, Chicago, Chicago University Press, 2008.

DUBÉ, Alexandre, « Les biens publics. Culture politique de la Louisiane française, 1730-1770 », thèse de doctorat, Montréal, McGill University, 2009.

GREENWALD, Erin M., *Marc-Antoine Caillot and the Company of the Indies in Louisiana : Trade in the French Atlantic World*, Baton Rouge, Louisiana State University Press, 2016.

GREENWALD, Erin M., dir., *New Orleans : The Founding Era/La Nouvelle-Orléans : Les années fondatrices*, New Orleans, The Historic New Orleans Collection, 2018.

POWELL, Lawrence N., *The Accidental City : Improvising New Orleans*, Cambridge, Harvard University Press, 2012.

SAADANI, Khalil, *La Louisiane française dans l'impasse, 1731-1743*, Paris, L'Harmattan, 2009.

SPEAR, Jennifer M., *Race, Sex, and Social Order in Early New Orleans*, Baltimore, Johns Hopkins University Press, 2009.

VIDAL, Cécile, dir., *Louisiana : Crossroads of the Atlantic World*, Philadelphia, University of Pennsylvania Press, 2013.

WHITE, Sophie, *Wild Frenchmen and Frenchified Indians : Material Culture and Race in Colonial Louisiana*, Philadelphia, University of Pennsylvania Press, 2012.

WHITE, Sophie, « Massacre, Mardi Gras, and Torture in Early New Orleans », *William and Mary Quarterly*, vol. 70, n° 3, 2013, p. 497-538.

Les Indiens

BALVAY, Arnaud, *La Révolte des Natchez*, Paris, Le Félin, 2008.

BEAULIEU, Alain, et CHAFFRAY, Stéphanie, dir., *Représentation, métissage et pouvoir. La dynamique coloniale des échanges entre Autochtones, Européens et Canadiens (XVᵉ-XXᵉ s.)*, Québec, Presses de l'université Laval, 2012.

BEAULIEU, Alain, BÉREAU, Stéphanie, et TANGUAY, Jean, *Les Wendats du Québec : territoire, économie et identité, 1650-1930*, Québec, Éditions GID, 2013.

COOK, Peter, « Kings, Captains, and Kin : French Views of Native American Political Organization in the Sixteenth and Early Seventeenth Centuries », in *The Atlantic World and Virginia, 1550-1624*, éd. Peter Mancall, Chapel Hill, University of North Carolina Press, 2007, p. 307-341.

COOK, Peter, « Onontio Gives Birth : How the French in Canada Became Fathers to Their Indigenous Alllies, 1645-73 », *Canadian Historical Review*, vol. 96, n° 2, 2015, p. 165-193.

DELÂGE, Denys, « Les Premières Nations et la Guerre de la Conquête », *Les Cahiers des Dix*, vol. 63, 2010, p. 1-69.

DELÂGE, Denys et WARREN, Jean-Philippe, *Le Piège de la liberté. Les peuples autochtones dans l'engrenage des régimes coloniaux*, Montréal, Boréal, 2017.

DUVAL, Kathleen, *The Native Ground : Indian and Colonists in the Heart of the Continent*, Philadelphia, University of Pennsylvania Press, 2007.

GOHIER, Maxime, *Onontio le médiateur. La gestion des conflits amérindiens en Nouvelle-France. 1603-1717*, Québec, Septentrion, 2008.

HAVARD, Gilles, et AUGERON, Mickaël, dir., *Un continent en partage. Cinq siècles de rencontres entre Amérindiens et Français*, Paris, Les Indes savantes, 2013.

HAVARD, Gilles et LAUGRAND, Frédéric, dir., *Éros et tabou. Sexualité et genre chez les Amérindiens et les Inuit*, Sillery, Septentrion, 2014.

HAVARD, Gilles, « Le rire des jésuites. Une archéologie du mimétisme dans la rencontre franco-amérindienne (XVIIe-XVIIIe siècle) », *Annales HSS*, vol. 62, n° 3, 2007, p. 539-573.

HAVARD, Gilles, « "Les forcer à devenir Cytoyens". État, Sauvages et citoyenneté en Nouvelle-France (XVIIe-XVIIIe siècle) », *Annales HSS*, vol. 64, n° 5, 2009, p. 985-1018.

HUBERT, Claude et SAVARD, Rémi, *Algonquins de Trois-Rivières. L'oral au secours de l'écrit, 1600-2005*, RAQ, 2006.

LOZIER, Jean-François, *Flesh Reborn : The Saint Lawrence Valley Mission Settlements Through the Seventeenth Century*, Montréal, McGill-Queen's University Press, 2018.

MILNE, George Edward, *Natchez Country : Indians, Colonists, and the Landscapes of Race in French Louisiana*, Athens, University of Georgia Press, 2015.

WITGEN, Michael, *Infinity of Nations. How the Native New World Shaped Early North America*, Philadelphia, University of Pennsylvania Press, 2012.

L'esclavage

BEAUGRAND-CHAMPAGNE, Denise, *Le Procès de Marie-Josèphe-Angélique,* Outremont, Libre Expression, 2004.

EKBERG, Carl J., *Stealing Indian Women : Native Slavery in the Illinois Country*, Urbana et Chicago, University of Illinois Press, 2007.

HEERMAN, M. Scott, *The Alchemy of Slavery : Human Bondage and Emancipation in the Illinois Country, 1730-1865*, Philadelphia, University of Pennsylvania Press, 2018.

PALMER, Vernon V., *Through the Codes Darkly : Slave Law and Civil Law in Louisiana*, Clark, N.J., The Lawbook Echange, 2012.

RUSHFORTH, Brett, *Bonds of Alliances : Indigenous and Atlantic Slaveries in New France*, Chapel Hill, University of North Carolina Press, 2012.

VIDAL, Cécile, *Caribbean New Orleans : Empire, Race, and the Making of a Slave Society*, Chapel Hill, University of North Carolina Press, 2019.

VIDAL, Cécile, « Public Slavery, Racial Formation, and the Struggle over Honor in French New Orleans (1718-1769) », *Anuario Colombiano de Historia Social y de la Cultura*, vol. 43, n° 2, 2016, p. 155-183.

VIDAL, Cécile, et CLARK, Emily, « Famille et esclavage à la Nouvelle-Orléans sous le Régime français (1699-1769) », *Annales de Démographie historique*, vol. 122, n° 2, 2011, p. 99-126.

WHITE, Sophie, *Intimate Voices of the African Diaspora : Narrating Slavery in French Louisiana*, Chapel Hill, University of North Carolina Press, à paraître en 2020.

Index

Table des cartes

Table

2. LES ÉTAPES DE LA COLONISATION

3. POUVOIRS ET INSTITUTIONS

TABLE   863

6. Un monde franco-indien

TABLE   865

TABLE 867

11. DES SOCIÉTÉS NOUVELLES

TABLE   869